금화경독기

금화경독기 (풍석총서3)

이 책은 문화체육관광부의 "풍석학술진흥연구사업"의 보조금으로
원문번역 및 간행이 이루어졌습니다.

지은이 풍석 서유구
옮긴이 진재교, 노경희, 박재영, 김준섭,
박지은, 이정욱, 전형윤, 지금완
펴낸이 신정수
펴낸곳 자연경실
진행 진병춘, 박정진
진행지원 박소해
디자인 아트퍼블리케이션 디자인 고흐
전화 (02) 6959-9921
E-mail pungseok@naver.com
펴낸날 2019년 11월 1일
ISBN 979-11-89801-19-9 (94080)

사진 사용을 허락해주신 서울대 규장각한국학연구원, 국립중앙박물관, 국립고궁박물관,
국립민속박물관, 국립수목원, 북경고궁박물원, 대만국립고궁박물관, 풍석문화재단 음식연구소,
파주시청, 성균관대 대동문화연구원 함영대 박사님, 박재호님, 네이버블로그 최상호님, 네이버블로그
이평신님, 수산경제연구원 Books& 블루앤노트 여러분께 감사드립니다.

◎ 자연경실은 서유구 선생이 노년에 사용하던 서재 이름으로 풍석문화재단의 출판브랜드입니다.

풍석총서 3

금화경독기

《금화경독기》를 펴내며

지금 번역하여 선보이는 《금화경독기(金華耕讀記)》는 풍석(楓石) 서유구(徐有榘, 1764~1845)의 저술이다. 서유구 만년의 학문적 성과를 보여주는 이 책은 다양한 학술적 주제와 이용후생학 관련 지식·정보를 담고 있는 노작(勞作) 중 하나이다. 《금화경독기》는 2권으로, 1권은 번역문이며 2권은 한문을 표점(標點)한 원문이다. 서유구는 40대 중반에 금화산(金華山, 지금의 포천시 영중면)으로 이주한 이후 《금화경독기》의 저술을 시작하여 68세 이후에 탈고하였다. 그는 가족을 거느리고 금화산에 은둔하면서 이 책을 비롯하여 《금화지비집(金華知非集)》을 저술하고, 《임원경제지(林園園經濟志)》를 최종 탈고한 바 있다.

《금화경독기》는 서유구가 오랜 기간 독서하며 남긴 일종의 독서후기(讀書後記)나 독서차기(讀書劄記)와 같은 성격의 저술이다. 독서과정에서 특정 사안에 오류나 보완할 부분이 있을 때, 그 사안을 두고 차록(箚錄)하거나 차기(箚記)의 형식으로 정리한 결과물이다. 하지만 일부 내용은 일종의 독서차기나 독서후기의 성격을 뛰어넘어 학술의 장을 마련하여 비판하거나 비평을 가하기도 한다. 이때 기왕에 읽은 독서물을 근거로 고증하거나 비평하는 경우가 대부분이다. 흔히 이것은 이규경(李圭景)의 《오주연문장전산고(五洲衍文長箋散稿)》에서 익히 보던 방법이다. 더욱이 《금화경독기》는 조선 후기 유서(類書)나 필기(筆記)에서 볼 수 있듯이, 풍부한 독서체험을 토대로 다양한 새로운 지식·정보를 포착하여 배치한 점에서 19세기를 대표하는 학술 필기의 하나라고 할 수 있다. 학술 필기는 독서과정에서 의문 사안에 주목하여 짧은 글쓰기의 형태로 고증하고 비평하는 것을 말한다.

《금화경독기》는 그 제재와 내용이 자못 광범해서 문헌·문학·역사·경제·문화·자연현상은 물론, 광물과 채광의 개발을 비롯하여 새로운 식물 종자의 재배와 같은 이용후생학에까지 이른다. 서유구는 이용후생의 구상을 실제 지방 행정에서 실천한 바도 있는데, 그 행정 경험을 《금화경독기》에도 적지 않게 이월시키고 있다. 이 점에서 《금화경독기》는 일견 단순한 독서후기를 넘어 실무지침서의 면모도 보여준다. 그 뿐만 아니라 어떤 곳에서는 해상무역을 통한 물류의 이동과 그 이점을 기록하는 등 열린 인식과 시대적 전망을 보여주기도 한다. 이를 감안하면 《금화경독기》는 살아 있는 지식의 보고(寶庫)이자 19세기 새로운 지식을 업데이트한 최종 버전의 저술이라 평가하더라도 전혀 어색하지 않을 것이다.

그간 《금화경독기》의 번역본이 나오는 과정은 순탄하지 않았다. 처음 번역을 시작한 것은 2009년이다. 당시 대학원 한문 고전번역 협동과정 강의를 하면서 처음 《금화경독기》를 접하였다. 조선 후기 필기 번역의 하나로 서유구의 《금화경독기》를 주목하고 그중 일부를 뽑아 함께 읽고 그 특성을 파악하기 위해서였다. 그 과정에서 서유구의 독서 폭과 깊이는 물론 다른 필기에서 볼 수 없는 학술의 성취를 간취할 수 있었다. 더욱이 서유구는 《임원경제지》를 편찬하면서 《금화경독기》를 대폭 인용하고 있어, 그 학술적 의미 또한 가볍지 않음도 알 수 있었다.

이에 2010년부터 매주 수요일 저녁 10여 명의 대학원생과 본격적인 번역 작업에 착수하였다. 먼저 미리 발표 자료를 준비해 온 것을 두고 윤독과 토론을 통해 그 의미를 정확히 이해하고 정리하였다. 일부 항목과 내용의 경우, 기존의 연구 성과를 반영하여 주석을 달거나, 원전의 내용과 대조하여 오류를 바로잡고 교감하는 등 학술번역을 위하여 적지 않은 노력을 하였다. 이처럼 집단지성을 통한 학술번역은 난해처의 해결에 장점이 있지만, 많은 시간과 역량을 쏟아야하는 어려움도 있었다. 이런 과정을 거쳐 2년 4개월이 지난 2013년 1월에 겨우 마쳤다. 하지만 여전히 번역 문체의 불일치와 들쭉날쭉한 주석, 지나치게 전문적인 일부 내용은 가독성의 문제 등이 있어 해결할 문제를 안고 미적거리며 초고를 4년이나 묵혀 두고 있었다.

그러다가 2017년 풍석문화재단의 후원과 권유를 계기로 출판을 결정하고 기존의 원고를 다시 윤독하기로 하였다. 그 과정에서 처음 강독에 참여한 소잠(蘇岑)은 박사 취득 후 중국 대학에 교수로 부임하였고, 일부는 개인 사정으로 더는 참여하지 못하였다. 참여한 7명은 각자 한 권 분량의 윤독은 물론 번역의 오류를 바로잡고 문체를 통일하거나 불균형한 주석의 문제 등을 책임지고 정리하였다. 마지막으로 내가 윤문과 문체의 통일을 위하여 교열하며 각주의 미비점을 보완하였다. 이러한 과정은 많은 시간을 요구하는 집단 번역의 비효율성을 보여주는 것이다. 하지만, 번역의 오류를 줄이고 학술번역을 지향하기 위해서는 반드시 거쳐야만 하는 과정이기도 하다. 이렇게 하느라 다시 2년을 넘겼다. 번역의 오류나 주석의 미비를 비롯하여 불분명한 내용 전달 등은 모두 나의 잘못이다.

끝으로 이 책의 간행에 도움을 준 풍석문화재단과 문화체육관광부에 감사를 드린다. 또한 이 책의 간행을 주선하고, 어수선한 원고를 깔끔하게 정리하여 책으로 만들어 준 풍석문화재단의 진병춘, 박정진 두 분께도 이 자리를 빌려 고마움을 표한다.

2019년 8월, 용인 서재에서

진재교는 쓰다

차례

금화경독기金華耕讀記 권1 》

금화경독기金華耕讀記 권2 》

금화경독기金華耕讀記 권3 》

금화경독기金華耕讀記 권4 》

금화경독기金華耕讀記 권5 》

금화경독기金華耕讀記 권6 》

금화경독기金華耕讀記 권7 》

일러두기

- 이 책은 조선 후기 대표적 실학자인 풍석 서유구의 《금화경독기》를 표점·교감·번역·주석·도해한 것이다.
- 도쿄 도립 중앙도서관 소장 필사본을 저본(底本)으로 하였다.
- 번역문과 원문을 각각 1책씩 모두 2책으로 하였다.
- 원문에 있는 각 권의 표제어는 번역하여 제시하였다.
- 역자의 주석은 내용이 길면 각주로, 내용이 간단하면 ( )로 묶어 간주로 처리하였다.
- 본문의 이해에 도움이 되는 그림과 표, 사진 자료를 수집하여 함께 배치하였다. 본디 저본에는 그림 등이 없다.
- 중국 인명은 우리말 한자음으로, 일본 인명은 일본식 발음으로 표기하였다.
- 번역문에 사용된 문장 부호는 대략 다음과 같다. ( )는 음이 같은 한자를, [ ]는 음이 다르지만 뜻이 같은 한자를, 《 》는 서명을, 〈 〉는 편명을 각각 표시한다.
- 저본의 오자와 탈자 등은 바로잡고, 교감 사항은 원문 하단에 각주 처리하였다.
- 원문의 표점 부호는 마침표(.), 쉼표(,), 물음표(?), 느낌표(!), 쌍점(:), 쌍반점(;), 인용부호(“ ”), 가운뎃점(·), 괄호(( )), 서명부호(《 》)를 사용하였다.
- 저본의 소자쌍행(小字雙行) 원주(原註)는【 】로 묶어 처리하였다.

《금화경독기(金華耕讀記)》 해제

진재교(성균관대학교 교수)

1.《금화경독기金華耕讀記》의 창작 배경

《금화경독기(金華耕讀記)》[1]는 필기(筆記)다. 필기는 잡록(雜錄)·찰기(札記)·수필(隨筆) 등을 포괄하는데, 견문을 잡기(雜記)한 기록을 말한다. 일관된 체제로 구성되어 있지 않고, 그 제재와 내용도 자못 광범해서 문헌·문학·역사·경제·문화·자연현상·이용후생 등 광범한 영역에 이른다. 특히 조선 후기 필기는 다양한 주제를 학술적으로 비평한 경우가 대부분이다. 이를 학술 필기로 부를 수 있는데, 《금화경독기》도 여기에 속한다. 《금화경독기》의 저자 서유구(徐有榘, 1764~1845)는 이용후생의 구상을 실제 지방행정에서 실천한 학자이자 관료로 《임원경제지(林園經濟志)》라는 방대한 저술을 남긴 실학자다.

서유구는 조선 후기 대표적인 경화세족(京華世族)인 달성서씨 가문의 후예로 태어났다. 그의 가문을 보면 고조(高祖) 서문유(徐文裕, 1651~1707)는 예조 판서를, 증조(曾祖) 서종옥(徐宗玉, 1688~1745)은 이조 판서를, 조부 서명응(徐命膺, 1716~1787)과 그의 아우 서명선(徐命善, 1728~1791)은 여러 판서를 역임한 뒤 정승의 반열에 오른 바 있다. 부친 서호수(徐浩修, 1736~1799)

---

1 《금화경독기(金華耕讀記)》 7권 7책은 도쿄도립중앙도서관의 소장본인데, 조창록 박사가 처음 소개하였다. 본 번역도 조창록 박사의 배려로 이루어졌다. 《금화경독기》의 내용 소개와 대략적인 정보는 조창록, 〈풍석(楓石) 서유구(徐有榘)의 금화경독기(金華耕讀記)〉, 《한국실학연구》 제19호, 2010, 참조.

는 이조 판서를 역임한 바 있다. 이처럼 서유구가(徐有榘家)는 조선 후기 대표적인 문한세가(文翰世家)이자 경화사족(京華士族)이다.

정조는 세자 시절 자신의 사부(師傅)인 서명응의 학문과 문학을 존중하여, 영조의 행장(行狀)을 찬술할 것을 명하였고, '보만재(保晩齋)'라는 호(號)를 내린 바 있다. 여기에 그치지 않고 아들 서호수에게 《보만재총서(保晩齋叢書)》를 올리게 하고, 외각(外閣)에 명하여 그의 문집 간행을 명한 바도 있다. 이처럼 국왕 정조의 각별한 예우를 계기로 서유구가는 문한세가로서도 더욱 명성을 얻었다.

서유구는 이러한 가문을 배경으로 1764년 서호수(徐浩修)와 한산(韓山) 이씨(李氏, 1736~1813) 사이의 차남으로 태어난다. 그의 자는 준평(準平), 호는 풍석(楓石)인데, 이유원(李裕元, 1814~1888)이 쓴 그의 묘지[2]를 보면 관로(官路)를 포함하여 삶의 이력을 잘 포착하고 있다.[3] 《지수염필(智水拈筆)》 또한 서유구의 가문과 학문적 배경을 압축적으로 제시하고 있다.

> 풍석(楓石) 서유구(徐有榘)는 자가 준평(準平)으로 판서 서호수(徐浩修)의 아들이고, 문형(文衡)을 지낸 보만재(保晩齋) 서명응(徐命膺)의 손자이다. 대대로 사륜(絲綸)을 관장하여 문한(文翰)의 집안을 이어왔는데 풍석 역시 더욱 고문(古文)에 힘써 오로지 목재(牧齋) 전겸익(錢謙益)을 공부하였고 천문(天文)과 역학(曆學)에 더욱 밝았다. 다만 시와 변려문은 애당초 힘쓰지 않아 다른 글에 미치지 못하였으니 대개 재주가 미치지 못한 것이다.[4]

---

2 이유원(李裕元), 《가오고략(嘉梧藁略)》 18책, 〈이조판서치사봉조하문간서공묘지(吏曹判書致仕奉朝賀文簡徐公墓誌)〉

3 서유구의 삶과 그의 이력은 유봉학의 저술과 조창록, 김대중의 논문에서 이미 상세하게 밝힌 바 있다. 여기서는 《금화경독기》 관련 서유구의 가학과 학문적 성향을 중심으로 간략하게 제시하고자 한다. 서유구의 구체적인 이력과 학문적 성과를 비롯한 자세한 정보는 기왕의 성과를 통해 밝힌 바 있다. 유봉학, 〈서유구(徐有榘)의 학문(學問)과 농업정책론(農業政策論)〉, 《연암일파 북학사상 연구》 일지사, 1995, 참조. 그리고 조창록 〈풍석(楓石) 서유구(徐有榘)에 대한 한 연구(硏究)〉, 성균관대 박사학위 논문, 2003, 〈풍석(楓石) 서유구(徐有榘)의 삶과 행적〉, 《문헌과 해석》 34호, 2005, 참조. 특히 풍석 산문의 특징과 양상은 김대중, 《풍석 서유구 산문 연구》 돌베개, 2018, 참조.

4 홍한주(洪翰周), 《지수염필(智水拈筆)》 권8, 〈풍석 서유구(楓石徐有榘)〉, "楓石徐公有榘, 字準平, 判

홍한주(洪翰周, 1798~1866)는 문한세가의 후예로 서유구를 주목한 다음, 고문(古文)을 중시한 문학적 지향과 천문(天文)과 역학(曆學)에 조예가 깊었던 학문적 성향을 함께 거론하고 있다. 홍한주가 문한세가의 후예로 서유구를 주목한 것은 가학과 그의 학문의 성격을 염두에 둔 발언일 터, 이는 가학의 전통을 이은 그의 학문이다. 말하자면 여러 학문을 섭렵한 서유구의 박학을 지적한 것이다. 서유구가 선배 학자로 존숭하였던 홍석주(洪奭周) 역시 서유구의 학문 성격을 "박학(博學)과 호고(好古)는 물론 고증가(考證家)[5]의 면모를 가졌다."라고 언급한 바 있다. 이는 서유구가 가학을 계승하여 박학과 고증가로 당대에 명성을 얻은 결과였다.

그런데 박학과 고증은 기본적으로 다양한 서적의 독서와 관련이 깊다. 풍부한 독서 경험을 토대로 형성되는 박학은 가문의 장서를 토대로 형성되는 경우가 많다. 실제 서유구가는 당대에 이미 장서가로 주목을 받은 바 있다.

> 비록 좁고 작은 우리나라에서도 두실(斗室) 심상규(沈象奎)의 적당(績堂)은 거의 4만 권이 넘었고, 유하(遊荷) 조병구(趙秉龜), 석취(石醉) 윤치정(尹致定) 두 분의 집 역시 3, 4만 권 이하는 아니다. 기타 진천현(鎭川縣) 초평리(草坪里)의 화곡(華谷) 이경억(李慶億) 정승의 만권루(萬卷樓)와 풍석(楓石) 서유구(徐有榘)의 두릉리(斗陵里)에 있는 8천 권이 또 그다음이다. 대개 서울에 있는 오래된 집안으로서 천 권이나 만 권의 서적을 소유하고 있는 자는 손가락으로 이루 다 꼽을 수가 없다.[6]

書浩修子, 保晩齋文衡命膺孫. 世掌絲綸, 文翰傳家, 而楓石又力治古文, 專學牧齋, 又精於天文曆學. 但其韻語及騈儷, 始不致力, 遜於他文, 然蓋才有不逮也."

5 홍석주(洪奭周), 《연천선생문집(淵泉先生文集)》 권16, 〈답비길사난지서(答費吉士蘭墀書)〉, "徐君博而好古, 間有考證家言, 要非如近日大言詆諆者."

6 홍한주, 《지수염필》 권1, "雖以我國之編小, 沈斗室公之績堂, 太過四萬, 趙遊荷秉龜·尹石醉致定二公之家, 亦不下三四萬卷, 其他鎭川縣草坪里華谷李相慶億之萬卷樓, 徐楓石有榘斗陵里之八千卷, 又其下也. 盖京師故家, 有書之至千萬卷者, 指不勝摟."

홍한주는 19세기 초의 장서가 가문을 열거하는 중에 서유구가를 들었다. 또한 장서가를 열거하면서 '서울에 있는 오래된 집안'을 특징으로 들고 있다. '서울에 있는 오래된 집안'은 바로 경화세족을 말한다. 홍한주는 서유구가의 장서를 경화세족과 연결하여 당대의 장서가를 거론한 것이다. 홍한주 역시 조선 후기 명문가 풍산(豐山) 홍씨가(洪氏家)의 후예다. 그의 가문 역시 19세기의 대표적인 경화세족이었다.

위에서 홍한주가 거론한 조병구가(趙秉龜家) 역시 경화세족이다. 조병구의 풍양조씨는 조엄(趙曮, 1719~1777)→조진관(趙鎭寬, 1739~1808)→조만영(趙萬永, 1776~1846)→조병구(趙秉龜)로 이어진다. 조엄과 조진관은 이조 판서를 지냈다. 조진관의 아들인 조만영은 지중추부사와 예조 판서 등을 두루 역임하고, 19세기 정치의 중심에 있던 풍양조씨 가문의 좌장(座長)이자 세도 가문을 성립시킨 핵심 인물이었다. 조병구는 바로 조만영의 아들이다.

심상규의 청송심씨가(青松沈氏家) 역시 경화세족이다. 이 가문은 심성희(沈聖希, 1684~1747)→심공헌(沈公獻)→심염조(沈念祖, 1734~1783)→심상규(沈象奎, 1766~1838)로 이어지는데, 심성희가 이조 판서를 지내고 심상규는 영의정을 역임한 바 마침내 심상규 대에 와서 경화세족으로 부상한 바 있다. 그리고 경주이씨의 이경억가(李慶億家)는 이시발(李時發, 1569~1626)→이경억(李慶億, 1620~1673)→이인엽(李寅燁, 1656~1710)→이하곤(李夏坤, 1677~1724)→이석표(李錫杓, 1704~?)→이후원(李厚源)[7]으로 이어진다. 이시발은 형조 판서를 지냈고, 이경억은 좌의정을 지냈으며, 이인엽은 이조 판서를, 그리고 이석표는 성균관 대사성을 지낸 바 있다. 이석표의 아들 이후원은 목사를 역임한 바 있는데, 이 가문 역시 18세기 경화세족의 하나다.[8] 홍한주

---

7 《만가보(萬家譜)》 2책, 60면 참조.

8 《금화경독기》 권5, 〈장서(藏書)〉에서 "오직 벽오재(碧梧齋) 상서(尙書) 이공(李公) 집안만이 가장 많은 책을 소장하고 있어서 지금도 진천(鎭川) 초평리(艸坪里)에 있는 구택에 아직까지 만 권 가까이 소장되어 있으며, 모두 분지(粉紙)에 비단으로 장황을 한 좋은 책들이다.……근래 시랑(侍郎) 심함제(沈涵齋)가 책 쌓아두는 것을 매우 좋아하여 모은 책이 수만권에 이르렀는데, 그의 아들 상서(尙書) 두실(斗室)도 더욱 책 모으기를 일삼았다. 그래서 사부가 대략 갖추어졌으니 이

의 지적처럼 조선 후기 경화세족의 특징은 장서에 있었고, 이 가문의 후예들은 이 장서를 활용하여 학예(學藝)에 새로운 바람을 불러일으킨 바 있다. 서유구 역시 가문의 장서를 활용하여 자신의 학문을 형성하고 학술 활동을 하였음은 물론이다.

여기서 또 하나 주목할 점은 이들 장서가들이 소장한 장서는 대부분 중국에서 수입한 것이라는 사실이다. 중국에서의 서적 구입은 연행(燕行)을 통해 이루어지는 바, 따라서 장서와 연행은 깊은 관련을 지닌다. 이를 고려하면 서유구가의 장서는 연행에 참여한 가문의 인사들이 구입하여 만들어졌다. 서유구가 "우리나라 사람들이 중국 서적을 사는 통로는 연행 사신길 하나뿐이었다.[《금화경독기》 권5, 〈저서(儲書)〉]"라 한 것은 이를 증명한다. 이 시기 장서가의 출현은 연행이 있었기에 가능하였다.

실제 서유구의 조부 서명응은 1769년 연행에서 《수리정온(數理精蘊)》과 《역상고성후편(曆象考成後編)》, 그리고 《팔선표(八線表)》 등을 비롯하여 과학 지식을 담은 500여 책을 사들여 새로운 학술적 시야를 얻은 바 있다.[9] 당시 서명응이 구입한 《팔선표》[10]는 일종의 삼각함수표(三角函數表)인데, 국내에 없던 것이다. 더욱이 서유구가의 인사들이 실제 연행에 정기적으로 참여하여 새로운 서적을 구입했을 가능성이 크다.

여기서 서유구가가 연행에 참여한 상황을 확인해 보자.

【서유구가(徐有榘家)의 연행(燕行) 상황】

인물	자격	연행시기	관계
서문유(徐文裕, 1651~1707)	사은부사(謝恩副使)	1704년	고조부

는 우리나라에서는 매우 드문 일이다."라 하여 서유구는 당대의 장서가로 이하곤과 심상규 가문을 들고 있다.

9 황윤석(黃胤錫), 《이재난고(頤齋亂藁)》 권14, 1770년 4월 19일 조 참조.

10 《팔선표(八線表)》는 삼각함수(三角函數)의 진수표(眞數表)다. 즉 정현(正絃)·여현(餘絃)·정절(正切)·여절(餘切)·정할(正割)·여할(餘割) 등 육선(六線)에 정시(正矢·餘矢) 두 가지를 더한 것을 이른다.

서종옥(徐宗玉, 1688~1745)	진위겸사은부사(陳慰兼謝恩副使)	1739년	증조부
서명응(徐命膺, 1716~1787)	진위겸사은사(陳慰兼謝恩使) 서장관(書狀官)	1755년	조부
	동지사(冬至使) 정사(正使)	1769년	
서호수(徐浩修, 1736~1799)	진위겸사은부사(陳慰兼謝恩副使)	1776년 1790년	부
서형수(徐瀅修, 1749~1824)	진위겸사은부사(陳慰兼謝恩副使)	1799년	숙부

위는 서유구의 직계만을 제시하였다. 서유구의 고조(高祖) 서문유는 형조·예조판서를 역임한 바 있다. 이후 그 후손들은 서유구 대에 이르기까지 모두 판서를 역임할 정도로 고위직을 역임한 데다 고조로부터 19세기 중반에 이르는 6대 동안 삼정승(三政丞)과 대제학(大提學)을 배출한 문한세가(文翰世家)로 명성을 얻었다. 서유구의 증조부 서종옥 역시 이조 판서를 역임하였다. 서명응은 바로 서유구의 조부다. 서명응은 대제학을 거쳐 정승에까지 이르렀으며, 2차례 연행하였다. 서유구의 부친 서호수는 판서를 역임하고 두 차례 연행한 뒤, 《열하기유(熱河紀遊)》 4책과 《연행기(燕行紀)》 2책을 남긴 바 있다. 숙부인 서형수 역시 참판과 경기도 관찰사를 역임하였고, 연행을 다녀왔다.

서유구가의 방계 인물도 정기적으로 연행에 참여하여 연행록을 남겼다. 서문중(徐文重, 1634~1709)은 1690년 부사로 참여하여 《연행일록(燕行日錄)》과 《연행잡록(燕行雜錄)》 등을 남겼다. 뒤이어 서명신(徐命臣, 1701~1771)은 1760년 부사로 참여하여 《경진연행록(庚辰燕行錄)》을 남긴 바 있으며, 서유문(徐有聞, 1762~1800)은 1798년 연행에 서장관으로 참여하여《무오잡록(戊午雜錄)》과 《무오연행록(戊午燕行錄)》을 남겼다.

그리고 서유소(徐有素, 1775~1848)는 1822년 연행에 서장관으로 참여하여 《연행잡록(燕行雜錄)》을 남겼다. 서염순(徐念淳, 1800~1859)은 1852년 정사로 참여하여 《연행별곡(燕行別曲)》을 남겼으며, 서경순(徐慶淳, 1803~1859)은 1855년에 정사(正使) 서희순(徐熹淳, 1793~1857)의 자제군관(子弟軍官)으로 참여하여 《몽경당일사(夢經堂日史)》를 남긴 바 있다. 이어 서상정(徐相鼎, 1813~1876)은 1870년에 부사로 연행에 참여하여 《연사필기(燕槎筆記)》를 남겼다. 요컨대 서유구가의 인물들이 연행에 참여한 것은 모두 13인이지만, 참여한 횟수는 14회나 될 정도로 많다. 참여 인물과 횟수를 고려하면 서유구가는 경화세족 중에서도 손꼽힐 정도로 연행과 깊은 인연을 지니고 있다.[11]

이처럼 서유구가의 장서와 학문 이해에 연행체험은 중요한 단초를 제공한다. 가문의 인사들은 연행을 통해 새로운 서적을 사거나, 청조 학계의 흐름과 정보를 확인하는가 하면, 연행을 계기로 청조 인사들과 인적 네트워크를 구성하여 교류함으로써 서울 학예계에 신문물과 새로운 지식·정보 등을 전해주었다.

무엇보다 서유구 가문의 인사들이 연행에 정기적으로 참여한 사실은 새로운 서적의 구입과 함께 장서를 축적하여 장서가로 성장하는 데 결정적 계기를 만들어 주었다. 서유구는 선대로부터 이어진 연행과 서적 구입을 토대로 당대 최대의 장서가로 명성을 얻었거니와, 앞서 홍한주의 언급은 전혀 과장이 아닌 셈이다.[12] 기실 장서의 소장은 새로운 지식·정보의 축적과 함께 이를 기반으로 한 가문 내의 서적과 지식의 유통을 활발하게 하고, 나아가 가학(家學)의 학문적 정립에도 영향을 준다. 더욱이 연행 체험과 이(異) 문화를 통한 견문 지식의 획득이 대를 이어 축적되는 사실은 서유구의 학적 성취를 위한 자산을 제공해 주는 것이기도 하다는 점에서 유의미하다.

여기에 머물지 않고 서유구가와 같은 경화세족들은 연행에서 구매한

11 여기서 당대 가문들의 연행 기록을 모두 거론할 수 없지만 같은 소론계 가문 중 풍산 홍씨 집안의 홍양호 가문도 여기에 못지않다. 17세기 홍주원(洪柱元, 1606~1672)을 필두로 18세기 홍양호(洪良浩, 1724~1802), 19세기의 홍경모(洪敬謨, 1774~1851)에 이르기까지 다수의 인사들이 연행에 참여한 바 있는데, 조선 후기에 한정하더라도 9인이 연행에 참여하여 13번이나 북경을 다녀왔다.

12 장서가로서 서유구의 언급은 《임원경제지》 〈이운지(怡雲志)〉 권6과 권7을 보면 자세히 알 수 있다.

서적과 연행체험을 기반으로 가문 내의 소통을 넘어 다른 가문의 인사들과도 교류하는 토대를 제공해 준다. 새로운 서적을 매개로 교류의 장에 참여한 인사들은 새로운 지식·정보를 주고받음으로써 새로운 지식의 유통과 확산에 기여한 바 있다. 요컨대 상호 견문한 지식·정보를 소통하고 서적을 돌려봄으로써 학술적 외연을 확장하고, 그 깊이를 심화시킬 수 있었던 것이다.

2. 가학家學의 전통傳統과 《금화경독기》

서유구는 가문을 배경으로 학술활동을 하였을 뿐만 아니라, 가학의 전통도 계승하였다. 《금화경독기》는 조부인 서명응이 편찬한 《고사신서(攷事新書)》와 서호수가 편찬한 《해동농서(海東農書)》의 학술 전통을 잇고 있다. 서명응이 편찬을 주도한 《고사신서》는 사대부와 일반 민을 포함하여 일상에 필요한 정보를 담은 유서(類書)다. 《고사신서》는 여러 편찬자의 손을 거치지만, 12문(門) 체제와 15권 7책으로 확정하고 분량을 늘여 편찬한 것은 서명응이 주도한 결과다. 이를테면 서명응은 자신이 편찬을 주도한 《고사신서》를 증보하여 《고사십이집(攷事十二集)》을 편찬하고 이를 자신의 '저술'로 생각하여, 문집에 수록한 바 있다.[13]

여기서 주목할 점은 《고사십이집》은 12문으로 내용을 분류한 사실이다.[14] 수많은 지식·정보를 효율적으로 배치하기 위한 것이 바로 분류 체계다. 서명응이 《고사십이집》에서 보여주는 분류방식과 배치는 편찬자의 학

---

13 《고사신서》의 편찬 과정과 성격은 박권수, 〈규장각 소장 《고사신서(攷事新書)》에 대하여〉, 《규장각(奎章閣)》 36호, 2010, pp.4-22 참조.

14 서명응은 《고사신서》의 내용을 〈천도문(天道門)〉, 〈지리문(地理門)〉, 〈기년문(紀年門)〉, 〈전장문(典章門)〉上, 〈전장문(典章門)〉下, 〈의례문(儀禮門)〉, 〈행인문(行人門)〉, 〈문예문(文藝門)〉, 〈무비문(武備門)〉, 〈농포문 農圃門)〉上, 〈농포문(農圃門)〉下, 〈목양문(牧養門)〉, 〈일용문(日用門)〉上, 〈일용문(日用門)〉下, 〈의약문(醫藥門)〉 등 12문으로 나누고 있다.

지(學知)와 사유 방식의 실마리를 보여주는 것이자 가독의 효율성을 위한 배려다.

이러한 서명응의 학통을 이은 사람은 아들인 서형수(徐瀅修, 1749~1824)다. 서형수는 〈규장총목서례(奎章総目叙例)〉를 통해 목록학(目錄學)에 남다른 관심을 가진 바 있다.

> 고금의 목록가는 체재를 셋으로 둔다. 유흠(劉歆)의 《칠략(七畧)》, 왕검(王儉)의 《칠지(七志)》, 정초(鄭樵)의 《예문략(藝文畧)》, 마단림(馬端臨)의 《경적고(經籍考)》와 같은 종류는 모두 고금의 도서를 기록하고 있다. 진나라의 《의희목록(義熙目錄)》, 수나라의 《개황목록(開皇目錄)》, 당나라의 《집현서목(集贒書目)》, 송나라의 《숭문총목(崇文総目)》과 같은 종류는 한 시대의 도서를 두루 기록하고 있다. 이숙(李淑)의 《한단도서지(邯鄲圖書志)》, 종음(鍾音)의 《절강채집유서총록(浙江採集遺書總錄)》, 우무(尤袤)의 《수초당서목(遂初堂書目)》, 진진손(陳振孫)의 《직재서록해제(直齋書錄解題)》와 같은 종류는 단지 한 지방과 한 가문의 도서를 계통을 적어 기록한 것이다.[15]

서형수는 서목(書目)을 분류하는 목록학의 대상 범주를 셋으로 나누고 있다. 이에 앞서 그는 분류의 어려움을 토로하면서 "저서의 어려움은 도서 목록보다 더 어려운 것은 없다(著書之難, 莫難於書目)."라 한 다음, 도서 목록 작성의 어려움을 강조하고 있다. 위의 언급처럼 고금의 도서와 한 시대의 도서, 그리고 한 지방의 도서와 한 가문의 도서를 파악하고 이를 체계적으로 분류하여 목록으로 작성하기란 쉬운 일이 아니다. 이러한 목록학에는 학문적 역량은 필수적이다. 서유구는 서형수가 강조한 목록

15 《명고전집(明皐全集)》 권9, 〈규장총목서례(奎章総目叙例)〉, "古今目錄之家, 軆裁有三. 如劉歆七畧, 王儉七志, 鄭樵藝文畧, 馬端臨經籍考之類, 総記古今之啚書者也. 如晉義熙目錄, 隋開皇目錄, 唐集贒書目, 宋崇文総目之類, 通紀一代之啚書者也. 如李淑邯鄲圖書志, 鍾音浙江遺書総目, 尤袤遂初堂書目, 陳振孫直齋書錄之類, 但紀一方一家之圖書者也."

작성의 필요성을 이해하고 가학의 학적 전통인 목록학을 적극 수용하고자 하였다. 실제로 서유구는 숙부와 도서 목록과 서적구비를 두고 편지를 왕래하며 의견을 개진할 만큼 가문의 학적 전통을 충실히 실천한 바 있다.[16]

《금화경독기》에서도 서유구는 목록학에 관심을 보인다. 그는 중국과 달리 책 구하는 여덟 가지 방법을 제시하고 있다. 그중 하나의 예가 바로 도서 목록을 통한 구매다. 다음은 그 부분이다.

> 《칠략(七略)》은 높일 만하니 조공무(晁公武)와 진진손(陳振孫)이 저록한 것을 헤아려보면 옛날에는 있었고 지금은 없는 책이 열에 대여섯이다. 그러니 목록에 따라 책을 찾아보는 것은 종일토록 주린 배를 붙들고 앉아 휘장 안의 음식을 쳐다보기만 하거나, 제호탕이나 곰발바닥 요리를 흥미진진하게 말하는 것과 같지 않겠는가. 내가 말하는 것은 근래에 저록한 책을 가리키는 것일 뿐이다. 《사고전서총목(四庫全書總目)》과 같은 경우 건륭(乾隆, 1736~1795) 신축(辛丑, 1781)·임인(壬寅, 1782) 연간에 모아서 내놓은 것이고, 《절강서록(浙江書錄)》 또한 건륭 연간에 조서를 내려 유서(遺書)를 구할 때 사고전서관(四庫全書館)에서 엮어서 내놓은 것이다. 두 책은 지금과 불과 3, 40년밖에 지나지 않았다. 건륭 초에 명하여 찬수한 《천록임랑서목(天錄琳琅書目)》과 황우직(黃虞稷)의 《천경당서목(千頃堂書目)》

---

16 《명고전집(明皐全集》 권5, 〈답유구(答有榘)〉, "네 편지에서 《사서집석(四書輯釋)》은 이 세상에 없어서는 안 된다고 한 말은 참으로 옳다.……일본판 《사서장도(四書章圖)》에 들어있던 《사서집석》은 급총(汲冢)에서 출토된 칠(漆)로 쓰여진 글자나 베개 속에 숨겼다는 비장서(秘藏書)처럼 황당무계하여 믿을 수 없는 책들과는 다르다. 그렇다면 우리가 이 책을 애독하고 드러내는 일이 어찌 끝이 있겠는가? 전에 《절강서목(浙江書目)》을 보니, 원대(元代)에 간행된 《사서집석》 36권이 수록되었으나 그 역시 《논어》의 〈태백(泰伯)〉, 〈자한(子罕)〉, 〈향당(鄕黨)〉 등 3권은 결락되었다고 기록되어 있었다. 절강은 유서 깊은 집안에 전해오는 서적들이 집중된 곳인데도 이 책은 낙질본(落帙本) 하나가 있을 뿐이라서 보기 드문 진귀한 책이라고 스스로 언급했으니, 이 책이 천하에 희귀함을 미루어 알 수 있다.(來示輯釋之不可無於斯世, 誠得之矣.…… 而其寓於倭本章啚者, 未嘗如汲冢漆字枕中秘書之荒唐不可信. 則吾輩所以愛玩表章, 豈有窮已哉? 舊閱浙江書目, 載元刊四書輯釋三十六卷, 而亦缺論語泰伯子罕鄕黨三卷. 浙江, 卽故家遺書之所萃, 而僅有未足之一本, 自以爲希覯異珍, 則是書之絕罕於天下, 槩可推知.)"

또한 모두 근래에 편찬한 것으로 이 몇 가지 사례에 의거하여 그 존일(存佚)을 살펴보면 비록 꼭 맞지 않더라도 크게 틀리지는 않는다. 그러므로 '서목에서 찾는다.'라고 하는 것이다.

권5, 〈저서(儲書)〉

서유구는 장서목록을 토대로 동시대의 서책을 구하는 것이 좋은 구입 방안이라 예시하면서 여러 목록집을 예로 들고 있다. 대표적으로 거론한 것이 《사고전서총목(四庫全書總目)》과 《절강서록(浙江書錄)》, 그리고 《천록임랑서목(天錄琳琅書目)》과 《천경당서목(千頃堂書目)》이다. 《사고전서총목(四庫全書總目)》은 《사고전서총목제요(四庫全書總目提要)》를 말한다. 이 책은 1782년 200권으로 편찬되었고, 《사고전서》에 수록된 모든 책을 경·사·자·집(經·史·子·集)으로 분류하고, 각 서적(書籍)의 이름 밑에 그 대요(大要)를 해제(解題)한 것이다.

《절강서록(浙江書錄)》은 《절강서목(浙江書目)》이라고도 한다. 1774년에 완성한 《절강채집유서총록(浙江采集遺書總錄)》[17]을 간략하게 부른 것이다. 이 목록은 12권 10책으로 심초(沈初, 1732~1807) 등이 절강(浙江)에 전해 오는 서적들의 서명, 권수, 작자, 요지, 판각 연대를 기록하고 서발(序跋)을 모아서 편집한 것이다. 《천록임랑서목(天錄琳琅書目)》은 10권인데, 청의 건륭제가 1775년 우민중(于敏中, 1714~1779) 등 18인에게 명하여 궁정(宮庭)의 선본(善本) 장서를 정리하여 편찬한 목록집이다. 《천경당서목(千頃堂書目)》은 32권인데 청대의 장서가이자 목록학자인 황우직(黃虞稷, 1629~1691)이 편찬하였고 명대의 서적을 두루 수록하고 있다.

위에 제시한 목록집 중, 17세기 후반에 나온 《천경당서목》을 제외하면 나머지는 서유구와 동시대에 나왔다. 서유구는 이 목록집을 근거로 중국 서적을 구입하는 것이 가장 효율적이라 하였다. 그런데 서유구가 청(淸)

---

17 현재 규장각(奎中, 4564)에 12권 10책 본이 《절강유서(浙江遺書)》라는 표제로 소장되어 있다.

에서 중요한 목록집을 거론한 것은 이 목록집의 존재를 인지하고 있다는 것을 의미하며, 그중 일부 목록집을 실제 보았던 것을 말한다. 하나의 사례를 보면 알 수 있다. 서유구는 이웃의 소장가로부터 《사고전서총목(四庫全書總目)》을 빌려 본 후, 기존의 경사자집(經史子集)과 다른 새로운 칠목(七目)의 분류방식을 제시한 적이 있기 때문이다.[18]

요컨대 장서가(藏書家)였던 서유구는 지식·정보를 효율적으로 습득하고 배치하기 위하여 자신의 가장(家藏) 장서를 분류한 것으로 보인다. 일반적으로 목록학의 인식과 분류학의 실천은 학술활동으로 이어지게 마련인데, 서유구는 자신의 저술에서도 분류학의 학적 고민을 표출한 바 있다. 이는 《임원경제지(林園經濟志)》에서 확인할 수 있다. 서유구는 이 저술에서 구성 방식과 현대 저술과 같은 분류 체계를 구상하여 새로운 방식을 보여주고 있다. 이를테면 《임원경제지》의 분류 체계와 지식·정보의 배치 방식, 그리고 분류한 내용의 성격은 예언(例言)을 통해 파악할 수 있다.[19]

이에 반해 《금화경독기》는 권차(卷次)만을 두었을 뿐이다. 권차 하위에 주제를 따로 두어 분류를 하지 않고 바로 표제어를 제시하는 방식을 취

---

18 《금화지비집(金華知非集)》 권9, '잡저(雜著)', 〈제도서대방록(題圖書待訪錄)〉. "昔之論書畫者, 分好事鑑賞二家. 余謂儲書亦然. 苟無鑑識以裁之, 而徒侈揷架縹緗, 則燕石魚目, 雜然叢淆, 有儲書之名而無考古之實矣. 曩寓三湖, 偶從鄰人借見四庫全書總目, 愛其品裁精核. 每遇藏書家所不可闕者, 隨手鈔錄, 且益之以平日所見. 及欲見而未見者, 分爲七目, 曰經, 曰藝, 曰史, 曰志, 曰子, 曰薈, 曰集, 總名之曰圖書待訪錄. 然余實寒窶, 無以按名購求, 遂並原書歸之本主, 以代借書一瓻. 噫漁仲八道, 安有典籍中經濟, 昇平三本, 願借鄰壁之餘光云."

19 《임원경제지》의 분류와 배치는 현대 저술에서 흔히 볼 수 있는 章·節이나 그 하위 항목과 같은 분류방식과 분류 체계를 하고 있다. 세부 항목을 꼼꼼하게 따지면, 학문 분야별로 나누어 분류한 것도 볼 수 있다. 지금의 분과 학문 단위나 세부 전공의 분류와 흡사하다. 이러한 분류와 내용의 배치는 그 자체가 체계적이고 합리적인 구성 방식이어서 학문을 분류하는 단초를 엿볼 수 있다. 《임원경제지》가 제시한 16지(志)의 체계는 지(志)→대목(大目)→세조(細條)→표제어(標題語)의 분류 방식을 취하고 있는데, 이는 일목요연하게 지식·정보를 적절하게 보여준다. 표제어로부터 각 지(志)에 이르기까지 《임원경제지》의 분류와 구성은 마치 씨줄과 날줄처럼 지식·정보를 유기적으로 결합하여 제시한 것과 흡사하다. 더욱이 각 표제어(標題語)는 실사(實事)에 맞는 어휘를 제시하고 있어, 임원 생활을 실천하는 데 유용한 지식·정보를 효율적으로 제공하고 있다. 표제어 하위의 구체적인 내용도 견문 지식을 단순하게 전재하거나 제시하는 것이 아니라, 의문 처에서는 다양한 문헌을 참고하여 대비함으로써 관련 사항을 고증하고 있다. 《임원경제지》의 분류와 관련한 언급은 진재교, 〈조선 후기 유서(類書)와 인물지(人物志)의 학적(學的) 시야(視野) - 지식·정보의 집적(集積)과 분류(分類)를 중심으로〉, 《대동문화연구》 101집, 2018, pp.79-80 참조.

하였다. 하지만 내용을 들여다보면 잡다하게 단순 나열하여 기술한 것은 아니라 방식과 체계를 고민한 흔적을 엿볼 수 있다. 우선 각 권의 각 항목과 목차를 보면 대부분 어슷비슷한 내용을 모아 두고 있기 때문이다. 이를테면 권1은 '고전 문헌의 내용 고증', 권2는 '역법과 천문학', 권3은 '문장 비평과 문장 작법', 권4는 '시문의 비평과 시화(詩話)', 권5는 '서화 예술', 권6은 '일상생활과 관련한 잡사(雜事)', 권7은 '문방사우와 광물 및 양생술(養生術)' 등의 내용을 집중적으로 배치하고 있다. 얼핏 보면 두서없는 잡록처럼 보일 수도 있지만, 각 권의 내용을 들여다보면 분류를 구상하고 내용을 배치한 경향을 보여준다. 단지 분류를 위한 표제어를 제시하지 않았을 뿐이다. 각 권의 주제를 구상하고 그 주제에 부합하는 내용을 각 권에 배치하려고 노력한 것은 이를 말한다.[20]

이 외에도 《금화경독기》는 내용상 서명응의 《고사십이집》이 지향하였던 서술 태도를 잇고 있으며, 서호수의 《해동농서》가 제시한 정신을 계승하여 농서를 중시하는 태도를 보여주기도 한다.[21] 이는 《해동농서》가 인용한 왕정(王禎)[22]의 《왕정농서(王禎農書)》와 서광계(徐光啓, 1562~1633)의 《농정전서(農政全書)》를 인용한 것이나, 가사협(賈思勰)의 《제민요술(齊民要術)》[23], 세종대의 《농사직설(農事直設)》을 비롯하여 강희맹(姜希孟, 1424~1483)의 《금양잡록(衿陽雜錄)》, 신속(申洬, 1600~1661)[24]의 《농가집성(農家集成)》 등을 두루

---

20 추측건대 서유구는 각 권에 어슷비슷한 내용을 모아 분류와 배치를 하려고 하였지만, 끝내 분류방식에 적절한 주제어를 확정하지 못한 것으로 보인다.

21 서유구는 《금화경독기》는 물론 《임원경제지》에서 이미 조부인 서명응의 《고사신서》와 부친인 서호수의 《해동농서》의 농학 저술의 학통을 잇고 있다.

22 왕정(王禎)은 원나라 때 인물로 농업기술에 박학하여 농기구를 직접 설계하고 제작하여 보급했다. 그의 저서 《왕정농서(王禎農書)》는 농작법과 재배법, 농기구에 관한 이론을 자세히 서술하여 그림 273폭과 함께 실었다.

23 가사협(賈思勰)이 편찬한 《제민요술(齊民要術)》은 중국 최고(最古)의 농서이다. 6세기 중국의 농업기술을 싣고 있다. 모두 10권 72편이다. 《범승지서(氾勝之書)》, 《사민월령(四民月令)》 등 이미 실전된 진한(晉漢)의 중요한 농서(農書) 200여 종도 인용하고 있다.

24 신속(申洬)의 본관은 고령(高靈), 자는 호중(浩仲), 호는 이지당(二知堂)이다. 1655년(효종 6) 공주 목사로 재직하고 있을 때 농서(農書)를 쉽게 구할 수 없어 농민들이 어려움을 겪는 것을 보고 《권농문(勸農文)》·《금양잡록(衿陽雜錄)》·《사시찬요(四時纂要)》 등을 참고하여 《농가집성(農家集成)》을 편찬하

참고하여 서술하는 것 등에서 확인할 수 있다.

3. 《금화경독기金華耕讀記》의 성립과 구성

《금화경독기》는 '동경도립일비곡도서관(東京都立日比谷圖書館)'[25] 소장본으로, '곡촌문고(谷邨文庫)'[26]의 소실(小室)에 보관되어 있다. 7권 7책으로 되어 있으며, 전체 289면 약 80,000자 분량이다. 본래 모두 8권이 완질이며, 권8이 낙질(落帙)이다.[27] 이는 각 권의 제명(題名) 아래에 부기한 권차(卷次)를 보면, '금석사죽포토혁(金石絲竹匏土革)'인 것에서 일단 알 수 있다. 본디 악기를 만드는 여덟 가지 재료로 팔음(八音)을 구분하여 '금석사죽포토혁목(金石絲竹匏土革木)'이라 하는데, 여기서 이 팔음을 사용하였다는 것은 완질이 8권임을 보여준다.[28]

이유원(李裕元)이 지은 저자의 묘지(墓誌)를 보면 《금화경독기》를 8권으로 기술하면서 가장(家藏)이라 한 서술은 더 확실하다.[29] 따라서 《금화경

였고, 1660년(현종 2)에는 서원현감으로 있으면서 《구황촬요(救荒撮要)》 등을 편찬하였다.

25 소장인은 '동경도립일비곡도서관(東京都立日比谷圖書館)'으로 되어 있는데, 지금의 도쿄도립중앙도서관(東京都立中央圖書館)이다.

26 '곡촌문고'의 기증자인 곡촌일좌(谷邨一佐: タニムラ, イッサ, 1866~1961)는 경교학사[耕教学舎 : 青山学院의 전신]에서 배운 뒤, 미국 예일대학에 유학하여 법률과 경제를 배우고 뒤에 과학으로 전공을 바꾸었다. 귀국 후 1893년 시카고 만국박람회에 참가하였고, 필라델피아 과학박물관에서 양모의 표본을 보고 양(羊) 사육에 관심을 가지고 초양원(草羊園)을 열고 양을 사육한 인물이다. 그는 죽기 2년 전인 소화(昭和) 34년 9월(1959년)에 자신이 소장한 책을 '동경도립일비곡도서관(東京都立日比谷圖書館)'에 기증한 것으로 보인다. 《금화경독기》에 찍힌 수증한 연도를 보면 알 수 있다.

27 조창록, 〈풍석(楓石) 서유구(徐有榘)의 금화경독기(金華耕讀記)〉, 《한국실학연구》 제19호, 2010, 참조.

28 《금화경독기》를 보면 각 권의 표제어를 '금석사죽포토혁목(金石絲竹匏土革木)'으로 붙이고 있는데, 이는 당초 8권이 완질(完帙)임을 일러주는 것이다. 보통 책의 권수를 제시하는 방법은 다양한다. '권1, 권2, 권3……'으로 붙이는 경우가 대부분이다. 그런데 2책이나 2권의 경우 '상하(上下)' 혹은 '건곤(乾坤)'으로, 3책이나 3권의 경우 '상중하(上中下)', 4책이나 4권의 경우 '춘하추동(春夏秋冬)'이나 '원형이정(元亨利貞)', 5책이나 5권의 경우 '인의예지신(仁義禮智信)'을 적기도 한다. 그리고 8권내지 8책의 경우, '금석사죽포토혁목(金石絲竹匏土革木)'을 많이 사용한다.

29 《가오고략(嘉梧藁略)》 18책, 〈이조판서치사봉조하문간서공묘지(吏曹判書致仕奉朝賀文簡徐公墓誌)〉, "若文章, 根柢於兩漢, 規橅於八家. 公少時作, 先輩見之, 輒曰非東人語也. 其灑落綺麗, 源於歐陽子三藴之法, 爲文家以楓石體效之, 所著林園經濟志一百十四卷, 楓石鼓篋集六卷, 金華知非集十四卷, 樊溪耄餘稿二卷, 金華耕讀記八卷, 杏浦志六卷, 種藷譜一卷藏于家."

독기》는 모두 8권임이 분명하다. 다만 이유원이 말한 8권의 가장 본과 지금 '동경도립일비곡도서관' 본의 일치 여부는 확인할 수 없다. 그런데 《임원경제지(林園經濟志)》는 《금화경독기》를 대거 인용하고 있고, 권7 이외의 내용도 두루 인용하고 있다. 만약 《임원경제지》를 샅샅이 조사한다면, 일실된 권8의 내용을 상당 부분 복원할 수 있을 것이다. 특히 《임원경제지》의 〈섬용지(贍用志)〉는 《금화경독기》를 가장 많이 인용하고 있으며, 7권 본 《금화경독기》에 없는 내용도 가장 많이 수록하고 있다.[30]

여기서 《금화경독기》의 제명을 한번 살펴 볼 필요가 있다. 과연 《금화경독기》의 제명은 무슨 의미일까? 금화(金華)는 지명으로 금화산(金華山)을 말한다. 금화산(金華山)은 금화산(金花山)이라고도 하며, 경기도 영평현(永平

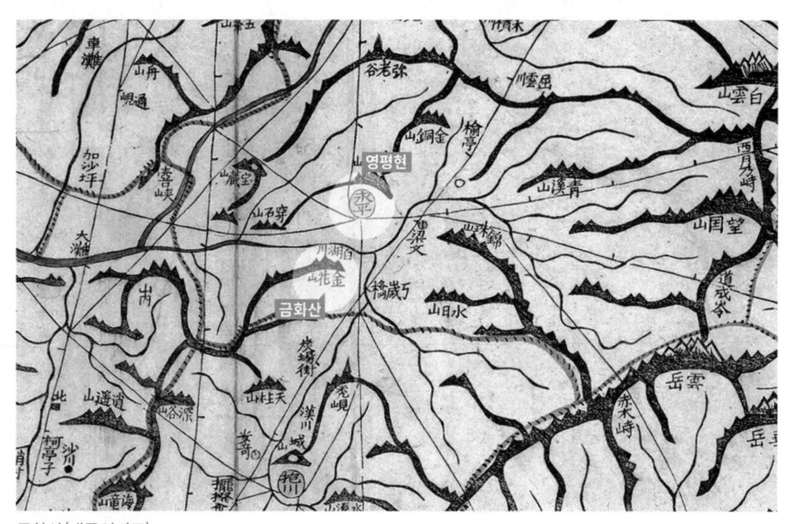

금화산(대동여지도)

---

30 《임원경제지》는 항목 내용의 끝에 인용 문헌을 모두 제시하고 있다. 특히 《임원경제지》 〈섬용지(贍用志)〉의 인용서목의 비중을 보면 《금화경독기》를 가장 많이 인용하고 있다. 〈섬용지〉는 모두 72종의 서적을 인용하였는데 《금화경독기》를 439회(전체 비중 45.3%) 인용하고 있다. 그 비중이 가장 높다. 또한 〈섬용지〉가 인용한 《금화경독기》의 내용 중에는 현재 7권으로 되어 있는 《금화경독기》에 없는 내용을 포함하고 있다. 따라서 〈섬용지〉 외에 《임원경제지》가 인용하고 있는 《금화경독기》의 각 항목과 내용을 현존 《금화경독기》와 대조하여 내용의 출입을 살핀다면, 없어져 버린 권8의 내용과 《금화경독기》의 전체 규모를 알 수 있을 것이다. 이는 차후 다른 글을 통해 밝힐 예정이다. 〈섬용지〉의 내용과 인용 문헌의 구체적인 면모는 임원경제연구소 옮김, 《섬용지》 1·2·3, 풍석문화재단, 2016, 해제 참조.

금화산 일대. 당시 금화산의 인근 지명인 백로주(白鷺洲)가 현재에도 남아 있어 금화산 일대를 확인할 수 있다.
(성균관대 함영대박사 제공)

縣) 남면(南面) 뒤에 있는 산이다.[31] 18세기 후반에 간행된 《여지도서(輿地圖書)》를 보면 금화봉(金華峰)으로 되어 있다.[32] 경독(耕讀)은 주경야독(晝耕夜讀)을 말한다. 그러니까 《금화경독기》는 서유구가 금화산에서 은둔할 때 주경야독하며 지은 저술이라는 의미다. 서유구가 금화산의 산장(山莊)에 거주하면서 지은 또 하나의 저술로 《금화지비집(金華知非集)》이 있다. '지비(知非)'는 50세를 말한다. 이를 고려하면 《금화경독기》와 《금화지비집》은 주로 금화산에서 생활할 때 지은 저술임을 알 수 있다.

서유구는 금화산에서의 생활과 저술 활동을 비롯하여 당시의 일상을 다음과 같이 남긴 바 있다.

> ① 사견(四堅)의 기이함은 내 귀에 익은 지 오래되지만 즐겨 구경하지 못하였다. 기사년(1809) 내가 금화산장(金華山莊)에 있을 때 이웃에 사는 벗 최중수(崔仲受)와 함께 이월(二月) 신축일(辛丑日)에 출발하였다. 낮에 가정점(柯亭店)에서 쉬었는데 산에 의지한 촌락이 자못 번성하였다. 앞의 들이 탁 트이어 있어 또한 경기 북쪽 또한 살 만한 곳이다. 큰 여울을 건너

31 《조선지도(朝鮮地圖)》, 규장각 소장본, 2005, p.193 참조.

32 《여지도서(輿地圖書)》, 〈경기도(京畿道)〉 '영평현(永平縣)' 지도 참조. 이 책은 전주대학교 고전국역총서로 2009년에 번역되었다. 《여지도서》 02, 경기도 1, 문용식 역주, 흐름 2009.

저녁에 연천(漣川)의 통연점(通研店)에서 잤다.[33]

② 어머니께서 금화산장에 계실 적에 나는 밭에 물을 대고 밭을 갈아서 아침과 저녁을 해 드렸다. 어머니께서 밥을 마주 대하고 문득 웃으시면서 말씀하시기를 "이 그릇에 수북하게 담긴 것은 모두 너희 손에서 나온 것이다. …… 근래에 너의 손에 박힌 굳은살을 보니 더욱 곡식 농사의 어려움을 알겠다. 저 서울 가까이 살면서 눈으로 쟁기와 가래, 괭이 등도 알지 못하면서 배를 채우고 옷을 입으려는 것은 어찌 천지의 도둑이 되는 것이 아니겠냐?"[34]

③ 자네는 기억하는가? 옛날 기사년(1809)에 우리 형제가 금화산장에 어머님을 모셨는데, 어머님이 우리에게 뜻을 말해보기를 명하셔서 나는 곧 대답하기를 "한 언덕의 한 골짜기를 얻어 네 형제가 초라한 집을 각각 바라보며, 공전을 두어 식구를 먹이기를 상산(象山)의 육구연(陸九淵)과 같이하고, 사면(絲綿)을 세금으로 내고 사공(事功)에 나아가는 것을 포전(莆田)의 정초(鄭樵)와 같이하는 것이 바로 소자의 뜻입니다."라 하였네.[35]

①은 서유구가 금화산장 인근 경승지를 유람한 내용이고, ②와 ③은 서유구 형제가 금화에서 어머님을 봉양하며 생활하는 일상을 포착한 것이다. 서유구는 1809년 40대 중반부터 형제들과 함께 금화산으로 이주한

---

33 《금화지비집(金華知非集)》 권5, 〈사견기(四堅記)〉, "四堅之奇, 余耳之久而未之賞焉. 歲己巳在金華山莊, 偕鄰友崔仲受, 以二月辛丑發行. 午憩于柯亭店, 依山村落頗殷盛. 前坪平濶, 亦畿北可居地也. 涉大灘夕宿漣川通研店."

34 《금화지비집(金華知非集)》 권8, 〈서본생선비정부인한산이씨유사(書本生先妣貞夫人韓山李氏遺事)〉, "其在金華山庄也, 有渠灌園耕田, 以供饔飧. 先妣對飦輒笑曰, 是饛饛者, 皆從汝十指中出也.---近見汝胼胝, 益知稼穡之艱難. 彼居輦轂之下, 目不識耒耜銚鎛而欲穀腹絲身者. 寧不爲天地之盜耶?"

35 《금화지비집(金華知非集)》 권3, 〈여계제사침서(與季弟士忱書)〉, "君尙記有否? 昔在己巳, 吾兄弟侍先妣于金華山莊也, 先妣命諸子言志, 余率爾對曰, "願得一邱一壑, 兄弟四人, 衡宇相望, 置公田給口食, 如象山之陸, 賦絲綿獻事功, 如莆田之鄭, 是小子志也."

다. 여기서 적지 않은 기간 동안 거주하면서 직접 경작하고 저술하는 말 그대로 경독(耕讀)의 시절을 보낸다.

그런데 금화산이 있는 영평현은 서쪽 30리에 연천현(漣川縣)이 있고 남쪽 10리에 포천현(抱川縣)을 마주 대하고 있다.[36] ①은 영평현(永平縣)의 금화산에서 연천 방면으로 유람하면서 유유자적(悠悠自適)한 일상을 지내는 서유구의 삶을 포착하고 있다. 뒷부분에서 40년 동안 이러한 기이한 풍경은 보지 못했다고 한 것으로 보아,[37] 서유구는 40대에 이곳 영평의 금화산에 이주한 것으로 보인다.

②는 서유구 네 형제가 손에 못이 박히도록 직접 경작을 하면서 어머니를 봉양한 경독(耕讀)의 삶을 보여준다. 이러한 경독의 삶은 육구연(陸九淵, 1139~1193)과 정초(鄭樵, 1104~1162)의 사례를 본받아 실천하고 있음을 ③에서 밝힌다. 서유구가 임원의 금화산장에서 모델로 삼았던 육구연의 경우 모두 6형제가 있었다. 육구연 형제들은 가정 연합체를 형성하여 종족의 공전(公田)을 경작하였고, 그곳에서 나오는 수확을 전체 가족 구성원에게 배분하였다. 이들 형제는 이러한 경제력을 바탕으로 경독(耕讀)을 함으로써 뛰어난 학술적 성취를 이룬 바 있다. 요컨대 육구연은 종족 공전과 공동 분배의 새로운 경제적 모델을 창안하여 학술활동을 지속하고 마침내 한 학파를 형성할 수 있었다.[38]

서유구 역시 금화산에서 형제와 함께 육구연 가문의 공전 모델을 수용하여 이를 실천하였다. 어머님을 봉양하고 오랜 기간 학술활동을 위하여 가족 공전을 만들어 직접 경작하고, 거기서 나는 경제적 자산을 바탕으로 학술에 전념하였다. 그러니까 금화산장에서 경독한 결과물 중의 하

36 《여지도서(輿地圖書)》, 〈경기도(京畿道)〉 '영평현(永平縣)' 지도 참조.

37 앞의 책, 〈사견기(四堅記)〉"丁未還山莊, 叔弟朋來迎門而問曰四堅何如? 余曰奇麗. 曰何奇? 曰篆家山字形, 主峰一奇也, 草書之字形, 朝水一奇也, 幾朶芙蓉之外眺一奇也. 至若村後村前翠幢華蓋之松, 吾行年四十所未見之奇也."

38 육구연(陸九淵) 형제의 가족과 가족 경제를 자세히 살핀 것은 왕법귀(王法貴), 〈陸九淵兄弟家世、家政考述〉, 《合肥學院學報》 第30卷 第4期, 2013, pp.21-24 참조.

나가 바로《금화경독기》인 셈이다.

한편 위에서 언급한 송(宋) 때의 정초는 포전(莆田)이 고향으로 박학강기(博學强記)하였으나, 과거에 응시하지 않고 30여 년 동안 협제산(夾漈山)에 은거하며 독서와 저술에 몰두하였다. 그는 틈틈이 명산대천(名山大川)을 유람하면서 기이하거나 오래된 사실들을 견문하기를 좋아하고, 장서가를 만나면 그곳에 머물며 장서를 완독한 뒤에야 떠날 정도로 독서광이기도 하였다. 또한, 산림에 거주하며 농민들에게 배워 직접 농사짓고 세금을 내면서《통지(通志)》 200권을 비롯하여 603권의 저술을 남긴 문제적 인물이다.[39] 서유구는 이러한 육구연의 삶의 방식뿐만 아니라 정초의 삶의 태도를 본받아 경독과 독서는 물론 유람을 통해 임원(林園)에서의 가정경제와 학문활동을 지속적으로 실천하였다.

여기서 서유구가《금화경독기》를 편찬한 시기를 확인할 필요가 있다. 흔히 조선 후기의 학술을 다룬 필기는 대체로 저자들이 만년에 정리한 경우가 많다.《금화경독기》 권3의 〈화통(化統)〉을 보면 "나는 수십 년 동안 교정에 교정을 더해서 저술한《임원십육지(林園十六志)》 100여 권을 최근에 겨우 끝마쳤다. 다만 이 책을 맡아 관리할 만한 아들도 아내도 없으니 안타까울 뿐이었는데, 우연히 웅집역(熊執易)의 사연을 보고 나니 나도 모르게 서글퍼져 한참 동안 눈물이 흘렀다."라고 적고 있다.

서유구의 부인 송씨(宋氏)는 1799년에 사망하였고, 아들인 서우보(徐宇輔, 1795~1827)는 1827년에 사망하였다. 게다가《금화경독기》 권7의 〈금(金)〉 항목에서 "내가 탁지(度支)에 있었을 때 산원(筭員) 중에 서관(西關)에서 온 자가……"라는 구절을 확인할 수 있다. 서유구는 1832년 9월에 호조 판서로 임명된 바 있다. 이를 고려하면《금화경독기》는 1832년(68세) 이

39 정초가 민에게 직접 배워 이를 실천하며 학술과 연결하는 삶의 이력과 태도를 주목한 논문으로는 류복주(劉福鑄) 주편(主編),《포전사화(莆田史話)》 북경(北京), 사회과학문헌출판사(社會科學文獻出版社), 2014, pp.31-32와 오회기(吳懷祺),《정초연구(鄭樵硏究)》, 하문대학출판사(厦門大學出版社), 2010, pp.117-208 참조.

후에 완성을 본 듯하다. 반면에 《임원십육지(林園十六志)》의 최종 교정본의 탈고는 1827년(63세) 즈음으로 추측할 수 있다.[40]

다음은 《금화경독기》의 구성과 구체적인 내용이다. 《금화경독기》는 권수에 따라 어떠한 내용을 배치하고 있는지 살펴보기로 한다.

《금화경독기》의 구성과 조목

卷	條目	合
권1	《戰國策》紕繆, 《史記》糾謬, 《史記》稱謚之誤, 《史記》疊句, 《史記》累語, 《史記》贅語, 《史記》晦語, 《史記》句讀, 承·乘通用, 刺齒肥, 《國策》·《史記》優劣, 《漢書》訛謬, 〈古今人表〉, 《宋史》訛謬, 《綱目》減字	15
권2	朞三百, 用數, 解說, 讚曰, 律呂新書, 十二律之實, 變律, 變聲, 八十四聲圖, 六十調圖, 司馬遷律書改正, 律書生鐘分, 《易象啓蒙》, 尙書枝指	14
권3	詩秦風集傳, 〈子衿〉, 〈儀禮釋宮〉, 《孟子》狗彘食人食而不知檢, 《知言疑義》, 《齊民要術》注, 《遺山集》, 本草綱目, 《化統》, 《五代史》, 種樹書, 星經, 農事直說, 《通志》疎略, 《群碎錄》, 紳瑜, 佚存叢書, 《省心錄》, 《周侯農書》, 《臥遊錄》, 《玉壺淸話》訛謬, 《四朝聞見錄》訛誤, 《花潭集》, 《高麗史》, 碑誌傳後, 墓碑御撰, 韓文公王適墓銘, 六一碑誌, 歐陽公王文正神道碑, 自銘, 比干墓銘, 碑陰列門生, 倒語, 歇後, 〈離騷〉句法, 《韓詩外傳》, 僅, 杖銘, 《列子》, 商君三見, 斧政, 松膚, 《文章宗旨》, 簡易文, 《脚氣集》論東坡文, 東坡代作滕章敏啓, 至喜亭記, 楊愼論朱子文, 喬*趙上梁文, 藏于家, 俗字, 絲竹管絃, 靑雲之士, 美且都	54
권4	斜川詩文, 蔣超傷, 詩忌凄切, 成汝學警句, 謝艮齋勸農詩, 傳逸人題壁詩, 李雨村見一亭詩, 杜詩柏莊子櫟, 荊公詩, 石雁, 窮道疾足, 辛仲宣, 豫讓, 歐陽觀, 張子野, 魏祥, 羅德憲, 周倬使高麗, 魏叔子論歐陽公論狄靑劄子, 于忠肅請復儲, 蘇子容辨謗, 潘向是非, 名人子不肖, 涓水, 西漢職方, 《方輿記要》言黑水之誤, 平壤地形, 屯羅, 練光亭扁, 四堅, 狎鷗亭, 翫鷗亭, 煎鐵, 寒具, 蓼花, 上元藥飯, 上工日, 燈夕, 重明鳥【重明鳥一名雙睛, 言雙睛在目】, 傳坐, 流觴曲水	41
권5	玉刻, 文三橋何雪漁鐵筆, 蛺蝶圖, 百子圖, 火炎積雪圖, 禊帖, 朱之蕃筆, 儲書, 造裝書紙法, 裝潢, 雌黃, 割付, 藏書, 書肆, 活板, 鋟書, 藏經	17
권6	文章知遇, 聖人觀物, 用志不分, 生前作棺, 姻家先輸, 盜倉穀律, 屠牛之禁, 禁酒具, 扇枕溫被, 隨年杖, 縱囚, 玉帶盜, 大車, 地産麪, 雨麥, 再生, 人異, 百歲老人, 六更, 義莊*義塾, 日用節嗇, 人生受用, 眉毛落盡, 蜡蜜, 食料, 看書驅睡, 黃道, 策題, 神樹, 畵指劵, 房堗之始, 玉堂, 內閣待敎, 檢校官, 辭避遭喪代, 月俸, 戶布, 宣德徵牛, 樂成, 笙黃, 琵琶皮絃, 古今度量, 限田, 區田, 濕耕澤鉏, 神農許行之書, 棉餠飼牛, 溫泉催苗, 金城方略, 牛耕之始, 馬喜高寒, 西漢畜牧之盛	52
권7	油煙墨, 東紙, 側理紙, 㲪㲣, 懶版, 摺疊扇, 團扇, 鹽井, 石炭, 石灰木, 樅檜, 馬藺, 桐油, 女貞, 芋, 鼠狼, 鯢魚, 倭松, 樺, 丁公籐, 代赭石, 一寸椹, 觀音竹, 吸毒石, 松耳, 丁公實, 蒼耳, 木綿油, 石花, 廣魚*舌魚, 匾桃, 碧桃, 稷, 蜀黍, 鱸, 鶴, 蝦爲蝗, 晋人樹藝, 蔗, 烏桕, 玉美人, 秋海棠, 海棠, 密花, 琉璃石, 銅, 金, 導引療病, 固齒方, 黑細頭, 長生酒	51
7卷	1자(字)부터 12자(字)의 표제어	244

40 《임원십육지》에는 《금화경독기》의 내용이 대거 들어 있으니, 《금화경독기》의 편찬 시기는 1827년 이후가 확실해 보인다.

《금화경독기》는 본래 8권인데 지금 남아 있는 본은 7권의 필사본이다. 구성을 보면 권으로 나누고 있으나 구체적인 분류를 하지 않고 각 권에 표제어를 두고 있을 뿐이다. 표제어는 모두 244개다. 각 권의 표제어 수가 들쭉날쭉하지만, 권별 분량은 대체로 어슷비슷하다. 각 항목의 표제어는 그 항목의 특성을 보여주고 있다. 1자부터 12자의 어휘나 단문을 달아 내용의 특징을 포착하고 있다. 위의 표제어를 근거로 각 권의 특징을 서술하면 다음과 같다.

《금화경독기》의 권별(卷別) 내용

권차(卷次)	권별 내용
권1	《사기》나 《한서》와 같은 제자백가서를 독서한 후의 비망기. 독서 내용의 비평과 대상 문헌의 오류를 바로잡고 문헌 간의 상호 비교와 고증과 비평.
권2	역법(曆法)을 비롯하여 천문학, 율서와 악론(樂論)을 비롯하여 주역의 내용 서술.
권3	경전과 문집을 비롯하여 문장 작법과 문장 등을 비평.
권4	전 시대 한시의 비평 및 인물과 관련한 시화 등을 서술.
권5	전각(篆刻)과 인장(印章)을 비롯한 서화(書畫)와 법첩(法帖), 서적의 구입 방법과 서적 간행 등을 서술.
권6	행정과 제도, 법률과 기이한 사건이나 고사, 관직제도와 주거와 음식문화, 그리고 악기와 토지제도 등 이러저러한 내용을 잡기(雜記).
권7	사대부의 일상생활에 필요한 물건과 동·식물, 어류 및 광물 등의 이용후생(利用厚生)의 실상과 양생법을 서술.

권별 내용을 보면 권차에 따른 내용의 경향을 어느 정도 파악할 수 있지만 모든 권이 다 그런 것은 아니다. 권1부터 권4까지는 비교적 권의 주제를 고려하여 내용을 집중하고 있으나, 권5부터 권7까지는 표제어나 내용이 특정한 경향을 벗어나고 있다. 이를테면 권5의 서적과 관련한 출판문화는 서화와 법첩과 같은 예술과 같은 범주로 함께 묶어 두기는 적절하지 않다. 권6과 권7 또한 마찬가지다. 권6의 행정과 제도 등은 주거를 비롯한 음식문화나 악기 등과 함께 거론할 수 있는 것은 아니다. 또한, 권7의 사대부의 일상생활이나 양생법 등도 자연과학의 광물이나 이용후생의 범주와 전혀 어울리지 않는다. 그렇지만 전체적으로 비슷한 주제를 구상

하고 권별로 표제어를 배치하려고 의도한 흔적만은 엿볼 수 있다.

각 권의 각 항목과 목차를 보면, 대부분 어슷비슷한 내용을 배치하고 있는 것은 그러한 고민의 산물이다. 권1은 '고전 문헌의 내용 고증', 권2는 '역법과 천문학', 권3은 '문장 비평과 문장 작법', 권4는 '시문의 비평과 시화(詩話)', 권5는 '서적 및 출판문화와 서화', 권6은 '행정 및 제도와 일상생활의 잡사(雜事)', 권7은 '광물 및 이용후생'과 '양생술(養生術)' 등으로 파악할 수 있다. 서유구는 가능하면 특정한 범주를 구상하고 그 주제에 부합하는 내용을 각 권에 배치하려고 하였다. 그런데도 체계와 일관성이 부족한 것은 사실이다. 서유구는 각 권에 어슷비슷한 내용을 모아 분류하고 배치한 뒤, 권의 분량과 범주에 어울리는 주제어를 고민하였을 것이다. 더욱이 더 잘게 범주를 나누고 주제어를 붙이려 하니 권의 분량에 문제가 생기고, 그대로 두자니 적당한 분류에 어울리는 주제어를 찾지 못한 것으로 보인다.

하지만 《금화경독기》는 조선 후기 유서나 필기에서 볼 수 있듯이, 서유구의 풍부한 독서체험을 토대로 다양한 지식·정보를 포착하여 배치한 점에서 분류학의 실마리를 확인할 수 있는 필기다. 또한 《금화경독기》는 잡다한 내용을 두서없이 배치한 잡기(雜記)나 잡록(雜錄)이 아니라 일정한 범주를 구상하고, 거기에 맞게 학술적 지식·정보를 배치하려 한 서유구의 학적 성취를 확인할 수 있는 필기이기도 하다.

4. 《금화경독기》의 내용상 특징

《금화경독기》는 일종의 독서 후에 남긴 독서후기(讀書後記)나 독서차기(讀書劄記)와 같다. 자신이 읽은 독서 대상 중 특정 사안에서 오류나 보완할 부분이 있을 때, 그 사안을 두고 차록(劄錄)이나 차기(劄記)의 형식으로 정리하고 있다. 어떤 경우는 일종의 독서차기나 독서후기의 성격을 뛰어

넘어 고증학이나 학술적 장을 마련하여 비판과 비평을 하기도 한다. 특히 문헌의 내용이나 서술 과정에 오류가 있을 때, 다른 문헌을 통해 바로잡는 방식의 기록도 많다. 이는 자신이 독서한 내용을 토대로 다른 책의 오류나 의심 처를 다시 바로잡거나 비평하는 이른바, '이서증서(以書證書)'의 방식이다. 흔히 조선 후기 유서나 필기에서 볼 수 있는 고증적 방법이기도 하거니와, 일종의 차기체(箚記體) 필기(筆記)[41]의 성격을 보여주고 있다. 구체적인 사례다.

> 근래에 찬술(纂述)한 이익(李瀷)의 《성호사설(星湖僿說)》, 안정복(安鼎福)의 《동사강목(東史綱目)》, 신경준(申景濬)의 《동국지리고(東國地理考)》[42], 이덕무(李德懋)의 《앙엽기(盎葉記)》와 《정연국사(蜻蜓國史)》[43], 유득공(柳得恭)의 《발해고(渤海考)》와 《사군고(四郡考)》[44]는 모두 수집하여 고증하는 데에 대비해야 한다.
>
> 권5, 〈저서(儲書)〉

《금화경독기》는 고증을 토대로 한 차기체 필기이다. 위에서 언급한 《성호사설(星湖僿說)》은 다양한 학술적 내용을 담은 대표적 유서다. 《동사강목(東史綱目)》과 《발해고(渤海考)》, 그리고 《정연국사(蜻蜓國史)》는 자국사와 발해사 및 일본의 역사를 기록하고 있어 역사 고증을 위해 필요하다. 그

---

41 조선 후기 차기체 필기의 탄생과 그 성격은 진재교, 〈이조(李朝) 후기(後期) 차기체(箚記體) 필기(筆記) 연구(硏究) -지식의 생성과 유통의 관점에서-〉, 《한국한문학연구》 제39집, 2007, pp.387-423 참조. 그리고 진재교, 〈19세기 차기체(箚記體) 필기의 글쓰기 양상 -《지수염필(智水拈筆)》를 통해 본 지식의 생성과 유통-〉, 《한국한문학연구》 제36집, 2005, pp.363-414 참조.

42 신경준의 저술에 《동국지리고(東國地理考)》는 존재하지 않으니, 이는 신경준이 저술한 지리서인 《여지고(輿地考)》의 오기인 듯하다.

43 이덕무(李德懋)의 저술에 《정연국사(蜻蜓國史)》는 존재하지 않는데, 이는 이덕무가 일본의 역사를 기록한 《청령국지(蜻蛉國志)》의 오기인 듯하다.

44 유득공(柳得恭)의 저술에 《사군고》는 존재하지 않으니, 이는 유득공이 저술한 지리서인 《사군지(四郡志)》의 오기인 듯하다.

리고 《동국지리고(東國地理考)》[45]와 《사군고(四郡考)》는 국토의 인문지리와 지방지라는 점에서, 《앙엽기(盎葉記)》는 풍속과 다양한 일상 지식을 담고 있다는 점에서 고증에 대비할 수 있다. 대체로 역사·문학·문화·지리·풍속·일상사 등을 포함한 저술을 언급한 것은 《금화경독기》의 서술 방식을 보여주는 예다.

이러한 차기체 필기의 성격을 지닌 《금화경독기》는 내용에서도 몇 가지 중요한 특징을 드러낸다. 이러한 특징은 조선 후기에 흔히 볼 수 있는 것도 있지만, 《금화경독기》에서만 볼 수 있는 내용도 있다.

(1) 다양한 국내외 문헌의 인용

다른 차기체 필기도 그렇지만 《금화경독기》 역시 다양한 국내외 문헌을 인용하고, 그 내용을 근거로 비평적 글쓰기를 하고 있다. 특히 도서 목록을 비롯하여 전집류, 유서와 잡록, 총서 등의 문헌을 인용하며 저술에 활용하고 있어 주목할 만다. 우선 주목할 수 있는 것이 도서 목록이다. 인용한 도서 목록과 전집 중 대표적인 사례를 제시하면 다음과 같다.

【서목과 목록】

편·저자(編·著者)	서명(書名)	권·집·책수(卷·集·冊數)
진진손(陳振孫, 1179~1262)	직재서록해제(直齋書錄解題)	22권
모진(毛晉, 1599~1659)	진체비서(津逮秘書)	15집
황우직(黃虞稷, 1629~1691)	천경당서목(千頃堂書目)	32권
장정석(蔣廷錫, 1669~1732) 외	흠정고금도서집성(欽定古今圖書集成)	10,000권/목록 40권
우민중(于敏中, 1714~1779) 외	천록임랑서목(天錄琳琅書目)	10권
기윤(紀昀, 1724~1805)	사고전서총목제요(四庫全書總目提要)	200권
심초(沈初, 1732~1807)	절강서목(浙江書目)	12권 10책

서유구는 《금화경독기》에서 서적 구입과 소장, 정리와 분류, 판목과

45 신경준의 저술에 《동국지리고(東國地理考)》는 존재하지 않으니, 이는 신경준이 저술한 지리서인 《여지고(輿地考)》의 오기인 듯하다.

장서 등 출판문화를 소재로 한 내용을 많이 제시하고 있다. 특히 서적 구입과 정리, 분류와 장서를 거론할 때 목록집을 근거로 서술한다. 거론한 대표적인 도서 목록을 들면, 《사고전서총목제요(四庫全書總目提要)》와 《절강서록(浙江書錄)》, 《천록임랑서목(天祿琳琅書目)》과 《천경당서목(千頃堂書目)》 그리고 《흠정고금도서집성(欽定古今圖書集成)》이다. 이들 중 《사고전서총목제요》와 《절강서록》은 관찬(官攢)과 사찬(私撰)을 대표하는 청조의 도서 목록이다. 특히 《흠정고금도서집성》은 정조가 1777년 청나라에 사은사(謝恩使)로 파견한 서유구의 부친 서호수에게 은자 2,150냥을 주고 사 올 것을 명한 거질의 전집이자 유서다.

모진(毛晉)의 《진체비서(津逮秘書)》는 전대의 필기와 잡록 중 선본(善本)을 모아 교감하여 간행한 것으로 송대의 필기를 가장 많이 수록하고 있는 전집이다. 이를 편찬한 모진은 명말의 저명한 장서가이자 출판가로 알려진 인물이다. 이 《진체비서》는 국왕인 정조를 비롯하여 성해응(成海應, 1760~1839)과 김매순(金邁淳, 1776~1840) 등 일부 학자만 그 존재를 알 정도로 널리 유통되지 않았다는 점에서 서유구의 독서 범위를 가늠할 수 있다. 요컨대 《금화경독기》는 다른 필기와 다르게 도서 목록과 전집을 주목하고, 이를 저술에 활용한 것은 서유구의 독서량은 물론 그의 학적 지향과 《금화경독기》의 좌표를 보여준다는 점에서 큰 의미를 지닌다.

또한, 《금화경독기》는 자국의 선배 학자들이 남긴 유서와 잡록·필기 등을 인용하여 서술하기도 한다. 대표적 서종(書種)을 도표로 제시한다.

【유서와 잡록·필기(한국)】

편·저자(編·著者)	서명(書名)	권·책수(卷·冊數)
심수경(沈守慶, 1516~1599)	견한잡록(遣閑雜錄)	1책
이정형(李廷馨, 1549~1607)	동각잡기(東閣雜記)	2권 1책
이수광(李睟光, 1563~1628)	지봉유설(芝峯類說)	20권 10책
민주면(閔周冕, 1629~1670) 등	동경잡기(東京雜記)	3권 3책
김창협(金昌協, 1651~1708)	농암잡지(農巖雜識)	4권
이 익(李 瀷, 1681~1763)	성호사설(星湖僿說)	30권
이덕무(李德懋, 1741~1793)	앙엽기(盎葉記)	8권

서유구는 이수광(李睟光)의 《지봉유설(芝峯類說)》을 비롯하여 김창협의 《농암잡지(農巖雜識)》와 이익의 《성호사설》, 그리고 이덕무의 《앙엽기(盎葉記)》 등을 적잖게 활용하였다. 이들 필기와 유서는 조선 후기를 대표하는 것인데, 조선 후기 많은 학자들이 또한 인용한 바 있다. 유서와 잡록 이외의 국내 저술을 인용한 사례도 많다. 《대동야승(大東野乘)》에 실려 있는 《동각잡기(東閣雜記)》는 조선 건국부터 16세기까지의 명신(名臣)과 관련한 일화를 기록한 야사집(野史集)이다. 《조선왕조실록》과 후대의 학자들이 인용할 정도로 알려진 문헌이다. 특히 《동경잡기(東京雜記)》는 《성호사설》과 《동사강목(東史綱目)》 등에서도 인용하고 있는데, 경주의 역사와 지리를 언급할 때 자주 등장한다.

《금화경독기》는 유서와 필기 외에도 김창업(金昌業, 1658~1721)의 《노가재연행일기(老稼齋燕行日記)》, 박지원의 《열하일기(熱河日記)》와 같은 연행록이나 정조의 명으로 편찬한 군사 실전 훈련용 《무예도보통지(武藝圖譜通志)》를 인용하는가 하면, 허준의 《동의보감(東醫寶鑑)》과 같은 의서와 지리지인 유형원(柳馨遠)의 《동국여지지(東國輿地志)》 등도 두루 고증에 활용하고 있다.[46]

한편 《금화경독기》는 중국과 일본에서 간행된 총서와 유서, 잡록·필기 등을 인용하기도 한다. 대표적 서종(書種)을 도표로 제시한다.

먼저 대표적인 총서를 들면 《옥해(玉海)》[47]와 《야객총서(野客叢書)》[48], 《소대총서(昭代叢書)》[49]와 《지부족재총서(知不足齋叢書)》[50]를 거론할 수 있다. 이

46 이 외에도 서유구는 권2에서 천문학자 김영(金泳 1747~1817)과 교유하면서 천문학 저술과 그의 삶을 자세히 서술하고 있다. 나아가 김영이 고안한 '역수(曆數)'를 풀이하는 계산법의 독창적 풀이를 구체적으로 제시하였다. 역사에 묻힐 뻔한 한 과학자의 저술 활동과 탁월한 천문학 성과를 기술한 것은 특기할 만하다. 김영의 존재와 그의 과학적 지식은 이미 연구자들이 주목한 바 있다.

47 이 책은 남송(南宋)의 왕응린(王應麟, 1223~1296)이 편찬한 204권의 유서다. 왕응린은 천문, 지리, 관제, 식화 등 21문으로 나누었다. 여러 문헌에 나타난 기록과 문장을 종류별로 편집하였다.

48 송(宋)의 왕무(王楙, 1151~1213)가 저술한 일종의 학술 필기로 모두 31권이다. 왕무의 자는 면부(勉夫)로 당시 사림들이 독서군(讀書君)이라 칭할 정도로 독서광이었다. 이 총서의 내용은 광범하여 경사자집에까지 미쳤고, 시인과 묵객의 숨겨진 이야기를 적었다. 문헌을 고증하고 변정하거나 송나라와 역대의 드러나지 않은 내용을 위주로 기록하였다.

49 이 책은 장조가 청대(淸代) 사람들의 잡저(雜著)를 모아서 편집한 총서이다. 장조의 자는 산래(山

【유서·송서·필기(중국·일본)】

편·저자(編·著者)	서명(書名)	권·집·책수(卷·集·冊數)
위거원(韋巨源, 631~710)	식보(食譜)	1책
심괄(沈括, 1031~1095)	몽계필담(夢溪筆談)	26권
문형(文瑩, 11세기 승려)	옥호청화(玉壺清話)	10권
조언위(趙彦衛, 송대)	운록만초(雲麓漫抄)	15권
육유(陸游, 1125~1210)	노학암필기(老學庵筆記)	10권
왕무(王楙, 1151~1213)	야객총서(野客叢書)	31권
왕응린(王應麟, 1223~1296)	옥해(玉海)	204권
비곤(費袞, 1190~1194)	양계만지(梁溪漫志)	10권
주밀(周蜜, 1232~1298)	계신잡지(癸辛雜志)	6집(전·후·속·별집)
작자 미상	거가필용(居家必用)	10책
정영(程榮, 16세기)	한위총서(漢魏叢書)	251권
양신(楊愼, 1488~1559)	단연잡록(丹鉛雜錄)	10권
	단연총록(丹鉛總錄)	27권 9책
정원(鄭瑗, 명대)	정관쇄언(井觀瑣言)	3책
유원경(劉元卿 1544~1609)	현혁편(賢奕編)	4권
진계유(陳繼儒, 1558~1639)	군쇄록(群碎錄)	1권
	보안당비급(寶顏堂秘笈)	48책
사조제(謝肇淛, 1567~1624)	오잡조(五雜俎)	16권
왕상진(王象晋, 1561~1653)	군방보(群芳譜)	30권
송응성(宋應星 1587~1648?)	천공개물(天工開物)	3권 18편
강소서(姜紹書, 17세기)	운석재필담(韻石齋筆談)	2권
곡응태(穀應泰, 1620~1690)	박물요람(博物要覽)	16권
염약거(閻若璩, 1636~1704)	잠구차기(潛邱箚記)	6권
장조(張潮, 1650~?)	소대총서(昭代叢書)	150권
포정박(鮑廷博, 1728~1814)	지부족재총서(知不足齋叢書)	30집
이조원(李調元, 1734~1803)	연서지(然犀志)	2권
	미자총담(尾蔗叢談)	4권
	담묵록(淡墨錄)	16권
데라시마 료안(寺島良安, 1654~?)	화한삼재도회(和漢三才圖會)	105권

중, 《야객총서》는 김창협(金昌協, 1651~1708)이 《농암잡지(農巖雜識)》에서 인용한 이래 적지 않은 인물들이 이 총서를 인용하여 자신의 저술에 활용하고 있다. 양득중(梁得中, 1665~1742)과 이덕무가 대표적이다. 이덕무는 《앙엽기(盎葉記)》에서 이 총서를 활용하여 《논어(論語)》에 나오는 '재여주침(宰

來), 호는 심재(心齋)이다. 처음에는 갑집(甲集)과 을집(乙集)만 출판하고, 얼마 뒤에 병집(丙集)을 만들었는데, 후에 양복길(楊復吉)과 심무덕(沈楙悳) 등이 이어서 정(丁), 무(戊), 기(己), 경(庚), 신(辛), 임(壬), 계집(癸集)까지 출판하였다.

50 이 책은 중국 청나라 때의 장서가인 포정박(鮑廷博)이 엮은 총서이다. '지부족재(知不足齋)'는 그의 서재 이름이다. 자신이 소장(所藏)한 진서(珍書)와 다른 장서가들과 자료를 교환(交換)하여, 그 중에서 골라 이 총서를 만들었다. 경서(經書)와 사학(史學)의 고증(考證), 제자(諸子)의 주석, 수필, 잡기(雜記), 시화(詩話) 및 시문집(詩文集) 등의 전본(傳本)이 드문 것, 혹은 종래(從來)의 전본에 오자나 탈자가 많은 것 등을 선택(選擇)하고 있다.

子書寢)'의 정확한 의미를 제시하였다.

《소대총서(昭代叢書)》는 조선 후기 서울의 일부 지식인들이 읽고 활용한 바 있는데, 박지원과 서형수, 그리고 성대중(成大中) 등이 대표적이다. 이들은 이를 참고하여 자신의 의견을 개진한 바 있는데, 박지원은 《열하일기》에서, 서형수는 총서 편찬과 관련한 편지글에서 성대중의 도움을 청하면서 이를 언급하고 있다.[51]

그리고 박지원의 《열하일기》와 한치윤(韓致奫, 1765~1814)의 《해동역사(海東繹史)》에서는 《지부족재총서》를 자세하게 소개하고 있다. 하지만 위에서 언급한 총서류는 국내에 수입된 이후 널리 유통되지 못하였음에도 서유구가 이 책을 읽고 《금화경독기》에서 활용한 것은 그의 독서 범위를 가늠 할 수 있어 흥미롭다.

여기서 《화한삼재도회(和漢三才圖會)》의 활용도 주목할 수 있다. 18세기 서울 학계는 에도막부[江戶幕府]에서 간행된 이 책의 존재를 알았지만, 실제 이 거질의 백과사전을 직접 보거나 이 책의 구체적인 정보를 아는 사람은 적었다. 서유구는 이러한 총서를 읽고 《금화경독기》에 활용하였는데, 여기서 서유구의 독서 넓이를 다시 주목할 수 있다.

서유구의 서적 인용은 총서에 한정되지 않는다. 《금화경독기》는 다양한 문헌을 인용하고 있는데 어류와 식물 관련 저술이 그것이다. 이조원이 편찬한 《연서지(然犀志)》는 중국의 광동(廣東) 연해 인근의 해양 생물 93종의 생태를 기록한 것이다. 명나라의 왕상진(王象晉)이 편찬한 《군방보(群芳譜)》는 곡물, 채소, 과일, 화훼 등의 종류와 재배법을 비롯하여 그 효능 등을 기록하고 있다. 《금화경독기》는 이들 저술을 정독하고 이를 토대로 어류의 생태를 비롯하여 식물과 음식 재료를 고증하고 있다. 당시 음식 문화를 담고 있는 위거원(韋巨源, 631~710)의 《식보(食譜)》를 인용하여 음식 관련 지식을 고증하는 것도 같은 맥락이다. 이처럼 《금화경독기》는 다방면의 학술 저서에 관

51 《명고전집(明皐全集)》 권5, 〈답성비서대중(答成秘書大中)〉 참조.

심을 가지고 세상의 많은 지식·정보를 담아내고 있다.

《운석재필담(韻石齋筆談)》의 인용도 흥미롭다. 이 책은 서화와 골동의 형태와 전해진 과정을 상세히 기술한 필기다. 일찍이 김창업(金昌業, 1658~1721)은 《노가재연행일기(老稼齋燕行日記)》에서 박지원은 《열하일기(熱河日記)》 등에서 인용한 바 있고, 성해응과 심상규(沈象奎) 등도 두루 인용한 바 있다. 서울의 학계 일부 인사들만 이 책의 존재를 알았을 뿐인데, 서유구는 자신의 저술에 적극적으로 활용하였다. 당시 구해보기 힘들었던 진계유(陳繼儒)의 《군쇄록(群碎錄)》과 이조원이 편찬한 《미자총담(尾蔗叢談)》 등의 인용도 《금화경독기》가 지향한 학술적 지평을 엿볼 수 있는 부분이다.

여기에 그치지 않고 《금화경독기》는 다방면의 문헌을 인용함으로써 박학을 지향하고 있다. 농서와 지리지 등의 다양한 인용이 그 한 사례다. 당시 널리 알려진 서광계(徐光啓, 1562~1633)의 《농정전서(農政全書)》, 청대에 나온 《행수금감(行水金鑑)》[52]과 유형원(柳馨遠)의 《동국여지지(東國輿地志)》의 활용에서 이를 알 수 있다. 무엇보다 《행수금감》의 존재를 파악하고 이를 학술 장에서 활용한 것은 《금화경독기》가 처음이다.

또한, 《금화경독기》는 명·청대 주요 문인들의 문집을 두루 활용하고 있다. 위희(魏禧, 1624~1680)의 《위숙자집(魏叔子集)》, 왕세정(王世貞)의 《엄주산인사부고(弇州山人四部考)》와 《속고(續稿)》를 비롯하여 청조가 금서로 묶어 유포를 금지한 전겸익(錢謙益, 1582~1664)의 《초학집(初學集)》과 《유학집(有學集)》, 여유량(呂留良, 1629~1683)의 《만촌집(晩村集)》, 고염무(顧炎武, 1613~1682년)의 《고정림집(顧亭林集)》 등이 그것이다. 서유구는 금서로 지목한 문집은 물론 중국 학예의 흐름을 파악할 수 있는 명·청대 중요 인사들의 문집을

52 이 책은 중국의 수리사(水利史) 자료서(資料書)로 175권의 거질이다. 〈禹公〉으로부터 청나라 강희(康熙) 말년(1721)에 이르기까지 황하(黃河)와 장강(長江)을 비롯하여 운하(運河)와 영정하(永定河) 등 수계(水系)의 원류와 변천 및 시공(施工)과 경과(經過)하는 곳을 고찰하고, 하류(河流) 등을 분류하였다. 이 책은 부택홍(傅澤洪)이 주편(主編)하고 정원경(鄭元慶)이 편집하였는데, 청나라 옹정(雍正) 3년(1725)에 완성되었다.

적극적으로 활용하고 있다.

서유구가 《금화경독기》에서 만년에까지 읽으려 한 서적을 제시하고 구매 장소까지 언급한 점은 음미할 만한 대목이다. 에도막부의 임술재(林述齋, はやし じゅっさい : 1768~1841)가 편찬한 《일존총서(佚存叢書)》가 그것이다. 이 책은 중국에서 이미 유실된 고적을 수집하여 편찬한 것으로 17종 111권의 거질이다. 서유구는 중국에서 이미 없어진 희귀본을 수록한 이 책의 가치를 생각하고 대마도에서 구매할 필요가 있음을 피력하고 있다.[53] 일본에서 간행된 최신 서적의 존재를 파악하고, 그 구매를 희망하는 데서 박학한 그의 학문 성향과 지적 호기심의 넓이를 알 수 있다. 요컨대 서유구는 국내·외의 서적의 유통과 간행 상황을 두루 섭렵하고, 다양한 서적을 읽은 지적 축적 위에서 《금화경독기》를 탄생시켰던 것이다.

(2) 새로운 식물 종과 이기(利器)의 활용

《금화경독기》는 다양한 서적의 독서를 통한 신지식의 내용을 포착한 예도 있지만, 실제 실물을 견문한 뒤, 이를 구체적으로 서술하고 그 효용성을 논리적으로 제시하기도 한다. 그중 외래 식물 종과 중국을 거쳐 서양에서 온 이기(利器)인 안경이 대표적이다. 이를 소재로 서술하는 것은 단순히 새로운 지식의 차원에서 서술하는 것을 넘어 실생활과 결부시킴으로써 사회적 의미를 드러내고 있다. 먼저 제시할 식물은 사탕수수다.

사탕수수의 쓰임은 다양하다. 달여서 정제하여 햇볕에 쬐어 말리면 돌

---

53 권3의 《일존총서(佚存叢書)》를 보면 다음과 같은 견해를 보여주고 있다. "구양수(歐陽修)의 〈일본도가(日本刀歌)〉가 후세 사람들의 입에 많이 오르내리는데, 대개는 이야기가 잘못 전해진 것뿐이다. 최근에 포정박(鮑廷博)의 《지부족재총서(知不足齋叢書)》를 보니, 거기에 수나라 소길(蕭吉)의 《오행대의(五行大義)》가 실려 있고, 그 발문에 "이 책은 실전된 지 이미 오래되었다. 근래 허종언(許宗彥)이 일본에서 구한 《일존총서》를 가지고 교정하고 판각했다."라는 말이 있었다. 《일존총서》는 일본 사람이 수집하여 편집한 것으로, 분명 옛적에는 있었으나 지금은 없는 희귀본이 있을 것이니, 마땅히 대마도에서 구매해야 할 것이다."

처럼 단단하게 응고된 것은 석밀(石蜜)이 되고, 서리처럼 가볍고 하얗게 된 것은 당상(糖霜, 백설탕)이 된다. 사람이나 사물의 모양으로 찍어낸 것은 향당(饗糖)이 되고, 여러 색의 열매를 끼워 넣으면 당전(糖纏)이 되며, 우유와 소락(酥酪, 연유)을 섞으면 유당(乳糖)이 된다.

중국의 감미료는 대부분 사탕수수에서 나온다. 그런데 우리나라에서는 유독 사탕수수를 심을 줄 몰라 항상 멀리 연경에 있는 가게에서 사당[沙糖, 설탕]과 당상을 구입하니 부귀한 이가 아니면 구할 수가 없다. 우리나라 영호남 바닷가 일대의 고을은 기후가 중국의 사탕수수 생산지와 비교해 크게 차이 나지 않는다. 만약 종자를 가져와 재배 방법에 따라 심도록 권장한다면 분명 성공할 것이다. 다만 강성(江城) 문익점(文益漸)처럼 좋은 일을 할 사람이 없다는 게 문제이다.

권7, 〈자(蔗)〉

설탕의 원료인 사탕수수는 감자(甘蔗)[54]라고도 하는데, 조선에서는 기후 문제로 재배하지 않았고, 사탕무인 감채(甘菜)도 유입 되지 않았다. 게다가 조선은 감미료인 꿀 생산도 그다지 많지 않아, 단맛을 대신하여 엿과 조청을 사용하였다. 실제 사탕수수는 식생활은 물론 음식의 감미료에 필요한 것인데, 심을 줄 몰라 연행과정에서 청으로부터 수입해 온다고 하였다. 당시 사탕수수는 약재로 인식하여 들여온 경우가 많았지만, 점차 일부 상류층에서 사치스러운 기호품으로 이용하였다. 이러다 보니 그 값이 비싸 일부 부귀한 계층의 사치품으로 소비되는 문제점을 지적하면서 그 대안으로 이 영호남의 해변에 사탕수수 재배를 제시하고 있다.

---

54 고전 문헌에 사탕수수[甘蔗]라는 용어가 자주 보인다. 이것은 진(晉)나라 때 고개지(顧愷之)가 사탕수수[甘蔗]를 먹을 때마다 꼬리부터 먹어 들어가므로, 어떤 이가 그것을 괴이하게 여기자, 고개지가 말하기를, "점차 가경으로 들어가기 위해서다.[漸入佳境]"라 한 것에서 연유한다. 고전 문헌은 이 고사를 용사(用事)로 활용한 경우가 다수다. 실제 문장에서 단맛을 거론할 때 관습적으로 고개지의 고사를 활용하기 때문에 사탕수수의 실제 재배 상황과는 무관하다.

《금화경독기》의 주장과 같이 사탕수수의 종자를 가져와 재배하자는 논의는 이미 세종대부터 있었지만, 실현되지 못한 듯하다.

> 사역원(司譯院) 생도(生徒) 이생(李生)이 말하기를, '감자(甘蔗, 사탕수수)는 맛이 달고 좋아서 생으로 먹어도 사람의 기갈(飢渴)을 해소하게 되고, 또 삶으면 사탕(沙糖)이 되는데, 유구국(琉球國)에서는 강남(江南)에서 얻어다가 이를 많이 심고 있으며, …… 엎드려 바라옵건대, 모두 채취해 오게 하여 그 재배를 널리 보급하도록 하소서.[55]

조선 초기에 통신사의 일원으로 사행에 참여한 사역원(司譯院)의 한 인사가 유구국(琉球國)이 중국의 강남에서 수입하여 기른 사탕수수의 사례를 거론한 다음, 이어서 우리도 사탕수수 재배지역에서 채취하여 우리나라에 널리 보급할 것을 건의하고 있다. 이 건의는 통신사가 이국의 문화를 견문한 뒤 건의한 여러 안건 중의 하나였고, 당시 조정은 이 문제 제기를 수용하지 않았다. 세종대 이후 사탕수수를 재배하여 보급하자는 문제 제기는 없었고, 거의 400여 년이 지난 서유구 시대에 와서 서유구가 다시 거론하고 있는 것은 그간의 사정을 보여주고 있다.

앞서 제시한 서유구의 제안은 터무니없는 주장이 아니다. 중국의 재배지와 기후 조건을 고려하여 영호남의 해변에서부터 재배하자는 건의는 실현 가능한 안(案)이다. 서유구가 반드시 성공할 것이라 주장하는 것은 재배지를 고려하고 재배 방법을 정확히 파악하였기 때문이다. 이는 서유구의 안목과 실사구시의 면모를 보여주는 사례다.

사실 서유구가 사탕수수의 성공적인 재배를 확신하고 있지만, 영호남 해변에 사탕수수를 찾아 심는다 하더라도 그 성공 여부는 사실 누구도 장담할 수 없다. 여기서 주목할 점은 새로운 종자를 재배하여 다양한 계

---

55 《세종실록》 세종 11년, 12월 3일조 참조. 한국고전번역원, '한국고전종합 DB' 번역본 참조.

층의 생활과 음식 문화를 향상하고 고가의 수입품을 대체할 수 있다고 인식한 그의 시각이다. 새로운 물질을 향한 열린 시각과 이를 활용하여 현실에 접목하려는 서유구의 실사구시의 자세에 방점을 두어야 한다.

그런데 새로운 종자를 수입하여 재배하려는 개방성은 식용작물의 재배에 그치지 않는다. 《금화경독기》에서는 심미안(審美眼)과 완상(玩賞)을 위해 새로운 화훼(花卉)의 수입을 권장하기도 한다.

> 옥미인은 옛날에는 그 종자가 없었는데 20년 전 연경에 간 사람이 그 종자를 가지고 왔다. 잎은 국화잎과 비슷하지만 좀 더 길쭉하고 가늘다. 5월에 꽃이 피는데 분홍색과 진홍색 두 가지가 있다. 분홍색 꽃은 여러 겹으로 되어 있고 진홍색 꽃은 홑겹이다. 아침에 피었다가 저녁에 지는데 계속해서 피고 진다. 2월에 비옥한 땅에 심어야 한다.
>
> 권7, 〈옥미인(玉美人)〉[56]

옥미인(玉美人)은 옥매화를 이른다. 옥매화의 형태와 개화 시기를 비롯하여 심는 시기까지 자세하게 일러두었다. 본디 매화는 불의에 굴하지 않는 선비정신의 표상이어서 시와 회화의 소재로 자주 등장한다. 위의 언급처럼 연경에서 수입한 옥매화를 식목하는 것은 매화와 마찬가지로 완상을 위한 것임은 물론이다. 완상은 삶의 일차적 욕구를 뛰어넘어 심미안을 기르고 삶의 질과 문화적 욕구를 지향한다.

서유구는 〈예원지인(藝畹志引)〉에서 어떤 사람이 실생활에 유익한 채소와 달리 화훼란 보고 즐기는 것에 지나지 않으니 굳이 《임원경제지》 안에서 〈예원지(藝畹志)〉를 저술할 필요가 있었느냐는 질문에 "모든 물건은 그것을 기르는 데 '허(虛)'가 있는 뒤에야 '실(實)'을 기르는 것이 완전해진다. 다만 실을 기르는 데만 힘을 쓴다면, 기르는 것이 도리어 황무지의 잡초

---

56 옥미인(玉美人)은 목단(牧丹) 종(種) 작약(芍藥) 과(科)의 낙엽관목이다.

처럼 엉클어지고 말 것이니, 허와 실을 함께 길러야 완전해질 수 있을 것이다."[57]라 하며 감상의 필요성을 주장하였다. 필요한 먹거리의 재배도 중요하지만, 완상을 위한 식목과 화훼(花卉)의 돌봄도 있어야 참다운 생활을 이룰 수 있다는 것이 서유구의 인식이다.

완상을 위하여 식목과 화훼를 재배하는 것은 심미안의 구비를 전제로 한다. 이는 일차적 생존 본능을 넘어서서 식물을 완상하는 자세를 함께 하는 삶이야말로 의미있는 것이라 인식하는 것이거니와, 곧 서유구는 보고 즐기는 것을 의문시하는 것에 대해 어떠한 삶이 진정한 것인지를 본격적으로 문제를 제기한 것이다.

완상의 대상으로 베고니아의 재배를 언급한 것도 같은 맥락에서 이해할 수 있다.

> 추해당(秋海棠)[58] 잎은 박 잎과 비슷하나 비스듬히 길쭉하며 앞면은 녹색이고 뒷면은 자주색이고, 가지마디와 잎 무늬에는 모두 붉은 테두리가 있다. 과음했을 때 잎을 따서 씹으면 쉽게 술이 깬다. 6월에 작은 꽃이 피는데 붉은색이다. 뿌리는 토란 같다. 서리 내린 뒤에 캐내어 상자에 보관하되 오랫동안 사람의 온기를 가까이해서 얼지 않게 하여, 2월에 그림이 그려진 도자기 화분에 심으면 완상하기에 상당히 만족스러울 것이다.
>
> 권7, 〈추해당(秋海棠)〉

외래종인 베고니아의 형태와 생태를 상세하게 제시하고, 꽃이 지고 서

---

57 대판부립중지도도서관(大阪府立中之島圖書館) 소장(所藏), 《임원경제지(林園經濟志)》, 〈예원지인(藝畹志引)〉, "凡物之養, 有虛者然後, 養實者全矣. 若但知養實之是務, 則所養反鹵莽矣必也. 虛實兼養, 乃可完矣."

58 추해당(秋海棠)은 베고니아로 아메리카가 원산이다. 예로부터 관엽식물(觀葉植物)로 애용하였으며 많은 개량 품종이 있다. 줄기는 곧게 자라는 것과 덩굴성이 있고 뿌리줄기 또는 알뿌리가 있다. 잎은 어긋나고 좌우가 같지 않으며 가장자리가 밋밋하나 갈라지고 또 톱니가 있는 것도 있으며 대개 턱잎이 없다. 구근종(球根種), 근경종(根莖種), 섬근종(纖根種)의 3가지로 크게 나뉘는데, 여기서는 구근종을 가리킨다

리 내린 이후의 관리와 다시 심는 시기 등을 정확히 설명하고 있다. 지금도 서유구가 설명한 방법대로 베고니아 구근을 보관하였다가 봄에 심는다. 서유구는 식물의 생태적 특성과 관련 지식을 습득하여야 하고, 이를 토대로 심고 가꾸어 그 꽃을 보면 저절로 완상의 맛을 느낄 수 있다고 기술한다. 그는 식물을 심고 가꾸는 노동과 시간을 투여한 뒤 그 꽃을 완상할 때와 그렇지 않고 완상할 때를 비교하면, 완상의 재미와 맛을 달리 느낄 수밖에 없다는 의미를 글의 행간에 깔고 있다. 여기서 서유구가 새로운 화훼 종자를 수입하여 직접 기를 것을 요구하는 것은 음미할 만한 대목이다. 이는 직접 재배를 통해 심미안을 기르고 완상하는 재미와 그 깊이를 느끼기 위함인데, 자신이 금화 산장에서 추구한 가정경제학[59]의 실천이기도 한 것이다.

《금화경독기》는 새로운 종자나 식물 외에, 외래 문명의 이기(利器)에도 시선을 두고 있다. 대표적인 것이 안경과 수입한 흡독석(吸毒石)이다. 당시 안경은 이미 내부에서 수정 안경을 생산하고 있었지만, 값이 비싸 살 수 있는 인원이 한정되었다. 흡독석은 《열하일기》에도 나오거니와 당시 독충과 종기 치료에 약효가 있는 것으로 알려진 이기였다.

아래는 사회와 문화적으로 가장 파급력을 지녔던 안경의 존재와 그 효용을 서술한 부분이다.

> 안경은 옛날에는 없었다. 명나라 때 서양으로부터 들어와 과도하게 기이한 보물로 여겨져서 가치가 좋은 말 한 필 값이나 되었다. 지금은 거의 천하에 두루 퍼져서 세 가구 사는 작은 마을에 토원책자(兎園冊子)를 끼고 있는 사람까지도 안경을 쓰지 않은 이가 없다. 여름철에는 수정으로 만든 것이 쓰기 알맞고, 겨울철에는 유리로 만든 것이 쓰기 알맞다.

---

59 서유구의 가정경제학의 면모와 실천은 김대중, 〈예규지(倪圭志)〉의 가정 경제학〉《한국한문학연구》 51집, 2013, 참조.

수정은 겨울철에는 냉기가 눈에 어려 쓸 수가 없다. 일본에서 만든 것도 종종 좋은 제품이 있다. 우리나라의 경주에서도 오수정(烏水晶)이 나오는데, 안경을 만들 만하다. 그러나 연마하고 꾸며서 만드는 기술이 중국과 일본만큼 좋지는 않다.

권7, 〈안경[靉靆]〉

애체(靉靆)는 안경을 말한다. 중국으로부터 수입된 서양 안경은 보물로 취급되어 귀한 것은 말 한 필 값에 이른다는 것은 안경의 효용 가치가 매우 크다는 것을 의미한다. 19세기 초에 오면 수정안경은 물론 유리안경도 다양한 계층에 보급되었다. 위에서 서유구는 국내산 안경의 품질을 중국 및 일본 안경과 비교하면서 상세히 기술하고 있다. 18세기에 오면 안경의 보급이 확대되어 가격도 내려가지만, 17세기 초만 하더라도 안경 1부는 말 한 필에 해당하는 고가였고, 구하는 것 또한 쉽지 않을 정도로 희귀품 중의 하나였다. 실제로 18세기 이전에 안경은 누구나 쉽게 가질 수 있는 그런 것이 아니고, 일부 사대부 계층만이 소장하여 필요에 따라 사용하는 고가의 귀중품이었다. 그러다가 18세기에 안경의 공급이 확대되면서 다양한 계층이 안경을 사용하였다. 심지어 토원책자(兎園冊子)와 같은 비속한 책을 읽는 사람조차도 안경을 쓰고 읽었다는 것은 당시 안경의 보급 상황을 보여주는 언급이다.

주지하듯이 안경은 노년기에 독서하기 어려운 상황을 해결해 줌으로써 학술적으로 사대부 지식인들에게 엄청난 영향을 끼쳤다. 무엇보다 사대부들이 만년의 학문적 성과를 정리하고 저술하는 데 결정적으로 기여하였다. 이를테면 안경은 사대부 지식인의 독서와 학문 세계에 커다란 변화를 가져다 주었다. 안경의 보급으로 사대부 지식인은 독서 시간을 연장하고 오랜 기간 지식을 축적하기도 하며, 이를 토대로 풍부한 학문적 성과를 낼 수 있었다. 특히 안경은 예전에 상상조차 할 수 없던 지식·정보의 축적과 확산에 공헌하였고, 나아가 혁명적 이기(利器)로 주목을 받았다.

조선 후기 안경의 광범위한 보급은 당대 문화와 학술계에까지 엄청난 영향과 변화를 가져다주었음은 물론이다.[60]

(3) 이용후생과 해로무역의 전망

《금화경독기》는 이용후생학(利用厚生學)과 관련된 여러 내용을 담고 있다. 이러한 이용후생의 방안은 《임원경제지》에서 이미 확인할 수 있는 것이다.[61] 익히 알고 있는 수레와 벽돌의 사용 이외에도 《금화경독기》는 보다 진전된 문제의식을 제시하고 있다. 서유구는 당시 가장 민감했던 사회문제인 채광의 문제를 정면에서 다룬다. 그는 설점수세(設店收稅)의 제도화 이후 나타난 폐단 두 가지를 주목하였다. 하나는 농번기에 물가에서 금을 거르는 방법 때문에 발생하는 농사의 작파(作破), 또 하나는 잠채(潛採)로 인한 탈세와 무뢰배들이 집단으로 모여드는 소요 문제다. 서유구는 이 문제는 단순히 농사를 해치는 것에서 끝나지 않고 결국 사회적 문제로 확산할 것에 주목하고 있다.

서유구는 이러한 폐단과 사회적 문제를 예방하기 위하여 발본적인 해결 방안을 구상을 제시하는데, 이는 상세한 연구와 현실에서의 대안 가능성을 고려한 결과였다. 그는 당시 공조 판서로 있으면서 자신이 구상한 9가지 방책을 정책에 반영하고자 한 바 있다.[62]

---

60 안경과 조선 후기 사대부 지식인의 독서환경 변화와 저술의 경향을 논한 것으로는 진재교, 〈조선 후기 안경(眼鏡)과 문화(文化)의 생성(生成) –안경으로 읽는 조선 후기 문화의 한 국면–〉, 《한국한문학연구》 제62집 2016, pp.265-298 참조.

61 《임원경제지》의 이용후생학은 안대회, 〈임원경제지를 통해 본 서유구의 이용후생학〉, 《한국실학연구》 11집, 2006, 참조.

62 서유구는 《금화경독기》 권7의 〈금(金)〉에서 "내가 탁지(度支)에 있었을 때 산원(筭員) 중에 서관(西關)에서 온 자가 "농사에 방해되지 않고 백성을 해치지 않으면서 법령을 만들면 나라가 부유해지고 백성이 넉넉해지는 방법이 있다."며 규정을 만들어서 바쳤다. 나 역시 "지금 재화가 고갈되고 백성이 곤궁하니, 만일 조금이라도 가난을 벗어나 힘을 펼 수 있는 계책이 있다면 어찌 시험해보지 않고 내버려둘 수 있겠는가?"라고 말하였다. 그래서 연석(筵席)에서 아뢰어 시행하고자 하였으나 결국 체임(遞任)되어 시행하지 못 하였다."라 언급하고 있다. 서유구는 1832년에 호조판서에 임명된 바가 있다.

① 돌아보면 금을 몰래 캐는 폐해는 어느 곳이든, 어느 때든 있었다. 폐해를 일일이 막을 수가 없어서 결국 시끄러워진 것이다. 그렇다면 차라리 이 방법을 써서 편법적이고 난잡한 무리들을 막지 않아도 저절로 막게 되는 효과를 보는 편이 낫다. 그렇다면 오늘날 채금에 대한 승인이 곧, 채금을 금하는 좋은 법이 되는 셈이다. 나라에서 전에 없던 정세(定稅)를 얻을 수 있다면, 어찌 큰 행운이 아니겠는가.

② 금, 은, 동, 납은 이용후생의 도구가 아닌 것이 없다. 그러나 동광(銅廣)이나 연광(鉛鑛)은 애초 이익(理益)의 효과가 없었고 금광이나 은광은 난잡한 폐해만을 초래하였다. 이 때문에 채굴을 금지하는 명령이 있었던 것이다. 그러나 지금 만약 폐해를 없앨 방법을 공모하여 재화를 생산하는 방법으로 삼는다면 금, 은, 동, 납의 채굴을 베풀어 개설하지 않을 이유가 없다. 그러니 지금처럼 재정이 텅 비고 고갈되었을 때 마땅히 힘써야 하는 요체로 이보다 더 중대한 것은 없다.

권7, 〈금(金)〉

제시한 인용문은 서유구(徐有榘)가 제시한 해결책 중 결론 부분에 해당하는 두 가지 제안이다. 결론에 앞서 서유구는 7가지 구체적인 방안을 자세하게 제시하고 있다. 이를 대략 요약하여 제시하면 다음과 같다.

첫째, 도감(都監)을 만들어 채금을 감독하는 직책을 맡기고, 각 도(道)의 채금(採金)을 매년 허락하되 한 도에 한 곳을 초과해서는 안 된다.

둘째, 구들장을 만들어 채금하되, 거지법(車芝法)을 써서 흙을 버리고, 사제법(篩蹄法)을 써서 작은 것을 채취하고, 목조법(木槽法)을 사용하여 채금하도록 한다. 그러면 화도법(火淘法, 물 대신 불을 이용하여 금을 걸러 내는 방법)을 사용할 수 있고어 농한기(10월부터 2월) 때도 채금할 수 있어 농사에 피해가 없다.

셋째, 채금에 전답을 침범할 경우 값을 계산해 주고, 채금 후 다시 주인에게 돌려준다. 그러면 시월에서 정월까지 4개월 동안은 농사짓는 시기가 아니니 주인도 좋아하여 문제 없이 잠시 전답을 빌려줄 것이다. 하지만 큰 마을이나 묘지가 가까운 곳은 절대로 금 캐는 일을 승낙해 주어서는 안 된다.

넷째, 화도법(火淘法)을 사용하되, 금액을 정하여 고용인에게 지급하는 방식을 쓰면 유실되는 금이 없을 것이다. 그리고 각 도에서 해마다 200냥을 정세(定稅)한다면, 설점수세(設店收稅)로 거둬들이는 것보다 세수를 늘일 수 있다.

다섯째, 해마다 채금하는 곳은 그대로 두며, 안 하는 곳도 그대로 둔다면 자연스럽게 잠채(潛採)의 근심도 없어지게 된다. 게다가 매년 전국 팔도에서 일천육백 냥의 세수를 거둘 수 있어 국가 재정에도 기여할 수 있다.

여섯째, 시월 초하루에 채광을 시작하는 것으로, 매해 앞서 각 도의 해당 채읍지(採邑地)를 정한다. 이어서 목패(木牌)를 각 도로 내려보내고, 관리자도 준비를 위하여 20일 먼저 가도록 한다. 정월 그믐(음력 1월 29일)에 채굴이 끝나더라도, 열흘 동안 더 머물게 하여 폐해가 없도록 관리하도록 한다.

일곱째, 광부의 인원을 정해놓으면 무뢰배들도 오지 않을 것이다. 그리고 채금 관리자들이 채금을 관리하며 일생 의지할 수 있게 해 준다면, 관에서 내리는 법령이 없이도 광부의 무분별한 이동은 저절로 없어질 것이다.

서유구는 위에서 제시한 7가지 방책의 경우, 실제 현실에서 적용할 수 있는 안이자 국가 차원의 제도적 장치로 바로 전환할 수 있는 안이라 확신한다.

더욱이 ①에서 서유구는 자신이 제시한 7가지 안에 채금을 위한 준비 단계부터 채금과정, 그리고 채금 이후 예상할 수 있는 폐단을 두루 고려하여 그 대안을 제시한 것이라 강조한다. 만약 이를 토대로 전국 8도에 채금을 허락하면, 종전처럼 채금으로 인한 폐단의 방지는 물론 종국적으로 채금을 금지하였을 때와 같은 효과를 얻을 수 있을 것이라 제시하고 있다.

②는 앞서 제시한 안을 정책에 반영하였을 때의 현실적 효과를 나타내는 언급으로 이 안의 결론 부분이다. 여기서 서유구는 금, 은, 동, 납 등의 채광(採鑛)은 현실에서 그 파급력이 큰 이용후생의 도구라 적시한다. 이어서 이익이 많은 채광부터 먼저 허락한다면 폐단이 있는 나머지 채광은 자연스럽게 정리될 것으로 예견하고 있다. 이를 바탕으로 점차 전국적으로 설점수세를 확대하면 채광의 문제는 발본적으로 해결할 수 있다는 것이다.

사실 채광의 문제는 조선 후기 지속해서 제기된 사회적 이슈였다. 서유구가 호조 판서로 재직하기 이전에도 조정에서 이 문제를 심각하게 거론한 바 있다.

> 호조 판서 서영보(徐榮輔)가 아뢰기를, "기호(畿湖)·양서(兩西)·동북(東北) 등 6도(道)에 금맥(金脈)이 점점 성하여 몰래 채취하는 무리가 거의 없는 곳이 없는데, 수령이 비록 징금(懲禁)을 엄중히 더하고 있으나 잠깐 흩어졌다가는 바로 모여들어서 막을 수가 없다고 합니다. 지금에 만일 엄중히 징금하여 영원히 막는다면 진실로 대단히 좋겠습니다마는, 그것을 기필코 금하지 못할 것이라고 명확하게 알고 있으니, 관아(官衙)에서 구검(句檢)하여 오로지 통기(統紀)함이 있는 것보다 더 나을 것이 없습니다. 제도(諸道)의 금이 생산되는 곳에는 거기에 설점(設店)을 허락하고 탁지(度支)에서 은점(銀店)의 예에 의해 구관(句管)하여 세금을 거두어들이되, 먼저 그 풍성(豊盛)에 따라서 전파되는 소문이 낭자한 곳에 시행토록 하는 것이 아마도 편의에 합당할 것입니다." 하니, 임금이 대신에게 물어본 다음 가하다 하였다.[63]

---

63 《조선왕조실록》 순조 6년 병인(1806년) 12월 10일(계미) 기사조 참조. 한국고전번역원, '한국고전종합 DB' 참조.

1806년 순조 초의 언급이다. 조정은 채광과 금점(金店)·은점(銀店)의 사회적 문제로 불거진 것에 적절한 답을 얻지 못하였다. 이 문제는 22년이 지나 서유구가 공조 판서에 재직할 때까지도 여전히 해결하지 못하고 이월되었다. 위에서 호조 판서 서영보가 은점(銀店)의 사례를 참조하여 금점(金店)에 설점수세(設店收稅)하여 무뢰배들이 무분별하게 채금(採金)하는 것을 막을 것을 건의하자, 이에 순조가 하교하는 대목이다.

사실 서영보는 오직 은점의 사례에 따라 설점수세를 제기할 뿐 다른 폐단의 발생은 전혀 고려하지 않고 있다. 당시 무분별한 채광(採鑛)의 문제는 적지 않은 기간 사회적 이슈로 떠올랐지만, 여전히 미해결상태로 남아 국가가 해결해야 할 난제 중의 하나가 남았다. 채광이 증가하면서 생겨나는 추리(趨利)의 민심과 국가 이념의 균열, 여기에 무분별한 채광으로 인한 진전(陳田)의 족출(簇出) 등은 농본(農本)을 추구한 국가의 입장에서는 작은 문제가 아니다. 성대중(成大中, 1732~1809)은 이러한 무분별한 채광으로 당시 민심의 소동과 그로 인한 여러 폐단을 《청성잡기(青城雜記)》[64]에 담았다. 성대중이 사실적인 필치의 서사로 포착한 것은 당대사의 이면을 들춘 것이자 실상의 반영이기도 한 것이다.

정약용(丁若鏞) 또한 《목민심서(牧民心書)》에서 "채금법(採金法)에는 또 새로운 방법이 있는데, 만일 조정에서 명령이 내린다면 시험해 보아도 무방하다[採金之法, 又有新方, 苟有朝令, 試之無妨.]"라 한 뒤, 채금을 위한 별도의 규제책 4가지 방안을 제안한 바 있다. 정약용은 이 안을 시행하면 채금으로 생기는 폐단을 막을 수 있다고 하였다.[65]

---

64 《청성잡기(青城雜記)》 권3, 〈성언(醒言)〉 "江界礦銀之盛, 四方雲集, 屋及山頂, 皆游食無賴者也. 聚首注眸, 惟礦戶之伺焉.穴有守者, 封閉甚固, 時或微啓, 伺者輒投身而入, 穴深不測, 泥石滅頂, 而死傷之不恤, 惟幸其入也. 蛇行緣火, 至鑿銀之所, 銀塊磊落, 應鎚而顚, 遽抱之伏, 抵死不釋, 詈罵捶掇, 甘之如飴, 工亦無如之何, 推之使去. 提銀出穴, 視天而譆, 神精躍躍而騰騰. 持錢者趨而易之, 爭價相詈, 狗豚不離口也. 卒乃易錢而返, 詑而四顧曰, 孰知我一丐而獲百金耶?" 번역은 한국고전번역원 사이트 '한국고전종합 DB' 참조.

65 다산연구회 역, 임형택 교열, 《역주 목민심서》, 5권, 〈공전(工典)·육조(六條)〉, 제 일조, '산림(山林)', 창비 2018, 참조.

하지만 위에서 서영보가 해결책으로 제시한 안이나 다산이 제시한 것은 모두 잠채나 채광에서 발생한 이후의 문제에 방점을 두었다. 이는 사후(事後) 징벌 위주로 처리하는 방안인바, 기실 채광의 금지를 강하게 지향하는 안이자 해결방안이다. 하지만 이런 방안으로는 채광의 사회적 문제를 근본적으로 해결할 수는 없다. 오히려 서유구가 제시한 9가지 방안이 현실적 대안이다. 서유구가 제시한 방안은 광산업을 진작시키고 농업도 안정시킬 뿐만 아니라, 국가 재정 수입을 증대시키는 묘책이다. 이는 종국적으로 산업경제를 활성화함으로써 사회의 생산구조의 거점을 마련할 수 있는 데까지 나아갈 수 있는 탁견에 다름아니다.

한편 서유구는 다른 글에서 "내가 일찍이 석탄 몇 개를 구했는데, 색이 검고 재질이 무르며, 열기가 불을 붙이면 하루나 이틀 정도 지낼 수 있었으니, 만일 쓰임새를 넓힐 수 있다면 이용후생의 한 가지 방법이 될 것이다."[권7 석탄(石炭)]라 하여 관북과 관서에서 나는 석탄을 개발하여 널리 보급하자는 주장도 펼치고 있다. 석탄은 땔감을 대신하기 때문에 산림을 보호하는 한편 광업을 개발할 수 있다는 점에서 채광과 같은 사회적 효용을 지닌다.

어쨌거나 채광(採鑛)을 둘러싸고 발생한 사회적 문제의 해결책으로 제시한 서유구의 안은 실현 가능성이 컸다. 하지만 서유구는 자신의 이 정책을 당대 현실에서 실현하지 못한 채, 호조 판서에서 물러나고 말았다. 요컨대 채광은 금할 대상이 아니라 이용후생과 국가의 세수증대를 위해 필요하다는 서유구의 인식과 대안 제시는 그야말로 국가를 위한 이용후생학이다. 이러한 탁견은 현실 상황을 깊이 통찰하고 실물경제를 알지 못하면 나올 수 없는 실현가능한 안이자 국가적 비전이기도 하였다. 결국, 이 안이 국정에 반영되지 못하고 만 것은 시대의 불행이자 서유구가 추구한 이용후생학의 현실적 좌절이기도 한 셈이다.

한편, 《금화경독기》에서 확인할 수 있는 이용후생의 중요한 안은 해로의 개방을 통한 무역의 확대다. 이는 기왕의 수레 사용의 발상과 실학적 지향과는 그 길을 달리한다.

> 대개 먼 지역에서 운반하는 방법은 말보다는 수레가 낫고, 수레보다는 배가 낫다. 신라는 해로를 통해 당나라와 교역하여 중국의 문헌을 얻어 다른 나라보다 뛰어날 수 있었다. 당시 강서성과 절강성의 상선들이 예성강(禮成江)에 정박하는 것을 허락했고 기이한 서적, 진귀한 책과 여러 물품들이 함께 팔려서 당시 서적이 크게 갖추어졌다.
> 해외의 여러 나라들은 일본과 같이 구석에 치우쳐 있어도 능히 중원에 이를 수 있었으니 겸가당(蒹葭堂) 목홍공(木弘恭)이 모은 책이 삼만 권이었다. 즉 《도서집성》과 같은 거작이 그동안 일본에 흘러들어간 것이 서너 부나 되었으니 이 역시 배로 강남(江南)과 교역했기 때문이다.
> 우리나라는 유독 다른 나라의 상선이 정박하는 것을 허락하지 않아서 중국 서적을 구매하는 방법이 단지 조공 사신편의 육로뿐이었다. 그러나 수레의 비용이 왕왕 책값보다 비싸서 전대에 넣어 간 재화를 살펴보면 10분의 1에도 미치지 못하니 어찌 낙담하여 손을 거두고 기가 죽어 물러나지 않겠는가. 우리나라가 문물이 융성했던 때에는 중국에 비견되었는데, 책을 모으는 양이 전대(前代)보다 훨씬 못해진 것은 다만 배와 수레를 이용해 구입하지 않은 데 따른 것이다. 해로로 통상하는 것이 금지되었을지라도 육로로 운반하는 계책은 누차 말했던 바이다.
>
> 권5 〈저서(儲書)〉

조선 후기 실학자들이 이용후생을 위하여 수레 사용을 주장한 것은 주지하는 바이거니와, 해로를 통한 무역의 제기는 매우 드물다. 해로의 개방과 해로 무역은 두 가지 중대한 전망을 지닌 사안이다. 하나는 해로를 통해 들어오는 새로운 지식·정보의 확대다. 청이나 에도막부가 아닌 대항해 이후 서양의 지식·정보를 광범위하게 확인할 수 있다는 점이다. 또한, 해로의 개방은 궁극적으로 조선 정부가 추진하던 해금정책의 전환과 함께 집권층의 시대조류와 관련한 인식의 대전환을 촉구한다는 점이다.

위에서 서유구가 주목한 것은 선박을 통한 해로 개방과 국제 교류의 효과다. 이는 앞서 말한 두 가지 전망을 아우르는 사안이다. 운반의 효율성과 물화 유통의 경제성을 위하여 수레와 배를 함께 사용하자는 문제 제기는 새롭다. 해로를 적극적으로 개척하여 해상무역과 물화의 유통을 확대하자는 주장은 조선부터 시행한 해금정책을 폐지해야 가능한 일이다. 이 점에서 국가 정책을 위한 차원에서 문제를 제기한 것이다. 기실 해금정책으로 인한 해로(海路)의 봉쇄는 해상무역을 불가능하게 만든다. 서유구가 해로를 통해 무역을 주장하는 것은 19세기에 이르기까지 해로를 봉쇄하는 해금정책은 시대에 맞지 않는다는 것을 역설적으로 보여준다.

조선은 건국 초부터 명이 추진한 해금 정책의 영향으로 대명률(大明律)을 준용하였고 그 결과 사행을 제외한 사적인 출해(出海)는 물론 해로를 통한 인적 교류와 무역은 불가능하였다. 명의 해금정책은 청이 들어서도 변하지 않았고, 조선 역시 19세기 중반까지 이러한 해금 정책을 준용하였다. 명·청(明·淸)은 동아시아에서 해금과 조공체제를 연결해 국제질서를 정립하였고 조선은 이를 준용하여 해금정책을 시행하였다. 하지만 19세기까지 이어진 이 정책은 시대를 거스르는 기능을 하고말았다.[66] 이 해금정책으로 인하여 사행(使行)을 제외하고 공적 사적으로 다른 나라로 가는 것은 물론, 다른 나라 선박조차 국내로 마음대로 들어올 수 없었다. 이는 결국 해로를 통해 전해져 오는 새로운 지식·정보와 시대 조류에 눈감는 쇄국으로 이어진 바 있다. 그 여파로 동아시아 내 국가 간의 인적·물적 교류를 통한 문화적 경제적 확산과 외국 상인의 내항을 불가능하게 만듦으로써 경제적 활성과 동아시아지역 내의 교류, 나아가 이(異) 문화와의 접촉

66 17~19세기 초반의 동아시아에서의 해금정책과 해륙 경계의 인식은 손승철, 《중·근세 동아시아지역의 해륙 경계인식》, 경인문화사, 2013, 참조. 그리고 민덕기, 〈중·근세 동아시아의 해금정책과 경계인식 –동양 삼국의 해금 정책을 중심으로–〉, 《한일관계사연구》 39집, 2011, pp.105-125 참조.

을 막아버리는 결과를 초래하였다.

서유구의 해로에 대한 개방과 해상무역의 문제 제기는 이러한 해금정책이 가져오는 폐해와 시대적 실효성에 의문을 제기한 것이다. 해로의 개방과 국제적인 통상무역은 박제가(朴齊家)가 《북학의(北學議)》에서 제기한 바 있고, 다산학단(茶山學團)의 일원이었던 이강회(李綱會, 1789~?)도 해로(海路)를 향해 학지(學知)를 열어 놓은 바 있는 실학의 새로운 길이다.[67] 서유구의 주장은 실학의 방향 전환을 적극적으로 개진한 문제의식의 표출이었다.

---

67 임형택, 〈다산학단(茶山學團)에서 해양으로 학지(學知)의 열림－이강회(李綱會)의 경우〉, 《대동문화연구》, 56호, 2006, pp.75-108 참조.

이것은 분명 〈본기〉의 찬술을 마치기 전에 대를 이어 전해진 진(秦)나라의 계보를 기록하여 채록할 때 쓰려던 것인데, 〈본기〉가 완성된 뒤에 미처 삭제하지 못한 것일 것이다. 이것이 옛사람이 《사기》를 사마천의 미완의 책이라고 생각한 하나의 근거이다.

금화경독기 金華耕讀記

권 1

서유구(徐有榘)[1] 준평(準平) 저(著)

《전국책戰國策》의 오류

〈조책(趙策)〉에 "소진(蘇秦)[2]이 이태(李兌)[3]에게 말하길, '지금 그대는 주보(主父, 무령왕(武靈王))[4]를 죽이고 멸족시켰습니다.'"라고 하였다.[5]

---

1 서유구(徐有榘) : 1764~1845. 본관은 달성(達城)이고, 자는 준평(準平), 호는 풍석(楓石), 시호는 문간(文簡)이다. 벼슬은 1790년(정조 14) 무과에 급제하여 판서·참찬을 거쳐 대제학을 지냈다. 순조(純祖) 때 일본으로부터 고구마 종자(種子)를 구입하여 각 고을에 나누어 주고 《종저보(種藷譜)》를 지어 그 재배법을 널리 알렸으며, 농정에 대한 경론 및 상소문을 써서 영농법(營農法)의 개혁을 누차 역설하였다. 만년에는 손수 농사를 지으며 농업에 관한 저서를 많이 남기기도 하였다. 저서에 《임원십육지(林園十六志)》·《풍석집(楓石集)》·《십삼경대(十三經對)》가 있다.

2 소진(蘇秦) : ?~기원전 284. 중국 전국시대의 유세객이다. 낙양 사람으로 자는 계자(季子)이다. 장의(張儀)와 함께 귀곡자(鬼谷子)의 문하에서 수학했다. 진(秦)나라에 대항하는 6국 간 동맹을 목표로 한 합종책(合縱策)을 성공시켜 6국의 재상을 겸임하였다. 진나라와 6국이 각각 개별적으로 동맹을 맺는 연횡책(連橫策)을 제창한 장의와 더불어 종횡가(縱橫家)라 일컬어진다.

3 이태(李兌) : 생몰년은 미상이다. 중국 전국시대 조(趙)나라의 대신이다. 기원전 295년 무령왕의 장자 장(章)이 사구(沙丘)의 난(亂)을 일으키자 공자 성(成)과 모의하여 안양군과 그의 재상 전불례(田不禮)를 살해하고 주보궁을 포위해 주보(무령왕, 武靈王)을 아사시켰다. 이 일로 봉양군(奉陽君)에 봉해지고 후에 상국(相國)이 되었다. 제나라와 연합해 진나라에 대항하기를 주장했으며, 소진의 합종책을 받아들였다. 후일 전횡을 일삼아 혜문왕(惠文王)에 의해 상국 자리에서 쫓겨났다.

4 주보(主父) : 기원전 340~기원전 295. 전국시대 조(趙)나라의 무령왕(武靈王) 조옹(趙雍)이다. 군사 개혁을 통해 조나라를 강성하게 하였다. 기원전 314년 자지(子之)의 난으로 연나라가 위기에 빠지자 소왕의 즉위와 국권 회복을 도왔다. 기원전 299년 공자 하(何) 즉 혜문왕에게 양위하고 주보의 자리로 물러났다. 장자였던 장(章)이 이에 불복하여 사구의 난을 일으켰다가 패하여 도망오자 거두어 보호하다가 공자 장이 살해당한 뒤, 후환을 두려워한 공자 성(成)과 이태의 포위로 주보궁에 갇힌 채 굶어 죽었다.

5 조책(趙策)에……하였다 : 조나라 무령왕이 재위 27년(기원전 298) 장자 장(章)을 폐하고 왕자 하(何)를 왕으로 삼으니, 곧 혜문왕이다. 혜문왕 3년(기원전 296) 주보(主父)로 물러난 무령왕이 장자 장을 불쌍히 여겨 조나라를 둘로 나누어 그 반을 주려고 하였다. 이 때문에 이듬해(기원전 295) 장자 장과 혜문왕 사이에 싸움이 일어났고, 패한 장자 장은 아버지가 있는 사구(沙丘)의 이궁(離宮)으로 피신하였다. 이때 또 다른 공자(公子)인 성(成)이 이태(李兌)와 함께 혜문왕의 명을 받고 이궁을 포위하여 결국 장자 장을 죽게 만들었다. 장자 장이 죽자, 후환을 두려워한 성과 이태는 이궁을 1백 일 동안이나 계속 포위하여 끝내 주보도 굶겨 죽이고 말았다.

소진이 죽은 해는 신정왕(愼靚王) 4년(기원전 317)이고, 이태가 주보를 시해한 해는 신정왕 16년이니, 이 글은 잘못되었다.[6]

《사기史記》의 정오正誤 1

〈오자서전伍子胥傳〉

〈오자서전(伍子胥傳)〉[7]에 "제나라 포씨(鮑氏)[8]가 군주 도공(悼公)[9]을 시해하고 양생(陽生)을 세웠다."라고 하였다.

양생은 바로 도공의 이름이니, 이는 잘못된 문장이다. 〈제세가(齊世家)〉에는 도공 4년(기원전 485)에 오(吳)나라와 노(魯)나라가 제나라 남쪽지방을 쳤는데, 포자(鮑子)가 도공을 시해하고 오나라로 달아났다. 오왕 부차(夫差)가 군문(軍門) 밖에서 3일 동안 곡하고 바닷길을 따라 들어가 제나라를 치려고 하였는데, 제나라가 오나라 군대를 무너뜨리자 오나라 군대가 마침내 철수하였다. 제나라 사람들이 함께 도공의 아들 임(壬)을 세웠는데, 이가 바로 간공(簡公)[10]이라고 되어있다.[11] 그러므로 여기에 '양(陽)' 자는 마땅

6 소진이……되었다 : 소진이 죽은 해는 주(周) 신정왕의 뒤를 이은 난왕(赧王) 30년(기원전 284)이므로 신정왕 4년(기원전 317)으로 판단한 것은 서유구의 오류이다. 이태가 주보를 시해한 해는 난왕 20년(기원전 295)이다. 신정왕은 기원전 320년부터 기원전 315년까지 재위 기간이 6년에 불과하다. 그러므로 신정왕 16년은 있을 수도 없고 설령 신정왕 원년을 기준으로 역산해도 기원전 305년이 되므로 잘못되었다. 서유구의 착오임이 분명하다.

7 오자서전(伍子胥傳) : 《사기(史記)》 권66 〈오자서열전(伍子胥列傳)〉 제6.

8 포씨(鮑氏) : 춘추시대 제나라의 정경(正卿)으로 이름은 포목(鮑牧)이다. 제 경공(齊景公) 때 공자 양생(陽生)과 사이가 나빴다. 경공이 죽자 전걸(田乞)의 협박을 받고 경공의 적자 안유자(晏孺子)를 퇴위시키고 공자 양생(陽生)을 제나라 군주 자리에 앉혔다. 이가 제도공(齊悼公)이다. 도공 재위 4년에 도공을 시해했다. 제나라 사람들이 도공의 아들 임(任)을 군주로 세웠는데, 이가 간공(簡公)이다.

9 도공(悼公) : ?~기원전 485. 중국 전국시대 제(齊)나라의 제후로 이름은 양생(陽生)이다. 경공(景公)의 아들로, 재위기간은 기원전 488년부터 기원전 485년까지이다. 노(魯)나라로 망명했다가 돌아와 전걸(田乞)에 의해 즉위했다. 기원전 485년 오나라와 노나라가 제나라 남방을 침공하였을 때, 대부 포목(鮑牧)에게 살해당했다. 이로부터 전씨(田氏)의 전제정권이 시작되었다.

10 간공(簡公) : 기원전 484~기원전 481. 도공의 아들, 임(壬)이다. 전상이 감지(闞止)를 죽이자 불안한 나머지 도망치다가 사로잡혀 살해되었다.

11 도공 4년……되어있다 : 四年, 田乞卒, 子常代立, 是爲田成子. 鮑牧與齊悼公有郤, 弒悼公. 齊人共立

히 '임(壬)' 자가 되어야 한다.

《사기史記》의 정오正誤 2

〈장의전張儀傳〉 1

〈장의전(張儀傳)〉[12]에 이런 내용이 있다.

"서수(犀首)[13]가 위(魏)나라 재상이 되자, 장의(張儀)[14]가 위나라를 떠났다. 서수는 장의가 다시 진나라 재상이 되었다는 소식을 듣고서 그를 훼방하고자 하였다. 의거(義渠)[15]의 임금에게 '중원(中原)에 아무 일이 없으면 진나라는 필시 임금의 나라를 불사르고 짓밟을 것입니다. 그러나 일이 벌어지게 되면 진나라는 서둘러 사신들 편에 많은 예물을 보내서 임금의 나라를 떠받들게 될 것입니다.'[16]라고 하였는데, 그 후 다섯 제후국이 진나라를 공격하였다."[17]

其子壬, 是爲簡公.(《史記》 卷46 〈田敬仲完世家〉)

12 장의전張儀傳 : 《사기(史記)》 권70 〈장의열전(張儀列傳)〉 제10.

13 서수(犀首) : 중국 전국시대의 정치가인 공손연(公孫衍 생몰년은 미상이다.)을 가리킨다. 위(魏)나라 음진(陰晉) 사람이다. 서수는 본래 관직명으로, 그를 가리키는 별칭으로 쓰인다. 진(秦)나라에서 대량조(大良造) 벼슬을 지내며 제나라와 위나라를 설득하여 조나라를 공격하게 해 소진이 주도한 종약(縱約)을 깨뜨렸다. 이후 위나라에 들어가 상(相)이 되었다. 위 양왕(魏襄王) 원년(기원전 318) 합종책(合縱策)을 주장하여 장의가 주도한 연횡책(連橫策)에 대항하였다.

14 장의(張儀) : ?~기원전 309. 중국 전국시대 위(魏)나라의 유세객으로 종횡가(縱橫家)의 비조이다. 합종책(合從策)을 제창한 소진(蘇秦)과 더불어 귀곡선생(鬼谷先生)에게 사사하였다. 처음에 초(楚)나라에 가서 벽(璧, 옥으로 만든 儀器)을 훔친 혐의를 받고 태형(笞刑)의 벌을 받은 뒤 추방되었으나 제후에게 유세(遊說)를 계속하였다. 소진의 주선으로 진(秦)나라에서 벼슬살이를 하게 되어 혜문왕(惠文王) 때 재상이 되었다. 연횡책(連衡策)을 주창하면서, 위(魏)·조(趙)·한(韓)나라 등 동서[橫]로 잇닿은 6국을 설득, 진(秦)나라를 중심으로 하는 동맹관계를 맺게 하였다. 혜왕이 죽은 뒤 실각, 위나라로 피신하였으며 재상이 된 지 1년 만에 죽었다.

15 의거(義渠) : 부족 이름이다. 서융(西戎)의 일파로 지금의 섬서성과 감숙성 일대에 거처하였다. 기원전 270년 진(秦)나라에 병탄되었다.

16 중원(中原)에……것입니다 : "중원(中原)에 아무 일이 없으면"이라고 한 말은 산동(山東)의 여러 제후국들이 합종하여 진(秦)나라를 공격하는 일이 일어나지 않음을 가리키는 것이며, 아래 문장의 "일이 벌어지게 되면"은 산동(山東)의 제후국이 진(秦)나라를 공격한다는 것을 의미한다.

17 서수(犀首)가……공격하였다 : (犀首)果相魏, 張儀去. 義渠君朝於魏, 犀首聞張儀復相秦, 害之. 犀首乃謂義渠君曰: 道遠不得復過, 請謁事情. 曰: 中國無事, 秦得燒掇焚杅君之國; 有事, 秦將輕使重幣事君之國. 其後五國伐秦.(《史記》 卷70 〈張儀列傳〉 第10)

〈육국연표(六國年表)〉[18]를 살펴보니, 다섯 제후국이 진나라를 정벌한 것은 진나라 혜왕(惠王) 후원(後元) 7년(기원전 318)의 일이고, 장의가 위나라를 떠나 진나라의 재상이 된 것은 혜왕 후원(後元) 8년(기원전 317)의 일로 되어 있다.[19]

서수가 의거의 임금을 회유한 것은 처음부터 장의가 진나라의 재상이 된 것을 훼방하려고 그렇게 한 것이 아니다. 아마 사마천이 서수가 의거의 임금에게 아뢰었다[20]고 기술한 문단은 전적으로 《전국책(戰國策)》을 따랐을 것이다. 그리고 "서수는 장의가 다시 진나라의 재상이 되었다는 소식을 듣고 그를 훼방하려고 하였다."라고 한 말은, 사마천이 억측하고 견강부회하여 마침내 일의 선후를 바꾸어 기술한 것이다.

《사기史記》의 정오正誤 3

〈장의전張儀傳〉 2

〈장의전〉에서 촉(蜀)[21]나라를 정벌한 것은 장의가 진나라의 재상이 된 것보다 이전에 있었다고 기술하였다.[22]

---

18 육국연표(六國年表) : 주(周) 원왕(元王)에서 진시황이 천하를 통일한 진나라 2세 3년(기원전 207)까지 270년의 기간을 도표화한 것이다. 6국(위, 한, 조, 초, 연, 제)이라고 하였지만 연표에는 여덟 나라, 즉 주나라 왕실과 전국칠웅(戰國七雄)을 싣고 있다. 첫 번째 칸의 주나라는 왕실로서 천하의 주인이며, 두 번째 칸의 진나라는 천하의 존망에 관련되어 있고 나아가 진나라가 천하를 통일한 대업을 높이기 위하여 주나라와 진나라를 '6'이라는 숫자에 포함시키지 않았다. (사마천 지음, 정범진 외 옮김, 《사기》, 까치, 2007, 23면)

19 육국연표(六國年表)를……되어 있다. : 七. 五國共擊秦, 不勝而還. 八. 與韓、趙戰, 斬首八萬. 張儀復相.(《史記》 卷15 〈六國年表〉 第3)

20 서수가……아뢰었다 : 義渠君之魏, 公孫衍謂義渠君曰: "道遠, 臣不得復過矣, 請謁事情." 義渠君曰: "願聞之." 對曰: "中國無事於秦, 則秦且燒爇獲君之國; 中國爲有事於秦, 則秦且輕使重幣, 使事君之國也." 義渠君曰: "謹聞令." 居無幾何, 惡果伐秦. 陳軫謂秦王曰: "義渠君者, 蠻夷之賢君, 王不如賂之以撫其心." 秦王曰: "善." 因以文繡千匹, 好女百人, 遺義渠君. 義渠君致群臣而謀曰: "此乃公孫衍之所謂也." 因起兵襲秦, 大敗秦人於李帛之下.(《戰國策》 〈秦策 二〉)

21 촉(蜀) : 원래는 나라 이름이다. 상고시대 제곡(帝嚳)의 지자(支子)가 촉후(蜀侯)로 봉해져 하(夏)·은(殷)·주(周) 삼대를 지나 전국시대에 이르러 본문의 내용대로 진(秦)에 멸망하였다. 그 고지(古址)는 사천성 성도시(成都市)에 있다. 《신서(新序)》에 의하면 당시 촉에 난이 일어나 이를 구실로 정벌에 나서게 된 것이라고 하였다.(임동석, 《역주 전국책》, 전통문화연구회, 2002. 1책, 126쪽의 주 106)

22 장의전에서……기술하였다 : 惠王曰: 善. 寡人請聽子. 卒起兵伐蜀, 十月取之, 遂定蜀, 貶蜀王更號

〈진본기(秦本紀)〉와 〈육국연표(六國年表)〉에는 "혜왕(惠王)[23] 10년(기원전 328)에 장의가 진나라의 재상이 되었다."[24]라고 하였으며, "혜왕 후원 9년(기원전 316)에 촉나라를 정벌하여 멸망시켰다."[25]라고 하였으니, 그 시간 차이가 12년이나 된다.

사마천은 이 문단을 《전국책》의 글을 그대로 가져다 썼는데, 《전국책》이 본래 연도를 기록하지 않고 시간에 따라 기술하지 않아서 그만 실수를 한 것 같다. 촉나라를 정벌하자는 의론[26]은 사마착(司馬錯)[27]의 주장이지 장의의 주장이 아니다. 예전에 소순(蘇洵)[28]은 포위된 알여(閼與)[29]를 구하자고 의논한 잘못이 〈염파전(廉頗傳)〉에 실려 있지 않고 〈조사전(趙奢傳)〉

爲侯, 而使陳莊相蜀.……(중략)…… 魏因入上郡少梁, 謝秦惠王. 惠王乃以張儀爲相, 更名少梁曰夏陽.(《史記》 卷70 〈張儀列傳〉 第10)

23 혜왕(惠王) : 정실부인인 혜문후(惠文后) 사이에서 무왕(武王)을 낳았고, 후궁이었던 미팔자(芈八子) 사이에서 소양왕(昭襄王)을 낳았다. 약소국이었던 진나라를 강대국으로 가는 발판을 마련한 명군인 아버지(진 효공(秦孝公))의 뒤를 이어 원수임에도 불구하고 상앙(商鞅)의 번법을 폐기하지 않고 오히려 나라에 완전 장착시켰다. 장의(張儀)를 등용해 연횡책(連橫策)을 내세워 외교와 군사력을 끌어올렸으며 파촉(巴蜀)을 정벌하여 최고의 곡창 지대를 확보함에 따라 일약 진나라를 전국칠웅의 최강국 중 하나로 우뚝 세웠다. 이후 천하 통일의 발판을 마련해 자신의 아들들에게 물려주었다.

24 혜왕(惠王)……되었다 : 十年, 張儀相秦.(《史記》 卷5 〈秦本紀〉 第5.) 十. 張儀相. 公子桑圍蒲陽, 降之. 魏納上郡. (《史記》 卷15 〈六國年表〉 第3)

25 혜왕 후원……멸망시켰다 : 九. 擊蜀, 滅之. 取趙中都、西陽.(《史記》 卷15 〈六國年表〉 第3)

26 촉나라를 정벌하자는 의론 : 《전국책(戰國策)》의 〈진책(秦策)〉 〈사마착(司馬錯)과 장의(張儀)가 진 혜왕 앞에서 논쟁을 벌이다.[司馬錯與張儀爭論於秦惠王前]〉라는 글에 보인다. 이 글에 의하면 진나라 혜왕에게 사마착은 촉(蜀)을 치자고 주장하였고 장의는 한(韓)나라를 치자고 주장하였는데 혜왕은 사마착의 의견을 옳다고 여겨 촉을 쳤다.
司馬錯與張儀爭論於秦惠王前. 司馬錯欲伐蜀, 張儀曰: "不如伐韓." 王曰: "請聞其說." 對曰: "親魏善楚, 下兵三川, 塞轘轅、緱氏之口, 當屯留之道, 魏絕南陽, 楚臨南鄭, 秦攻新城、宜陽, 以臨二周之郊, 誅周主之罪, 侵楚、魏之地. 周自知不救, 九鼎寶器必出. 據九鼎, 安圖籍, 挾天子以令天下, 天下莫敢不聽, 此王業也. 今夫蜀, 西辟之國, 而戎狄之長也, 弊兵勞眾不足以成名, 得其地不足以爲利. 臣聞: '爭名者於朝, 爭利者於市.' 今三川、周室, 天下之市朝也. 而翁不爭焉, 顧爭於戎狄, 去王業遠矣."(《戰國策》 〈秦策 一〉)

27 사마착(司馬錯) : 전국시대 중후반기 진나라의 명장으로 생몰년은 미상이다. 기록상에는 혜문왕(惠文王) 때부터 언급된다. 수백 년간 진나라를 괴롭힌 파촉(巴蜀)을 멸망시킨 장수이다.

28 소순(蘇洵) : 원문의 '蘇長公'은 소식(蘇軾)을 가리키나, 아래에 인용된 글은 소순(蘇洵)의 《가우집(嘉祐集)》 권8 〈사론 하(史論下)〉에 보이는 글이므로 '소순(蘇洵)'이 되어야 한다.

29 알여(閼與) : 중국 전국시대 한(韓)나라의 읍으로, 지금의 산서성(山西省) 화순현(和順縣) 서북쪽에 있었다.

에 보인 것[30]과, 기울어가는 초나라의 권세를 약화시키려고 모의한 잘못이 〈역생전(酈生傳)〉에 실려 있지 않고 〈유후전(留侯傳)〉에 보이는 것[31]을 가지고 사마천은 인물의 훌륭한 점을 칭찬한 것이 은미하면서도 드러났다고 말하였다.[32] 지금 이것을 따른다면 촉나라를 정벌한 의론은 마땅히 〈진본기〉에 실려 있어야 하고, 〈장의전〉에 보이지 않아야 한다. 예컨대, "촉이 진나라에 귀속되자 진나라는 더욱 부강해져서 제후를 경시하였다."[33]와 같은 말은 완전히 사마착을 포장(鋪張)한 구법(句法)이니, 장의에게는 해당됨이 없다. 이는 《전국책》의 글을 답습하여 써내려가다가 마침내 문장을 잘못 재단한 것으로 보인다.

《사기史記》의 정오正誤 4

〈장의전張儀傳〉 3

〈장의전〉에 "장의가 초나라 회왕(懷王)[34]에게 '대왕께서는 일찍이 오나

---

30 포위된……보인 것 : 《사기(史記)》 권81 〈염파인상여열전(廉頗藺相如列傳)〉의 조사(趙奢)의 인물전에 이 내용이 보인다. 대략 내용은 다음과 같다. 진(秦)나라가 한(韓)나라를 치면서 알여(閼與)에 주둔하였다. 조나라 왕이 구해낼 수 있을지 물었더니 염파는 구하기 어렵다고 하였고 조사(趙奢)는 이길 수 있다고 하였다. 이에 조사가 명을 받고 구해내서 알여의 포위를 풀었다.
秦伐韓, 軍於閼與. 王召廉頗而問曰: 可救不? 對曰: 道遠險狹, 難救. 又召樂乘而問焉, 樂乘對如廉頗言. 又召問趙奢, 奢對曰: 其道遠險狹, 譬之猶兩鼠鬬於穴中, 將勇者勝. 王乃令趙奢將, 救之.(《史記》 卷81 〈廉頗藺相如列傳〉 第21)

31 기울어가는……보이는 것 : 한(漢)나라 3년에 항우(項羽)가 형양(滎陽)에서 한왕(漢王, 유방)을 포위하자 한왕이 두려워하였다. 역이기가 육국(六國)의 후예들을 복위시켜 초나라의 힘을 약화시키자고 하였는데 장량(張良, 유후)이 역이기의 계책이 성공할 수 없는 8가지를 들어 만류하였다. 漢三年, 項羽急圍漢王滎陽, 漢王恐憂, 與酈食其謀橈楚權. 食其曰: 昔湯伐桀, 封其後於杞. 武王伐紂, 封其後於宋. 今秦失德棄義, 侵伐諸侯社稷, 滅六國之後, 使無立錐之地. 陛下誠能復立六國後世 畢已受印, 此其君臣百姓必皆戴陛下之德, 莫不鄕風慕義, 願爲臣妾. 德義已行, 陛下南鄕稱霸, 楚必斂衽而朝. 漢王曰: 善. 趣刻印, 先生因行佩之矣.(《史記》 〈留侯世家〉)

32 소순은……말하였다 : 吾今擇其書有不可以文曉而可以意達者四, 悉顯白之. 其一曰隱而彰; 其二曰直而寬; 其三曰簡而明; 其四曰微而切. 遷之傳廉頗也, 議救閼與之失, 不載焉, 見之〈趙奢傳〉; 傳酈食其也, 謀撓楚權之繆, 不載焉, 見之〈留侯傳〉.(蘇洵 《嘉佑集》 卷8 〈史論下〉)

33 촉이……하였다 : 惠王曰: "善, 寡人請聽子." 卒起兵伐蜀, 十月, 取之, 遂定蜀, 貶蜀王更號爲侯, 而使陳莊相蜀. 蜀既屬秦, 秦以益强富厚, 輕諸侯.(《史記》 卷70 〈張儀列傳〉 第10)

34 회왕(懷王) : 기원전 328~기원전 299. 초 위왕(楚 威王)의 아들로 이름은 괴(槐)이다. 소진의 합종

라와 싸울 적에, 다섯 번 싸워서 세 번 승리하였지만 전투에 나선 군사들을 모두 잃었고, 한쪽 구석의 새로 얻은 성(城)을 지키느라고 백성들은 고달프게 살고 있습니다.'"[35]라고 하였고, 〈감무전(甘茂傳)〉[36]에 "범연(范蜎)[37]이 초나라 회왕에게 '그리고 임금께서는 예전에 언젠가 소활(召滑)[38]을 월(越)나라에 임용하게 하신 적이 있습니다. 월나라가 어지러워지자, 초나라는 남쪽으로 안문(厲門)[39]을 막고 월나라의 강동(江東)[40]을 초나라의 군(郡)으로 편입시켰습니다.'"[41]라고 하였다.

〈연표(年表)〉와 〈세가(世家)〉에는 모두 초나라 회왕 때 월나라를 정벌하여 오나라 땅을 차지했다는 기사가 없다. 오직 〈월세가(越世家)〉[42]에 "월왕 무강(無彊)[43]이 초나라를 쳤는데, 초나라 위왕(威王)[44]이 군대를 일으켜 쳐

책을 따라 6국을 이끌고 진(秦)나라를 공격했으나 크게 패하였다. 나중에 진(秦)나라의 땅을 떼어 주겠다는 장의의 계략에 넘어가서 제나라와 절교했지만 땅은 받지 못했다. 초 회왕 30년에 진 소왕이 초와 제나라의 강호를 따지자 초 회왕은 진나라와 맹약을 맺기 위해 함양으로 들어갔다가 억류되었다. 나중에 조(趙)·위(魏)로 도망치려 했으나 이루지 못하고, 이듬해 진나라에서 병사하였다.

35 대왕께서는……있습니다 : 大王嘗與吳人戰, 五戰而三勝, 陣卒盡矣; 偏守新城, 存民苦矣.(《史記》 卷70 〈張儀列傳〉 第10)

36 감무전(甘茂傳) : 《사기(史記)》 권71 〈저리자감무열전(樗里子甘茂列傳)〉 제11.

37 범연(范蜎) : 미상.

38 소활(召滑) : 중국 전국시대 초나라 사람으로, 이름의 '소(召)' 자는 '소(邵)' 또는 '소(昭)' 를 쓰기도 한다. 초나라 회왕(懷王)의 명을 받고 월나라로 들어가 월나라의 내란을 틈타 월나라를 멸망시켰다. 이에 초나라는 강동(江東)에 군(郡)을 설치하였다. 《한비자(韓非子)》 〈내저설 하(內儲說下)〉·《전국책(戰國策)》 〈초책(楚策)〉·《사기(史記)》 〈저리자감무열전(樗里子甘茂列傳)〉에 그에 대한 기사가 보인다.

39 안문(厲門) : 관문 이름으로 당시 남쪽으로 통하는 요새였다. 지금의 어디에 해당하는지는 알 수 없다.

40 강동(江東) : 장강(長江) 하류의 안휘성(安徽省) 무호(蕪湖) 이남 양안(兩岸)을 가리킨다.

41 그리고……편입시켰습니다 : 且王前嘗用召滑於越, 而內行章義之難, 越國亂, 故楚南塞厲門而郡江東.(《史記》 卷71 〈樗裏子甘茂列傳〉 第11)

42 월세가(越世家) : 《사기(史記)》 권41 〈월왕구천세가(越王句踐世家)〉 제11.

43 무강(無彊) : ?~기원전 306. 중국 전국시대 월(越)나라의 마지막 왕으로, 재위 기간은 대략 기원전 342~기원전 306이다. 초 회왕(楚懷王) 때 북으로 제나라를 정벌하려 하였으나, 제 위왕(齊威王)이 보낸 사신에게 설득당하여 초나라를 정벌하였다가 초 회왕의 공격에 크게 패하여 사망하였다. 이후 월나라는 초나라에 병탄되었다. 〈월세가(越世家)〉에는 월나라의 멸망 시기를 초 위왕의 재위 기간(기원전 339~기원전 329)에 일어난 사건으로 기록하고 있다.

44 위왕(威王) : 기원전 ?~기원전 329. 초나라의 제36대 왕(재위: 기원전 339~기원전 329)이다. 성은 미(芈), 씨는 웅(熊), 휘는 상(商). 초 선왕의 아들이며 초 회왕의 아버지다. 월나라를 멸망시켜 절강성까지 세력을 넓혔다.

서 월나라를 대패시키고 월왕 무강을 죽였으며 옛 오나라 땅을 모두 차지하여 절강(浙江)까지 이르렀다."[45]라고 하였다. 〈장의전〉과 〈감무전〉 및 〈세가(世家)〉에서 말한 것은 분명히 한 가지 일이다. 그러나 〈세가〉는 위왕 때라고 하였으며 〈장의전〉과 〈감무전〉에서는 회왕 때라고 하였으니, 둘 중에 하나는 잘못된 것이다. 〈장의전〉과 〈감무전〉은 《전국책》의 오류를 따른 듯하다.[46]

《사기史記》의 정오正誤 5

〈감무전甘茂傳〉

〈감무전〉[47]에 이런 내용이 있다.

"문신후(文信侯) 여불위(呂不韋)[48]가 시황제에게 말하여 조(趙)나라에 감라(甘羅)[49]를 사신 보냈다. 감라가 조나라 임금에게 유세하기를, '대왕께서는

---

45 월왕 무강(無彊)이……이르렀다 : 於是越遂釋齊而伐楚. 楚威王興兵而伐之, 大敗越, 殺王無彊, 盡取笔吳地至浙江, 北破齊於徐州.(《史記》 卷41 〈越王句踐世家〉 第11)

46 장의전과……듯하다 : 《사기》 〈장의전〉과 〈감무전〉의 본 내용과 관련된 《전국책》의 원문은 각각 다음과 같다.

▶ 且大王嘗與吳人五戰三勝而亡之, 陳卒盡矣; 有偏守新城而居民苦矣.(《戰國策》〈楚策〉〈張儀爲秦破從連横〉)

▶ 楚王問於范環曰:"寡人欲置相於秦, 孰可?" 對曰: "臣不足以知之." 王曰: "吾相甘茂可乎?" 范環對曰: "不可." 王曰: "何也?" 曰: "夫史擧, 上蔡之監門也. 大不如事君, 小不如處室, 以苛廉聞於世, 甘茂事之順焉. 故惠王之明, 武王之察, 張儀之好譖, 甘茂事之, 取十官而無罪, 茂誠賢者也, 然而不可相秦. 秦之有賢相也, 非楚國之利也. 且王嘗用滑於越而納句章, 昧之難, 越亂, 故楚南察瀨胡而野江東. 計王之功所以能如此者, 越亂而楚治也. 今王以用之於越矣, 而忘之於秦, 臣以爲王鉅速忘矣. 王若欲置相於秦乎? 若公孫郝者可. 夫公孫郝之於秦王, 親也. 少與之同衣, 長與之同車, 被王衣以聽事, 真大王之相已. 王相之, 楚國之大利也. "(《戰國策》〈楚策 一〉〈楚王問於范環〉)

47 감무전(甘茂傳) : 《사기(史記)》 권71 〈저리자감무열전(樗里子甘茂列傳)〉 제11.

48 여불위(呂不韋) : 기원전 292~기원전 235. 중국 전국시대 말 진(秦)나라의 상인으로 기원전 249년 승상이 되고, 문신후(文信侯)에 봉해졌다. 진나라가 천하를 통일하는 데 지대한 공헌을 했다. 후일 노애(嫪毐)가 일으킨 반란에 연루되어 승상에서 해임되고 하남의 봉읍으로 쫓겨났다. 얼마 지나지 않아 촉(蜀) 땅으로 이주하라는 명을 받고 음독자살하였다. 저서에 《여씨춘추(呂氏春秋》가 있다.

49 감라(甘羅) : 생몰년은 미상이다. 중국 전국시대 진(秦)나라의 상경(上卿)이다. 어린 나이에 여불위의 문하에 들어갔다. 12세에 조나라에 사신으로 가서 조나라 왕을 설득해 십여 성을 얻어내는 공을 세워 상경이 되었다.

연나라의 태자 단(丹)[50]이 진나라에 인질로 있다는 소문을 들으셨는지요?' 라고 물었다. 조나라 임금은 '들었소.'라고 대답하였다. 조나라 임금의 대답에 감라는 또 '장당(張唐)[51]이 연나라의 재상으로 간다는 말은 들으셨는지요?'라고 물었다. 조나라 임금은 '들었소.'라고 대답하였다. 이에 감라는 조나라 임금을 설득하였다. '연나라의 태자 단이 진나라에 인질로 간 것은 연나라가 진나라를 속이지 않는다는 뜻이고, 장당이 연나라에 재상으로 가는 것은 진나라가 연나라를 속이지 않는다는 의미입니다. 연나라와 진나라가 서로 속이지 않는다 함은 조나라를 쳐서 하간(河間)[52]의 땅을 확장하려고 하는 것입니다. 대왕께서 5개의 성을 신에게 주셔서 하간의 땅을 넓히게 하여 연나라의 태자 단을 돌려보내도록 청하고, 강한 조나라와 연합하여 약한 연나라를 공격하느니만 못합니다.'라고 하였다. 그러자 조나라 임금이 즉시 스스로 5개의 성을 진나라에 할양하여 하간을 넓히게 하였고, 진나라에서는 연나라의 태자를 돌려보냈다. 조나라는 연나라를 쳐서 상곡(上谷)에 있는 30개의 성을 빼앗고는 그 가운데 11개의 성을 진나라에 주었다."[53]

〈연세가(燕世家)〉·〈형가전(荊軻傳)〉·〈육국연표(六國年表)〉 등을 보면 연나라 태자 단은 진나라 왕을 원망하여 도망쳐 돌아온 것이지 진나라가 돌려보낸 것이 아니다.[54] 또 문신후 여불위는 진왕(秦王) 정(政) 12년(기원전 235)

---

50 연나라의 태자 단(丹) : 연나라의 마지막 군주인 희(喜)의 아들인데 판단 착오로 인하여 나라를 멸망에 이르게 하였다.

51 장당(張唐) : 생몰년은 미상이다. 중국 전국시대 진(秦)나라의 장군이다. 장경(張卿)이라고도 한다. 진 소왕(秦昭王) 때 여러 차례 위(魏)나라와 조나라를 침공하였다. 여불위가 승상일 때, 연나라에 사신으로 가서 연합을 성사시켜 후일 감라가 조나라 왕을 설득해 성을 대가로 강화를 청하도록 만들었다.

52 하간(河間) : 지금의 하북성(河北省) 헌현(獻縣) 일대를 가리킨다.

53 문신후(文信侯) 여불위(呂不韋)가……주었다 : 文信侯乃入言之於始皇曰: 昔甘茂之孫甘羅, 年少耳, 然名家之子孫, 諸侯皆聞之. 今者張唐欲稱疾不肯行, 甘羅說而行之, 今原先報趙, 請許遣之. 始皇召見, 使甘羅於趙. 趙襄王郊迎甘羅. 甘羅說趙王曰: 王聞燕太子丹入質秦歟? 曰: 聞之. 曰: 聞張唐相燕歟? 曰: 聞之. 燕太子丹入秦者, 燕不欺秦也. 張唐相燕者, 秦不欺燕也. 燕秦不相欺者, 伐趙, 危矣. 燕·秦不相欺無異故, 欲攻趙而廣河間. 王不如齎臣五城以廣河間, 請歸燕太子, 與彊趙攻弱燕. 趙王立 自割五城以廣河間. 秦歸燕太子. 趙攻燕, 得上穀三十城, 令秦有十一.(《史記》 卷71 〈樗裏子甘茂列傳〉 第11)

54 연세가(燕世家)……아니다 : 태자 단이 다시 연나라도 돌아가는 사실에 대한 〈연세가(燕世家)〉와

에 죽었으며, 태자 단이 연나라로 돌아온 것은 연왕(燕王) 희(喜) 23년(기원전 232), 진왕 15년에 있었던 일이다. 이때는 이미 문신후 여불위가 죽은 지 4년이 지난 후였다. 그러니 어찌 감라를 시켜 유세하고 연나라 태자 단을 돌아가도록 하는 일이 있을 수 있겠는가. 이 역시 《전국책》의 잘못을 그대로 따른 것이며, 이것이 〈연세가〉나 〈형가전〉과 본디 서로 모순되는 것을 스스로 알아차리지 못한 것이다.

《사기史記》의 정오正誤 6

〈손빈전孫臏傳〉

〈손빈전(孫臏傳)〉[55]에 이런 내용이 있다.

"위(魏)나라가 조(趙)나라를 공격했을 때, 위급해진 조나라는 제나라에 구원을 요청하였다. 이에 제나라 위왕(威王)이 전기(田忌)[56]를 장군으로 삼았다. 전기가 병사들을 이끌고 조나라로 가려 하자, 손빈이 '병사들을 이끌고 속히 대량(大梁)[57]으로 진격하여 그 길목을 장악하고 방비가 허술한

〈형가전(荊軻傳)〉, 〈육국연표(六國年表)〉의 기사는 다음과 같다.

▶ 二十三年, 太子丹質於秦, 亡歸燕. 二十五年, 秦虜滅韓王安, 置潁川郡. 二十七年, 秦虜趙王遷, 滅趙. 趙公子嘉自立爲代王. 燕見秦且滅六國, 秦兵臨易水, 禍且至燕. 太子丹陰養壯士二十人, 使荊軻獻督亢地圖於秦, 因襲刺秦王. 秦王覺, 殺軻, 使將軍王翦擊燕. 二十九年, 秦攻拔我薊, 燕王亡, 徙居遼東, 斬丹以獻秦. 三十年, 秦滅魏.(《史記》卷34 〈燕召公世家〉 第4)

▶ 居頃之, 會燕太子丹質秦亡歸燕. 燕太子丹者, 故嘗質於趙, 而秦王政生於趙, 其少時與丹驩. 及政立爲秦王, 而丹質於秦. 秦王之遇燕太子丹不善, 故丹怨而亡歸. 歸而求爲報秦王者, 國小, 力不能. …(중략)秦將李信追擊燕王急, 代王嘉乃遺燕王喜書曰: "秦所以尤追燕急者, 以太子丹故也. 今王誠殺丹獻之秦王, 秦王必解, 而社稷幸得血食." 其後李信追丹, 丹匿衍水中, 燕王乃使使斬太子丹, 欲獻之秦. 秦復進兵攻之. 後五年, 秦卒滅燕, 虜燕王喜.(《史記》卷86 〈刺客列傳〉 第26)

▶ 二十三. 太子丹質於秦, 亡來歸.(《史記》卷15 〈六國年表〉 第3

55 손빈전(孫臏傳) : 《사기(史記)》 권65 〈손자오기열전(孫子吳起列傳)〉 제5.

56 전기(田忌) : 기원전 370년대~기원전 313. 제나라의 장군 겸 재상이다. 위나라에서 방연의 간악한 계략에 희생되어 월형(刖刑)과 묵형(墨刑)을 당하고 갖은 고초를 겪고 있는 손빈을 구출해와 군사(軍師)로 등용한 뒤, 손빈의 신출귀몰한 전술과 책략을 적극 수용하여 제나라 군사를 최고 정예 부대로 정련했다. 그로 인해 기원전 353년의 계릉 전투와 341년의 마릉 전투에서 위나라 군사를 두 차례나 대파하는 큰 공을 세웠다.

57 대량(大梁) : 전국시대 위(魏)나라의 도읍으로, 지금 하남성(河南省) 개봉시(開封市) 서북쪽에 있다. 수당(隋唐) 이래로 지금의 개봉을 '대량(大梁)'으로 불러왔다.

곳을 공격하느니만 못합니다.'라고 하였다. 그로부터 15년 후, 위나라가 조나라와 함께 한(韓)나라를 침공하자 한나라에서는 제나라에 위급함을 알렸다. 제나라는 전기(田忌)를 장군으로 삼아 곧장 대량으로 진격하게 하여 위나라 장군 방연(龐涓)[58]의 군대를 마릉(馬陵)에서 쳐부수고 위나라 태자 신(申)을 사로잡았다."[59]

〈상앙전(商鞅傳)〉[60]에는 위나라가 도읍을 대량으로 옮긴 것이 마릉의 전쟁을 치른 이듬해에 있었던 일[61]로 상앙이 위나라를 정벌하여 공자(公子) 앙(卬)을 사로잡은 이후로 되어 있다. 손자가 한창 조나라를 구하고 한나라를 구할 때 위나라는 여전히 안읍(安邑)[62]에 도읍하고 있었으니, 어찌 "속히 대량으로 진격하라."라던가, "곧장 대량으로 진격하게 하라."라는 말을 할 수 있었겠는가. 이 두 구절은 모두 잘못되었다.

---

58 방연(龐涓) : ?~기원전 341. 중국 전국시대 위(魏)나라의 장군으로, 손빈(孫臏)과 함께 귀곡자에게서 병법을 배웠다. 손빈의 재능을 질투해 계략을 짜 그의 슬개골을 도려내게 했다고 전한다. 기원전 342년 위나라가 한나라를 침공하여 이듬해 제나라가 구원병을 파견하였을 때, 손빈의 책략을 채용해 위나라 수도인 대량으로 직접 진격하여 방연을 유인했는데, 이때 마릉(馬陵)에서 매복 공격을 당해 크게 패배하고 자결하였다. 일설에는 화살을 맞아 죽었다고도 한다.

59 위(魏)나라가……사로잡았다 : 其後魏伐趙, 趙急, 請救於齊. 齊威王欲將孫臏, 臏辭謝曰: 刑餘之人不可. 於是乃以田忌爲將, 而孫子爲師, 居輜車中, 坐爲計謀. 田忌欲引兵之趙, 孫子曰: 夫解雜亂紛糾者不控捲, 救鬬者不搏撠, 批亢擣虛, 形格勢禁, 則自爲解耳. 今梁趙相攻, 輕兵銳卒必竭於外, 老弱罷於內. 君不若引兵疾走大梁, 據其街路, 衝其方虛, 彼必釋趙而自救. 是我一舉解趙之圍而收弊於魏也. 田忌從之, 魏果去邯鄲, 與齊戰於桂陵, 大破梁軍……(중략)……龐涓自知智窮兵敗, 乃自剄, 曰遂成豎子之名. 齊因乘勝盡破其軍, 虜魏太子申以歸.(《史記》 卷65 〈孫子吳起列傳〉 第5)

60 상앙전(商鞅傳) : 《사기(史記)》 권68 〈상군열전(商君列傳)〉 제8.

61 위나라가……일 : 魏惠王兵數破於齊秦, 國內空, 日以削, 恐, 乃使使割河西之地獻於秦以和. 而魏遂去安邑, 徙都大梁.(《史記》 卷68 〈商君列傳〉 第8)

62 안읍(安邑) : 위나라 수도로 지금의 산서성 하현(夏縣) 서북쪽에 위치하였다. 〈육국연표〉와 〈위세가(魏世家)〉에 의하면, 혜왕(惠王) 19년에 긴 성을 쌓아 고양(固陽)을 막았으나, 20년에 진(秦)나라의 상앙(商鞅)이 고양(固陽)을 포위하여 항복시켰다. 이곳의 안읍(安邑)은 고양으로 간주된다. 고양은 지금의 내몽골자치구의 고양현(固陽縣)에 해당한다.

《사기史記》의 정오正誤 7

〈양후전穰侯傳〉

〈양후전(穰侯傳)〉[63]에 "소왕(昭王) 32년(기원전 275)에 양후가 군대를 이끌고 위나라를 공격하자 수고(須賈)가 양후에게 유세하기를, '장군께서 땅을 얻는 데 어찌 꼭 군대가 필요하겠습니까? 진국(晉國)을 일부 빼앗는 데 진(秦)나라 군대가 공격하지 않아도 위나라는 틀림없이 안읍(安邑)을 바칠 것입니다."[64]라고 하였다.

《전국책》에는 "장군께서 예전에 진국의 땅을 일부 빼앗을 적에 꼭 군대가 필요했었습니까? 군대를 동원하지 않았는데도 위나라가 강읍(絳邑)[65]과 안읍을 바쳤습니다."[66]라고 하였다. 위나라가 안읍을 바친 것을 《사기》에는 '장래의 일'로 하였고, 《전국책》에는 '이미 있었던 일'로 하였다.

〈진본기〉와 〈육국연표〉에는 진(秦) 소왕 21년(기원전 286)에 위나라가 안읍과 하내(河內)를 바친 것으로 되어 있고[67], 수고가 양후에게 유세하기 11년 전이니, 《전국책》이 옳다고 봐야한다.

---

63 양후전(穰侯傳) : 《사기(史記)》 권72 〈양후열전(穰侯列傳)〉 제12.

64 소왕(昭王) 32년……것입니다 : 昭王三十二年, 穰侯爲相國, 將兵攻魏, 走芒卯, 入北宅, 遂圍大梁. 梁大夫須賈說穰侯曰: "…(중략)且君之得地豈必以兵哉! 邦晉國, 秦兵不攻, 而魏必效絳安邑. 又爲陶開兩道, 幾盡故宋, 衛必效單父. 秦兵可全, 而君制之, 何索而不得, 何爲而不成! 願君熟慮之而無行危." 穰侯曰: "善." 乃罷梁圍.(《史記》 卷72 〈穰侯列傳〉 第12)

65 강읍(絳邑) : 진(晉)나라 옛 수도 신전(新田)이다. 지금의 산서성 후마시(侯馬市) 동북쪽에 있었다.

66 장군께서……바쳤습니다 : 臣聞魏氏悉其百縣勝兵…(중략)且君之嘗割晉國取地也, 何必以兵哉? 夫兵不用, 而魏效絳、安邑, 又爲陰啟兩機, 盡故宋, 衛效尤憚. 秦兵已令, 而君制之, 何求而不得? 何爲而不成? 臣愿君之熟計而無行危也.(《戰國策》 〈魏策 三〉 〈秦敗魏於華走芒卯而圍大梁〉)

67 위나라가……있고 : 위나라가 안읍과 하내(河內)를 바친 것에 대한 각 기사의 내용은 다음과 같다.
▶ 二十一年, 錯攻魏河內, 魏獻安邑.(《史記》 卷5 〈秦本紀〉 第5)
▶ 二十一. 魏納安邑及河內.(《史記》 卷15 〈六國年表〉 第3)

《사기史記》의 정오正誤 8

〈왕전전王翦傳〉

〈왕전전(王翦傳)〉[68]에 "이신(李信)[69]이 초(楚)나라를 칠 때 언(鄢)[70]과 영(郢)[71]을 공격하여 깨뜨렸다."[72]라고 하였다.

〈진본기〉·〈초세가(楚世家)〉·〈백기전(白起傳)〉에는 진 소왕 28년(기원전 279)에 백기(白起)가 언을 공격하여 함락하고 이듬해에 영을 함락하자 진(秦)나라가 영을 남군(南郡)[73]으로 삼은 것으로 되어 있다.[74] 이신이 한창 초나라를 칠 때 언과 영은 모두 이미 진에 소속된 지 오래니, 이것은 잘못된 글이다.

---

68 왕전전(王翦傳) : 《사기(史記)》 권73 〈백기왕전열전(白起王翦列傳)〉 제13.

69 이신(李信) : 진나라 장군으로 지금의 섬서성 흥평현(興平縣) 괴리(槐里) 출신이다. 어렸을 때부터 건장하고 용기가 있었다. 일찍이 군사를 이끌고 수천 리를 행군하여 연나라 태자 단을 연수(衍水) 강안까지 추격했다. 연수는 지금의 요녕성 본계시(本溪市)와 요양시(遼陽市)를 지나 영구시(營口市)에서 발해에 유입되는 태자하(太子河)다. 결국 이신은 연군을 격파하고 태자 단을 사로잡아 진시황으로부터 현능하고 용기가 있는 장군이라고 인정을 받았다. 진시황은 그에게 20만의 대군을 주어 초나라 정벌군 대장에 임명했다. 처음에 초나라 군사를 격파하고 기세가 오른 이신은 교만하여 적을 가볍게 보아 싸움에 대패하고 말았다. 진시황은 어쩔 수 없이 왕전을 대장으로 삼아 초나라를 멸망시킬 수 있었다.

70 언(鄢) : 읍 이름으로, 지금의 호북성 의성현(宜城縣) 남쪽에 있었다.

71 영(郢) : 초나라의 도성으로, 언영(鄢郢) 혹은 약(鄀)이라고도 한다. 초나라가 영에서 언으로 천도하고서 '영'으로 불렸고, 또 원래의 영과 구별하기 위해 '언영'으로도 불렀다고 한다. 지금 호북성 의성현(宜城縣) 동남쪽에 있었다.

72 이신(李信)이……깨뜨렸다 : 信又攻鄢郢破之.(《史記》 卷73 〈白起王翦列傳〉 第13)

73 남군(南郡) : 지금의 호북성(湖北省) 중서부에 있었다.

74 진본기……있다 : 진나라가 언과 영을 함락한 각 기사는 다음과 같다.

▶ 二十九年, 大良造白起攻楚, 取郢爲南郡, 楚王走. 周君來. 王與楚王會襄陵. 白起爲武安君.(《史記》 卷5 〈秦本紀〉 第5)

▶ (楚襄王)二十一年, 秦將白起遂拔我郢, 燒先王墓夷陵.(《史記》 卷40 〈楚世家〉 第10)

▶ 後七年, 白起攻楚, 拔鄢、鄧五城. 其明年, 攻楚, 拔郢, 燒夷陵, 遂東至竟陵.(《史記》 卷73 〈白起王翦列傳〉 第13)

《사기史記》의 정오正誤 9

〈백기전白起傳〉

〈백기전(白起傳)〉[75]에 이런 내용이 있다.

"소왕 48년(기원전 259)에 진(秦)나라가 상당군(上黨郡)[76]을 평정하였다. 그리고 군대를 둘로 나누어 왕흘(王齕)[77]은 피뢰(皮牢)[78]를 공격하여 함락시켰고, 사마경(司馬梗)[79]은 태원(太原)[80]을 평정하였다. 한(韓)나라와 조(趙)나라는 두려워서 소대(蘇代)[81]를 시켜 폐백을 후하게 가지고 가서 진나라 재상 응후(應侯)에게 유세하게 하였다."[82]

소대가 그의 형 소진(蘇秦)과 함께 공부하였으니 소진이 6국에 유세할 때 그도 장성했을 것이다. 소진이 6국에 유세한 해는 주(周) 현왕(顯王) 35년(기원전 334)으로 진(秦) 소왕(昭王) 48년과의 시차가 68년이고,[83] 소진이 제(齊) 민왕(湣王) 초년(기원전 301)에 죽었으니 진 소왕 48년과의 시차가 50여 년이다. 가령 소대가 오래 살았다 하더라도 소진이 죽은 뒤 50여 년 동안 제후에게 유세했을 수는 없다. 지금 《전국책》을 살펴보니 이 글은 있으나

---

75 백기전(白起傳) : 《사기(史記)》 권73 〈백기왕전열전(白起王翦列傳)〉 제13.

76 상당군(上黨郡) : 지금의 하남성과 하북성의 경계 지역에 위치했던 행정 구역이다. 춘추시대에는 진(晉)나라에 속했으며, 전국시대로 넘어가면서 한나라·위나라·조나라가 분리될 때 각 나라에 쪼개어 소속되었다. 따라서 점령 시 한·위·조 세 나라로 향하는 교두보를 확보하게 되는 전략적 요충지였다.

77 왕흘(王齕) : ?~기원전 244. 중국 전국시대 진나라의 무장이다. 군대를 이끌고 한(韓)나라와 조(趙)나라를 공격하여 크게 이겼으며 소왕 47년에는 상당(上黨)을 점령하는 전공을 세우기도 하였다.

78 피뢰(皮牢) : 한(韓)나라 읍 이름으로, 지금의 산서성(山西省) 익성현(翼城縣) 동북쪽에 있었다.

79 사마경(司馬梗) : ?~? 사마착의 아들이다. 중국 전국시대 진나라 장수로 진 소왕 48년(기원전 259)에 태원(太原)을 평정했다.

80 태원(太原) : 조(趙)나라의 도읍으로, 지금의 산서성 북부에 있었다.

81 소대(蘇代) : 생몰년은 미상이다. 전국시대 뛰어난 유세가(遊說家) 소진(蘇秦)의 동생으로 소진 못지않은 책략가이자 정치가로서 연 소왕에게 진나라와 연합하고 제나라를 칠 것을 유세하여 연 소왕이 제나라를 격파하는 데 큰 공을 세웠다.

82 소왕 48년……하였다 : 四十八年十月, 秦復定上黨郡. 秦分軍爲二: 王齕攻皮牢, 拔之: 司馬梗定太原. 韓趙恐, 使蘇代厚幣 說秦相應侯曰…….(《史記》 卷73 〈白起王翦列傳〉 第13)

83 주(周) 현왕(顯王)……68년이고 : 주(周) 현왕(顯王) 35년(기원전 334)과 진(秦) 소왕(昭王) 48년(기원전 259)의 시차는 68년이 아니라 75년이다.

유세한 사람의 성명이 나타나 있지 않다. 사마천이 인용할 때 이름이 없는 것을 꺼려 마침내 소대가 유세한 것으로 억지로 만들었으나 그 연대를 고려하지 못한 듯하다.

《사기史記》의 정오正誤 10

〈맹상군전孟嘗君傳〉 1

〈맹상군전(孟嘗君傳)〉[84]에 이런 내용이 있다.

"여례(呂禮)가 제(齊)나라 재상이 되어 소대를 곤경에 빠트리려 하자 소대가 맹상군에게 '군께서는 속히 군사를 이끌고 북쪽으로 가셔서 조(趙)나라를 공격하여 진(秦)나라, 위(魏)나라와 화친하십시오.'라고 하였다. 맹상군이 그 계책을 따르자 여례가 맹상군을 미워하여 해치려 하였다. 그러자 맹상군이 두려워서 진나라 재상 양후(穰侯)에게 편지를 보내어, '그대는 진나라 왕에게 제나라를 공격하라고 권하는 것이 더 낫습니다. 빼앗은 땅을 그대에게 봉하도록 제가 청하겠습니다.'라고 하였다. 그리하여 양후가 진 소왕에게 제나라를 공격하라고 말하자 여례가 망명하였다."[85]

이때 맹상군이 비록 재상을 그만두고 설(薛)로 돌아가 노년을 보내고는 있었으나 여전히 제나라 신하이니 어찌 감히 자기 마음대로 결정하여 군대를 북쪽으로 이동시켜 진나라·위나라와 화친하게 할 수 있으며, 또 어찌 감히 진나라에게 제나라를 공격하라고 권할 수 있었겠는가. 지금 〈진

---

84 맹상군전(孟嘗君傳) : 《사기(史記)》 권75 〈맹상군열전(孟嘗君列傳)〉 제15.

85 여례(呂禮)가……망명하였다 : 其後, 秦亡將呂禮相齊, 欲困蘇代. 代乃謂孟嘗君: 周最於齊, 至厚也, 而齊王逐之, 而聽親弗相呂禮者, 欲取秦也. 齊·秦合, 則親弗與呂禮重矣. 有用, 齊·秦必輕君. 君不如急北兵, 趨趙以和秦·魏, 收周最以厚行, 且反齊王之信, 又禁天下之變. 齊無秦, 則天下集齊, 親弗必走, 則齊王孰與爲其國也. 於是孟嘗君從其計, 而呂禮嫉害於孟嘗君. 孟嘗君懼, 乃遺秦相穰侯魏冄書曰: 吾聞秦欲以呂禮收齊, 齊, 天下之彊國也, 子必輕矣. 齊秦相取以臨三晉, 呂禮必并相矣, 是子通齊以重呂禮也. 若齊免於天下之兵, 其讎子必深矣. 子不如勸秦王伐齊. 齊破, 吾請以所得封子. 齊破, 秦畏晉之彊, 秦必重子以取晉. 晉國敝於齊而畏秦, 晉必重子以取秦. 是子破齊以爲功, 挾晉以爲重;是子破齊定封, 秦·晉交重子. 若齊不破, 呂禮復用, 子必大窮." 於是穰侯言於秦昭王伐齊, 而呂禮亡.(《史記》 卷75 〈孟嘗君列傳〉 第15)

본기〉·〈제세가〉 및 〈육국연표〉를 살펴보니, 모두 이런 일이 없다. 그리고 〈양후전〉에 근거하면, 양후가 재상이 되어 여례를 죽이려 하자 여례가 제나라로 달아나 소왕 19년(기원전 288)에 진나라로 왔으니,[86] 여례가 제나라에서 진나라로 돌아온 것이지 망명한 것이 아니다. 이것은 아마도 전국시대 책사(策士)가 추측하고 견강부회한 말인데 사마천이 잘못 쓴 듯하다.

《사기史記》의 정오正誤 11

〈우경전虞卿傳〉

〈우경전(虞卿傳)〉[87]에 이런 내용이 있다.

"진(秦)나라가 한단(邯鄲)의 포위를 풀었다. 조학(趙郝)[88]이 조(趙)나라 왕에게 이렇게 말하였다. '예전에는 삼진(三晉, 한(韓)·위(魏)·조(趙))이 진나라와 교류하며 서로 잘 지냈습니다. 그런데 지금 진나라가 한나라·위나라와는 잘 지내면서 왕을 공격하는 것은 왕께서 진나라를 섬기는 방법이 틀림없이 한나라·위나라보다 못하기 때문입니다.'"[89]

진나라가 한단을 포위한 것은 진 소왕 50년(기원전 257), 조나라 효성왕(孝成王) 9년이다. 〈진본기〉와 〈백기전(白起傳)〉에 근거하면, 소왕 43년(기원전 264)에 백기가 한나라를 공격하여 9성을 함락하고 5만 명을 참수하였

---

86 양후전에……왔으니 : 欲誅呂禮, 禮出奔齊. …昭王十九年, 秦稱西帝, 齊稱東帝. 月餘, 呂禮來, 而齊、秦各復歸帝爲王.(《史記》 卷72 〈穰侯列傳〉 第12)

87 우경전(虞卿傳) : 《사기(史記)》 권76 〈평원군우경열전(平原君虞卿列傳)〉 제16.

88 조학(趙郝) : 생몰년은 미상이다. 조(趙)나라에서 유세한 자로, 조나라에 진나라와 화친을 맺어 진나라의 침입을 저지해야 한다고 주장하였으나 우경(虞卿)에 의해 저지되었다.

89 진(秦)나라가…… 때문입니다 : 秦旣解邯鄲圍, 而趙王入朝, 使趙郝約事於秦, 割六縣而媾, 虞卿謂趙王曰: 秦之攻王也, 倦而歸乎. 王以其力尙能進, 愛王而弗攻乎? 王曰: 秦之攻我也, 不遺餘力矣, 必以倦而歸也. 虞卿曰: 秦以其力攻其所不能取, 倦而歸, 王又以其力之所不能取以送之, 是助秦自攻也. 來年秦復攻王, 王無救矣. 王以虞卿之言告趙郝. 趙郝曰: 虞卿誠能盡秦力之所至乎? 誠知秦力之所不能進, 此彈丸之地弗予, 令秦來年復攻王, 王得無割其內而媾乎? 王曰: 請聽子割矣, 子能必使來年秦之不復攻我乎? 趙郝對曰: 此非臣之所敢任也. 他日三晉之交於秦, 相善也. 今秦善韓魏而攻王, 王之所以事秦必不如韓魏也.(《史記》 卷76 〈平原君虞卿列傳〉 第16)

고, 44년(기원전 263)에 백기가 남군(南郡)을 공격하여 취하였으며, 45년(기원전 262)에 백기가 한나라 야왕(野王)[90]을 공격하였다. 이 해에 오대부(五大夫) 왕분(王賁, 왕전의 아들)이 한나라를 공격하여 10개 성을 취하고, 47년(기원전 260)에 진나라가 한나라 상당(上黨)을 공격하였으며, 49년(기원전 258)에 장군 장당(張唐)이 위나라를 공격하였다.[91] 이처럼 진나라가 한나라·위나라와 전쟁을 하지 않은 해가 없었는데, 이 글에서 진나라가 한나라·위나라와 잘 지내고 왕만 유독 공격을 받는다고 말한 것은 잘못이다.

또 이런 내용도 있다.

"우경(虞卿)[92]이 조나라 왕에게 6개 성을 제나라에 뇌물로 주라고 권하자 조나라 왕이 '좋소!' 하고, 즉시 우경을 동쪽으로 보내 제나라 왕을 만나 함께 진나라 치는 것을 도모하게 하였다. 우경이 아직 돌아오기 전에 진(秦)나라 사신은 이미 조나라에 있었다."[93]

지금 〈백기전〉에 근거하면, 한나라는 원옹(垣雍)을 떼어 주고 조나라는 6개 성을 떼어 주어 진나라와 화친하였으니,[94] 조나라는 사실 6개 성

---

90 야왕(野王) : 읍 이름으로, 지금의 하남성(河南省) 심양현(沁陽縣)에 있었다.

91 소왕 43년……공격하였다 : 이와 관련된 각 기사의 내용은 다음과 같다.

▶ 四十三年, 武安君白起攻韓, 拔九城, 斬首五萬. 四十四年, 攻韓南郡, 取之. 四十五年, 五大夫賁攻韓, 取十城. 葉陽君悝出之國, 未至而死. 四十七年, 秦攻韓上黨, 上黨降趙, 秦因攻趙, 趙發兵擊秦, 相距. 秦使武安君白起擊, 大破趙於長平, 四十餘萬盡殺之. 四十八年十月, 韓獻垣雍. 秦軍分爲三軍. 武安君歸. 王齕將伐趙(武安)皮牢, 拔之. 司馬梗北定太原, 盡有韓上黨. 正月, 兵罷, 復守上黨. 其十月, 五大夫陵攻趙邯鄲. 四十九年正月, 益發卒佐陵. 陵戰不善, 免, 王齕代將. 其十月, 將軍張唐攻魏, 爲蔡尉捐弗守, 還斬之.(《史記》卷5 〈秦本紀〉 第5)

▶ 昭王四十三年, 白起攻韓陘城, 拔五城, 斬首五萬. 四十四年, 白起攻南陽太行道, 絕之. 四十六年, 秦攻韓緱氏、藺, 拔之. 四十七年, 秦使左庶長王齕攻韓, 取上黨. 上黨民走趙.(《史記》卷73 〈白起王翦列傳〉 第13)

92 우경(虞卿) : 전국시대 말기 조나라의 재상 우신(虞信)이다. 《우씨춘추(虞氏春秋)》 15편을 저술하였다.

93 우경이……있었다 : 虞卿聞之, 往見王曰: 危哉樓子之所以爲秦者, 是愈疑天下, 而何慰秦之心哉? 獨不言其示天下弱乎? 且臣言勿予者, 非固勿予而已也. 秦索六城於王, 而王以六城賂齊. 齊·秦之深讎也, 得王之六城, 并力西擊秦·齊之聽王, 不待辭之畢也. 則是王失之於齊而取償於秦也. 而齊·趙之深讎可以報矣, 而示天下有能爲也. 王以此發聲, 兵未窺於境, 臣見秦之重賂至趙而反媾於王也. 從秦爲媾, 韓·魏聞之, 必盡重王; 重王, 必出重寶以先於王. 則是王一舉而結三國之親, 而與秦易道也. 趙王曰: 善. 則使虞卿東見齊王, 與之謀秦. 虞卿未返, 秦使者已在趙矣.(《史記》卷76 〈平原君虞卿列傳〉 第16)

94 한나라는……화친하였으니 : 四十八年十月…於是應侯言於秦王: "秦兵勞, 請許韓、趙之割地以和, 且

을 진나라에 주었지 제나라에 준 적이 없다. 그러므로 이 글에서 6개 성을 제나라에 뇌물로 주었다고 한 것은 오류이다.

그리고 백기(白起)가 회군(回軍)한 것은 소대(蘇代)가 응후(應侯)에게 편지를 보내어 진(秦)나라에 이간책을 썼기 때문이고, 진나라가 한단 포위를 푼 것은 초(楚)나라 황헐(黃歇)[95]과 위(魏)나라 공자(公子) 무기(無忌)가 군대를 이끌고 구원하러 달려갔기 때문이다. 조나라 왕이 우경에게 '진나라가 지쳐서 돌아간 것이다'라고 말한 것[96]은, 아마도 회군한 것과 포위를 푼 이유를 잘 몰랐던 것 같다. 의심스러운 것은 소씨(蘇氏, 소철(蘇轍))가 이 일이 우경이 재상 자리를 버리고 대량(大梁)으로 달아난 뒤의 일일 거라고 의심한 것[97]뿐만이 아니다.

이 전(傳)은 전적으로 〈조책(趙策)〉을 답습하여 대략 다듬었을 뿐 책사가 추측하고 가설한 말이지 과거에 있었던 사실이 아님을 모른 것이니, 다른 전(傳)과 차이가 있다.

《사기史記》의 정오正誤 12

고쳐야 할 내용들 1

주자(朱子)는 《사기》가 산삭(刪削)해서 탈고한 적이 없다고 하였다.[98] 정

休士卒." 王聽之, 割韓垣雍、趙六城以和.(《史記》 卷73 〈白起王翦列傳〉 第13)

95 황헐(黃歇) : 기원전 320~기원전 238. 중국 전국시대 초나라의 대신 춘신군(春申君)이다. 위(魏)나라의 신릉군(信陵君) 위무기(魏無忌)·조(趙)나라의 평원군(平原君) 조승(趙勝)·제(齊)나라의 맹상군(孟嘗君) 전문(田文)과 함께 "전국사공자(戰國四公子)"로 불렸다. 박식하고 언변이 뛰어났다. 함께 진(秦)나라에 볼모로 있던 태자 완(完)을 탈출시켰고, 완이 초 고열왕(楚考烈王)으로 즉위하자 재상에 임명되고 춘신군에 봉해졌다. 고열왕 6년(기원전 257) 신릉군과 함께 진나라를 물리치고 한단의 포위를 풀었고, 후일 노나라를 멸망시켰다. 고열왕 사후 권신 이원(李園)에게 일족과 함께 살해되었다.

96 조나라 왕이……말한 것 : 虞卿謂趙王曰: 秦之攻王也, 倦而歸乎? 王以其力尙能進, 愛王而弗攻乎? 王曰: 秦之攻我也 不遺餘力矣, 必以倦而歸也.(《史記》 卷76 〈平原君虞卿列傳〉 第16)

97 소씨(蘇氏)가……의심한 것 : 然, 太史公記虞卿與趙謀事, 皆秦破長平後, 而卿爲魏齊棄相印走梁, 則前此矣. 意者魏齊死 卿自梁還復相趙, 而太史公失不言之耳.(茅坤, 《唐宋八大家文鈔》 卷155, 蘇轍, 《古史》)

98 주자(朱子)는……하였다 : 史記亦疑當時不曾得刪改脫藁(朱熹, 《性理大全書》 卷55, 學13)

원(鄭瑗)[99]이 《정관쇄언(井觀瑣言)》[100]에서 〈오기전(吳起傳)〉에 노(魯)나라 사람들이 오기를 미워하여 그들의 군주를 '노군(魯君)'이라 일컬은 구절[101]을 인용하여 고친 적이 없다는 증거로 삼았다.[102]

《사기》에는 이런 유가 매우 많다. 예컨대 "장의(張儀)가 초(楚) 회왕(懷王)을 대면하고서 '초나라가 과거에 진(秦)나라와 원수가 되어 한중(漢中)[103]에서 싸울 때 초나라가 져서 죽은 제후가 70여 명이고 마침내 한중을 잃었습니다.'라고 하니, 초나라 왕이 크게 노하여 군대를 일으켜서 진(秦)나라를 습격하여 남전(藍田)[104]에서 싸웠다."[105]라고 하였으니, 이는 초왕을 두고 곧바로 '초왕'이라고 가리켜 말한 것이다.

또, "수고(須賈)가 양후(穰侯)에게 '신이 들으니 위(魏)나라 장사(長史)[106]가 위왕에게, 옛날에 양(梁) 혜왕(惠王)이 조(趙)나라를 쳤을 때 삼량(三梁)[107]에서 싸워 이겼고 한단(邯鄲)을 함락하였다고 하였습니다.'라고 유세하였다."[108]라고 하였으니, 이는 뒤를 이은 임금을 두고 곧바로 선대의 왕을 가

99 정원(鄭瑗) : 중국 명나라 때의 학자로, 자는 중벽(仲璧), 호는 성재(省齋), 복건성 포전 사람이다. 성화 17년(1481) 진사가 되었고, 관직은 남경예부낭중에 이르렀다. 경학과 역사에 박식하였고, 시문에 능했다. 저서로 《정관쇄언(井觀瑣言)》·《조소집(蜩笑集)》·《조소우언(蜩笑偶言)》·《보양문헌(莆陽文獻)》 등이 있다.

100 정관쇄언(井觀瑣言) : 명나라 정원(鄭瑗)이 글을 읽다가 문득 떠오른 것들을 기록한 문학이론서다.

101 오기전에……구절 : 魯人或惡吳起曰: "起之爲人, 猜忍人也. 其少時, 家累千金, 游仕不遂, 遂破其家, 鄉黨笑之, 吳起殺其謗己者三十餘人, 而東出衛郭門. 與其母訣, 齧臂而盟曰: '起不爲卿相, 不復入衛.' 遂事曾子. 居頃之, 其母死, 起終不歸. 曾子薄之, 而與起絕. 起乃之魯, 學兵法以事魯君. 魯君疑之, 起殺妻以求將. 夫魯小國, 而有戰勝之名, 則諸侯圖魯矣. 且魯衛兄弟之國也, 而君用起, 則是棄衛." 魯君疑之, 謝吳起.(《史記》 卷65 〈孫子吳起列傳〉 第5)

102 주자(朱子)는……삼았다 : 朱子謂史記疑當時不曾得刪改脫藁. 今考之信. 然如吳起傳魯人或惡吳起, 其中曰: 起乃之魯, 學兵法, 以事魯君.(鄭瑗, 《井觀瑣言》 卷2)

103 한중(漢中) : 진(秦)의 산남(山南), 초(楚)의 북서쪽, 한수(漢水)의 남쪽에 위치하여 '한중'이라 한다.

104 남전(藍田) : 진(秦)과 초(楚)로 통하는 교통의 요지로, 호북성 형문시(荊門市) 북동쪽에 있었다.

105 장의(張儀)가……싸웠다 : 張儀既出, 未去, 聞蘇秦死, 乃說楚王曰: 秦地半天下, 兵敵四國, 被險帶河, 四塞以爲固. 虎賁之士百餘萬, 車千乘, 騎萬匹, 積粟如丘山. 法令既明, 士卒安難樂死, 主明以嚴, 將智以武……楚嘗與秦構難, 戰於漢中, 楚人不勝, 列侯執珪死者七十餘人, 遂亡漢中. 楚王大怒, 興兵襲秦, 戰於藍田.(《史記》 卷70 〈張儀列傳〉 第10)

106 장사(長史) : 관직명이다. 진(秦)나라에 가장 처음 설치되었다. 막료(幕僚) 성격의 관직으로, 승상·태위·장군 등 주요 관직의 속관으로 존재했다.

107 삼량(三梁) : 지금의 하북성 당현(唐縣) 동쪽에 있었다.

108 수고(須賈)가……유세하였다 : 昭王三十二年, 穰侯爲相國, 將兵攻魏, 走芒卯, 入北宅, 遂圍大梁. 梁

리켜 말한 것이다.

또, "조(趙)나라가 사람을 시켜 위왕에게 '우리를 위해 범좌(范痤)[109]를 죽여주시오. 70리를 주겠소.'라고 하니, 위왕이 '좋소!'라고 하고 관리를 시켜 범좌를 체포하게 하였다. 범좌가 신릉군(信陵君)[110]에게 '저는 예전에 위나라가 해직한 재상입니다. 조나라가 위나라에 땅을 대가로 저를 죽여 달라고 하자 위왕이 허락하였으니, 강한 진(秦)나라가 조나라가 했던 것처럼 하려 한다면 당신께서는 장차 어떻게 하시겠습니까?'라고 편지를 올렸다."[111]라고 하였다. 이는 위나라 신하가 위나라 종실(宗室)을 앞에 두고 곧바로 '위왕'이라고 가리켜 말한 것이다.

이러한 것들은 모두 고쳐야 하는데 고치지 않은 것들이다.

《사기史記》의 정오正誤 13

〈신릉군전信陵君傳〉

〈신릉군전(信陵君傳)〉[112] 이런 내용이 있다.

"안희왕(安釐王)[113]이 즉위하여 공자(公子)를 신릉군(信陵君)에 봉(封)하였

大夫須賈説穰侯曰: 臣聞魏之長吏謂魏王曰: 昔梁惠王伐趙, 戰勝三梁, 拔邯鄲.(《史記》卷72 〈穰侯列傳〉 第12)

109 범좌(范痤) : 전국시대 위나라의 재상이다.

110 신릉군(信陵君) : ?~기원전 243. 중국 전국시대 위(魏)나라 사람 위무기(魏無忌)이다. 위 소왕(魏昭王)의 아들이며, 위 안희왕(魏安釐王)의 이복 아우이다. 초나라의 춘신군(春申君) 황헐(黃歇)·조(趙)나라의 평원군(平原君) 조승(趙勝)·제(齊)나라의 맹상군(孟嘗君) 전문(田文)과 함께 "전국사공자(戰國四公子)"로 불렸다. 신릉군에는 기원전 276년 봉해졌다. 진(秦)나라가 조나라를 침공하여 평원군이 구원을 청하자, 위왕의 반대를 무릅쓰고 몰래 군사를 거느리고 출병하여 조나라를 구하였다. 안희왕의 질시로 중임을 맡지 못하다 주색으로 몸을 망쳐 세상을 떠났다. 저서로 병법서인 《위공자(魏公子)》가 있으나 전하지 않는다.

111 조(趙)나라가……올렸다 : 趙使人謂魏王曰: 爲我殺範痤, 吾請獻七十裏之地. 魏王曰: 諾. 使吏捕之, 圍而未殺. 痤因上屋騎危, 謂使者曰: 與其以死痤市, 不如以生痤市. 有如痤死, 趙不予王地, 則王將奈何? 故不若與先定割地, 然後殺痤. 魏王曰: 善. 痤因上書信陵君曰: 痤, 故魏之免相也, 趙以地殺痤而魏王聽之, 有如彊秦亦將襲趙之欲, 則君且奈何? 信陵君言於王而出之.(《史記》卷44 〈魏世家〉 第14)

112 신릉군전(信陵君傳) : 《사기(史記)》 권77 〈위공자열전(魏公子列傳)〉 제17.

113 안희왕(安釐王) : 위(魏) 소왕(昭王)의 아들로, 재위 기간은 기원전 276년부터 기원전 243년까지다.

다. 이때에 범저(范雎)[114]가 위(魏)나라에서 망명하여 진(秦)나라의 재상이 되었다. 위제(魏齊)[115]를 원망하였기에 진나라 병력으로 대량(大梁)을 포위하고, 화양(華陽)[116]에 주둔하고 있는 위나라를 격파하고 망묘(芒卯)[117]를 패주시키자 위나라 왕과 공자(公子)들이 그 일을 근심하였다."[118]

안희왕 원년(元年, 기원전 276)은 진 소왕(昭王) 31년에 해당한다. 이때는 범저가 분명 진나라에 들어가기 전이다.

《전국책(戰國策)》〈위책(魏策)〉에는 "진나라가 화양에서 위나라를 격파하고 망묘를 패주시켰으며, 대량을 포위하였다. 수고(須賈)[119]가 위나라를 위하여 양후(穰侯)[120]에게 말했다."[121]라고 하였다.

사마천이 〈양후전(穰侯傳)〉을 지을 때, 이를 인용하여 진 소왕 32년(기원전 275)에 붙이고는 "이듬해, 진나라가 양후로 하여금 위나라를 공격하여 사만(四萬)의 머리를 베었다."[122]라고 하고, "이듬해, 양후와 백기(白起)[123]가

---

114 범저(范雎) : 위(魏)나라 유세객으로, 자는 숙(叔)이다. 처음에 위(魏)의 중대부(中大夫) 수고(須賈)를 섬겨 그를 따라 제나라에 사신으로 갔었다. 제왕이 범저의 재능을 인정해서 그에게 선물을 주고 신하로 삼고자 하였다. 이를 이중간첩이라고 여긴 수고가 위나라에 돌아가서 당시 상국(相國)이었던 위제(魏齊)에게 간언하여 범저는 결국 죽음에 가까운 혹독한 고문을 받고 대나무발에 싸여 변소에 버려졌다. 겨우 수졸(守卒)을 매수해 도망쳐서 당시 진(秦)나라로부터 위(魏)나라에 사신으로 와 있던 왕계(王稽)를 만났다. 이에 이름을 장록(張祿)이라 고치고 왕계의 도움으로 진(秦)에 들어가 1년 동안 빛을 보지 못하다가 진(秦) 소왕(昭王)에게 원교근공책(遠交近攻策)을 올려 신임을 얻어 객경(客卿)과 국상(國相)을 역임해 응후(應侯)에 봉해졌다.

115 위제(魏齊) : 위(魏) 소왕(昭王)의 재상이다. 공자(公子)로 일찍이 범저를 고문(拷問)했었는데 범저가 진나라의 재상이 되자 두려워 자살하였다.

116 화양(華陽) : 화산(華山)의 남쪽을 말하는 듯하다. 《전국책교주(戰國策校注)》 "秦敗魏於華"의 주에 "화산은 홍농 화음에 있으니 〈진본기〉에는 화양으로 되어 있다.[華山在弘農華陰秦紀作華陽]"라고 하였다.

117 망묘(芒卯) : 맹묘(孟卯)라고도 한다. 제나라 출신 위나라 장수로 용병에 능했다.

118 안희왕(安釐王)이……근심하였다 : 昭王薨, 安釐王即位, 封公子爲信陵君. 是時范雎亡魏相秦, 以怨魏齊. 故, 秦兵圍大梁, 破魏華陽下軍, 走芒卯. 魏王及公子患之.《史記》卷77 〈魏公子列傳〉 第17)

119 수고(須賈) : 위나라의 중대부(中大夫)로 범저를 곤경에 처하게 만들었던 인물이다.

120 양후(穰侯) : 전국시대(戰國時代) 진(秦) 소왕(昭王)의 어머니인 선태후(宣太后)의 아버지가 다른 동생이다. 성(姓)은 위(魏), 이름은 염(冉)이다. 소왕 때 네 번이나 제상의 자리에 올라 양읍(穰邑)에 봉해졌다.

121 진나라가……말했다 : 秦敗魏於華, 走芒卯而圍大梁. 須賈爲魏謂穰侯曰:…(《戰國策》〈魏策 三〉)

122 이듬해……베었다 : 明年, 魏背秦與齊從親, 秦使穰侯伐魏, 斬首四萬.(《史記》卷72 〈穰侯列傳〉 第12)

123 백기(白起) : 진나라 미(郿) 땅 출신의 장수이다. 소왕(昭王) 때에 무안군(武安君)에 봉해졌다. 용병

다시 위나라를 공격하여 화양(華陽)에서 망묘를 격파했다."[124]라고 하였다. 안희왕 초년(初年, 기원전 276), 세 차례에 걸쳐 진나라에게 병화(兵禍)를 입은 것은 모두 양후가 지휘한 것이지, 범저가 한 것이 아니다.[125] 범저가 진나라에 들어간 것은 진나라 소왕(昭王) 36년(기원전 271)의 일이다. 그리고 범저가 위제(魏齊)를 원망하여 "위제의 머리를 가져오너라! 그러지 않으면 대량을 도륙할 것이다."[126]라고만 하였으니, 참으로 출병을 한 게 아니다. 그러므로 여기에서 "위제를 원망하였기에 진나라 병력으로 대량을 포위했다."라고 한 것은 잘못이다.

《사기史記》의 정오正誤 14

〈범저전范雎傳〉 1

〈범저전(范雎傳)〉[127]에 "수고(須賈)가 위나라 소왕(昭王)을 위하여 제나라에 사신으로 갔다."라고 하였다.

범저가 위나라에서 망명하여 진나라로 들어간 것은 진나라 소왕 36년(기원전 271)이다. 이때는 이미 위나라 소왕이 죽은 지 7년이 지났다.[128] 그러므로 여기에서 "소왕을 위해 사신으로 갔다."라고 한 것은 잘못이다.

에 뛰어나 70여 성을 빼앗았으며, 조나라와의 싸움에서 하룻밤에 조나라 군사 40만 명을 생매장하기도 했다. 뒤에 승상(丞相) 범저와 틈이 생겨 벼슬을 면직당하고 사사(賜死)되었다.

124 이듬해……격파했다 : 明年, 穰侯與白起客卿胡傷復攻趙韓魏, 破芒卯於華陽下, 斬首十萬.(《史記》 卷72 〈穰侯列傳〉 第12)

125 양후가……아니다 : 《사기》 〈진본기(秦本紀)〉에는 진나라가 위나라를 침공한 시기가 진 소왕 31년, 32년, 33년 세 차례로 기록되어 있다. 31년은 백기가, 32년은 양후가, 33년은 객경(客卿) 호상(胡傷)이 침공한 것으로 되어 있다. 《사기》 〈양후열전(穰侯列傳)〉에는 31년에 위나라를 침공했다는 기록은 없고, 32년에 양후가, 33년에 백기와 호상이 함께 침공한 것으로 기록되어 있다.

126 위제의……도륙할 것이다 : 爲我告魏王, 急持魏齊頭來. 不然者, 我且屠大梁.(《史記》 卷79 〈范雎蔡澤列傳〉 第19)

127 범저전(范雎傳) : 《사기(史記)》 권79 〈범저채택열전(范雎蔡澤列傳)〉 제19.

128 위나라……지났다 : 위(魏) 소왕(昭王)의 사망은 기원전 277년이다.

《사기史記》의 정오正誤 15

〈범저전范雎傳〉 2

〈범저전〉에 "범저가 진나라 소왕에게 '지금까지 함곡관(函穀關)[129]을 닫고 15년 동안 산동(山東)을 감히 병력으로 엿보지 못했습니다.'라고 말하였다."라고 하였다.[130]

〈육국연표(六國年表)〉와 〈진본기(秦本紀)〉에는 이렇게 되어 있다.

진 소왕 22년(기원전 285)에 몽무(蒙武)[131]가 제나라를 쳤다.

23년(기원전 284)에 도위(都尉) 사리(斯離)[132]가 삼진(三晉)·연(燕)나라와 함께 제나라를 쳐서 격파하였다.

24년(기원전 283)에 진나라가 위나라의 안성(安城)을 탈취하고 대량(大梁)까지 진격하였다.

25년(기원전 282)에 조나라의 두 성(城)을 함락시켰다.

26년(기원전 281)에 조나라 석성(石城)을 함락시켰다.

27년(기원전 280)에 사마착(司馬錯)[133]이 초나라를 공격했고, 백기(白起)가 조나라를 공격하여 대(代) 땅의 광랑성(光狼城)을 취하였고, 다시 사마착으로 하여금 농서(隴西)에서 군대를 징발하여 촉(蜀)을 지나 초나라의 검중(黔中)을 공격하게 하여 그곳을 함락시켰다.

28년(기원전 279)에 백기가 초나라를 공격하여 언(鄢)·등(鄧)을 취하였다.

---

129 함곡관(函穀關) : 중국 하남성(河南省) 북서부에 위치하여 동쪽의 중원(中原)으로부터 서쪽의 관중(關中, 陝西)으로 통하는 관문(關門)이다. 황하(黃河) 남안(南岸)의 영보(靈寶) 남쪽 5km 지점에 있다. 이곳은 동서 8km에 걸친 황토층(黃土層)의 깊은 골짜기로 되어 있어 양안(兩岸)이 깎아지른 듯 솟아 있고, 벼랑 위의 수목이 햇빛을 차단하기 때문에 낮에도 어두우며, 그 모양이 함(函)처럼 깊이 깎아 세워져 있어 이러한 이름이 생겼다.

130 지금까지……못했습니다 : 至今閉關十五年, 不敢窺兵於山東者, 是穰侯爲秦謀不忠, 而大王之計有所失也.(《史記》卷79 〈范雎蔡澤列傳〉 第19)

131 몽무(蒙武) : 진(秦)나라의 장령(將領)으로 몽오(蒙驁)의 아들이다.

132 사리(斯離) : 미상이다.

133 사마착(司馬錯) : 진(秦)나라의 장군이다. 진(秦)이 촉(蜀)을 멸망시킨 후 촉군(蜀郡) 태수(太守)에 보임(補任)되었다.

29년(기원전 278)에 백기가 영(郢)을 취하였다.

30년(기원전 277)에 촉의 수(守) 장약(張若)[134]이 무군(巫郡)과 강남(江南)을 취하여 검중군(黔中郡)으로 삼았다.

31년(기원전 276)에 백기가 위나라를 쳐서 두 개의 성을 취하였다.

32년(기원전 275)에 양후가 위나라를 공격하여 대량까지 진격하여 폭연(暴鳶)[135]을 무찌르고 4만 명의 머리를 베었다. 위나라가 세 현을 바쳐 화의를 청하였다.

33년(기원전 274)에 호상(胡傷)[136]이 위나라를 공격하여 권(卷)·채양(蔡陽)·장사(長社)를 취하였고, 화양(華陽)에서 망묘(芒卯)를 공격하여 격파하고 15만 명의 머리를 베었다. 위나라가 화친의 뜻으로 남양(南陽)을 바쳐 강화를 하였다.

35년(기원전 272)에 한(韓)·위(魏)·초(楚)를 도와서 연나라를 침공했다.

진 소왕 36년(기원전 271)부터 15년 간을 거슬러 계산해 보면, 산동에 해마다 사건이 없었던 적이 없다. 여기에서 "함곡관을 닫고 15년 동안 감히 병력으로 산동을 엿보지 못했다."고 한 것은 《전국책》의 오류를 답습한 것 같다. 〈소진전(蘇秦傳)〉에 "진나라 군대가 감히 함곡관을 엿보지 못한 지가 15년이다."라고 한 것과 마찬가지로 책사(策士)의 가설일 것이다.[137]

---

134 장약(張若) : 생몰년은 미상이다. 진(秦) 혜왕(惠文) 때 사람으로 전국시대 진나라 촉 땅의 지방관을 지냈다. 기원년 316년에 혜문왕이 사마착과 도위(都尉) 묵(墨)을 보내 촉나라를 멸망시키고 장약을 촉 땅의 수(守)로 삼았다.

135 폭연(暴鳶) : 한(韓)나라 장수이다. 진나라가 위나라를 공격해 수도 대량(大梁)을 포위하여 공격하자 한나라 장수 폭연(暴鳶)이 구원하러 왔으나 도리어 진나라에 크게 패하고 계봉(啓封)까지 퇴각하였다.

136 호상(胡傷) : 호양(胡陽)이라고도 한다.

137 여기에서……것이다 : 《사기》와 《전국책》에 나타난 "함곡관을 닫고 15년 동안 병력으로 산동을 엿보지 못했다."라고 하는 기사는 다음과 같다.

▶ 蘇秦既約六國從親, 歸趙, 趙肅侯封爲武安君, 乃投從約書於秦. 秦兵不敢闚函谷關十五年.(《史記》卷70 〈蘇秦列傳〉 第9)

▶ 張儀去, 西說趙王曰: "敝邑秦王使使臣效愚計於大王. 大王收率天下以賓秦, 秦兵不敢出函谷關十五年. 大王之威行於山東, 敝邑恐懼懾伏, 繕甲厲兵, 飾車騎, 習馳射, 力田積粟, 守四封之內, 愁居懾處, 不敢動搖, 唯大王有意督過之也.……"(《史記》卷70 〈張儀列傳〉 第10)

▶ 范睢曰: "大王之國, 四塞以爲固, 北有甘泉、谷口, 南帶涇、渭, 右隴、蜀, 左關、阪, 奮擊百萬, 戰車

《사기史記》의 정오正誤 16

〈범저전范雎傳〉 3

〈범저전〉에 이런 내용이 있다.

"옛적에 제나라 민왕(湣王)이 남진하여 초나라를 공격하여 적군을 쳐부수고 장수를 죽여 천 리나 되는 땅을 넓히려 했으나 결국 조그마한 땅도 획득하지 못했습니다. 그것이 어찌 땅을 원하지 않아서였겠습니까? 형세상 그러지 못했던 것입니다. 제후들이 제나라가 피폐하고 군신들 간에 불화(不和)한 것을 보고 군사를 일으켜 제나라를 쳐서 크게 격파하였습니다. 장수가 욕을 보고 병사들은 피로에 지쳐 모두 제나라 왕을 탓하며 '누가 이런 계책을 낸 것입니까?' 하고 물었고 왕은 '문자(文子, 맹상군(孟嘗君) 전문(田文))가 그랬다.'고 했습니다. 대신들이 그 때문에 난리를 일으켰고 문자는 달아나고 말았습니다."[138]

그런데 〈제세가(齊世家)〉[139]에 "제나라 민왕 38년에 송나라를 공격하여 송나라 왕이 도망가서 온(溫) 땅에서 죽었다. 제나라가 남하하여 초나라

千乘, 利則出攻, 不利則入守, 此王者之地也. 民怯於私鬬而勇於公戰, 此王者之民也. 王并此二者而有之. 夫以秦卒之勇, 車騎之衆, 以治諸侯, 譬若施韓盧而搏蹇兔也, 霸王之業可致也, 而群臣莫當其位. 至今閉關十五年, 不敢窺兵於山東者, 是穰侯爲秦謀不忠, 而大王之計有所失也." 秦王跽曰: "寡人願聞失計."(《史記》 卷79 〈范雎蔡澤列傳〉 第19)

▶ 張儀爲秦連橫, 說趙王曰: "弊邑秦王使臣敢獻書於大王御史. 大王收率天下以儐秦, 秦兵不敢出函穀關十五年矣. 大王之威, 行於天下山東. 弊邑恐懼懾伏, 繕甲厲兵, 飾車即, 習馳射, 力田積粟, 守四封之內, 抽簽居懾處, 不敢動搖, 唯大王有意督過之也. 今秦以大王之力, 西舉巴蜀, 并漢中, 東收兩周而西遷九鼎, 守白馬之津. 秦雖辟遠, 然而心忿悁含怒之日久矣.……"(《戰國策》 卷31 〈趙策二〉 〈張儀爲秦連橫說趙王〉)

138 옛적에……말았습니다 : 且昔齊湣王南攻楚, 破軍殺將, 再辟地千里, 而齊尺寸之地無得焉者, 豈不欲得地哉. 形勢不能有也. 諸侯見齊之罷獘, 君臣之不和也, 興兵而伐齊, 大破之. 士辱兵頓, 皆咎其王, 曰: "誰爲此計者乎?" 王曰: "文子爲之." 大臣作亂, 文子出走.(《史記》 卷79 〈范雎蔡澤列傳〉 第19)

139 제세가(齊世家) : 제나라 세가는 〈제태공세가(齊太公世家)〉와 〈전경중완세가(田敬仲完世家)〉 두 권이 있는데 여기서는 〈전경중완세가(田敬仲完世家)〉를 가리킨다. 태공망(太公望) 여상(呂尙)이 세운 제나라 강공(康公) 19년(기원전 386)에 전화(田和)에게 나라를 찬탈당했다. 위(魏)나라 문후(文侯)가 제나라 전화를 제후로 삼아줄 것을 요청하여 주나라 천자가 이를 받아들여 강씨의 제나라는 사라지고 전씨의 제나라가 탄생한 것이다.

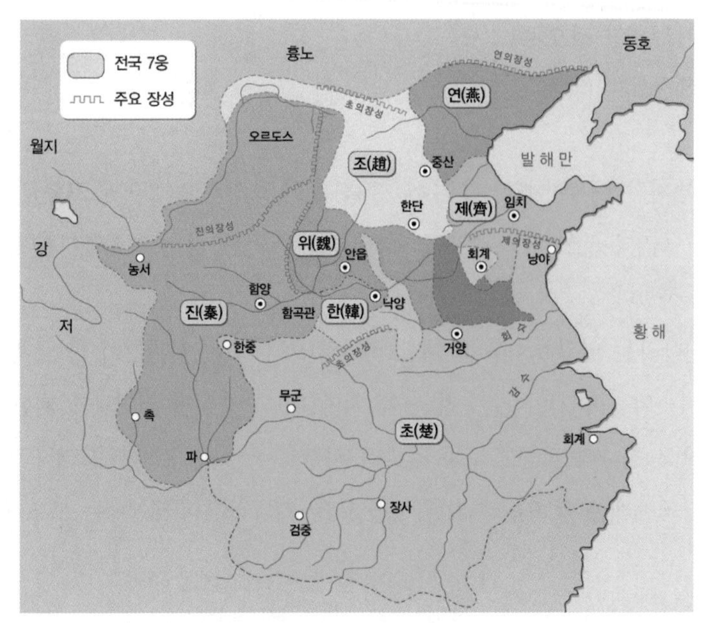

전국시대(기원전 403~기원전 221) 영역도

의 회북(淮北)을 차지하였다."[140]라고 하였으니, 여기에서 "초나라를 공격하여 땅을 넓혔다."고 한 것이 바로 이 시기에 해당된다.

그리고 〈맹상군전〉에 근거하면, "민왕이 송나라를 멸하고 더욱 교만해져 맹상군을 제거하려 하였다. 맹상군이 두려워하여 곧바로 위나라로 가서 서쪽에 위치한 진나라·조나라·연나라와 함께 연합하여 제나라를 쳐부수었다."[141]라고 하였다.

그러므로 이때 전문(田文)은 분명 제나라에 있지 않았다는 것이니, 〈범저전〉에서 "문자가 그랬다."라고 한 것은 잘못이다.[142]

---

140 제나라……차지하였다 : 三十八年, 伐宋……於是齊遂伐宋, 宋王出亡, 死於溫. 齊南割楚之淮北, 西侵三晉, 欲以并周室, 爲天子. 泗上諸侯鄒魯之君皆稱臣, 諸侯恐懼.(《史記》 卷46 〈田敬仲完世家〉)

141 민왕이……쳐부수었다 : 湣王滅宋, 益驕欲去孟嘗君. 孟嘗君恐乃如魏, 魏昭王以爲相, 西合於秦趙與燕 共伐破齊. 齊湣王亡, 在莒遂死焉.(《史記》 卷75 〈孟嘗君列傳〉 第15)

142 범저전에……잘못이다 : 〈범저전〉에 따르면, 민왕(湣王, 재위: 기원전 323~기원전 284) 23년(기원전 301)에 제나라가 한나라, 위나라와 연합하여 초나라를 공격했을 때 맹상군이 이미 제나라에 있었고 결과가 좋지 않아 다른 나라로 도망간 것이 된다. 〈제세가〉에 따르면, 민왕 38년(기원전 286)

《사기史記》의 정오正誤 17

〈범저전范雎傳〉 4

〈범저전〉에 "이때[143] 태후(太后)[144]를 폐하고 양후(穰侯)[145]와 고릉군(高陵君)[146]·화양군(華陽君)[147]·경양군(涇陽君)[148]을 함곡관 밖으로 폐출시켰다."[149]라고 하였다.

진나라는 일찍이 태후를 폐한 적이 없으니, 이는 사마천이 《전국책》의 오류를 답습한 것이다. 수천 년을 지나오면서 자식이 어머니를 폐한 자는 오직 정나라 장공(莊公)과 진나라 시황제 두 사람뿐이다. 그러나 정나라 장공에게는 영고숙(潁考叔)이 있었고[150], 진나라 시황제에게는 모초(茅焦)

에 송나라를 멸망시키고 남하하여 초나라를 쳐서 영토를 차지했다는 말이니, 초나라를 쳐서 영토를 차지한 것이 송나라 멸망 이후라는 것이다. 〈맹상군전〉에 따르면, 민왕이 송나라를 멸망시킨 다음에 맹상군을 제거하려 하자 맹상군이 위나라로 가서 진나라, 조나라, 연나라와 연합하여 제나라를 쳐부순 것이 된다. 결론적으로 서유구는 〈범저전〉에서 제나라가 한나라, 위나라와 연합하여 초나라를 공격했을 때 맹상군은 제나라에 없었는데 맹상군을 언급한 잘못을 지적한 것이다. 참고로 〈육국연표〉에 따르면 제나라 민왕이 초나라를 쳐서 영토를 차지한 것은 민왕 23년(기원전 301)의 일이고, 맹상군이 제나라로 와서 재상이 된 것은 민왕 26년(기원전 298)이다. 송나라를 멸망시킨 것은 민왕 38년(기원전 286)이다. 그리고 위나라가 진나라와 연합하여 제나라를 공격한 것은 위 소왕(昭王) 12년(기원전 284)의 일로 기록되어 있다.

▶ (齊湣王)二十三. 與秦擊楚, 使公子將, 大有功.(《史記》 卷15 〈六國年表〉)

▶ (齊湣王)二十六. 與魏、韓共擊秦. 孟嘗君歸相齊.(《史記》 卷15 〈六國年表〉)

▶ (齊湣王)三十八. 齊滅宋.(《史記》 卷15 〈六國年表〉)

▶ (魏昭王)十二. 與秦擊齊濟西. 與秦王會西周.(《史記》 卷15 〈六國年表〉)

143 이때 : 〈범저채택열전〉에 따르면 진 소왕 재위 41년(기원전 266)에 해당된다.

144 태후(太后) : 선태후(宣太后)를 말한다. 초나라 귀족 출신으로, 진(秦) 혜문왕(惠文王)의 왕비이며, 소왕(昭王)의 어머니이다. 소왕이 19세에 즉위하자 실권을 장악하고, 아버지가 다른 형제 위염(魏冉)을 재상에 임용하고 양후(穰侯)에 봉했으며, 동생을 화양군(華陽君)에, 그의 두 아들을 경양군(涇陽君)과 고릉군(高陵君)에 각각 봉하였다. 소왕 41년 범저가 재상에 임용되고 나서 권력을 상실하였다.

145 양후(穰侯) : 위염(魏冉)이다. 진(秦)나라 선태후의 아버지가 다른 동생이자 소왕(昭王)의 외삼촌으로 양(穰) 땅에 봉해졌으며 네 번이나 정승에 올라 진나라를 강성하게 하였다.

146 고릉군(高陵君) : 공자 회(公子悝)이다. 진나라 선태후의 아들이자 소왕의 동생이다.

147 화양군(華陽君) : 미융(芈戎)이다. 진나라 선태후의 동생이다.

148 경양군(涇陽君) : 공자 불(公子市)이다. 진나라 선태후의 아들이자 소왕의 동생이다.

149 이때……폐출시켰다 : 於是, 廢太后, 逐穰侯、高陵、華陽、涇陽君於關外.(《史記》 卷79 〈范雎蔡澤列傳〉 第19)

150 정나라……있었고 : 정 장공이 어머니 강씨(姜氏)가 아우 공숙단(共叔段)과 모의하여 정나라를 탈취하려다 발각되자 어머니 강씨를 영(潁) 지역의 성에 유폐시키고 죽기 전에는 만나지 않겠노라 다

가 있어[151], 모두 한마디 말로써 임금을 감동시키고 강상(綱常)을 붙들 수 가 있었다. 그런데 오직 진나라 소왕 때만은 한 사람도 폐모론을 말하는 자가 있었다는 것을 들어본 적이 없다.

진나라가 아무리 무도해도 이 정도로 심하지는 않았을 것이라는 게 그 첫 번째 근거이다. 가령 소왕이 태후를 폐출하고, 또 오대[五世]도 안 되서[152] 시황제가 다시 태후를 폐출했다면 이는 곧 진나라의 가법(家法)이 되었을 것이다. 시황제의 사납고도 포악한 성격에 어찌 '나도 받은 바가 있는데 모초의 간언을 받아들이겠는가.'라고 말하지 않았겠는가? 하는 것이 두 번째 근거이다. 진기(陳沂)[153]가 논하기를, "채택(蔡澤)이 응후(應侯, 범저)에게 유세하며 말할 적에 진나라의 상군(商君, 공손앙(公孫鞅))과 초나라의 오기(吳起), 월나라의 대부 종(種)[154]을 차례로 서술[155]하면서 중간에 특별히 백기를 포함시켜 이 일을 직언했을 뿐만 아니라 응후의 마음까지도 더

짐하였다. 이 소식을 듣고 영고숙(潁考叔)이 장공을 찾아가자 장공이 영고숙에게 음식을 하사하였다. 영고숙이 음식을 먹으면서 고기는 먹지 않고 한 곳으로 모아 놓자 장공이 그 까닭을 물었다. 이에 영고숙이 "소인에게는 어머니가 계신데 소인이 올리는 음식은 모두 맛보았으나 임금이 내린 국은 맛보지 못하였으니 이 고기를 어머니께 갖다 드리고자 합니다."라고 하였다. 그러자 장공이 "그대에게는 가져다드릴 어머니가 있는데 나만 없구나."라고 하였다고 한다. 鄭太鉉 譯註, 《譯註 春秋左氏傳》 1, 전통문화연구회, 2001, 169면)

151 진나라……있어 : 태후와 음행을 즐기던 여불위(呂不韋)가 시황제가 장성함에 화를 두려워하여 노애(嫪毐)를 천거하여 생모와 사통하게 하였다. 이 일이 발각되어 시황제가 태후를 옹(雍) 땅으로 추방시켰는데 제나라 사람 모초(茅焦)가 시황제에게 태후를 궁으로 맞아들이라고 간언하였다.(《사기(史記)》 권5 〈진본기(秦本紀) 제5〉)

152 오대[五世]도 안 되서 : 진나라 소왕 때부터 시황제가 왕위에 오르기 전까지 진나라 왕의 계보를 말한다.
· 소양왕(昭襄王, 재위: 기원전 306~기원전 251)
· 효문왕(孝文王, 재위: 기원전 251~기원전 251), 즉위 3일 만에 사망
· 장양왕(莊襄王, 재위: 기원전 251~기원전 247)
· 시황제(始皇帝, 재위: 기원전 246~기원전 210)

153 진기(陳沂) : 1473~1532. 자는 노남(魯南)이고 호는 소파(小坡)이다. 명나라 정덕 12년(1517)에 진사가 되었다. 고린(顧璘)·왕위(王韋)와 함께 금릉삼준(金陵三俊)으로 불렸다. 저서로 《유정록(維楨錄)》 1권, 《축덕록(畜德錄)》 1권, 《금릉세기(金陵世紀)》 4권, 《구희오언(拘墟晤言)》 1권, 《순추록(詢芻錄)》 1권 등이 《사고전서총목제요》에 저록되어 있다.

154 대부 종(種) : 초나라 영(郢) 사람으로, 춘추시대 말기 월왕(越王) 구천(句淺)의 모신(謀臣)이다.

155 상군(商君)……서술 : 《사기》 〈범저채택열전(范雎蔡澤列傳)〉에 자세히 보인다.

욱 간절하게 움직였다."라고 하였다.[156] 가령 범저가 소왕에게 간사하게 유세하여 소왕으로 하여금 모자의 정을 끊는 사람이 되게 했다면 이는 참으로 만고토록 명교(名教)의 죄인일 것이다. 채택이 범저에게 유세할 때 어찌 이 일을 은미하게 언급하여 응후의 마음을 간절히 움직이지 않았겠는가. 그렇지 않고 오직 백기의 일만을 고집스럽게 주장했다면, 이는 시마(緦麻)로 할지 소공(小功)으로 할지를 살피는 것[157]과 무엇이 다르겠는가. 이것이 세 번째 근거이다. 〈진본기〉에 "소왕 42년(기원전 265) 10월에 선태후가 사망하여 지양(芷陽)[158]의 여산(酈山)에 장사지냈다."고 하였다. 태후가 폐출되었다면 응당 기록으로 남겨두지 않았을 것이요, 사망했다 한들 응당 선왕의 능에다 순장시키지 않았을 것이니, 이것이 네 번째 근거이다. 《전국책》에 "진나라 선태후가 위추부(魏醜夫)[159]를 사랑했는데 태후가 병들어 죽게 되었을 때, '나를 위해 장사지내려면 반드시 위추부와 순장(殉葬)해달라.'"[160]고 명을 내렸다. 태후가 폐출되었다면 어찌 명령을 내려 순장하라고 했을 리가 있겠는가. 이것이 다섯 번째 근거이다.

이런 근거로 "진나라가 태후를 폐한 적이 없다."고 한 것이니, 사마천은 《전국책》의 오류를 답습하여 잘못 말한 것이다.

【내가 이 글을 짓고 수개월 뒤에 우연히 오사도(吳師道, 1283~1344)[161]의

---

156 진기(陳沂)가……하였다 : 출처는 미상이다.

157 시마(緦麻)로……것 : 맹자가 일의 선후를 알아야 한다는 것을 강조하면서 "3년상은 잘 이행하지 못하고 시마(緦麻)·소공(小功)의 복이나 살핀다.[不能三年之喪 而緦小功之察]"라고 한 데서 온 말로, 큰 일을 살피지 않고 작은 일에만 골몰함을 비유하는 말이다.(《맹자》 〈진심(盡心) 상(上)〉)
3년상은 복의 무거운 것이고, 시마(緦麻)는 석 달 동안 입는 상복(喪服)이고, 소공(小功)은 다섯 달 동안 입는 상복으로 복의 가벼운 것이다.

158 지양(芷阳) : 진(秦)나라의 현 이름으로 지금의 섬서성(陝西省) 서안시(西安市) 동쪽에 위치한다.

159 위추부(魏醜夫) : 전국시대 진나라 선태후의 총애를 받은 남자로, 생몰년 등은 미상이다.

160 진나라……순장(殉葬)하라 : 宣太后愛魏醜夫 太后病將死 出令曰爲我葬 必以魏子爲殉 魏子患之.(《戰國策》 〈秦策 二〉)

161 오사도(吳師道) : 1283~1344. 원나라 무주(婺州) 난계(蘭溪) 사람으로 자는 정전(正傳)이다. 젊어서 진덕수(陳德秀)의 저서를 읽고 의리지학(義理之學)에 마음을 정하게 되었으며, 허겸(許謙)에게 수학했다. 이단 및 불교와 도교를 배척했다. 저서에 《예부집(禮部集)》과 《경향록(敬鄉錄)》, 《전국책교주》, 《오예부시화(吳禮部詩話)》 등이 있다.

《전국책교주(戰國策校注)》[162]를 보았는데, 거기에는 이렇게 되어 있다.

"범저는 소왕 41년(기원전 266)에 진나라의 재상이었다. 〈진본기〉에 '이듬해 태후를 지양의 여산에 장사지내고, 9월에 양후가 도(陶) 땅으로 도망갔다.'고 하였으니, 이는 태후가 애당초 폐출된 적이 없으며, 양후가 비록 재상의 직위에서 면직되었으나 봉국에 가지 못하고 있다가, 태후의 장례 후에 비로소 도(陶) 땅으로 도망간 것이다. 그렇기 때문에 《대사기(大事記)》[163]에서 소옹(邵雍)[164]의 《황극경세서(皇極經世書)》[165]의 내용을 따라 '위염을 상국에서 면직시키고, 선태후의 권세를 빼앗아 객경 범저를 승상으로 삼고 응후에 봉하였다."라고 하고, 그 아래에 '화양군(華陽君) 미융왕제(芊戎王弟)와 경양군(涇陽君) 불(市)을 출방시켜 봉지에 나아가게 했다.'고 적은 것이니, 마땅히 이 글을 사실로 삼아야 한다. 《자치통감강목(資治通鑑綱目)》에 '진나라 군주가 그 어머니를 폐하고 국사를 처리하지도 않으면서 위염·미융·공자 불·공자 회를 축출했다.'라고 쓴 것 또한 고증할 바를 잃었다."[166]

그 견해가 나와 합치되어 여기에 첨부하여 싣는다.】

---

162 전국책교주(戰國策校注) : 동한(東漢)의 고유(高誘)가 《전국책(戰國策)》에 주를 붙인 후, 북송(北宋)에 이르러 유향의 정리본과 고유의 주가 잔실(殘失)되자 증공(曾鞏)이 이를 교정하여 새로운 연구와 정리가 시작되었다. 남송(南宋) 초에 드디어 요굉(姚宏)이 증공의 교보(校補)를 근거로 《전국책교주(戰國策校注)》가 간행되었으며 동시에 포표(鮑彪)가 교주를 하였다. 다시 원대(元代)에 이르러 오사도(吳師道)가 중교(重校)를 했는데, 여기서는 오사도의 중교본을 가리킨다.

163 대사기(大事記) : 남송(南宋)의 여조겸(呂祖謙)이 편찬했다고 한다.

164 소옹(邵雍) : 북송(北宋)의 학자로 자는 요부(堯夫)이고 안락선생(安樂先生)이라 자호(自號)하였으며 시호는 강절(康節)이다. 이지재(李之才)로부터 도서(圖書)·천문(天文)·역수(易數)를 배웠다. 도가(道家) 사상과 유교의 역학(易學)을 계승하여 수리(數理) 철학을 발전시켰다. 저서로 《황극경세서(皇極經世書)》가 있다.

165 황극경세서(皇極經世書) : 북송(北宋)의 소옹(邵雍)이 저술한 철학서(哲學書)로 총 12권으로 구성되어 있다. 역리(易理)를 응용하여 수리(數理)로써 천지만물의 생성과 변화를 설명하였다.

166 소왕 41년에……잃었다 : 此四十一年, 補曰: 按雎傳, 雎相在昭王四十一年. 秦紀, 明年, 太后薨葬芷陽驪山. 九月, 穰侯出之陶. 是太后初未嘗廢, 穰侯雖免相而未就國. 太后葬後, 始出之陶, 此辨士增飾非實之辭. 故大事記, 從邵氏皇極經世書, 免魏冉相國, 奪宣太后權, 以客卿范雎, 爲丞相封應侯. 其下書華陽君芊戎王弟涇陽君市出就封, 華陽蓋高陵別名, 此書爲實. 綱目書, 秦君廢其母不治事, 逐魏冉芊戎公子市公子理云云, 亦失考.(吳師道, 《戰國策校注》卷3)

《사기史記》의 정오正誤 18

〈범저전范雎傳〉 5

〈범저전(范雎傳)〉에 다음과 같은 내용이 있다.

"진(秦)나라 소왕(昭王)이 조(趙)나라 왕에게 편지를 보내, '대왕의 동생이 진나라에 있고, 범군(範君, 범저)의 원수인 위제(魏齊)[167]는 평원군(平原君)[168]의 집에 있습니다. 대왕께서는 사람을 시켜 빨리 위제의 목을 베어 보내십시오. 그렇게 하지 않으면 내가 군사를 일으켜 조나라를 칠 것이며, 또 대왕의 동생을 함곡관(函穀關) 밖으로 내보내지 않겠습니다.'라고 하였다. 조나라 효성왕(孝成王)[169]이 군사를 출동시켜 평원군의 집을 포위하자, 사태가 긴급하게 되었다."[170]

---

167 위제(魏齊) : ?~기원전 265. 중국 전국시대 위(魏)나라의 공족(公族)이다. 일찍이 범저(范雎)에게 태형(笞刑)를 가한 적이 있었는데, 범저가 진(秦)나라의 재상이 되자 두려워 조(趙)나라로 망명하였다. 진나라 소왕(昭王)이 범저의 복수를 위해 조나라 왕에게 편지를 보내 위제를 요구하자, 조나라 재상이었던 우경(虞卿)과 함께 위나라로 달아나 신릉군(信陵君)의 도움을 받아 초(楚)나라로 망명하고자 하였으나, 신릉군이 진나라가 두려워 만나주지 않자 자살하였다. 조나라는 그의 수급을 진나라에 보냈다.

168 평원군(平原君) : ?~기원전 251. 중국 전국시대 조(趙)나라 혜문왕(惠文王)의 동생으로, 이름은 승(勝)이다. 동무(東武)에 봉해지고, 평원군(平原君)이라 불렸다. 조나라 효성왕 7년(기원전 259)에 진(秦)나라가 조나라의 수도인 한단(邯鄲)을 포위하자, 위나라 신릉군과 초나라 춘신군(春申君)에게 구원을 요청하였다. 진나라는 결국 3년 만에 포위를 풀고 돌아갔다.

169 효성왕(孝成王) : ?~기원전 245. 중국 전국시대 조나라의 제10대 군주로, 이름은 단(丹)이고 혜문왕(惠文王)의 아들이다. 기원전 266년에 즉위하여 21년 동안 재위하였다. 기원전 262년 한(韓)나라가 상당군(上黨郡)을 넘기자 염파(廉頗)로 하여금 장평(長平)에 군대를 주둔하게 하였다. 염파 대신 조괄(趙括)이 군을 이끌도록 하였다가 백기(白起)가 이끄는 진나라 군사에 패배하여 40여 만 군사가 파묻혀 죽었다. 이후 진나라가 조나라 수도 한단을 포위하였으나, 평원군의 요청을 받고 온 위나라와 초나라의 구원으로 포위에서 풀려났다. 기원전 251년 염파를 신평군(信平君)에 봉하였다. 같은 해 연나라의 공격을 받았으나, 염파의 활약으로 대승을 거두었다.

170 진(秦)나라……되었다 : 昭王乃遺趙王書曰: 王之弟在秦, 範君之仇魏齊在平原君之家. 王使人疾持其頭來; 不然, 吾舉兵而伐趙, 又不出王之弟於關.' 趙孝成王乃發卒圍平原君家, 急, 魏齊夜亡出, 見趙相虞卿.(《史記》 卷79 〈范雎蔡澤列傳〉 第19)

〈신릉군전(信陵君傳)〉에는 "공자[171]의 누나는 조나라 혜문왕(惠文王)[172]의 동생인 평원군의 부인이다."[173]라고 되어 있다. 그렇다면 평원군은 효성왕에게는 바로 숙부 항렬이지 동생이 아니다. 〈육국연표(六國年表)〉에 의하면, 조나라 효성왕 원년(기원전 265)은 바로 진나라 소왕 42년이다. 사군(嗣君)[174]이 즉위하면 그 해를 넘겨 비로소 원년을 기록하니, 혜문왕이 죽고 효성왕이 즉위한 것은 진나라 소왕 41년으로, 바로 범저가 진나라의 재상이 된 첫 해이다. 아마 진나라 왕의 편지가 정말로 혜문왕에게 보내졌는데 편지가 도착한 것이 조나라가 평원군의 집을 포위할 때로, 바로 효성왕이 새로 즉위한 첫 해인 것 같다. 그렇지 않다면 여기의 '효성(孝成)'이란 글자는 '혜문(惠文)'이 되어야 한다.[175]

---

171 공자 : 중국 전국시대 위나라의 신릉군 위무기(魏無忌, ?~기원전 243)를 가리킨다. 안희왕(安釐王)의 이복동생이다. 안희왕 20년에 진나라가 조(趙)나라의 수도 한단(邯鄲)을 포위하자, 후영(侯嬴)의 계책을 받아들여 위나라 장수 진비(晉鄙)를 죽이고 병권을 빼앗아 진나라의 포위를 깼다. 조나라에 머무른 지 10년 만에 귀국하였다. 진나라가 조나라에 첩자를 보내 조나라의 왕 앞에서 그를 헐뜯자, 병을 핑계로 조정에 나가지 않은 채 향락을 즐기다 술병으로 죽었다.

172 혜문왕(惠文王) : ?~기원전 266. 전국시대 조나라의 제9대 군주로, 이름은 하(何)이다. 무령왕(武靈王)의 서자(庶子)이다. 재위 기간은 기원전 298년부터 기원전 266년까지이다. 무령왕의 장자인 공자 장(章) 대신 왕위를 물려받았다. 주보(主父)의 자리에 물러난 무령왕이 공자 장을 대(代) 땅에 봉하고 안양군(安陽君)으로 삼았는데, 기원전 295년에 반란을 일으켰고, 이를 진압하는 과정에서 무령왕은 물론 안양군을 모두 살해하였다. 인상여(藺相如)·염파(廉頗)·평원군(平原君)·조사(趙奢) 등 문무 양 방면에 뛰어난 신하들을 거느려 조나라의 전성기를 이끌었다.

173 공자의……부인이다 : 魏安釐王二十年, 秦昭王已破趙長平軍, 又進兵圍邯鄲. 公子姊爲趙惠文王弟平原君夫人, 數遺魏王及公子書, 請救於魏.(《史記》卷77〈魏公子列傳〉第17)

174 사군(嗣君) : 황태자를 가리키는 말이다.

175 효성(孝成)이란……한다 : 《이십이사고이(二十二史考異)》 권5 〈사기(史記) 춘신군열전(春申君列傳)〉에, "평원군은 혜문왕의 동생으로, 효성왕에게는 숙부가 된다. 혜문왕은 이미 죽었으니, 더 이상 동생이라고 해서는 안 된다.[平原君爲惠文王之弟, 於孝成爲叔父, 惠文已歿, 不當更稱弟.]"라는 내용이 보이며, 《사기지의(史記志疑)》 권30에도 이러한 내용이 보인다. 《사기의문(史記疑問)》 권하(卷下)에도, "맹상군은 진(秦)나라에 들어간 적이 있지만 평원군은 진나라에 들어간 적이 없다.……〈평원군전〉과 〈조세가〉에 모두 평원군이 초나라에 간 일은 기록하였으나 평원군이 진나라에 간 것은 기록하고 있지 않다. 그런데 유독 〈범저전〉에만 이 사실이 보이는 것은, 이것이 어찌 범저가 위제(魏齊)를 원수로 여겨 그의 수급을 얻었다는 것은 중하고, 평원군이 진나라에 들어갔다가 함곡관을 벗어나지 못한 것은 가벼워서이겠는가?[孟嘗入秦, 平原未嘗入秦也.……〈平原君傳〉·〈趙世家〉皆書平原如楚, 未嘗書平原入秦, 乃獨見之〈雎傳〉者, 豈雎仇魏齊得其首之爲重, 平原入秦而不出之關之爲輕也乎?]"라는 내용이 보인다. 《이십이사고이》에서도 평원군이 진(秦)나라로 들어갔는지에 대해 회의적이다.

《사기史記》의 정오正誤 19

〈채택전蔡澤傳〉

〈채택전(蔡澤傳)〉[176]에, "백기(白起)[177]가 수만 명의 군대를 이끌고 초나라와 교전하여, 첫 번째 전투에서 언영(鄢郢)을 함락시키고 이릉(夷陵)[178]을 불살랐으며,[179] 두 번째 전투에서는 남쪽으로 촉(蜀)나라와 한중(漢中)을 병합하였다."[180]라고 되어 있다.

진(秦)나라가 촉나라를 병합한 것은 혜문왕(惠文王)이 개원(改元)[181]한 9년 뒤(기원전 316)로 백기가 초나라를 침공(기원전 278)하기 38년 전이다. 진나라가 초나라의 한중을 차지한 것은 혜문왕이 개원한 13년 뒤(기원전 312)로, 백기가 초나라를 침공하기 34년 전이다.[182] 여기에서 "남쪽으로 촉나라

---

176 채택전(蔡澤傳) : 《사기(史記)》 권79 〈범저채택열전(范雎蔡澤列傳)〉 제19.

177 백기(白起) : ?~기원전 257. 중국 전국시대 진(秦)나라의 장군으로, 공손기(公孫起)라고도 한다. 용병(用兵)에 뛰어났다. 진나라 소왕(昭王) 29년(기원전 278)에 초나라 도읍 영(郢)을 공략하여 이 공으로 무안군(武安君)에 봉해졌다. 장평(長平)의 전쟁에서 대승한 뒤 조(趙)나라의 군사 40여만 명을 묻어 죽였다. 범저의 시기를 받았다. 소왕 50년(기원전 257)에 진나라가 조나라의 수도인 한단(邯鄲)을 포위하였다가 실패하였는데, 백기는 이 전쟁을 찬성하지 않았다 하여 사졸(士卒)로 강등되었고, 얼마 뒤 강요를 받고 자살하였다.

178 이릉(夷陵) : 초나라 선왕들의 종묘 소재지로, 지금의 호북성(湖北省) 의창시(宜昌市) 동쪽에 있었다.

179 언영(鄢郢)을……불살랐으며 : 《사기》 권15 〈육국연표(六國年表)〉에 의하면, 진(秦)나라가 영(郢)을 함락하고 이릉을 불태운 것은 소왕(昭王) 29년(기원전 278), 즉 초나라 경양왕(頃襄王) 21년의 일이다. '언영(鄢郢)'은 초나라의 도읍이다. 춘추시대 초나라는 문왕(文王) 때 영(郢)에 도읍을 정하였는데, 그 뒤 혜왕(惠王) 때 언(鄢)으로 도읍을 옮겼으나 그대로 영(郢)이라고 불렀기 때문에, '언영'은 초나라의 도읍을 가리키는 말이 되었다.

180 백기(白起)가……병합하였다 : 蔡澤者, 燕人也.……楚地方數千裏, 持戟百萬, 白起率數萬之師以與楚戰, 一戰擧鄢郢以燒夷陵, 再戰南并蜀漢.……(蔡澤謂應侯曰)'……今君相秦, 計不下席, 謀不出廊廟, 坐制諸侯, 利施三川, 以實宜陽, 決羊腸之險, 塞太行之道, 又斬範、中行之塗, 六國不得合從, 棧道千里, 通於蜀漢, 使天下皆畏秦, 秦之欲得矣, 君之功極矣, 此亦秦之分功之時也. 如是而不退, 則商君、白公、吳起、大夫種是也.……'(《史記》 卷79 〈范雎蔡澤列傳〉 第19)

181 혜문왕(惠文王)이 개원(改元) : 진(秦)나라 혜문왕은 기원전 337년에 즉위한 뒤 14년째 되는 해(기원전 324)에 다시 원년을 칭하여 기원전 311년까지 14년 동안 더 재위하였다.

182 진(秦)나라가 촉나라를……전이다 : 이와 관련된 각 기사의 내용은 다음과 같다.

▶ 九年, 擊蜀, 滅之.……十三年, 庶長章擊楚, 斬首八萬." "(楚懷王)十七年, 秦敗我將屈匄.(《史記》 卷15 〈六國年表〉 第3)

▶ 十四年, 更爲元年.……九年, 司馬錯伐蜀, 滅之.……十三年, 庶長章擊楚於丹陽, 虜其將屈匄, 斬首八萬. 又攻楚漢中, 取地六百裏, 置漢中郡.(《史記》 卷5 〈秦本紀〉)

와 한중을 병합하였다."라고 한 것은 이미 백기에게 해당되는 사실이 아니며,[183] 다음에 이어지는 글에서는 또 "잔도(棧道)를 천 리 되도록 만들어 촉나라와 한중에까지 통하게 하였다."는 것을 범저의 공으로 삼았으니,[184] 하나의 열전(列傳, 채택전) 안에서 앞뒤의 글이 모순됨을 깨닫지 못한 것이다. 이것은 모두 유세가들이 보태어 꾸민 《전국책(戰國策)》의 잘못을 그대로 답습한 것이다.[185]

《사기史記》의 정오正誤 20

〈악의전樂毅傳〉 1

〈악의전(樂毅傳)〉[186]에 다음과 같은 내용이 있다.

"악의(樂毅)[187]는 조(趙)나라에서 죽었다. 악간(樂間)[188]이 연나라에서 산 지 30여 년이 되었을 때, 연왕 희(燕王喜)[189]는 재상 율복(栗腹)의 계책[190]을

183 백기에게……아니며 : 《사기》 권5 〈진본기(秦本紀)〉에 의하면, 촉(蜀)나라를 멸망시킨 사람은 사마착(司馬錯)이며, 한중(漢中) 600리 땅을 취하여 한중군(漢中郡)을 둔 사람은 서장(庶長)인 장(章)이다. '서장(庶長)'은 진(秦)나라의 관작 이름으로, 군정(軍政) 대권을 장악하였다. 경(卿)에 해당한다.

184 잔도(棧道)를……삼았으니 : 《사기》 권79 〈범저채택열전〉에 의하면 이 구절은 채택이 응후(應侯) 범저(范雎)에게 재상의 지위에서 물러나도록 설득하는 과정에서 응후의 공적으로 말한 것이다.

185 이것은……것이다 : 이 단락에서 다루고 있는 내용에 대한 《전국책》 원문은 다음과 같다.
蔡澤謂應侯曰: ……今君相秦, 計不下席, 謀不出廊廟, 坐制諸侯, 利施三川, 以實宜陽, 決羊腸之險, 塞太行之口, 又斬範、中行之途, 棧道千里於蜀、漢, 使天下皆畏秦.(《戰國策》 卷5 〈秦策 三〉〈蔡澤見逐於趙〉)

186 악의전(樂毅傳) : 《사기(史記)》 권80 〈악의열전(樂毅列傳)〉 제20.

187 악의(樂毅) : ?~? 중국 전국시대 장수로, 자는 영패(永霸)이다. 중산국(中山國) 영수(靈壽) 사람으로 위(魏)나라 장군 악양(樂羊)의 후손이다. 연(燕)나라 소왕(昭王)이 현자(賢者)를 초빙하자 연나라에 들어가 아경(亞卿)이 되었다. 연나라 소왕 28년(기원전 284)에 상장군(上將軍)이 되어 조·초·한·위·연 등 5국의 군대를 이끌고 제(齊)나라를 쳐서 제나라의 수도인 임치(臨淄)까지 들어갔으며 70여 개의 성을 함락시켰다. 이 공으로 창국군(昌國君)에 봉해졌다. 연나라 혜왕(惠王)이 즉위(기원전 278) 후 제(齊)나라의 반간계(反間計)에 걸려 기겁(騎劫, ?~기원전 279)을 장수로 삼자, 조나라로 망명하였다. 조나라에서 관진(觀津)에 봉해지고 망제군(望諸君)으로 불렸다. 조나라에서 죽었다.

188 악간(樂間) : ?~? 중국 전국시대 장수로 악의의 아들이다. 연나라 혜왕(惠王, 기원전 278~기원전 272)은 악의 대신 기겁(騎劫)을 장수로 삼은 것을 후회하고 그를 창국군으로 삼았다. 뒤에 연왕 희(喜)는 그의 말을 듣지 않고 조(趙)나라를 공격하였다가 대패하여 주장(主將) 율복(栗腹)은 죽고 부장(副將) 경진(卿秦)은 포로가 되었으며, 악간은 조나라로 망명하였다.

189 연왕 희(燕王喜) : 중국 전국시대 연나라의 마지막 군주 희희(姬喜, ?~?)를 가리킨다. 재위기간은

써서 조나라를 공격하고자 하였다. 그리하여 이 일에 대해 창국군(昌國君) 악간에게 의견을 물었다. 악간은 '조나라는 사방에서 적의 침공을 받는 위치에 있는 나라입니다.[191] 그 나라의 백성들은 전쟁에 익숙하므로 조나라를 쳐서는 안 됩니다.'라고 대답하였다. 그러나 연왕은 이 말을 듣지 않고 마침내 조나라를 공격하였다."[192]

연나라가 율복의 계책을 따라 조나라를 친 일은 연왕 희 4년(기원전 251)의 일이다.[193] 악간이 연나라에 있었던 햇수를 이때부터 소급하여 계산해보면 겨우 28년이다.[194] 여기에서 "30여 년"이라고 한 것은 잘못이다.

기원전 254년부터 기원전 222년까지이다. 희(喜) 28년(기원전 227)에 진(秦)나라가 연나라를 침공하여 역수(易水)에 주둔하였는데, 연나라 태자 단(丹)이 형가(荊軻)와 진무양(秦舞陽) 등을 보내 독항(督亢)의 지도와 진나라 장수 번오기(樊於期)의 수급을 바친다는 명분으로 진나라의 왕 정(政)을 시해하려다 실패하고 요동(遼東)으로 달아나자, 태자 단을 참수하여 진나라 왕에게 바쳤다. 희 29년(기원전 226)에 진나라가 왕전(王翦)을 장수로 삼고 연나라를 침공하여 연나라의 수도 계성(薊城)을 함락하였다. 희 33년(기원전 222)에 생포되었고 연나라는 망하였다.

190 율복(栗腹)의 계책 : 율복이 연왕 희의 명을 받고 친선 도모를 위해 조나라에 갔다가 돌아와서, "조나라는 장성한 사람은 모두 장평(長平)의 전쟁(기원전 260)에서 죽고 아이들은 아직 자라지 않았으니, 조나라를 쳐도 됩니다.[趙王壯者, 皆死長平, 其孤未壯, 可伐也.]"라고 보고한 것을 말한다.(《史記》 卷34 〈燕召公世家〉)

191 조나라는……나라입니다 : 《사기정의(史記正義)》 권80 〈악의열전(樂毅列傳)〉 장수절(張守節)의 정의(正義)에, "조(趙)나라는, 동쪽으로는 연(燕)나라·제(齊)나라와 인접하고, 서쪽으로는 진(秦)나라·누번(樓煩)과, 남쪽으로는 한(韓)나라·위(魏)나라와, 북쪽으로는 흉노(匈奴)와 국경을 접하고 있다.[東隣燕、齊, 西邊秦、樓煩, 南界韓、魏, 北迫匈奴.]"라는 내용이 보인다.

192 악의(樂毅)는……공격하였다 : 於是燕王復以樂毅子樂間爲昌國君, 而樂毅往來復通燕, 燕、趙以爲客卿. 樂毅卒於趙. 樂間居燕三十餘年, 燕王喜用其相栗腹之計, 欲攻趙, 而問昌國君樂間. 樂間曰: "趙, 四戰之國也, 其民習兵, 伐之不可." 燕王不聽, 遂伐趙. 趙使廉頗擊之, 大破栗腹之軍於鄗, 禽栗腹、樂乘. 樂乘者, 樂間之宗也. 於是樂間奔趙, 趙遂圍燕. 燕重割地以與趙和, 趙乃解而去.(《史記》 卷80 〈樂毅列傳〉 第20)

193 연나라가……일이다 : (燕王喜)四年, 伐趙, 趙破我軍, 殺栗腹.(《史記》 卷15 〈六國年表〉)

194 연나라가……28년이다 : 이때(기원전 251)부터 28년을 소급하여 계산해보면 연나라 혜왕(惠王) 1년(기원전 278)이 된다. 이때 악의는 조나라로 망명하였고, 연나라에서는 악의의 아들인 악간을 창국군(昌國君)에 봉하였다.

《사기史記》의 정오正誤 21

〈맹상군전孟嘗君傳〉 2

〈맹상군전(孟嘗君傳)〉[195]에 다음과 같은 내용이 있다.

"맹상군(孟嘗君)[196]이 진(秦)나라에 원한을 품고서, 제나라의 병력으로 한(韓)나라와 위나라를 도와 초나라를 공격한 뒤, 이어서 한나라·위나라와 함께 진나라를 공격하고자 하였고, 이를 위해 서주(西周)[197]에서 군사와 양식을 빌리고자 하였다. 소대(蘇代)[198]가 서주를 위해 운운하자 설공(薛公, 맹상군)이 '좋다.'라고 하였다. 그리하여 한나라와 위나라로 하여금 진나라에 예물을 보내 우호를 표시함으로써 세 나라가 서로 공격하지 않게 하였고, 서주에 군사와 양식을 빌리지도 않았다."[199]

이를 근거로 하면, 설공은 진나라를 공격하자고 주장했을 뿐, 사실은 군대를 출동시킨 적이 없게 된다. 그러나 〈진본기(秦本紀)〉에는 "소왕(昭王) 11년(기원전 296)에 제(齊)·한(韓)·위(魏)·조(趙)·송(宋)·중산(中山) 등 다섯 나

---

195 맹상군전(孟嘗君傳) : 《사기(史記)》 권75 〈맹상군열전(孟嘗君列傳)〉 제15.

196 맹상군(孟嘗君) : 중국 전국시대 사공자 중의 한 사람인 전문(田文, ?~기원전 279)이다. 제(齊)나라 종실 대신이었던 정곽군(靖郭君) 전영(田嬰)의 아들로, 아버지의 작위를 물려받아 설(薛)에 봉해졌기 때문에 설공(薛公)이라고 불렸다. 설(薛)은 지금의 산동성(山東省) 등주시(滕州市) 동남쪽에 있었다. 수천에 이르는 식객을 거느렸던 것으로 유명하며, 이에 관한 각종 일화가 전한다.

197 서주(西周) : 주나라 고왕(考王)이 기원전 440년(고왕 1)에 동생 희게(姬揭)에게 봉해준 나라로, 하남(河南: 현재 하남성 낙양시 서쪽)을 도읍으로 정하였다. 기원전 256년(난왕 59)에 진(秦)나라에 의해 멸망하였다.

198 소대(蘇代) : ?~? 중국 전국시대 종횡가(縱橫家)의 유세가로, 소진(蘇秦)의 족제(族弟)이다. 처음에는 연왕 쾌(燕王噲)를 섬겼다가 다시 제(齊)나라 민왕(湣王)을 섬겼다. 연나라로 돌아왔을 때 자지(子之)의 난을 만나 다시 제(齊)나라로 갔다가 송(宋)나라로 갔다. 연나라 소왕(昭王)이 불러 상경(上卿)으로 삼았다.

199 맹상군(孟嘗君)은……않았다 : 孟嘗君怨秦, 將以齊爲韓、魏攻楚, 因與韓、魏攻秦, 而借兵食於西周. 蘇代爲西周謂曰: '君以齊爲韓、魏攻楚九年, 取宛、葉以北, 以彊韓、魏. 今復攻秦以益之, 韓、魏南無楚憂, 西無秦患, 則齊危矣. 韓、魏必輕齊畏秦, 臣爲君危之. 君不如令敝邑深合於秦, 而君無攻, 又無借兵食. 君臨函穀而無攻, 令敝邑以君之情謂秦昭王曰:〈薛公必不破秦以彊韓、魏. 其攻秦也, 欲王之令楚王割東國以與齊, 而秦出楚懷王以爲和.〉君令敝邑以此惠秦, 秦得無破而以東國自免也, 秦必欲之. 楚王得出, 必德齊. 齊得東國益彊, 而薛世世無患矣. 秦不大弱, 而處三晉之西, 三晉必重齊.' 薛公曰: '善.' 因令韓、魏賀秦, 使三國無攻, 而不借兵食於西周矣. 是時, 楚懷王入秦, 秦留之, 故欲必出之. 秦不果出楚懷王.(《史記》 卷75 〈孟嘗君列傳〉 第15)

라[200]가 함께 진(秦)나라를 공격하였다. 염지(鹽氏)[201]에 이르러 돌아갔다. 진나라는 한나라·위나라에게 황하 이북과 봉릉(封陵)[202]을 주고 강화하였다."[203]라고 되어 있다. 〈제세가(齊世家)〉에는 "민왕(湣王) 26년(기원전 298)[204]에 제나라가 한나라·위나라와 함께 진나라를 공격하여 함곡관(函穀關)에 주둔하였다. 28년(기원전 296)에 진나라가 한나라에게 하외(河外)[205] 지역을 주고 강화하니, 한나라 군대가 철수하였다."[206]라고 하였다. 〈위세가(魏世家)〉에는 "애왕(哀王) 21년(기원전 298)[207]에 제나라·한나라와 함께 함곡관에

---

200 다섯 나라 : 《사기》 권5 〈진본기〉의 주석에서 장수절(張守節)은 "이때(기원전 296) 중산(中山)은 조나라에 예속되었기 때문에 '다섯 나라'라고 한 것이다."라고 하였는데, 〈진본기〉 소양왕(昭襄王) 조의 기록에는 "소양왕 8년(기원전 299)에 조나라가 중산국을 쳐부수었다. 그 군주는 도망가서 제(齊)나라에서 죽었다."라고 되어 있다. 그러나 〈육국연표〉에 따르면, 중산국은 조나라 혜문왕(惠文王) 4년(기원전 295)에 멸망하였다. 또한 〈전경중완세가(田敬仲完世家)〉에도 "제나라 민왕(湣王) 26년(기원전 298)에 제나라는 한나라·위나라와 함께 진(秦)나라를 공격하였고, 29년(기원전 295)에 조나라를 도와 중산국을 멸망시켰다."라고 되어 있어, 중산국이 멸망한 시점을 당시 진나라와의 전쟁이 끝난 뒤로 기록하고 있다. 사마정(司馬貞)의 《사기색은(史記索隱)》에는 "위(魏)나라 문후(文侯) 때 악의(樂毅)의 선조인 악양(樂羊)에 의해 한 번 멸망하였으나, 제사는 끊어지지 않아 다시 나라를 세웠다가 조나라 무령왕(武靈王) 때 다시 한 번 멸망하였다."라고 하였다. 그러나 〈육국연표〉의 조나라 무령왕 조에는 25년(기원전 301)에 "조나라가 중산을 공격하였다."라는 내용만 보인다. 따라서 '中山'을 연문(衍文)으로 보기도 하나, 자세하지 않다. 중산국은 지금의 하북성(河北省) 정현(定縣)·영수(靈壽) 및 영진(寧晉) 일대에 있었던 나라로, 춘추시대에는 선우(鮮虞)라고 불렸다.

201 염지(鹽氏) : 중국 전국시대의 지명으로, 지금의 산서성(山西省) 운성현(運城縣) 지역에 있었다.

202 봉릉(封陵) : 중국 전국시대 위(魏)나라의 읍으로, 지금의 산서성(山西省) 예성현(芮城縣) 풍릉도(風陵渡) 동쪽에 있었다.

203 소왕(昭王)……강화하였다 : 十一年, 齊、韓、魏、趙、宋、中山五國共攻秦, 至鹽氏而還. 秦與韓、魏河北及封陵以和.(《史記》 卷5 〈秦本紀〉)

204 민왕(湣王) 26년(기원전 298) : 민왕 26년(기원전 298)은 〈육국연표〉에 의한 것이다. 《중국역사기년표(中國歷史紀年表)》에 따르면, 민왕은 기원전 300년부터 기원전 284년까지 17년간 재위하였으며, 기원전 298년은 민왕 3년에 해당된다. 이와 관련하여 전목(錢穆, 1895~1990)의 《선진제자계년(先秦諸子系年)》 권4 〈제나라 민왕은 재위기간이 18년이고 40년이 아니며, 그 원년은 주나라 난왕 15년이고 주나라 현왕 46년이 아니라는 것에 대한 변론[齊湣王在位十八年非四十年其元年爲周赧王十五年非周顯王四十六年辨]〉에 자세한 논증이 보인다. '湣王'은 '閔王'으로도 쓴다.

205 하외(河外) : 춘추시대에 진(晉)나라 사람들은 하서(河西)와 하남(河南)을 하외(河外)라고 불렀기 때문에 전국시대에 들어와서도 위(魏)나라 사람들은 여전히 이 명칭을 사용하였다. 뒤에 '하외'는 지금의 섬서성(陝西省) 화음현(華陰縣) 및 하남성과 섬서성의 황하가 굽이도는 곳 일대를 가리키게 되었다.

206 민왕(湣王)……철수하였다 : 十三年, 秦惠王卒. 二十三年, 與秦擊敗楚於重丘. 二十四年, 秦使涇陽君質於齊. 二十五年, 歸涇陽君於秦. 孟嘗君薛文入秦, 卽相秦. 文亡去. 二十六年, 齊與韓魏共攻秦, 至函穀軍焉. 二十八年, 秦與韓河外以和, 兵罷. 二十九年, 趙殺其主父. 齊佐趙滅中山.(《史記》 卷46 〈田敬仲完世家〉)

207 애왕(哀王) 21년(기원전 298) : 《중국역사기년표(中國歷史紀年表)》에는 위(魏)나라에 애왕(哀王)이

서 진나라 군대와 싸워 이겼다. 22년에 진나라가 우리나라에 하외(河外) 지역과 봉릉(封陵)을 다시 돌려주고 강화하였다."[208]라고 하였으며, 〈한세가(韓世家)〉에는 "양왕(襄王) 14년(기원전 298)에 제나라·위나라와 함께 진나라를 쳤다. 함곡관에 이르러 주둔하였다. 16년(기원전 296)에 진나라가 우리나라에 하외(河外)와 무수(武遂)[209]지역을 주었다."[210]라고 하였다. 〈악의전(樂毅傳)〉에도 제나라 민왕 때의 강대함을 일컬어 "삼진(三晉)[211]과 함께 진나라를 쳤다."[212]라고 하였으니, 설공이 다섯 나라의 군대를 이끌고 진나라를 친 것은 실제로 있었던 일인 것이다. 민왕 26년에 진나라와 싸워 28년에야 군대를 철수하였다면, 제후들이 군대를 연합하여 진나라를 공격한 것은 모두 3년이라는 긴 시간이 걸린 것이며 결코 진나라를 치자고 말만 한 것은 아니다. 이것은 〈맹상군전(孟嘗君傳)〉에 나오는 소대(蘇代)의 말을 온전히 《전국책(戰國策)》의 가설을 가져다 쓰면서[213] 〈진본기〉 및 〈제세가〉·〈한

없다. 애왕 21년을 기원전 298년이라고 한 것은 〈육국연표〉에 의한 것으로, 〈중국역사기년표〉에는 양왕(襄王) 21년으로 되어 있다. 위(魏)나라 혜왕(惠王)은 36년(기원전 334)에 '후(侯)'란 호칭을 '왕'으로 바꾸면서 다시 기원(紀元)하였는데, 사마천은 혜왕이 죽었다고 오인하여 혜왕이 다시 기원한 뒤의 16년 동안을 양왕에 해당시키고, 양왕의 재위 기간인 23년 동안을 다시 애왕(哀王)이라는 인물을 만들어 해당시킨 것이다. 《죽서기년(竹書紀年)》에 의하면, 위나라 애왕이 바로 위나라 양왕이다. 이와 관련하여 《선진제자계년(先秦諸子系年)》 권3 〈위나라 양왕과 애왕은 한 명의 군주가 양왕과 애왕이라는 두 개의 시호를 가진 것이라는 것에 대한 고찰[魏襄王魏哀王乃襄哀王一君兩謚考]〉에 자세한 논증이 보인다. 혜왕은 이름이 영(罃)으로, 위나라 무후(武侯)의 아들이다. 양혜왕(梁惠王)이라고도 부른다. 재위 기간은 기원전 369년부터 기원전 319년까지다.

208 애왕(哀王)……강화하였다 : 二十一年, 與齊、韓共敗秦軍函穀. 二十三年, 秦復予我河外及封陵爲和. 哀王卒, 子昭王立.(《史記》 卷44 〈魏世家〉)

209 무수(武遂) : 중국 전국시대 한나라의 읍으로, 지금의 산서성(山西省) 원곡현(垣曲縣) 동남쪽에 있었다.

210 양왕(襄王)……주었다 : 十四年, 與齊、魏王共擊秦, 至函穀而軍焉. 十六年, 秦與我河外及武遂. 襄王卒, 太子咎立, 是爲釐王.(《史記》 卷45 〈韓世家〉)

211 삼진(三晉) : 조·한·위 등 3국의 합칭(合稱)이다. 전국시대 초에 진(晉)나라의 대부였던 조씨(趙氏)·한씨(韓氏)·위씨(魏氏)가 진나라를 삼분(三分)하여 각자 나라를 만들었기 때문에 이 세 나라를 삼진(三晉)이라고 부른 것이다.

212 삼진(三晉)과……쳤다 : 當是時, 齊湣王彊, 南敗楚相唐眛於重丘, 西摧三晉於觀津, 遂與三晉擊秦, 助趙滅中山, 破宋, 廣地千餘裏.(《史記》 卷80 〈樂毅列傳〉)

213 이것은……쓰면서 : 《사기》에는 소대(蘇代)가 설공에게 유세하는 것으로 되어 있고, 《전국책》에는 한경(韓慶)이 유세하는 것으로 되어 있는 등 몇 군데 글자의 출입은 있으나, 세 나라가 진(秦)나라를 공격하지 않은 점에서는 일치한다. 한경(韓慶)은 한(韓)나라 사람으로 서주(西周)에 가서 벼슬하였다. 《전국책》에 나오는 관련 기사는 다음과 같다.
薛公以齊爲韓、魏攻楚, 又與韓、魏攻秦, 而藉兵乞食於西周. 韓慶爲西周謂薛公曰: "君以齊爲韓、魏攻楚,

세가〉·〈위세가〉와는 따져볼 생각을 못한 것이다. 그리고 소대가 설공에게 유세할 때 "진나라를 공격하여 한나라·위나라를 살찌게 할 필요는 없다."고 했을 뿐인데, 진나라가 실제로 하외와 무수 등의 지역을 한나라·위나라에 준 것을 이러한 기록들로 더욱 검증할 수 있다. 《전국책》에 기록된 소대의 말은 정말로 실제의 일을 기록한 것은 아니다.

《사기史記》의 정오正誤 22

〈악의전樂毅傳〉 2

〈악의전(樂毅傳)〉에, "제나라 민왕(湣王) 때 국력이 강대하여 서쪽으로 삼진(三晉)[214]을 관진(觀津)[215]에서 꺾고, 마침내 삼진과 함께 진(秦)나라를 쳤다."[216]라고 되어 있다.

'수(遂)'라는 글자는 앞 문장과 연결시키면서 다음 문장을 시작하는 말

九年而取宛、葉以北以強韓、魏, 今又攻秦以益之. 韓、魏南無楚憂, 西無秦患, 則地廣而益重, 齊必輕矣. 夫本末更盛, 虛實有時, 竊爲君危之. 君不如令弊邑陰合於秦而君無攻, 又無藉兵乞食. 君臨函谷而無攻, 令弊邑以君之情謂秦王曰: '薛公必破秦以張韓、魏, 所以進兵者, 欲王令楚割東國以與齊也.' 秦王出楚王以爲和. 君令弊邑以此忠秦, 秦得無破, 而以楚之東國自免也, 必欲之. 楚王出, 必得齊. 齊得東國而益強, 而薛世世無患. 秦不大弱, 而處之三晉之西, 三晉必重齊." 薛公曰: "善." 因令韓慶入秦, 而使三國無攻秦, 而使不藉兵乞食於西周.(《戰國策》〈西周策〉〈薛公以齊爲韓魏攻楚〉)

214 삼진(三晉) : 본래는 진(晉)나라에서 갈라져 나온 조(趙)·위(魏)·한(韓) 등 3국을 가리키나, 때로는 이 가운데 1국이나 2국을 가리키기도 한다. 여기에서는 조(趙)나라와 위(魏)나라 2국을 가리킨다.

215 관진(觀津) : 중국 전국시대 때 조(趙)나라의 읍으로, 악의(樂毅)가 조나라에 망명하였을 때 조나라가 악의를 봉해주었던 지역이기도 하다. 지금의 하북성 무읍현(武邑縣) 동남쪽에 있었다. 그러나 《사기지의(史記志疑)》에 의하면, '觀津'은 '觀澤'이 되어야 한다. 관택(觀澤)은 관(觀)이라고도 하며, 전국시대 때 위(魏)나라의 읍이었다가 뒤에 제(齊)나라와 조(趙)나라에 귀속되었다. 지금의 하남성 청풍현(淸豐縣) 남쪽에 있었다. 혹자는 지금의 기현(淇縣) 동북쪽에 있었다고도 한다. 이와 관련한 《사기지의》의 원문은 다음과 같다.
慎靚王四, 魏哀王二, 齊敗我觀津." 志疑: "附案: 此與趙、齊〈表〉及〈魏世家〉、〈張儀〉、〈樂毅傳〉并作觀津, 〈韓世家〉又作濁澤, 皆誤. 當依趙、齊兩〈世家〉作觀澤. 正義引〈括地志〉云: '觀澤在魏州頓丘縣東, 觀津在冀州棗陽縣東南, 濁澤在蒲州解縣東北', 三地不同也. 〈韓世家〉正義引〈年表〉, 雖脫失不全, 而實作觀澤, 取以證濁澤之誤, 不言是觀津, 則今本〈年表〉作觀津, 乃傳刻之訛矣.……'趙武靈王九, 與韓、魏擊秦, 齊敗我觀津', '齊湣王七, 敗魏、趙觀津'. 案: 擊秦是上年事, 已書之矣, 此爲重出, 當衍'與韓、魏擊秦'五字. 觀津, 并觀澤之誤.(梁玉繩, 《史記志疑》 卷9)

216 제나라……쳤다 : 當是時, 齊湣王彊, 南敗楚相唐眛於重丘, 西摧三晉於觀津, 遂與三晉擊秦. 助趙滅中山, 破宋, 廣地千餘裏.(《史記》 卷80 〈樂毅列傳〉)

이다. 제나라 민왕이 관진에서 위나라와 조나라를 패배시킨 일은 7년(기원전 317)에 있었던 일이며,[217] 한(韓)나라·위나라와 함께 진(秦)나라를 친 것은 26년(기원전 298)에 있었던 일로, 서로 19년이라는 시간 차이가 있다. 그러므로 이 '수(遂)' 자는 연문(衍文)인 듯하다.

《사기史記》의 정오正誤 23

〈악의전樂毅傳〉 3

〈악의전(樂毅傳)〉에 다음과 같은 내용이 있다.

"연왕 희(喜)는 재상 율복(栗腹)의 계책을 써서 조나라를 공격하고자 이 일에 대해 창국군(昌國君) 악간(樂間)에게 의견을 물었다. 악간은, '조나라는 사방에서 적의 침공을 받는 위치에 있는 나라입니다. 그 나라의 백성들은 전쟁에 익숙하므로 조나라를 쳐서는 안 됩니다.'라고 대답하였다. 그러나 연왕은 이 말을 듣지 않고 마침내 조나라를 공격하였다. 조나라는 염파(廉頗)를 시켜 이를 물리치도록 하였고, 염파는 호(鄗)[218]에서 율복의 군대를 대파하여 율복과 악승(樂乘)을 사로잡았다. 악승이 악간과 같은 집안사람이었기 때문에 악간은 조나라로 달아났다. 연왕은 악간의 말을 듣지 않은 것을 한탄하며 악간에게 운운하는 편지를 보냈다. 악간과 악승은 연나라에서 자신들의 계책을 들어주지 않은 것을 원망하였기 때문에 두 사람은 끝내 조나라에 그대로 머물렀다. 조나라는 악승을 무양군(武襄君)에 봉하였다."[219]

---

217 관진에서……일이며 : 이와 관련하여 〈육국연표〉에 나타난 각 나라의 기사는 다음과 같다.

▶ (齊湣王)七年, 敗魏、趙觀澤.(《史記》 卷15 〈六國年表〉)

▶ (魏哀王)二年, 齊敗我觀澤.(《史記》 卷15 〈六國年表〉)

▶ (趙武靈王)九年, 齊敗我觀澤.(《史記》 卷15 〈六國年表〉)

▶ (齊湣王)七年, 與宋攻魏, 敗之觀澤.(《史記》 卷46 〈田敬仲完世家〉)

218 호(鄗) : 중국 춘추시대 때 진(晉)나라의 읍이었으나, 전국시대에는 조나라에 속하게 되었다. 지금의 하북성(河北省) 백향현(柏鄉縣) 북쪽에 있었다.

219 연왕……봉하였다 : 樂間居燕三十餘年, 燕王喜用其相栗腹之計, 欲攻趙, 而問昌國君樂間. 樂間曰: '趙, 四戰之國也, 其民習兵, 伐之不可.' 燕王不聽, 遂伐趙. 趙使廉頗擊之, 大破栗腹之軍於鄗, 禽栗腹、樂乘. 樂乘者, 樂間之宗也. 於是樂間奔趙, 趙遂圍燕. 燕重割地以與趙和, 趙乃解而去. 燕王恨不

이를 근거로 하면, 악승은 본래 연나라에서 벼슬하여 장수가 된 사람이다. 그가 포로로 잡혀 연나라를 떠나 조나라에 들어간 것은 연왕 희 4년(기원전 251), 조나라 효성왕(孝成王) 15년에 있었던 일이 된다. 그러나 〈조사전(趙奢傳)〉에는, "진(秦)나라가 한나라를 쳐서 알여(閼與)에 주둔하였다. 왕이 염파를 불러 '구할 수 있겠는가?'라고 묻자, '길이 멀고 험하며 좁으니 구하기 어렵습니다.'라고 대답하였다. 또 악승을 불러 묻자 악승 역시 염파와 같은 대답을 하였다."[220]라고 되어 있다. 이것은 조나라 혜문왕(惠文王) 29년(기원전 270)에 해당되며,[221] 염파가 율복을 사로잡기 19년 전의 일이다. 또 〈조세가(趙世家)〉에는, "효성왕 10년(기원전 256)에 조나라 장수 악승과 경사(慶舍)가 진나라 신량(信梁)[222]의 군대를 공격하여 격파하였다."[223]라고 되어 있다. 이것은 염파가 율복을 사로잡기 5년 전에 있던 일이다. 이에 의거한다면 악승은 본래 조나라 장수였으며 염파에게 사로잡혀 비로소 조나라에 온 것이 아니다.[224] 둘 중 하나는 잘못된 것이다.

用樂間, 樂間既在趙, 乃遺樂間書曰: '紂之時, 箕子不用, 犯諫不怠, 以冀其聽; 商容不達, 身祇辱焉, 以冀其變. 及民志不入, 獄囚自出, 然後二子退隱. 故紂負桀暴之累, 二子不失忠聖之名. 何者? 其憂患之盡矣. 今寡人雖愚, 不若紂之暴也; 燕民雖亂, 不若殷民之甚也. 室有語, 不相盡, 以告鄰裏. 二者, 寡人不爲君取也.' 樂間、樂乘怨燕不聽其計, 二人卒留趙. 趙封樂乘爲武襄君.(《史記》 卷80 〈樂毅列傳〉)

220 진(秦)나라가……대답을 하였다 : 秦伐韓, 軍於閼與. 王召廉頗而問曰: '可救不?' 對曰: '道遠險狹, 難救.' 又召樂乘而問焉, 樂乘對如廉頗言. 又召問趙奢, 奢對曰: '其道遠險狹, 譬之猶兩鼠鬥於穴中, 將勇者勝.' 王乃令趙奢將, 救之.(《史記》 卷81〈廉頗藺相如列傳〉)

221 이것은……해당되며 : 이와 관련하여 〈육국연표〉에 나타난 해당 국가의 기사는 다음과 같다.

▶ (趙惠文王)二十九年, 秦攻韓閼與. 趙奢將擊秦, 大敗之, 賜號曰馬服.(《史記》 卷15 〈六國年表〉)

▶ (韓桓惠王)三年, 秦擊我閼與城, 不拔.(《史記》 卷15 〈六國年表〉)

222 신량(信梁) : 진(秦)나라 장수로, 장수절의 《사기정의》에서는 진나라 장수인 왕흘(王齕, ?~기원전 244)의 호(號)로 보았다. 왕흘은 기원전 260년 장평(長平)의 전쟁에서 백기의 부장으로 활약하였다. 기원전 257년에는 한단을 포위하였다가 이듬해 조나라의 악승·경사의 공격을 받고 패하여 퇴각하였다. 기원전 247년 상당군(上黨郡)의 각 성을 함락하여 진나라가 태원군(太原郡)을 설치할 수 있도록 하였다.

223 효성왕……격파하였다 : 十年, 燕攻昌壯, 五月拔之. 趙將樂乘、慶舍攻秦信梁軍, 破之. 太子死. 而秦攻西周, 拔之. 徒父祺出. 十一年, 城元氏, 縣上原. 武陽君鄭安平死, 收其地. 十二年, 邯鄲廥燒. 十四年, 平原君趙勝死.(《史記》 卷43 〈趙世家〉)

224 악승은……아니다 : 《전국책》에는 악승이 조나라의 장수로서 염파와 함께 전공을 세운 것으로 나온다. 현재 이 부분에 대한 주석은 악승을 조나라의 장수로 보아야 한다는 의견이 많다. 이와 관련한 《사기》와 《전국책》의 원문은 다음과 같다.

《사기史記》의 정오正誤 24

〈이목전李牧傳〉

〈이목전(李牧傳)〉[225]에 다음과 같은 내용이 있다.

"조나라 도양왕(悼襄王) 원년(기원전 244)[226]에 이목(李牧)[227]을 시켜 연나라를 공격하게 해서 무수성(武遂城)과 방성(方城)[228]을 함락하였다. 2년 뒤 방훤(龐煖)[229]이 연(燕)나라 군대를 격파하고 극신(劇辛)[230]을 죽였다. 7년 뒤(기원전 237)에 진(秦)나라가 조나라를 격파하고 장군 호첩(扈輒)을 죽였다. 조나라는 이목을 대장군으로 삼아 진나라 군대를 의안(宜安)[231]에서 대파하고 진나라 장수 환의(桓齮)를 패주시켰다. 3년 뒤(기원전 234) 진나라가 파오(番

▶ 趙使廉頗將擊破栗腹於鄗, 破卿秦樂乘於代.《史記》卷34〈燕召公世家〉)

▶ 燕王喜使栗腹以百金爲趙孝成王壽, 酒三日, 反報曰: '趙民其壯者皆死於長平, 其孤未壯, 可伐也.' 王乃召昌國君樂間而問曰: '何如?' 對曰: '趙, 四達之國也, 其民皆習於兵, 不可與戰.' 王曰: '吾以倍攻之, 可乎?' 曰: '不可.' 曰: '以三可乎?' 曰: '不可.' 王大怒. 左右皆以爲趙可伐, 遽起六十萬以攻趙, 令栗腹以四十萬攻鄗, 使慶秦以二十萬攻代. 趙使廉頗以八萬遇栗腹於鄗, 使樂乘以五萬遇慶秦於代, 燕人大敗, 樂間入趙.《戰國策》卷31〈燕策 三〉〈燕王喜使栗腹以百金爲趙孝成王壽〉)

225 이목전(李牧傳) : 《사기(史記)》 권81 〈염파인상여열전(廉頗藺相如列傳)〉 제21 이목전(李牧傳).

226 조나라 도양왕(悼襄王) 원년(기원전 244) : 《사기지의(史記志疑)》에서는 조나라 도양왕 2년이 옳다고 하였다.

227 이목(李牧) : ?~기원전 229. 중국 전국시대 조나라의 장수로, 백기·왕전·염파와 더불어 전국시대의 명장으로 꼽힌다. 흉노족의 소규모 침입은 방치했다가, 방심하고 대규모로 침입하였을 때 복병으로 기습하여 대승을 거두었다. 기원전 235년 진(秦)나라의 의안(宜安) 침공을 대파하였고, 이듬해 일어난 파오 침공 역시 격파하여 진나라의 영토까지 획득하였다. 기원전 229년 진나라 왕전(王翦)이 조나라를 공격할 때, 조나라의 간신인 곽개(郭開)에게 뇌물을 보내 조나라 왕과 이목 사이를 이간질하였다. 그 결과, 조나라 왕은 이목을 경질하려 하였고, 이에 항명한 이목은 체포되어 처형되었다. 이목이 죽고 세 달 뒤 조나라의 수도 한단은 함락되고 조나라는 멸망하였다.

228 방성(方城) : 중국 전국시대 연나라의 읍으로, 지금의 하북성(河北省) 서수현(徐水縣) 남쪽에 있었다.

229 방훤(龐煖) : 기원전 4세기 말~기원전 3세기 중반. 중국 전국시대 조나라의 장수로 도양왕(悼襄王)이 파면시킨 장수 염파의 뒤를 이어 합종군을 지휘하였다.

230 극신(劇辛) : ?~기원전 243. 중국 전국시대 연나라의 장수이다. 조나라 사람이었으나 연나라 소왕(昭王)이 조서를 내려 인재를 구하자 이에 응하여 연나라로 출사하였다. 연왕 희 12년(기원전 243) 조나라가 진(秦)나라에 의해 여러 차례 곤경에 처하고, 과거 친분이 있던 방훤(龐煖)이 염파 대신 군을 통솔하게 되자, 이를 기회로 여긴 연왕의 명을 받고 조나라를 공격하였다가 패배하여 포로로 잡혔다가 죽었다.

231 의안(宜安) : 중국 전국시대 조나라의 읍으로, 지금의 하북성(河北省) 석가장시(石家壯市) 동남쪽에 있었다.

吾)[232]를 공격하였는데 그때 파오에 있었던 이목이 진나라 군대를 격파하였다. 조왕 천(趙王遷)[233] 7년(기원전 229)에 진나라가 왕전(王翦)[234]을 시켜 조나라를 공격하게 하니 조나라는 이목과 사마상(司馬尙)[235]을 시켜 막게 하였다."[236]

이 내용에 의하면 조나라 도양왕 원년에서 아들 천(遷)이 왕위를 계승하고 진나라가 파오를 공격한 때까지가 꼭 13년이다.[237] 그러나 도양왕의

---

232 파오(番吾) : 중국 전국시대 조나라의 읍으로, 지금의 하북성 자현(磁縣) 위치에 있었다.

233 조왕 천(趙王遷) : ?~? 중국 전국시대 조(趙)나라의 마지막 군주이다. 도양왕(悼襄王)의 아들로, 재위 기간은 기원전 235년부터 기원전 228년까지이다. 즉위 후 수 차례 진(秦)나라로부터 공격받아 의안·평양(平陽)·무성(武城)·낭맹(狼孟)·파오(番吾) 등 성읍을 빼앗겼다. 기원전 229년 진나라가 대규모로 침공해오자 이목·사마상(司馬尙)으로 하여금 군사를 이끌고 방어하게 하였으나, 왕전에게 뇌물을 받은 곽개(郭開)의 이간질에 넘어가 이목을 잡아 처형하고 사마상을 파면하였다. 기원전 228년 수도를 함락당한 뒤 포로로서 방릉(房陵 지금의 호북성 방현)에 유배되었다.

234 왕전(王翦) : ?~? 중국 전국시대 진(秦)나라의 장수이다. 백기·이목·염파와 더불어 전국시대의 명장으로 꼽힌다. 진시황(秦始皇)을 도와 조(趙)나라·연(燕)나라 등을 평정하였다. 기원전 236년 조나라 알여(閼與)를 공격하여 9개 성읍을 점령하였다. 기원전 228년 조나라의 간신 곽개에게 뇌물을 주어 반간계로 이목을 제거한 뒤 한단을 공격하여 조나라를 멸망시켰다. 기원전 226년 형가의 진시황 암살이 실패한 뒤 연나라를 공격하여 수도 계성을 점령하였다. 기원전 224년 초나라 정벌 때 병력 60만을 주장하였으나 병력 20만을 주장한 이신(李信)과 몽염(蒙恬)에 밀려 기용되지 못하였다. 이신의 실패 후 다시 기용되어 1년이 넘는 상기전 끝에 초나라 또한 멸망시켰다. 무성후(武成侯)에 봉해졌다.

235 사마상(司馬尙) : 생몰년은 미상이다. 전국시대 조(趙)나라의 장수로, 기원전 229년에 진(秦)나라가 공격하자 이목(李牧)과 함께 막아냈으며, 진나라에서 왕전(王翦)이 곽개(郭開)를 포함한 조나라 간신들을 매수해 반간계를 구사하면서 왕전에게 포섭된 자들이 이목과 사마상이 진나라의 편을 들어서 조나라를 배반하려고 한다면서 많은 봉지를 얻으려 한다고 모함하자, 조 유목왕(趙幽繆王)이 두 사람을 의심하여 조총(趙蔥), 안취(顔聚)에게 대신하도록 하면서 면직되었다. 그러자 사마상은 유목왕에게 대들보가 부러지면 집이 무너지는 것에 비유해 이목을 죽인다면 조나라가 멸망할 것이며, 곽개는 소인배이고 조총, 안취는 용렬한 인재로 이들을 쓰면 조나라가 위태로워질 것이라는 내용의 편지를 보내고 문을 닫아걸고 숨어 있다가 밤을 틈타 도망쳤다. 결국 조나라는 진나라의 공격으로 석 달 만에 멸망했다.

236 조나라……하였다 : 趙悼襄王元年, 廉頗旣亡入魏, 趙使李牧攻燕, 拔武遂、方城. 居二年, 龐煖破燕軍, 殺劇辛. 後七年, 秦破趙, 殺將扈輒. 趙乃以李牧爲大將軍, 擊秦軍於宜安, 大破秦軍, 走秦將桓齮. 居三年, 秦攻番吾, 李牧擊破秦軍. 趙王遷七年, 秦使王翦攻趙, 趙使李牧、司馬尙禦之.(《史記》卷81 〈廉頗藺相如列傳〉〈李牧傳〉)

237 조나라……13년이다 : 저본의 원문은 "조왕 천(趙王遷) 원년에서[自趙王遷元年]"로 되어 있는데, 연도가 맞지 않는다. 도양왕(悼襄王) 원년이 되어야 아들 천(遷)의 즉위 후 파오 공격까지의 연도 계산이 맞는다.

* 연대 비교

내용	李牧傳	趙世家	六國年表	徐有榘
趙→燕. 무수·방성 함락	悼襄王 元年 기원전 244	悼襄王 2年	내용 없음	언급 없음
趙→燕. 방훤이 극신 죽임	居二年 기원전 242	悼襄王 3年	내용 없음	언급 없음

재위 기간은 겨우 9년에 그쳤다.[238] 〈조세가(趙世家)〉와 〈육국연표(六國年表)〉에 근거하면, 진나라가 호첩(扈輒)을 죽인 것은 조왕 천 2년(기원전 234)의 일이다. 진나라가 파오를 공격한 것은 조왕 천 4년(기원전 232)의 일이다.[239] 〈이목전〉에서 말한 '7년 뒤'는 조왕 천 2년이 되어야 하고, 조왕 천 7년은 '3년 뒤'가 되어야 한다.

《사기史記》의 정오正誤 25

〈전단전田單傳〉 1

〈전단전(田單傳)〉[240]은 살펴보니 태사공이 미처 탈고하지 못한 원고이다.

전단(田單)[241]은 참으로 한 시대의 뛰어난 인물이다. 제(齊)나라를 재건한 큰 공로[242]가 있으니, 기록될 만한 내용이 겨우 즉묵(卽墨) 전쟁 하나뿐만이 아니다. 예를 들어, 〈연세가(燕世家)〉에 기록된 무성왕(武成王) 7년(기원전

秦→趙. 호첩 사망 趙→秦. 의안에서 대승	後7年 기원전 235	幽繆王遷 2年 기원전 234	趙王遷 2年 기원전 234	趙王遷 2年
秦→趙. 파오 함락/이목의 대승	居3年 기원전 232	趙王遷 4年 기원전 232	趙王遷4年 기원전 232	趙王遷 4年
秦→趙. 왕전의 공격/이목·사마상의 방어	趙王遷 7年	趙王遷 7年	내용 없음	後3年

238 도양왕의……그쳤다 : 九年, 趙攻燕, 取貍陽城, 兵未罷, 秦攻鄴, 拔之. 悼襄王卒, 子幽繆王遷立.(《史記》 卷43 〈趙世家〉)

239 조세가(趙世家)와……일이다 : 이와 관련하여 〈조세가〉와 〈육국연표〉에 나타난 해당 기사는 다음과 같다.

▶ 二年, 秦攻武城, 扈輒率師救之, 軍敗, 死焉. …… 四年, 秦攻番吾, 李牧與之戰, 卻之.(《史記》 卷43 〈趙世家〉 第13)

▶ 二年, 秦拔我平陽, 敗扈輒, 斬首十萬. …… 四年, 秦拔我狼孟、番吾.(《史記》 卷15 〈六國年表〉 第3)

240 전단전(田單傳) : 《사기(史記)》 권82 〈전단열전(田單列傳)〉 제22.

241 전단(田單) : 전국시대 제나라의 전씨(田氏) 왕족이다. 연나라가 제나라를 공격하여 70여 성을 함락했는데, 전단이 즉묵성(卽墨城)을 지켜내 연나라 군사들을 물리치고 제나라를 수복했다.

242 재건한 큰 공로 : 기원전 284년 연나라 소왕이 악의(樂毅)를 시켜 제나라를 공격하였다. 제나라 수도 임치(臨菑)와 70여 개 성이 함락되고, 거성(莒城)과 즉묵성 두 성만 남았다. 제 민왕(湣王)은 거성으로 피신하였다가 제나라를 구하러 온 초나라 장수 요치(淖齒)에게 피살당하였다. 이때 즉묵성에 있던 전단이 화우계(火牛計)를 써서 연나라 군대를 물리치고 기세를 몰아 제나라 70여 개 성을 모두 회복하고 도망 중인 민왕의 아들 법장(法章)을 제 양왕(襄王)으로 세워 제나라를 재건한 일을 말한다.

265)에 연(燕)나라를 쳐서 중양(中陽)을 함락한 일[243], 〈조세가(趙世家)〉에 기록된 효성왕(孝成王) 2년(기원전 265)에 조(趙)나라의 재상이 된 일[244], 〈노중련전(魯仲連傳)〉에 기록된 요성(聊城)을 공격한 일[245], 그리고 《전국책(戰國策)》에 기록된 갖옷을 벗어 준 일[246], 초발(貂勃)이 전단을 비방한 일[247]과 적(狄)을 공격한 일[248]들은 모두 본전(本傳)에 넣을 만한 것들이다. 사마천(司馬遷)도 마땅히 하나의 사례도 버리지 않았을 것이다. 문체만 가지고 말하더라도 이처럼 방대하게 상세히 서술하면서 도리어 문장의 대미를 장식하는 결론을 맺는 말이 없으니, 겨우 전반부만 서술하고 후반부는 온전히 한 편을 이루지 못했다는 것을 분명히 알겠다. 그러므로 "태사공이 미처 탈

---

243 연세가(燕世家)에……함락한 일 : 武成王七年, 齊田單伐我, 拔中陽. 十三年, 秦敗趙於長平四十餘萬. 十四年, 武成王卒, 子孝王立.(《史記》 卷34 〈燕召公世家〉 第4)

244 조세가(趙世家)에……된 일 : 齊安平君田單將趙師而攻燕中陽, 拔之. 又攻韓注人, 拔之. 二年, 惠文后卒. 田單爲相.(《史記》 卷43 〈趙世家〉 第13)

245 노중련전(魯仲連傳)에……공격한 일 : 其後二十餘年, 燕將攻下聊城, 聊城人或讒之燕, 燕將懼誅, 因保守聊城, 不敢歸. 齊田單攻聊城歲餘, 士卒多死而聊城不下. 魯連乃爲書, 約之矢以射城中, 遺燕將.(《史記》 卷83 〈魯仲連列傳〉 第23)

246 전국책(戰國策)에……준 일 : 襄王爲太子徵. 齊以破燕, 田單之立疑, 齊國之衆, 皆以田單爲自立也. 襄王立, 田單相之. 過菑水, 有老人涉菑而寒, 出不能行, 坐於沙中. 田單見其寒, 欲使後車分衣, 無可以分者, 單解裘而衣之. 襄王惡之, 曰:"田單之施, 將欲以取我國乎? 不早圖, 恐後之." 左右顧無人, 巖下有貫珠者, 襄王呼而問之曰: "女聞吾言乎?" 對曰:"聞之." 王曰: "女以爲何若?" 對曰: "王不如因以爲己善. 王嘉單之善, 下令曰:'寡人憂民之饑也, 單收而食之; 寡人憂民之寒也, 單解裘而衣之; 寡人憂勞百姓, 而單亦憂之, 稱寡人之意.' 單有是善而王嘉之, 善單之善, 亦王之善已." 王曰:"善!" 乃賜單牛酒, 嘉其行. 後數日, 貫珠者復見王曰: "王至朝日, 宜召田單而揖之於庭, 口勞之. 乃布令求百姓之 "饑寒者, 收穀之.乃使人聽於閭里, 聞大夫之相□□與語, 擧□□□□曰: "田單之愛人! 嗟, 乃王之教澤也!"(《戰國策》 卷31 〈齊策 六〉 〈燕攻齊齊破〉)

247 초발(貂勃)이 전단을 비방한 일 : 貂勃常惡田單, 曰: "安平君, 小人也." 安平君聞之, 故爲酒而召貂勃, 曰: "單何以得罪於先生, 故常見譽於朝?" 貂勃曰: "跖之狗吠堯, 非貴跖而賤堯也, 狗固吠非其主也. 且今使公孫子賢, 而徐子不肖. 然而使公孫子與徐子鬥, 徐子之狗, 猶時攫公孫子之腓而噬之也. 若乃得去不肖者, 而爲賢者狗, 豈特攫其腓而噬之耳哉?"(《戰國策》 卷31 〈齊策 六〉 〈貂勃常惡田單〉)

248 적(狄)을 공격한 일 : 田單將攻狄, 往見魯仲子. 仲子曰: "將軍攻狄, 不能下也." 田單曰: "臣以五里之城, 七里之郭, 破亡餘卒, 破萬乘之燕, 復齊墟. 攻狄而不下, 何也?" 上車弗謝而去. 遂攻狄, 三月而不克之也. 齊嬰兒謠曰: "大冠若箕, 脩劍拄頤, 攻狄不能, 下壘枯丘." 田單乃懼, 問魯仲子曰: "先生謂單不能下狄, 請聞其說." 魯仲子曰: "將軍之在即墨, 坐而織蕢, 立則丈插, 爲士卒倡曰:『可往矣! 宗廟亡矣! 云曰尙矣! 歸於何黨矣!』當此之時, 將軍有死之心, 而士卒無生之氣, 聞若言, 莫不揮泣奮臂而欲戰, 此所以破燕也. 當今將軍東有夜邑之奉, 西有菑上之虞, 黃金橫帶, 而馳乎淄、澠之間, 有生之樂, 無死之心, 所以不勝者也." 田單曰: "單有心, 先生志之矣." 明日, 乃厲氣循城, 立於矢石之所, 乃援枹鼓之, 狄人乃下.(《戰國策》 卷31 〈齊策 六〉 〈田單將攻狄〉)

고하지 못한 원고"라고 말한 것이다.

심지어 논찬(論贊)에 들어 있는 군왕후(君王后)의 일[249]과 왕촉(王蠋)의 일[250] 같은 내용은 〈전단전〉에 합당하지 않고, 논찬의 격의에도 맞지 않다. 아마도 사마천이 예로부터 전해오는 이야기를 기록해두었다가 나중에 수정해서 〈제세가(齊世家)〉 혹은 다른 전(傳)에 실으려고 했는데 후세 사람들이 잘못 논찬에 실었을 것이다. 이 점 또한 탈고하지 못했다는 분명한 증거이다.

오견사(吳見思)[251]가 이것을 다음과 같이 잘못 해석하였다.

"즉묵 전쟁 한 가지 사건만을 한 곳에 모아썼으니 구절구절마다 내용이 풍부하여 읽을 만하다. 만일 한두 가지 시답지 않은 일을 그 사이에 더 넣었다면 한 가지 읽을 만한 내용마저 가려졌을 것이다. 그래서 뒤에 한 장을 제나라 권으로 수록하고[252] 전단의 일을 다른 사건과 구별하여

---

249 군왕후(君王后)의 일 : 군왕후는 제 양왕(襄王)의 왕후이다. 요치(淖齒)가 제 민왕을 죽이자 거(莒) 사람들은 민왕의 아들 법장(法章)을 찾았다. 그때 법장은 태사교(太史嬓)의 집에서 정원에 물 주는 일을 하고 있었다. 교의 딸이 그를 불쌍히 여겨 잘 대해 주었는데, 나중에 법장이 왕위에 올라 양왕이 되었을 때 그 딸을 불러 왕후로 삼았던 일을 말한다.
太史公曰:……初, 淖齒之殺湣王也, 莒人求湣王子法章, 得之太史嬓之家, 爲人灌園. 嬓女憐而善遇之. 後法章私以情告女, 女遂與通. 及莒人共立法章爲齊王, 以莒距燕, 而太史氏女遂爲后, 所謂"君王后"也.(《史記》卷82 〈田單列傳〉第22)

250 왕촉(王蠋)의 일 : 왕촉은 전국시대 제나라 화읍(畫邑) 출신 현인으로, 왕에게 간언했으나 받아들여지지 않자 물러가 농사지으며 살았다. 연나라 장수 악의가 제나라를 공격해 들어갔을 때 왕촉의 명성을 듣고 화읍을 30리 밖에서 포위하고 사람을 보내 왕촉에게 연나라 장수로 삼고 만호(萬戶)의 식읍을 주겠다고 했으나, 왕촉이 사양했다. 이에 악의가 삼군(三軍)을 거느리고 화읍을 도륙하겠다고 협박하자, 왕촉이 "충신은 두 임금을 섬기지 않고 열녀는 두 지아비를 섬기지 않는다.[忠臣不事二君 貞女不更二夫]"라는 말을 하고 목을 매어 자결한 것을 말한다.
太史公曰:……燕之初入齊, 聞畫邑人王蠋賢, 令軍中曰"環畫邑三十里無入", 以王蠋之故. 已而使人謂蠋曰: "齊人多高子之義, 吾以子爲將, 封子萬家." 蠋固謝. 燕人曰: "子不聽, 吾引三軍而屠畫邑." 王蠋曰: "忠臣不事二君, 貞女不更二夫. 齊王不聽吾諫, 故退而耕於野. 國既破亡, 吾不能存; 今又劫之以兵爲君將, 是助桀爲暴也. 與其生而無義, 固不如烹!" 遂經其頸於樹枝, 自奮絕脰而死. 齊亡大夫聞之, 曰: "王蠋, 布衣也, 義不北面於燕, 況在位食祿者乎!" 乃相聚如莒, 求諸子, 立爲襄王.(《史記》卷82 〈田單列傳〉第22)

251 오견사(吳見思) : 1621?~1680? 청나라 사람으로 자(字)는 제현(齊賢)이고 강소성(江蘇省) 무진(武進) 사람이다. 《두시논문(杜詩論文)》과 《사기논문(史記論文)》을 지었다.

252 뒤에……수록하고 : 〈전단전〉 뒤에 〈노중련추양열전(魯仲連鄒陽列傳)〉을 이어 제나라 역사를 더 기술한 것을 말한다.

일부러 빼 놓은 것이다."

진실로 이 말대로라면 항적(項籍, 항우)을 전할 때는 거록(鉅鹿) 전쟁[253] 하나만 서술하고, 한신(韓信)을 전할 때는 정형(井陘) 전쟁[254] 하나만 서술해야 하니, 나머지 사건들은 모두 지루하고 부수적인 말에 속한다는 것인가?

오견사는 또 말했다.

"양왕(襄王)을 맞이하여 임금으로 세웠다는 한 구절을 말미암아서 태사교(太史嬓)의 딸에 관한 내용을 추가로 서술하고, 제나라 대부들이 양왕을 세운 이유를 이어서 서술하여 왕촉이 의로운 사람이라는 것을 언급하였다. 그러나 이러한 내용을 〈전단전〉에는 넣을 수가 없어서 논찬 부분에 붙인 것이다."

본전에는 붙일 수 없고 논찬에는 붙일 수 있다는 것은 과연 무슨 말인가? 어리석은 사람 앞에서는 꿈 이야기를 해서는 안 된다는 말[255]이 믿을 만하다.

《사기史記》의 정오正誤 26

〈전단전田單傳〉 2

〈전단전〉에 "요치(淖齒)가 거성에서 민왕(湣王)[256]을 살해한 뒤 성을 굳게 지키며 연나라 군대에 대항하여 몇 년 동안 항복하지 않았다."[257]라고 하였다.

---

253 항적(項籍)을……전쟁 : 기원전 207년 항우는 거록으로 진격하며 강을 건넌 후 솥을 부수고 타고 온 배를 침몰시키도록 명령하여 승리가 아니면 죽겠다는 각오로 전투에 임하게 하였다. 이에 2만여의 군사로 30만의 진군(秦軍)을 격파하였고 이어 진(秦)나라에 저항했던 많은 제후들을 귀속시킨 전쟁을 가리킨다.

254 한신(韓信)을……전쟁 : 한신이 정형에서 배수진(背水陣)으로, 1만 명의 적은 군대로 조나라 20만 대군을 격파한 전쟁을 가리킨다.

255 어리석은……된다는 말 : 남송의 승려 혜홍(惠洪)의 《냉재야화(冷齋夜話)》에 나오는 말로, 근거도 없는 허무맹랑한 이야기를 세상 사람들이 진실인 것처럼 믿는다는 말이다.

256 민왕(湣王) : 기원전 300~기원전 284. 이름은 지(地)이고 제 선왕(宣王)의 아들이다. 임치에서 악의의 연나라 군대에 참패하고 거성으로 달아났으나 초나라 장수 요치에게 살해당하였다.

257 요치(淖齒)가……않았다 : 淖齒旣殺湣王於莒, 因堅守距燕軍, 數年不下.(《史記》 卷82 〈田單列傳〉 第22)

요치는 초(楚)나라 장수로서 제나라를 도우러 온 사람이니, 제나라 사람들과는 평소 은혜와 믿음이 없었을 것이다. 더구나 요치는 제나라가 혼란한 틈을 이용해서 멋대로 왕을 죽였으니, 어떻게 제나라 사람들을 굳게 결속시켜서 하찮은 거성을 가지고 백 배나 되는 연나라 군대에 대항해서 그렇게나 오래 몇 년을 버틸 수 있었겠는가.

《전국책》〈제책(齊策)〉에 이런 내용이 있다.

"왕손가(王孫賈)가 민왕을 모셨는데 왕이 달아나서 어디에 있는지를 몰랐다. 왕손가가 저잣거리에 가서 '요치가 제나라를 어지럽히고 민왕을 죽였으니 나와 함께 그 자를 죽일 사람은 오른쪽 어깨를 드러내어라.' 라고 하였다. 시장 사람 중에 그의 의견을 따르는 자 사백여 명과 함께 요치를 죽였다."[258]

이것은 당연히 사실을 기록한 것인데 사마천은 왜 이러한 내용을 취하지 않았는지 모르겠다. 그런데 이 사건을 《사기》에서 찾아보니, 〈전경중완세가(田敬仲完世家)〉에 "요치가 거성을 떠난 뒤에 거성 사람들이 민왕의 아들 법장(法章)을 세우니 이 사람이 바로 양왕이다."라고 하였다. 또 "양왕이 거성에서 즉위한 지 5년 만에 전단이 즉묵성에서 연나라 군대를 공격해서 깨뜨리고, 양왕을 거성에서 맞이하여 임치(臨淄)[259]로 들어갔다."[260]라고 하였다. 이 기록에 따르면 요치가 거성을 떠난 뒤에 양왕이 비로소 즉위했고, 왕이 즉위한 지 5년 뒤에 연나라 군대를 깨뜨리고 임치로 들어갔다고 하였는데, 〈육국연표〉에는 연나라가 제나라를 깨뜨린 것이

---

258 왕손가(王孫賈)가……죽였다 : 王孫賈年十五, 事閔王. 王出走, 失王之處. 其母曰:"女朝出而晚來, 則吾倚門而望; 女暮出而不還, 則吾倚閭而望. 女今事王, 王出走, 女不知其處, 女尙何歸?" 王孫賈乃入市中 曰 淖齒亂齊國, 殺閔王, 欲與我誅者, 袒右 市人從者四百人 與之誅淖齒 刺而殺之.(《戰國策》 卷31 〈齊策 六〉〈王孫賈年十五事閔王〉)

259 임치(臨淄) : 제나라의 수도로 지금의 산동성(山東省) 치박시(淄博市) 동북쪽이다.

260 전경중완세가(田敬仲完世家)에……들어갔다 : 淖齒旣以去莒 莒中人及齊亡臣 相聚求湣王子 欲立之 法章懼其誅己也 久之乃敢自言我湣王子也 於是莒人共立法章 是爲法章 以保莒城而布告齊國中 王已立在莒矣 襄王旣立 立太史氏女爲王後 是爲君王後 生子建 太史敫曰 女不取媒因自嫁 非吾種也 汙吾世終身不覩君王後 君王後賢 不以不覩故失人子之禮 襄王在莒五年 田單以即墨攻破燕軍 迎襄王於莒入臨菑.(《史記》 卷46 〈田敬仲完世家〉 第16)

주 난왕(周赧王) 31년(기원전 284) 조에 있고, 제나라가 연나라를 깨뜨린 것은 주 난왕 36년(기원전 279) 조에 있으니[261] 전후 모두를 합하면 겨우 6년이다.

이로써 민왕이 시해를 당한 뒤에 요치가 바로 죽었고, 요치가 죽은 뒤에 양왕이 바로 즉위했다는 것을 알 수 있다. 그러니 양왕 원년에서부터 전단이 연나라 군대를 깨뜨리기까지는 꼭 5년이다. 그러므로 요치가 연나라 군대에 몇 년 동안 대항하였다는 내용은 틀린 것이다.

《사기史記》의 정오正誤 27

〈백이전伯夷傳〉

〈백이전(伯夷傳)〉[262]에 "부왕이 돌아가시고 장례도 끝나지 않았습니다." 라는 구절이 있는데, 이에 대해 백정(白珽)[263]의 《담연정어(湛淵靜語)》[264]에서는 다음과 같이 말하였다.

"《사기》의 이 말은 틀렸다. 무왕(武王)이 상(商)을 정벌한 것은 즉위한 지 11년이 지난 때이니, 부왕인 문왕이 죽은 지는 이미 오래되었다."[265]

《사기史記》의 정오正誤 28

〈노중련전魯仲連傳〉

〈노중련[266]전(魯仲連傳)〉[267]에 이런 내용이 있다.

---

261 육국연표에는……있으니 : (周)三十一 (燕)二十八. 與秦、三晉擊齊, 燕獨入至臨菑, 取其寶器. (周)三十六 (齊)五. 殺燕騎劫.(《史記》 卷15 〈六國年表〉 第3)

262 백이전(伯夷傳) : 《사기(史記)》 권61 〈백이열전(伯夷列傳)〉 제1.

263 백정(白珽) : 1248~1328. 원나라 전당(錢塘) 사람으로 자는 정옥(廷玉), 호는 담연(湛淵)이다. 경사(經史)를 비롯하여 시(詩)·서(書)에도 모두 뛰어났다. 저서로 《담연정어(湛淵靜語)》가 있다.

264 담연정어(湛淵靜語) : 원나라 백정(白珽)의 잡기집(雜記集)으로 2권이 남아 있다.

265 사기의……오래되었다 : 至於史記云云謂父死不葬, 亦非也. 武王伐商, 即位已十一年, 父死從矣.(白珽, 《湛淵靜語》 卷2)

"연나라 장수[268]가 제나라의 요성(聊城)[269]을 공략하여 함락시켰는데, 요성 사람 중에 연나라 장수를 연나라에 모함한 자가 있었다. 연나라 장수는 처형을 당할까 두려워 요성을 지키고서 본국으로 돌아가지 않았다. 제나라 전단이 이끄는 군사들이 일 년 남짓 요성을 공략하여 많은 군사를 잃었으나 함락하지 못했다. 노중련이 이에 편지를 써서 화살에 묶어 요성 안에 있는 연나라 장수에게 보냈다. 편지에는 '……'라고 쓰여 있었다."[270]

사마천은 노중련이 연나라 장군에게 편지를 보낸 것을 조나라가 진나라를 황제로 섬기지 말도록 유세한 지 20여 년쯤 뒤의 일로 생각하였다.[271]

《전국책》에는 다음과 같이 쓰여 있다.

"연나라가 제나라를 공격하여 70여 성을 빼앗았는데 오직 거성과 즉묵성만 함락시키지 못했다.[272] 제나라 장군 전단은 즉묵성을 근거지로 하

---

266 노중련(魯仲連) : 전국시대 제나라 변사로서 고절한 선비였다. 조나라 평원군을 설복하여 진나라를 황제로 섬기지 못하게 하였다. 그러자 진나라가 급히 조나라를 포위하였다. 노중련은 진이 마음대로 황제라 칭하는 것은 옳지 않으니 동해 바다에 빠져 죽겠다고 하였다. 이에 진나라가 물러갔고, 그 후 제왕에게 천거되어 벼슬을 내리려 하자 바닷가에 은거하여 생을 마쳤다.

267 노중련전(魯仲連傳) : 《사기(史記)》 권83 〈노중련추양열전(魯仲連鄒陽列傳)〉 제23.

268 연나라 장수 : 누구인지 구체적인 성명을 알 수 없다.(《新譯戰國策》 溫洪隆 注譯 陳滿銘 校閱 臺北 三民書局, 2007. 522쪽 참조.)

269 요성(聊城) : 전국시대 제나라의 성읍으로 지금의 하북성과 하남성의 경계와 접하는 산동성 요성시(聊城市) 일대다. 제(齊)나라 서부의 중요한 성읍(城邑)이었으며, 제후들의 쟁탈지였다.

270 이 부분은 〈노중련전〉에 대한 문제를 다루었는데 역사적 사실관계가 명확하지 않아 매우 복잡하게 설명되어 있다. 중국의 등길경(滕吉慶)은 그의 석사논문에서 청대 소태구(邵泰衢)가 〈사기의문(史記疑問)〉에서 이 부분에 대하여 "이 일은 연나라와 제나라의 큰 사건이며, 전단의 공훈인데 어떻게 〈연세가〉와 〈전단열전〉을 고찰해 보아도 두 군데 모두 기록되어 있지 않은가?[此燕齊之大事也, 田單之戰功也. 何以考之燕世家及田單, 均亦無是事也?]"라고 의문을 제시한 것과 여기서도 언급된 오사도의 주석을 인용하여 이러한 모순이 유전과정 중에 잘못되거나 윤색된 경우로 볼 수 있으며, 〈노중련전〉에 실린 사료(史料)가 사실이라고 하였다.(滕吉慶, 《魯連子 輯釋與研究》, 東北師範大學碩士學位論文, 2009. 8~9면 참조.)

271 사마천은……생각하였다 : 《사기》 〈노중련추양열전〉에는 "燕將攻下聊城" 앞에 "其後二十餘年" 여섯 글자가 더 있다. 앞부분에는 다음과 같은 내용이 있다. 조 효성왕 때, 진나라 군대가 조나라의 도성 한단을 포위하자 두려움에 빠진 효성왕은 제후들에게 구원을 청하였다. 이때 노중련이 손님으로 조나라를 방문하고 있었는데 마침 위나라가 조나라로 하여금 진 소왕(秦昭王)을 제왕으로 받들게 하려고 한다는 소식을 들었다. 이에 위나라 사신 신원연(辛垣衍)을 만나 진나라를 제왕으로 받들지 않도록 설득하였다는 이야기가 있다. 그에 이어 "그 뒤 20여 년[其後二十餘年]"이라는 표현을 썼다.

272 연나라가……못했다 : 이때가 언제인지를 정확히 상고할 수 없다. 역사적 사실의 출입도 매우 크기 때문에 종횡가들이 연습 삼아 지어낸 것 같다는 견해도 있다.(王守謙 喻芳葵外 譯注, 《戰國策全譯》, 貴州人民出版社, 1996. 345쪽 참조)

여 연나라를 격파하고 연나라 장수 기겁(騎劫)[273]을 죽였다. 처음 연나라 장수가 요성을 함락했을 때 그를 모함하는 자가 있어 죽임을 당할까 두려워 끝내 요성을 지키고서 연나라로 돌아가지 않았다. 전단이 이끄는 군사들이 일 년이 넘도록 요성을 공격하여 많은 군사들을 잃었으나 함락하지 못했다. 노중련이 이에 편지를 써서 화살에 묶어 요성 안에 있는 연나라 장수에게 보냈다. 편지에는 '……'라고 쓰여 있었다."[274]

지금 〈육국연표〉를 살펴보니 전단이 기겁을 죽이고 제나라의 70여 성을 수복한 것은 주 난왕 36년(기원전 279) 때의 일이며, 진나라가 한단을 포위한 것은 주 난왕 58년(기원전 257)의 일이다.[275]

대체로 사마천은 이 단락을 《전국책》을 그대로 답습했는데 오직 사건의 연도가 뒤바뀐 것만 고민하다 결국 억지로 한단이 포위에서 풀려난[276] 지 20여 년 후에다 집어넣고, 《전국책》의 '연공제(燕攻齊)' 이하 20여 자[277]를 빼버렸다. 그러므로 《전국책》에 따르면, 노중련이 연나라 장수에게 편지를 보낸 것은 바로 전단이 제나라의 70여 성을 회복한 때의 일로 한단이 포위에서 풀리기 22년 전이 된다. 그리고 《사기》에 의하면, 노중련이 연나라 장수에게 편지를 보낸 것은 한단이 포위에서 풀려난 지 20여 년

---

273 기겁(騎劫) : ?~기원전 279. 전국시대 연나라의 장군이다. 연 소왕이 제나라에 설욕하고자 악의를 대장으로 임명하여 연·조·한·위·초 다섯 나라 연합군을 이끌게 하였다. 제나라 도성인 임치를 함락시키고 즉묵성을 포위하였는데 오래지 않아 연 소왕이 죽었다. 아들 악자가 즉위하였는데 그가 곧 연 혜왕이다. 혜왕은 전부터 악의와 사이가 별로 좋지 않았는데 제나라 장군 전단이 이간책을 써서 연 혜왕이 악의가 배신할 마음이 있다고 의심하게 했다. 그리하여 악의는 처형을 당할까 두려워 조나라로 도망갔다. 연 혜왕은 제나라에서 뿌린 유언비어를 믿고 악의를 대신하여 기겁을 대장으로 임명했다. 전단은 계속해서 유언비어를 유포시켰고 결국 기원전 279년에 즉묵성에서 연나라 군사를 크게 무찔렀는데 이 전쟁에서 기겁은 사망하였다.

274 연나라가……쓰여 있었다 : 燕攻齊, 取七十餘城, 唯莒、即墨不下. 齊田單以即墨破燕, 殺騎劫. 初, 燕將攻下聊城, 人或讒之. 燕將懼誅, 遂保守聊城, 不敢歸. 田單攻之歲餘, 士卒多死, 而聊城不下. 魯連乃書, 約之矢以射城中, 遺燕將曰:"吾聞之..."(《戰國策》卷31 〈齊策 六〉〈燕攻齊取七十餘城〉)

275 〈육국연표〉를……일이다 : (周)三十六 (齊)五. 殺燕騎劫.
(周)五十八 (秦)五十. 王齕、鄭安平圍邯鄲, 及齕還軍, 拔新中.(《史記》卷15 〈六國年表〉 第3)

276 한단이 포위에서 풀려난 : 기원전 257년에 진나라가 조나라의 한단을 포위하자 초나라와 위나라가 도와 포위를 풀었으므로 한단을 포위한 것과 같은 해가 된다.

277 연공제(燕攻齊)이하 20여 자 : 이에 해당하는 누락 된 원문은 다음과 같다. "燕攻齊, 取七十餘城, 唯莒即墨不下. 齊田單以即墨破燕, 殺騎劫."

후의 일로 전단이 제나라의 70여 성을 회복한 지 40여 년 후에 다시 요성을 공격한 것이 된다. 그러나 노중련이 편지에서 말한 율복(栗腹)이 패전한 일[278]은 전단이 기겁을 죽인 지 28년 뒤의 일이니, 《전국책》에서 기겁을 죽인 것과 같은 시기로 한 것은 잘못이다.

전단이 제나라의 재상이 된 것은 제 양왕(襄王)[279] 5년(기원전 279) 때인데 양왕 19년에 조나라에서 영토를 떼어주고 전단을 요구하여 장수로 삼았다. 그 이듬해 드디어 조나라의 재상이 되었는데 그 해에 제나라 양왕이 죽어 전단은 끝내 다시 제나라로 돌아가지 않았다. 그래서 〈조책(趙策)〉에서 "전단은 제나라의 장수로서 정예 군사를 이끌고 14년 동안 제나라를 횡행하며 종신토록 봉지 내에서만 군사를 이끌고 다녔다."[280]라고 한 것이다.

기겁을 죽인 때(기원전 279)로 부터 양왕 18년(기원전 266)까지는 꼭 14년이 된다. 그런데 어떻게 기겁을 죽인 지 40여 년 후에 다시 제나라 장수가 되어 연나라 성을 공략할 리가 있겠는가. 그렇다면 《사기》에서 "한단이 포위에서 풀려난 지 20여 년 후의 일이다."라고 한 것은 잘못이다.

---

278 율복(栗腹)이 패전한 일 : 율복(?~기원전 251)은 전국시대 말 연나라의 대신이다. 연왕 희(喜) 때 승상에 임명되었다. 연왕 희 4년에 왕명을 받아 조 효성왕의 생일을 축하하기 위해 조나라에 사자로 갔다가 돌아와 조나라가 혼란한 틈을 타서 공격한다면 정벌할 수 있다고 진언했다. 연왕은 그에게 40만의 병력을 주어 조나라를 공격하게 했으나, 5전 5패하고 율복은 염파에게 살해되었다.

279 양왕(襄王) : ?~기원전 265. 전국시대 제나라의 국군(國君)으로 성은 전(田)씨이고, 이름은 법장(法章)이다. 민왕(湣王)의 아들이다. 민왕이 패하여 거(莒)로 달아났다가 살해된 뒤 법장은 이름을 바꾸고 성도 고쳐 거태사(莒太史) 교(敫)의 가용(家傭)이 되었는데, 교의 딸이 항상 의복과 식량을 훔쳐 주었다. 나중에 거 사람에 의해 왕위에 올라 양왕이 되었을 때 그 딸을 불러 왕후로 삼았다. 거(莒)에 있던 5년 동안 전단(田單)이 즉묵(卽墨)의 일로 연(燕)나라를 격파했고, 그를 맞아 임치(臨淄)로 들어갔으며, 제나라의 옛 영토를 거의 수복했다. 19년 동안 재위(기원전 284~기원전 265)했고, 시호는 양(襄)이다.

280 조책(趙策)에서……한 것이다 : 저본에는 〈진책〉으로 되어 있으나 〈진책〉에는 보이지 않고 〈조책〉에 보인다. 이는 오사도가 《전국책교주》에서 주를 내면서 〈진책〉으로 잘못 표기한 것을 그대로 인용하여 《금화경독기》에서도 오류가 반복된 것으로 보인다.
田單將齊之良, 以兵橫行於中十四年, 重申不敢設兵以攻秦折韓也, 而馳於封內, 不識從之一成惡存也. 於是秦王解兵不出於靜態諸侯休, 天下安, 二十九年不相攻.(《戰國策》 卷31 〈趙策 二〉 〈秦攻趙〉)

진운(縉雲)[281]사람 포표(鮑彪)[282]가 "편지는 노중련의 편지 원문이 아니라 후세 사람들이 누락된 부분을 보충하면서 율복의 일을 잘못 거론한 것이다."라고 하였다. 금화(金華)[283]사람 오사도(吳師道)[284]는 "편지에 문제가 있는 게 아니라 《전국책》과 《사기》에서 전단을 지칭한 것이 잘못이다."라고 하였다.[285]

이 두 가지 중에 어느것이 옳은지는 모르겠으나 전단이 적(狄)을 공격했던 일로 생각해 보면 노중련은 분명 전단과 같은 시대 사람이다.[286] "편지는 후세 사람이 누락된 부분을 보충한 것이다."라고 한 포표의 말이 타당한 듯하다. 여기에 두 가지 설을 모두 기록하여 독자들이 스스로 선택하도록 한다.

【포표는 《전국책주(戰國策注)》에서 다음과 같이 말하였다. "이 편지에 율복의 일을 끌어들인 것은 잘못이다. 노중련의 진짜 편지는 이미 없어졌

---

281 진운(縉雲) : 절강성(浙江省) 여수시(麗水市) 진운현(縉雲縣)에 속한다. 절강성(浙江省) 남부(南部) 복지(腹地), 중남부(中南部) 구릉산구(丘陵山區), 여수시(麗水市) 동북부(東北部)에 위치하며, 북쪽으로 항주(杭州)와 175km 떨어져 있다.

282 포표(鮑彪) : 생몰년은 미상이다. 자(字)는 문호(文虎)이다. 남송 고종(高宗) 건염(建炎) 2년(1128)에 진사가 되었으며 소흥(紹興) 26년(1156)에 태학박사(大學博士)가 되어 사봉원외랑(司封員外郎)에 여러 번 천거되었다. 저서로는 《전국책주(戰國策注)》 12권 등이 있다.

283 금화(金華) : 금화시(金華市). 절강성(浙江省) 중부(中部)에 위치해 있다.

284 오사도(吳師道) : 1283~1344. 자(字)는 정전(正傳)이며, 무주(婺州) 난계(蘭溪 절강성) 사람이다. 원나라 때 경학가로, 국자박사(國子博士) 예부낭중(禮部郎中) 등을 지냈다. 젊어서 진덕수(眞德秀)의 저서를 읽고 의리지학(義理之學)에 마음을 정하게 되었으며, 허겸(許謙)에게 수학하였다. 그는 정주(程朱)의 이학(理學)을 존숭하였으며, 이단 및 불교·도교를 배척하였다. 저술로 《예부집(禮部集)》, 《경향록(敬鄉錄)》, 《전국책교주(戰國策校注)》 등이 있다.

285 진운(縉雲) 사람……하였다 : 서유구는 송대에 포표가 교주(校注)하고, 원대에 오사도가 중교(重校)한 《전국책(戰國策)》을 본 듯하다. 이 책은 필사본이 연세대학교 국학자료실에 소장[청구번호: 고서(I) 952.25]되어 있고, 영조(英祖) 22년(1746)에 간행된 목판본이 국회도서관에 소장[청구기호 古 952.24 138]되어 있다.

286 전단이……사람이다 : 《전국책》 권13에 적(狄)을 공격하는 일에 대해 전단과 노중련이 대화하는 내용이 있다.

田單乃懼, 問魯仲子曰 : "先生謂單不能下狄, 請聞其說." 魯仲子曰 : "將軍之在即墨, 坐而織蕢, 立則丈插, 爲士卒倡曰 : '可往矣! 宗廟亡矣! 云曰尙矣! 歸於何黨矣!' 當此之時, 將軍有死之心, 而士卒無生之氣, 聞若言, 莫不揮泣奮臂而欲戰, 此所以破燕也. 當今將軍東有夜邑之奉, 西有菑上之虞, 黃金橫帶, 而馳乎淄、澠之間, 有生之樂, 無死之心, 所以不勝者也." 田單曰 : "單有心, 先生志之矣." 明日, 乃厲氣循城, 立於矢石之所, 乃援枹鼓之, 狄人乃下.(《戰國策》 卷13 〈齊策 六〉 〈田單將攻狄〉)

는데 말 만들기 좋아하는 사람이 편지를 화살에 묶어서 쏘아 보냈다는 이야기를 듣고서는 그 편지가 남아 있지 않은 것을 안타깝게 여겨 거기에 견주어서 보충한 것이다. 그런데 의욕만 넘쳐 붓 가는 대로 쓰고서는 세세한 곳까지 미처 따져보지 못했다. 예전에 구방고가 천리마를 고를 때 암수와 색깔을 따지지 않은 것[287]처럼 태사공 또한 그 편지를 좋게 여겨 그 실상을 일일이 따지지 않았다. 때문에 이천 년이 지난 지금까지 그것이 틀렸음을 아는 사람이 없다."[288]

오사도는 〈전국책 교주〉에서 이에 대해 다음과 같이 말하였다. "노중련이 연나라 장수에게 유세해서 요성을 함락시켰는데 《사기》에는 그 연대가 기록되어 있지 않다. 그리고 편지에서 인용한 율복의 패배 사건은 그 이후의 일로 《자치통감(資治通鑑)》과 《대사기(大事記)》에는 진(秦) 효문왕(孝文王) 원년(기원전 250)에 실려 있으니[289] 연왕(燕王) 희(喜)[290] 5년과 제왕

---

287 구방고가……않은 것 : 빈모려황(牝牡驪黃)은 《열자(列子)》 제8 〈설부(說符)〉편에 나오는 고사이다. 준마를 잘 알아보는 구방고(九方皐)가 백락(伯樂)의 추천을 받고서 진 목공(秦穆公)을 위하여 천리마를 찾아낸 다음 '색깔이 노란 수컷[牡而黃]'이라고 하였는데, 정작 목공이 보니 '색깔이 까만 암컷[牝而驪]'이었으므로 의심을 하면서 백락을 책망하자, 백락이 탄식하면서 "그는 말의 안에 들어 있는 본질적인 능력만을 볼 뿐, 바깥에 드러나 있는 모양이나 색깔은 보지 않기 때문에 그렇게 된 것이다."라고 했던 고사가 있다. 사물의 본질을 외면하고 외형에만 치중하는 것에 대한 경계다. 이때부터 빈모려황은 '사물을 인식하려면 실질을 파악해야 한다'는 의미로 쓰이기 시작했다.

288 포표는……없다 : 鮑本仲連傳有. 彪按：此書以齊閔爲宣王, 蘇代爲蘇秦, 事時不合如此者甚衆, 得爲後人傳錄之誤? 至於此章引栗腹之事說聊城之將, 則非後人謬矣. 蓋好事者聞約矢之說, 惜其書不存, 擬爲之以補亡; 而其人意氣橫溢, 肆筆而成, 不暇檢校細處. 太史公亦愛其千里而略其牝牡驪黃. 至于今二千歲, 莫有知其非者.(《戰國策注》 卷4 〈齊 襄王〉 〈燕攻齊取七十餘城〉)

289 편지에서……실려 있으니 : 《자치통감(資治通鑑)》과 《대사기(大事記)》에 실린 내용을 살펴보면, 율복이 패배한 일은 기원전 251년의 일이며, 노중련의 편지 도움으로 전단이 요성을 수복한 것은 기원전 250년의 일로 되어 있다.

▶ "栗腹卿秦伐趙. 趙使廉頗, 擊破栗腹於鄗. 破卿秦於代, 遂圍燕. 燕割五城, 與趙和, 乃解圍. 趙以廉頗爲假相國信平君.(呂祖謙, 《大事記》 卷6 〈秦昭王五十六年〉)

▶ 燕將據齊聊城, 齊田單攻之不下. 魯仲連以書下之, 齊欲爵仲連, 仲連逃隱海上.(呂祖謙, 《大事記》 卷6 〈秦孝文王元年〉)

▶ 趙廉頗爲將, 逆擊之, 敗栗腹於鄗, 敗卿秦, 樂乘於代.(司馬光, 《資治通鑑》 卷6, 〈秦昭襄王 56年〉)

▶ 燕將攻齊聊城拔之……齊田單攻之, 歲餘不下, 魯仲連乃爲書, 約之矢以射城中.(司馬光, 《資治通鑑》 卷6, 〈秦孝文王元年〉)

(齊王) 건(建)[291] 15년에 해당한다. 주 난왕 31년(기원전 284)에 연나라가 다섯 나라 연합군을 이끌고 제나라를 정벌하여 제 민왕(湣王)[292]이 죽고 양왕이 즉위한 때로부터 36년에 연 소왕(昭王)[293]이 죽고 그 다음 해에 혜왕(惠王)[294]이 즉위, 무성왕(武成王)[295]과 효왕(孝王)[296]을 거쳐 왕 희까지 모두 34년[297]이다. 이는 아마도 두 일이 뒤섞여 한 가지 일이 된 것 같다. 《전국책》의 '연공제(燕攻齊)'부터 '살기겁(殺騎劫)'까지 25자[298]는 다른 책(策)에는 탈간되어 있고, '초연장(初燕將)'에서 '참지(讒之)'까지 11자[299] 또한 다른 본에는 없다. 그리고 전단이 즉묵성을 근거지로 군대를 일으켜 70여 성이 곧 제나라로 수복되었는데, 그때까지 요성을 연나라가 지키고 있었다는 말은 없다. 제나라의 형세로 보아 어떻게 30여 년 동안 요성을 그대로 내버려 둔 채 공격하지 않았을 것이며, 전단의 병력으로 30여 년 동안 함락할 수 없었겠는가. 지금 '제나라가 일 년 넘게 공격했으나 함락하지 못했다.'라고 한 말은 이때 연나라 장수가 요성을 지키고 있었던 사실을 보여준다. 《사기》에 '악의가 제나라를 공격하여 함락하지 못한 것은 오직 거성과 즉묵성 뿐'이라고 하였고 전단의 이간책에서도 이 두 성을 언급하였다. 그러나 〈연세가〉에는 요성·거성·즉묵성으로 쓰여 있고, 《전국책》 또한 '세 성이 함락되지 않았다.'고 했는데,[300] 과연 이것이 같은 시기의 일이

---

290 연왕(燕王) 희(喜) : 재위기간은 기원전 254년부터 기원전 222년까지다.

291 제왕(齊王) 건(建) : 재위기간은 기원전 264년부터 기원전 221년까지다.

292 제 민왕(湣王) : 재위기간은 기원전 300년부터 기원전 284년까지다.

293 연 소왕(昭王) : 재위기간은 기원전 311년부터 기원전 279년까지다.

294 혜왕(惠王) : 재위기간은 기원전 278년부터 기원전 272년까지다.

295 무성왕(武成王) : 재위기간은 기원전 271년부터 기원전 258년까지다.

296 효왕(孝王) : 재위기간은 기원전 257년부터 기원전 255년까지다.

297 모두 34년 : 연나라 소왕 28년(기원전 284)에 다섯 나라 연합군을 이끌고 제나라를 공격하여 제나라의 70여 성을 빼앗았다가 연왕 희 5년(기원전 250)에 다시 제나라가 수복할 때까지의 기간을 말한다.

298 전국책의……25자 : 25자는 다음과 같다. "燕攻齊, 取七十餘城, 唯莒即墨不下. 齊田單以即墨破燕, 殺騎劫."

299 초연장(初燕將)에서……11자 : 11자는 다음과 같다. "初, 燕將攻下聊城, 人或讒之."

300 사기에……했는데 : 《사기》와 《전국책》에서 이와 관련된 내용을 정리하면 다음과 같다.

라면 요성 역시 제나라가 지키고 있었던 것이지 연나라 장수가 연나라를 위해 수비하고 있었던 것은 아니다. 이는 잘못해서 요성이 함락되지 않은 것으로 거성과 즉묵성을 함께 끌어들여 혼란스럽게 한 것이다. 〈전단전〉을 살펴보면 제나라를 회복한 뒤로 특별한 기록이 없다.[301] 제 양왕 19년(기원전 265)은 조(趙) 효성왕(孝成王)[302] 원년에 해당되는데 조나라가 영토를 떼어주고 전단을 요구하여 장수로 삼았다. 그리고 그 다음 해에 조나라의 재상이 되어 다시는 제나라로 돌아가지 않았다. 요성을 탈환하기까지 16년 차이가 나는데[303] 어떻게 전단이 다시 제나라 장수가 될 수 있었겠는가. 이는 '일 년 넘도록 함락하지 못했다.'라는 말 때문에 요성과 즉묵성을 혼동하여 전단의 일로 잘못 생각한 것이다. 노중련 편지의 요지는 바로 율복이 패배하여 연나라가 혼란에 빠졌는데 요성을 홀로 지키고 있어

▶ 燕兵獨追北, 入至臨淄, 盡取齊寶, 燒其宮室宗廟. 齊城之不下者, 獨唯聊·莒·即墨, 其餘皆屬燕, 六歲.(《史記》卷34, 〈燕召公世家〉第4)

▶ 樂毅留徇齊五歲, 下齊七十餘城, 皆爲郡縣以屬燕, 唯獨莒·即墨未服.(《史記》卷80, 〈樂毅列傳〉第20)

▶ 燕既盡降齊城, 唯獨莒·即墨不下.(《史記》卷82, 〈田單列傳〉第22)

▶ 燕攻齊, 取七十餘城, 唯莒·即墨不下.(《戰國策》卷13, 〈齊策 六〉〈燕攻齊取七十餘城〉)

▶ 齊城之不下者, 唯獨莒·即墨.(《戰國策》卷29 〈燕策 一〉〈燕昭王收破燕後即位〉)

▶ 樂毅爲燕昭王合五國之兵而攻齊, 下七十餘城, 盡郡縣之以屬燕. 三城未下, 而燕昭王死.(《戰國策》卷30 〈燕策 二〉〈昌國君樂毅爲燕昭王合五國之兵而攻齊〉)

▶ 是時, 齊地皆屬燕, 獨莒·即墨未下.(《資治通鑑》卷4 〈周紀四 赧王 三十六年〉)

즉 《사기》 권34 〈연소공세가〉와 《전국책》 권30 〈연책 2〉에만 요(聊)·거(莒)·즉묵(即墨) 세 성으로 나타나 있음을 볼 수 있다.

301 전단전을……없다 : 《사기》 〈전단열전〉의 주된 내용은 연나라에 이간책을 써서 악의가 조나라로 도망가고 기겁이 그 자리를 대신하게 되자, 계속된 이간책으로 연나라 진영을 해이하게 만들고 제나라 군사의 사기를 진작시켜 천여 마리의 소머리에 칼날을 붙이고 붉은 비단옷을 입혀 소꼬리에 불을 붙여 연나라 진영으로 몰아넣는 화우지계(火牛之計)를 써서 기겁을 죽이고 연나라 군대를 격퇴하여 제나라의 70여 성을 수복했다는 것이다. 악의가 이끄는 연나라 군대가 제나라를 공격하여 거성과 즉묵성을 뺀 나머지 성을 탈환하고, 제나라의 하급관료였던 전단이 즉묵성의 장수가 되어 제나라의 잃었던 70여 성을 수복하고 제나라 수도로 돌아가 양왕을 추대하고 전단은 양평군으로 추대되었다는 이야기로 끝이 난다.

302 조(趙) 효성왕(孝成王) : 기원전 265년에 즉위하여 기원전 245년에 죽은 전국시대 조나라의 군주다. 혜문왕(惠文王)의 아들로 이름은 단(丹)이다.

303 요성을……나는데 : 기원전 264년 전단이 조나라로 들어가 상국에 임명되고 평도군에 봉해진 16년 후에 요성을 수복(기원전 250)하였다는 이야기는 논리적으로 타당하지 않음을 변증한 것이다. 그러나 16년이라는 수치 계산은 모호하다.

봤자 제나라가 이제 곧 총공격해 올 것이므로 형세상 함락되리라는 것이다. 노중련이 편지에서 했던 말은 애당초 민왕(湣王), 양왕(襄王), 소왕(昭王), 혜왕(惠王)과는 관계가 없다.[304] 편지에서는 '초나라가 남양(南陽)[305]을 공격하고, 위나라가 평륙(平陸)[306]을 공격하였다.'라고 했는데, 제나라 민왕 40년(기원전 284)에 초나라가 제나라 회북(淮北)을 빼앗은 일[307]이 있었으나 전단이 제나라를 회복한 뒤 이미 그 지역을 수복하여 초나라와 위나라가 번갈아 제나라를 공격한 일은 없었다. 그러므로 이 두 가지 일은 분명 요성 수복 이후의 일일 것이다.[308] 연나라 장수가 모함을 받아 처형당할까 두려워한다는 내용 역시 노중련의 편지에 없으니,[309] 이는 악의(樂毅)의 일로 인하여 생긴 오류이다. 또, 《사기》에서 연나라 장수가 편지를 받아보고 자살했고, 결국 전단이 요성을 도륙했다고 했는데 이는 더더욱 사실이

---

304 민왕(湣王)……없다 : 《사기》와 《전국책》에 의하면 연나라가 제나라의 70여 성을 빼앗고, 제나라 전단이 다시 공격하여 제나라를 회복하는 과정과 관련된 제나라의 왕은 민왕(재위기간 기원전 300~기원전 284)과 양왕(재위기간 기원전 283~기원전 265)이며 연나라의 왕은 소왕(재위기간 기원전 311~기원전 279)과 혜왕(재위기간 기원전 278~기원전 272)이다. 그러나 요성 수복과 관계있는 노중련의 편지에서는 연나라든 제나라든 당시의 제왕에 대한 직접적인 언급이 없다. 그렇기 때문에 편지의 글을 통해 그 시대를 추정하기는 어렵다.

305 남양(南陽) : 전국시대 때 남양의 지명은 세 곳이 있었다. 태항산 남록의 위나라와 한나라 령, 하남성 남양시 일대의 초나라 령, 그리고 지금의 산동성 문양과 태산 일대의 제나라 령으로 여기서는 제나라 령을 가리킨다.

306 평륙(平陸) : 지금의 산동성 문상현(汶上縣) 일대로 제나라 령이다.

307 초나라가 제나라 회북(淮北)을 빼앗은 일 : 取齊淮北.(《史記》 〈六國年表〉 楚頃襄王 15年)

308 이 단락에서는 노중련의 편지를 통한 역사적 고증을 하였다. 그러나 편지에서는 연나라 장군을 설득하기 위해 묵적, 상앙, 관중 등의 예를 들고 있을 뿐 직접적으로 당시의 시대상황을 묘사한 것은 다음의 두 가지를 제외하면 아무것도 없다. 하나는 초나라와 위나라가 제나라의 남양과 평륙을 공격하고 있지만 제나라는 그 땅을 지키기보다는 요성을 탈환하는 것이 더 이롭다고 여겨 전력을 동원하여 요성을 공격할 것이라는 것과 다른 하나는 연나라의 장수 율복이 전쟁에서 여러 차례 패배하여 연나라 상황이 이전보다 훨씬 악화되었다는 것이다. 이 두 가지 측면에서 역사 사실을 고증해 보면 《사기》와 《전국책》에서 전단이 요성을 수복하여 제나라를 회복했다는 것은 시기적으로 맞지 않음을 알 수 있다.

309 연나라……없으니 : 노중련의 편지에는 연나라 장수가 모함을 받아 처형당할까 두려워한다는 내용 대신 다음과 같은 구절이 있다. "군사들을 보존하여 연나라로 돌아간다면 연왕은 틀림없이 기뻐할 것이며, 그 온전한 몸으로 군사들이 귀국하게 된다면 백성들 또한 죽은 부모와 다시 상봉하는 것과 같은 마음을 갖게 될 것이며, 친구들 역시 흥분하여 일제히 자리에서 일어나 팔소매를 걷어 올리고 칭송을 하면 장군의 공업은 빛나게 될 것입니다.[故爲公計者, 不如罷兵休士全車甲, 歸報燕王, 燕王必喜, 士民見公如見父母. 交遊攘臂而議於世功業, 可明矣.]"(《戰國策》 卷13 〈齊策 六〉 〈燕攻齊取七十餘城〉)

아니다. 제나라가 이전에 죽인 연나라 장수는 오직 기겁(騎劫)뿐이고 그 외에는 들어본 적이 없다. 그러므로 이는 기겁 때문에 생긴 오류이다.

노중련이 글을 보낸 의도는 군대를 철수시키고 백성을 편안하게 하는 데 있었다. 그는 상황판단이 분명하여 연나라 장수에게 연나라로 돌아가든지 아니면 제나라에 항복하기를 권하였으니 그의 계책이 성공할 것임을 헤아렸던 것이다. 복잡한 상황을 해결하는 것 또한 그가 평소에 쌓은 능력이다. 막다른 곳으로 몰아 죽게 하는 것이 어찌 그의 본심이었겠는가. 연나라 장수가 죽고 요성이 도륙된 일로 어떻게 노중련이 훌륭한 공을 세웠다고 할 것이며 제나라가 그에게 관작을 주려 했겠는가. 그러므로 《전국책》의 '군대를 해산하고 철수했다.'[310]는 말이 당연히 사실일 것이니 《사기》의 이야기는 믿을 수가 없다.[311] 그러니 이 일에 대해 논의하는 자가 노중련의 편지를 한번 고증해보면 《사기》와 《전국책》의 내용이 서로 어긋나고 뒤섞인 것을 분명히 알게 될 것이다. 포표는 이를 제대로 살펴보지도 않고 결국 '일 만들기 좋아하는 자가 누락된 부분을 보충했다.'고 했으니 이는 잘못이다. 《사기》의 오류는 《전국책》으로 인한 것이며, 《자치통감》과 《대사기》에서 전단을 지칭한 것은 《사기》로 인한 오류이다.】[312]

---

310 군대를 해산하고 철수했다 : 燕將曰: "敬聞命矣." 因罷兵倒韣而去. 故解齊國之圍, 救百姓之死, 仲連之說也.(《戰國策》 卷13 〈齊策 六〉 〈燕攻齊取七十餘城〉)

311 전국책의……없다 : 《전국책》에서는 연나라 장수가 군대를 해산하고 철수한 것으로 되어 있으나, 《사기》에는 노중련의 글을 보고 자결한 것으로 그려져 있다.
燕將見魯連書, 泣三日, 猶豫不能自決. 欲歸燕, 已有隙, 恐誅; 欲降齊, 所殺虜於齊甚衆, 恐已降而後見辱. 喟然嘆曰: "與人刃我, 寧自刃." 乃自殺. 聊城亂, 田單遂屠聊城. 歸而言魯連欲爵之. 魯連逃隱於海上, 曰: 吾與富貴而詘於人, 寧貧賤而輕世肆志焉.(《史記》 卷83, 〈魯仲連鄒陽列傳〉 第23)

312 이 인용문은 포표(鮑彪) 교주(校注) 오사도(吳師道) 중교(重校) 《전국책(戰國策)》 권4 〈제(齊) 양왕(襄王)〉 〈연나라가 제나라를 공격하여 70여 성을 탈취하다[燕攻齊取七十餘城]〉에 보인다.

《사기史記》의 정오正誤 29
〈순우곤전淳于髡傳〉

〈순우곤전(淳于髡傳)〉[313]에 "백여 년 뒤 초나라에 우맹(優孟)[314]이 있었다." 라는 문장이 있다.

우맹(優孟)은 초(楚)나라 장왕(莊王)[315] 때 사람이고, 순우곤(淳于髡)[316]은 제(齊)나라 위왕(威王)[317] 때 사람이다. 연대의 선후가 뒤바뀌었으니, 잘못된 문장에 속한다.

나중에 섭대경(葉大慶)의 《고고질의(攷古質疑)》를 보니 이러한 내용이 내 생각과 합치하였다.[318] 게다가 이런 내용도 있었다.

"초나라 장왕은 춘추(春秋)시대 사람이고, 제나라 위왕은 전국시대 사람이다. 그러니 '순우곤보다 백여 년 전에 초나라에 우맹이 있었다.'라고 해야 한다. 이는 옮겨 적는 과정에서 벌어진 실수라고 의심된다. 그러나 〈골계열전(滑稽列傳)〉에서 순우곤을 앞에 두고 우맹을 뒤에 실었다. 열전에서의 선후가 이런 것은 옮겨 적는 과정에서 벌어진 실수가 아니라 《사기》

---

313 순우곤전(淳于髡傳) : 《사기(史記)》 권126 〈골계열전(滑稽列傳)〉 제55의 순우곤(淳于髡)의 인물전이다.

314 우맹(優孟) : 생몰년은 미상이다. 춘추시대 초(楚)나라 사람으로, 장왕(莊王) 때 우인(優人)이다. 해학과 변론이 능해 항상 담소하는 가운데 풍간(諷諫)을 담았다.

315 장왕(莊王) : ?~기원전 591. 중국 춘추시대 초나라의 제23대 군주로 춘추오패 중 한 명으로 꼽히는 성군으로 평가된다. 재위 기간은 기원전 613년부터 기원전 591년까지 23년이다.

316 순우곤(淳于髡) : 생몰년은 미상이다. 전국시대 제나라 위왕(威王)과 선왕(宣王) 대의 학자로, 여러 차례 위왕과 재상 추기(鄒忌)에게 내정 개혁을 권유하였다.

317 위왕(威王) : ?~기원전 320. 전인제(田因齊) 또는 전영제(田嬰齊)로, 전국시대 제나라 환공(桓公)의 아들이다. 아버지를 이어 임치(臨淄) 직하(稷下)에 학궁(學宮)을 설치하여 각국의 학자를 초빙해 정치를 논하게 하고, 인재를 선발해 기용하자 국력이 나날이 부강해져 갔다. 16년 위(魏)나라 군대를 계릉(桂陵)에서 대패시키고 태자 신(申)을 포로로 잡았으며, 방연(龐涓)을 살해했다. 이어 마릉(馬陵) 전투에서 위(魏)나라를 격파하고, 이때부터 왕이라는 칭호를 썼다. 23년 서주(徐州)에서 위 혜왕(魏惠王)을 만나 서로 높여 왕이라 했다. 재위 기간은 《사기》에 따르면 기원전 378년부터 기원전 343년까지 36년이고, 《죽서기년》에 따르면 기원전 356년부터 기원년 320년으로 37년이다. 시호는 위(威)이다.

318 고고질의(攷古質疑)를……합치하였다 : 《고고질의》는 송나라 섭대경(葉大慶, 1180~1230)이 경전과 역사서 및 제가 저술의 의의를 고증한 책으로 모두 6권이다.

가 정말 틀린 것이다."[319]

이 말이 내 생각보다 더 자세하다.

《사기史記》의 정오正誤 30

〈자공전子貢傳〉 1

〈자공전(子貢傳)〉[320]에서 자공(子貢)[321]이 제(齊)나라에서 유세하고 오나라와 월나라에 사신으로 간 일을 서술하였다. 논자들은 다들 자공이 성인 문하의 뛰어난 제자로 아무리 수준이 낮게 행동한다 할지라도 소진(蘇秦)[322]과 장의(張儀)[323]의 유세 방법은 쓰지 않았을 것이라고 의심하였다. 이것은 다만 제나라와 진(晉)나라의 말 만들기를 좋아하는 자들이 과장된 말을 만들어 자공에게 의탁한 것인데 사마천이 잘못 인용한 것이다. 근래 송(宋)나라 오기(吳箕)[324]의 《상담(常談)》[325]을 보았는데 〈오월세가(吳越世家)〉와 〈자공전〉의 합치하지 않는 부분을 인용하여 〈자공전〉의 견강부회를 증명하였다. 그 설

---

319 초나라……것이다 : 淳於髡傳, 乃云, 其後百餘年, 楚有優孟, 似未免乎顚倒錯謬. 何者? 優孟與楚莊王同時, 淳於與齊威王同時. 楚莊. 乃春秋之世. 齊威. 乃戰國之世. 當云: 其前百餘年, 楚有優孟, 可也. 方疑此爲傳寫之誤, 然而先傳髡而後孟, 其列傳先後如此, 則又此非傳寫之誤, 而史記眞失矣.(葉大慶, 《攷古質疑》 卷2)

320 자공전(子貢傳) : 《사기(史記)》 권67 〈중니제자열전(仲尼弟子列傳)〉 제7.

321 자공(子貢) : 기원전 520~? 춘추시대 위(衛)나라 사람으로 성은 단목(端木), 이름은 사(賜)이고, 자공(子貢)은 자(字)이다. 공문십철(孔門十哲)의 한 사람으로 재아(宰我)와 더불어 언어와 사령(辭令)에 뛰어났다고 한다. 공자가 죽은 뒤 노나라를 떠나 위(衛)나라에 가서 벼슬했으며 제(齊)나라에서 죽었다.

322 소진(蘇秦) : ?~기원전 284. 전국시대 동주(東周) 낙양(洛陽) 사람으로 자는 계자(季子)이다. 장의(張儀)와 함께 귀곡자(鬼穀子)를 사사하였다. 연(燕)나라의 문후(文侯)에게 6국 합종(合縱)의 이익에 대해 유세하였다. 이어서 조(趙)·한(韓)·위(魏)·제(齊)·초(楚)나라도 설득하여, 기원전 333년 6국 합종에 성공하여, 6국의 상인(相印, 재상의 인장)을 지니고, 무안군(武安君)이라 칭했다.

323 장의(張儀) : ?~기원전 309. 전국시대 위(魏)나라 사람으로 귀곡자를 사사하여 종횡술(縱橫術)을 배웠다. 진(秦)나라 혜문왕(惠文王) 9년 재상이 되어 연횡책(連橫策)으로 진나라를 강대국으로 만들어 무신군(武信君)에 봉해졌다.

324 오기(吳箕) : 생몰년은 미상이다. 송(宋)나라 휘주(徽州) 사람으로, 자는 사지(嗣之)이다. 효종(孝宗) 건도(乾道) 5년에 출사하였다. 저서로는 《상담(常談)》·《만성통보(萬姓統譜)》가 있다.

325 상담(常談) : 1권. 송나라 오기(吳箕)가 지은 것으로 《사고전서》 자부(子部) 잡가류(雜家類) 3에 수록되어 있다.

이 매우 상세하니, 전문(全文)을 아래에 나누어 싣는다.

〈오태백세가(吳太伯世家)〉와 〈월왕구천세가(越王句踐世家)〉에 이런 내용이 있다.

"부차(夫差)[326] 14년(기원전 482) 봄에 처음으로 북쪽 황지(黃池)[327]에서 제후와 회합하였다. 이 해 여름 6월 병자(丙子)일에 월나라 왕 구천(句踐)[328]이 처음으로 오나라를 정벌하였다. 병술일에 오나라 태자를 사로잡았다. 정해일에 오나라로 쳐들어갔다. 7월 신축일에 오나라 왕이 진(晉)나라 정공(定公)과 회맹하여 맹주의 자리를 두고 다투다가 회맹을 마치고 돌아왔는데, 군사들이 모두 지쳐 많은 예물을 월나라에 주어 화친을 맺었다. 그 뒤 20년에 구천이 다시 오나라를 정벌하였다.[329] 21년에 마침내 오나라를 포위하였다. 23년 11월 정묘일에 오나라를 멸망시켰다."[330]

---

326 부차(夫差) : ?~기원전 473. 춘추시대 말기 오(吳)나라 왕이다. 아버지 합려(闔閭)가 월왕 구천에게 패해 죽자 월나라에 복수했다. 당시 오자서가 구천을 죽여야 한다고 했으나 듣지 않아 후에 월나라의 공격으로 나라가 망하고 자신은 자살하였다.

327 황지(黃池) : 황정(黃亭)으로 위(衛)나라의 지명이다. 지금의 하남성(河南省) 봉구현(封丘縣) 서남쪽이다.

328 구천(句踐) : ?~기원전 465. 춘추시대 말기 월(越)나라 왕이다. 아버지 윤상(允常)이 오나라 왕 합려(闔閭)와 싸워 패하였는데, 구천이 즉위한 뒤 오나라와의 전쟁에서 승리하였다. 이때 합려는 부상을 당하여 죽게 된다.

329 20년에……정벌하였다 : 《사기(史記)》 〈육국연표(六國年表)〉를 살펴보면, 기원전 472년으로 10년 차이가 난다.

330 부차(夫差)……멸망시켰다 : 〈오태백세가(吳太伯世家)〉와 〈월왕구천세가(越王句踐世家)〉에 나오는 내용은 각각 다음과 같다.

▶ 十四年春, 吳王北會諸侯於黃池, 欲霸中國以全周室. 六月丙子, 越王句踐伐吳. 乙酉, 越五千人與吳戰. 丙戌, 虜吳太子友. 丁亥, 入吳. 吳人告敗於王夫差, 夫差惡其聞也. 或泄其語, 吳王怒, 斬七人於幕下. 七月辛丑, 吳王與晉定公爭長. 吳王曰: "於周室我爲長." 晉定公曰: "於姬姓我爲伯." 趙鞅怒, 將伐吳, 乃長晉定公. 吳王已盟, 與晉別, 欲伐宋. 太宰嚭曰: "可勝而不能居也." 乃引兵歸國. 國亡太子, 內空, 王居外久, 士皆罷敝, 於是乃使厚幣以與越平. 十五年, 齊田常殺簡公. 十八年, 越益彊. 越王句踐率兵(使)[復]伐敗吳師於笠澤. 楚滅陳. 二十年, 越王句踐復伐吳. 二十一年, 遂圍吳. 二十三年十一月丁卯, 越敗吳. 越王句踐欲遷吳王夫差於甬東, 予百家居之. 吳王曰: "孤老矣, 不能事君王也. 吾悔不用子胥之言, 自令陷此." 遂自剄死. 越王滅吳, 誅太宰嚭, 以爲不忠, 而歸.(《史記》 卷31 〈吳太伯世家〉 第1)

▶ 至明年春, 吳王北會諸侯於黃池, 吳國精兵從王, 惟獨老弱與太子留守. 句踐復問范蠡, 蠡曰 "可矣". 乃發習流二千人, 教士四萬人, 君子六千人, 諸御千人, 伐吳. 吳師敗, 遂殺吳太子. 吳告急於王, 王方會諸侯於黃池, 懼天下聞之, 乃祕之. 吳王已盟黃池, 乃使人厚禮以請成越. 越自度亦未

《좌전(左傳)》에도 황지(黃池)에서 회합한 일이 실려 있는데, '오나라 왕의 얼굴에 검은 기운이 있으니, 태자가 죽었는가?[331]'라고 한 부분은 〈세가(世家)〉와 똑같다. 이 해 겨울에는 오나라와 월나라가 화친을 맺었다[332]고 하였고, 애공(哀公) 17년(기원전 478)에 오나라가 입택(笠澤)에서 패전한 내용이 있고[333], 22년(기원전 473)에는 오나라가 비로소 멸망하였다[334]고 하였다.

〈자공전(子貢傳)〉에는 다음과 같이 나온다.

"오나라와 진(晉)나라가 서로 강성함을 다투다가 진나라가 오나라 군대를 공격하여 크게 이겼다. 월나라 왕이 이 소식을 듣고서 강을 건너 오나라를 습격하여 도성(都城) 7리 밖에 주둔하였다. 오나라 왕이 이 소식을 듣고서 진나라를 떠나 본국으로 돌아와 오호(五湖)[335]에서 월나라 왕과 교전하였다. 세 번 싸웠지만 이기지 못하고 성문을 지키지 못하였다. 월나라가 마침내 왕궁을 포위하고 오나라 왕 부차를 죽였다."[336]

만약 이 내용이 맞다면, 이는 월나라 왕이 오나라 부차 14년에 오나라를 멸망시킨 것이지, 23년까지 기다린 것이 아니다. 그러니 그 설은 분명

能滅吳, 乃與吳平. 其後四年, 越復伐吳. 吳士民罷弊, 輕銳盡死於齊、晉. 而越大破吳, 因而留圍之三年, 吳師敗, 越遂復棲吳王於姑蘇之山. 吳王使公孫雄肉袒膝行而前, 請成越王曰: "孤臣夫差敢布腹心, 異日嘗得罪於會稽, 夫差不敢逆命, 得與君王成以歸. 今君王擧玉趾而誅孤臣, 孤臣惟命是聽, 意者亦欲如會稽之赦孤臣之罪乎?" 句踐不忍, 欲許之. 范蠡曰: "會稽之事, 天以越賜吳, 吳不取. 今天以吳賜越, 越其可逆天乎?且夫君王蚤朝晏罷, 非爲吳邪?謀之二十二年, 一旦而棄之, 可乎?且夫天與弗取, 反受其咎. '伐柯者其則不遠', 君忘會稽之䘀?" 句踐曰: "吾欲聽子言, 吾不忍其使者." 范蠡乃鼓進兵, 曰: "王已屬政於執事, 使者去, 不者且得罪." 吳使者泣而去. 句踐憐之, 乃使人謂吳王曰: "吾置王甬東, 君百家." 吳王謝曰: "吾老矣, 不能事君王!" 遂自殺. 乃蔽其面, 曰: "吾無面以見子胥也!" 越王乃葬吳王而誅太宰嚭.(《史記》 卷41 〈越王句踐世家〉 第11)

331 오나라……죽었는가 : 今吳王有墨, 國勝乎, 大子死乎.(《春秋左傳》 〈哀公 13年〉)

332 이 해……맺었다 : 大宰嚭曰, 可勝也, 而弗能居也, 乃歸, 冬, 吳及越平.(《春秋左傳》 〈哀公 13年〉)

333 오나라가……있고 : 三月, 越子伐吳, 吳子禦之笠澤, 夾水而陳, 越子爲左右句卒, 使夜或左或右, 鼓譟而進, 吳師分以御之, 越子以三軍潛涉, 當吳中軍而鼓之, 吳師大亂, 遂敗之.(《春秋左傳》 〈哀公 17年〉)

334 오나라가 비로소 멸망하였다 : 冬, 十一月, 丁卯, 越滅吳, 請使吳王居甬東, 辭曰, 孤老矣, 焉能事君, 乃縊, 越人以歸.(《春秋左傳》 〈哀公 22年〉)

335 오호(五湖) : 태호(太湖) 유역의 모든 호수를 범칭한 것이다.

336 오나라와……죽였다 : 吳、晉爭強, 晉人擊之, 大敗吳師. 越王聞之, 涉江襲吳, 去城七裏而軍. 吳王聞之, 去晉而歸, 與越王戰于五湖. 三戰不勝, 城門不守, 越遂圍王宮, 殺夫差.(《史記》 卷67 〈仲尼弟子列傳〉 第7)

믿을 수가 없다. 〈세가〉와 여러 서적에 오원(伍員)[337]이 부차(夫差)에게 간언한 일이 상세히 실려 있다. 부차는 애초에 월나라를 정벌할 의도가 없었다. 이제 와서 "월나라 왕이 자기 몸을 괴롭히고 병사를 기르며 우리 오나라에 보복하려는 마음을 품고 있소. 그대가 내가 월나라 정벌하기를 기다려준다면 그대의 계책을 따르리다."[338]라고 한다면, 이것은 부차가 먼저 월나라를 정벌하려는 뜻이 있었는데 다만 자공의 유세로 결국 실행하지 않았다는 것이다. 이 또한 믿을 것이 못된다. 〈자공전(子貢傳)〉에, 월나라가 자공의 계책을 써서 군사를 이끌고 오나라를 도운 일이 기재되어 있는데, 이 또한 〈자공전〉에만 나올 뿐이니 근거할 만한 것이 못된다. 그렇지 않다면 자공이 어찌 성인의 문도(門徒)겠는가?[339]

---

337 오원(伍員) : ?~기원전 484. 춘추시대 초(楚)나라 사람으로, 자는 자서(子胥)이다. 초 평왕(楚平王)이 소인의 참소를 듣고 오자서의 아버지 오사(伍奢)와 형 오상(伍尙)을 죄 없이 죽이자 오나라로 망명하여 장수가 되어 초나라를 쳤다. 죽은 평왕의 묘를 파내어 시체를 매질하여 아버지와 형의 복수를 했다. 오나라 왕 부차가 서시(西施)의 미색에 빠져 정사를 게을리하고 오히려 이를 간하던 오자서에게 칼을 주어 자살하게 했다. 오자서는 자살하면서 자기의 눈을 오나라 성의 동문(東門)에 걸어서 오나라가 멸망하는 것을 보도록 하라는 유언을 남겼다. 그로부터 9년 뒤 월나라가 오나라를 멸망시켰다.

338 월나라……따르리다 : 說曰: "臣聞之, 王者不絕世, 霸者無彊敵, 千鈞之重加銖兩而移. 今以萬乘之齊而私千乘之魯, 與吳爭彊, 竊爲王危之. 且夫救魯, 顯名也; 伐齊, 大利也. 以撫泗上諸侯, 誅暴齊以服彊晉, 利莫大焉. 名存亡魯, 實困彊齊. 智者不疑也." 吳王曰: "善. 雖然, 吾嘗與越戰, 棲之會稽. 越王苦身養士, 有報我心. 子待我伐越而聽子."(《史記》 卷67 〈仲尼弟子列傳〉 第7)

339 오태백세가와……문도겠는가 : 〈吳、越世家〉 : "夫差十四年春, 始北會諸侯黃池. 是年夏六月戊子, 越王勾踐始伐吳. 丙戌擄吳太子. 丁亥入吳. 七月辛丑, 吳王方與晉定公, 盟而爭長, 已盟而歸, 士皆罷弊, 乃厚幣以與越平. 後二十年, 勾踐復伐吳. 二十一年遂圍吳. 二十三年十一月丁卯, 方敗吳而滅之." 《左傳》亦載黃池之會, '吳王有墨, 太子死乎'與世家正同. 是冬, 吳及越平. 哀十七年, 吳有笠澤之敗. 二十二年吳始滅. 今〈子貢傳〉乃云: "吳、晉爭強, 晉人擊之, 大敗吳師. 越王聞之, 涉江襲吳, 去城七裏而軍. 吳王聞之, 去晉而歸, 與越王戰于五湖. 三戰不勝, 城門不守, 越遂圍王宮, 殺夫差." 儻如其言, 則是越王滅吳于夫差之十四年, 不俟于二十三年也. 其不可信也審矣. 〈世家〉、諸書, 載伍員諫夫差事, 至備. 夫差初無意于伐越也. 今乃曰: "越王苦身養士, 有報吳心. 待我伐越而聽子謀." 是夫差先有伐越之意, 時以子貢要說而後不行. 此又其不足信者. 〈子貢傳〉乃載"越用子貢謀, 帥衆助吳之事", 此又出於〈子貢傳〉爾, 非足爲據也. 不然則子貢者, 豈聖人之徒歟? (吳箕, 《常談》 〈史記弟子列傳〉)

《사기史記》의 정오正誤 31
〈백이전伯夷傳〉 2와 〈진세가晉世家〉

오기(吳箕)의 《상담(常談)》에 또 이런 말이 있다.

"〈백이전(伯夷傳)〉[340]에 '신하가 임금을 시해했다'고 하였는데, '시(弑)'는 '벌(伐)'이 되어야 한다. 무왕(武王)이 주(紂)를 정벌하려 한 것을 어찌 바로 시해하였다고 말할 수 있겠는가. 〈진세가(晉世家)〉[341]에 '중이(重耳)[342]가 적(狄) 땅에 있을 때, 혜공(惠公)이 중이(重耳)를 죽이려고 하였다. 조최(趙衰)[343] 등이 말하길, 「제 환공(齊桓公)[344]은 선을 좋아하고, 패왕(覇王)에 뜻을 두고 있습니다. 지금 관중(管仲)과 습붕(隰朋)[345]이 죽었다는 말을 들었으니, 또한 어진 보좌를 얻고자 할 것입니다. 어찌 가지 않으십니까?」 하니, 이에 마침내 '떠났다.'라고 하였다. 당시 소백(小白)이 재위에 있으면서 아무 탈이 없었으니 미리 환공이라 칭할 수는 없다. 《사기(史記)》에 한 글자가 연자(衍字)이다.[346]"[347]

---

340 백이전(伯夷傳) : 《사기(史記)》 권61 〈백이열전(伯夷列傳)〉 제1.

341 진세가(晉世家) : 《사기(史記)》 권39 〈진세가(晉世家)〉 제9.

342 중이(重耳) : 기원전 697~기원전 628. 춘추오패(春秋五覇)의 한 사람인 진 문공(晉文公)이다. 중이는 이름이다. 진 헌공(獻公)의 둘째 아들로, 헌공이 총희(寵姬)인 여희(驪姬)의 참소를 믿고 태자 신생(申生)을 죽이자, 망명하여 19년 동안 떠돌았다. 진 혜공(秦惠公) 사후에 진 목공(秦穆公)의 도움으로 귀국해서 즉위했다.

343 조최(趙衰) : ?~기원전 622. 맹자여(孟子餘)라고도 한다. 춘추시대 진(晉)나라 사람으로, 시호가 성(成)이므로 조성(趙成), 조성자(趙成子) 또는 성계(成季) 등으로도 불린다. 공자 중이(重耳)를 따라 외국에서 19년 동안 유랑하면서 온갖 고생과 위험을 극복했고, 중이가 귀국해 진 문공(晉文公)으로 즉위하는 것을 도왔다.

344 제 환공(齊桓公) : ?~기원전 643. 춘추시대 제나라의 국군(國君)으로, 성은 강(姜)이고, 이름은 소백(小白)이다. 양공(襄公)의 동생이다. 거(莒)로 달아났다가 양공이 피살되자 귀국해 즉위했다. 관중(管仲)을 재상에 등용하여 개혁을 통해 부국강병을 시도했다. 주나라를 안정시켜 주 혜왕(周惠王)이 죽자 태자 정(鄭)을 받들어 즉위시키니, 바로 주 양왕(周襄王)이다. 여러 차례 제후들을 회합하여 맹약을 세우는 등 춘추시대 최초의 패주(覇主)가 되었다. 시호는 환(桓)이다.

345 습붕(隰朋) : ?~기원전 644. 제나라 대부로 붕(朋)씨의 시조이다. 관중(管仲)을 보좌하여 제 환공이 패업(霸業)을 이루는 데 힘이 되었다.

346 당시……연자(衍字)이다 : 당시는 제 환공이 아직 살아 있어서 시호인 환(桓)을 쓸 수 없기 때문에 한 말이다.

347 백이전(伯夷傳)에……연자(衍字)이다 : 史記伯夷傳, 以臣弑君, 弑當作伐, 盖武王方欲伐紂, 安得便言

《사기史記》의 정오正誤 32

〈자공전子貢傳〉[348] 2

양신(楊愼)[349]의 《단연잡록(丹鉛雜錄)》[350]에 이런 글이 있다.

"자공(子貢)은 많이 배워서 알았기 때문에 공자께서 '사(賜)는 천명을 받지 않고 재화(財貨)를 늘렸다.'[351]라고 하였다. 장자(莊子)는 바로 '자공은 큰 말을 타고 안감은 감색으로 겉감은 흰색으로 만든 사치스런 옷을 입는다.'[352]라고 하였고, 태사공(太史公)은 〈화식전(貨殖傳)〉을 입전하면서 처음부터 자공(子貢)을 무함하였다.[353] 이와 같다면, 자공(子貢)은 한 사람의 의돈(猗頓)[354]일 뿐이다. 성문사과(聖門四科)[355]에서 자공이 언어(言語)를 잘한다고 하였다. 태사공(太史公)은 전국시대 유사(遊士)들의 말을 믿어, '자공이 한번 출행하여 노나라를 보존하고, 제나라를 혼란에 빠트리고, 오나라를

弑. 史記晉世家, 重耳在狄, 惠公欲殺之, 趙衰等曰: 夫齊桓公好善, 志在伯王, 今聞管仲隰朋死, 此亦欲得賢佐. 盍往乎? 於是遂行, 是時小白在位, 方無恙, 不得預稱曰桓公, 史衍一字.(吳箕, 《常談》 卷1)

348 자공전(子貢傳) : 《사기(史記)》 권64 〈중니제자열전(仲尼弟子列傳)〉 제4.

349 양신(楊愼) : 1488~1559. 명나라 사천(四川) 사람으로, 자는 용수(用修), 호는 승암(升菴)이다. 정덕(正德) 6년(1511)에 장원급제하여 한림수찬(翰林修撰)에 임명되고, 경연강관(經筵講官), 한림학사(翰林學士) 등을 역임하였다. 저서에 《단연총록(丹鉛總錄)》·《승암집(升菴集)》 등이 있다. 그 밖에도 많은 편찬서들이 있다.

350 단연잡록(丹鉛雜錄) : 명(明)나라 양신(楊愼)이 지은 책으로, 여러 책의 동이(同異)를 고증하고 분변한 필기(筆記)이다. 《문연각사고전서》에 의거하면 이 내용은 《단연여록(丹鉛餘錄)》 권2와 《단연총록(丹鉛總錄)》 권13, 《단연적록(丹鉛摘錄)》 권7에 실려 있다.

351 사(賜)는……늘렸다 : 子曰: "回也其庶乎, 屢空. 賜不受命, 而貨殖焉, 億則屢中." 《(論語》 〈先進〉)

352 자공(子貢)은……입는다 : 子貢乘大馬, 中紺而表素, 軒車不容巷, 往見原憲.(《莊子》〈雜篇 讓王〉)

353 화식전(貨殖傳)을……무함하였다 : 《사기》 〈화식전〉에 "자공이 중니의 문하에서 공부를 마치고, 위나라에서 벼슬하면서 조(曹)나라와 노(魯)나라 사이에서 물건을 싸게 사서 비싸게 팔아 재산을 늘렸다. 공자의 칠십 제자 중에서 사(賜)가 제일 부유하였다.……공자의 명성을 천하에 드날린 것은 자공이 그를 앞뒤로 모시고 도왔기 때문이다. 이것이 이른바 세력을 얻으면 세상에 더욱 드러난다는 것이 아니겠는가[子貢旣學於仲尼, 退而仕於衛, 廢著鬻財於曹魯之間, 七十子之徒, 賜最爲饒益……夫使孔子名布揚於天下者, 子貢先後之也. 此所謂得勢而益彰者乎]" 하였다.

354 의돈(猗頓) : 춘추시대 노(魯)나라 사람으로 이름은 돈(頓)이다. 본래 가난한 선비였으나, 소금장사로 대부호(大富豪)가 되었다.

355 성문사과(聖門四科) : 공문사과(孔門四科)라고도 한다. 《논어》 〈선진〉에서 공자가 "덕행에는 안연·민자건·염백우·중궁이요, 언어에는 재아·자공이요, 정사에는 염유·계로요, 문학에는 자유·자하로다"라고 한 데서 덕행·언어·정사·문학 4개의 분야를 가리킨다.

파멸시키고, 진(晉)나라를 강성하게 하고, 월(越)나라를 패자(覇者)로 만들었다.'[356]라고 하였다. 그 문장이 눈에 확 들어오고 그 사변(辭辯)이 유창하여 사람들이 모두 믿었으니, 아무리 주문공(朱文公)[357]이라도 미혹될 것이다. 오직 소자유(蘇子由, 소철)[358]가 《고사(古史)》[359]를 저술하면서 고찰하여 사마천의 망령됨을 알았다. 《고사》에서 '《좌전(左傳)》을 살펴보니, 제나라가 노나라를 정벌한 것은 본래 도공(悼公)[360]이 계희(季姬)[361]를 노하게 한 것 때문이지, 전상(田常)[362] 때문이 아니다. 그리고 오나라가 제나라를 정벌한 것은 본래 이랬다저랬다 하는 도공(悼公)에게 노한 것이지, 자공(子貢)에게 노한 것은 아니다.'라고 하여 그 일이 비로소 명백해졌다. 태사공(太史公)의 말대로라면, 자공(子貢)은 한 사람의 소진(蘇秦)일 뿐이다."[363]

이것으로 또한 사마천의 오류를 증명할 수 있다.

---

356 자공이……만들었다 : 故子貢一出, 存魯, 亂齊, 破吳, 彊晉而霸越. 子貢一使, 使勢相破, 十年之中, 五國各有變.(《史記》 卷67 〈仲尼弟子列傳〉 第7)

357 주문공(朱文公) : 1130~1200. 남송(南宋)의 유학자(儒學者)인 주희(朱熹)를 가리킨다. 자는 원회(元晦), 중회(仲晦)이고, 호는 회암(晦庵), 회옹(晦翁), 운곡노인(雲穀老人), 창주병수(滄洲病叟), 둔옹(遯翁) 등이다.

358 소자유(蘇子由) : 1039~1112. 소철(蘇轍)을 가리킨다. 북송 미주(眉州) 미산(眉山) 사람으로, 자는 자유(子由), 동숙(同叔)이고, 호는 난성(欒城), 영빈유로(穎濱遺老)이다. 소순(蘇洵)의 아들이고, 소식(蘇軾)의 동생이다. 《난성집(欒城集)》·《시집전(詩集傳)》·《춘추집전(春秋集傳)》 등의 저술이 있다.

359 고사(古史) : 저본에는 《고사고(古史考)》로 되어 있는데, 위진(魏晉) 때의 사학가(史學家) 초주(譙周)가 사마천(司馬遷) 《사기(史記)》에 실려 있는 주진(周晉) 이전의 사사(史事)의 잘못을 고증하여 지은 것으로 25권이나 송원(宋元)대에 산일(散佚)되었다. 여기에서 소철이 사마천 《사기》의 잘못된 점을 밝히기 위해 저술한 책은 《고사(古史)》로 모두 15권이다.

360 도공(悼公) : ?~기원전 485. 춘추시대 말기 제나라의 국군(國君)으로 이름은 양생(陽生)이다. 경공(景公)의 아들이다. 경공이 죽고 태자 도(荼)가 즉위하여 양생이 노나라로 달아나자 계강자(季康子)가 누이 계희(季姬)와 결혼시켰다.

361 계희(季姬) : 계강자(季康子)의 누이를 말한다.

362 전상(田常) : 진성자(陳成子), 진항(陳恒)이라고도 한다. 춘추시대 제(齊)나라 사람이다. 제 간공(簡公) 4년에 감지(闞止)와 간공(簡公)을 죽이고 간공의 아우 오(鰲)를 세워 평공(平公)으로 삼고는 스스로 재상이 되어 제나라 국정을 전단하였다. 이후로 전씨(田氏)가 제나라의 전권을 잡게 되었다.

363 자공(子貢)은……뿐이다 : 子貢多學而識之故孔子曰: "賜不受命, 而貨殖焉." 莊子便謂: "子貢乘大馬, 中紺表素之衣." 太史公立《貨殖傳》, 便首誣子貢. 如此, 則子貢一猗頓耳. 聖門四科, 子貢善言語. 太史公信戰國游士之說, 載"子貢一出, 存魯、亂齊、破吳、強晉而霸越". 其文震耀, 其辭辯利, 人皆信之. 雖朱文公亦惑之. 獨蘇子由作《古史》, 考而知其妄. '考《左傳》, 齊之伐魯, 本於悼公之怒季姬, 而非田常. 吳之伐齊, 本怒悼公之反覆, 而非子貢.' 其事始白. 若如太史公之言, 則子貢一蘇秦耳.(楊愼, 《丹鉛餘錄》 卷2)

《사기史記》의 정오正誤 33

〈송미자세가宋微子世家〉

《단연잡록(丹鉛雜錄)》[364]에 다음과 같은 내용이 있다.

"《사기(史記)》〈송미자세가(宋微子世家)〉[365]에, '주 무왕(周武王)이 상(商)나라를 정벌하자, 미자(微子)[366]가 윗옷을 벗고 손을 뒤로 묶은 채 왼손으로 양을 끌고 오른손으로 띠 풀을 잡았다.'[367]라고 하였다. 죽은 아우 항(恒)이 《사기》를 읽다가 이 부분에 이르러 나에게, '미자에게 손이 네 개인 것을 형님은 아시나요?'라고 물었다. 내가 '《서경(書經)》에서 보지 못하였네.'라고 하니, 이에 웃으며 '손이 네 개가 아니라면 어떻게 이미 손을 뒤로 묶었는데 또 왼손으로 양을 끌고 오른손으로 띠 풀을 잡을 수 있습니까?'라고 하였다. 자세히 따져 말하자면, 모두 결코 있을 수 없는 일이다. '옷을 벗고 손을 뒤로 묶는다[肉袒面縛]'는 말은 《춘추좌씨전(春秋左氏傳)》에 나온다. 초(楚)나라 사람이 초 장왕(楚莊王)을 속여 정백(鄭伯)의 항복을 받아내기 위하여 무왕(武王)의 이름을 빌려서 미자(微子)를 무함한 것이다.[368] 《사기》에, '미자(微子)가 제기(祭器)를 안고 주(周)나라로 들어갔다.'라고 한 것도 이미

---

364 단연잡록(丹鉛雜錄) : 인용문은 《단연총록(丹鉛總錄)》 권13에 보인다.

365 송미자세가(宋微子世家) : 《사기(史記)》 권38 〈송미자세가(宋微子世家)〉 제8.

366 미자(微子) : 생몰년은 미상이다. 본명은 계(啓)이고, 자성(子性)으로, 은(殷)나라 주(紂) 임금의 동모서형(同母庶兄)이다. 주(周)나라 초기에 성왕(成王)이 상구(商丘)에 봉하여 송(宋)나라를 세워주고 그 시조로 삼았다.

367 주 무왕(周武王)이……잡았다 : 周武王伐紂克殷, 微子乃持其祭器造於軍門, 肉袒面縛, 左牽羊, 右把茅, 膝行而前以告. 於是武王乃釋微子, 復其位如故.(《史記》 卷38 〈宋微子世家〉 第8)

368 옷을……것이다 : '옷을 벗고 손을 뒤로 묶는다[肉袒面縛]'는 말은 《춘추좌씨전》 희공(僖公) 6년 조와 선공(宣公) 12년 조에 보이는데, 문장이 조금 다르다. 희공 6년 조에서는 여러 제후들이 정나라를 정벌하자, 동맹국인 초나라가 정나라를 구원하기 위해 허(許)나라를 포위한 일에서 보인다. 그 기사에 "허남(許男)이 손을 뒤로 묶고 입에 옥벽을 물었으며[面縛銜璧] 대부는 상복을 입고 사는 관(棺)을 들고 따랐다. 초자(楚子)가 초나라 대부인 봉백(逢伯)에게 물었는데, 봉백이 말하기를 '옛날에 무왕이 은나라를 이겼을 때 미자 계가 이와 같이 하였는데, 무왕이 손수 그 결박을 풀어 주고……원래의 자리로 돌아가게 하였습니다.'라고 하였다. 선공 12년 조에는 초자가 정나라를 포위하여 승리하자, 정백이 항복하는 의미로 윗옷을 벗어 몸을 드러내고 양을 끌고 와서 초자를 영접한 일[肉袒牽羊以逆]이 보인다.

주나라로 들어갔는데, 또 어찌 주나라 군대가 오길 기다린 뒤에 손을 뒤로 묶었겠는가? 또 자세히 따져 말해 보면, 제기를 안고 주나라로 들어간 것도 결코 있을 수 없는 일이다. 유창(劉敞)[369]이 말하기를, '옛날에 동성(同姓)은 아무리 위태로워도 나라를 떠나지 않았다. 미자는 주(紂)의 서형(庶兄)이니, 어찌 주나라로 들어간 일이 있겠는가'라고 하였다. 《논어》에서 '떠났다[去之]'고 한 말은 주(紂)의 도읍을 떠난 것이다. 비록 떠났더라도 국경을 넘지 않았으니, 이 점이 어질다는 것이다."[370]

《사기史記》의 정오正誤 34

〈재아전宰我傳〉[371]

〈공자제자전(孔子弟子傳)〉[372]에, "재아(宰我)[373]가 전상(田常)[374]과 난을 일으켜 그 친족이 멸족되자 공자(孔子)가 부끄러워하였다."라고 하였다.

지금 《춘추》의 내전(內傳)과 외전(外傳)[375], 《공자가어(孔子家語)》 등의 책을 살펴보니 어디에도 재아가 전상을 따른 일이 없는데 사마천(司馬遷)은 무엇

---

369 유창(劉敞) : 1019~1068. 송(宋) 임강군(臨江軍) 신유(新喻) 사람이다. 자는 원부(原父), 호는 공시(公是)이다. 저서로는 《춘추권형(春秋權衡)》·《공시집(公是集)》 등이 전한다.

370 사기(史記)……것이다 : 《史記》〈宋世家〉: "武王克商, 微子肉袒面縛, 左牽羊, 右把茅." 亡弟恒讀《史》至此, 謂予曰: "微子有四手, 兄知之乎?" 予曰: "《書傳》未聞." 乃笑曰: "使無四手, 何以旣面縛, 而又有左手牽羊, 右手把茅乎?" 然究言之, 皆必無之事. 肉袒面縛, 出於《左氏》, 乃楚人以誣莊王受鄭伯之降, 借名於武王, 而誣微子也. 《史》云'微子抱祭器而入周', 旣入周矣, 又豈待(周)師至而後面縛乎? 又究而言之, 抱器入(周), 亦必無之事. 劉敞曰: "古者同姓雖危不去國, 微子, 紂庶兄, 何入周之有?" 《論語》云'去之'者, 去紂都也, 雖去, 不踰國, 斯仁矣.(楊愼, 《丹鉛總錄》 卷13)

371 재아전(宰我傳) : 《사기(史記)》 권64 〈중니제자열전(仲尼弟子列傳)〉 제4.

372 공자제자전(孔子弟子傳) : 《사기(史記)》 권67 〈중니제자열전(仲尼弟子列傳)〉 제7.

373 재아(宰我) : 기원전 522~기원전 458. 춘추시대 노(魯)나라 사람이다. 본명은 재여(宰予)로, 자는 자아(子我)이다. 공자의 제자로 언변에 능하였다.

374 전상(田常) : 생몰년은 미상이다. 춘추시대 제(齊)나라 사람으로, 전성자(田成子), 진항(陳恒), 진성자(陳成子) 등으로 불리기도 한다. 제 간공(齊簡公)의 신하가 되었다가 제 간공을 시해하고 그 아우인 제 평공(齊平公)을 세운 뒤 재상이 되었다.

375 춘추의 내전(內傳)과 외전(外傳) : 《춘추좌씨전(春秋左氏傳)》을 내전이라 하고, 《국어(國語)》를 외전이라고 한다.

을 통해 이러한 일을 알았는지 모르겠다.

이사(李斯)[376]가 2세 황제에게 올린 글에는 "제 간공(齊簡公)[377]의 신하가 된 전상이 은혜와 덕을 베풀어 아래로는 백성들의 인심을 얻고 위로는 신하들의 신임을 얻어 몰래 제(齊)나라를 취하고, 조정에서 재여(宰予)를 죽였습니다."[378]라고 하였다.

여기에 근거해 보면 재아가 전상의 계책을 따르지 않았으므로 전상에게 죽임을 당한 것이다. 소동파(蘇東坡)가 "태사공(太史公 사마천)이 고루하게 의심하여 재아가 천 년 동안 억울함을 당했다."라고 한 말[379]이 믿을 만하다.

《사기史記》의 정오正誤 35

〈진시황본기秦始皇本紀〉

〈진시황본기(秦始皇本紀)〉[380]의 논찬(論贊)을 마친 뒤에, 문득 양공(襄公) 이후 570여 년 동안의 여러 공(公)과 왕(王)의 재위기간과 장지(葬地)를 다시 기술하였다. 장지를 설명한 부분을 제외하고는 모두 〈진본기(秦本紀)〉에 이미 보이는 것인데 《사기》의 체재를 궁구해보아도 그 까닭을 알 수

---

376 이사(李斯) : ?~기원전 208. 전국시대 말기 초(楚)나라 상채(上蔡) 사람으로, 자는 통고(通古)이다. 법가(法家)의 정치가로, 진(秦)나라의 승상을 지냈다. 2세 황제 때 조고(趙高)의 참소로 투옥되어 함양(鹹陽)의 저잣거리에서 요참형(腰斬刑)에 처해졌고, 삼족(三族)이 죽임을 당했다.

377 제 간공(齊簡公) : ?~기원전 481. 제나라의 제29대 군주로 기원전 484년부터 기원전 481년까지 재위하였다. 제 도공의 아들이자 평공의 형이다. 도공이 포목에게 죽임을 당한 뒤 그 뒤를 이었다. 이 때 전상과 감지가 실권을 쥐었다.

378 제 간공(齊簡公)의……죽였습니다 : 田常爲簡公臣, 爵列無敵於國, 私家之富與公家均, 布惠施德, 下得百姓, 上得群臣, 陰取齊國, 殺宰予於庭, 即弑簡公於朝, 遂有齊國. 此天下所明知也. 今高有邪佚之志, 危反之行, 如子罕相宋也；私家之富, 若田氏之於齊也. 兼行田常、子罕之逆道而劫陛下之威信, 其志若韓玘爲韓安相也. 陛下不圖, 臣恐其爲變也.(《史記》卷87 〈李斯列傳〉 第27)

379 소동파(蘇東坡)의……말 : 소동파는 소식(蘇軾, 1037~1101)으로, 자는 자첨(子瞻), 호는 동파이다. 송(宋)나라 때의 학자로, 미주(眉州) 미산(眉山) 사람이다. 아버지 소순(蘇洵), 동생 소철(蘇轍)과 함께 '삼소(三蘇)'라 일컬어졌다. 저서로는 《동파전집(東坡全集)》 등이 전한다. 이 말은 소식의 필기인 《동파지림(東坡志林)》 권3에 보인다.

380 진시황본기(秦始皇本紀) : 《사기(史記)》 권6 〈진시황본기(秦始皇本紀)〉 제6.

없다. 이것은 분명 〈본기〉의 찬술을 마치기 전에 대를 이어 전해진 진(秦)나라의 계보를 기록하여 채록할 때 쓰려던 것인데, 〈본기〉가 완성된 뒤에 미처 삭제하지 못한 것일 것이다. 이것이 옛사람이 《사기》를 사마천의 미완의 책이라고 생각한 하나의 근거이다.[381]

내가 이러한 생각을 적어두었다가 30여 년 뒤에 우연히 방포(方苞)[382]의 《망계집(望溪集)》〈독사편(讀史編)〉을 보았다. 거기에는 "〈진기(秦紀)〉 다음에 별도로 양공 이후 200여 년간의 기사를 실은 것은 아마도 자장(子長, 사마천의 자)이 옛날에 들었던 것들을 모아서 처음에는 채택하여 쓰려고 했다가 뒤에 다시 놓아 둔 것을 기록한 사람이 알지 못하고 제멋대로 붙인 것이리라."[383]라고 하였다. 그의 설이 내 생각과 딱 부합한다. 다만 진 양공(秦襄公)으로부터 2세 황제 말까지의 기간을 헤아려보면 거의 570여 년인데[384] 방포의 '200여 년'이라는 말은 어디에 근거한 것인지 모르겠다. 아마도 글자의 오류일 것이다.

---

381 사마천의 논찬인 "太史公曰…"로 끝맺음되는 《사기》 편말의 대체적인 구성 형식과 달리 〈진시황본기〉에는 사마천의 논찬 다음에 양공으로부터 이세황제에 이르기까지의 여러 왕들의 즉위·재위기간 및 장지 등에 대한 기록과 반고(班固, 32~92)가 후한(後漢)의 명제(明帝, 재위기간 57~75)에게 올린 글까지 덧붙여져 있다. 서유구는 〈진시황본기〉 편말의 구성 형식이 다른 편과는 다른 점과 앞의 〈진본기〉에서 이미 기술한 내용을 〈진시황본기〉에 다시 덧붙인 점 등을 지적한 것이다. 이러한 점에 대해서는 《사기색은(史記索隱)》 권2에도 문제 제기되어 있다.

382 방포(方苞) : 1668~1749. 자는 영고(靈皐), 호는 망계(望溪)이다. 고문가(古文家)의 법도를 지키고 속어(俗語)나 경박한 문장을 배제해야 한다는 의법설(義法說)을 주장하였다. 저서로는 《옥중잡기(獄中雜記)》·《망계집(望溪集)》 등이 전한다.

383 진기(秦紀)……것이리라 : 秦紀, 亦別載襄公後二百餘年事, 豈子長摭拾舊聞, 始將采用. 後復置之而錄者, 不知而妄附與, 是未可知也.(方苞, 《望溪集》 卷2 〈又書禮書序後〉)

384 진 양공(秦襄公)으로부터……년인데 : 《사기》 권6 〈진시황본기〉 제6에는 "右秦襄公至二世 六百一十歲"로 610년간으로 되어 있다. 이에 대해 《사기정의(史記正義)》 권6에서는 "秦本紀, 自襄公至二世, 五百七十六年矣. 年表, 自襄公至二世 五百六十一年, 三說並不同, 未知孰是."라고 지적하고 있는데, 〈진본기〉에 양공에서 이세까지 576년이라는 기사는 보이지 않고, 〈육국연표〉에는 주나라 원왕(元王) 원년인 기원전 476년, 즉 진(秦)나라 여공공(厲共公) 원년부터 이세황제 3년 때인 기원전 207년까지 270년간의 기록이 실려 있다. 〈육국연표〉에도 "余於是因秦記, 踵春秋之後, 起周元王, 表六國時事, 訖二世, 凡二百七十年, 著諸所聞興壞之端. 後有君子, 以覽觀焉."이라 하였다. 진 양공 원년인 기원전 777년부터 이세황제 3년인 기원전 207년까지의 기간은 571년이다.

《사기史記》의 정오正誤 36

〈사마양저전司馬穰苴傳〉

〈사마양저전(司馬穰苴傳)〉[385]에 다음과 같이 말하였다.

"전상이 간공(簡公)을 죽이고 고씨(高氏)와 국씨(國氏)의 일족을 모두 죽였으며,[386] 전상의 증손인 전화(田和)에 이르러서 스스로 왕위에 올라 제 위왕(齊威王)이 되었다."[387]

전화는 스스로 왕위에 올라 호를 '태공(太公)'이라 하였고, 그의 손자가 호를 '위왕(威王)'이라 하였으니, 여기에서 말한 '스스로 왕위에 올라 제 위왕이 되었다'는 것은 잘못된 문장이다.

《사기史記》의 정오正誤 37

〈악서樂書〉

〈악서(樂書)〉[388]에 다음과 같이 말하였다.

"한 무제(漢武帝)가 악와수(渥洼水)[389]에서 신마(神馬)[390]를 얻고는 노래를 지었다. 급암(汲黯)[391]이 '선제(先帝)의 백성들은 그 음악을 알지 못하였습니

---

385 사마양저전(司馬穰苴傳) : 《사기(史記)》 권64 〈사마양저열전(司馬穰苴列傳)〉 제4.

386 전상이……죽였으며 : 사마양저는 전양저(田穰苴)로, 제 경공(齊景公)이 그를 총애하여 대사마(大司馬)로 삼았기 때문에 사마양저로 불리게 되었다. 당시 대부 포씨(鮑氏)·고씨(高氏)·국씨(國氏)의 참소로 제 경공에게 배척당해 그로 인해 병이 나서 죽었다. 그의 후예 전걸(田乞)과 전표(田豹)가 그들에게 원한을 품었고, 전걸의 아들 전상이 고씨와 국씨의 일족을 모두 멸하였다.

387 전상이………되었다 : 田常殺簡公, 盡滅高子、國子之族, 至常曾孫和, 因自立爲齊威王.《史記》 卷64 〈仲尼弟子列傳〉 第4)

388 악서(樂書) : 《사기(史記)》 〈서(書)〉 권24 〈악서(樂書)〉 제2.

389 악와수(渥洼水) : 감숙성(甘肅省) 안서현(安西縣)에 위치한 강 이름으로, 악와(渥窪)라고도 한다. 신마(神馬)가 출현한 곳으로 전한다.

390 신마(神馬) : 악수구(渥水駒)라고도 한다.

391 급암(汲黯) : ?~기원전 112. 전한(前漢) 때의 명신으로, 하남(河南) 복양(濮陽) 출신이며, 자는 장유(長孺)이다. 성품이 강직하여 직간(直諫)하기를 좋아하여 한 무제가 '사직지신(社稷之臣)'이라고 일컬었다.

다.'라고 간언하였다. 무제가 불쾌해하자, 공손홍(公孫弘)[392]이 '급암이 성제(聖帝)께서 지으신 음악을 비방하였으니, 멸족의 죄에 해당합니다.'라고 하였다."[393]

신마가 나타난 것은 원정(元鼎)[394] 4년(기원전 113)인데,[395] 공손홍은 원수(元狩) 2년(기원전 121)에 죽었으니, 원정 개원까지 거의 7년이라는 오랜 기간의 차이가 있다. 급암은 원수 말에 회양(淮陽)에서 벼슬을 살고 있었고, 10년 동안 조정의 부름을 받지도 못했다.[396] 원정 연간에는 조정에 있지도 않았는데, 또 어찌 간쟁한 일이 있었겠는가. 이는 잘못된 글에 속한다.

《사기史記》에서 시호를 잘못 쓴 오류

〈노중련전魯仲連傳〉

〈노중련전(魯仲連傳)〉[397]에 다음과 같이 말하였다.

---

392 공손홍(公孫弘) : 기원전 200~기원전 121. 전한 때의 재상으로, 산동성(山東省) 등현(滕縣) 설(薛) 출신이며, 자는 계(季)이다. 원삭(元朔) 5년(기원전 124)에 승상(丞相)이 되었고 평진후(平津侯)에 봉해져, 최초의 승상봉후(丞相封侯)가 되었다.

393 한 무제(漢武帝)가……하였다 : 又嘗得神馬渥洼水中, 復次以爲太一之歌. 歌曲曰: "太一貢兮天馬下, 霑赤汗兮沫流赭. 騁容與兮跇萬里, 今安匹兮龍爲友." 後伐大宛得千里馬, 馬名蒲梢, 次作以爲歌. 歌詩曰: "天馬來兮從西極, 經萬里兮歸有德. 承靈威兮降外國, 涉流沙兮四夷服." 中尉汲黯進曰: "凡王者作樂, 上以承祖宗, 下以化兆民. 今陛下得馬, 詩以爲歌, 協於宗廟, 先帝百姓豈能知其音邪?" 上默然不說. 丞相公孫弘曰: "黯誹謗聖制, 當族."(《史記》〈書〉 卷24 〈樂書〉 第2)

394 원정(元鼎) : 원정(元鼎, 기원전 116~기원전 111)과 원수(元狩, 기원전 122~기원전 117)는 한 무제 때의 연호이다.

395 신마가……4년인데 : 이 고사는 《자치통감(資治通鑑)》 권19 〈한기(漢紀)〉에는 원수 3년의 일로 기록되어 있고, 《자치통감고이(資治通鑑考異)》 권1 〈한기 상(漢紀上)〉에는 "살펴보건대 〈천마가본지(天馬歌本志)〉에 '원수 3년에 악와수 안에서 말이 나왔다.' 하였고, ……공손홍은 원수 2년에 죽었고, 급암은 원수 3년에 우내사(右內史)에서 면직되었고, 5년에 회양태수가 되어 원정 5년에 죽었다.…… 혹자는 '말이 악와수에서 나와 노래를 지은 일은 원수 3년에 있었는데, 급암이 우내사가 되어 그 일을 비난하였으니, 멸족에 해당한다고 말한 사람은 공손홍이 아니다.' 하였다."라고 하였으니, 서유구가 원정 4년의 일이라고 한 것은 오기로 보이나, 분명하지 않다.

396 급암은……못했다 : 급암이 회양태수로 부임한 것은 오수전(五銖錢)으로 개주(改鑄)한 원수(元狩) 5년경(기원전 118)이고, 그 후 7년이 지난 원정(元鼎) 5년(기원전 112)에 죽은 것으로 보인다.(《사기》 권120 〈급정열전(汲鄭列傳)〉 제60 참조)

397 노중련전(魯仲連傳) : 《사기(史記)》 권83 〈노중련추양열전(魯仲連鄒陽列傳)〉 제23.

"위 안희왕(魏安釐王)[398]이 신원연(新垣衍)[399]을 조(趙)나라에 보내 조왕(趙王)에게 전하여 말하기를, '조나라에서 만약 사신을 파견하여 진 소왕(秦昭王)을 제왕으로 높이신다면……'이라고 하였다."[400]

【이것은 《전국책(戰國策)》 〈조책(趙策)〉의 오류를 그대로 따른 것이다.】[401]

《사기史記》에서 같은 내용을 반복하여 쓴 것 1
〈저리자감무전樗里子甘茂傳〉

〈저리자감무전(樗里子甘茂傳)〉[402]에 다음과 같이 말하였다.

"감무(甘茂)[403]에게 감라(甘羅)라는 손자가 있었다. 감라는 감무의 손자이다."[404]

---

398 위 안희왕(魏安釐王) : ?~기원전 243. 중국 전국시대 위나라의 군주로서는 6대, 왕으로서는 4대째이다. 소왕(昭王)의 아들로 이름은 어(圉)고 양왕(梁王)이라고 불린다. 재위 기간은 기원전 276년부터 기원전 243년까지다.

399 신원연(新垣衍) : 생몰년은 미상이다. 신원연(辛垣衍)이라고도 하며 중국 전국시대 위(魏)나라 사람이다. 장평전(長平戰) 이후 진(秦)이 조나라의 수도 한단을 포위하자, 위 안희왕이 신원연을 조나라에 보내어 진왕을 황제로 추대하도록 조왕을 설득하라고 시켰는데, 마침 조나라에 와 있던 노중련이 신원연을 만나 그 잘못을 조목조목 지적하여 이를 저지하였다.

400 위 안희왕(魏安釐王)이……하였다 : 魏王使客將軍新垣衍, 間入邯鄲, 因平原君謂趙王曰: "秦所爲急圍趙者, 前與齊湣王爭彊爲帝, 已而復歸帝; 今齊湣王已益弱, 方今唯秦雄天下, 此非必貪邯鄲, 其意欲復求爲帝. 趙誠發使尊秦昭王爲帝, 秦必喜, 罷兵去." 平原君猶預未有所決.(《史記》 卷83 〈魯仲連鄒陽列傳〉 第23)

401 이것은……것이다 : 《전국책》 〈조책 3〉에 이 기사를 기록하였는데, 《포씨전국책주(鮑氏戰國策注)》 권6에 "조나라에서 만약 사신을 파견하여 진 소왕을 제왕으로 높이신다면[趙誠發使尊秦昭王爲帝]"이라고 한 부분에 대한 포표(鮑彪)의 주(注)에 "시호를 일컫는 것은 당시의 말이 아니다[稱謚, 非當時語]."라고 하여, 시호를 일컬은 오류를 지적하였다.

402 저리자감무전(樗里子甘茂傳) : 《사기(史記)》 권71 〈저리자감무열전(樗裏子甘茂列傳)〉 제11.

403 감무(甘茂) : 생몰년은 미상이다. 전국시대 초(楚)나라 하채(下蔡) 사람이다. 장의(張儀)와 저리자(樗里子)에 의해 천거되어 진(秦)나라 혜문왕(惠文王)을 섬겼고, 무왕(武王) 때에는 좌상을 지냈다. 후에 공손석(公孫奭) 등의 참소를 받아 제(齊)나라로 달아나 상경(上卿)이 되었다.

404 감무(甘茂)에게……손자이다 : 甘茂有孫曰: 甘羅. 甘羅者, 甘茂孫也.(《史記》 卷71 〈樗裏子甘茂列傳〉 第11)

《사기史記》에서 같은 내용을 반복하여 쓴 것 2

〈왕전전王翦傳〉

〈왕전전(王翦傳)〉[405]에 이미 진(秦)나라 장군 이신(李信)[406]이 형(荊)나라를 공격하였으나 이신의 군대가 패하자 진시황이 이번에는 왕전(王翦)[407]을 등용하여 병사 60만을 이끌고 형나라를 공격하게 한 일을 서술한 것이 상세한데, 그 아래에 곧바로 다시 "왕전이 과연 이신을 대신하여 형나라를 정벌하였다."라고 하였다.[408]

《사기史記》에서 같은 내용을 반복하여 쓴 것 3

〈곽해전郭解傳〉

〈곽해전(郭解傳)〉[409]에서 처음에 "곽해(郭解)[410]의 사람됨은 키가 작고 체구가 왜소하나 날래고 힘이 세며 술을 마시지 않았다."라고 하였는데, 중간에 다시 "곽해의 사람됨은 키가 작고 체구가 왜소하며 술을 마시지 않았다."라는 글이 나온다.[411]

---

405 왕전전(王翦傳) : 《사기(史記)》 권73 〈백기왕전열전(白起王翦列傳)〉 제13.

406 이신(李信) : 생몰년은 미상이다. 전국시대 진(秦)나라의 장수로, 자는 유성(有成)이며, 괴리(槐里) 사람이다. 연(燕)나라를 멸하는 데에 공로가 있었다.

407 왕전(王翦) : 생몰년은 미상이다. 전국시대 진(秦)나라의 명장으로, 빈양(頻陽) 동향(東鄉) 사람이다. 연나라와 조(趙)나라를 멸하는 데에 공로가 있었다.

408 〈왕전전(王翦傳)〉에……하였다 : 李信攻平與, 蒙恬攻寢, 大破荊軍. 信又攻鄢郢, 破之, 於是引兵而西, 與蒙恬會城父. 荊人因隨之, 三日三夜不頓舍, 大破李信軍, 入兩壁, 殺七都尉, 秦軍走. ……王翦果代李信擊荊. 荊聞王翦益軍而來, 乃悉國中兵以拒秦.(《史記》 卷73 〈白起王翦列傳〉 第13)

409 곽해전(郭解傳) : 《사기(史記)》 권124 〈유협열전(遊俠列傳)〉 제64.

410 곽해(郭解) : 생몰년은 미상이다. 한(漢)나라 때의 사람으로, 자는 옹백(翁伯)이며, 하내(河內) 지현(軹縣) 사람이다. 호협한 기상과 행동이 있었다. 관중(關中)에 들어와 살 때에는 호걸(豪傑)들과 가깝게 교제했다. 뒤에 누군가의 참소를 받아 공손홍에 의해 가족이 모두 죽임을 당했다.

411 곽해전(郭解傳)에서……나온다 : 郭解, 軹人也, 字翁伯, 善相人者許負外孫也. 解父以任俠, 孝文時誅死. 解爲人短小精悍, 不飮酒. 少時陰賊, 慨不快意, 身所殺甚眾. ……解入關, 關中賢豪知與不知, 聞其聲, 爭交驩解. 解爲人短小, 不飮酒, 出未嘗有騎.(《史記》 卷124 〈遊俠列傳〉 第64)

《사기史記》에서 같은 내용을 반복하여 쓴 것 4

〈신릉군전信陵君傳〉

〈신릉군전(信陵君傳)〉[412]에 "신릉군(信陵君)[413]만은 식객들과 조(趙)나라에 머물렀다."라고 하고, 또 "신릉군은 마침내 조나라에 머물렀다."라고 하고, 그 아래에서 다시 "신릉군은 조나라에 머물렀다."라고 하였다.[414]

《사기史記》에서 같은 내용을 반복하여 쓴 것 5

〈노중련전魯仲連傳〉

〈노중련전(魯仲連傳)〉에 위에서 이미 "조나라에 유세하였다."라고 하고, 아래 문장에 다시 "이때 노중련이 마침 조나라에 유세하였다."라고 하였다.[415]【앞에서 "조나라에 유세하였다."라고 한 것은 사마천이 노중련이 제나라 사람이기 때문에 그가 신원연(新垣衍)에게 유세한 일을 서술하려고 하면서 '유어조(游於趙)'라는 세 글자를 먼저 제기한 것 뿐이다. 그러나 아래의 문장에

---

412 신릉군전(信陵君傳) : 《사기(史記)》 권77 〈위공자열전(魏公子列傳)〉 제17.

413 신릉군(信陵君) : ?~기원전 243. 위무기(魏無忌)로, 전국시대 위(魏)나라 정치가, 군사가이다. 위 소왕(魏昭王)의 아들이며, 신릉(信陵)에 봉해져 신릉군으로 불렸다. 저서로는 《위공자병법(魏公子兵法)》이 있다.

414 신릉군전(信陵君傳)에……하였다 : 魏王怒公子之盜其兵符, 矯殺晉鄙, 公子亦自知也. 已卻秦存趙, 使將將其軍歸魏, 而公子獨與客留趙. 趙孝成王德公子之矯奪晉鄙兵而存趙, 乃與平原君計, 以五城封公子. 公子聞之, 意驕矜而有自功之色. 客有說公子曰: "物有不可忘, 或有不可不忘. 夫人有德於公子, 公子不可忘也; 公子有德於人, 願公子忘之也. 且矯魏王令, 奪晉鄙兵以救趙, 於趙則有功矣, 於魏則未爲忠臣也. 公子乃自驕而功之, 竊爲公子不取也." 於是公子立自責, 似若無所容者. 趙王埽除自迎, 執主人之禮, 引公子就西階. 公子側行辭讓, 從東階上. 自言罪過, 以負於魏, 無功於趙. 趙王侍酒至暮, 口不忍獻五城, 以公子退讓也. 公子竟留趙. 趙王以鄗爲公子湯沐邑, 魏亦復以信陵奉公子. 公子留趙.(《史記》 卷77 〈魏公子列傳〉 第17)

415 노중련전(魯仲連傳)에……하였다 : 魯仲連者, 齊人也. 好奇偉俶儻之畫策, 而不肯仕宦任職, 好持高節. 游於趙. 趙孝成王時, 而秦王使白起破趙長平之軍前後四十餘萬, 秦兵遂東圍邯鄲. 趙王恐, 諸侯之救兵莫敢擊秦軍. 魏安釐王使將軍晉鄙救趙, 畏秦, 止於蕩陰不進. 魏王使客將軍新垣衍閒入邯鄲, 因平原君謂趙王曰: "秦所爲急圍趙者, 前與齊湣王爭彊爲帝, 已而復歸帝; 今齊湣王已益弱, 方今唯秦雄天下, 此非必貪邯鄲, 其意欲復求爲帝. 趙誠發使尊秦昭王爲帝, 秦必喜, 罷兵去." 平原君猶預未有所決. 此時魯仲連適游趙, 會秦圍趙, 聞魏將欲令趙尊秦爲帝, 乃見平原君曰…(《史記》 卷83 〈魯仲連鄒陽列傳〉 第23)

서 《전국책》을 인용하여 "이때 노중련이 마침 조나라에 유세하였다."라고 하였으니, 앞 문장의 '유어조(游於趙)' 세 글자는 삭제해야 한다.】

《사기史記》에서 같은 내용을 반복하여 쓴 것 6

〈천관서天官書〉

〈천관서(天官書)〉[416]에 "단알(單閼)[417]의 해에는 세음(歲陰)[418]이 묘(卯)에 있고, 세성(歲星)[419]이 자(子)의 방위에 있다. 2월에 무녀성(婺女星)[420] · 허수(虛宿) · 위수(危宿)[421]와 함께 새벽에 나타나는데, 이를 강입(降入)[422]이라고 부른

---

416 천관서(天官書) : 《사기(史記)》 〈서(書)〉 권27 〈천관서(天官書)〉 제5.

417 단알(單閼) : 묘년(卯年)의 별칭(別稱)이다. 《이아(爾雅)》 〈석천(釋天)〉에 "태세(太歲)가 인(寅)에 있을 때를 섭제격(攝提格), 묘(卯)에 있을 때를 단알이라고 한다."라고 하였다.

418 세음(歲陰) : 십이지(十二支)를 뜻하는 말로 태음(太陰)이라고도 부른다. 상대적으로 십간(十幹)은 세양(歲陽)이라고 한다. 세양(歲陽)은 태세(太歲)와 같은 말로, 고대 천문학에서 가설로 세운 세성(歲星)을 가리킨다. 고대에는 세성(歲星, 木星)이 12년에 한 번 하늘을 돈다고 여겼다. 목성의 공전궤도를 12등분하고 목성의 위치에 따라 그해의 이름을 정하였는데 이를 세성기년법(歲星紀年法)이라 한다. 태세가 갑에 있을 때에는 알봉(閼逢), 을에 있을 때에는 전몽(旃蒙)이라 하며, 인에 있을 때에는 섭제격, 묘에 있을 때에는 단알이라고 한다. 이것으로 한 해의 이름을 정하였는데, 예를 들어 을묘년은 '전몽단알'이라고 한다.

天干	甲	乙	丙	丁	戊	己	庚	辛	壬	癸		
古甲子	閼逢 알봉	旃蒙 전몽	柔兆 유조	疆圉 강어	著雍 저옹	屠維 도유	上章 상장	重光 중광	玄黓 현익	昭陽 소양		
地支	子	丑	寅	卯	辰	巳	午	未	申	酉	戌	亥
古甲子	困敦 곤돈	赤奮若 적분약	攝提格 섭제격	單閼 단알	執徐 집서	大荒落 대황락	敦牂 돈장	協洽 협흡	涒灘 군탄	作噩 작악	閹茂 엄무	大淵獻 대연헌

419 세성(歲星) : 목성(木星)이다. 옛날 사람들은 목성이 하늘을 한 바퀴 도는 데 12년이 걸린다고 여겨, 황도를 12분하여 목성이 있는 자리를 가지고 해를 기록하였다.

420 무녀성(婺女星) : 여수(女宿)로서 포백(布帛)을 관장하는 별이다.

421 무녀성(婺女星) · 허수(虛宿) · 위수(危宿) : 무녀성은 여수(女宿)니, 허수 · 위수와 더불어 28수 가운데 북방의 현무(玄武) 7수의 세 번째, 네 번째, 다섯 번째 수이다.

		이십팔수(二十八宿)
동(東)	창룡(蒼龍) 7수	각수(角宿) · 항수(亢宿) · 저수(氐宿) · 방수(房宿) · 심수(心宿) · 미수(尾宿) · 기수(箕宿)
서(西)	백호(白虎) 7수	규수(奎宿) · 누수(婁宿) · 위수(胃宿) · 묘수(昴宿) · 필수(畢宿) · 자수(觜宿) · 삼수(參宿)
남(南)	주조(朱鳥) 7수	정수(井宿) · 귀수(鬼宿) · 유수(柳宿) · 성수(星宿) · 장수(張宿) · 익수(翼宿) · 진수(軫宿)
북(北)	현무(玄武) 7수	두수(斗宿) · 우수(牛宿) · 여수(女宿) · 허수(虛宿) · 위수(危宿) · 실수(室宿) · 벽수(壁宿)

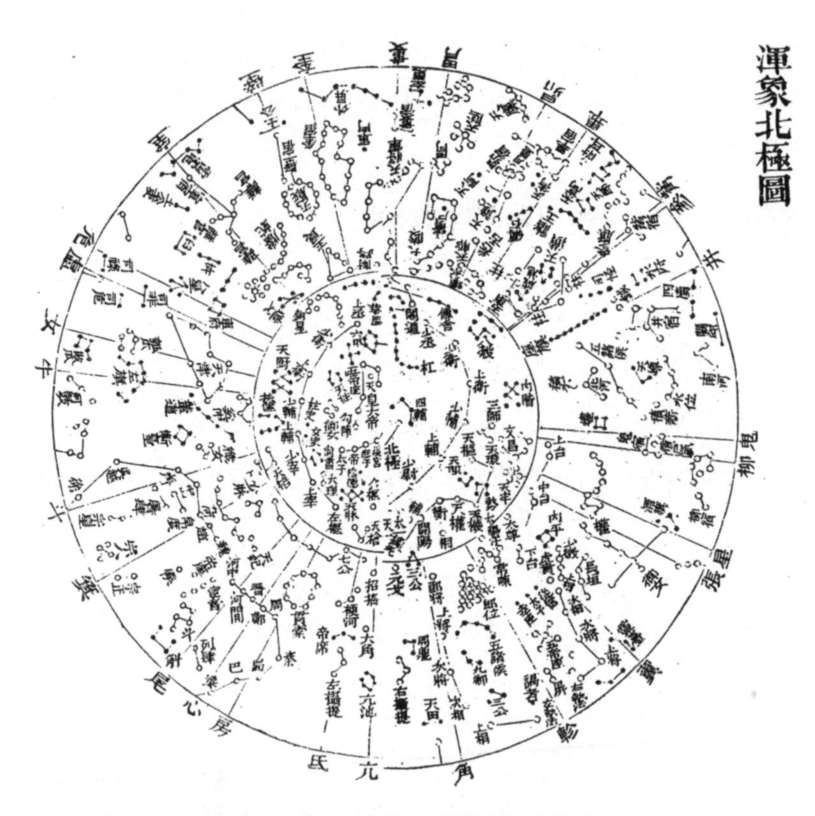

소송(蘇頌),《신의상법요(新儀象法要)》 권 중(卷中), 혼상북극도(渾象北極圖)

다.”라고 하고, 그 아래에 또 “목성이 성차(星次)를 어기면 그 응험이 장수(張宿)의 분야(分野)에 나타나는데,[423] 이를 강입이라 한다.”[424]라고 하였다.

---

422 강입(降入) : 《사기색은(史記索隱)》 권9에서는 “강입이라고 한다[曰降入]”에 대하여 “세성이다. 3월 새벽에 동방에 나타나는 별 이름이다. 그 나머지도 모두 이것에 준하여 판단한다[即歲星 三月晨見東方之名 其餘竝准此]”라고 설명하였다.

423 목성이……나타나는데 : 장수(張宿)는 28수의 하나로, 남방의 주작(朱雀) 7수 중 다섯 번째 별자리로서 여섯 개의 별로 이루어져 있다. 분야(分野)는 28수의 위치와 중국의 각 지역을 대응시켜 구분 지은 것으로, 장수의 분야는 주(周) 삼하(三河)이다. 곧 목성이 성차를 잃으면 삼하 지역에 응험이 나타난다는 말이다.

424 천관서(天官書)에……하였다 : 單閼歲：歲陰在卯, 星居子. 以二月與婺女、虛、危晨出, 曰降入. 大有光. 其失次, 有應見張. [名曰降入]其歲大水.(《史記》〈書〉 卷27 〈天官書〉 第5)

地支	丑	子	亥	戌	酉	申	未	午	巳	辰	卯	寅
十二次	星紀	玄枵	諏訾	降婁	大梁	實沈	鶉首	鶉火	鶉尾	壽星	大火	析木
黃道十二宮	摩羯宮	寶瓶宮	雙魚宮	白羊宮	金牛宮	雙子宮	巨蟹宮	獅子宮	室女宮	天秤宮	天蠍宮	人馬宮
二十八宿	門, 牛	虛, 危, 女	壁, 室	婁, 奎	畢, 昂, 胃	參, 觜	鬼, 井	柳, 星, 張	翼, 軫	角, 亢	心, 房, 氐	箕, 尾
十二分野	吳 揚州	齊 青州	衛 並州	魯 徐州	趙 冀州	晉 益州	秦 雍州	周 三河	楚 荊州	鄭 兗州	宋 豫州	燕 幽州
方位	北方玄武			西方白虎			南方朱雀			東方蒼龍		

《사기史記》에서 잘못 쓴 글자

〈초원왕세가楚元王世家〉

〈초원왕세가(楚元王世家)〉[425]의 조왕(趙王) 수(遂) 세가(世家)에 다음과 같이 말하였다.

"효문제(孝文帝) 2년에 유수(劉遂)[426]의 동생 벽강(辟彊)을 세우고 조나라의 하간군(河間郡)을 떼어주어 하간왕(河間王)으로 삼아 문왕(文王)으로 삼았다."[427]

문왕은 벽강의 시호니, "문왕으로 삼았다[以爲文王]"라는 네 글자는 문리(文理)에 맞지 않다. '이(以)' 자는 혹시 '시(是)' 자를 잘못 쓴 것이 아닌지 의심된다.[428]

---

425 초원왕세가(楚元王世家) : 《사기(史記)》 권50 〈초원왕세가(楚元王世家)〉 제20.

426 유수(劉遂) : ?~기원전 154. 조(趙)나라 왕으로, 한(漢) 고조 유방(劉邦)의 여섯째 아들인 조왕(趙王) 유우(劉友)의 아들이다.

427 효문제(孝文帝)……삼았다 : 孝文帝即位二年, 立遂弟辟彊, 取趙之河間郡爲河間王, 以爲文王. 立十三年卒, 子哀王福立. 一年卒, 無子, 絕後, 國除, 入于漢.(《史記》 卷50 〈楚元王世家〉 第20)

428 '이(以)'자는……의심된다 : 서유구는 "하간왕(河間王)으로 삼아 문왕(文王)으로 삼았다[爲河間王, 以爲文王]."라고 하는 문장이 문리(文理)에 맞지 않으므로 '이(以)'자를 '시(是)'자로 보아 "하간왕으로 삼았으니 곧 문왕이다[爲河間王, 是爲文王]"가 되어야 한다고 주장한 것이다.

《사기史記》에서 군더더기로 쓴 말

〈오자서전伍子胥傳〉 외

〈오자서전(伍子胥傳)〉[429]의 "그로부터 4년 후에 공자(孔子)가 노나라의 국정을 맡아 보았다."라고 한 말, 〈백기전(白起傳)〉의 "이 해에 양후(穰侯)[430]가 진(秦)나라의 승상이 되었고, 임비(任鄙)[431]를 기용하여 한중(漢中)의 태수로 삼았다."라고 한 말, 〈맹상군전(孟嘗君傳)〉의 "이 해에 양 혜왕(梁惠王)이 죽었다."라고 한 말, 〈춘신군전(春申君傳)〉의 "춘신군(春申君)[432]이 재상이 된 지 14년 되던 해에 진 장양왕(秦莊襄王)[433]이 즉위하여 여불위(呂不韋)[434]를 승상으로 삼고 문신후(文信侯)에 봉한 다음 동주(東周)를 취하였다."라고 한 말, 〈이목전(李牧傳)〉의 "그로부터 2년이 지나 조나라 장수 방원(龐煖)이 연나라 군대를 격파하고 극신(劇辛)[435]을 죽였다."라고 한 말들이 그러하다.

---

429 오자서전(伍子胥傳) : 《사기(史記)》 권66 〈오자서열전(伍子胥列傳)〉 제6.

430 양후(穰侯) : 생몰년은 미상이다. 위염(魏冉)으로, 진(秦) 소양왕(昭襄王)의 어머니인 선태후(宣太后)의 동생이다. 네 차례 진나라 승상을 지냈고, 양(穰) 땅에 봉해졌기 때문에 이와 같이 불렸다.

431 임비(任鄙) : ?~기원전 288. 전국시대 진(秦)나라 사람이다. 진 무왕(秦武王)이 용력(勇力)을 좋아하여 무왕의 총애를 받았다. 관직은 한중 태수(漢中太守)를 지냈다.

432 춘신군(春申君) : ?~기원전 238. 황헐(黃歇)로, 전국시대 초(楚)나라 황지(黃地) 사람이다. 초나라 고열왕(考烈王) 때 재상(宰相)이 되었고, 춘신군으로 봉해져 회수(淮水) 북쪽의 12현(縣)을 봉읍으로 받았다.

433 장양왕(莊襄王) : 재위 기간은 기원전 249년부터 기원전 247년까지다.

434 여불위(呂不韋) : 기원전 292~기원전 235. 전국시대 말기 위(衛)나라 복양(濮陽) 사람으로, 진(秦)나라에서 승상을 지냈다. 진 장양왕이 상국으로 삼고, 문신후에 봉했으며, 진 장양왕이 죽은 뒤 어린 태자 정(政)이 왕이 되어서는 상방(相邦)으로 삼고 중보(仲父)라고 일컬었다.

435 극신(劇辛) : ?~기원전 243. 전국시대 조(趙)나라 사람으로, 연 소왕(燕昭王)이 현자를 초빙할 때 조나라에서 연나라로 건너와 장수가 되었다. 연왕 희(燕王喜) 13년에 조나라를 공격하다가, 조나라 장수 방원에게 살해당했다.

《사기史記》에서 사건의 전말이 확실히 드러나지 않은 문장

〈양후전穰侯傳〉

〈양후전(穰侯傳)〉[436]에 "위염(魏冉)[437]이 진(秦)나라의 승상이 되어 여례(呂禮)를 죽이려고 하자, 여례가 제(齊)나라로 도망하였다."[438]라고 하였다.

여례가 무슨 일에 연좌되었기에 죽이려고 했는지 모르겠다.[439]

《사기史記》의 구두句讀

구두【거성】는 또한 문장의 기세와 깊은 관계가 있다. 비곤(費袞)[440]의 《양계만지(梁谿漫志)》[441]에 다음과 같은 글이 있다.

"《사기》〈위청전(衛青傳)〉의 '남이 종으로 부린다 해도 살면서 매를 맞거나 욕설을 듣지 않는다면 그걸로 족하네[人奴之生得無笞罵足矣]'[442]라는 문장

---

436 양후전(穰侯傳) : 《사기(史記)》 권72 〈양후열전(穰侯列傳)〉 제12.

437 위염(魏冉) : 진(秦) 소양왕(昭襄王)의 어머니 선태후(宣太后)의 이부제(異父弟), 즉 소양왕의 외삼촌이다. 네 차례 진나라 승상을 지냈고, 양(穰 : 지금의 河南省 鄧縣) 땅에 봉해져 양후(穰侯)로 불린다.

438 위염(魏冉)이……도망하였다 : 於是仇液從之. 而秦果免樓緩而魏冉相秦. 欲誅呂禮, 禮出奔齊.(《史記》 卷72 〈穰侯列傳〉 第12)

439 여례가……모르겠다 : 〈양후열전〉에는 이렇게 간단히 기술되어 있어 서유구가 의문을 갖게 된 것 같다. 〈맹상군열전〉을 보면 대략의 사정을 짐작할 수는 있다. 내용은 다음과 같다. 진나라에서 망명해 온 장군 여례가 제나라 재상이 되어 소대를 곤경에 빠뜨리려 하자 소대가 맹상군에게 진나라와 제나라가 화친하게 하려던 여례의 뜻과 반대로 유세하여 맹상군이 진나라 재상 양후에게 제나라를 치기를 권하는 편지를 보냈다. 이에 양후가 진나라 소왕에게 말하여 제나라를 치자 여례가 달아나 버렸다는 이야기다.
孟嘗君懼, 乃遺秦相穰侯魏冉書曰: "吾聞秦欲以呂禮收齊, 齊, 天下之彊國也, 子必輕矣. 齊秦相取以臨三晉, 呂禮必并相矣, 是子通齊以重呂禮也. 若齊免於天下之兵, 其讎子必深矣. 子不如勸秦王伐齊. 齊破, 吾請以所得封子. 齊破, 秦畏晉之彊, 秦必重子以取晉. 晉國敝於齊而畏秦, 晉必重子以取秦. 是子破齊以爲功, 挾晉以爲重; 是子破齊定封, 秦、晉交重子. 若齊不破, 呂禮復用, 子必大窮." 於是穰侯言於秦昭王伐齊, 而呂禮亡.(《史記》 卷75 〈孟嘗君列傳〉 第15)

440 비곤(費袞) : 1190~1194. 남송 때 진사(進士)로, 자는 보지(補之), 상주(常州) 무석(無錫) 사람이다. 저서로는 《양계만지(梁溪漫志)》·《문선이선오신주동이(文選李善五臣注同異)》 등이 있다.

441 양계만지(梁谿漫志) : 비곤(費袞)의 필기(筆記)로 모두 10권으로 구성되어 있다. 양계(梁溪)는 무석(無錫)의 다른 이름이다. 송대의 정사와 전장(典章)을 기록하였고 역사 고증과 시문 평론이 주요 내용이며 간간이 사소한 이야기들도 들어 있다.

442 남이……족하네 : 青嘗從入至甘泉居室, 有一鉗徒相青曰: "貴人也, 官至封侯." 青笑曰: "人奴之生

은 '남이 종으로 부린다 해도[人奴之]'가 하나의 구(句)가 되고, '살면서 매를 맞거나 욕설을 듣지 않는다면 그걸로 족하네[生得無笞罵足矣]'가 하나의 구가 된다. 생(生)의 구두는 '살아서 결국 번쾌(樊噲) 등과 같은 부류가 되었구나[生乃與噲等爲伍]'[443]의 '생'과 같으니, '남이 나를 종으로 부린다 해도 평생 매를 맞거나 욕설을 듣지 않는다면 족하다.'라고 한다면, 말에 의미가 있고, 구법(句法)도 웅건하다. 지금 사람 중에 더러 '남의 집 종으로 살면서[人奴之生]'를 하나의 구로 삼는 경우가 있으니, 단지 한 글자를 옮겨 앞의 구에 두는 것만으로도 바로 문장이 평범하고 천근(淺近)해진다."[444]

우리나라의 최간이(崔簡易)[445]가 〈항우본기(項羽本紀)〉[446]를 읽을 때마다 '처음 군대를 일으켰는데[初起]'를 하나의 구로 삼고, '당시 나이가 24세였다[時年二十四]'를 하나의 구로 삼았다.[447] 집안의 계집종이 귀에 익숙히 들은 터에, 어느날 물을 길어 오며 한 글방을 지나다가 서생들이 〈항우본기〉를 소리 내어 읽는 소리를 들었는데, '처음 군대를 일으켰을 때[初起時]'를 하나의 구로 삼고, '나이가 24세였다[年二十四]'를 하나의 구로 삼고 있었다. 계집종이 웃으며 말하기를, "우리 집 주인어른의 구두와는 사뭇 다르네. 왜 시(時) 자를 아래 구에 붙여 읽지 않지?"라고 하였다. 이 얘기가 지금까지 이야깃거리로 전한다.

得毋笞罵即足矣, 安得封侯事乎!"(《史記》 卷111 〈衛將軍驃騎列傳〉 第51)

443 살아서……되었구나 : 信嘗過樊將軍噲, 噲跪拜送迎, 言稱臣, 日: "大王乃肯臨臣!" 信出門, 笑日: "生乃與噲等爲伍!" 上常從容與信言諸將能不, 各有差.(《史記》 卷92 〈淮陰侯列傳〉 第32)

444 사기 위청전(衛青傳)의……천근(淺近)해진다 : 西漢句讀:西漢極有好語, 患在讀者, 亂其句讀〈去聲〉. 如衛青傳云: 人奴之生得無笞罵足矣, 安得封侯事乎? 人奴之爲一句, 生得無笞罵足矣爲一句. 生讀如生乃與噲等爲伍之生, 謂人方奴我. 平生得無笞罵已足矣, 安敢望封侯事, 則語有意味, 而句法雄健. 今人或以人奴之生爲一句, 只移一字在上句, 便凡近矣.(費袞, 《梁谿漫志》 卷5)

445 최간이(崔簡易) : 최립(崔岦, 1539~1612)으로, 본관은 통천(通川), 자는 입지(立之), 호는 간이(簡易) 또는 동고(東皐)이다. 글씨에 뛰어나 송설체(松雪體)의 일가를 이루었고, 문장은 의고문체(擬古文體)에 뛰어났다. 저서에는 《간이집(簡易集)》 등이 있다.

446 항우본기(項羽本紀) : 《사기(史記)》 권7 〈항우본기(項羽本紀)〉 제7.

447 처음……삼았다 : 項籍者, 下相人也, 字羽. 初起時年二十四.(《史記》 卷7 〈項羽本紀〉 第7)

‘承’ 자와 ‘乘’ 자의 통용

구광정(丘光庭)[448]의 《겸명서(兼明書)》[449]에서 《사기(史記)》의 “我承其弊[우리는 그들이 지친 틈을 탈 수 있고]”[450]에 대해 다음과 같이 논하였다. “‘承’ 자는 윗사람을 받든다는 뜻이므로 논리상 타당하지 않다. ‘乘陵[산등성이를 타다]’의 ‘乘’이 되어야 한다.”[451]

사마천은 본래 ‘承’ 자를 ‘乘’ 자와 통용하였다. 〈맹상군전(孟嘗君傳)〉[452]에서 “文承閒問其父嬰[453][전문(田文)이 한가한 틈을 타서 아비 전영(田嬰)에게 물었다]”이라고 한 경우가 이에 해당한다.

고기반찬을 먹다

《사기》 〈채택전(蔡澤傳)〉[454]의 “吾持粱刺齒肥[내가 기장밥을 먹고 고기반찬을

---

448 구광정(丘光庭) : 오대(五代, 907~960) 때 사람으로, 태학박사(太學博士)를 역임하였다. 저서로 《겸명서(兼明書)》, 《강교론(康敎論)》 등이 있다. 진진손(陳振孫)의 《직재서록해제(直齋書錄解題)》에는 당(唐)나라 때의 사람으로 되어 있다.

449 겸명서(兼明書) : 오대(五代) 때 구광정(丘光庭)이 편찬한 고증(考證) 문헌으로 먼저 제서(諸書)를 총론하고, 다음 오경(五經)과 《논어》·《맹자》·《효경》을 논하였으며, 다음 잡설(雜說)을 논하고, 다음 자서(字書)를 논하여 12개 부문으로 나눈 것이 모두 1백 20조(條)가 되는데 모두 증거를 대고 자세히 변증하였다.(《四庫全書總目提要》 〈子部 雜家類〉)

450 我承其弊 : 項羽曰: ‘吾聞秦軍圍趙王鉅鹿, 疾引兵渡河, 楚擊其外, 趙應其內, 破秦軍必矣.’ 宋義曰: ‘不然. 夫搏牛之虻不可以破蟣蝨. 今秦攻趙, 戰勝則兵罷, 我承其敝, 不勝, 則我引兵鼓行而西, 必擧秦矣. 故不如先鬥秦趙. 夫被堅執銳, 義不如公, 坐而運策, 公不如義.(《史記》 卷7 〈項羽本紀〉 第7)

451 사기(史記)의……되어야 한다 : 《史記》 宋義云 : “今秦攻趙, 戰勝則兵罷, 我承其敝.” 明曰: “‘承’字, 奉上之義, 於理不安, 當作乘陵之乘. 承與乘勝逐北, 以剛乘柔其意同也.”(丘光庭, 《兼明書》, 卷5 〈雜說〉 ‘我承其敝’)

452 맹상군전(孟嘗君傳) : 《사기(史記)》 권75 〈맹상군열전(孟嘗君列傳)〉 제15.

453 文承閒問其父嬰 : 久之, 文承閒問其父嬰曰: ‘子之子爲何?’ 曰: ‘爲孫.’ ‘孫之孫爲何?’ 曰: ‘爲玄孫.’ ‘玄孫之孫爲何?’ 曰: ‘不能知也.’ 文曰: ‘君用事相齊, 至今三王矣, 齊不加廣, 而君私家富累萬金, 門下不見一賢者. 文聞將門必有將, 相門必有相. 今君後宮蹈綺縠, 而士不得裋褐, 僕妾餘粱肉, 而士不厭糟糠. 今君又尙厚積餘藏, 欲以遺所不知何人, 而忘公家之事日損, 文竊怪之.’ 於是嬰迺禮文, 使主家待賓客.(《史記》 卷75 〈孟嘗君列傳〉 第15)

454 채택전(蔡澤傳) : 《사기(史記)》 권79 〈범저채택열전(范雎蔡澤列傳)〉 제19.

먹으며]"[455]에 대해 《사기색은(史記索隱)》에서 "'刺齒肥'는 '齧肥'가 되어야 하니, '고기반찬을 먹는다'라는 말이다."[456]라고 하였다.

《예기(禮記)》 〈곡례(曲禮)〉의 "毋刺齒"[457]에 대한 정현(鄭玄)의 주(註)에서 "입을 오물오물 움직이는 것이다[爲其弄口也]"[458]라고 하였다. 《사기》에서 말한 "刺齒肥"는 대체로 입을 오물오물 움직여 고기반찬을 먹는다는 말일 뿐이니, 글자가 잘못된 것은 아니다.

《전국책》과 《사기》의 우열 1

《전국책》에 "진진(陳軫)[459]이 서수(犀首)[460]를 보고 '공은 일을 싫어하십니까? 어찌하여 먹고 마시기만 하고 하는 일은 없습니까?'라고 하니, 서수가 말하기를, '제가 불초하여 일을 얻지 못한 탓이지, 어찌 감히 일을 싫

---

455 吾持粱刺齒肥 : 蔡澤者, 燕人也. 遊學幹諸侯 小大甚衆, 不遇. 而從唐擧相, 曰: '吾聞先生相李兌, 曰《百日之內持國秉》, 有之乎?'曰: '有之.'曰: '若臣者何如?'唐擧孰視而笑曰: '先生曷鼻, 巨肩, 魋顔, 蹙齃, 膝攣. 吾聞聖人不相, 殆先生乎?'蔡澤知唐擧戲之, 乃曰: '富貴吾所自有, 吾所不知者壽也, 願聞之.'唐擧曰: '先生之壽, 從今以往者四十三歲.'蔡澤笑謝而去, 謂其禦者曰: '吾持粱刺齒肥, 躍馬疾驅, 懷黃金之印, 結紫綬於要, 揖讓人主之前, 食肉富貴, 四十三年足矣.'去之趙, 見逐. 之韓·魏, 遇奪釜鬲於塗. 聞應侯任鄭安平·王稽皆負重罪於秦, 應侯內慚, 蔡澤乃西入秦.(《史記》 卷79 〈蔡澤列傳〉 第19)

456 刺齒肥는……말이다 : 持粱, 謂作粱米飯而持其器以食也. 刺齒肥, 按: 刺齒二字字誤, 當爲齧字也. 齧肥謂食肥肉也.(司馬貞, 《史記索隱》 卷20)

457 毋刺齒 : 侍食於長者, 主人親饋, 則拜而食. 主人不親饋, 則不拜而食. 共食不飽, 共飯不澤手. 毋摶飯, 毋放飯, 毋流歠. 毋吒食, 毋齧骨, 毋反魚肉, 毋投與狗骨. 毋固獲. 毋揚飯, 飯黍毋以箸. 毋嚃羹, 毋絮羹, 毋刺齒, 毋歠醢. 客絮羹, 主人辭不能亨. 客歠醢, 主人辭以窶. 濡肉齒決, 乾肉不齒決, 毋嘬炙. 卒食 客自前跪, 徹飯齊, 以授相者. 主人興辭於客, 然後客坐.(《禮記》 〈曲禮〉)
'毋刺齒'에 대해 《예기집설(禮記集說)》에서는 "取齒間之餘也"라고 하였다.

458 입을……것이다 : 鄭氏日蛇旨嫌薄之園骨爲有聲響不敬反魚肉刻巴歷口人所穢投與狗骨爲共賤飲食之物回護爲其不廉也欲專之日固爭取日護. 이에 대한 공영달(孔穎達)의 소(疏)는 다음과 같다. "毋刺齒者, 口容止, 部得刺弄之, 爲不敬也, 謂其弄口. 〈少儀〉曰: '口容止', 容儀欲靜止也."

459 진진(陳軫) : 전국시대 제나라 사람으로 종횡가(縱橫家)이다. 장의와 함께 진(秦) 혜왕(惠王)을 섬겼는데, 모두 중용되어 총애를 다투었다. 진나라에 머문 지 1년 만에 진 혜왕은 끝내 장의를 재상으로 삼았고, 진진은 초나라로 달아났다. 초나라는 그를 중용하지 않으면서도 진진을 진나라에 사신으로 보냈다. 가는 길에 양나라를 들러 서수(犀首)를 만나 한 대화의 내용이 바로 이 부분이다.

460 서수(犀首) : 전국시대 위(魏)나라의 관명으로, 무관직(武官職)이다. 《사기색은》에서는 "官名, 若虎牙之類."라고 하였고, 사마표(司馬彪)의 《전국책주(戰國策注)》에서는 "犀首, 魏官, 若今虎牙將軍."이라 하였다. 여기서는 서수의 직책에 있었던 전국시대 위(魏)나라 음진(陰晉) 사람 공손연(公孫衍)을 가리킨다.

어해서겠습니까.'라고 하자, 진진이 '천하의 일을 공이 할 수 있도록 해드리겠습니다[移天下之事於公]'라고 하였다."[461]

이 내용이 《사기》에는 다음과 같이 기재되어 있다. "진진이 '공은 어찌하여 술 마시길 좋아하십니까?'라고 하니, 서수가 '일이 없어서입니다.'라고 하자, 진진이 '내가 일에 물리도록[饜事] 해 드려도 괜찮습니까?'라고 하였다."[462]

'饜事' 2자로 '移天下之事於公' 7자를 바꾸었으니, 문득 간결한 느낌이 든다.

《전국책》과 《사기》의 우열 2

《전국책》에 다음과 같은 내용이 있다.

"감라(甘羅)[463]가 장경(張卿)[464]을 만나서 '경과 무안군(武安君)[465] 중에 누구의 공이 더 큽니까?'라고 하니, 장경이 '무안군은 전쟁에 승리하여 빼앗은 땅이 부지기수고, 성을 공격하여 함락한 고을이 부지기수니, 무안군만 못하다.'라고 하였다. 감라가 '경은 공이 무안군만 못하다고 확신하십니까?'라고 하니, 장경이 '확신한다.'라고 하였다. 감라가 '응후(應侯)[466]가 진나라

---

461 진진(陳軫)이……하였다 : 陳軫爲秦使於齊, 過魏, 求見犀首, 犀首謝陳軫. 陳軫曰: "軫之所以來者, 事也; 公不見軫, 軫且行, 不得待異日矣." 犀首乃見之. 陳軫曰: "公惡事乎 , 何爲飮食而無事? 無事必來." 犀首曰: "衍不肖, 不能得事焉, 何敢惡事.?" 陳軫曰: "請移天下之事於公?" 犀首曰: "奈何?"(《戰國策》〈魏策 一〉〈陳軫爲秦使於齊〉)

462 진진이……하였다 : 居秦期年, 秦惠王終相張儀, 而陳軫奔楚. 楚未之重也, 而使陳軫使於秦. 過梁, 欲見犀首. 犀首謝弗見. 軫曰: '吾爲事來, 公不見軫, 軫將行, 不得待異日.' 犀首見之. 陳軫曰: '公何好飮也?' 犀首曰: '無事也.' 曰: '吾請令公厭事, 可乎?'(《史記》卷70 〈張儀列傳〉 第10)

463 감라(甘羅) : 감무(甘茂)의 손자로, 문신후(文信侯)의 가신(家臣)이었다.

464 장경(張卿) : 진(秦)나라의 장수 장당(張唐)이다.

465 무안군(武安君) : 백기(白起, ?~기원전 257)로, 성은 영(嬴)이다. 진(秦)나라의 명장으로 손무(孫武), 오기(吳起) 이후의 유명한 군사전략가이다.

466 응후(應侯) : 범저(范雎, ?~기원전 255)로, 전국시대 위(魏)나라 사람이다. 진(秦)나라 소왕(昭王) 때에 재상을 역임하였고 뒤에 응후에 봉해졌다.

에 등용되었을 때 문신후(文信侯)[467]의 전권과 비교하여 누구의 권한이 더 큽니까?'라고 하니, 장경이 '응후의 권한이 문신후만큼 크지 않다.'라고 하였다. 감라가 '경은 응후의 권한이 문신후만큼 크지 않다고 확신하십니까?'라고 하니, 장경이 '확신한다.'라고 하였다."[468]

이미 묻고 또 물어 반복을 꺼리지 않은 것은 사실대로 말하게 한 뒤에 자신의 말을 하려고 한 것이다. 그러나 장경이 응후를 논할 때 '문신후만 못하다[不如文信侯]'라고 하였을 뿐 다른 말이 없었으니, 감라가 다시 물은 것은 당연하다. 그렇지만 무안군을 논할 때 '전쟁에 승리하여 땅을 빼앗았다[戰勝攻取]', '성을 공격하여 고을을 함락했다[攻城墮邑]'라는 몇 마디로 더 이상 덧붙일 말이 없을 정도로 이미 상세하게 설명하였으니, 또한 어찌 다시 물을 필요가 있겠는가. 다시 물은 것은 군더더기에 가깝다. 《사기》에는 응후의 일에 대해 다시 물은 내용이 있지만, 무안군의 일에 대해서는 다시 묻는 내용이 없으니,[469] 남겨둘 것은 남겨두고 삭제할 것은 삭제한 뜻을 살펴볼 때에 적절하게 잘 헤아린 점이 있었다고 할 수 있다.

《전국책》과 《사기》의 우열 3

《전국책》에 다음과 같이 말하였다.

"조나라가 진나라와 함께 제나라를 치려고 하자, 제나라가 두려워하여 전장(田章)으로 하여금 양무(陽武)[470] 땅을 떼어 조나라와 강화를 맺도록 하면

---

467 문신후(文信侯) : 여불위(呂不韋, ?~기원전 235)로, 성은 강(薑)이다. 전국시대 말기의 유명한 상인(商人), 정치가, 사상가로, 뒤에 진(秦)나라의 대신이 되었다. 저서로 《여씨춘추(呂氏春秋)》가 있다.

468 감라(甘羅)가……하였다 : 甘羅見張唐曰: "卿之功孰與武安君?" 唐曰: "武安君戰勝攻取不知其數, 攻城墮邑不知其數; 臣之功不如武安君也." 甘羅曰: "卿明知功之不如武安君歟?" 曰: "知之." "應侯之用秦也孰與文信侯專?" 曰: "應侯不如文信侯專." 曰: "卿明知爲不如文信侯專歟?" 曰: "知之."(《戰國策》〈秦策 五〉〈文信侯欲攻趙以廣河間〉)

469 응후의……없으니 : 於是甘羅見張卿曰: '卿之功孰與武安君?' 卿曰: '武安君南挫彊楚, 北威燕·趙, 戰勝攻取, 破城墮邑, 不知其數, 臣之功不如也.' 甘羅曰: '應侯之用於秦也, 孰與文信侯專?' 張卿曰: '應侯不如文信侯專.' 甘羅曰: '卿明知其不如文信侯專與?' 曰: '知之.'(《史記》卷71 〈樗裏子甘茂列傳〉 第11)

470 양무(陽武) : 전국시대의 고을 이름으로, 지금의 하남성(河南省) 원양현(原陽縣) 동남쪽에 위치한다.

서 순자(順子)[471]를 인질로 보냈다. 조왕이 좋아하여 마침내 군대를 움직이지 않고 진나라에 고하여 '……'라고 하였다." 하였다. 또 "소대(蘇代)가 제나라를 위해 양후(穰侯)에게 편지를 올려 '……'라고 하였다."[472]

전장이 양무 땅으로 조나라와 강화를 맺은 것은 제나라가 시켜서 한 일이고, 소대가 양후에게 편지를 보낸 것은 소대가 스스로 제나라를 위해서 한 일이다. 소대가 본래 제나라 사람이 아니기 때문에 '제나라를 위해서[爲齊]'라고 하였으니, 일을 서술한 단락이 각각 다른 것이다. 《사기》에서는 전장의 일은 빼버리고 단지 "제나라 양왕(襄王)이 두려워하여 소대로 하여금 제나라를 위해서 은밀히 양후에게 편지를 보내게 하였다. "라고만 하였다.[473] 이미 "제나라 양왕이 소대로 하여금"이라고 말해 놓고서 또 "제나라를 위하여"라고 하였으니, 이것이 무슨 문리란 말인가. '제나라를 위하여'라고 한 '爲齊' 두 자는 산삭해야 하는데 산삭하지 않았다.

《전국책》과 《사기》의 우열 4

《사기》〈채택전〉[474]은 《전국책》의 내용을 전적으로 원용하고 약간 내용을 추가하거나 산삭하였을 뿐이다. 채택이 진나라의 승상이 되겠다고

---

471 순자(順子) : 제(齊)나라의 공자(公子)이다. 나머지는 미상이다.

472 조나라가……하였다 : 趙且與秦伐齊, 齊懼, 令田章以陽武合於趙, 而以順子爲質. 趙王喜, 乃安兵告於秦日: "齊以陽武賜弊邑, 而納順子欲以解伐. 敢告下吏." 秦王使公子他之趙, 謂趙王日: "齊與大國救魏而倍約, 不可信. 恃大國不義. 以告弊邑, 而賜之二社之地, 以奉祭祀. 今又案兵, 且欲合齊而受其地, 非使臣之所知也. 請益甲四萬, 大國裁之." 蘇代爲齊獻書穰侯日: "臣聞往來之者言日: '秦且益趙甲四萬人以伐齊.' 臣竊必之弊邑之王日: '秦王明而熟於計, 穰侯智而習於事, 必不益趙甲四萬人以伐齊.' 是何也? 夫三晉相結, 秦之深讎也. 三晉百背秦, 百欺秦, 不爲不信, 不爲無行. 今破齊以肥趙; 趙, 秦之深讎, 不利於秦. 一也.(《戰國策》〈秦策 二〉〈陘山之事〉)

473 제나라……하였다 : 且與趙觀津, 益趙以兵, 伐齊. 齊襄王懼, 使蘇代爲齊陰遺穰侯書日: '臣聞往來者言日:〈秦將益趙甲四萬以伐齊〉, 臣竊必之敝邑之王日:〈秦王明而熟於計, 穰侯智而習於事, 必不益趙甲四萬以伐齊.〉是何也? 夫三晉之相與也, 秦之深讎也. 百相背也, 百相欺也, 不爲不信, 不爲無行. 今破齊以肥趙. 趙, 秦之深讎, 不利於秦. 此一也.……臣故日秦王明而熟於計, 穰侯智而習於事, 必不益趙甲四萬以代齊矣. ' 於是穰侯不行, 引兵而歸.(《史記》卷72〈穰侯列傳〉第12)

474 채택전 : 《사기(史記)》 권79 〈범저채택열전(范雎蔡澤列傳)〉 제19.

선언한 부분에 대해 《전국책》에서는 단지 "응후가 사람을 보내 채택을 불러오게 하였다."[475]라고만 하였는데, 《사기》에서는 "오제(五帝), 삼대(三代)의 사적과 백가(百家)의 학설은 이미 내가 알고 있고, 여러 유세가들의 교묘한 말들도 내가 모두 꺾었다."[476] 등의 구절을 더 추가하였다.

응후가 채택의 의견에 동의한 것을 서술한 부분에 대해 《전국책》에서는 단지 "응후가 '좋다'고 말하였다."[477]라고만 하였는데, 《사기》에서는 "욕심을 부리며 그칠 줄을 모르면 그 욕심부린 것을 잃게 되고, 소유하기만 하고 만족할 줄 모르면 그 가진 것을 잃게 된다."[478] 등의 구절을 더 추가하였다.

범저와 채택은 쌍벽을 이루는 변사(辨士)이다. 상황에 따라 말을 바꾸는 그들의 변론을 보면 그럴 듯하게 말을 엮고 힘이 있는 것이 마치 두 마리 범이 벼랑을 등진 채 각각 서로 지지 않으려는 것과 같으니, 이것이 보통의 변사들과 달리 저들이 특별한 이유이다. 채택을 만나기 전에는 응후에게 필시 자만하여 상대방을 꺾을 기세가 있었을 것이다. 이것이 없다면 맥이 빠져 고취하고 격발하는 기세가 없었을 것이다. 변론을 마치고 자리를 마무리할 때에는 응후에게 필시 마음이 합치되어 상대를 인정하는 말이 있었을 것이다. 이것이 없다면 밋밋하여 마무리를 잘 짓는 말이 되지

---

475 사람을……하였다 : 蔡澤見逐於趙, 而入韓·魏, 遇奪釜鬲於塗. 聞應侯任鄭安平·王稽, 皆負重罪, 應侯內慙. 乃西入秦, 將見昭王, 使人宣言, 以感怒應侯, 曰: "燕客蔡澤, 天下駿雄弘辯之士也, 彼一見秦王, 秦王必相之而奪君位." 應侯聞之, 使人召蔡澤. 蔡澤入, 則揖應侯, 應侯固不快; 及見之, 又倨. 應侯因讓之, 曰: "子常宣言代我相秦, 豈有此乎?" 對曰: "然." 應侯曰: "請聞其說.(《戰國策》〈秦策 三〉〈蔡澤見逐於趙〉)

476 오제(五帝)……꺾었다 : 將見昭王, 使人宣言以感怒應侯曰: "燕客蔡澤, 天下雄俊弘辯智士也. 彼一見秦王, 秦王必困君而奪君之位." 應侯聞, 曰: "五帝三代之事, 百家之說, 吾旣知之, 衆口之辯, 吾皆摧之, 是惡能困我而奪我位乎?" 使人召蔡澤. 蔡澤入, 則揖應. 應侯固不快, 及見之, 又倨, 應侯因讓之曰: "子嘗宣言欲代我相秦, 寧有之乎?" 對曰: "然." 應侯曰: "請聞其說.(《史記》 卷79 〈范雎蔡澤列傳〉 第19)

477 응후가 '좋다'고 말하였다 : 君何不以此時歸相印, 讓賢者授之? 必有伯夷之廉, 長爲應侯, 世世稱孤, 而有喬·松之壽, 孰與以禍終哉? 此則君何居焉?" 應侯曰: "善." 乃延入坐爲上客.(《戰國策》〈秦策 三〉〈蔡澤見逐於趙〉)

478 욕심을……잃게 된다 : 應侯曰: '善. 吾聞欲而不知止, 失其所以欲, 有而不知止, 失其所以有. 先生幸教, 睢敬受命.' 於是乃延入坐, 爲上客.(《史記》 卷79 〈范雎蔡澤列傳〉 第19)

못했을 것이다. 이 두 부분에 대한 묘사는 사마천이 더 뛰어나다. 중간에 상군(商君)[479], 백기(白起)[480], 오기(吳起)[481], 대부(大夫) 종(種)[482]을 서술한 곳의 경우, 《전국책》이 본래 간명한데[483] 사마천이 부연한 것은 모두 쓸데없이 덧붙인 군더더기에 가깝다. 대부 종이 "현명한 구천을 보좌하여 부차에게 받은 원수를 갚았다[輔句踐之賢, 報夫差之讐]." 등의 구절은[484] 더욱 천하고 속되게 느껴지니, 자세히 읽으면 바로 알 수 있다.

《한서漢書》의 오류

《한서(漢書)》 권1 〈고제기(高帝紀)〉 하(下)에 "10년(기원전 197) 여름 5월에

---

479 상군(商君) : 기원전 390?~기원전 338? 성은 공손(公孫)이고 이름은 앙(鞅)이다. 위(衛)나라 사람이므로 위앙(衛鞅)이라고도 한다.

480 백기(白起) : 진나라 미(郿) 땅 출신의 장수이다. 소왕(昭王) 때에 무안군(武安君)에 봉해졌다. 용병에 뛰어나 70여 성을 빼앗았으며, 조나라와의 싸움에서 하룻밤에 조나라 군사 40만 명을 생매장하기도 했다. 뒤에 승상(丞相) 범저와 틈이 생겨 벼슬을 면직당하고 사사(賜死)되었다.

481 오기(吳起) : ?~기원전 381. 위(衛)나라 좌씨(左氏) 사람으로, 전국시대의 병략가이다.

482 대부(大夫) 종(種) : 초(楚)나라 영(郢) 사람으로, 춘추시대 말기 월왕 구천(句踐)의 모신(謀臣)이다.

483 상군(商君)……간명한데 : 夫商君爲孝公平權衡, 正度量, 調輕重, 決裂阡陌, 教民耕戰, 是以兵動而地廣, 兵休而國富, 故秦無敵於天下, 立威諸侯, 功已成, 遂以車裂; 楚地, 持戟百萬, 白起率數萬之師以與楚戰, 一戰擧鄢郢, 再戰燒夷陵, 南并蜀·漢, 又越韓·魏, 攻強趙, 北阬馬服, 誅屠四十餘萬之衆, 流血成川, 沸聲若雷, 使秦業帝, 自是之後, 趙·楚懾服, 不敢攻秦者, 白起之勢也, 身所服者七十餘城, 功已成矣, 賜死於杜郵; 吳起爲楚悼罷無能, 廢無用, 損不急之官, 塞私門之請, 壹楚國之俗, 南攻楊越, 北并陳·蔡, 破橫散從, 使馳說之士, 無所開其口, 功已成矣, 卒支解; 大夫種爲越王墾草刱邑, 辟地殖穀, 率四方士, 上下之力, 以禽勁吳, 成霸功, 勾踐終棓而殺之. 此四子者, 成功而不去, 禍至於此. 此所謂信而不能詘, 往而不能反者也.(《戰國策》〈秦策 三〉〈蔡澤見逐於趙〉)

484 사마천이……구절은 : 夫商君爲秦孝公明法令, 禁姦本, 尊爵必賞, 有罪必罰, 平權衡, 正度量, 調輕重, 決裂阡陌, 以靜生民之業而一其俗, 勸民耕農利土, 一室無二事, 力田蓄積, 習戰陳之事, 是以兵動而地廣, 兵休而國富, 故秦無敵於天下, 立威諸侯, 成秦國之業. 功已成矣, 而遂以車裂. 楚地方數千裏, 持戟百萬, 白起率數萬之師以與楚戰, 一戰擧鄢郢以燒夷陵, 再戰南并蜀漢. 又越韓·魏而攻彊趙, 北阬馬服, 誅屠四十餘萬之衆, 盡之於長平之下, 流血成川, 沸聲若雷, 遂入圍邯鄲, 使秦有帝業. 楚·趙天下之彊國而秦之仇敵也, 自是之後, 楚·趙皆懾伏不敢攻秦者, 白起之勢也. 身所服者七十餘城, 功已成矣, 而遂賜劍死於杜郵. 吳起爲楚悼王立法, 卑減大臣之威重, 罷無能, 廢無用, 損不急之官, 塞私門之請, 一楚國之俗, 禁遊客之民, 精耕戰之士, 南收楊越, 北并陳·蔡, 破橫散從, 使馳說之士無所開其口, 禁朋黨以勵百姓, 定楚國之政, 兵震天下, 威服諸侯. 功已成矣, 而卒枝解. 大夫種爲越王深謀遠計, 免會稽之危, 以亡爲存, 因辱爲榮, 墾草入邑, 辟地殖穀, 率四方之士, 專上下之力, 輔句踐之賢, 報夫差之讎, 卒擒勁吳, 令越成霸. 功已彰而信矣, 句踐終負而殺之. 此四子者, 功成不去, 禍至於此. 此所謂信而不能詘, 往而不能返者也.(《史記》卷79 〈范雎蔡澤列傳〉 第19)

태상황후(太上皇后)가 붕(崩)하였다."[485]라고 하였다.

이에 대해 여순(如淳)[486]은 이렇게 설명하였다.

"〈왕릉전(王陵傳)〉[487]에 '초나라가 태상황(太上皇)과 여후(呂后)를 잡아 인질로 삼았다.'[488]고 하였다. 〈고제기〉에는 항우(項羽)가 태공(太公)과 여후를 본국으로 돌려보낸 일[489]은 있지만 노모[母媼]를 돌려보낸 사실은 보이지 않는다. 또 5년 전(고제 5년, 기원전 202)에 노모를 추존(追尊)하여 소령부인(昭靈夫人)이라고 하였고,[490] 고후(高后) 때에 마침내 추존하여 소령후(昭靈后)라고 하였다.[491] 《한관의(漢官儀)》[492] 주(注)에서는 '고제의 어머니는 고제가 군사를 일으켰을 때에 소황(小黃) 북쪽에서 죽었으며, 나중에 소황에다 능묘(陵墓)를 만들었다.'라고 하였다.[493] 이상의 두 가지로 미루어 볼 때 '(十年)太上皇后崩'이라는 말이 있어서는 안 된다."[494]

---

485 10년……붕(崩)하였다 : 夏五月, 太上皇后崩. 秋七月癸卯, 太上皇崩, 葬萬年.(《漢書》 卷1 〈高帝紀 下〉)

486 여순(如淳) : 삼국(三國)시대 위(魏)나라 풍익(馮翊) 사람으로, 《한서》에 주석을 냈다.

487 왕릉전(王陵傳) : 《한서(漢書)》 〈장진왕주전(張陳王周傳)〉의 왕릉(王陵)에 대한 인물전의 내용을 가리킨다.

488 초나라가……삼았다 : 漢王之敗彭城西, 楚取太上皇·呂后爲質, 食其以舍人侍呂后. 其後從破項籍爲侯, 幸於呂太后.(《漢書》 〈張陳王周傳〉)

489 항우(項羽)가……돌려보낸 일 : 九月, 歸太公·呂后, 軍皆稱萬歲.(《漢書》 卷1 〈高帝紀 上〉)

490 노모를……하였고 : 漢王卽皇帝位於氾水之陽. 尊王后曰皇后, 太子曰皇太子, 追尊先媼曰昭靈夫人.(《漢書》 卷1 〈高帝紀 下〉)

491 고후(高后)……하였다 : 七年冬十二月, 匈奴寇狄道, 略二千餘人. 春正月丁醜, 趙王友幽死於邸. 己醜晦, 日有蝕之, 旣. 以梁王呂產爲相國, 趙王祿爲上將軍. 立營陵侯劉澤爲琅邪王. 夏五月辛未, 詔曰: "昭靈夫人, 太上皇妃也; 武哀侯·宣夫人, 高皇帝兄姊也. 號謚不稱, 其議尊號." 丞相臣平等請尊昭靈夫人曰 昭靈后, 武哀侯曰 武哀王, 宣夫人曰 昭哀后. 六月, 趙王恢自殺. 秋九月, 燕王建薨. 南越侵盜長沙, 遣隆慮侯灶將兵擊之.(《漢書》 卷3 〈高后紀〉)

492 한관의(漢官儀) : 후한(後漢) 말의 학자 응소(應劭)가 편찬한 것으로 한나라 관제(官制)를 기록하였다.

493 고제의……만들었다 : 《후한서(後漢書)》 권33 〈주풍우정주열전(朱馮虞鄭周列傳)〉의 우연(虞延)에 관한 인물전 내용 중 "二十年東巡, 路過小黃, 高帝母昭靈后園陵在焉"에 대한 응소의 주석은 다음과 같다.

小黃, 縣, 屬陳留郡, 故城在今汴州陳留縣東北. 漢官儀注曰: '高帝母, 起兵時, 死小黃北, 後爲作陵廟於小黃.

494 왕릉전에……안 된다 : 王陵傳楚取太上皇、呂后爲質. 又項羽歸太公、呂后, 不見歸媼也. 又上五年追尊母媼爲昭靈夫人, 高后時乃追尊爲昭靈后耳. 漢儀注高帝母兵起時死小黃北, 後於小黃作陵廟. 以此二者推之, 不得有太上皇后崩也.(王先謙《漢書補註》 卷1 〈高帝紀 下〉 如淳注)

또 진작(晉灼)[495]은 이렇게 말하였다.

"〈고제기〉에 '고조 5년에 돌아가신 노모를 추존하여 소령부인이라고 하였다.'라고 하였으니, '추존'이라는 말로 볼 때 이미 죽은 것이 분명하다. 《사기》를 보면, 고조 10년 봄과 여름에는 특별한 일이 없었고, 7월에는 태상황이 붕하여 역양궁(櫟陽宮)[496]에서 장사 지냈다. 여기의 '夏五月太上皇後崩' 8자는 연문임이 분명하다."[497]

〈고금인표古今人表〉

정조 정사년(1797, 정조 21)에 대내(大內)[498]에 소장하고 있던 《한서(漢書)》 10여 질을 규장각(奎章閣)에 내려 주면서 〈고금인표(古今人表)〉[499]를 모두 빼 버린 후 다시 장정(裝幀)하여 들이라고 명하였다.[500]

---

495 진작(晉灼) : 진대(晉代) 하남(河南) 사람이다. 저서로 《한서음의(漢書音義)》가 있다.

496 역양궁(櫟陽宮) : 역양(櫟陽)은 전국시대 진나라의 헌공(獻公)과 효공(孝公) 때의 수도이다. 진 헌공 2년(기원전 383)에 역양으로 천도하였다. 상앙(商鞅)의 건의에 따라 함양성을 구축하여 효공 12년(기원전 350)에 함양으로 천도하였다.

497 고조 5년에……분명하다 : 五年, 追尊先媼曰 昭靈夫人, 言追尊, 則明其已亡. 史記十年春夏無事, 七月太上皇崩, 葬櫟陽宮, 明此長'夏五月太上皇後崩'八字也. 又漢儀注先媼已葬陳留小黃. (王先謙, 《漢書補註》 卷1 〈高帝紀 下〉 晉灼注)

498 대내(大內) : 대궐 중 임금이 사적으로 생활하는 공간을 이른다.

499 고금인표(古今人表) : 《한서》에 나오는 여러 표(表) 중의 하나로, 제20권에 나온다. 상(上), 중(中), 하(下)를 다시 상, 중, 하로 나누어 아홉 등급으로 분류하고, 상상(上上)을 성인, 상중(上中)을 인인(仁人), 상하(上下)를 지인(智人), 하하(下下)를 우인(愚人)이라고 명명하였다.

500 정조……명하였다 : 이 내용은 《홍재전서(弘齋全書)》 제164권 〈일득록(日得錄) 4〉 〈문학(文學) 4〉에 보인다. 그 내용은 다음과 같다.

"상이 이르기를, "《사기영선(史記英選)》을 간행한 것은, 이미 경서(經書)와 주서(朱書)를 골라 뽑은 마당에 경전(經傳)의 우익(羽翼)이 될 수 있는 것은 오직 《사기》뿐이기 때문이다. 또 지금 사람들의 문체는 너무도 나약하여 전도(顚倒)됨이 바람 속의 솜과 같고 가볍기가 거품 위의 꽃과 같다. 그러므로 이 《사기영선》을 만들어 사원(詞垣)의 적치(赤幟)를 삼으려 하였다. 《한서(漢書)》는 전아(典雅)하고 엄하고 장중(莊重)하고 빈틈없기 때문에 하후승(夏侯勝)·소망지(蕭望之)·매복(梅福) 등의 전(傳)을 그 아래에 붙였다. 그런데 다시 생각해 보니, 조황후전(趙皇后傳)의 서사(序事) 같은 것은 후세에 쓸데없는 패관체(稗官體)가 출현하는 길을 열어 주었기 때문에 곧바로 빼 버렸다. 또 〈고금인표(古今人表)〉는 더욱 사람의 눈을 놀라게 하니, 고금의 많은 성현과 호걸들을 등급을 나누어 취사(取捨)한다는 것이 어찌 말이 되겠는가. 내장(內藏)하고 있는 《한서》에서도 즉시 그 편을 빼 버리도록 하라.[……古今人表, 尤令人駭眼, 將千古多少聖賢豪傑, 分等取舍, 豈成體段. 內藏漢書, 竝卽削其篇.]"고 하였다.

그러나 이어서 서유구가 언급한 정조와 신하 사이의 문답 출처는 찾지 못하였다.

다음날 소대(召對)에서, 상이 신하들을 둘러보며 말하였다.

"어제 《한서》 중의 〈고금인표〉를 빼 버리라고 명령하였는데, 내가 무슨 생각으로 그리하였는지 너희들도 한번 생각해 보아라."

신하가 대답하였다.

"자산(子産)[501]과 안영(晏嬰)[502]을 올려 직(稷)·설(契)[503]과 대등하게 하였고, 악의(樂毅)[504]와 왕전(王翦)[505]의 차례를 정하면서 방숙(方叔)·소호(召虎)[506]와 나란히 하였으며, 상군(商君)[507]을 자피(子皮)[508]의 위에 올려놓았고, 신포서(申包胥)[509]를 오자서(伍子胥)[510]의 아래에 두었으며, 명철함을 지닌 위(衛)나라 무공(武公)[511]을 서언(徐偃)[512]과 동렬로 취급하였고, 망명을 하였던 초(楚)나

---

501 자산(子産) : 기원전 585(?)~기원전 522(?). 성이 공손(公孫)이고 이름은 교(僑)이다. 자산은 그의 자이다. 정(鄭)나라 목공(穆公)의 손자이며 자국(子國)의 아들이다. 춘추시대 저명한 정치가이며 사상가로, 법치를 바탕으로 정치를 편 법가의 선구자이다.

502 안영(晏嬰) : ?~기원전 500. 중국 춘추시대 제(齊)나라의 정치가로, 영공(靈公)·장공(莊公)·경공(景公)을 섬겼다. 최서(崔抒)가 장공을 살해했을 때 최서의 권세를 두려워하여 아무도 장공의 시신을 가까이하지 못했는데, 홀로 장공의 시체 위에 엎드려 곡(哭)을 하였다. 검소하고 성품이 충직하여 관중(管仲)과 함께 제나라의 명신(名臣)으로 일컬어진다.

503 직(稷)·설(契) : 당우(唐虞)시대의 두 현신이다.

504 악의(樂毅) : 중국 전국시대 연나라 장군으로 소왕(昭王)을 도와 조(趙)·초(楚)·한(韓)·위(魏)의 연합군을 이끌고 제나라를 정벌하여 성 70개를 함락시키는 등 큰 공을 세운 인물이다.

505 왕전(王翦) : 중국 진나라의 저명한 장수로 진시황(秦始皇)의 천하 통일에 많은 공을 세웠다.

506 방숙(方叔)·소호(召虎) : 서주(西周)시대의 두 현신이다.

507 상군(商君) : 중국 전국시대의 정치가인 상앙(?~기원전 338)을 가리킨다. 진나라의 천하통일에 공헌하였으며, 법을 엄격히 적용하는 방법으로 정사를 폈다.

508 자피(子皮) : 중국 춘추시대 정(鄭)나라의 현신 한호(罕虎, ?~기원전 529)의 자이다. 재상으로 있으면서 흉년이 들면 백성들에게 곡식을 나누어 주어 민심을 크게 얻었다.

509 신포서(申包胥) : 중국 춘추시대 초(楚)나라의 대부이다. 초나라 소왕(昭王) 10년(기원전 506)에 오(吳)나라가 오자서(伍子胥)의 계책을 써서 초나라를 공격하자, 진(秦)나라에 가서 조정 뜰에서 7일간 밤낮으로 통곡하면서 구원을 요청하여 마침내 진나라의 구원을 받게 하였다.

510 오자서(伍子胥) : ?~기원전 485. 중국 춘추시대 초나라 사람으로, 정치가이자 전략가이다. 이름은 원(員)이고, 자서(子胥)는 그의 자이다. 태자인 건(建)을 섬기던 아버지와 형이 초나라 평왕(平王)에 의해 죽임을 당하자, 복수를 각오하고 오(吳)나라로 망명하여 오나라를 강대국으로 만든 후 초나라를 정벌하였다. 당시 평왕은 이미 죽은 뒤였기 때문에 묘를 파헤쳐 평왕의 시신에 300번의 채찍을 가하여 원한을 풀었다. 이로 인해 예전의 친구였던 신포서에게서 너무 가혹하다고 비난을 받았다.

511 무공(武公) : 중국 춘추시대 주나라의 제후국 위(衛)나라의 군왕으로 태융(太戎)이 주나라 유왕(幽王)을 죽이자 군사를 거느리고 가서 융에 맞서 큰 공을 세웠다.

512 서언(徐偃) : 중국 춘추시대 서국(徐國)의 군주였던 서언왕(徐偃王)을 가리킨다.

라 태자 건(太子建)[513]을 최서(崔抒)[514]와 동급으로 취급하였으니,[515] 이에 대해서는 선유들이 이미 논박한 바가 있습니다."

상이 말하였다.

"그렇다. 그렇지만 내가 싫어하는 이유가 어찌 이뿐이겠는가? 한 사람의 견해로 몇 촌(寸) 안 되는 붓을 가지고서 천고의 인물을 품평하여 등급을 매기고 있으니, 가령 평가가 조금도 실상과 어긋나지 않는다 하더라도, 남들을 서로 비교하는 것은 옳지 않다는 성인(聖人)의 꾸지람을 면치 못할 것이다. 그런데 여기서는 마음 쓰는 것이 바르지 않으니, 내가 이 점을 미워하는 것이다. 나는 참으로 보고 싶지가 않다."

《송사宋史》의 오류

우기(尤玘)[516]의 저술인 《만류계변구화(萬柳溪邊舊話)》[517]에 이런 내용이

---

513 망명을……태자 건(太子建) : 태자 건(太子建)은 춘추시대 말기 초나라 평왕의 아들이다. 이름은 건(建)이고 자는 자목(子木)이다. 평왕 2년에 자신과 결혼하기로 한 진나라 여자를 부왕(父王)이 빼어가자 부자간에 틈이 생기게 되었고, 그 후 비무기(費無忌)의 참소로 평왕이 자신을 죽이려 하자 송(宋)나라로 망명하였다.

514 최서(崔抒) : 제나라의 대부로 제나라 장공(莊公)을 죽이고, 장공의 이복동생인 저구(杵臼)를 왕으로 세웠다.

515 자산(子産)과……취급하였으니 : 이 내용을 〈고금인표〉에 따라 도표화하면 다음과 같다.

上上	
上中	자산(子産), 안영(晏嬰), 직(稷), 설(契)
上下	악의(樂毅), 왕전(王翦), 방숙(方叔), 소호(召虎)
中上	상군(商君), 오자서(伍子胥)
中中	자피(子皮), 신포서(申包胥)
中下	무공(武公), 서언(徐偃)
下上	태자 건(太子建), 최서(崔抒)
下中	
下下	

516 우기(尤玘) : 자는 군옥(君玉) 호는 지비자(知非者)이다. 우무(尤袤)의 후손임을 자칭하였으나 그 세차(世次)에 대해서는 알 수 없다. 그의 저서로 알려진 《만류계변구화(萬柳溪邊舊話)》 구본(舊本)에는 송(宋)대 사람으로 되어 있다. 이 책의 후발(後跋)에 대사도(大司徒)가 되었다고 하였으니 일찍이 관직이 호부상서에 이르렀고, 마지막 부분에서 원나라 조정에 벼슬살이하지 않으려 했다고 하였으니 원(元)대 사람이 된다. 권수제(卷首題)에 '門人張雨塡諱'라고 한 것으로 보아 장우(張雨)의 스

있다.

“광종(光宗) 때에 문간공(文簡公)【우무(尤袤)이다.】이 예부상서 겸 시독(禮部尙書兼侍讀)에 발탁되었다. 진원(陳源)[518]과 강특립(姜特立)[519]이 벼슬에 기용되자 사람들이 매우 놀라워하였다. 공이 봉사(封事)[520]를 올려 두 사람의 악행을 극언하였으나 받아들여지지 않았다. 당시에 공의 나이 일흔이었는데 결국 사직을 하고 고향으로 돌아갔다. 그리고 8년 후에 돌아가셨다. 《송사》에서, 벼슬을 하던 중 70세에 죽었다고 한 것은 잘못이다.”[521]

주문조(朱文藻)[522]는 이 책의 발문에서 다음과 같이 말하였다.

“《송사》에는, ‘광종이 병이 잦아 국사(國事)가 제대로 운영되지 못하는

승이니 원나라 중엽 이후의 사람으로 추정된다.

517 만류계변구화(萬柳溪邊舊話) : 우기(尤玘)의 저서로 우씨 선대의 일을 주로 기록하였다.

518 진원(陳源) : 송(宋)나라 광종(光宗) 때의 내시(內侍)이다. 광종 때 효종과 황후와의 사이를 이간질한 죄목으로 대간(臺諫)들의 탄핵 대상으로 지목되기도 하였다.

519 강특립(姜特立) : 1125~1204? 자는 방걸(邦傑), 절강성 여수(麗水) 사람이다. 남송 때의 시인(詩人)이다. 고택이 강산(姜山)에 있었으며, 부친은 강수(姜綬)이다. 복건 병마부도감(福建兵馬副都監)을 지냈고 해적 강대료(姜大獠)를 사로잡았다. 조여우(趙汝愚)가 조정에 천거하여 조정에 나아가 시 백 편을 바쳤다. 각문사인(閣門舍人)에 임명되어 태자궁의 좌우 춘방(春坊)을 맡았다. 태자가 즉위하자 지각문사(知閣門事)에 임명되었다. 은혜를 믿고 방자하게 굴다가 관직을 빼앗겼다. 황제가 옛정을 생각하여 다시 절동 마보군부총관(浙東馬步軍副總管)에 임명하였다. 영종(寧宗) 때 관직이 경원군절도사(慶遠軍節度使)에 올랐다. 저서에 《매산고(梅山稿)》 6권과 속고(續稿) 15권이 《직재서록해제(直齋書錄解題)》에 전해진다.

520 봉사(封事) : 주로 간관(諫官)이나 삼관(三館)의 관원이 임금에게 정사(政事)를 간하기 위하여 올린 글을 말한다.

521 광종(光宗) 때에……잘못이다 : 擢公禮部尙書, 兼侍讀. 陳源、姜特立召用, 人情驚駭, 公上封事, 極言二人之惡, 不聽. 時公年七十, 遂引年歸, 又八年, 薨. 《宋史》言年七十終於位, 誤也.(尤玘, 《萬柳溪邊舊話》)

이 부분은 《송사》의 내용을 대략 정리한 것이며, 《송사》에는 우무가 일흔에 죽은 것으로만 기록되어 있으나 우기의 가족사에 따르면 우무는 그로부터 8년 뒤에 죽었다는 사실을 밝힌 것이다. 이와 관련된 《송사》의 내용은 다음과 같다.

兼侍讀, 上封事曰 : “近年以來, 給舍、臺諫論事, 往往不行, 如黃裳、鄭汝諧事遷延一月, 如陳源者奉祠, 人情固已驚愕, 至姜特立召, 尤為駭聞. 向特立得志之時, 昌言臺諫皆其門人, 竊弄威福, 一旦斥去, 莫不誦陛下英斷. 今遽召之, 自古去小人甚難, 譬除蔓草, 猶且復生, 況加封植乎? 若以源、特立有勞, 優以外任, 或加錫賚, 無所不可. 彼其閑廢已久, 含憤蓄怨, 待此而發, 儻復呼之, 必將潛引黨類, 力排異己, 朝廷無由安靜.” 時上已屬疾, 國事多舛, 袤積憂成疾, 請告, 不報. 疾篤乞致仕, 又不報, 遂卒, 年七十.(《宋史》 卷389 〈列傳〉 第148)

522 주문조(朱文藻) : 1735~1806. 청대의 학자이다. 자는 영순(映漘)이고, 호는 낭제(朗齋)이다. 어려서부터 독서를 매우 좋아하였으며, 육서(六書), 사학(史學), 시문(詩文) 등에 정통하였다. 《사고전서》의 교정에 참여하였으며, 《벽계시화(碧溪詩話)》 등 많은 저술을 남겼다.

날이 많아지자 문간공은 근심이 쌓여 병이 생겼다. 휴가를 청하였으나 허락받지 못하였고, 병이 깊어져 치사(致仕)를 청하였으나 또 허락받지 못하여, 결국 그로 인해 죽었다. 유주(遺奏)[523]를 남겼고 또 따로 정부(政府)[524]에 유서(遺書)를 남겼다.'라고 되어 있고, 또 그 아래에는, '다음 해에 정봉대부(正奉大夫)가 되었다가 치사하였다.'라고 되어 있다.[525] 《송사》의 기록이 뒤섞이고 잘못된 것이 분명하다. 이 책을 보지 않았다면 공이 사직하고 물러난 후 8년 뒤에 죽었다는 것을 어찌 알 수 있겠는가?"[526]

《자치통감강목資治通鑑綱目》[527]의 글자 생략[528]

사마온공(司馬溫公)의 《자치통감(資治通鑑)》[529]에서 다음과 같이 말하였다.

---

523 유주(遺奏) : 유표(遺表)라고도 하며, 대신을 지낸 사람이 임종 직전에 쓴 상소문으로 사망한 이후에 올려 진다.

524 정부(政府) : 중국 당송시대 재상들이 정무를 보던 장소이다. 후대에 가서는 국가의 정무를 보는 곳으로 범용되었다.

525 송사에는……되어 있다 : 時上已屬疾, 國事多舛, 袤積憂成疾, 請告, 不報. 疾篤乞致仕, 又不報, 遂卒, 年七十. 遺奏大略勸上以孝事兩宮, 以勤康庶政, 察邪佞, 護善類. 又口占遺書別政府. 明年, 轉正奉大夫致仕. 贈金紫光祿大夫.(《宋史》 卷389 〈列傳〉 第148)

526 송사에는……있겠는가 : 우무(尤袤)의 졸년(卒年)에 대한 문제의식은 많은 학자들에 의해 제기되어 온 것으로 보인다. 중국 학자 오구(吳鷗)는 〈우무소고(尤袤小考)〉에서 《가보본전(家譜本傳)》에서 말한 대로 소희(紹熙) 갑인(甲寅) 5년(1194)에 향년 68세의 나이로 세상을 떠난 것으로 증명하였다.(오구(吳鷗), 〈우무소고(尤袤小考)〉 《북경대학백년국학문수(北京大學百年國學文粹) 어언문헌권(語言文獻卷)》, 1998. 660면 참조) 주문조(朱文藻)가 발문을 썼다고 하는 본은 어떤 것인지 모르겠다.

527 자치통감강목(資治通鑑綱目) : 송(宋)나라 주희(朱熹, 1130~1200)가 쓴 역사서로 59권이다. 《통감강목(通鑑綱目)》, 《강목(綱目)》이라고도 한다. 《자치통감(資治通鑑)》 (294권)으로 강목(綱目)을 만든 책이며, 기원전 403년부터 960년에 이르기까지 1362년간의 정통(正統)·비정통을 분별하고 대요(大要, 總)와 세목(細目, 目)으로 나누어 기술하였다. 주희는 대요만 썼고, 그의 제자 조사연(趙師淵)이 세목을 완성하였다. 역사적인 사실의 기술보다는 의리(義理)에 치중하여 너무 간단히 적어 앞뒤가 모순되거나 틀린 내용도 적지 않다. 3국시대에는 촉한(蜀漢)을 정통으로 하고 위(魏)나라를 비정통으로 하는 등 송학(宋學)의 도덕적 사관이 엿보이는 곳도 많다. 한국에서는 세종 때 교주(校註)한 사정전 훈의본(思政殿訓義本)인 《훈의자치통감강목(訓義資治通鑑綱目)》이 유행하였으며, 그후 여러 차례 중간(重刊)되었다.

528 이 내용은 명나라 양신(楊愼)의 《단연적록(丹鉛摘錄)》 권1에 동일한 내용이 실려 있으며, 명나라 진요문(陳耀文)의 《정양(正楊)》 권4에도 약간의 글자 출입은 있으나 동일한 제목으로 실려 있다.

529 자치통감(資治通鑑) : 중국 북송(北宋)의 사마광(司馬光, 1019~1086)이 편찬한 편년체(編年體) 역사서로 294권이다. 《통감(通鑑)》이라고도 한다. 주(周)나라 위열왕(威烈王)이 진(晉)나라 3경(卿: 韓·魏·趙氏)을 제후로 인정한 기원전 403년부터 5대(五代) 후주(後周)의 세종(世宗) 때인 960년에

"보궐(補闕)[530] 교지지(喬知之)[531]에게 벽옥(碧玉)이라는 이름의 계집종이 있었는데, 용모가 아름답고 춤과 노래를 잘하였다. 교지지가 이 계집종에게 빠져 정식 혼인을 하지 않았다."[532]

'혼(昏)'은 옛날에 '혼(婚)'과 통용했던 글자로, 이 글은 '교지지가 이 계집종에게 빠져 정식 혼인을 하지 않았다'라는 말이다. 그런데 《자치통감강목(資治通鑑綱目)》에서는 '불(不)' 자를 빼 버리고서 "교지지가 그에게 미혹되었다[知之爲之昏]"라고 하였다. 이는 '혼인(婚姻)'을 뜻하는 '혼(昏)'을 '미혹(迷惑)'을 뜻하는 '혼(昏)'으로 잘못 본 것이다. 이렇게 보면 글자의 뜻이 명확하지 않고 문장의 뜻도 통하지 않는다.

《자치통감강목》에는 이와 같은 사례가 매우 많다. 주자의 문인인 조사연(趙師淵)이 스승의 명을 받들어 편집한 것으로 주자는 아무 간여한 바가 없다.[533] 조사연은 사학(史學)에 조예가 깊지 않았고 옛 문자학에도 관심이 없었으니, 치밀하지 못하고 잘못된 것은 당연하다.

이르기까지 1362년간의 역사를 1년씩 묶어서 편찬한 것이다. 자치통감이라 함은 치도(治道)에 자료가 되고 역대를 통하여 거울이 된다는 뜻으로, 곧 역대 사실(史實)을 밝혀 정치의 규범으로 삼으며, 또한 왕조 흥망의 원인과 대의명분을 밝히려 한 데 그 뜻이 있었다. 따라서 사실을 있는 그대로 기술하지 않고 독특한 사관(史觀)에 의하여 기사를 선택하고, 정치나 인물의 득실(得失)을 평론하여 감계(鑑戒)가 될 만한 사적을 많이 습록(拾錄)하였다. 편년에 있어서도 3국의 경우에는 위(魏)나라의 연호를, 남북조의 경우에는 남조의 연호를 각각 써서 그것이 정통(正統)임을 명시하였다. 특히 중요하다고 생각되는 기사에는 '신광왈(臣光曰)'이라고 하여 사마광 자신의 평론을 가하고 있어 그의 사관을 엿볼 수 있다.

530 보궐(補闕) : 간언(諫言)의 직무를 담당했던 관직명이다.

531 교지지(喬知之) : ?~697 당(唐)나라 동주(同州) 풍익(馮翊) 사람이다. 동생 간(侃)과 함께 문사(文詞)로 이름을 날렸다. 저서로 문집 20권이 《구당서(舊唐書)》〈경적지(經籍志)〉에 전한다.

532 보궐(補闕)……않았다 : 右司郎中馮翊喬知之有美妾曰碧玉, 知之爲之不昏. 武承嗣借以教諸姬, 遂留不還. 知之作《綠珠怨》詩以寄之, 碧玉赴井死. 承嗣得詩於裙帶, 大怒, 諷酷吏羅告, 族之.(《資治通鑑》卷206〈唐紀 22〉)

533 주자의……없다 : 조사연(趙師淵, 1150~1210)은 송나라의 종실(宗室)이며, 자는 기도(幾道), 호는 눌재(訥齋)이다. 1174년에 주희에게 제자의 예를 행한 뒤 그의 제자가 되었다. 주희와 함께 《자치통감강목》을 편술하였는데, 서문(序文)과 제요(提要)는 주희가 짓고, 범례(凡例)는 두 사람이 상의하여 정하였으며, 분류와 주(注)의 기술은 모두 조사연이 담당했다고 한다.

유빈·이칙·무역 3률은 양률(陽律)이면서 음월(陰月)에
있어 하생(下生)의 수(數)를 얻으니 이는 바로 양(陽)으로써
음(陰)을 따르는 것이 된다. 그러므로 '양(陽)은 모두
하생(下生)하고 음(陰)은 모두 상생(上生)한다'는 주장이
여기에서 설득력을 잃는다.

금화경독기

金華耕讀記

권 2

기삼백朞三百[1]

내가 열여섯 살 때 〈요전(堯典)〉[2]을 읽다가 '기삼백(朞三百)'에 이르러[3] 산가지를 잡고 펼쳐서 삼 일 후 비로소 그 대략을 얻었는데, 끝내 신발을 신고 발바닥의 가려운 곳을 긁는 듯하였다.[4] 그 뒤에 김영(金泳)[5]과 교유하였는데, 김영은 본래 역수(曆數)로 이름이 나 있었다. 드디어 새로운 방법으로 풀이를 하였으므로 아래와 같이 기록한다.

용수用數

세실(歲實)[6]은 365와 235/940일 【나머지는 곧 1/4일이다】 이고, 삭책

---

1 기삼백(朞三百) : 해와 달의 겉보기 운행이 보이는 주기를 대수적으로 다루어 치윤법을 중심으로 한 역법(曆法)을 논한 글이다.

2 요전(堯典) : 《상서(尙書)》〈우서(虞書)〉〈요전(堯典)〉으로 요(堯) 임금의 치적을 기록한 것이다. 요 임금은 대륙의 형성기에 뛰어난 치적을 남겼다. 역상(曆象)을 정리하고, 윤법(閏法)을 둔 일과 황하(黃河)의 범람을 막은 일, 그리고 제위(帝位)를 순(舜)에게 선양(禪讓)한 일 등이 〈요전(堯典)〉에 잘 나타나 있다.

3 요전(堯典)을……이르러 : 《상서》〈요전(堯典)〉의 "일 년은 366일이니 윤달을 사용하여야 사시를 정하여 한 해를 이루어 진실로 백공을 다스려 모든 공적이 다 넓어질 것이다.[朞三百有六旬有六日, 以閏月定四時成歲, 允釐百工, 庶績咸熙.]"라고 한 부분을 가리킨다.

4 신발을……듯하였다 : 어떤 일을 하느라 애를 쓰기는 하지만 정곡을 찌르지 못해 답답해함을 비유한 말이다.

5 김영(金泳) : 1749~1817. 조선 정조(正祖) 때 활약한 역관(曆官)으로 천재적인 천문학자다. 《신법중성기(新法中星記)》, 《신법누주통의(新法漏籌通義)》, 신도(新圖)인 《보천가(步天歌)》, 《칠정보법(七政步法)》 등의 책을 저술하였다. 특히 1789년(정조 13)에 당시 사용하고 있던 각 절기의 중성(中星) 위치가 1744년(영조 20)에 측정된 값으로서 0.5° 정도 어긋나 있었다. 이를 보정하기 위해 역관(曆官) 이덕성(李德星)과 함께 적도경위의(赤道經緯儀)와 신법지평일구(新法地平日晷)를 제작하였다. 또한 성주덕(成周悳)과 함께 《국조역상고(國朝曆象考)》 4권도 편찬하였다.

(朔策)[7]은 29와 499/940일이고, 상수(常數)는 360일이다. 열두 달의 삭책은 354와 348/940일이니, 기영(氣盈)은 5와 235/940일이고, 삭허(朔虛)는 5와 592/940일이고, 윤여(閏餘)는 10과 827/940일이다. 주천(周天, 천체를 일주하는 것)은 365와 1/4도이고, 일행(日行)은 1도이고,【일행이 천체에 미치지 못하는 것이다】 월행(月行)은 13과 7/19도이고,【월행이 천체에 미치지 못하는 것이다】 월행이 일행과 생기는 차이는 12와 7/19도이다.【월행이 일행에 미치지 못하는 것이다】

해설

세실(歲實)은 한 해의 누적일이니, 곧 해가 천체와 한번 만날 때의 일수이다. 삭책(朔策)은 한 달의 누적일이니, 곧 달이 해와 한번 만날 때의 일수이다. 상수(常數)는 육기(六紀)의 총수이니, 세실에서 이 수를 빼고 나머지에서 간지를 시작하여 반드시 처음 동짓날의 간지에 비추어 날을 기록한다. 12삭책은 달이 해와 열두 번 만날 때의 누적일이다. 기영(氣盈)은 세실이 상수를 넘어간 나머지 일분(日分)이므로 '영'이라 하였고, 삭허(朔虛)는 12삭책이 상수에 미치지 못한 만큼의 부족한 일분이므로 '허'라고 하였다. 윤여(閏餘)는 기영과 삭허를 아우른 수이니, 또한 곧 세실이 12삭책보다 많은 나머지 일분이다. 삭과 지(至)가 서로 차이 나는 수가 1삭책에 차지 않으므로 윤여라고 한다.

주천(周天)은 태양(太陽)이 동지(冬至)에서 시작하여 동지에서 마치고, 태음(太陰)이 합삭(合朔, 해와 달이 만나는 날)에서 시작하여 합삭에서 마치면서 지나는 것이니, 모두 한 원둘레의 도수가 된다. 일행(日行)은 태양(太陽)이 동지의 경계로부터 시작하여 매일 동지에서 멀어져 오른쪽으로 간 도수이

6 세실(歲實) : 1태양년의 길이로, 태양이 춘분점(동지점)을 지나 황도상 동으로 운행하여 천구를 1주한 후 다시 춘분점(동지점)으로 돌아오는 동안의 시간을 가리킨다.

7 삭책(朔策) : 달이 해와 한번 만날 때의 일수로 한 달의 누적일이다.

고, 월행(月行)은 태음(太陰)이 또 동지의 경계로부터 시작하여 매일 동지에서 멀어져 오른쪽으로 간 도수이다. 월행이 일행과 생기는 차이는 태음이 합삭과 태양이 있는 경계에서 시작하여 매일 태양과 멀어져 오른쪽으로 간 도수이다. 그러므로 일행이 1주천을 채우면 세실의 일수와 꼭 맞고, 월행이 일행과 생기는 차이가 1주천을 채우면 삭책의 일수에 꼭 맞는다. 일주하는 도수는 똑같은데, 일행은 도수가 적기 때문에 일수가 많고, 월행이 일행과 생기는 차이는 도수가 많기 때문에 일수가 적다.

지금 월행이 일행과 생기는 차이의 도수를 일행의 도수에 비교해보면 항상 일행의 도수의 12와 7/19배가 된다. 그렇다면 일행이 만약 1주천하면 월행이 일행과 생기는 차이는 반드시 12와 7/19주천을 채우게 된다. 곧 해가 세(歲)를 한 번 일주하면 달은 반드시 12와 7/19주삭임을 알 수 있다. 만약 해가 세를 19번 일주하면 달은 반드시 19개의 12주삭과 19개의 7을 돈다. 19개의 12주삭은 곧 228주삭이고, 19개의 7은 곧 7개의 19이니, 7개의 19는 곧 7주삭이다. 무릇 1개의 7/19주삭은 곧 세를 일주했을 때의 윤여이니, 19개의 7/19주삭은 세를 19번 일주했을 때의 총 윤여이다. 전환하면 7주삭이 되니, 7주삭은 7윤삭이다. 세를 19번 일주했을 때의 원래 주삭 228과 서로 더하면 총 235주삭이 된다. 이것이 장월(章月)이니, 19세가 1장월이 된다. 지금 그 유래에 근원하여 그 수를 증명하고자 한다면, 옛사람들이 반드시 전후 양 합삭동지(合朔冬至)의 시각이 같은 것으로 시작하여 수를 측정했던 것을 상세하게 살펴야 한다.

합삭과 동지가 동일한 시각에 서로 만나는 것을 합삭동지라고 한다. 전후의 양 합삭동지가 또 시각이 같은 것을 동시 양 합삭동지라고 한다. 양 합삭동지가 이미 같은 시각이라면 둘 사이의 누적일수는 반드시 정연할 것이고, 둘이 이미 합삭이면 둘 사이의 누적일수 또한 정연할 것이며, 둘이 이미 동지이면 둘 사이의 누적세수도 정연할 것이다. 그러므로 날로 세를 따져보면 세실을 정할 수 있고, 날로 달을 따져보면 삭책을 정할 수 있고, 달로 세를 따져보면 윤여를 정할 수 있다. 세와 삭과 윤은 책력을 연구하는 큰 절목인데, 윤여의 구분은 또 12삭책에서 세실을 뺀 나머지에서 생기는 것이니, 역가(曆家)의 요점은 오직 세와 삭뿐이다. 이것으로 역(曆)은 바로 역(易)이고, 일(日)과 월(月)로부터 나온 것임을 알 수 있다.

날로 세를 따져본다는 것은 무엇을 말하는 것인가? 4장의 누적일은 27,759일이다. 4장의 세수 76으로 나누면 세는 365와 19/76일이니, 19/76일은 또한 곧 1/4일이다. 그러므로 주천 또한 365와 1/4도로 만든 것은 날에 항상 1도를 돌아 세에 항상 1주천을 하게 하는 것이다. 날로 달을 따져본다는 것은 무엇을 말하는 것인가? 4장의 달은 940삭이다. 940삭으로 4장의 누적일을 나누면 삭은 29와 499/940일이다. 이것이 월행이 일행과 차이가 나는 것이 한 달에 항상 1주천을 하는 것이다. 달로 세를 따져본다는 것은 무엇을 말하는 것인가? 4장의 세수 76으로 4장의 삭수 940을 나누면 세는 12와 28/76삭이다. 28/76삭은 또한 곧 7/19삭이다. 이것이 월행이 일행과 차이가 나는 것이 세에 항상 12와 7/19주천인 것이다.

이미 일행은 세에 항상 1주천을 하고, 월행이 일행과 차이가 나는 것은 세에 항상 12와 7/19주천이니, 이것이 월행이 일행과 차이가 나는 것이 항상 일행의 12와 7/19배인 것이다. 곧 일행 1도에 월행이 일행과 차이가 나는 것은 반드시 12와 7/19도이니, 일행 1도를 더하여 이에 월행 13과 7/19도를 얻게 된다. 이로써 옛사람들이 측량한 전후 합삭동지 사이의 누적세는 76이 되고 누적삭은 940이 되고 누적일은 27,759가 되며, 달로 세를 따지고 남은 28삭은 4장의 총 윤여로, 매 장은 7윤이고, 매 세는 7/19윤이니, 기영과 삭허의 합수가 됨을 알 수 있다.

찬讚

해가 천체와 만나는 것이 동지이니, 365와 235/940일로 다시 만나는 것이 곧 한 해의 세실이다. 달이 해와 만나는 것이 합삭이니, 29와 499/940일로 다시 만나는 것이 곧 한 달의 삭책이다. 해는 동지에 뿌리를 두고 입춘에서 시작하니, 양삼(陽三)의 달로 태(泰)이고, 합삭에 웅크리고 생명(生明, 초사흘)에 시작하니, 광삼(光三)의 일로 비(朏)이다. 해가 남쪽으로 극에 달하여 동지가 되는데, 북륙(北陸)으로 나아가서 반년이 지나면 동지와 하지가 남쪽과 북쪽에서 더위를 맡고 추위를 잇는다. 달이 서쪽으로 극에 달하여 그믐이 되는데, 동우(東隅)에서 생겨나 차서 반달이 되면 그믐과 보름이 동쪽과 서쪽에서 밤을 맡고 낮을 잇는다.

해는 하늘을 받들어 임금을 형상하니, 곧 교사(郊祀)[8]의 예이고, 달은 해를 받들어 신하를 형상하니, 곧 조회하는 도이다. 남쪽은 양위가 되어 〈건(乾)〉이 위치하는데, 하지 이후에 음이 오(午)로부터 생겨나니, 위(位)는 체(體)에서 말한 것으로 선천(先天)의 이치이다. 해는 양덕이 되어 〈이(离)〉가 짝을 이루는데, 동지 이후에 양이 남쪽으로부터 오니, 덕은 용(用)에서 말한 것으로 후천(後天)의 도이다.

12개의 월이고 30개의 일이니 360은 수책(數策)이 천일(天一)에서 근원하여 시작한 것이다. 하늘은 둥글어 5가 되고 땅은 모나서 6이 되니, 5원(元) 6기(紀)[9]는 간지(干支)가 갑자(甲子)에서 한데 모인 것이다. 원시에 의거하여 차거나 비게 되면 이것은 달의 천심(淺深)이고, 회동을 보고 따르거나 거스르는 것은 그해의 갑을(甲乙)이다. 영과 허에 도수를 아우른 것이 윤여의 수이고, 순과 역이 나누어 달린 것이 삭지(朔至)의 차이이다. 천일을 채움에 항상 5책이 많고, 천일을 줄임에 항상 5책이 적으니, 곧 천일은 수의 근본이다. 선갑자는 항상 육천이 나아가고, 후갑자는 항상 육천을 물러나니, 갑자는 기의 시작이다.

동지는 세의 근본이고, 삭조(朔朝)는 삭의 시작이다. 동지와 삭조와 갑

---

8 교사(郊祀) : 천자가 교외(郊外)에서 하늘과 땅에 지내는 제사로, 동지(冬至)에는 남쪽 교외에서 하늘에 제사지내고, 하지(夏至)에는 북쪽 교외에서 땅에 제사지낸다.

9 5원(元) 6기(紀) : 5원은 갑자원(甲子元)·병자원(丙子元)·무자원(戊子元)·경자원(庚子元)·임자원(壬子元)이다. 매 원마다 72년이니, 5원은 모두 360년이다. 60갑자는 60년에 한 번씩 도는데, 이것을 '1주기(一周紀)'라고 한다. 1개의 갑자원이 1기가 되니, 6기는 총 360년이다. 360년은 5원 6기의 주기수이니, 72년은 원의 주기수이고, 60년은 기의 주기수이다.

자가 참여하여 서로 모인 것이 소원시가 되니, 갑자일 삭조 동지라고 하면 1,120주세(周歲)의 수에 한 번 볼 수 있다. 연갑자와 월갑자와 시갑자는 모두 일갑자에서 기원하니, 사갑자 삭조 동지라고 하면 27,360기(朞)에 한 번 만난다. 〈태극도(太極圖)〉[10]가 앞에서 짝을 이루니, 곧 책력의 체이고, 《황극서(皇極書)》[11]가 뒤에서 참여하니, 곧 책력의 용이다.

《율려신서律呂新書》[12]

《율려신서(律呂新書)》는 악률(樂律)의 체계가 무너진 이후 처음으로 나온 책으로 주자는 이 책이 매우 정밀하게 연구되었다고 극찬하였다. 그러나 이때만 하더라도 새로운 계산법이 나오기 전이라서 산율이 어긋난 곳이 간간이 많이 있다.[13] 계유년(癸酉, 1813) 여름 삼호(三湖)의 행정(杏亭)에 있을 때 형님 좌소 선생(左蘇先生)[14]과 함께 이 책을 강독하였는데 8일 만에 다 읽고 다음과 같은 설명을 붙인다.

〈황종(黃鐘)이 11률을 만든다〉에서 "여섯 양진(陽辰)[15]이 각각 제 자리를 얻어야 한다."라고 한 부분에 대해 주자는 이렇게 말하였다.

"황종부터 중려(仲呂)까지는 모두 양(陽)에 속하고, 유빈(蕤賓)부터 응종(應鐘)까지는 모두 음(陰)에 속하니, 이것이 하나의 대음양(大陰陽)이다. 황종

---

10 태극도(太極圖) : 송(宋)나라 학자 주돈이(周敦頤, 1017~1073)가 만든 도형으로, 우주의 근본과 만물의 이치를 도해(圖解)로 밝힌 것이다. 또한 〈태극도설(太極圖說)〉을 지어 그림을 풀이하기도 하였다.

11 황극서(皇極書) : 송나라 학자 소옹(邵雍, 1011~1077)이 지은 책으로, 1~6권까지는 《주역》 64괘(卦)를 원회운세(元會運世)에 배정(配定)하여 제요(帝堯)에서 후주(後周) 현덕(顯德, 954~959)까지의 행적을 추술(推述)하였고, 7~10권은 율려성음(律呂聲音)에 대하여 논했고, 11~12권은 관물편(觀物篇)이다.

12 율려신서(律呂新書) : 송(宋)나라 채원정(蔡元定, 1135~1198)의 음악이론서로 고대부터 송대(宋代)까지의 악률론(樂律論)을 집약하여 집필한 책이다.

13 새로운……있다 : 《풍석전집(楓石全集)》에 수록된 《금화지비집(金華知非集)》 권2 〈기후에 대한 논변을 좌소선생에게 올리는 편지[上伯氏左蘇先生論候氣書]〉의 서두에도 이와 관련된 내용이 있다.

14 좌소 선생(左蘇先生) : 서유구(徐有榘)의 형 서유본(徐有本, 1762~1822)을 가리킨다. 자는 혼원(混原)이고, 호는 좌소산인(左蘇山人)이다.

15 양진(陽辰) : 12지지 가운데 子·寅·辰·午·申·戌의 자리를 가리킨다.

이 양이 되고 대려(大呂)가 음이 되어 양과 양 사이에 음이 있게 되니, 이것이 또한 하나의 소음양(小陰陽)이다."

12진(辰)을 살펴보니 자(子)에서 사(巳)까지는 양(陽)이 늘어나고 음(陰)이 줄어들기 때문에 모두 양에 속한다. 오(午)에서 해(亥)까지는 음이 늘어나고 양이 줄어들기 때문에 모두 음에 속한다. 이것이 이른바 하나의 '대음양'이다. 12율을 12진에 맞게 분배하면 황종이 양이 되고 대려는 음이 된다. 이것이 이른바 하나의 '소음양'이다.

서산(西山) 채원정은 "대려(大呂)·협종(夾鐘)·중려(仲呂)는 음려(陰呂)면서 양월(陽月)에 있으므로 배수(倍數)를 써야 12개월의 기운에 상응하니[16] 바로 음(陰)으로써 양(陽)을 따르는 것은 당연하다." 하였다. 그러나 유빈(蕤賓)·이칙(夷則)·무역(無射) 3률은 양률(陽律)이면서 음월(陰月)에 있어 하생(下生)[17]의 수(數)를 얻으니 이는 바로 양으로써 음을 따르는 것이 된다. 그러므로 '양은 모두 하생(下生)하고 음은 모두 상생(上生)한다'[18]는 주장이 여기에서 설득력을 잃는다.

---

16 대려……상응하니 : 《율려신서》 제7 〈변성〉의 주자 주에 "모든 성(聲)은 양(陽)이다. 아래로부터 위로 그 반에 미치지 못하면 음(陰)에 속해 통하지 못한다. 그러므로 쓸 수 없고, 위로 올려 반에 미친 다음에 양에 속해 비로소 조화롭다.[朱子曰 凡聲陽也. 自下而上, 未及其半, 則屬於陰而未暢. 故不可用. 上而及半, 然後屬於陽而始和.]"라고 하였다. 여기에서 언급한 음양(陰陽)의 개념은 황종관을 9촌으로 놓고 그 절반인 4촌 5푼 이상일 때를 양(陽), 그 미만을 음(陰)으로 본 것이다. 임종관은 6촌, 남려관은 5촌 3푼, 응종관은 4촌 6푼 6리이므로 양(陽)이 된다. 대려관은 4촌 1푼 8리 3호, 협종관은 3촌 6푼 6리 3호, 중려관은 3촌 2푼 8리 6호 2사 3홀이므로 이는 모두 황종의 반성(半聲)인 4촌 5푼에 미달한다. 따라서 음에 속한다. 따라서 각각 2배를 해주어야 양(陽)에 속하게 된다.(이후영 역주, 《(국역) 율려신서》, 問津, 2011, 99쪽, 101면, 주 13, 14, 24.)

17 하생(下生) : 《후한서》 〈율력지〉에 양이 음을 낳는 것을 하생(下生)이라 하고, 음이 양을 낳는 것을 상생(上生)이라 하였다. 삼분손익(三分損益)의 법칙에 따르면, 양률(陽律)은 음률(陰律)을 하생(下生)하고 음률은 양률을 상생(上生)한다. 하생은 해당 율에서 1/3을 덜어 삼분손일(三分損一 2/3)함을 말하고, 상생은 1/3을 더하여 삼분익일(三分益一 4/3)함을 뜻한다.

- 양률 : 황종, 태주, 고선, 유빈, 이칙, 무역
- 음률 : 임종, 남려, 응종, 대려, 협종, 중려

황종(9치) 하생(2/3) → 임종(6치) 상생(4/3) → 태주(8치) 하생 → 남려(5치 3푼) 상생 → 고선(7치1푼) 하생 → 응종(4치6푼6리) 상생 → 유빈(6치2푼8리) 하생 → 대려(4치1푼8리) 상생 → 이칙(5치5푼2리) 하생 → 협종(3치6푼6리) 상생 → 무역(4치8푼8리) 하생 → 중려(3치2푼8리)
(김익현 외 역, 《(국역) 증보문헌비고》(악고 01), 세종대왕기념사업회, 1994, 41쪽의 주석 19)

18 양(陽)은……상생(上生)한다 : 《율려신서(律呂新書)》 제3 〈황종생십일률(黃鍾生十一律)〉에 보인다.

19 진상도(陳祥道) : 1053~1093. 자는 용지(用之) 또는 우지(祐之)이다. 북송 영종(英宗) 치평(治平) 4

송(宋) 진상도(陳祥道)[19]는 《예서(禮書)》 권117에서 이렇게 말하였다.

"황종(黃鐘)·태주(太簇)·고선(姑洗)은 양(陽)을 덜어내어 음(陰)을 만들고, 임종(林鐘)·남려(南呂)·응종(應鐘)은 음(陰)을 더하여 양(陽)을 만든다. 유빈·이칙·무역은 양을 더하여 음을 만들고, 대려·협종·중려는 또 음을 덜어 양을 만든다. 어째서 그러한가? 황종·태주·고선은 양의 양이 되고, 임종·남려·응종은 음의 음이 된다. 양의 양과 음의 음이 되는 때는 양이 늘어나고 음이 줄어드는 때이기 때문에 양은 항상 상생(上生)해도 부족하고, 음은 항상 하생(下生)해도 남는다. 자오(子午)의 왼쪽은 모두 상생(上生)하고, 오른쪽은 모두 하생(下生)한다."

장안무(張安茂)[20]는 《반궁예악전서(頖宮禮樂全書)》 권9에서 이렇게 말하였다.

"동지(冬至) 이후에 양(陽)이 늘어나고 음(陰)이 줄어들어 황종(黃鐘)이 시작되니, 모든 율(律)이 여(呂)를 하생(下生)한다. 하지(夏至) 이후에 음이 늘어나고 양이 줄어들어 유빈(蕤賓)이 시작되니, 모든 율이 여를 상생(上生)한다."

《율려신서》에 상(桑)씨[21]가 기뻐하며 말하였다.

"주자는 말하였다. '12율관(律管)은 격팔(隔八)하여 상생(相生)한다.[22] 황종관부터 양(陽)은 모두 하생(下生)하고 음(陰)은 상생한다. 유빈관부터는 도리어 음이 하생하고 양이 상생하니, 천지의 기운을 본뜬 것이다. 만약 옛날 방식에 얽매여 반드시 양은 하생하고 음이 상생한다고 한다면 이로써 절기를 관측[候氣][23]해도 호응되지 않고, 음악을 만들어도 조화롭지 않다.

년(1067)에 진사가 되었으며, 국자감 직강(國子監直講)에 임명되었다. 철종(哲宗) 원우(元祐) 연간에 태상박사(太常博士)가 되었고 비서성 정자(秘書省正字)를 역임하였다. 저서로 《예서(禮書)》 150권이 있다.

20 장안무(張安茂) : 명말청초의 강남 화정(華亭) 사람이다. 자(字)는 자미(子美), 호는 요비(蓼匪)이다. 순치(順治) 4년(1647)에 진사(進士)가 되었으며 서령도(西寧道)·절강제학첨사(浙江提學僉事)를 지냈다. 저서로는 《반궁예악전서(頖宮禮樂全書)》 16권이 있다.

21 상(桑)씨 : 미상이다. 《오례통고(五禮通考)》 권72에 상(桑)씨가 기뻐하여 주자의 말을 인용한 것으로 주석되어 있다.

22 격팔(隔八)하여 상생(相生)한다 : 이 말[隔八相生]은 《주역(周易)》에 나온다. 옛날에 율수의 크기에 따라 구현한 가장 조화로운 화음이다. 황종을 12궁(宮)의 자(子) 위치에서 시작하여 둥글게 배치하면 조화로운 음은 모두 여덟 번째 자리에 놓이게 되는데, 황종(黃鐘)의 경우에는 임종(林鐘)이 된다.

23 절기를 관측[候氣] : 3중의 밀실(密室)에 12율관을 각각 12진(辰)에 해당하는 자리에 설치한 후 갈

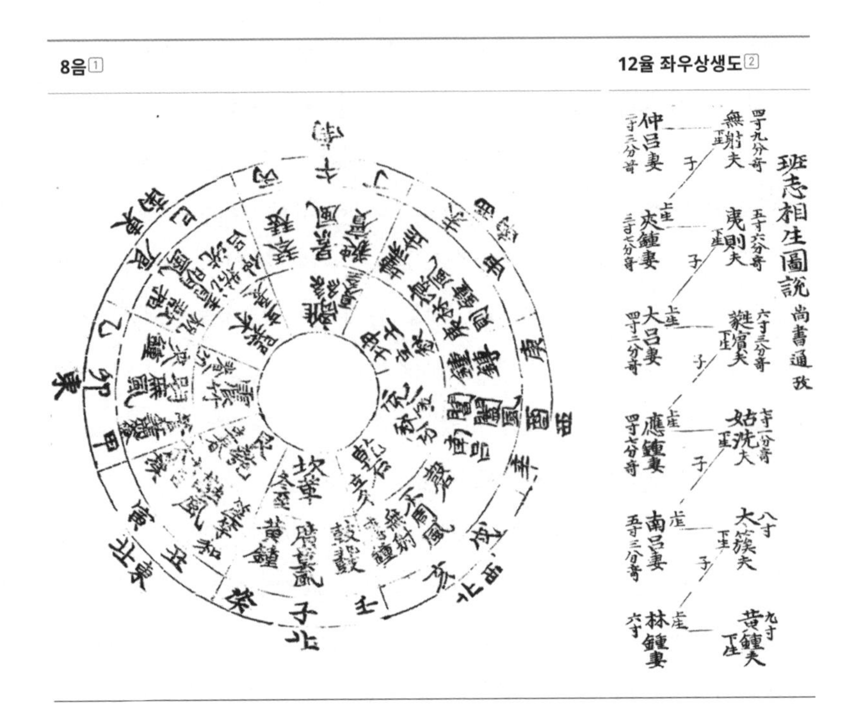

8음[1]

12율 좌우상생도[2]

이 때문에 정현(鄭玄)이 상생법(上生法)을 중시한 것이니 바꿀 수 없는 논리이다.'"

이러한 설명들을 살펴보니, 반고의 《한서》〈율력지(律曆志)〉에서 "율(律)은 하생하고 여(呂)는 상생한다."라고 한 말에 대한 선유의 변증이 매우 자세하다. 《율려신서》에서 말한 상생·하생법은 서산 채원정이 옛날 방식만을 따르고 자세히 연구하지 못한 것임을 알 수 있다.[24]

대의 재를 채워 넣고 얇은 비단을 덮은 후 절기에 따라 재가 날라 비단이 움직인 상태를 보고 변화를 관찰하였다. 《율려신서》 제10편이 이와 관련된 부분이다. 《성종실록》 13년(1482) 11월 2일 조에 옛날 갈대 관에 재를 날리는 것을 생각하여 동지의 기후를 살피게 한 기록이 있다.

24 이러한……있다 : 정약용은 이에 대해 《여유당전서(與猶堂全書)》 제4집 《악집(樂集)》 제1권 〈악서고존(樂書孤存) 12율상하상생법 변증[辨十二律上下相生之法]〉에서 자세히 논증하였다. 《여씨춘추》와 《회남자》에서는 율수(律數)의 크기에 따라 순서를 정해서 유빈(蕤賓)이 대려(大呂)를 상생(上生)한다고 하였고, 《사기》와 《한서》에서는 음양(陰陽)에 따라 순서를 정해서 유빈(蕤賓)이 대려(大呂)를 하생(下生)한다고 하였다. 크게 이 두 가지로 입장의 차이를 밝히고 양자 모두 오류가 있음을 변증하였다.

[1] 《樂學軌範》 한古朝85-4 9/117 〈八音圖說〉

[2] 《樂學軌範》 한古朝85-4 63/117 〈班志相生圖說〉

12율의 실수實數

자(子)는 황종(黃鐘)이니 177,147이다. 촌(寸)의 법수(法數)[25] 19,683으로 실수(實數, 被除數, 분자)를 나누면 9촌이 된다.[26]

축(丑)은 임종(林鐘)이니 118,098이다. 촌의 법수 19,683으로 실수를 나누면 6촌이 된다.[27]

인(寅)은 태주(太簇)니 157,464이다. 촌의 법수 19,683으로 실수를 나누면 8촌이 된다.[28]

묘(卯)는 남려(南呂)니 104,976이다. 푼(分)의 법수 2,187로 실수를 나누면 48푼이 된다. 이를 9로 나누면[29] 5촌과 나머지 3푼이 된다. 이를 정리하면 5촌 3푼이 된다.[30]

진(辰)은 고선(姑洗)이니, 139,968이다. 푼의 법수 2,187로 실수를 나누면 64푼이 된다. 이를 9로 나누면 7촌과 나머지 1푼이 된다. 이를 정리하면 7촌 1푼이 된다.[31]

사(巳)는 응종(應鐘)이니, 93,312이다. 이(釐)의 법수 243으로 실수를 나누면 384리가 된다. 이를 9로 나누면 42푼과 나머지 6리가 된다. 42푼을 다시 9로 나누면 4촌과 나머지 6푼이 된다. 이를 정리하면 4촌 6푼 6리가 된다.[32]

오(午)는 유빈(蕤賓)이니, 124,416이다. 이의 법수 243으로 실수를 나누면 512리가 된다. 이를 9로 나누면 56푼과 나머지 8리가 된다. 56푼을 다시

---

25 법수(法數) : 곱셈이나 나눗셈에서 일정하게 곱하거나 나누는 수로, 곱하는 수는 승수(乘數), 나누는 수는 제수(除數)라고 한다.

26 9촌이 된다 : 《율려신서》에는 "全九寸 半無"로 되어 있다.

27 6촌이 된다 : 《율려신서》에는 "全六寸 半二十不用"으로 되어 있다.

28 8촌이 된다 : 《율려신서》에는 "全八寸 半四寸"으로 되어 있다.

29 9로 나누면 : 원문에는 구귀(九歸)라고 되어 있다. 9귀는 9귀법으로서 나눗셈하는 것을 말한다.

30 5촌이……된다 : 《율려신서》에는 "全五寸三分 半二寸六分不用"으로 되어 있다.

31 7촌이……된다 : 《율려신서》에는 "全七寸一分 半三寸五分"으로 되어 있다.

32 4촌……된다 : 《율려신서》에는 "全四寸六分六釐 半二寸三分三釐不用"으로 되어 있다.

9로 나누면 6촌과 나머지 2푼이 된다. 이를 정리하면 6촌 2푼 8리가 된다.[33]

미(未)는 대려(大呂)니, 165,888이다. 호(毫)의 법수 27로 실수를 나누면 6,144호가 된다. 이를 9로 나누면 682리와 나머지 6호가 된다. 682리를 다시 9로 나누면 75푼 7리가 되며, 75푼을 다시 9로 나누면 8촌과 나머지 3푼이 된다. 이를 정리하면 8촌 3푼 7리 6호가 된다.[34]

신(申)은 이칙(夷則)이니, 110,592이다. 호(毫)의 법수 27로 실수를 나누면 4,096호가 된다. 이를 9로 나누면 455리와 나머지 1호가 된다. 455리를 다시 9로 나누면 50푼과 나머지 5리가 되며, 50푼을 다시 9로 나누면 5촌과 나머지 5푼이 된다. 이를 정리하면 5촌 5푼 5리 1호가 된다.[35]

유(酉)는 협종(夾鐘)이니, 147,456이다. 사(絲)의 법수 3으로 실수를 나누면 49,152사가 된다. 이를 9로 나누면 5,461호와 나머지 3사가 된다. 5,461호를 다시 9로 나누면 606리와 나머지 7호가 된다. 606리를 다시 9로 나누면 67푼과 나머지 3리가 되며 67푼을 다시 9로 나누면 7촌과 나머지 4푼이 된다. 이를 정리하면 7촌 4푼 3리 7호 3사가 된다.[36]

술(戌)은 무역(無射)이니, 98,304이다. 사의 법수 3으로 실수를 나누면 32,768사가 된다. 이를 9로 나누면 3,640호와 나머지 8사가 되며, 3,640호를 다시 9로 나누면 404리와 나머지 4호가 된다. 404리를 9로 나누면 44푼이 되며 이를 또 9로 나누면 4촌과 나머지 8푼이 된다. 이를 정리하면 4촌 8푼 [8리] 4호 8사가 된다.[37]

해(亥)는 중려(仲呂)니, 131,072이다. 사의 법수 3으로 실수를 나누면 43,690사와 나머지 2사가 되는데 1사가 3홀(忽)이므로 나머지 2에 3을 곱하면 6홀이 된다. 43,690사를 9로 나누면 [4,854호와 나머지 4사가 되고, 이를 다

33 6촌……된다 : 《율려신서》에는 "全六寸二分八釐 半三寸一分四釐"로 되어 있다.
34 8촌……된다 : 《율려신서》에는 "全八寸三分七釐六毫 半四寸一分八釐二毫"로 되어 있다.
35 5촌……된다 : 《율려신서》에는 "全五寸五分五釐一毫 半二寸七分二釐五毫"로 되어 있다.
36 7촌……된다 : 《율려신서》에는 "全七寸四分三釐七毫三絲 半三寸六分六釐三毫六絲"로 되어 있다.
37 4촌……된다 : 《율려신서》에는 "全四寸八分八釐四毫八絲 半二寸四分四釐二毫四絲"로 되어 있다.

시 9로 나누면][38] 539리와 나머지 3호가 되며, 539리를 다시 9로 나누면 59푼과 나머지 8리가 된다. 59푼을 다시 9로 나누면 6촌과 나머지 5푼이 된다. 이를 정리하면 6촌 5푼 8리 3호 4사 6홀이 된다.[39]

	12월	12辰	12律	三分損益				隔八相生	12율의 실수	
1	11	子	황종	황종	陽	陽	下生	임종	177,147	9촌
2	12	丑	대려	임종		陰	上生	이칙	118,098	6촌
3	1	寅	태주	태주		陽	下生	남려	157,464	8촌
4	2	卯	협종	남려		陰	上生	무역	104,976	5촌 3푼
5	3	辰	고선	고선		陽	下生	응종	139,968	7촌 1푼
6	4	巳	중려	응종		陰	上生	황종	93,312	4촌 6푼 6리
7	5	午	유빈	유빈	陰	陽	下生	대려	124,416	6촌 2푼 8리
8	6	未	임종	대려		陰	上生	태주	165,888	8촌 3푼 7리 6호
9	7	申	이칙	이칙		陽	下生	협종	110,592	5촌 5푼 5리 1호
10	8	酉	남려	협종		陰	上生	고선	147,456	7촌 4푼 3리 7호 3사
11	9	戌	무역	무역		陽	下生	중려	98,304	4촌 8푼 8리 4호 8사
12	10	亥	응종	중려		陰	上生	유빈	131,072	6촌 5푼 8리 3호 4사 6홀

변률變律[40]

황종은 174,762이다. 【소분(小分)[41]은 486[42]이다.】 전체는 8촌 7푼 8리 1호 6사(絲) 2홀(忽)이다. 3으로 나눈 뒤 9로 나누는 법은 위에 보인다. 황

38 4,854호와……나누면 : 중간 계산 과정이 생략되어 역자가 보충하였다.

39 6촌……된다 : 《율려신서》에는 "全六寸五分八釐三毫四絲六忽 【餘二算】 半三寸二分八釐六毫二絲二忽"로 되어 있다.

40 변률(變律) : 송대 채원정이 착안한 12율 외의 6율로, 12율의 산출방법인 삼분손익법에 의하여 마지막 음인 중려(仲呂)를 구하고서도 계속 계산하면 본래의 황종음(黃鐘音)보다 조금 높은 황종음이 산출된다. 즉 이 변칙적인 황종음 뒤에 생기는 음을 모두 변률이라고 한다.

41 소분(小分) : 1보다 작은 수를 나타내기 위한 단위로, 분자가 1, 분모가 제수(除數, 나누는 수)이다. 따라서 〈변률〉에 쓰인 소분은 $\frac{1}{729}$이다.

42 486 : $\frac{486}{729}$을 말한다. 아래도 같다.

종 변률의 실수[43]를 729로 나누면 다시 정본수(正本數)를 얻고, 486이 남는다. 이를 홀과 초(秒)로 기록하였다. 6변률의 소분은 모두 이러한 방식을 따랐다. 243을 1홀이라 하였다.[44]

임종은 116,508이다. 【소분은 324이다.】 전체는 5촌 8푼 2리 4호 1사 1홀 3초(初)이다. 243을 1홀로 하였다. 27을 1초(初)로 하였다.[45]

태주는 155,344이다. 【소분은 432이다.】 전체는 7촌 8푼 2호 4사 4홀 4초(初)이다. 80을 1홀로 하였다. 16을 1초(初)로 하였다.[46]

남려는 103,563이다. 【소분은 45이다.】 전체는 5촌 2푼 3리 1호 6사 1초(初) 6초(秒)이다. 9를 1초(初)로 하였다. 6을 1초(秒)로 하였다.[47]

고선은 138,084이다. 【소분은 60이다.】 전체는 7촌 1리 2호 2사 1초(初) 2초(秒)이다. 40을 1초(初)로 하였다. 10을 1초(秒)로 하였다.[48]

응종은 92,056이다. 【소분은 40이다.】 전체는 4촌 6푼 7호 4사 3홀 1초(初) 4초(秒)이다. 10을 1홀로 하였다. 6을 1초(初)로 하였다. 1을 1초(秒)로 하였다.[49]

《율려신서》에 있는 설을 살펴보니 이렇게 되어 있다.

"자의 실수 1을 두고 여섯 차례 세 곱절하면 729가 된다. 자의 실수 1을

---

43 황종 변률의 실수 : 중려의 실수에서 황종을 상생해야 하나, 중려의 실수를 3으로 나눌 때 정수로 나뉘지 않기 때문에 729를 곱해 95,551,488을 만들어 실수로 삼고, 여기에 4/3를 곱해 황종 변률의 실수 127,401,984를 상생한다. 곱하는 수가 729인 까닭은, 중려 뒤에 이어질 양(陽)에 속하는 율이 여섯이기 때문에, 이 수에 따라 자의 실수 1에 3을 6제곱했기 때문이다. $1\times3^6=729$

44 174,762÷3=58,254 / 58,254÷9=6,472.6··1 (6사) / 6,472÷9=719.1·· (1호) / 719÷9=79.8·· (8리) / 79÷9=8.7·· (8촌 7푼)

45 116,508÷3=38,836 / 38,836÷9=4,315.1·· (1사) / 4,315÷9=479.4·· (4호) / 479÷9=53.2·· (2리) / 53÷9=5.8·· (5촌 8푼)

46 155,344÷3=51,781.3··1 / 51,781÷9=5,753.4·· (4사) / 5,753÷9=639.2·· (2호) / 639÷9=71 / 71÷9=7.8·· (7촌 8푼)

47 103,563÷3=34,521 / 34,521÷9=3,835.6·· (6사) / 3,835÷9=426.1·· (1호) / 426÷9=47.3·· (3리) / 47÷9=5.2·· (5촌 2푼)

48 138,084÷3=46,028 / 46,028÷9=5, 114.2·· (2사) / 5,114÷9=568.2·· (2호) / 568÷9=63.1·· (1리) / 63÷9=7 (7촌)

49 92,056÷3=30,685.3··1 / 30,685÷9=3,409.4·· (4사) / 3,409÷9=378.7·· (7호) / 378÷9=42 / 42÷9=4.6·· (4촌 6푼)

두고 축(丑)에서부터 오(午)까지 3으로 곱하면 729가 된다. 729로 중려의 실수 131,072를 곱하면 95,551,488이 된다. 이를 3으로 나눈 뒤 그 하나를 더하면 황종, 임종, 태주, 고선, 응종의 6률이 다시 생긴다. 이를 또 729로 나누어 12율의 수에 맞추고, 그 남은 소분을 홀과 초로 기록한 뒤에야 크고, 작고, 높고, 낮음이 서로 질서를 잃지 않게 되었다."

중려의 실수 95,551,488을 3으로 나누면 31,850,496이 된다. 이를 4로 곱하면 127,401,984이니, 황종의 실수가 된다. 이를 729로 나누면 174,762와 나머지 소분 486이 된다.[50] 황종은 임종을 하생하니, 황종의 실수를 3으로 나누면 42,467,328이 된다. 이를 2로 곱하면 84,934,656이니, 임종의 실수가 된다. 이를 729로 나누면 116,508과 나머지 소분 324가 된다.[51] 임종은 태주를 상생하니, 임종의 실수를 3으로 나누면 28,311,552가 된다. 이를 4로 곱하면 113,246,208이니, 태주의 실수가 된다. 이를 729로 나누면 155,344와 나머지 소분 432가 된다.[52] 태주는 남려를 하생하니, 태주의 실수를 3으로 나누면 37,748,736이 된다. 이를 2로 곱하면 75,497,472이니, 남려의 실수가 된다. 이를 729로 나누면 103,563과 나머지 소분 45가 된다.[53] 남려는 고선을 상생하니, 남려의 실수를 3으로 나누면 25,165,824가 된다. 이를 4로 곱하면 100,663,296이니, 고선의 실수가 된다. 이를 729로 나누면 138,084와 나머지 소분 60이 된다.[54] 고선은 응종을 하생하니, 고선의 실수를 3으로 나누면 33,554,432가 된다. 이를 2로 곱하면 67,108,864이니, 응종의 실수가 된다. 이를 729로 나누면 92,056(.054869684……)[55]이 된다.[56] 응종의 실수를 3

50 95,551,488÷3=31,850,496 / 31,850,496×4=127,401,984 / 127,401,984÷729= 174,762.6··

51 127,401,984÷3=42,467,328 / 42,467,328×2=84,934,656 / 84,934,656÷729=116,508.4··

52 84,934,656÷3=28,311,552 / 28,311,552×4=113,246,208 / 113,246,208÷729=155,344.59···

53 113,246,208÷3=37,748,736 / 37,748,736×2=75,497,472 / 75,497,472÷729=103,563.0617···

54 75,497,472÷3=25,165,824 / 25,165,824×4=100,663,296 / 100,663,296÷729=138,084.0823···

55 원문에는 완전히 나눠는 것처럼 쓰여 있으나 실제로 계산해보면 완전히 나뉘어 떨어지지 않고 괄호 안과 같이 소분이 이어진다.

56 100,663,296÷3=33,554,432 / 33,554,432×2=67,108,864 / 67,108,864÷729=92,056.054869684···

으로 나누면 22,369,621하고 산가지 하나가 남아 더 이상 셈을 진행할 수 없다. 이것이 변률이 여섯에서 그친 까닭이다.[57]

변성變聲[58]

변궁성(變宮聲)은 42이다. 【소분은 6이다.】 변치성(變徵聲)은 56이다. 【소분은 8이다.】

궁성은 81이니, 3으로 나누어 【그 하나는 27이다.】 그 하나를 덜어 치를 하생한다.

치성은 54니, 3으로 나누어 【그 하나는 18이다.】 그 하나를 더해 상을 상생한다.

상성은 72니, 3으로 나누어 【그 하나는 14이다.】 그 하나를 덜어 우를 하생한다.

우성은 48이니, 3으로 나누어 【그 하나는 16이다.】 그 하나를 더해 각을 상생한다.

각성은 64니, 3으로 나누어 【그 하나는 21이 되며, 산가지 하나가 남는다.】 그 하나를 덜어 변궁을 하생하면 산가지 하나가 남는다.

남은 산가지 하나를 또 쪼개어 9푼을 만들고, 3으로 나누어 그 하나를 없애면 6푼이 남는다. 그래서 변궁성은 42에 나머지 소분이 6이 된다. 변궁은 3으로 나누어 【그 하나는 14이다.】 그 하나를 더해 변치를 상생한다.

변치성은 56이다. 변궁성의 소분 6을 3으로 나누어 그 하나를 더하니, 그렇게 하면 변치성의 소분은 8이 된다.

변치를 3으로 나누면 나뉜 수가 각각 18이 되고도 산가지 두 개가 남

57 67,108,864÷3=22,369,621.3··

58 변성(變聲) : 관율에서 황종·태주·고선·유빈·이칙·무역·청황종(淸黃鍾, 황종보다 한 옥타브 높은 음)이 궁·상·각·변치(變徵, 치보다 반음 낮은 음)·치·우·변궁(變宮, 궁보다 반음 낮은 음)이 되는데 본래의 음보다 반음 낮은 변치와 변궁이 변성(變聲)이다.

으니, 더 이상 셈을 진행할 수 없다.

《율려신서》에 있는 설을 살펴보니 이렇게 되어 있다.

"1을 두고, 두 차례 세 곱절하면 9가 되는데, 9로 각성의 실수 64를 곱하면 576이 된다. 이를 3으로 나누어 덜거나 더하면 변치와 변궁 2성이 다시 생긴다. 이를 9로 나누어 5성의 수에 맞추고, 그 나머지 소분을 보존해 강약(强弱)[59]으로 삼는다. 변치【자의 실수 1을 두고, 차례로 축과 인 두 번에 걸쳐 3으로 곱하면 9가 되는데, 9로 각성의 실수를 곱하면 576이 된다. 이를 3으로 나누면 192가 되는데, 이를 2로 곱하면 384이니, 변궁이 된다. 이를 9로 나누면 42와 나머지 소분 6이 된다. 변궁의 실수인 384를 3으로 나누면 128이 되는데, 이를 4로 곱하면 512이니, 변치가 된다. 이를 9로 나누면 56과 나머지 소분 8이 된다.】의 실수 512에 이르러, 이를 3으로 나누면 또 산가지 두 개가 남아서 온전히 나눠지 않으니, 그 셈을 더 진행할 수 없다. 이것이 변성이 둘에 그치는 까닭이다. 변궁과 변치는, 궁은 궁을 이루지 못하고, 치는 치를 이루지 못하니, 옛사람들이 화무(和繆)라 하였다."

《회남자(淮南子)》에서는 "고선이 응종을 만듦은 정음(正音, 황종)에 가까우니, 화(和)가 된다. 응종이 유빈을 만듦은 정음에 가깝지 않으니, 무(繆)가 된다."[60]라고 하였다.

이광지(李光地)[61]는 《고악경전(古樂經傳)》 권4에서 이렇게 말하였다.

"화(和)는 짝함이다. 무(繆)는 화목함이다. 비(比)는 가까움이다. 정음(正音)은 황종(黃鐘)을 이른다. 응종은 황종에 가까우니, 마치 부부가 짝을 이

---

59 강약(强弱) : 표기한 수 외에 우수리나 모자란 수가 있음을 나타내는 말이다. (이후영 역주, 《(국역) 율려신서》, 問津, 2011, 121쪽.

60 고선이……된다 : 《회남자(淮南子)》 권3 〈천문훈(天文訓)〉에 보인다.

61 이광지(李光地) : 1642~1718. 자는 진경(晉卿)이고 호는 후암(厚庵), 별호는 용촌(榕村)으로, 천주(泉州) 안계(安溪) 호두(湖頭) 사람이다. 강희(康熙) 9년(1670) 진사시에 합격한 뒤 한림학사가 되었고, 벼슬이 문연각대학사(文淵閣大學士) 겸 이부상서(吏府尙書)에 이르렀다. 벼슬하는 동안 정치적인 치적이 빼어나고 공헌한 바가 커서, 강희제가 세 차례나 어편(御匾)을 수여해 그 공을 표창했다.

율려격팔상생응기도설(律呂隔八相生應氣圖說)[3]

루는 것과 같아서 화(和)가 된다. 유빈은 황종에서 멀고 황종과 서로 대칭이 되니, 마치 붕우가 서로 사귀는 것과 같아서 무가 된다."

12궁을 살펴보니, 황종이 궁음이 될 때 고선은 각음이 되어 응종의 변궁음을 하생하고, 응종은 유빈의 변치음을 상생하였다. 응종은 황종과 더불어 서로 12율의 시작과 끝이 되니, 부부가 짝을 이루는 것과 같아서 화(和)가 된다. 유빈은 황종과 더불어 한 자리를 건너 서로 대칭이 되니, 붕우가 서로 사귀는 것과 같아서 무(繆)가 된다.

84성도 八十四聲圖

12율이 번갈아 궁이 되는데[62], 각각 궁, 상, 각, 치, 우 5성과 변궁, 변

---

[3] 《樂學軌範》 한古朝85-4 52/117 〈律呂隔八相生應氣圖說〉

62 12율이……되는데 : 12율을 7음에 안배하여 돌려가면서 궁음을 삼는 것으로 선궁(旋宮)이라고 한다. 12율은 황종(黃鍾), 대주(大簇), 고선(姑洗), 유빈(蕤賓), 이칙(夷則), 무역(無射), 협종(夾鍾), 중려(仲呂), 임종(林鍾), 남려(南呂), 응종(應鍾), 대려(大呂)인데 황종에서 무역까지는 양성(陽聲)이라 하고, 협종에서 대려까지는 음성(陰聲)이라고 한다. 7음은 궁(宮), 치(徵), 상(商), 우(羽), 각(角), 변궁(變宮), 변치(變徵)이다. 진(秦)나라 이후로 선궁의 소리가 없어졌다가 당나라 고조 무덕(武德) 연

치 두 변성을 갖추어 모두 84성이 된다. 84성도는 상단에 12궁과 6변율을 나열하고 각 율의 하단에 상성과 각성 이하 6성(상성, 각성, 변치성, 치성, 우성, 변궁성)을 차례대로 한 칸씩 밀어 위로 각 궁의 율명에 비추어 얻는다. 예를 들어 황종궁이 제1행에 있으면 제2행의 황종치는 위로 임종궁을 대하게 되므로 임종은 황종의 치가 된다. 임종궁이 제2행에 있으면 제3행의 임종치는 위로 태주궁을 대하게 되므로 태주는 임종의 치가 되는 것이다. 나머지는 모두 같다. 본주의 붉은색 글자는 지금 모두 흰색 글자로 바꾸었으므로 정률 반성은 흰 글자이고 변율 반성은 검은색으로 쓴다.[63] 임종치·남려치 같은 것은 모두 정률 반성이므로 율은 검은색으로 쓰고 성에 해당하는 글자는 흰색으로 쓰며, 중궁치·무역상 같은 것은 모두 변율 반성이므로 율은 흰색으로 쓰고 성에 해당하는 글자는 검은색으로 쓴다. 나머지는 이와 같다.

《성리정의(《性理精義》)》[64] 권6 〈팔십사성도(八十四聲圖) 변성(變聲) 제7〉 안설(案說)에 다음과 같이 말하였다.

"84성도는 사선으로 보아야 한다. 황종궁에서 황종변치까지, 중려궁에서 중려변치까지 모두 한 행 건너 한 자리씩 낮아지니 바로 상생의 소리이다. 궁상각치우를 말하는 것은 소리와 음조가 있는데 이 84성도는 소리이고 뒤의 60조도는 음조이다. 소리는 음률의 장단 고하를 5성으로 구별하여 글자와 소리에 따라 이름한 것이다. 음조는 음률의 시작과 종지 소리를 5조로 나누어 한 곡의 7성을 통괄하여 이름한 것이다. 소리와 음조의 구분을 알면 음악의 이른바 조리를 아는 것이다."

간에 조효손(祖孝孫)이 아악을 정비하여 선궁의 소리가 다시 부활되었다고 한다.

63 본주의……쓴다 : 본주의 내용은 다음과 같다. "정률은 검은색 글자이고 반성은 붉은색 글자이며, 변율은 붉은색 글자이고 반성은 검은색 글자이다[正律墨書, 半聲朱書; 變律朱書, 半聲墨書.]" 여기서는 붉은색 글자로 되어 있던 정률 반성과 변율을 흰색 글자로 바꾸었다는 내용이다.

64 성리정의(性理精義) : 청대 강희제의 명으로 이광지(1642~1718) 등이 《성리대전(性理大全)》의 정수를 발췌하여 편찬한 책이다. 우리나라에는 1419년(세종 1)에 들어왔으며, 국내에서 다시 간행되어 널리 보급되면서 성리학의 수준을 높였다.

	第一宮	第二宮	第三宮	第四宮	第五宮	第六宮	第七宮	第八宮	第九宮	第十宮	第十一宮	第十二宮
宮	黃	林	太	南	姑	應	蕤	大	夷	夾	無	中
下生	正	正	正	正	正	正	正	正	正	正	正	正
徵	林	太	南	姑	應	蕤	大	夷	夾	無	中	黃
上生	正	正半	正	正半	正	正半	正半	正半	正	正	正半	變半
商	太	南	姑	應	蕤	大	夷	夾	無	中	黃	林
下生	正	正	正	正	正	正半	正	正	正	正	變半	變
羽	南	姑	應	蕤	大	夷	夾	無	中	黃	林	太
上生	正	正半	正	正半	正半	正半	正半	正	正半	變半	變半	變半
角	姑	應	蕤	大	夷	夾	無	中	黃	林	太	南
下生	正	正	正	正半	正	正半	正	正	變半	變	變半	變
變宮	應	蕤	大	夷	夾	無	中	黃	林	太	南	姑
上生	正	正半	正半	正半	正半	正半	正半	變半	變半	變半	變半	變半
變徵	蕤	大	夷	夾	無	中	黃	林	太	南	姑	應
	正	正半	正	正半	正	正半	變半	變	變半	變	變半	變

〈팔십사성도(八十四聲圖)〉

60조도六十調圖

12율이 번갈아 궁이 되는데 각각 5성을 통괄하여 강(綱)으로 삼고 하나의 성음은 또 각각 7음을 갖추어 기(紀)로 삼아 합하여 60조[65]가 된다. 12율이 5성을 통괄하는 순서대로 나누면, 황종 11월률이 궁성이 되고, 무역 9월률이 상성이 되고, 이칙 7월률이 각성이 되고, 중려 4월률이 치성이 되고, 협종 2월률이 우성이 되는데 궁과 상, 상과 각, 치와 우는 서로 1률이 떨어져 있고 각과 치, 우와 궁은 서로 2률이 떨어져 있다[66]. 나머지는 이와 같다.

《성리정의》 권6 〈60조도(六十調圖) 제9〉 안설에 다음과 같이 말하였다.

“60조도는 매 행에 비록 7성을 모두 배치하였지만 취하여 조를 이름한 것은 1성뿐이다. 예를 들면 첫머리는 황종이 궁위에 있기 때문에 황종궁으로 조를 이름하였고, 다음 행에는 황종이 상위에 있기 때문에 무역

---

65 60조 : 선궁도(旋宮圖)의 84성에서 두 변음-변궁과 변치-24성은 오성의 정음이 아니므로 조(調)가 될 수 없어서, 그것을 뺀 나머지 60조를 말한다.

66 각과 치……떨어져 있다 : 각과 치 사이에 변치(變徵)가, 우와 궁 사이에 변궁(變宮)이 있기 때문에 2율이 떨어져 있게 된다.

	黃	大	太	夾	姑	中	蕤	林	夷	南	無	應
爲宮	於本律	本律	本律	本律	本律	本律	本律	本律	本律	本律	本律	本律
爲商	於無	應	黃	大	太	夾	姑	中	蕤	林	夷	南
爲角	於夷	南	無	應	黃	大	太	夾	姑	中	蕤	林
爲徵	於中	蕤	林	夷	南	無	應	黃	大	太	夾	姑
爲羽	於夾	姑	中	蕤	林	夷	南	無	應	黃	大	太

〈60조도(六十調圖)〉

상으로 조를 이름하였으니 그 다음부터는 각각 미루어 알 수 있다. 이른바 기조(起調)는 곡을 시작하는 소리 한 글자이고, 이른바 필곡(畢曲)은 곡을 끝마치는 소리 한 글자이다. 제1조부터 제5조까지는 모두 황종률로 소리를 시작하고 끝마치며 나머지 중간 소리는 본 항의 7률을 섞어서 쓴다. 나머지 각 조도 모두 같다."

사마천의 〈율서〉를 개정하다司馬遷〈律書〉改正[67]

67 사마천의 〈율서〉를 개정하다 : 이 부분은 《사기》 〈율서(律書) 3〉에 나오는 분촌수(分寸數)를 채원정이 《율려신서(律呂新書)》 제2편 〈율관의 길이와 둘레, 지름의 수[律長短圍徑之數]·사마천율서(司馬遷律書)〉에서 수정한 내용을 기록하고 그 계산 방법을 추가한 것이다. 황종부터 중려까지 12율의 각 첫 줄은 채원정이 고친 분촌수이고 다음 줄은 분촌수의 계산 방법이다. 채원정은 〈사마천율서〉의 안설에서, "살펴보니, 《사기》의 〈율서〉 이 장에 기록한 분촌법은 다른 기록과 같지 않아 이해하기 어렵다. 그러므로 오류가 많다. 황종의 율관은 9촌으로 1촌은 9분이므로 모두 81분이 된다. 이것을 또 10으로 약분하여 1촌으로 한 것이니, 8촌과 1/10촌-81분-이라고 한 것이다. 〈율서〉에서 1/7이라고 기록한 것은 오류이다. 이제 상생하는 순서로 나열하여 바로잡는다.……[案. 律書此章所記分寸之法與他記不同, 以難曉. 故多誤. 蓋取黃鐘之律九寸, 一寸九分, 凡八十一分, 而又以十約之爲寸, 故云八寸十分一. 本作七分一者, 誤也. 今以相生次序, 列而正之.]" 하였다.
《율려신서》에 근거하여 채원정이 개정한 내용을 표로 정리하면 다음과 같다.

	〈율서〉 본문23	〈율려신서〉 개정
황종(黃鍾)	八寸七分一(8촌 1/7)	**八寸十分一(8촌 1/10)**
임종(林鍾)	五寸七分四(5촌 4/7)	**五寸十分四(5촌 4/10)**
태주(太蔟)	七寸七分二(7촌 2/7)	**七寸十分二(7촌 2/10)**
남려(南呂)	四寸七分八(4촌 8/7)	**四寸十分八(4촌 8/10)**
고선(姑洗)	六寸七分四(6촌 4/7)	**六寸十分四(6촌 4/10)**
응종(應鍾)	四寸二分三分二 (4촌 2분과 2/3)	**四寸二分三分二(4촌 2분과 2/3)**

황종은 8촌 1분이다.

황종은 전체 9촌이다.[68] 9분촌으로 계산하면 9촌이 되고, 10으로 약분하면 8촌 1분을 얻는다.(9×9=81)

임종은 5촌 4분이다.[69]

임종은 전체 6촌이다. 9분촌으로 계산하면 6촌이 되고, 10으로 약분하면 5촌 4분을 얻는다.(6×9=54)

태주는 7촌 2분이다.

태주는 전체 8촌이다. 9분촌으로 계산하면 8촌이 되고, 10으로 약분하면 7촌 2분을 얻는다.(8×9=72)

남려는 4촌 8분이다.

남려는 전체 5촌 3분이다. 9분촌으로 계산하면 5촌 3분이 되고, 10으로 약분하면 4촌 8분을 얻는다.(5×9=45+3=48)

고선은 6촌 4분이다.

고선은 전체 7촌 1분이다. 9분촌으로 계신하면 7촌 1분이 되고, 10으로 약분하면 6촌 4분을 얻는다.(7×9=63+1=64)

응종은 4촌 2분과 2/3이다.

유빈(蕤賓)	五寸六分三分一 (5촌 6분과 1/3)	**五寸六分三分二 强四百八十六(5촌 6분과 2/3, 강 486)**
대려(大呂)	七寸四分三分一 (7촌 4분과 1/3)	**七寸五分三分二 强四百□□五(7촌 5분과 2/3, 강 405)**
이칙(夷則)	五寸四分三分二 (5촌 4분과 2/3)	**五寸□□三分二 弱二百一十六(5촌과 2/3, 약 216)**
협종(夾鍾)	六寸一分三分一 (6촌 1분과 1/3)	**六寸七分三分一 强一百九十八(6촌 7분과 1/3, 강 198)**
무역(無射)	四寸四分三分二 (4촌 4분과 2/3)	**四寸四分三分二 强六百□□二(4촌 4분과 2/3, 강 602)**
중려(仲呂)	五寸九分三分二 (5촌 9분과 2/3)	**五寸九分三分二 强五百八十一(5촌 9분과 2/3, 강 581)**

68 황종은 전체 9촌이다 : 황종관의 길이가 9촌이라는 말이다. 남은 11율도 같다.

69 임종은 5촌 4분이다 : 황종에서 1/3을 빼서-삼분손일(三分損一, 2/3)- 얻은 수이다.(81-(81×1/3)=54, 혹 81×2/3=54) 황종에서 중려까지 1/3을 빼거나 1/3을 더하는-삼분익일(三分益一, 4/3)- 것을 차례로 반복하여 12율을 얻는다. 즉 중려 다음에 나오는 태주는 중려의 수 54에 1/3을 더한 수 72가 되는 식이다.

전체 4촌 6분 6리이다. 9분촌으로 계산하면 4촌을 얻고, 10으로 약분하면 3촌 6분을 얻는데 6분을 더하여 4촌 2분을 얻는다.(4×9=36+6=42) 나머지는 6리이다. 2,187은 분의 법수(法數)이고 243은 리의 법수이다. 2,187을 3등분하면 1/3은 729이고 2/3는 1,400이다.[70] 6리는 9분으로 나눌 때 2/3에 해당하므로 1,458의 수에 꽉 차서 나머지가 없다.[71]

유빈은 5촌 6분과 2/3이다.【486이 남는다.】

전체 6촌 2분 8리이다. 9분촌으로 계산하면 6촌을 얻고, 10으로 약분하면 5촌 4분을 얻는데 2분을 더하여 5촌 6분을 얻는다.(6×9=54+2=56) 나머지는 8리이다. 8리의 수는 1,944가 되는데(8×243=1,944) 2/3인 1,458을 빼면 나머지는 486이 된다.

대려는 7촌 5분과 2/3이다.【405가 남는다.】

전체 8촌 3분 7리 9호이다.[72] 9분촌으로 계산하면 8촌을 얻고, 10으로 약분하면 7촌 2분을 얻는데 3분을 더하여 7촌 5분을 얻는다.(8×9=72+3=75) 나머지는 7리이다. 7리의 수는 1,701이 되는데(7×243=1,701) 2/3인 1,458을 빼면 243이 된다. 27은 호의 법수이다. 그러므로 (243에) 6호의 수 162(6×27=162)를 더하면 나머지는 405가 된다.

이칙은 5촌과 2/3이다.【216이 모자란다.】

전체 5촌 5분 5리 1호이다. 9분촌으로 계산하면 5촌을 얻고, 10으로 약분하면 4촌 5분을 얻는데 5분을 더하여 5촌을 얻는다.(5×9=45+5=50) 5리의 수는 1,215(5×243=1,215)가 되는데 1호의 수 27(1×27=27)을 더하면 1,242가 된다. 이 나머지는 거의 2/3(1,458)를 채우지만 부족한 수가 216(1,458-1,242=216)이 된다. 나머지가 있으면 강이라고 하고 부족하면 약이라고 한다.

---

70 1,400이다 : 분의 법수인 2,187을 3등분하면 2/3는 1,458이 된다. 1,400은 오기인 듯하다. 바로 뒤에는 1,458로 나온다.

71 6리는……없다 : 6은 9로 나눌 때 2/3에 해당한다. 6리에 리의 법수인 243을 곱하면 1,458이 되므로 분의 법수인 2,187의 2/3인 1,458에 남거나 모자람 없이 딱 맞게 된다.

72 전체……9호이다 : 대려는 양에 속하므로 유빈에서 삼분손일한 수에 2배를 하므로(2/3×2=4/3) 삼분익일한 결과와 같아진다.

성수를 들어 말하자면 2/3를 뺀 계산이 영(0)이 되기에 부족하므로 216이 모자란다고 한다.

협종은 6촌 7분과 1/3이다.【198이 남는다.】

전체 7촌 4분 3리 7호 3사이다. 9분촌으로 계산하면 7촌을 얻고, 10으로 약분하면 6촌 3분을 얻는데 4분을 더하여 6촌 7분을 얻는다.(7×9=63+4=67) 나머지는 3리이다. 3리의 수는 729가 되는데(3×243=729) 1/3분을 채운다. 나머지 7호의 수는 189(7×27=189)이고, 또 나머지 3사의 수[73]는 9(3×3=9)이다. 7호의 수 189에 3사의 수 9를 더하면 나머지는 198이 된다.

무역은 4촌 4분과 2/3이다.【602가 남는다. 이제 살펴보니 618이 되어야 한다.】

전체 4촌 8분 8리 4호 8사이다. 9분촌으로 계산하면 4촌을 얻고 10으로 약분하면 3촌 6분을 얻는데 8분을 더하여 4촌 4분을 얻는다.(4×9=36+8=44) 나머지 8[6]리에서 2/3분인 1,458을 빼면 남은 분수는 486이다.(8×243=1,944-1,458=486) 나머지 4호의 수는 108이고(4×27=108), 또 나머지 8사의 수는 24이다.(8×3=24) 남은 분수인 486에 4호의 수 108을 더하면 594가 되고, 또 8사의 수 24를 더하면 618이 된다. 그러므로 여기서 602가 남는다고 한 것은 잘못이다.[74]

중려는 5촌 9분과 2/3이다.【581이 남는다.】

전체 6촌 5분 8리 3호 4사 6홀이다. 9분촌으로 계산하면 6촌을 얻고 10으로 약분하면 5촌 4분을 얻는데 5분을 더하여 5촌 9분을 얻는다.(6×9=54+5=59) 8리에서 2/3분을 빼면 남은 분수는 486이고 여기에 3호의 수 81(3×27=81)을 더하면 567이 된다. 여기에 또 4사의 수 12(4×3=12)를 더하면 579가 된다. 1은 3홀이므로 6홀은 2가 된다. 579에 6홀의 수 2를 더

---

73 3사(絲)의 수 : 《율려신서》〈황종의 실수[黃鍾之實]〉에 따르면 사(絲)의 법수는 "3"이므로 3사는 9가 된다.

74 602가……잘못이다 : 남은 분수인 486에 4호의 수 108과 8사의 수 24를 더하여 618을 나머지로 해야 하는데, 8사의 수인 24를 더하지 않고 8을 더한 602를 나머지로 하였으므로 오류라는 의미이다.

하면 모두 581이 된다.[75]

〈율서律書〉 생종분生鐘分

이것은 곧 3으로 나누어 덜거나 더하여 상생(上生), 하생(下生)한 수이다. '분(分)' 자(字) 앞 숫자는 모두 황종(黃鐘)의 전수(全數)이고, '분' 자 뒤 숫자

75 12율의 실수를 분촌수와 삼분손익에 따라 계산하면 다음과 같다. 12율의 실수는 아래의 〈율서생종분(律書生鍾分)〉에 나온다.

	12율 실수	분촌수에 따른 계산식	삼분손익에 따른 계산식
황종(黃鍾) 8촌 1/10=81분.	177,147	81×2,187=177,147	177,147
임종(林鍾) 5촌 4/10=54분.	118,098	54×2,187=118,098	177,147×2/3=118,098
태주(太蔟) 7촌 2/10=72분.	157,464	72×2,187=157,464	118,098×4/3=157,464
남려(南呂) 4촌 8/10	104,976	48×2,187=104,976	157,464×2/3=104,976
고선(姑洗) 6촌 4/10=64분.	139,968	64×2,187=139,968	104,976×4/3=139,968
응종(應鍾) 4촌 2분과 2/3.	93,312	(42×2,187)+(2/3×2,187)=93,312	139,968×2/3=93,312
유빈(蕤賓) 5촌 6분과 2/3, 강486.	124,416	(56×2,187)+(2/3×2,187)+486=124,416	93,312×4/3=124,416
대려(大呂) 7촌 5분과 2/3, 강405.	165,888	(75×2,187)+(2/3×2,187)+405=165,888	124,416×2/3=82,944 82,944×2=165,888 *
이칙(夷則) 5촌과 2/3, 약216.	110,592	(50×2,187)+(2/3×2,187)-216=110,592	165,888×2/3=110,592
협종(夾鍾) 6촌 7분과 1/3, 강198.	147,456	(67×2,187)+(1/3×2,187)+198=147,456	110,592×4/3=147,456
무역(無射) 4촌 4분과 2/3, 강618. **	98,304	(44×2,187)+(2/3×2,187)+618=98,304	147,456×2/3=98,304
중려(仲呂) 5촌 9분과 2/3, 강581.	131,072	(59×2,187)+(2/3×2,187)+581=131,072	98,304×4/3=131,072

* 165,888 : 대려는 유빈에서 삼분손일하여 본래 82,944가 되어야 하지만 양에 속하므로 2배를 하여 165,888이 된다.

** 강618 : 채원정 《율려신서》에는 강602로 되어 있으나 서유구의 수정 내용에 따라 강618로 하였다.

는 모든 율(律)이 황종에서 취한 수이다.

황종을 자(子)로 하여 기본수인 1로 정하면 황종은 177,147이다.

축(丑)은 황종을 3으로 나누면 59,049가 되고 2를 곱하면 118,098이 되는데 임종(林鍾)의 실수이다.

인(寅)은 황종을 9로 나누면 19,683이 되고 8을 곱하면 157,464가 되는데 태주(太簇)의 실수이다.

묘(卯)는 황종을 27로 나누면 6,561이 되고 16을 곱하면 104,976이 되는데 남려(南呂)의 실수이다.

진(辰)은 황종을 81로 나누면 2,187이 되고 64를 곱하면 139,968이 되는데 고선(姑洗)의 실수이다.

사(巳)는 황종을 243으로 나누면 729가 되고 128을 곱하면 93,312가 되는데 응종(應鐘)의 실수이다.

오(午)는 황종을 729로 나누면 243이 되고 512를 곱하면 124,416이 되는데 유빈(蕤賓)의 실수가 된다.

미(未)는 황종을 2,187로 나누면 81이 되고 1,024를 곱하면 82,944가 되는데 대려(大呂)의 실수이다. 그것을 두 배하면 165,888이 되는데 대려(大呂)의 실수이다.

신(申)은 황종을 6,561로 나누면 27이 되고 4,096을 곱하면 110,593이 되는데 이칙(夷則)의 실수이다.

유(酉)는 황종을 19,683으로 나누면 9가 되고 8,192를 곱하면 73,728이 되는데 협종(夾鐘)의 반이다. 그것을 두 배하면 147,456이 되고 협종의 실수이다.

술(戌)은 황종을 59,049로 나누면 3이 되고 32,768을 곱하면 98,304가 되는데 무역(無射)의 실수이다.

해(亥)에 이르러서는 지극히 고요해져서 더 이상 나눌 수 없다. 65,536은 중려(仲呂)의 반인데 3으로 나누면 하나의 산(筭)이 남게 되니 계산할 수 없다. 배를 하면 131,072가 되고 중려의 실수지만 3으로 나누면 두 개의 산

(筭)이 남게 되니 계산할 수 없다. 이것이 바로 율이 12로 끝나는 까닭이다.

오정(吳鼎)[76]이 다음과 같이 말하였다.

"생종분의 '분(分)'은 바로 산가(算家)가 말하는 '분모(分母), 분자(分子)'의 '분'이다. '법(法)'은 분모로 12개의 '분' 자(字) 이상은 모두 분모이니, 바로 '삼기법(三其法)'의 '법'이다. '실(實)'은 분자로 '분' 자 이하는 모두 분자이니 바로 '배기실(倍其實), 사기실(四其實)'의 '실'이다. 개괄해 보면 '삼분손익(三分損益)' 네 글자에 불과하다. 황종을 분자로 삼고 3으로 나누어 그중의 1/3을 빼면 임종이 된다. 임종을 분자로 삼고 3으로 나누어 그중의 1/3을 더하면 태주가 된다. 태주를 분자로 삼고 3으로 나누어 그중의 1/3을 빼면 남려가 된다. 남려를 분자로 삼고 3으로 나누어 그중의 1/3을 더하면 고선이 된다. 이 수는 '황종을 분자로 삼고 3으로 나누어 그중의 2/3를 취하면 임종이 된다. 황종을 분자로 삼고 9로 나누어 그중의 8/9를 취하면 태주가 된다. 황종을 분자로 삼고 27로 나누어 그중의 16/27을 취하면 남려가 된다. 황종을 분자로 삼고 81로 나누어 그중의 64/81를 취하면 고선이 된다.'라고 하는 수와 차이가 없다. 앞의 법을 따르면, 12율이 차례로 분모가 되고 황종이 공통된 분모가 되지 않는다. 뒤의 법을 따르면 12율이 차례로 분모가 되지 않고 황종이 공통된 분모가 된다. 생종(生鍾)의 수가 있은 뒤로 12율의 장단점이 저절로 드러나니 촌(寸), 분(分), 리(氂), 호(豪) 같은 명칭을 세워 12율과 억지로 대응할 필요가 없다. 생종분의 실용성을 따져보면 생종분은 곧 율의 기원이고 율을 정하는 근본으로, 악기에 적용하면 모두 포함하며 안 되는 것이 없으니 어찌 쓸데없이 공연히 이 설법만 남았겠는가."[77]

---

76 오정(吳鼎) : 생몰년은 미상이다. 자는 준이(尊彝)고 강소성 상주부(常州府) 금궤현(金匱縣) 사람이다. 청대의 정치가이자 경학가이다. 《역경(易經)》에 뛰어나 《십가역상집설(十家易象集說)》 90권을 지었다.

77 오정(吳鼎)이……남았겠는가 : 이 부분은 진혜전(秦蕙田)의 《오례통고(五禮通考)》 권145에서 그대로 인용했다.

《역상계몽易象啓蒙》[78]

김영(金泳)은 일생 동안 역수(易數)[79]에 관한 학문을 연구하였다. 그 과정에서 역상(易象)을 깊이 탐구하여 많은 논저를 남겼는데 죽은 뒤로 아비의 저서를 전할 자손이 없었기에 편언척자(片言隻字)도 남아 있는 것이 없었다. 나의 백씨(伯氏)인 좌소(左蘇) 선생[80]이 일찍이 《역상계몽(易象啓蒙)》 한 편을 수습했는데, 온 솥 안의 국물 맛을 한 점 살로 알 수 있다는 격이었다.[81] 나는 그것이 그대로 인멸되는 것을 안타깝게 여겨 아래와 같이 기록해 놓는다.

그 옛날 포희씨(庖羲氏)[82]는 기(氣)에서 하늘의 도(道)를 관찰(觀察)하고 질(質)에서 땅의 덕(德)을 찰관(察觀)하고 이(理)에서 사람의 성(性)을 체찰(體察)하여 팔괘(八卦)를 그렸다. 대개 하늘은 기가 모인 것이고, 땅은 질이 모인 것이고, 사람은 이가 모인 것이다. 이를 갖추고서 만물에 응하는 것은 성의 극진함이고, 질을 크게 해서 만물을 실어주는 것은 덕의 지극함이며, 기를 온전히 해서 만물을 포괄하는 것은 도의 위대함이다. 그러므로 하늘에서 얻지 않은 도가 없고, 땅에서 얻지 않은 덕이 없으며, 사람에게서

---

78 역상계몽(易象啓蒙) : 《역(易)》의 역수(易數)에 대해 김영이 해설한 것이다.

79 역수(易數) : 역(易)은 역학(易學), 수(數)는 수학(數學) 또는 술수(術數)를 가리킨다. 수학 또는 술수는 역대로 다양한 범위의 학문 분야를 포괄 또는 지칭하여 왔는데 여기서는 즉 천문(天文), 역법(曆法), 연산(演算) 등을 가리키는 것으로 보인다.

80 좌소(左蘇) 선생 : 서유구(徐有榘)의 친형인 서유본(徐有本, 1762~1822)을 가리킨다. 본관은 달성(達城)이며, 자(字)는 혼원(混原), 호는 좌소산인(左蘇山人)이다. 서호수(徐浩修)의 장남이다. 박지원(朴趾源)이 작시(作詩)에서 의고(擬古)와 창신(創新)의 문제를 두고 논한 〈증좌소산인(贈左蘇山人)〉이란 시를 남겼다. 그의 부인 빙허각이씨(憑虛閣李氏)는 《규합총서(閨閤叢書)》의 저자로 유명하다. '좌소'는 경기도 장단(長湍)의 옛 이름이다. 서씨 일족의 장원이 있었던 곳이다. 저서로는 《좌소산인문집(左蘇山人文集)》이 있다.

81 온……격이었다 : 《회남자(淮南子)》 〈설림훈(說林訓)〉에 "한 점 고기 맛을 보면 온 솥 안의 국물 맛을 알 수 있다.[嘗一臠肉而知一鑊之味]"고 한 데서 온 말로, 《역상계몽(易象啓蒙)》 한 편을 통해서도 그의 전체 학문 세계와 수준을 충분히 알 수 있다는 말이다.

82 포희씨(庖羲氏) : 복희씨(伏羲氏)의 다른 이름이다. 중국 고대 전설상의 제왕으로, 삼황오제의 우두머리며, 팔괘를 처음으로 만들고 그물을 발명하여 고기잡이의 방법을 가르쳤다고 한다.

얻지 않은 성이 없다. 이는 3개의 획을 겹쳐 그려서 삼재(三才)를 상징하고 그것으로 한 괘(卦)의 위서(位序)[83]와 팔괘(八卦)의 체질(體質)을 삼은 것이다.

기에는 음(陰)과 양(陽)의 구분이 있고, 질에는 강(剛)과 유(柔)의 분별이 있으며, 이에는 인(仁)과 의(義)의 구별이 있다. 양·강·인과 음·유·의는 각각 같은 부류가 된다. 그러므로 도와 덕에 근원을 두고 기와 질에서 부여받아서 성과 이에서 완성되는 것이니, 양·강과 음·유가 이를 통해 나누어지는 것이다. 이는 효(爻)가 이어지고[⚊] 나누어짐[⚋]으로써 음과 양을 상징하고 그를 통해 효의 재덕(才德)과 팔괘의 용상(用象)을 삼은 것이다.

그러므로 3개의 획이 양이거나 1개의 획이 양이면 양괘(陽卦)가 되고[84], 3개의 획이 음이거나 1개의 획이 음이면 음괘(陰卦)가 되니[85], 이는 팔괘가 그 상(象)을 달리하는 것이다. 이 때문에 위(位)와 덕(德)이 서로 곱해지고 체(體)와 용(用)이 서로 감응해서 괘의 명칭과 상징[象]이 완전히 갖추어지게 된다. 그러므로 양의 덕(德)이 세 번 겹쳐지면[☰] 안팎으로 순강(純剛)이고, 음의 덕이 세 번 겹쳐지면[☷] 안팎으로 순유(純柔)이다. 그러므로 건(乾☰)은 강건(剛健)하고 곤(坤☷)은 유순하다. 양의 덕은 본래 강한 것이고 음의 덕은 본래 유순한 것이다. 양이 음 아래에 있으면 그 형세는 반드시 떨치게 되고 음이 양의 아래에 있으면 그 형세는 반드시 공순하다. 그러므로 진(震☳)은 떨쳐서 움직이고 손(巽☴)은 공순해서 들어간다. 양의 성질은 본래 움직이는 것이고 음의 성질은 본래 고요한 것이다. 양이 안에 있고 음이 밖에 있으면 음은 덮어 가리고 양은 함몰되며, 음이 안에 있고 양이 밖에 있으면 양은 감싸 안고 음은 그사이에 걸려 있게 된다. 그러므로 감(坎☵)은 가운데가 꽉 차고 밖은 어두우며, 이(離☲)는 가운데가 비어

83 3개의……위서(位序) : 3개의 획으로 이루어진 소성괘(小成卦)는 삼재(三才)의 원리에 따라 효의 위서(位序)가 정해지는데, 이는 생성의 순[體]에 따른 위서와 현상의 순[用]에 따른 위서로 구별된다.

84 3개의……되고 : 팔괘(八卦) 가운데 양에 속하는 괘를 양괘(陽卦)라 하며, 건(乾☰), 진(震☳), 감(坎☵), 간(艮☶)이 이에 해당된다.

85 3개의……되니 : 팔괘(八卦) 가운데 음에 속하는 괘를 음괘(陰卦)라 하며, 곤(坤☷)·태(兌☱)·이(離☲)·손(巽☴)이 이에 해당된다.

있고 밖은 밝다. 양의 체는 본래 꽉 차 있고 음의 체는 본래 비어 있다. 양이 음 위에 있으면 양이 극에 이르렀다가 돌아와 그치고, 음이 양의 위에 있으면 음이 극에 이르렀다가 돌아와 기쁘다. 그러므로 간(艮☶)은 안정되고 그치며, 태(兌☱)는 조급하고 기쁘다. 양의 정(情)은 본래 바르고 음의 정은 본래 조급하다. 이는 팔괘의 덕을 성(性)과 이(理)에서 취해 온 것을 말한 것이다.

움직임을 모은 것[積動]으로 하늘만한 것이 없으니 하늘은 높고 밝으며, 고요함을 모은 것[積靜]으로 땅만한 것이 없으니 땅은 넓고 두텁다. 그러므로 건(乾☰)은 하늘이 되고 곤(坤☷)은 땅이 된다. 하늘은 덮어주고 땅은 실어주니 음과 양의 순수함이고 기와 질의 완전함이다. 우레의 기는 잘 투과하고 바람의 기는 잘 들어간다. 그러므로 진(震☳)은 우레가 되고 손(巽☴)은 바람이 된다. 우레는 빠르고 바람은 느리니 음과 양의 일어남이고 기분(氣分)의 시작이다. 물의 성질은 내려가는 것을 좋아하고 불의 성질은 올라가는 것을 좋아한다. 그러므로 감(坎☵)은 물이 되고 이(離☲)는 불이 된다. 물은 어둡고 불은 밝으니 음과 양의 반이고 기와 질의 중도이다. 산의 체는 높아지는 데 힘쓰고 늪의 체는 깊어지는 데 힘쓴다. 그러므로 간(艮☶)은 산이 되고 태(兌☱)는 늪이 된다. 산은 뾰쪽하고 늪은 빠져 있으니 음과 양의 그침이고 질분(質分)의 끝이다. 이는 팔괘의 상(象)을 기와 질에서 취해 온 것을 말한 것이다.

낳아서 시작하게 해 주는 것은 아비만한 것이 없으니 아비는 존엄하며, 길러서 완성시키는 것은 어미만한 것이 없으니 어미는 자애롭다. 그래서 건(乾☰)은 아비를 일컫고 곤(坤☷)은 어미를 일컬으니, 음과 양의 우두머리로서 하늘과 땅을 본받은 것이다. 일을 대신 주관하여 공을 이루는 것은 맏이만한 것이 없다. 그러므로 진(震☳)이 장남(長男)이 되고 손(巽☴)이 장녀(長女)가 되니, 음과 양의 맏이로서 우레와 바람을 본받은 것이다. 자리를 바꾸어 원칙을 지키는 것은 가운데만한 것이 없다. 그러므로 감(坎☵)이 중남(中男)이 되고 이(離☲)가 중녀(中女)가 되니, 음과 양의 가운데로서 산과 늪을 본받은 것이다. 이는 팔괘의 윤차(倫次)를 인간의 위서(位序)에서 취해 온 것을 말한 것이다.

위서와 기질(氣質)과 성리(性理)라는 것은 삼재(三才)의 도가 서로 겸비되어 있는 큰 절목이다. 그러므로 여섯 자식[六子][86]의 이름은 또 모두 건과 곤에 의거하여 뜻을 드러내고 하늘과 땅에 의거하여 상을 드러낸 것이니, 이것을 통해 획체(畫體)의 비어 있고[--] 가득참[-]과 위에 있고 아래에 있는 것을 모두 드러낼 수 있다. 이 때문에 진(震☳)의 체는 곤(坤☷)인데 양[-]이 아래에 있고, 간(艮☶)의 체는 곤(坤☷)인데 양[-]이 위에 있으니, 진(震☳)은 나아가고 간(艮☶)은 물러난다. 손(巽☴)의 체는 건(乾☰)인데 음[--]이 아래에 있고 태(兌☱)의 체는 건(乾☰)인데 음[--]이 위에 있으니, 손(巽☴)은 엎드리고 태(兌☱)는 드러난다. 감(坎☵)의 체는 곤(坤☷)인데 양[-]이 가운데 있고 이(離☲)의 체는 건(乾☰)인데 음[--]이 가운데 있으니, 감(坎☵)은 가라앉고 이(離☲)는 떠오른다. 이것이 여섯 자식의 성(性)과 이(理)이다.

양이 땅 아래에 있으면서 움직이므로 진(震☳)은 뇌기(雷氣)가 되고, 강(剛)이 땅 위에 있으면서 고요하므로 간(艮☶)이 산체(山體)가 된다. 음이 하늘 아래에 있으면서 움직이므로 손(巽☴)이 풍기(風氣)가 되고, 유(柔)가 하늘 위에 있으면서 고요하므로 태(兌☱)가 택체(澤體)가 된다. 강(剛)이 땅 가운데 있으면서 움직이니[☵] 물이 북쪽[87]으로 흘러가는 것이고, 음이 하늘 가운데 있으면서 고요하니[☲] 불이 남쪽[88]에서 빛나는 것이다. 이는 여섯 자식의 기와 질이다.

건(乾☰)의 첫 번째 효(爻)를 곤(坤☷)의 아래에서 구하여 장남(長男, 震☳)을 얻었고, 곤(坤☷)의 첫 번째 효를 건(乾☰)의 아래에서 구하여 장녀(長女, 巽☴)를 얻었으며, 건(乾☰)의 두 번째 효를 곤(坤☷)의 가운데에서 구하여

86 여섯 자식[六子] : 팔괘(八卦) 중 건(乾☰)과 곤(坤☷)을 제외한 태(兌☱), 이(離☲), 진(震☳), 손(巽☴), 감(坎☵), 간(艮☶) 여섯 괘를 가리킨다.

87 북쪽 : 감(坎☵)은 문왕후천팔괘방위도(文王後天八卦方位圖)에서 정북방을 가리킨다.

88 남쪽 : 이(離☲)는 문왕후천팔괘방위도(文王後天八卦方位圖)에서 정남방을 가리킨다.

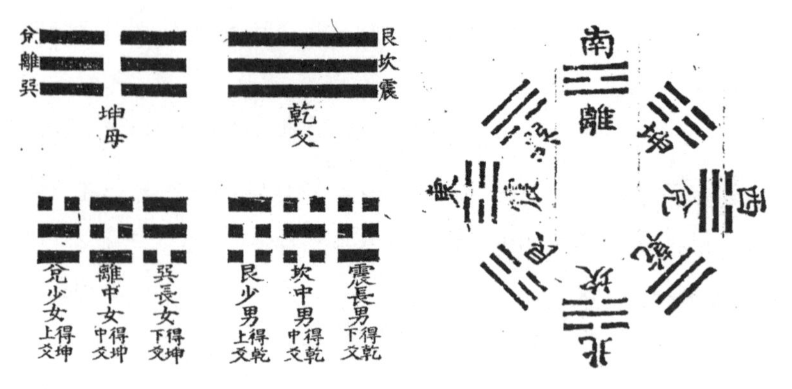

문왕팔괘차서도(文王八卦次序圖)④

문왕팔괘방위도(文王八卦方位圖)⑤

중남(中男, 坎☵)을 얻었고, 곤(坤☷)의 두 번째 효를 건(乾☰)의 가운데에서 구하여 중녀(中女, 離☲)를 얻었으며, 건(乾☰)의 세 번째 효를 곤(坤☷)의 위에서 구하여 소남(少男, 艮☶)을 얻었고 곤(坤☷)의 세 번째 효를 건(乾☰)의 위에서 구하여 소녀(少女, 兌☱)를 얻었으니, 이는 여섯 자식[六子]의 위치와 차례[位序]이다.

그러므로 간(艮☶)은 손이고 진(震☳)은 발이니 움직임과 그침이 구별되며, 건(乾☰)은 머리고 곤(坤☷)은 배니 허(虛)와 실(實)을 체현한 것이다. 감(坎☵)은 귀고 이(離☲)는 눈이니 소리와 색깔이 짝을 이루며, 태(兌☱)는 입이고 손(巽☴)은 넓적다리니 위와 아래가 빠져 있는 것이다. 간(艮☶)은 범이고 진(震☳)은 용이니 나아가고 물러남을 상징한 것이며, 건(乾☰)은 말이고 곤(坤☷)은 소니 건장함과 유순함을 본받은 것이다. 감(坎☵)은 거북이이고 이(離☲)는 꿩이니 안과 밖이 밝은 것이며, 태(兌☱)는 양(羊)이고 손(巽☴)은 닭이니 굴복하는 성질을 기뻐하는 것이다. 손은 정적이지만 위에 있고 발은 동적이지만 아래에 있으며, 머리는 둥글면서 높고 밝으며 배는 네모나면서 넓고 두텁다. 밝음은 밖으로 베풀어져 잘 볼 수 있고 귀밝음은 안으로 받아들여 잘 들을 수 있다. 넓적다리는 겸손하여 잘 따르고 입은 기뻐하여 추종하기 쉽다. 용은 움직여서 덕을 베풀고 범은 그쳐서 위엄을 보인다. 말은 건장하여 발굽이 강하고 소는 순하여 발걸음이 유순하다. 거북이는 안이 밝아서 영험함을 나타내고 꿩은 밖이 밝아서 문채(紋彩)를 드러낸다. 양은 기뻐하여 남을 따르고 닭은 굴복하여 사람을 따른다. 이는 가까이 사람의 몸에서 상징을 취하고 멀리 동물에서 상징을 취한 것이니 혹은 체(體)와 용(用)으로 혹은 덕(德)과 상(象)으로 말한 것이다. 괘를 세운 뜻을 여기에서 볼 수 있는데, 그것을 끌어다 확장시키는 것은 오직 그것을 적용하는 사람에게 달려 있을 뿐이다.

일극(一極)[89]이 움직여서 양을 낳고 고요해져서 음을 낳으니 이것이 양의(兩儀)이다. 양의인 음과 양에는 각각 동정(動靜)이 있으니, 양 중의 양의 상(象)이 태양(太陽)이 되고 음 중의 음의 상이 태음(太陰)이 되며, 양 중의 음의 상이 소음(少陰)이 되고 음 중의 양의 상이 소양(少陽)이 된다. 이것이 사상(四象)이다. 음과 양에는 각각 동정이 있으니, 태양 중 양의 괘(卦)는 건(乾☰)이 되고 태음 중 음의 괘는 곤(坤☷)이 되며, 태양 중 음의 괘는 태(兌☱)가 되고 태음 중 양의 괘는 간(艮☶)이 되며, 소음 중 양의 괘는 이(離☲)가 되고 소양 중 음의 괘는 감(坎☵)이 되며, 소음 중 음의 괘는 진(震☳)이 되고 소양 중 양의 괘는 손(巽☴)이 된다. 이것이 팔괘(八卦)이다.[90]

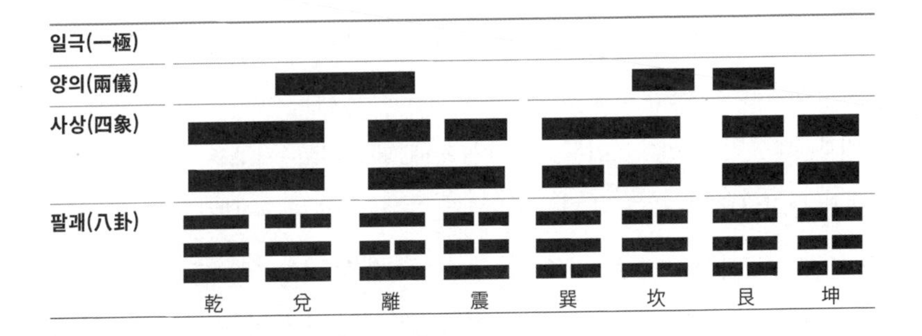

89 일극(一極) : 본래는 불교에서 진실하고 지극한 유일무이한 진리를 가리키는 말인데, 여기에서는 우주 만물의 기원인 "태극(太極)"을 가리키는 말로 쓰였다. 《주역(周易)》 〈계사 상(繫辭上)〉에 "역에는 태극이 있으니 이것이 양의를 낳고 양의가 사상을 낳고 사상이 팔괘를 낳는다.[易有太極 是生兩儀 兩儀生四象 四象生八卦]" 라고 하였다.

90 일극(一極)이……팔괘(八卦)이다 : 태극(太極)이 양의(兩儀)로, 양의가 사상(四象)으로, 사상이 팔괘(八卦)로 분화하는 과정은 본문의 그림 참조.

4 《文王八卦次序》〈易本義〉 27/129 한古朝03-27

5 《文王八卦方位》〈易本義〉 28/129 한古朝03-27

팔괘가 이루어진 뒤에 기수(奇數)와 우수(偶數)의 상이 나열되고 음과 양의 이름이 나누어진다. 그러므로 간(艮☶)과 태(兌☱)가 서로 대응하고 건(乾☰)과 곤(坤☷) 역시 서로 대응하며, 진(震☳)과 손(巽☴)이 서로 대응하고 감(坎☵)과 이(離☲) 역시 서로 대응하니, 이것을 일러 "대대(對對)"라고 한다. 이는 음이 양과 대응하고 양이 음과 대응하는 것으로, 만물이 바로 짝지어진 것[正配]이다. 그러므로 "하늘과 땅이 제 자리를 잡고 산과 늪이 서로 기운을 통하고 우레와 바람이 서로 반응하여 화답하고 물과 불이 서로 싫어하지 않고 도와준다."[91]고 한 것이다.

양은 움직이는 것이 주요한 특성인데 윗자리에 있으면 도로 고요해지며, 아랫자리에 있으면 도로 움직이니, 간(艮☶)은 그치고 손(巽☴)은 들어가는 뜻으로써 산은 고요하고 바람은 움직이는 상인 것이다. 그러므로 움직이는 기(氣)로는 진뢰(震雷☳)만한 것이 없고 손풍(巽風☴)이 다음이며, 고요한 질(質)로는 간산(艮山☶)만한 것이 없고 태택(兌澤☱)이 다음이라는 것을 알 수 있다. 그렇다면 진뢰(震雷☳)는 기의 큰 시작인데 낳아서 시작되게 하는 것은 건(乾☰)의 도이며, 간산(艮山☶)은 질의 큰 끝인데 마치고 완성시키는 것은 곤(坤☷)의 덕이다. 그러므로 진(震☳)과 간(艮☶)은 서로 반대되고 감(坎☵)과 이(離☲) 역시 서로 반대되며, 손(巽☴)과 태(兌☱)가 서로 반대되고 건(乾☰)과 곤(坤☷) 역시 서로 반대되는 것이니, 이것을 일러 "반대(反對)"라고 한다. 이는 질로써 기에 대응하고 기로써 질에 대응하여 만물의 시작과 끝이 된다. 그러므로 "상제(上帝)는 우주의 만물이 진(震☳)[92]에서 생겨나고 손(巽☴)[93]에서 가지런히 생장하며, 이(離☲)[94]에서 서로 왕성하게 그 형체를 드러내고 곤(坤☷)[95]에서 열심히 노력하며, 태(兌☱)[96]에

91 하늘과……도와준다 : 《주역(周易)》 〈설괘전(說卦傳)〉에 보인다.
92 진(震☳) : 방위로는 동쪽을, 계절로는 만물이 싹을 틔우는 춘분(春分)을 상징한다.
93 손(巽☴) : 방위로는 동남쪽을, 계절로는 만물이 생장하는 입하(立夏)를 상징한다.
94 이(離☲) : 방위로는 남쪽을, 계절로는 만물이 왕성하게 자신의 형체를 드러내는 하지(夏至)를 상징한다.
95 곤(坤☷) : 방위로는 서남쪽을, 계절로는 만물이 성숙해가는 입추(立秋)를 상징한다.
96 태(兌☱) : 방위로는 서쪽을, 계절로는 만물이 성숙한 추분(秋分)을 상징한다.

서 기쁘게 성숙하고 건(乾☰)[97]에서 서로 결합되며, 감(坎☵)[98]에서 그동안의 피로를 풀고 간(艮☶)[99]에서 완성하고 또 새롭게 싹을 틔우게 하는 것이다."[100]라고 한 것이다.

그러므로 만물이 바로 짝지어지는 것은 만물이 생겨남이고 만물의 시작과 끝은 만물의 완성인 것이다. 만물이 생겨나게 하는 것은 건(乾☰)이고 도며, 그것이 완성되게 하는 것은 곤(坤☷)이고 덕이다. 그러므로 "하늘의 도고, 땅의 덕이다."라고 한 것이다. 무릇《역(易)》이 만들어진 것은 성명(性命)의 이치를 근원적으로 탐구하고 사물의 덕에 순응하기 위해서니, 이러한 것을 일러 도(道)라고 하는 것이다. 그러므로 나아갈 줄을 알아서 나아가는 것은 진(震☳)이고 그칠 줄을 알아서 그치는 것이 간(艮☶)이니, 진(震☳)과 간(艮☶)은 사물의 시작과 끝인 것이다.

숨을 때를 알아서 숨는 것이 '손괘(巽卦)[☴]'고, 나타날 때를 알아서 나타나는 것은 '태괘(兌卦)[☱]'니, 손괘와 태괘는 사물의 출처(出處)다. 중도를 알아서 중도를 지키는 것이 감괘(坎卦)[☵]고, 바름을 알아서 바르게 행하는 것이 이괘(離卦)[☲]니, 감괘와 이괘는 사물의 체용(體用)이다. 오래해야 함을 알아서 오래 행하는 것은 건괘(乾卦)[☰]고 크게 해야 함을 알아서 크게 행하는 것은 곤괘(坤卦)[☷]니, 건곤(乾坤)은 사물의 덕업(德業)이다. 하늘은 둥글기 때문에 도(道)를 알 수 있고, 땅은 네모지기 때문에 덕(德)을 알 수 있다. 그리고 불은 맹렬하기 때문에 용(勇)을 알 수 있고, 물은 굽이쳐 흐르기 때문에 지(智)를 알 수 있으며, 산은 솟아올라 있기 때문에 인(仁)을 알 수 있다. 그리고 연못은 물이 줄어들기 때문에 의(義)를 알 수 있

---

97 건(乾☰) : 방위로는 서북쪽을, 계절로는 더위가 다하고 추위가 오며 음과 양이 교체하는 시기인 입동(立冬)을 상징한다.

98 감(坎☵) : 방위로는 북쪽을, 계절로는 만물이 수고로움을 멈추고 휴식을 취하는 동지(冬至)를 상징한다.

99 간(艮☶) : 방위로는 동북쪽을, 계절로는 한 해가 끝나고 새로운 해가 시작되며 만물이 새로운 싹을 틔울 준비를 하는 입춘(立春)을 상징한다.

100 상제(上帝)는……것이다 : 《주역(周易)》〈설괘전(說卦傳)〉에 보인다.

으며, 우레는 소리가 곧게 뻗어가기 때문에 악(樂)을 알 수 있고,[101] 바람은 기운을 흩어서 평안하게 하기 때문에 예(禮)를 알 수 있다. 도덕(道德)과 지용(智勇), 인의(仁義)와 예악(禮樂)을 통해 성명(性命)의 근원을 알 수 있고, 시종(始終)과 굴신(屈伸), 체용(體用)과 덕업(德業)을 통해 사물의 이치를 알 수 있다. 이것이 중괘(重卦)[102] 이전에 바로 8괘를 단독으로 마련해둔 까닭이니, 이는 생각해보면 대체로 짐작할 수 있다.

그래서 공자께서 〈계사전(繫辭傳)〉을 지으시고, 먼저 다음과 같이 말씀하셨다.

"하늘은 높고 땅은 낮으니 건과 곤이 정해지고, 세상에 낮고 높은 것이 진열되니, 괘에서도 귀한 것과 천한 것이 자리를 잡고, 동(動)과 정(靜)이 일정한 법도가 있으니, 이에 따라 괘효의 강(剛)과 유(柔)가 결정된다. 만물은 취향에 따라 끼리끼리 모이고 서로 속성이 다른 집단으로 나뉘게 되는데, 이런 취합과 분산에 따라 길흉이 생겨나는 것이다. 하늘에서는 상(象)이 이루어지고 땅에서는 형체가 이루어지니, 이런 모든 것에서 변(變)과 화(化)가 드러난다. 이런 까닭에 강과 유로 서로 부딪히고 팔괘가 서로 섞여서 우레로 만물을 고무하며, 비바람으로 윤택하게 한다. 해와 달이 운행하고 한 번 춥고 한 번 더워서 건의 도는 남성을 이루고 곤의 도는 여성을 이루었으니, 건은 큰 시작을 주관하고 곤은 만물의 완성을 이룬다."[103]

이로써 복희씨(伏羲氏)가 괘를 만든 근본이 대체로 천지에 일정한 법도가 있고 사시(四時)에 순서가 있는 것을 참고하여 팔괘의 정해진 상(象)이 소성괘(小成卦)[104]에서 사물의 이치를 대체로 갖출 수 있었으며, 문왕(文王)

---

101 우레는……있고 : 《역》 예괘(豫卦)[䷏]의 상전(象傳)에 "우레가 땅에서 나와 분발함이 예(豫)이니, 선왕이 보고서 악(樂)을 지어 덕을 높여서 성대하게 상제께 올려 조고(祖考)로 배향(配享)하였다." 라고 하였다.

102 중괘(重卦) : 6획으로 된 괘를 말하며 총 64괘가 있다.

103 하늘은……이룬다 : 《주역(周易)》 〈계사전 상(繫辭傳 上)〉에 보인다.

104 소성괘(小成卦) : 3개의 효로 이루어진 괘를 '소성괘'라고 하며, 6개의 효로 이루어진 괘를 '대성괘(大成卦)'라고 한다.

하괘 \ 상괘	건 ☰	태 ☱	이 ☲	진 ☳	손 ☴	감 ☵	간 ☶	곤 ☷
건 ☰	䷀ 건위천	䷪ 택천쾌	䷍ 화천대유	䷡ 뇌천대장	䷈ 풍천소축	䷄ 수천수	䷙ 산천대축	䷊ 지천태
태 ☱	䷉ 천택리	䷹ 태위택	䷥ 화택규	䷵ 뇌택귀매	䷼ 풍택중부	䷻ 수택절	䷨ 산택손	䷒ 지택림
이 ☲	䷌ 천화동인	䷰ 택화혁	䷝ 이위화	䷶ 뇌화풍	䷤ 풍화가인	䷾ 수화기제	䷕ 산화비	䷣ 지화명이
진 ☳	䷘ 천뢰무망	䷐ 택뢰수	䷔ 화뢰서합	䷲ 진위뢰	䷩ 풍뢰익	䷂ 수뢰둔	䷚ 산뢰이	䷗ 지뢰목
손 ☴	䷫ 천풍구	䷛ 택풍대과	䷱ 화풍정	䷟ 뇌풍항	䷸ 손위풍	䷯ 수풍정	䷑ 산풍고	䷭ 지풍승
감 ☵	䷅ 천수송	䷮ 택수곤	䷿ 화수미제	䷧ 뇌수해	䷺ 풍수환	䷜ 감위수	䷃ 산수몽	䷆ 지수사
간 ☶	䷠ 천산둔	䷞ 택산함	䷷ 화산려	䷽ 뇌산소과	䷴ 풍산점	䷦ 수산건	䷳ 간위산	䷎ 지산겸
곤 ☷	䷋ 천지비	䷬ 택지췌	䷢ 화지진	䷏ 뇌지예	䷓ 풍지관	䷇ 수지비	䷖ 산지박	䷁ 곤위지

64괘 일람표

이 중괘(重卦)를 만든 근원도 팔괘가 서로 겹치고, 물체가 서로 섞이는 것을 참고하여 64괘의 착종된 상이 대성괘(大成卦)에서 사물의 도리를 다할 수 있었음을 알겠다. 그러므로 소성괘의 상에 밝아야 대성괘의 상을 밝힐 수 있다. 대성괘의 상에 밝아야 6효(爻)가 만나는 때와 각 효가 차지하고 있는 자리를 밝혀서 그 사실과 거짓을 다 알 수 있다. 비록 그렇지만, 대성괘가 뜻을 취함은 내괘(內卦)와 외괘(外卦)의 괘덕(卦德)[105]·괘상(卦象)[106]·괘륜(卦倫)을 쓰는 데에 그치지 않는다.

획의 형상으로 말하자면, 예컨대 소성괘의 태괘(兌卦)[☱]는 입의 형상이고, 손괘(巽卦)[☴]는 정강이 형상이며, 간괘(艮卦)[☶]는 대문의 형상이고, 진괘(震卦)[☳]는 소반의 형상이니, 이에 바로 이괘(頤卦)[☲]는 입으로 음식을

105 괘덕(卦德) : 괘의 길흉화복의 이치를 말한다.

106 괘상(卦象) : 괘가 상징하는 사물 및 그 효와의 관계를 말한다.

먹어서 몸을 기르는 형상이 되고[107] 중부괘(中孚卦)[䷼]는 배를 타고 물을 건너는 상이 되는 것이다.[108] 괘주(卦主)[109]로 말하자면, 예컨대 소성괘의 감괘(坎卦)[☵]는 가운데 효가 차 있고, 이괘(離卦)[☲]는 가운데 효가 비어 있으며, 간괘(艮卦)[☶]는 상효가 막혀 있고 진(震)[☳] 괘는 초효가 동(動)하는 것과 같은 것이다. 이에 바로 건괘의 5효가 천도(天道)를 지니고 있어 아래로 다스리고, 곤괘의 2효가 지덕(地德)을 지니고 있어 위로 받드는 뜻이 있게 되었다. 효의 왕래를 말하자면, 예컨대, 소성괘의 곤괘[☷]에서 상효가 양효로 바뀌어 간괘(艮卦)[☶]가 되고, 곤괘[☷]에서 초효가 양효로 바뀌어 진괘(震卦)[☳]가 되었다. 그리고 건괘[☰]에 상효가 음효로 바뀌어 태괘(兌卦)[☱]가 되고, 건괘[☰]에 초효가 음효로 바뀌어 손괘(巽卦)[☴]가 되는 것과 같은 것이다.

이에 바로 태괘(泰卦)[䷊]에 삼효와 상효가 바뀌어 손괘(損卦)[䷨]가 되고, 비괘(否卦)[䷋]에 초효와 사효가 바뀌어 익괘(益卦)[䷩]가 되고, 비괘(否卦)[䷋]에 삼효와 상효가 바뀌어 함괘(咸卦)[䷞]가 되고 태괘[䷊]에 초효와 사효가 바뀌어 항괘(恒卦)[䷟]가 되는 것이다. 이 때문에 괘덕(卦德)·괘상(卦象)·괘륜(卦倫)·괘획(卦畫)은 내괘를 우선하고 외괘를 뒤로 하여 착종하고 취합하여 이루었으니, 상(象)을 취한 뜻이다. 뜻이 선 이후에 이름이 정해지고 이름이 정해진 이후에 때가 정해지니 그런 연후에 차례대로 배열하고 반대되는 괘로 이어 붙이니, 곧 천지가 서자 건괘[䷀]와 곤괘[䷁]가 첫머리에 놓이게 되었고, 건괘와 곤괘의 위치가 바뀌면서 비괘[䷋]와 태괘[䷊]가 드러나게 되었으며, 감괘[䷜]와 이괘[䷝]의 지극함으로 끝맺었으니, 이것이 '천도'이다. 남녀가 서자 함괘[䷞]와 항괘[䷟]가 첫머리에 놓이게 되었고,[110] 취

107 이괘(頤卦)……되고 : "이(頤)는 정(貞)하면 길(吉)하니, 길러주며 스스로 음식을 찾는 것을 살펴보아야 한다."라고 하였는데, 주자는 《주역본의(周易本義)》에서 "이(頤)는 입가니, 입은 음식물을 먹어서 스스로 기르는 것이므로 길러주는 뜻이 된다."라고 하였다.

108 중부괘(中孚卦)……것이다 : "중부는 믿음이 돼지와 물고기에 미치면 길하니, 대천(大川)을 건넘이 이롭고 정(貞)함이 이롭다."라고 하였는데, 주자는 《주역본의(周易本義)》에서 "(전략)……또 나무가 못 위에 있고, 밖이 실(實)하고 안이 허(虛)하니, 모두 주즙(舟楫)의 상이다.……(후략)"라고 하였다.

109 괘주(卦主) : 여섯 효에서 중심이 되는 효로 대개 5효이다.

110 함괘[䷞]와……되었고 : 건과 곤은 천지의 도이고 음양의 근본이므로 상편의 머리가 되었고, 감(坎)

하고 베풂이 시행되자 손괘[䷨]와 익괘[䷩]가 드러나게 되었으며, 기제괘(旣濟卦)[䷾]와 미제괘(未濟卦)[䷿]가 교차하는 것으로 끝맺었으니, 이것이 '인도(人道)'이다. 이것이 서괘(序卦)의 대지(大旨)니, '사물은 궁극에 다다르면 다시 이전 상태로 돌아간다[物有反極]'는 점과 '일에는 시작과 끝이 있다[事有終始]'는 것을 알 수 있다. 그러므로 대성괘와 소성괘는 간략하여 알기 쉬우나, 6효의 실상은 심오해서 배우기 어려우니, 이것은 정도의 차이다.

6획의 완성은 8괘가 서로 섞이는 데서 생겨나서 8괘가 '내괘'가 되기도 하고 '외괘'가 되기도 한다.[111] 외괘와 내괘는 다시 6위로 나뉘니, 내괘 초효에서 시작하여 외괘 상효에서 그친다. 초효·3효·5효는 양의 자리가 되고, 2효·4효·상효는 음의 자리가 된다. 양의 자리는 뜻을 강하게 하고 음의 자리는 뜻을 유순하게 한다. 초효는 땅이면서 강건하고, 2효는 땅이면서 유순하며, 3효는 사람이면서 인자하다. 그리고 4효는 사람이면서 의로우며, 6효는 하늘이면서 음이고, 5효는 하늘이면서 양이니, 천·지·인 삼재(三才)가 포개져서 유(柔)와 강(剛)으로 나뉜 것이다. 2효와 5효의 자리는 중(中)을 얻었으나, 3효와 상효는 중을 넘어섰으며, 초효와 4효의 자리는 중에 미치지 못한다. 이들 쌍쌍은 응위(應位)로써 대응하니 5효는 공이 많고 2효는 명예가 많으며, 4효는 의심이 많고 3효는 위태로움이 많으며, 초효는 경계가 많고 상효는 후회가 많은 것이다. 상효는 일이 끝나는 것이고 초효는 일이 시작되는 것이다. 5효는 군주의 자리이고 2효는 대신(大臣)의 자리며, 4효는 근신의 자리고 3효는 원신의 자리다. 상효는 군대가 되고 초효는 수령이 되며, 초효는 자리는 있으나 지위가 없다. 5효는 남편의 자

[䷜]과 이(離)[䷝]는 음양의 바탕을 이룬 것이므로 상편의 끝이 되었다. 함(咸)[䷞]과 항(恒)[䷟]은 부부의 도이고 낳고 기르는 근본이므로 하편의 머리가 되었고, 미제(未濟)[䷿]는 감(坎)[☵]괘와 이(離)[☲]괘가 합한 것이고 기제(旣濟)[䷾]는 감괘와 이괘가 어울린 것이니, 합하고 어울리면 만물을 낳는 바 음양의 효과가 나타난 것이므로 하편의 끝이 되었다.《주역》〈상하편의(上下篇義)〉

111 6획의……한다 : 하나의 괘상에서 아래의 3효로 구성된 것을 '하괘' 또는 '내괘'라 하고, 위의 3효로 구성된 것을 '상괘' 또는 '외괘'라고 한다. 8괘가 내괘와 외괘가 되어 64괘를 이룬다.

리고 2효는 부인의 자리며, 3효은 어미가 되고 상효는 아비가 되며, 4효는 아들이 되고 초효는 딸이 되니, 아비의 도는 높고 딸의 도는 낮다. 이상에서 말한 것은 육위(六位)의 대체이다. 그래서 "군자가 거하여 편안히 여기는 것은 괘의 차례고 효(爻)의 자리다."[112]라고 한 것이다.

유효(柔爻, 음효)가 유위(柔位, 음의 자리)에 있고 강효(剛爻, 양효)가 강위(剛位, 양의 자리)에 있으면, 이를 일러 '바르고 자리가 마땅하다[正而位當]'[113]라고 한다. 그러나 강효가 유위에 있고 유효가 강위에 있으면, '자리가 마땅하지 않고 바르지 않은 것[不當位而不正]'[114]이 된다.

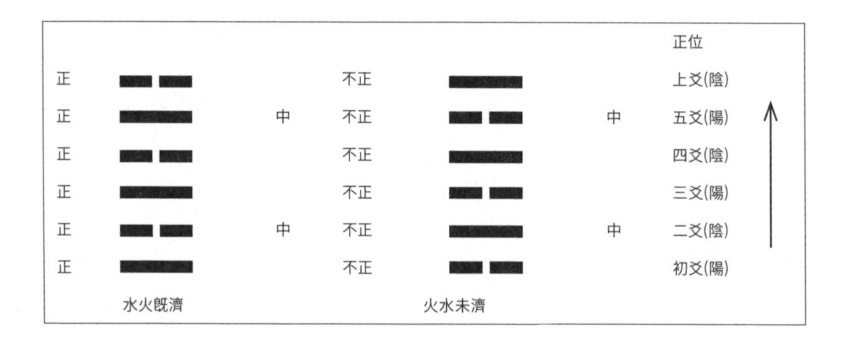

그렇지만 중도[가운데 효]에는 바른 이치가 있어서 2효와 5효가 부정(不正)을 꺼리지 않아 음효가 강의 자리[5효]에 있고 양효가 유의 자리[2효]에 있어도 2효와 5효는 더욱 기이하게 유와 강이 서로 뒤섞여 나타난다. 혹 응위(應位)가 대립하는 것을 귀하게 여기기도 한다. 유와 강을 따져서 유와 강이 서로 짝하는 것을 '정응(正應)'이라고 하는데, 만약 음효가 음효를 짝하

---

112 군자가……자리다 : 《주역(周易)》 〈계사전 상(繫辭傳 上)〉에 보인다.

113 바르고 자리가 마땅하다[正而位當] : 예컨대, 기제괘(旣濟卦)[䷾]가 이에 해당한다. '정(正)'은 양효가 양위 즉 초효, 3효, 5효에 위치하고, 음효가 음위 즉 2효, 4효, 상효에 위치함을 이른다. 이와 반대되면 '부정(不正)'이 된다.

114 자리가……않은 것[不當位而不正] : 예컨대, 미제괘(未濟卦)[䷿]가 이에 해당한다. 양효가 2효(음의 자리)에 있고, 음효가 5효(양의 자리)에 위치하는 것은 부정(不正)하다.

고 양효가 양효를 짝하게 되면 이를 '응위가 무응이다[應位無應]'[115]라고 한다. 혹 괘상(卦象)에 따라 괘주(卦主)가 있기도 한데, 멀리 있는 응을 취하지 않고 가까이 있는 괘주를 취하면 위험을 피하기는 오히려 요원할 것이다. 또한 괘시(卦時)는 때를 좇아 가까운 것을 귀하게 여긴다. 또한 괘의(卦義)는 유응이 있으면 다시 얽매이게 되기도 하고, 무응이 있으면 다시 기이한 것이 되기도 한다. 이는 6효의 큰 쓰임[大用]이다.

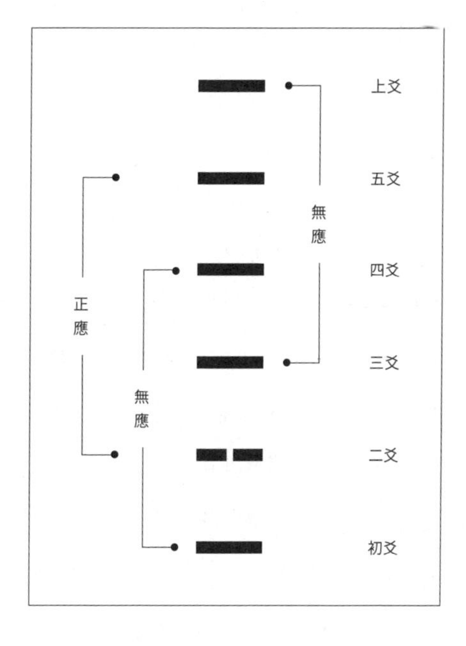

이로써 자리는 귀천을 나열하는 곳이고 재임(才任)을 기다리는 곳이기 때문에 자리로 지지(地志)를 논하였고, 효(爻)는 위분(位分)에 응하는 바탕이고 시용(時用)에 대응하는 도구이기 때문에 효로써 재덕(才德)을 논하였으며, 괘는 성명(性命)의 근원을 파헤치고 사물의 상에 따르므로 괘로써 시의(時義)를 논하였음을 알았다. 위지(位地)는 땅에 응하고, 효덕(爻德)은 사람에 응하고, 괘시(卦時)는 하늘에 응하니, 이 세 가지는 또한 천·지·인의 도이다.

이 때문에 자리는 얻었으나 재주를 얻지 못한 자는 지위를 얻을 수는 있지만 사람은 얻지 못한다. 재주는 얻었으나 자리를 얻지 못한 자는 사람을 얻을 수는 있으나 지위는 얻을 수 없다. 재주는 얻었으나 때를 얻지 못한 자는 사람을 얻을 수는 있으나 하늘을 얻을 수 없다. 때는 얻었지만

115 응위가 무응이다 : 1효와 4효, 2효와 5효, 3효와 6효가 서로 응하는 자리, 즉 응위인데, 음양으로 응하면 정응이고 응하는 두 괘가 똑같이 음이나 양이면 무응이다.

그 재주를 얻지 못한 자는 하늘을 얻을 수는 있으나 사람을 얻을 수 없다. 자리는 얻었지만 때를 얻지 못한 자는 지위는 얻을 수 있으나 하늘을 얻을 수 없다. 때는 얻었지만 자리를 얻지 못한 사람은 하늘을 얻을 수는 있으나 지위를 얻지 못한다. 이 때문에 이 세 가지 중에 세 가지를 모두 얻은 자가 있고, 세 가지 중에 한두 가지만 얻은 자도 있으며, 또한 세 가지 중에 세 가지 모두 얻지 못한 자도 있다. 이것이 《역》의 큰 뜻[大旨]이니, 길흉(吉凶) · 득실(得失) · 회린(悔吝) · 우구(憂咎)의 말[116]이 여기에 모두 갖추어져 있다. 이 때문에 "군자가 즐거워하여 완미하는 것은 괘(卦)의 뜻이고 효(爻)의 말이다."[117]라고 한 것이다. 저 천지를 살펴보고 이를 사람에게 증험해 보면, 복희씨의 《역》은 삼재(三才)의 체질(體質)[118]에 근본을 두고 있음을 알 수 있으며, 위치와 차례에 밝아 내용을 통달하면, 문왕(文王)의 《역》이 삼재(三才)의 용상(用象)[119]을 다했음을 알 수 있다.

'활활발발(活活潑潑)'한 것은 기(氣)의 도(道)며, '정정방방(正正方方)'한 것은 질(質)의 덕(德)이다. 이는 건괘 5효와 곤괘의 2효가 크고 지대한 뜻을 이룬 것이다. 날아오르는 용이 하늘에 있으면, 대인(大人)의 성색(聲色)과 만국(萬國)의 시세를 알 수 있고[120], 왕이 집안을 다스리는 도가 지극하면 서로 사랑하여 일가가 부귀영화를 누리며 화목하게 지낼 것이다.[121] 이는 건괘의 5효와 가인괘(家人卦)[䷤]의 5효가 치안(治安)의 상(象)을 완성한 것이

---

116 길흉(吉凶)……말 : 《역》에 나오는 점사(占辭)들로, 길(吉)은 좋음, 흉(凶)은 나쁨, 회(悔)는 후회할 일, 린(吝)은 한탄할 일이 된다는 말이다. 회린은 길흉화복의 조짐으로 회는 길에서 복으로, 린은 흉에서 재앙으로의 조짐이다. 구(咎)는 책망할 일이 있지만 책망을 받지 않는 것으로 재앙을 피한다는 것이다. 길흉회린은 사람의 마음과 행동의 순환으로 凶 → 悔 → 吉 → 吝 → 凶 → 悔 → 吉의 순서로 돌고 돈다.

117 군자가……말이다 : 《주역(周易)》 〈계사전 상(繫辭傳 上)〉에 보인다.

118 체질(體質) : 8괘를 말한다.

119 용상(用象) : 64괘를 말한다.

120 날아오르는……있고 : 건괘(乾卦)[䷀] 구오(九五) 효의 풀이에 "구오는 나는 용이 하늘에 있으니, 대인(大人)을 만나봄이 이롭다[九五, 飛龍在天, 利見大人]."라고 하였다.

121 왕이……것이다 : 가인괘(家人卦)[䷤] 구오(九五) 효의 풀이에 "구오는 왕이 집안을 다스리는 도를 지극히 함이니, 근심하지 않아도 길하리라[九五, 王假有家, 勿恤, 吉]." 라고 하였고, 〈상전(象傳)〉에 "'왕격유가(王假有家)'는 서로 사랑하는 것이다[象曰: 王假有家, 交相愛也]."라고 하였다.

다. 〈계사전〉을 지은 까닭은 《역》을 완상하는 방법을 일깨워 주기 위해서이다. 《역》에서 "종시에 훤하다."[122]는 말과 "육효는 사방으로 널리 통한다."[123]는 말, 그리고 "만물은 취향에 따라 끼리끼리 모이고 서로 속성이 다른 집단으로 나뉘게 된다."[124]라는 말은 모두 만물의 시초를 고찰하고 사물이 다 갖추어지기 이전 상태를 추적하여 이해하려는 것이다. 이 때문에 그 문장과 내용이 중복되거나 광대함을 꺼리지 않았다. 구양수(歐陽脩)[125]가 〈계사전〉을 성인이 지은 것이 아니라고 의심한 이유는[126] 아마도 하학(下學)의 방법을 따르지 않고 건너뛰어 글을 보았기 때문일 것이다. 《역》이란 책은 규모는 크지만 우활하지 않고, 세밀하지만 졸렬하지 않으니, 마치 천지만물을 전범으로 삼은 것과 같다.

대개 효상(爻象)의 문장은 뜻을 갖추는 데 전념해서 의미를 갖추었기 때문에 말이 은미하고 집약적이지 않을 수 없다. 〈계사전〉의 문장은 뜻을 전달하는 데 전념해서 의미를 전달하려하기 때문에 말이 광대하고 은미하지 않을 수 없다. 그러므로 알지 못하는 내용이 있더라도 의심해서는 안 되니 상달(上達)하지 못하는 것이 있으면 하학(下學)하지 않으면 안 된다.[127] 하학의 도는 모름지기 그 전례(典禮)를 다 갖추는 데 있다. 전례 중에 중대한 것은 천시(天時), 지위(地位), 인재(人才)이다. 이 세 가지는 모든 사

---

122 종시에 훤하다 : 《주역(周易)》 〈건괘(乾卦) 단사(彖辭)〉에 보인다.

123 육효는 사방으로 널리 통한다 : 《주역(周易)》 〈건괘(乾卦) 문언전(文言傳)〉에 보인다.

124 만물은……나뉘게 된다 : 《주역(周易)》 〈계사전 상(繫辭傳 上)〉에 보인다.

125 구양수(歐陽脩) : 1007~1072. 송나라 길주(吉州) 여릉(廬陵) 사람으로, 자는 영숙(永叔)이고, 호는 취옹(醉翁) 또는 육일거사(六一居士)며, 시호는 문충(文忠)이다. 시사(詩詞) 각 체(體)에 능해 당시 고문운동(古文運動)의 영수(領袖)가 되었고, 당송팔대가(唐宋八大家)의 한 사람으로 손꼽힌다. 저서에 《구양문충공집(歐陽文忠公集)》 153권과 《육일사(六一詞)》, 《집고록(集古錄)》이 있다. 《신당서(新唐書)》와 《오대사기(五代史記)》의 편자이기도 하고, 〈오대사령관전지서(五代史伶官傳之序)〉를 비롯하여 많은 명문을 남겼다.

126 구양수(歐陽脩)가……이유는 : 당순지(唐順之)의 《형천패편(荊川稗編)》 권3 〈논계사비성인작(論繫辭非聖人作)〉에 이 내용이 보인다.

127 상달(上達)하지……안 된다 : '상달(上達)'은 위로 하늘의 이치를 터득하는 것이고 '하학(下學)'은 아래로 사람의 일을 배우는 것이다. 《논어(論語)》 〈헌문(憲問)〉에서 공자가 "나는 아래로 사람의 일을 배우면서 위로 하늘의 이치를 터득하는 사람이다.[下學而上達]"라고 하였다.

물의 근간으로 어느 때나 빠뜨릴 수 없기 때문에 생각이 치우치지 않고 시각이 삐뚤어지지 않아 앎에는 유래가 있고 배움에는 일정한 표준이 있다. 수많은 실마리로 얼크러져 있는 데서 요령을 뽑아내는 사람은 앞과 뒤, 얕음과 깊음, 가벼움과 무거움, 느슨함과 급함의 분별이 마음속에 명확하기 때문에 그럴 수 있다. 그러므로 이미 밝은 것을 가지고 그 밝지 못한 것을 통찰하는 것이다. 평이하여 알기 쉬운 것을 소홀히 하기 때문에 알기 어려운 것에 대해 어두워진다. 그러므로 마음속에 간직하고 행하지 않아 마음을 편안하게 하려는 것이다. 관찰하고 말하지 않아 자신의 마음을 보존하며, 보고도 묻지 않아 자기의 지식을 드러내지 않으니, 이 학문이 폐단이 없고 계승할 만한 점이 있다고 하는 것이다. 어리석은 나는 감히 나의 고루함도 헤아리지 못하고 삼효(三爻)로 구성된 단괘(單卦) 상(象)의 알기 쉬운 뜻을 간략하게 진술하여 삼효가 중첩된 육효중괘(六爻重卦)가 취자(取資) 방법을 편리하게 하고, 자리잡은 효(爻)가 바뀌지 않는다는 논의를 연이어 기술하여 전서(全書)의 일관된 틀을 드러내었다. 후에 여기에 종사하는 사람이 비근(卑近)하다고 여겨 덮어두지 않는다면 또한 지혜로운 자가 반쯤 이해하는 데 만에 하나라도 보탬이 있을 것이다.

《상서지지尙書枝指》[128]

나는 열여섯 살 때 중부(仲父) 명고(明皐)[129] 공(公)을 따라 《상서》를 읽고, 《상서지지(尙書枝指)》 4권을 썼다. 나중에 그 원본은 잃어버렸지만 아직도 그 책의 가장 중요한 의의는 기억하고 있는데 "《서경》에 〈요전(堯典)〉과 〈순전(舜典)〉이 있는 것은 《역(易)》에 〈건괘〉와 〈곤괘〉가 있고, 《시경》

128 상서지지(尙書枝指) : 서유구가 《상서》를 읽고 문장에 관해 지은 문장론이다. 서형수(徐瀅修, 1749~1824) 《명고전집(明皐全集)》 권7의 〈상서지지서(尙書枝指序)〉를 보면 이 책의 내용과 성격을 알 수 있다. 하지만 현재 이 책은 남아 있지 않다.

129 중부(仲父) 명고(明皐) : 서형수(徐瀅修, 1749~1824)를 말한다.

에 〈주남(周南)〉과 〈소남(召南)〉이 있는 것과 같다."는 것이다. 《상서지지》의 대의(大義)는 이와 같은데, 그 책의 전문은 기억하지 못한다. 지금 오자량(吳子良)[130]의 《형계임하우담(荊溪林下偶談)》[131]을 살펴보니 "〈요전〉에 군도(君道)가 있는 것은 《역》의 〈건괘〉와 같고, 〈순전〉에 신도(臣道)가 있는 것은, 《역》의 〈곤괘〉와 같다. 《시경》의 〈주남〉과 〈소남〉도 또한 마찬가지다."[132] 라고 하였다. 옛사람이 이미 나보다 먼저 이러한 의미를 말했음을 알게 되었다.

---

130 오자량(吳子良) : 1198~1257? 자는 명보(明輔) 호는 형계(荊溪)이다. 임해(臨海) 사람으로 보경(寶慶) 2년에 진사가 되어 관직은 호남운사태부소경(湖南運使太府少卿)에 이르렀고 저서로는 《형계집(荊溪集)》이 있다.

131 형계임하우담(荊溪林下偶談) : 《사고전서》에는 집부(集部) 시문평류(詩文評類)에 속해 있다. 총 4권으로 이루어져 있는데, 구본은 8권이라 한다.

132 〈요전〉에……마찬가지다 : 《형계임하우담(荊溪林下偶談)》 권4 〈요순전(堯舜傳)〉에 보인다.

나는 수십 년 동안 교정에 교정을 더해서 저술한 《임원십육지(林園十六志)》 100여 권을 최근에 겨우 끝마쳤다. 다만 이 책을 맡아 관리할 만한 아들도 아내도 없으니 안타까울 뿐이었는데, 우연히 웅집역의 사연을 보고 나니 나도 모르게 서글퍼져 한참 동안 눈물이 흘렀다.

금화경독기 金華耕讀記

권 3

《시경》〈진풍秦風〉의 《시경집전詩經集傳》

《시경》〈진풍(秦風)〉[1]에 이런 내용이 있다.

갈대가 푸르른데　　　　蒹葭蒼蒼
하얀 이슬 서리가 되었네　　　　白露爲霜
이른바 그 사람이　　　　所謂伊人
물가 저 한쪽에 있네　　　　在水一方
거슬러 올라 따르려 해도　　　　遡洄從之
길이 막히고 멀며　　　　道阻且長
물결을 따라 따르려 해도　　　　遡遊從之
물 가운데에 있는 듯하네　　　　宛在水中央

여기서는 다만 그 사람을 바라볼 수는 있지만 다가갈 수 없다는 것을 말하였을 뿐, 실제 물이 불어나 그를 따를 수 없다는 것은 아니다. 그러므로 그가 물가 저 한쪽[水一方]에 있는 것을 보고서 따라가면 물 가운데[水中央]에 있고, 그가 한쪽 물가[水之湄]에 있는 것을 보고 따라가면 물 가운데 모래톱[水中坻]에 있고, 그가 또 한쪽 물가[水之涘]에 있는 것을 보고 따라가면 물 가운데 모래톱[水中沚]에 있어서, 말뜻이 "바라볼 때엔 앞에 있

1　진풍(秦風) : 《시경》의 국풍(國風) 중 하나. 15개 국풍 중 11번째로 실려 있다. 진(秦)나라 지방의 민간에서 불리던 시를 수록하였다. 〈거린(車鄰)〉, 〈사철(駟驖)〉, 〈소융(小戎)〉, 〈겸가(蒹葭)〉, 〈종남(終南)〉, 〈황조(黃鳥)〉, 〈신풍(晨風)〉, 〈무의(無衣)〉, 〈위양(渭陽)〉, 〈권여(權輿)〉 등 10편이 〈진풍〉에 속한다.

더니, 홀연히 뒤에 있도다[瞻之在前, 忽焉在後]”[2]는 말과 대략 비슷하다.

주자의 《시경집전(詩經集傳)》에서는 다음과 같이 말하였다.

“갈대가 아직 죽지 않았을 때에 이슬이 서리가 되었으니, 가을비가 마침 내려 모든 냇물이 하수(河水)로 흘러들어가는[秋水時至, 百川灌河][3] 때이다.”

장주(莊周)[4]가 “가을비가 마침 내리니”라고 말한 내용에서의 가을은 6월을 가리킨다. 땅이 기름져서 습하고 더우며 큰비가 마침 내리는[土潤溽暑, 大雨時行][5] 기후이니, 【장주(莊周)가 말한 가을은 주나라의 정월을 기준으로 말한 것이다.】 어찌 이슬이 서리가 되는 일이 있을 수 있겠는가. 이슬이 내린 것이라면 물은 마를 것이니, 이 시에서 말하는 ‘물[水]’은 실제 거세게 흐르는 물이 아니라는 것을 분명히 알 수 있다.

〈자금子衿〉

《시경》〈정풍(鄭風)[6]·자금(子衿)〉의 서(序)에, “학교가 폐지된 것을 풍자

---

2 바라볼……있도다[瞻之在前, 忽焉在後] : 《논어》〈자한(子罕)〉에 있는 말로, 공자의 제자인 안연(顔淵)이 공자의 도(道)를 찬미하여 한 말이다.

3 가을비가……흘러들어가는[秋水時至, 百川灌河] : 원래 《장자》〈추수(秋水)〉에 나오는 말인데, 주희가 인용한 것이다.

4 장주(莊周) : ?~?. 중국 전국시대의 철학자. 자는 자휴(子休) 또는 자목(子沐), 송(宋)나라 몽현(蒙縣) 사람이다. 노자(老子)와 함께 도가 사상의 대표로서 노장(老莊)이라 병칭된다. 일찍이 칠원리(漆園吏) 벼슬을 지내다 그만두었고, 초 위왕(楚威王)이 두 차례에 걸쳐 초빙하였으나 모두 거절하였다. 일찍이 남화산(南華山)에 은거하였다고 전해지는 까닭에, 훗날 당 현종 천보(天寶) 연간에 남화진인(南華眞人)에 봉해졌다. 저서로 《장자(莊子)》가 있으며, 이는 《남화경(南華經)》, 《남화진경(南華眞經)》 등으로도 불린다.

5 땅이……내리는[土潤溽暑, 大雨時行] : 《예기》〈월령(月令)〉 6월조(條)에 나오는 내용이다.

6 정풍(鄭風) : 《시경》의 국풍(國風) 중 하나. 15개 국풍 중 7번째로 실려 있다. 정(鄭)나라 지방의 민간에서 불리던 시를 수록하였다. 〈치의(緇衣)〉, 〈장중자(將仲子)〉, 〈숙우전(叔于田)〉, 〈대숙우전(大叔于田)〉, 〈청인(淸人)〉, 〈고구(羔裘)〉, 〈준대로(遵大路)〉, 〈여왈계명(女曰鷄鳴)〉, 〈유녀동거(有女同車)〉, 〈산유부소(山有扶蘇)〉, 〈탁혜(蘀兮)〉, 〈교동(狡童)〉, 〈건상(褰裳)〉, 〈봉(丰)〉, 〈동문지선(東門之墠)〉, 〈풍우(風雨)〉, 〈자금(子衿)〉, 〈양지수(揚之水)〉, 〈출기동문(出其東門)〉, 〈야유만초(野有蔓草)〉, 〈진유(溱洧)〉 등 21편이 〈정풍〉에 속한다.

한 것이다[刺學校廢]"라고 하였는데, 모형(毛亨)[7]과 정현(鄭玄)[8] 이래로 모두 이 의견을 따랐다.[9] 그런데 주자의 《시경집전》에서는 음탕한 시라고 단언하였다. 후세의 유자(儒者)들은 간혹 〈백록동부(白鹿洞賦)〉[10]에 있는 "선비들의 의문을 풀어주었네[廣靑衿之疑問]"라는 구절을 인용하면서 주자가 서(序)의 설을 따르지 않은 적이 없다는 증명이라고 하였다.

지금 살펴보니, 주자가 동안현(同安縣)에 있을 때 문인들에게 책문(策問)을 내어 후세에 학교가 제대로 시행되지 못하고 있음을 논하기를, "도성의 자제들만 집안 형편이 넉넉하여 출입하며 즐길 수 있다."고 하였다. 바로 〈자금(子衿)〉의 "가볍고 날뛰이여, 도성에 있도다[挑兮達兮, 在城闕兮]"를 인용한 것이니, 이러한 것은 〈백록동부(白鹿洞賦)〉뿐만이 아니다.

〈의례석궁儀禮釋宮〉

《주자대전집(朱子大全集)》[11]에는 더러 다른 사람의 저작이 잘못 실려 있

---

7 모형(毛亨) : ?~?. 중국 전국시대 말기·전한(前漢) 초기의 학자. 노(魯)나라 지방 사람이다. 진시황 때 난을 피해 하간(河間) 지방으로 은거하였다. 공자의 제자인 자하(子夏)로부터 《시경(詩經)》을 배웠고, 조카인 모장(毛萇)에게 전수하였다. 《모전(毛傳)》으로 약칭되는 《모씨고훈전(毛氏詁訓傳)》을 저술하였다. 후에 모장은 소모공(小毛公) 그는 대모공(大毛公)으로 불리게 되었다.

8 정현(鄭玄) : 127~200. 중국 후한(後漢) 말기의 경학가(經學家). 자는 강성(康成), 북해(北海) 고밀(高密) 사람이다. 일찍이 태학에 들어가 《경씨역(京氏易)》, 《춘추공양전(春秋公羊傳)》, 《삼통력(三統曆)》, 《구장산술(九章算術)》 등을 전공하고, 장공조(張恭祖)에게서 《고문상서(古文尙書)》, 《주례(周禮)》, 《춘추좌씨전(春秋左氏傳)》 등을 배웠으며, 마융(馬融)에게서 고문경학(古文經學)을 배웠다. 고문경학을 중심으로 금문경학(今文經學)의 설을 수용하여 학문을 정립하였고, 이를 바탕으로 각종 유가경전을 주석하여 전(箋)을 달아 한대(漢代) 경학의 집대성자로 불린다.

9 모형(毛亨)과……따랐다 : 모형(毛亨)과 정현(鄭玄)은 각각 《시경》의 주석을 저술하였는데, 모두 시서(詩序)의 내용을 수용하였다. 그들의 주석이 수록된 《시경정의(詩經正義)》가 13경주소의 《시경》으로 채택되어 전한다.

10 백록동부(白鹿洞賦) : 주희(朱熹)가 지은 사부(辭賦) 작품. 《회암집(晦庵集)》 등에 실려 있다. 서두에서 여산 백록동의 지리, 역사 등을 소개하고, 이곳에서 경학을 연구하는 즐거움과 경학, 도학에 대한 주희 자신의 마음가짐과 포부 등을 이어서 서술하였다. 백록동은 당나라 때 사람 이발(李渤)이 은거하여 백록을 기르면서 독서하던 곳으로, 오대십국 때에는 이곳에 여산국학(廬山國學)이란 학교가 설립되었으며, 송대에 들어 백록동서원이 들어서게 되었다. 주희가 남강군(南康軍) 지사(知事)를 지낼 적에 원장이 되어 부흥시켰다.

11 주자대전집(朱子大全集) : 《회암선생주문공문집(晦庵先生朱文公文集)》, 《주자문집》, 《주자문집대

다. 예를 들어 〈의례석궁(儀禮釋宮)〉[12]은 송나라 이여규(李如圭)[13]가 찬술한 것이다. 이여규는 《의례집석(儀禮集釋)》 30권을 편찬한 뒤에, 또 '고례(古禮)를 상고하려는 사람은 반드시 궁실의 제도를 먼저 알아야 예를 행할 때의 방향과 절차를 밝힐 수가 있다'고 생각하였다. 그리하여 〈석궁(釋宮)〉편을 지어 그 뒤에 덧붙인 것이다. 이 책이 《중흥서목(中興書目)》[14]에 실려 있으니, 이는 분명한 사실이다. 어떠한 연유로 《주자대전집》에 편입되었는지[15] 알 수가 없다.

《맹자》의 개와 돼지가 사람이 먹을 식량을 먹는데도 단속할 줄 모른다

맹자가 "개와 돼지가 사람이 먹을 식량을 먹는데도 단속할 줄 모르

전》이라고도 한다. 목판본(木板本)으로 본편 100권, 별집 11권, 속집 10권이다. 저자가 일생을 두고 저작한 모든 학설을 주로 하고 여러 학자들의 질의(質疑)에 대해 회답한 편지들과 시(詩)·기(記)·명(銘)·비문(碑文)·묘지(墓誌) 등 문예에 관한 저작들을 함께 모은 방대한 저작이다. 주희 사후 그의 문인(門人)들이 편찬한 것으로, 본편 100권은 보존되어 오던 것을 모은 것이고, 별집 11권은 그의 문인 여사로(餘思魯)가 모은 것인데, 속집 10권은 누구의 손으로 이루어진 것인지 정확히 알 수 없다. 이것들을 모아 송 도종(度宗) 함순(咸淳) 원년(1265)에 편찬하였고, 저자의 후손 옥(玉)이 교정하여 《주자대전집(朱子大全集)》이라는 이름으로 간행하였다. 우리나라에서는 1543년(중종 38)에 이미 을해자(乙亥字)로 이 책을 간행한 바 있고, 1575년(선조 8)에도 역시 을해자로 간행하였으며, 그 뒤 각 지방에서도 몇 번 간행한 적이 있다.

12 의례석궁(儀禮釋宮) : 중국 남송의 학자 이여규(李如圭)가 궁실의 제도에 대해 설명한 책이다. 주희(朱熹)의 저술을 집성한 《주자대전》에도 실려 있다.

13 이여규(李如圭) : 생몰년은 미상이다. 중국 남송의 학자로 여릉(廬陵) 사람이다. 《의례》가 제대로 전해지지 않아 이를 잘 아는 학자가 없음을 애석하게 여겨 《의례집석(儀禮集釋)》을 찬술하였고, 그 후에 이와는 별도로 《의례강목(儀禮綱目)》과 《의례석궁(儀禮釋宮)》을 찬술하였다. 원래의 《의례집석(儀禮集釋)》은 일실되었으며 현재의 책은 청대에 《영락대전(永樂大全)》을 통해 찬집된 것이다.

14 중흥서목(中興書目) : 중국 남송시대 국가 편찬 서목인 《중흥관각서목(中興館閣書目)》이다. 비서소감(秘書少監) 진규(陳騤)가 1178년(효종 5)에 70권으로 편찬하였다. 52류(類)로 분류하였으며, 44,486권을 저록하였다. 1220년에 장반(張攀)이 《중흥관각속서목(中興館閣續書目)》 30권을 편찬하여 새로 14,943권을 저록하였다. 남송의 장서 현황을 보여주는데, 현재는 두 책 모두 일실되었다.

15 어떠한……편입되었는지 : 《의례집석》에 대한 《사고전서총목제요》의 내용 중에, 이여규가 《의례집석》, 《의례강목》, 《의례석궁》을 저술한 배경을 설명한 뒤에 "주희가 항상 그와 예서를 교정하였다.[朱熹常與之校定禮書]"라고 기록하고 있다. 이에 따르면 이상의 책들을 이여규와 주희의 공동 저술로 볼 수도 있으며, 이러한 관점에서 《주자대전》에 실리지 않았나 생각된다.

고, 길에 굶어 죽은 사람이 있는데도 창고를 열 줄 모른다[狗彘食人食, 而不知檢, 塗有餓殍, 而不知發.]"라고 하였다. 예전에 아래 구절의 '발(發)' 자가 창고를 연다는 뜻의 '발(發)' 자라면 윗구절의 '검(檢)' 자는 결코 '발(發)' 자와는 상응하지 않으므로 혹 '렴(斂)' 자의 오자가 아닐까 의심하였다. 근래 진전량(陳傅良)[16]의 설을 보았더니, "《주례》에 '그 해의 풍흉(豐凶)에 따라 창고를 열거나 곡식을 거두는 법[出斂法]을 쓴다.'라고 하였으니, 흉년이 든 해는 곡식 창고를 여는데 이는 곡식이 귀해져서 백성을 해칠까 걱정해서이고, 풍년이 든 해는 거두는데 이는 곡식이 천해져서 농사를 해칠까 걱정해서이다. 《맹자》의 '부지검(不知檢)'의 '검(檢)' 자가 어떤 책에는 '렴(斂)'으로 되어 있다.[17] 개·돼지가 사람이 먹을 식량을 먹는다는 것은 곡식이 풍성한 해이므로 법에 당연히 거두어들인다. 길에 굶어 죽은 시체가 있는 것은 흉년이므로 법에 당연히 곡식 창고를 연다."라고 하였다. 이 설을 보자 전에 보았을 때 했던 생각이 맞았음을 더욱 믿게 되었다.

《지언의의知言疑義》

호굉(胡宏)[18]의 《지언(知言)》에 "보고 듣는 것은 자신의 장폐(障蔽)가 되고, 부자와 부부는 자신의 짐[累]이 되고, 좋은 옷과 음식은 자신의 욕심이 된

---

16 진전량(陳傅良) : 1141~1203. 중국 남송 때의 학자로, 자(字)는 군거(君擧)고, 호는 지재선생(止齋先生)이다. 절강(浙江) 온주(溫州) 단안봉촌(瑞安湗村) 사람이다. 아버지 진빈(陳彬)은 숙사(塾師)였다. 주희가 한탁주에 의해 내쳐진 것을 계기로 고향에 돌아가 독서를 일삼았다. 영가학파(永嘉學派)의 주요 인물로 경세치용(經世致用)의 학문에 힘쓰고 성리공담(性理空談)은 배격하였다. 저서로는 《모시해고(毛詩解詁)》·《주례설(周禮說)》·《춘추후전(春秋後傳)》·《지재후집(止齋後集)》 등이 있다.

17 《맹자》의……있다 : 《한서》 〈식화지〉에는 "狗彘食人之食不知斂"으로 되어 있다. 이 구절에 대한 《한서》 〈식화지〉의 주석은 다음과 같다. "應劭曰: '養狗彘者, 使食人之食而不知以法度斂之也.' 師古曰:'孟子, 孟軻之書. 言歲豐熟, 菽粟饒多, 狗彘食人之食, 此時可斂之.'"

18 호굉(胡宏) : 1102~1161. 남송의 학자로, 자는 인중(仁仲)이고, 호는 오봉(五峰)이다. 호안국(胡安國)의 아들이다. 남송 심학(心學)의 선두주자이며 호상학파(湖湘學派)의 창립자이다. 저술로는 《지언(知言)》·《황왕대기(皇王大紀)》·《역외전(易外傳)》 등이 있다.

다."[19]라고 하였다. 천리를 끊고 사물을 초탈하려는 뜻이 확연히 석가나 노장의 표현이다. 주자가 《지언의의(知言疑義)》[20]에서 한마디도 이에 대해 언급하지 않고 "천도 변화에 근본을 두어서 세속의 수작으로 삼는다[本天道變化, 爲世俗酬酌]"라는 두 구절만을 들어 온당치 못하다고 하였으니,[21] 밥숟가락을 크게 뜨고 국물을 흘리며 마시는 손님을 대하면서 고기를 이빨로 뜯어 먹는 것만을 기롱한 것[22]에 가깝지 않은가 의심스럽다.

《지언의의》에 "성인은 아래로 인사(人事)를 배운 뒤에 위로 천리(天理)에 도달하는데[下學而上達] 일상생활에서 응대하는 이치를 다하기 때문에 천도 변화가 그 가운데에서 행해진다."[23]라고 하였다. 이는 소식(蘇軾)의 《기년(紀年)》에 이른바 "배우는 것이 이것이면 도달하는 것도 이것이다[所學者此而所達者亦此]"라고 한 설과 유사하지 않은가? 주자가 일찍이 종신토록 하학만 하고 상달하지 못하였다고 소식의 설을 기롱하였다.[24] 그렇다면 스스로는 그 오류를 답습하지 않았을 것이니, 혹 초년의 설인가?

---

19 보고 듣는……된다 : 心無不在, 本天道變化, 爲世俗酬酢, 參天地, 備萬物. 人之爲道, 至大也, 至善也. 放而不知求, 耳目聞見爲己蔽, 父子夫婦爲己累, 衣裘飮食爲己欲, 旣失其本矣, 猶皆曰我有知, 論事之是非, 方人之短長, 終不知其陷溺者, 悲夫. 故孟子曰:學問之道無他, 求其放心而已矣.(胡宏, 《知言》)

20 지언의의(知言疑義) : 주희의 저술. 송나라 호안국(胡安國)의 아들 호굉(胡宏)이 《맹자》 〈공손추 상(公孫丑上)〉의 '아지언(我知言)'이란 말을 따서 《지언(知言)》이란 제목으로 심성(心性)에 대해 논한 책을 저술하였는데, 주희가 이 책의 잘못된 부분을 지적하여 지은 글이다. 《회암집》 권73에 〈호자지언의의(胡子知言疑義)〉라는 제목으로 실려 있다.

21 천도……하였으니 : 熹又看此章云, 本天道變化, 爲世俗酬酢, 疑世俗字有病, 猶釋子之謂父母家爲俗家也. 改作日用字, 如何? 熹又細看, 雖改此字, 亦爲未安. 蓋此兩句大意自有病.(《晦庵集》 卷73 〈胡子知言疑義〉)

22 밥숟가락을……기롱한 것 : 《맹자》 〈진심 상(盡心 上)〉에 나오는 내용이다. 이 내용에 대해 주희의 집주에서는 '급선무를 알지 못하는 것'이라고 하였다.

23 성인은……행해진다 : 聖人下學而上達, 盡日用酬酢之理, 而天道變化行乎其中耳.(《晦庵集》 卷73 〈胡子知言疑義〉)

24 이는……기롱하였다 : 소식의 주장은 인사를 배우는 것만으로는 천리에 도달할 수 없다는 말이다. 주자는 이에 대하여 "부자께서 말씀하신 '아래로 인사를 배운 뒤에 위로 천리에 도달한다'는 것은 바로 '아래로 비근한 인사를 배움으로써 위로 정미한 천리에 도달한다'는 말인데, 그대가 지금 '배우는 것이 이것이면 도달하는 것도 이것이다'라고 한다면 이는 종신토록 아래로 인사를 배워도 위로 천리에 도달하지 못한다는 것이네.[夫子之言下學而上達, 正謂下學於人事之卑近, 而上達於天理之精微. 爾今曰'所學者此而其所達者亦此', 則是終身下學而未嘗上達也.]"라고 하였다.

《제민요술齊民要術》의 주석

《제민요술》[25]의 주석은 쓴 사람의 성씨가 기록되어 있지 않다. 그래서 이시진(李時珍)[26]과 서광계(徐光啓)[27]는 주석을 인용하면서 바로 "《제민요술》"이라고만 하였으니 가사협(賈思勰)[28] 본인이 주석을 한 것으로 인식한 것이다. 최근에 마단림(馬端臨)[29]의 《문헌통고》에 실린 손암 이도(李燾)[30]의 서문에 "지금 운사비승(運使秘丞) 손공이 음의와 훈석을 하였다."[31]라고 한 것을 보고서야 비로소 송나라 손씨의 찬술임을 알게 되었다. 손씨와 손암이 동시대 사람이라면 북송 말에서 남송 초의 인물일 테지만 이름은 살펴볼 수 없다. 주석이 간명하면서도 요령이 있고 핵심적이면서 덧붙임이 없이 왕왕 원서에서 다 설명하지 못한 뜻을 밝혀내고 있다. 내가 보아온 제자(諸子) 잡가(雜家)의 전주(箋註) 가운데에 이 《제민요술》의 주석이 가장 으뜸

---

25 제민요술(齊民要術) : 중국 북위 때의 학자 가사협(賈思勰)이 편찬한 서적으로, 현존하는 중국 최고(最古)의 농서이다. 6세기 중국의 농업기술이 실려 있다. 편찬 시기는 530년에서 550년 사이로 추정되며, 모두 10권 72편으로 정문은 약 69,450자, 협주는 약 42,350자이다. 가사협 본인의 서문과 저자 미상의 잡설이 붙어 있다. 《범승지서(氾勝之書)》, 《사민월령(四民月令)》 등 이미 실전된 한·진(漢晉) 시대의 중요 농서(農書) 등 200여 서종이 인용되어 있다.

26 이시진(李時珍) : 1518~1593. 자는 동벽(東璧)이고, 호는 빈호산인(瀕湖山人)이다. 명나라의 의학가이자 약물학가이다. 저서로 《본초강목(本草綱目)》이 있다.

27 서광계(徐光啓) : 1562~1633. 명나라 후기의 정치가이자 학자로, 자는 자선(子先)이고, 호는 현호(玄扈), 세례명은 바오로이다. 마테오리치에게 천문학과 수학을 배웠으며 그와 함께 유클리드의 기하학을 번역하여 《기하원본(幾何原本)》을 저술하였다. 그 밖에 《숭정역서(崇禎歷書)》, 《농정전서(農政全書)》 등을 저술하였다.

28 가사협(賈思勰) : ?~?. 중국 북위(北魏) 때의 농학가(農學家)로, 북위 제군(齊郡) 익도현(益都縣, 현재의 산동성 수광시(壽光市)) 태생이다. 관직은 고양 태수(高陽太守)를 지냈다. 농업과학에 정통하여 6세기 이전의 농업이론과 농업기술을 총괄한 《제민요술(齊民要術)》을 저술하였다.

29 마단림(馬端臨) : 1254~1323. 중국 송(宋)·원(元) 때의 역사학자로, 자는 귀여(貴與) 혹은 귀여(貴輿)이고, 호는 죽주(竹洲)이다. 백과사전인 《문헌통고(文獻通考)》를 저술하였다.

30 이도(李燾) : 1115~1184. 자(字)는 인보(仁甫)·자진(子眞), 호는 손암(巽岩), 시호는 문간(文簡)이다. 저술로는 문집 120권이 있다. 《문헌통고(文獻通考)》에 따르면 이밖에 《역학(易學)》 5권, 《춘추학(春秋學)》 10권, 《사조사고(四朝史稿)》 50권, 《통론(通論)》 10권, 《남북공수록(南北攻守錄)》 30권 등의 저서가 있다.

31 지금……하였다 : 巽岩李氏序孫氏齊民要術音義解釋曰: 賈思勰著此書, 專主民事, 又旁摭異聞, 多可觀, 在農家最㠑然出其類, 而近世學者忽焉. 第奇字錯見, 往往艱讀, 今運使秘丞孫公, 爲之音義解釋, 略備其正名辨物, 蓋與揚雄, 郭璞相上下, 不但借助於思勰也.(《文獻通考》 卷218)

이다. 이름이 전해지지 않은 것이 무척 아쉽다.

나는 전에 가사협의《제민요술》주석이 송나라 손씨의 저술이 아닌가 의심했었는데 후대의 이시진(李時珍)과 서광계(徐光啓)는 모두 가사협 스스로 주석을 붙인 것으로 인식하였다. 우연히 육유(陸游)[32]의《노학암필기(老學庵筆記)》[33]를 보았는데 다음과 같은 말이 있었다.

"심괄(沈括)[34]이 계설향(鷄舌香)을 정향(丁香)이라고 변증하면서 애써서 수백 자 글을 지었는데 결국은 심증으로 짐작한 것이었다.[35] 오직 원위(元魏 북위(北魏))의 가사협이 지은《제민요술》의 '合香澤法用雞舌香'[36] 주에 '사람들이 못[丁子]과 같다고 하여 정자향(丁子香)[37]이라고 하였다.'라고 하는데 이것이 가장 적확하여 인용할 만한 증거이다. 하지만 심괄은 도리어 여기까지 인증하지 못하였으니 이로써 막힌 데 없이 널리 알기의 어려움을 알겠다."[38]

이에 근거하면 육유(陸游)도 가사협의 주석으로 여긴 듯하다. 손씨는

---

32 육유(陸游) : 1125~1210. 중국 남송(南宋)의 시인(詩人). 자는 무관(務觀), 호는 방옹(放翁). 월주(越州) 산음(山陰, 지금의 절강성 소흥) 사람이다.

33 노학암필기(老學庵筆記) : 중국 남송(南宋) 때의 학자 육유(陸遊)의 저서로, 당대(當代)의 사실(史實), 전장제도(典場制度) 등을 기록하였다.

34 심괄(沈括) : 1031~1095. 중국 송나라의 정치가이자 학자로, 자(字)는 망지(望之), 호는 존중(存中)이다. 만년에 평생의 견문을 정리한《몽계필담(夢溪筆談)》을 저술하였다.

35 심괄(沈括)이……것이었다 : 予集靈苑方論, 鷄舌香以爲丁香母, 蓋出陳氏拾遺, 今細考之, 尙未然. 按齊民要術云: 鷄舌香, 世以其似丁子, 故一名丁子香, 即今丁香是也. 日華子云: 鷄舌香治口氣, 所以三省, 故事郎官, 日含鷄舌香, 欲其奏事對答, 其氣芬芳, 此正謂丁香治口氣, 至今方書爲然. 又古方, 五香連翹湯, 用鷄舌香, 千金五香連翹湯, 無鷄舌香, 卻有丁香, 此最爲明驗. 新補本草, 又出丁香一條, 蓋不曾深考也. 今世所用鷄舌香, 乳香中得之, 大如山茱萸, 剉開中如柿核, 略無氣味, 以治疾殊極乖謬.(《夢溪筆談》卷26)《제민요술》의 주에 근거하여 정자와 비슷하여 정자향이라고 한다고 하였으니, 육유의 말과는 조금 다르다.

36 合香澤法用雞舌香 : 合香澤法, 如清酒以浸香.【夏用冷酒, 春秋溫酒令煖, 冬則小熱.】雞舌香.【俗人以其似丁子, 故爲丁子香也.】(《齊民要術》卷5)

37 정자향(丁子香) : 정자(丁子)는 못의 이칭이다. 꽃봉오리가 못처럼 생겼고 향이 있으므로 정향(丁香)이라고 하는데 영문명 클로브(clove) 또한 못이라는 의미이다. 맛과 향이 강하고 혀를 마비시키며 맛은 맵고 성질은 따뜻하다. 위가 차가워서 생기는 구토, 위암, 복통, 소화불량과 성기능 증대, 잇몸 염증 및 통증 등에 쓰인다.

38 심괄(沈括)이……알겠다 : 沈存中, 辯雞舌香爲丁香, 亹亹數百言, 竟是以意度之. 惟元魏賈思勰作齊民要術第五卷有'合香澤法用雞舌香', 此最的確可引之證, 而存中反不及之以此, 知博洽之難也.(《老學庵筆記》卷8)

북송 말엽에서 남송 초엽 사람이니, 희녕(熙寧) 연간(1068~1077) 때 사람인 심괄이 어떻게 알겠는가.

《유산집遺山集》

옛사람의 시문집을 중간(重刊)하는 것은 전적 중에서 사라지고 없는 것을 이어서 보존하는 하나의 큰 사업이다. 하지만 편차를 정하고 교감을 행할 때 정제(整齊)하고 꼼꼼하게 하지 못하면 또한 크게 해로운 일이 된다. 최근에 금나라 원호문(元好問)[39]의 《유산집(遺山集)》[40]을 보았는데 강희(康熙) 연간(1662~1722)에 석산(錫山) 화희민(華希閔)[41]이 교감하여 중간한 판본이다. 〈조한한진찬(趙閒閒眞贊)〉[42] 18구는 어의(語意)가 이미 원만한데 그 뒤에 갑자기 '홍정 초년에……'라고 갖다 붙여 놓았다. 글의 흐름을 살펴보면 홍정 이하 19행은 원찬(原贊)의 소서(小序)이다. 당연히 제목 다음 줄에 있어야 하는데 원찬(原贊)의 말미에 잘못 붙여놓았으니 소루하고 난잡하기 그지없다. 심지어 부록 1권에는 동시대 시우(詩友)들과 원호문이 화답하여 지은 작품을 많이 실어 놓았는데 더더욱 사족이자 하찮은 것이다.

《본초강목本草綱目》

《본초강목(本草綱目)》[43]에 주석을 단 사람들이 도은거(陶隱居)[44] 이후로 이

---

39 원호문(元好問) : 1190~1257. 중국 금나라의 시인으로, 자는 유지(裕之)이고, 호는 유산(遺山)이다. 두보의 시에 조예가 깊었다. 저서로는 《유산문집(遺山文集)》, 《중주집(中州集)》 등이 있다.

40 유산집(遺山集) : 중국 금나라 때의 시인 원호문의 문집으로, 총 40권이다.

41 화희민(華希閔) : 1672~1751. 중국 청나라의 관리이자 학자로, 자는 예원(豫原)이고, 호는 검광(劍光), 우원(芋園)이다. 강소성 무석(無錫) 사람이다. 벼슬은 안휘경현훈도(安徽涇縣訓導)를 지냈다. 저서로 《연록각집(延綠閣集)》이 있다.

42 조한한진찬(趙閒閒眞贊) : 《유산집(遺山集)》 권38에 수록되어 있다.

43 본초강목(本草綱目) : 중국 명(明)나라 때의 본초학자(本草學者) 이시진(李時珍, 1518~1593)이 엮은 약학서(藥學書). 52권으로 1596년에 간행되었다. 이 책은 저자가 혼자의 힘으로 30년에 걸쳐 집대

전의 사업을 이어 증수(增修)하여 그 수가 무려 수십 명이나 되었다. 명나라 이시진(李時珍)의 《본초강목(本艸綱目)》은 그런 주석들을 집대성한 책이다. 수집한 자료의 풍부함과 고증의 착실함은 그야말로 이전에도 없었고 후대에도 견줄 만한 것이 없었다.

나는 일찍이 이 책이 한 사람의 정력으로 이룰 수 있는 일이 아니라고 의심했었다. 지금 이조원(李調元)[45]의 《미자총담(尾蔗叢談)》[46] 〈기방녹문사(紀龐鹿門事)〉에서 이런 글을 보았다.

"어릴 때 이시진을 따라 《본초강목》을 지었는데, 《신농본초(神農本草)》보다 3천여 품(品)이 더 많고, 《당본초(唐本艸)》보다 1천 5백 품이 많고, 진희이(陳希夷)[47]의 저서보다 5백 품이 더 많았다. 모든 초목과 조수가 포함되지 않은 것이 없었고, 또 만물이 생성되고 변화하는 오묘함을 착실히 고증하고 자세히 연구하였다."

이제야 비로소 이 책이 과연 한 사람의 손에서 나온 것이 아님을 알 수 있게 되었다. 방녹문(龐鹿門)[48]의 사적은 다른 책에서는 상고할 수 없으니, 어찌 일찍이 이시진을 따라 의학을 배운 자이겠는가.

성한 것으로 알려져 있으며, 원고를 고치는 일만 3차례나 했다고 한다. 약용(藥用)으로 쓰이는 대부분의 것을 자연분류를 주로 하여 분류하였으며, 총계 1,892종의 약재가 망라되어 있다.

44 도은거(陶隱居) : 456~536. 중국 남조 양(梁)나라의 학자 도홍경(陶弘景). 유·불·선 3교에 능통하였고, 특히 음양오행(陰陽五行), 역산(曆算), 지리(地理), 물산(物産), 의술본초(醫術本草) 등 다방면에 밝았다. 한 문제의 신임이 두터워 길흉대사를 자문하였으며, 산중에 은거하여 살았기에 도은거(陶隱居), 산중재상(山中宰相)이라고 불렸다.

45 이조원(李調元) : 1734~1803. 중국 청나라 사람으로 자는 우촌(雨邨), 호는 묵장(墨莊)이다. 《함해일서(函海一書)》를 편찬했고, 《우촌시화(雨村詩話)》가 있다. 《미자총담(尾蔗叢談)》은 《함해일서(函海一書)》에 포함되어 있다.

46 미자총담(尾蔗叢談) : 이조원의 저술로 모두 4권인데, 일화와 소설 등 필기잡록류의 내용을 수록하고 있다. 이조원 자신이 편찬한 《함해(函海)》라는 총서류에 들어 있다.

47 진희이(陳希夷) : 진단(陳摶, 871~989)으로 자는 도남(圖南), 호는 부요자(扶搖子)이다. 북송의 저명한 도학가(道家學), 양생가(養生家)로 노자를 존숭하였다. 주요 저서로 《지현편(指玄篇)》, 《역룡도(易龍圖)》, 《선천도(先天圖)》, 《무극도(無極圖)》 등이 있다.

48 방녹문(龐鹿門) : ?~?. 중국 명나라 때의 의학가(醫學家)로, 기주(蘄州, 지금의 호북성 기춘) 사람이다. 어렸을 때 이시진을 따라 《본초강목(本草綱目)》 편수에 참여한 것으로 알려져 있으나 자세한 사적은 알 수 없다.

《화통化統》

이조(李肇)[49]의 《당국사보(唐國史補)》[50] 하권(下卷)에 이런 글이 있다.

"웅집역(熊執易)[51]이 아홉 경서의 내용을 분류하여 《화통(化統)》 500권을 저술하였다. 40년이 걸려 완성되었는데, 임금에게 올리기 전에 웅집역이 서천(西川)에서 죽었다. 무원형(武元衡)[52]이 그의 저술을 베껴 임금에게 올리고자 하였다. 그런데 혹시 책을 잃어버릴까 염려한 그의 아내 설(薛)씨가 내놓지 않아서 지금까지 그의 집에 보관되어 있다."

웅집역이 어찌 아비의 책을 읽을 아들이 없고 아내 설씨가 규방의 과부가 되어 죽은 남편이 남긴 책을 도맡아 관리할 줄 알았겠는가. 그러나, 《화통》은 결국 사라져 전하지 않게 되었다. 이는 집안의 책 상자에 보관하면 끝내 좀벌레의 피해를 면치 못하고, 조정에 바치면 오히려 비부(秘府)에 보관되어 요행히 후세에 전할 수 있음을 몰랐던 것이다. 나는 수십 년 동안 교정에 교정을 더해서 저술한 《임원십육지(林園十六志)》[53] 100여 권을 최근에 겨우 끝마쳤다. 다만 이 책을 맡아 관리할 만한 아들도 아내도 없으니 안타까울 뿐이었는데, 우연히 웅집역의 사연을 보고 나니 나도 모르

---

49 이조(李肇) : ?~?. 중국 당나라 때의 문학가로, 자는 이거(里居)이다. 일찍이 감찰어사가 되었다가 원화(元和) 13년(818) 한림학사가 되었다. 대화(大和) 연간(827~835) 초기, 관직이 중서사인(中書舍人)까지 이르렀다. 저서에 《한림지(翰林志)》 1권, 《당국사보(唐國史補)》 3권이 있다.

50 당국사보(唐國史補) : 중국 당나라 때의 문학가 이조의 저서로 《국사보(國史補)》로도 불린다. 개원(開元)부터 장경(長慶)까지 100여 년의 기간 동안 일어났던 사건과 당시 사회풍속, 전장제도 등을 기록하였다. 총 3권이다.

51 웅집역(熊執易) : ?~?. 중국 당나라 때 예장(豫章) 사람으로 벼슬은 호부랑중(戶部郎中)을 지냈다. 다른 자세한 사항은 미상이다.

52 무원형(武元衡) : 758~815. 당(唐)대의 시인이자 정치가이다. 자는 백창(伯蒼)이며 구씨(緱氏, 지금의 하남성) 사람이다. 무측천(武則天)의 증질손(曾侄孫)이다. 건중(建中) 4년(738)에 진사가 되어 여러 관직을 두루 역임하였다. 시호는 충민(忠湣)이다.

53 임원십육지(林園十六志) : 조선시대 학자 서유구(徐有榘)의 저서로 《임원경제십육지(林園經濟十六志)》, 《임원경제지(林園經濟志)》라고도 한다. 전원생활에 필요한 지식, 기술 등을 모아놓은 백과전서 성격의 책이다. 주제에 따라 본리지(本利志) · 관휴지(灌畦志) · 예원지(藝畹志) · 만학지(晩學志) · 전공지(展功志) · 위선지(魏鮮志) · 전어지(佃漁志) · 정조지(鼎俎志) · 섬용지(贍用志) · 보양지(葆養志) · 인제지(仁濟志) · 향례지(鄕禮志) · 유예지(遊藝志) · 이운지(怡雲志) · 상택지(相宅志) · 예규지(倪圭志) 등 16지(志)로 구성되어 있으며, 총 113권이다.

게 서글퍼져 한참 동안 눈물이 흘렀다.

《오대사五代史》[54]

구양수(歐陽修)가 《신오대사(新五代史)》를 완성하고 나서 매요신(梅堯臣)[55]에게 편지를 보내, "이 책은 속인들에게 절대 보여서는 안 되며, 좋은 사람에게는 반드시 보여주어야 한다."라고 하였다. 이는 오랜 세월 동안 저술가들의 고민 중 하나였다. 다만 세상에 좋은 사람이 없음을 한스러워한 것이니, 이는 양자운(揚子雲, 양웅)이 후세의 자운(子雲)을 기다린 것과 같은 것이다.[56]

《종수서種樹書》

《종수서》[57] 1권은 오군(吳郡)의 유종본(俞宗本)[58]이 지었다. 의탁자(依托者)를 혹 '곽탁타(郭橐駝)'[59]라고 적기도 하였는데, 이는 참으로 우스운 일이다.

---

54 오대사(五代史) : 중국 송나라의 설거정(薛居正) 등이 태종(太宗)의 칙명을 받들어 974년(태조 7)에 완성한 것은 《구오대사》고, 송나라 인종(仁宗) 때 구양수(歐陽修) 등이 후량의 태조로부터 후주의 공제(恭帝)에 이르기까지의 사적을 75권으로 편찬한 것은《신오대사》라고 한다. 그 밖에 송나라 조정에서 이 두 책과 달리 별도로 편찬한 《오대사》가 있다.

55 매요신(梅堯臣) : 1002~1060. 중국 송나라 때 안휘성 선성(宣城) 출신의 시인으로, 자는 성유(聖俞)이고, 호는 원릉(宛陵)이다. 지방의 관리로 전전하다가 친구 구양수의 추천으로 중앙의 관리인 국자감직강(國子監直講)이 되었다. 그러나 소순흠(蘇舜欽)·구양수 등과 같이 성당(盛唐)의 시를 본으로 하여 당시 유행하던 서곤체(西崑體)의 섬교(纖巧)한 폐풍을 일소하고, 새로운 송시(宋詩)의 개조(開祖)가 되었다.

56 이는……것이다 : 한(漢)의 학자 양웅(揚雄)의 자는 자운(子雲)이다. 양웅이 《주역(周易)》을 모방하여 《태현경(太玄經)》을 지었는데, 친구 유흠(劉歆)이 보고, "이 책은 뒷사람 장딴지나 덮을 것이다." 라고 하자 "후세에 반드시 알아줄 양자운이 있을 것이다."라고 응수하였다.

57 종수서(種樹書) : 중국 원명(元明) 시기의 유종본(俞宗本, 1331~1401)이 지은 농서이다. 월령체 방식으로 수목과 약초, 그리고 채소 등을 기르는 방법에 관하여 기록하였다.

58 유종본(俞宗本) : 1331~1401. 중국 원명(元明) 시기의 학자로 자는 입암(立庵)이다. 오군(吳郡, 지금의 소주) 사람이며 저서에 《종약소(種藥疏)》가 있다.

59 곽탁타(郭橐駝) : 중국 당나라 때의 문인 유종원(柳宗元)의 문집 《유하동집(柳河東集)》에 수록된 〈종수곽탁타전(種樹郭橐駝傳)〉에 등장하는 인물이다. 병으로 등이 굽었기 때문에 낙타를 가리키

유종원이 일컬은 '곽탁타'는 능히 글을 이해하고 저술할 수 있는 사람이라고 확신할 수 없다. 하물며 책에서 《동파지림(東坡志林)》[60]과 《월암종죽법(月庵種竹法)》[61]을 인용했는데도 의탁자를 고증하지 않았으니, 어리석고 거칠기가 이와 같다. 주공(周公)이 지은 《이아(爾雅)》에서 '장중(張仲)의 효도와 우애[張仲孝友]'라는 말을 인용하고, 공안국의 《서전(書傳)》에서 '고구려(高句麗)'라고 일컬었으니[62], 예나 지금이나 똑같구나.

《감석성경甘石星經》

《감석성경(甘石星經)》[63]이 후대 사람에 의해 지어졌다는 것은 누구나 알고 있다. 팔곡성(八穀星)[64]을 논하여 여덟 별이 각기 기장·벼·조·마·깨·콩·보리·오마(烏麻)를 주관한다고 했는데, 여기서 말한 '오마'는 바로 '검은 깨[胡麻]'이다. 한나라 무제 때 장건(張騫)[65]이 처음으로 중앙아시아의 동부

는 말인 '탁타'로 불렸는데, 그 이름이 자신에게 매우 어울린다며 본래의 이름을 버리고 '탁타'를 이름으로 삼았다. 나무를 심거나 옮기는 일을 업으로 삼았는데, 그가 심거나 옮기는 나무마다 살아나지 않는 것이 없고 또 잎이 무성해지고 열매가 빨리 여물었기 때문에, 장안의 부호들이 관상용 수목을 심거나 과일을 팔기 위해 다투어 맞이했다고 한다. 나무를 기르는 비법에 대해 묻자 나무의 본성대로 자라게 두어 나무가 하늘로부터 받은 성(性)을 온전하게 이룰 수 있게 할 따름이라고 답하였다.

60 동파지림(東坡志林) : 중국 송나라 때의 문인 소식(蘇軾)의 저서이다. 원풍(元豐, 1078~1085) 연간부터 원부(元符, 1098~1100) 연간까지 20여 년 동안 저술한 여러 설(說)과 사론(史論) 등이 실려 있다. 총 5권이다.

61 월암종죽법(月庵種竹法) : 대나무를 심고 기르는 법에 대하여 논한 농가 서적이다. 《박문록(博聞錄)》·《농상집요(農桑輯要)》·《농정전서(農政全書)》 등에 인용된 글이 보인다. 저자는 명확하지 않으며, 남송 말기에 간행된 진원정(陳元靚)의 《박문록》에 인용된 것으로 미루어, 남송 중기 이전에 간행된 것으로 추정된다.

62 이아(爾雅)에서……일컬었으니 : 《이아(爾雅)》를 지었다고 하는 주공은 '장중(張仲)'보다 이전 사람이다. 그리고 《서전(書傳)》을 지었다고 전하는 공안국은 전한시대 사람이다. 이 당시에는 한반도에 '고구려(高句麗)'가 존재하지 않았다.

63 감석성경(甘石星經): 세계에서 가장 오래된 천문학 저서이다. 장기간 천상을 관측한 기초 위에 전국시대 초나라 사람 감덕(甘德)과 위(魏)나라 사람 석신(石申)이 각기 한 권의 천문학 저서를 저술하였는데, 후인들이 이 두 권의 저서를 합칭하여 《감석성경》이라 불렀다.

64 팔곡성(八穀星) : 그해의 농사가 풍년인지 흉년인지를 알고 싶을 때 살피는 하늘의 별자리이다. 모두 8개의 별로 이루어져 있는데, 별마다 각각의 곡식을 주관한다.

65 장건(張騫) : 기원전 164~기원전 114. 중국 전한 때의 인물로, 자는 자문(子文)이고, 한중(漢中) 성고

대완(大宛)[66]에서 가지고 간 것인데 석신(石申)과 감덕(甘德)이 어찌 미리 그것을 거론할 수 있겠는가. 이는 후대에 지은이가 제대로 살피지 않아서 생겨난 오류이다.

《농사직설農事直說》

《국조보감(國朝寶鑑)》[67] 제61권에 "영조(英祖) 10년(1734) 봄 정월에 세종조에 간행하여 배포한 《농가집성(農家集成)》[68]을 팔도와 양도(개성과 강화)에서 간행하여 널리 반포하도록 명하였다."라고 되어 있다.

세종 때 간인한 책은 바로 《농사직설(農家集成)》[69]이고, 《농가집성》은 효종 때 신속(申洬)[70]이 편찬하여 올린 것이다. 이는 오류가 있는 문장에 해

(城固, 지금의 섬서성 한중시 성고현) 사람이다. 건원(乾元) 2년(기원전 139) 한 무제의 명으로 월지(月氏)와 동맹을 맺기 위하여 서역으로의 길을 개척하러 떠났다. 도중에 흉노에 사로잡혀 10년 동안 포로 생활을 하다 탈출하여 대완(大宛), 강거(康居)를 거쳐 월지에 도착하였으나, 동맹에 실패하였다. 귀국 도중 다시 흉노에 포로로 잡혔다가 원삭(元朔) 2년(기원전 127) 귀국하였다. 원수(元狩) 4년(기원전 119) 오손(烏孫)과의 동맹을 위해 다시 서역행을 시작하여 원정(元鼎) 2년(기원전 115) 임무를 마치고 귀환하였다. 두 번의 서역행은 인도를 비롯한 서역 국가와 활발하게 교역이 이루어지게 되는 계기가 되었다. 후에 박망후(博望侯)에 봉해졌다. 원정 3년(기원전 114) 장안에서 병사하였다.

66 대완(大宛) : 한나라 때 중국인이 중앙아시아의 동부 페르가나(Fergana) 지방을 부르던 이름이다.

67 국조보감(國朝寶鑑) : 조선시대 역대 왕의 선정(善政)을 뽑아 편찬한 편년체 역사서로 세종 때 태조보감, 태종보감의 편찬을 명하면서 편집이 시작되었다. 세조 때 태조·태종·세종·문종의 네 보감이 완성되었고, 이후 왕대가 지날 때마다 새로운 보감이 추가되어 융희 2년(1908) 헌종·철종 보감을 끝으로 90권 28책이 완성되었다. 주로 실록초(實錄草)에서 발췌된 내용이 수록되었으며, 헌종 이후 《일성록(日省錄)》·《승정원일기(承政院日記)》 등의 기사 또한 발췌 대상에 포함되었다.

68 농가집성(農家集成) : 조선 중기의 문신 신속(申洬)이 편찬한 농서이다. 《농사직설》·《금양잡록(衿陽雜錄)》·《사시찬요초(四時纂要抄)》의 합편에 부록으로 《구황촬요(救荒撮要)》가 덧붙어 있다. 합편된 각 책은 원본 그대로가 아니라 시대와 우리나라 풍토에 맞게 개수와 보충이 이루어져 있다. 작물의 품종명에 대한 이두·한글 표기가 많은 것 또한 특징이다. 효종 6년(1655) 처음 간행되었고, 숙종 12년(1686) 등에 중간되었다.

69 농사직설(農事直說) : 조선 세종 때 정초(鄭招), 변효문(卞孝文) 등이 왕명으로 편찬한 농서이다. 기존 중국의 농서는 우리나라의 풍토와 맞지 않는 부분이 있었기에 각 지방 농군들의 경험을 수집하여 우리나라 현지에 맞는 농법을 수록하였다. 세종 11년(1329) 간행되었으며, 성종 23년(1492), 효종 7년(1656), 숙종 12년(1686) 등 여러 차례 다시 간행되었다.

70 신속(申洬) : 1600~1661. 조선 중기의 문신으로 본관은 고령(高靈), 자는 호중(浩仲), 호는 이지당(二知堂)이다. 1624년(인조 2) 진사로 천거에 의해 별제(別提)가 된 후 충훈부 도사(都事), 호조의 낭관(郎官), 옥천 현감, 영천 군수 등을 역임하였다. 1655년(효종 6) 공주 목사로 재직하고 있을 때 농서(農書)를 쉽게 구할 수 없어 농민들이 어려움을 겪는 것을 보고 《권농문(勸農文)》·《금양잡록(衿

당된다.

《통지通志》의 소략함

정초(鄭樵)[71]의 《통지(通志)》[72]는 매우 소략한 부분이 있다. 일찍이 〈금석략(金石略)〉[73]에 우세남(虞世南)[74]이 쓴 〈적도인묘지(狄道人墓誌)〉란 작품이 있는 것을 보았는데, 평소에 '적도인'이 어느 시대 사람인지 몰랐다. 그러던 중 최근에 서첩을 보다가 우세남이 쓴 〈여남공주묘지(汝南公主墓誌)〉[75]란 작품을 보았다. 그 글씨의 첫머리에 "공주는 농서 적도 사람이다[公主隴西狄道人也.]"라고 적혀 있었다. 그제야 비로소 정초가 본 것은 본래 '공주농서(公主隴西)' 네 글자가 탈락된 것이었는데, 아래 글을 살피지 않고 경솔하게 '적도인', 이 세 글자를 인명이라고 여긴 것임을 알게 되었다. 참으로 배를 잡고 웃을 일이다.

陽雜錄)》·《사시찬요(四時纂要)》 등을 참고하여 《농가집성(農家集成)》을 편찬하였고, 1660년(현종 2)에는 서원 현감으로 있으면서 《구황촬요(救荒撮要)》를 편찬하였다.

71 정초(鄭樵) : 1104~1162. 중국 송나라 때의 사학자이자 목록학자로 자는 어중(漁仲)이다. 남송 홍화군(興化軍) 보전(莆田) 출신으로 세상에서 '협제선생(夾漈先生)'이라 불렀다. 정초는 일생 동안 과거에 응시하지 않으면서 30년을 각고의 노력으로 학문에 정진하여 여러 학술분야에서 두드러진 성취를 보였다.

72 통지(通志) : 중국 송나라 때의 학자 정초(鄭樵)가 지은 역사서이다. 〈제기(帝紀)〉 18권, 〈황후열전(皇后列傳)〉 2권, 〈연보(年譜)〉 4권, 〈약(略)〉 51권, 〈열전(列傳)〉 125권 도합 200권으로 이루어진 기전체 사서이다. 이 중 특히 주목받는 것은 〈약(略)〉이다. 이는 다른 정사(正史)의 지(志)에 해당하는 부분으로, 씨족(氏族)·육서(六書)·칠음(七音)·천문(天文)·지리(地理)·도읍(都邑)·예(禮)·시(謚)·기복(器服)·악(樂)·직관(職官)·선거(選擧)·형법(刑法)·식화(食貨)·예문(藝文)·교수(校讎)·도보(圖譜)·금석(金石)·재상(災祥)·초목곤충(草木昆蟲) 등 20략으로 이루어져 있다. 당나라 두우(杜佑)의 《통전(通典)》, 원나라 마단림(馬端臨)의 《문헌통고(文獻通考)》와 함께 삼통(三通)으로 불린다.

73 금석략(金石略) : 중국 송나라 때 학자 정초(鄭樵)의 저서인 《통지(通志)》의 20략(略) 중 하나로, 비문(碑文) 등 금석학에 대한 내용을 다루고 있다.

74 우세남(虞世南) : 558~638. 중국 당나라 때의 서예가로 자는 백시(伯施)고 절강성 여요(餘姚) 사람이다. 왕희지의 서법을 익혀, 구양순(歐陽詢)·저수량(褚遂良)과 함께 당나라 초의 3대가로 일컬어지며, 특히 해서(楷書)의 1인자로 알려져 있다. 비서감(秘書監)을 지내고, 영흥현자(永興縣子), 영흥현공(永興縣公)에 봉해졌기에 우영흥(虞永興), 우비감(虞秘監)으로도 불린다. 《공자묘당비(孔子廟堂碑)》가 유명하며, 행서로는 《여남공주묘지고(汝南公主墓誌稿)》가 있다.

75 여남공주묘지(汝南公主墓誌) : 중국 당나라 태종(太宗)의 딸 여남공주(汝南公主)에 대한 묘지명이다. 당나라 때 서예가 우세남이 썼으며, 그의 행서 작품을 논할 때 주요작으로 언급된다.

《군쇄록群碎錄》

원나라 도종의(陶宗儀)[76]가 당·송 이후의 총서(叢書)를 모아 《설부(說郛)》[77]라고 하였는데, 대개 설가(說家)의 부곽(郛郭, 성곽)을 의미하는 것이다. 이수광(李睟光)[78]의 《지봉유설(芝峯類說)》[79]에서 《설부》에 있는 책을 인용하면서 그 서명을 드러내지 않고 다만 《설부》라고만 하는 것을 볼 때마다 그 소략함에 웃음이 났다. 우연히 진계유(陳繼儒)[80]의 《군쇄록》[81]을 보았는데 거기서도 "편제(偏提, 술병)는 지금의 주별(酒鼈)과 같다."는 글을 인용하면서 그 서명을 드러내지 않고, 다만 "《설부》에 이르길, ……" 이라고만

---

76 도종의(陶宗儀) : 1329~1412. 중국 원말 청초의 문학가이자 사학가로, 자는 구성(九成), 호는 남촌(南村)이며, 절강(浙江) 황암(黃岩, 지금의 청도향) 사람이다. 시문과 서화에 능했다. 주요 저서로 《철경록(輟耕錄)》 30권, 《남촌시집(南村詩集)》 4권, 《설부(說郛)》 100권 등 다수가 전한다.

77 설부(說郛) : 중국 원말 명초 때 도종의가 편찬한 총서로, 진·한(秦·漢)부터 송·원(宋·元) 때까지의 각종 야사, 필기, 시화 등을 선별해 편집하였다. 모두 100권이다.

78 이수광(李睟光) : 1563~1628. 조선 중기의 문신으로 본관은 전주(全州), 자는 윤경(潤卿), 호는 지봉(芝峯)이다. 1578년 초시에 합격하고 1582년 진사가 되었다. 임진왜란 당시 경상도방어사의 종사관으로 종군하다 의주로 돌아가 북도선유사로 선무 활동에 힘썼다. 정유재란 때에는 진위사로 명나라에 다녀왔다. 1619년 이후 모든 관직을 그만두었다가, 인조반정 이후 도승지 겸 홍문관 제학에 임명되었고, 대사간·이조 참판·공조 참판 등을 역임하였다. 저서로 《지봉집(芝峯集)》, 《지봉유설(芝峯類說)》 등이 있다.

79 지봉유설(芝峯類說) : 조선 중기의 학자 이수광이 편찬한 유서류(類書類) 저작이다. 백과사전 성격의 저작으로, 고서, 고문 등에서 발췌한 글에 지봉 자신의 의견을 부기하는 방식으로 3,435조목의 글이 25부문, 182항목으로 분류되어 실려 있으며, 모두 출전을 밝혔다. 《천주실의(天主實義)》와 같은 서구 문명을 소개한 점, 언어학적 측면에서 어휘의 어원이나 원리를 해석한 부분 등이 주요 특징으로 여겨진다. 권8에서 권14까지 수록된 문장부(文章部)에는 시대와 시체(詩體)를 망라한 비평적 견해를 피력하였다. 조선시대 최초의 유서(類書)로, 이후로 유사한 체재의 저술인 이익의 《성호사설(星湖僿說)》·홍만종의 《순오지(旬五志)》 등이 나타났다.

80 진계유(陳繼儒) : 1558~1639. 중국 명나라 말기 강소성 화정(華亭) 출신의 문인으로 자는 중순(仲醇), 호는 미공(眉公) 또는 미공(糜公)이다. 어려서부터 글재주가 뛰어났는데, 커서 동기창(董其昌)과 함께 명성을 떨쳐 《금병매》를 지은 왕세정(王世貞)으로부터 존경을 받았다. 그러나 29세 때 유자(儒者)의 의관을 태워 버리고 관도(官途)의 뜻을 포기한 뒤, 곤산(崑山) 남쪽에 은거하였다. 동림서원(東林書院)의 고헌성(顧憲成)으로부터 초청을 받았으나 응하지 않고, 82세로 생애를 마칠 때까지 풍류와 자유로운 문필생활로 일생을 보냈다. 그의 박식을 드러낸 저서에 《보안당비급(寶顔堂秘笈)》·《미공전집(眉公全集)》이 있다.

81 군쇄록(群碎錄) : 중국 명나라 때의 문인 진계유(陳繼儒)의 저서이다. 독서 비망기 성격의 필기류 저작으로, 당대의 일상, 사물의 기원, 특이한 물건, 풍속과 제도, 고사 등 사료를 모아 놓았다. 총 1권이다.

하였다. 중국의 저술가들도 역시 이처럼 고루한 예가 많다.

신유紳瑜

"조사서(趙師恕)[82]가 '세상에 있는 좋은 사람을 다 사귀고, 좋은 책을 다 읽고, 좋은 산수를 다 보고 싶다'라고 했다. 나는 '그것을 어떻게 다 할 수 있겠는가? 다만 그런 기회가 생겼을 때 놓치지 않을 뿐'이라고 했다."[83]

이 말은 나대경(羅大經)[84]의 《학림옥로(鶴林玉露)》[85]에 실려 있다. 최근 청나라 석성금(石成金)[86]의 《전가보(傳家寶)》[87]를 보았는데, 이 책의 〈신유(紳瑜)[88]〉 조에 이 말을 인용하여 진계유(陳繼儒)의 말이라고 했다. 요즘 중국의 책 저술하는 사람들이 이처럼 경솔하고 서툴다.

《일존총서佚存叢書》

구양수(歐陽修)의 〈일본도가(日本刀歌)〉가 후세 사람들의 입에 많이 오르

---

82 조사서(趙師恕) : ?~?. 중국 남송 때의 인물. 자는 계인(季仁), 호는 암계옹(巖溪翁)이다.

83 조사서(趙師恕)가……했다 : 趙季仁謂余曰 : 某平生有三願 : 一願識盡世間好人, 二願讀盡世間好書, 三願看盡世間好山水. 余曰: 盡則安能, 但身到處莫放過耳.(《鶴林玉露》 卷3)

84 나대경(羅大經) : 1196~1252. 중국 송나라 때의 학자로 자는 경륜(景綸), 호는 유림(儒林), 학림(鶴林)이며 길주(吉州) 길수(吉水, 지금의 강서성 길수현) 사람이다. 보경(寶慶) 2년(1226) 진사가 되었고 무주추관(撫州推官) 등을 지냈다. 탄핵되어 파직된 후 칩거하여 저술에 전념하였다. 저서로 《역해(易解)》 10권, 각종 시평(詩評)과 시화(詩話), 일사(軼事) 등을 기록한 《학림옥로(鶴林玉露)》 1권 등이 있다.

85 학림옥로(鶴林玉露) : 나대경의 필기체 문집이다.

86 석성금(石成金) : 1644~1711. 중국 청나라 때의 의학자·양생가로 자는 천기(天基), 호는 성재(惺齋)며, 강소성 양주(揚州) 사람이다. 진사시에 합격하여 벼슬도 한 바 있으나 불선(佛禪)에 능했다 한다. 저서로는 《전가보(傳家寶)》·《소득호(笑得好)》·《우화향(雨花香)》 등이 있다.

87 전가보(傳家寶) : 중국 청나라 때의 의학자·양생가인 석성금의 저서이다. 유불도(儒佛道) 3가(家)의 현학적 내용보다는 구체적인 사건을 가지고 이치를 논하는 방식으로 세상사와 인륜의 도리 등을 다루었다. 모두 32권으로, 8권씩 4집으로 구성되어 있다.

88 신유(紳瑜): 청나라 때의 양생가(養生家) 성석금(石成金)의 저서 《전가보(傳家寶)》 속의 한 편명이다.

내리는데, 대개는 이야기가 잘못 전해진 것뿐이다. 최근에 포정박(鮑廷博)[89]의 《지부족재총서(知不足齋叢書)》를 보니, 거기에 수나라 소길(蕭吉)[90]의 《오행대의(五行大義)》[91]가 실려 있고, 그 발문에 "이 책은 실전된 지 이미 오래되었다. 근래 허종언(許宗彦)[92]이 일본에서 구한 《일존총서》[93]를 가지고 교정하고 판각했다."라는 말이 있었다. 《일존총서》는 일본 사람이 수집하여 편집한 것이다. 분명 옛적에는 있었으나 지금은 없는 희귀본이 있을 것이니, 마땅히 대마도에서 구매해야 할 것이다.

《성심록省心錄》

오래전에 진계유의 《보안당비급(寶顏堂秘笈)》[94]에서 송나라 임포(林逋)[95]의

89 포정박(鮑廷博) : 1728~1814. 자가 이문(以文)이고, 호는 녹음(淥飮)이다. 안휘성 흡현(歙縣) 사람이다. 부친의 영향으로 장서에 각별히 관심을 가졌다. 장서실을 짓고, 《예기》의 "學然後知不足"의 뜻을 따라 지부족재(知不足齋)라고 명명했다. 청나라 건륭 연간에 조서를 내려 《사고전서(四庫全書)》를 편찬할 때, 천하에 유실된 책들을 수집했다. 이때, 절강성에서 진상한 책이 전국에서 1위였는데, 그중 포정박의 지부족재에서 올린 책이 626종에 달했다. 절강 제일의 장서가였다.

90 소길(蕭吉) : ?~614. 자가 문휴(文休)이며, 강릉(江陵, 지금의 호북성) 사람이다. 평생 4개 조대(제, 량, 북조, 수) 15임금을 모신 바 있기에 남다른 풍부한 경력을 지녔다.

91 오행대의(五行大義) : 소길(蕭吉)이 594년에 저술하여 수나라 황제에게 바친 책이다. 《오행대의(五行大義)》가 처음으로 중국문헌 목록에 수록된 것은 《송사(宋史)》 〈예문지〉에 보이나 그 후로는 유실되었다가 19세기 초에 일본의 《일존총서(佚存叢書)》가 중국에 유입되어 460년 동안 자취를 감췄던 《오행대의》를 다시 보게 되었다.

92 허종언(許宗彦) : 1768~1818. 원래 이름은 경종(慶宗)이고, 자는 적경(積卿), 호는 주생(周生)이다. 덕청(德淸, 지금의 절강성) 사람으로 만년에 벼슬을 그만두고 항주(杭州)의 감지수재(鑒止水齋)에 살면서 저술에 힘썼다.

93 일존총서(佚存叢書) : 일본 사람 임형(林衡, 호: 天瀑山人)이 중국에서 이미 유실된 고적을 수집하여 편찬한 책으로 17종 111권으로 이루어져 있다. 구양수(歐陽修)의 시 〈일본도가(日本刀歌)〉의 시구 "徐福行時經未焚, 佚書百篇今尙存"을 따서 《일존총서》라고 명명했다.

94 보안당비급(寶顏堂秘笈) : 중국 명나라 때의 문인 진계유(陳繼儒)의 저서로 진한(秦漢)시대부터 명나라까지의 저작 226종을 편집한 것이다. 특히 장고(掌故)·잡기(雜記)·예술·보록(譜錄) 분야를 많이 실었고 정(正)·속(續)·광(廣)·보(普)·휘(彙)·비(秘)의 6집으로 구성하였다. '보안당(寶顏堂)'은 진계유의 당(堂) 이름이다.

95 임포(林逋) : 967~1028. 중국 북송 때의 시인으로 자는 군복(君複), 시호는 화정(和靖)이며, 전당(錢塘 지금의 절강성 항주) 사람이다. 어린 시절 각고의 노력으로 공부하여 경사에 두루 밝았다. 항주(杭州) 서호(西湖)의 고산(孤山)에 은거하였으며, 시를 지으면 원고가 완성되는 족족 버렸기에 남아 있는 시가 적다.

《성심록(省心錄)》[96] 1권을 보았는데, 책 속에 격언과 명구들이 많았다. 나 또한 임포가 아니고선 이런 글을 쓸 수 없다고 생각했다. 요즘 《사고전서총목(四庫全書總目)》[97]을 보니, 《성심록》이 실은 이방헌(李邦獻)[98]의 저술인데 임포의 문집을 편집하는 사람들이 실수로 수록한 것이라고 하였다. 과연 그렇다면 이방헌이란 사람도 분명 평범한 인물은 아닐 것이다. 고찰이 더 필요하다.

《주후농서周侯農書》[99]

한·당 이전의 농서(農書)로서 지금까지 전하는 것은 가사협(賈思勰)의 《제민요술(齊民要術)》뿐이다. 《범승지서(氾勝之書)》[100]는 그 책이 비록 전해지지 않으나 《제민요술》 등의 책에 여기저기 산견되는 것이 있어 그래도 열에 하나는 얻을 수 있다. 이밖에는 아는 바가 없다. 지금 왕세정(王世貞)[101]

---

96 성심록(省心錄) : 《성심잡언(省心襍言)》이라고도 한다. 임포(林逋)의 저서라는 설도 있고, 이방헌(李邦獻)의 저서라는 설도 있고, 심도원(沈道原)의 저서라는 설도 있다.

97 사고전서총목(四庫全書總目) : 중국 청나라 건륭제 때 편수된 총서(叢書)인 《사고전서(四庫全書)》의 목록에 해당하는 책이다. 《사고전서》에는 책 전체가 수록된 3,400여 종뿐 아니라, 목록만 실린 6,700여 종에 이르기까지 모든 서적의 앞부분에 해제 성격의 글인 '제요(提要)'를 작성하여 붙였는데, 이를 이 책에 한데 모아놓았기에 《사고전서총목제요(四庫全書總目提要)》로도 불린다. 《사고전서(四庫全書)》와 마찬가지로 경(經), 사(史), 자(子), 집(集)의 사부(四部)에 따라 정리되어 있으며, 모두 200권이다.

98 이방헌(李邦獻) : ?~?. 중국 북송 때의 문신으로 자는 사거(士擧)고, 회주(懷州, 지금의 하남성 심양) 사람이다. 북송 말기의 간신 이방언(李邦彦)의 동생이다. 관직은 직부문각(直敷文閣)까지 이르렀다. 《성심잡언(省心襍言)》의 저자로 추정되는 인물 중 한 명이다.

99 주후농서(周侯農書) : 미상(未詳).

100 범승지서(氾勝之書) : 서한(西漢) 말기의 중요한 농서이다. 일반적으로 중국에서 가장 오래된 농서로 인식되고 있기도 하다. 《한서》 〈예문지〉에 "《범승지(氾勝之)》 18편"이라고 적혀 있다. 《범승지서》는 후세 사람들이 일반적으로 부르는 이름이다. 이 책을 쓴 범승지(氾勝之)는 한 성제(漢成帝 기원전 33~기원전 7) 시기의 범수(氾水 지금의 산동성 조현) 사람이다. 이 책은 주로 섬서성 관중평원의 농사짓는 법을 다루고 있는데 서한 시기 황하 유역의 농업발전 현황과 경험의 총화라고 볼 수 있다.

101 왕세정(王世貞) : 1526~1590. 자는 원미(元美)이고, 호는 봉주(鳳洲) 또는 엄주산인(弇州山人)이다. 명나라 태창(太倉 지금의 강소성) 사람으로 뛰어난 문학가이며 사상가이다. 후칠자(後七子) 중 한 사람이다. 저술로는 《엄주산인사부고(弇州山人四部稿)》 174권, 《엄주당별집(弇山堂別集)》 100권, 《예원치언(藝苑卮言)》 12권, 《명봉기(鳴鳳記)》, 《사승고오(史乘考誤)》 등이 있다.

의 〈명봉문림랑절강처주부추관동림장옹묘표(明封文林郎浙江處州府推官東林張翁墓表)〉[102]를 보니, "가사협, 범승지(氾勝之), 주후(周侯) 등 제가의 씨 뿌리고 김매고 수확하는 것에 대한 대략적인 것"[103]이라는 구절이 있다. 주후(周侯)가 어느 시대 사람인지, 그리고 저술한 농서가 몇 권이나 되는지 아직 아는 바가 없다. 역대 〈예문지〉의 농가류를 두루 살펴보았는 데도 끝내 찾지 못하였다. 어찌 요즘 사람의 저술이겠는가. 더 광범위한 고찰이 필요하다.

《와유록臥遊錄》

여동래(呂東萊)[104]의 저술인 《와유록(臥遊錄)》[105]에는 조계인(趙季仁)[106]이 산수를 논한 단락이 있다. 조계인과 나대경(羅大經)은 동시대 사람이고 나대경은 여동래보다 후세 사람이니 아마도 이 단락은 후인들이 추가하여 기록한 것인 듯하다.

《옥호청화玉壺清話》의 오류

《옥호청화(玉壺清話)》[107]에 다음과 같은 내용이 있다.

---

102 명봉문림랑절강처주부추관동림장옹묘표(明封文林郎浙江處州府推官東林張翁墓表) : 중국 명나라 때의 인물 장사당(張士鏜)에 대한 묘표이다. 《엄주산인사부고》 권95에 보인다.

103 가사협……대략적인 것 : 賈思勰、氾勝之、周侯諸家種播耘耔收穫之略.(王世貞, 〈明封文林郎浙江處州府推官東林張翁墓表〉)

104 여동래(呂東萊) : 1137~ 1181. 중국 송(宋)나라 때의 학자 여조겸(呂祖謙)으로, 자는 백공(伯恭), 호는 동래며 금화(金華) 사람이다. 벼슬은 직비각 저작랑(直秘閣著作郎)에 이르렀다. 저서에 《동래박의(東萊博議)》·《동래집(東萊集)》 등이 있다. 당시 주희(朱熹)·장식(張栻)과 함께 동남삼현(東南三賢)이라 일컬어졌다.

105 와유록(臥遊錄) : 중국 송나라 때의 학자 여조겸이 편찬한 책이다. 총 45조의 글을 실었는데, 그중 21조는 《세설신어(世說新語)》, 18조는 《도연명집(陶淵明集)》과 소동파의 잡저(雜著)에서 발췌하여 수록한 것이다. 총 1권이다.

106 조계인(趙季仁) : ?~?. 중국 송나라 때의 종실(宗室) 조사서(趙師恕)로, 자는 계인(季仁)이다. 황간(黃榦)의 문인으로 영종(寧宗) 가정(嘉定) 8년(1215) 지여항현(知餘杭縣)을 지냈고, 이종(理宗) 단평(端平) 연간(1234~1236) 광서경략안무사(廣西經略按撫使)를 지냈다.

107 옥호청화(玉壺清話) : 중국 송나라 때의 승려 문형(文瑩)이 지은 책이다. 잡사를 기록하였으며, 《옥

"송 태조가 즉위하고 나서 추밀사 왕박(王朴)[108]이 건륭(建隆) 2년(961) 신유(辛酉)에 《금계력(金雞曆)》[109]을 찬술하여 바치니, 태조가 즐거이 받고 《응천력(應天曆)》[110]으로 이름을 고쳤다."[111]

왕박은 시세종(柴世宗, 954~959) 때 죽었으니 어찌 건륭 2년에 역서를 찬술하여 태조께 바칠 수 있었겠는가?

《사조문견록四朝聞見錄》의 오류

송나라 섭소옹(葉紹翁)[112]의 《사조문견록(四朝聞見錄)》[113]에 효종(孝宗) 때의 일이 기록되어 있는데 매우 큰 오류가 있다. 책의 내용은 다음과 같다.

"대비과(大比科)[114]에 성이 황씨인 사인(士人)이 그의 무리들을 이끌고 궐

호야사(玉壺野史)》라고도 한다. 총 10권이다.

108 왕박(王朴) : 906~959. 중국 오대(五代)시대 후주(後周)의 대신으로 자는 문백(文伯)이고 동평(東平, 지금의 산동성 동평 북서쪽) 사람이다. 후한(後漢) 건우(乾祐) 3년(950) 지사가 되었고 비서랑에 제수되었다. 정국이 어지러워지자 벼슬을 그만두고 낙향하였다가 광순(廣順) 원년(951) 후일 후주 세종(世宗)이 되는 시영(郭柴榮)의 장서기가 되었다. 시영이 즉위한 뒤 《평변책(平邊策)》 등을 지어 올렸다. 현덕(顯德) 3년(956) 명을 받고 당나라의 《숭현력(崇玄曆)》을 기초로 한 《흠천력(欽天曆)》 15권을 편찬하였다. 현덕 6년(959) 명을 받고 아악(雅樂)을 정비하여 81조(調)를 얻고, 율준(律準)을 만들었다. 같은 해 3월 전 재상 이곡(李谷)을 방문하였다가 돌연사하였다.

109 금계력(金雞曆) : 미상(未詳)

110 응천력(應天曆) : 중국 송나라 초기에 만들어진 역법(曆法)이다. 송나라 초기에는 후주의 《흠천력(欽天曆)》이 사용되었으나 실제와 조금 오차가 있었다. 이에 송 태조가 건륭(乾隆) 2년 5월에 사천소감(司天少監) 왕처눌(王處訥) 등에게 조서를 내려 새로운 역법을 만들게 한 결과, 건륭 4년 4월에 총 6권으로 완성되었고, 송 태조에 의해 《응천력(應天曆)》이란 서명과 서문을 받은 뒤 반포되어 기존의 《흠천력》을 대체하였다.

111 송 태조가……고쳤다 : 太祖即位, 樞密使王朴建隆二年辛酉歲撰金雞曆以獻, 上嘉納之, 改名應天曆.(文瑩, 《玉壺清話》 卷1)

112 섭소옹(葉紹翁) : ?~?. 중국 남송 때의 시인으로 자는 사종(嗣宗), 호는 정일(靖逸)이며 용천(龍泉, 지금의 절강성 용천시) 사람이다. 1115년 급제 이후 관직에 나아갔다. 저서로 시집인 《정일소집(靖逸小集)》 1권과 《정일소고보유(靖逸小稿補遺)》가 있다. 시어가 청신(清新)하고 의경(意境)이 고원(高遠)하며, 강호시파(江湖詩派)의 풍격(風格)을 지녔다. 저서인 《사조문견록(四朝聞見錄)》이 《사고전서(四庫全書)》에 수록되어 있다.

113 사조문견록(四朝聞見錄) : 중국 남송 때의 시인 섭소옹이 편찬한 책으로, 남송 고종(高宗)부터 영종(寧宗)에 이르기까지 네 왕대의 사적(事跡)을 기록한 필기류 저작이다. 갑·을·병·정·무 5집으로 구성되어 있으며, 모두 209조의 글이 수록되어 있다.

114 대비과(大比科) : 3년에 한 번 치러지는 과거시험이다.

에 나아가 시험에 응시하게 해 줄 것을 청하였는데 동문관(同文館)에서 보고하지 않았다. 그러자 황씨는 무리들과 함께 덕수궁(德壽宮, 효종 아버지의 거처) 문 앞에 엎드려 태상황께 효종에게 선유(宣諭)해 줄 것을 애원하였다. 태상황은 정사를 놓은 사람이기에 자기와 상관없는 일은 관여하지 않는다며 상주를 물리쳤다. 황씨는 마침내 무리들과 함께 궁문에 나아가 대성통곡을 했는데 심지어 흰 상복까지 입었다. 효종은 진노하여 담당관에게 황씨의 등을 치고 묵형(墨刑)을 내려 노예로 삼아 섬으로 추방하라고 명하였다. 황씨가 이 일로 고려국으로 숨어들어 갔는데 고려 왕이 그를 재상으로 삼았고 훗날 사신의 일로 궐에 이르러 효종을 만났다. 고려 왕이 정사에 싫증을 느끼자 마침내 황씨에게 나라를 넘겨주었다고 한다."[115]

송나라 효종(1162~1189), 광종(光宗, 1189~1194), 영종(寧宗, 1194~1224), 이종(理宗, 1224~1264) 때는 고려 의종(毅宗, 1146~1170), 명종(明宗, 1170~1197), 신종(神宗, 1197~1204), 희종(熙宗, 1204~1211), 강종(康宗, 1211~1213), 고종(高宗, 1213~1259) 때에 해당되는데 어찌 나라를 황씨에게 넘겨줄 일이 있었겠는가? 송나라가 남으로 천도한 후 고려는 북으로 거란을 사대하여 송나라에 조공을 바치려면 반드시 배를 타야만 통할 수 있었다. 간혹 전하는 말이 조금 잘못되기는 하지만 생판 황당한 것이 이보다 심한 것이 없다.

《화담집花潭集》[116]

경술년(1790)에 선친[서호수(徐浩修), 1736~1799]께서 부사(副使) 자격으로 연

115 대비과(大比科)에……한다 : 當大比, 有姓黃士人, 率其徒詣闕乞試, 同文館不報. 黃以其徒伏德壽宮門祈哀太上, 覬宣諭孝宗. 德壽以閒人不管閒事却其奏. 黃遂與其徒向宮門大慟, 且所服白紵袍. 孝宗震怒, 敕有司杖黃背, 黥隸海島. 黃因竄入高麗國, 主用爲相, 後以使事至闕, 見于孝宗. 及其主倦政, 遂授以國云.(葉紹翁, 《四朝聞見錄》 卷2, 〈莊文致疾〉)

116 화담집(花潭集) : 조선시대 중기의 학자 서경덕(徐敬德)의 문집으로 제자 박민헌(朴民獻)·허엽(許曄) 등의 편집을 거쳐, 선조 38년(1605) 은산현감 홍방(洪霶)에 의해 처음 간행되었다. 서문과 목록이 없으며, 글이 문체에 따라 정리되어 있지 않고 일반적인 문집에 비해 무질서하게 배열되어 있다.

경(燕京)에 갔을 때, 열하(熱河)에서 기윤(紀昀)[117]을 만나셨다. 기윤이 "귀국의 서경덕 문집이 《사고전서(四庫全書)》 안에 실려 있습니다. 외국인에게는 없었던 일이지요."라고 하니, 전집이 사고전서 안에 수록되었다고 생각했다. 그런데 지금 《사고전서총목(四庫全書總目)》을 보니 편각(編刻)되지 않았고, 다만 그 서목만이 남아 있다. 그 내용은 다음과 같다.

《서화담집》 2권【절강순무(折江巡撫)가 채집하여 올린 본(本)이다.】

명나라 가정(嘉靖, 1522~1566) 연간에 조선의 생원 서경덕이 편찬하였다. 서경덕은 가난하게 살면서도 학문을 부지런히 갈고 닦아 56세 때 그 나라의 제학(提學) 김안국(金安國)이 유일(遺逸)[118]로 천거하여 봉참(奉參)에【마땅히 참봉(參奉)일 것이다.】 제수되었다. 그러나 한사코 사양하여 관직에 나아가지 않고 화담(花潭)에 거처하였다. 그리하여 화담을 그의 호로 삼았다.

이 문집은 잡문(雜文)과 잡시(雜詩)로 이루어져 있으며, 모두 2권이다. 글 가운데 〈원이기(原理氣)〉 끝에는 부기(附記)가 있는데 서경덕을 '선생'이라고 칭하였으며, 〈귀신생사론(鬼神生死論)〉의 끝에도 역시 부기가 있는데 '이상의 4편은 모두 선생께서 병이 위독할 때 지은 것이다.'라고 하였고, 시 가운데 '신광한의 운에 차운하다[次申企齋韻]'에는 원작을 기록해 놓았는데 '기재(企齋) 신광한(申光漢)이 선생께 준 시'라고 하였다. 그러니 이 문집은 서경덕의 문인들이 편집한 것인 듯하다.

서경덕의 학문은 한결같이 송나라의 유학을 골자로 하고 있는데, 특히 주돈이(周敦頤)[119]의 《태극설(太極說)》[120]과 소옹(邵雍)[121]의 《황극경세(皇極經

117 기윤(紀昀) : 1724~1805. 중국 청나라 때의 관리, 학자이다. 자는 효람(曉嵐), 춘범(春帆), 석운(石雲)이며, 도호는 관혁도인(觀弈道人), 시호는 문달(文達)이다. 직례(直隸) 헌현(獻縣 지금의 하북성 창주시) 사람이다. 좌도어사, 병부상서, 예부상서 등을 지냈고, 협판대학사 가태자태보 관국자감사(協辦大學士加太子太保管國子監事)로 치사했다. 일찍이 《사고전서》의 총찬수관을 맡았다. 저서로 《열미초당필기(閱微草堂筆記)》, 문집으로 《기문달공유집(紀文達公遺集)》이 전한다.

118 유일(遺逸) : 조선시대 초야에 은거하는 선비를 찾아 천거하는 인재 등용책을 말한다.

119 주돈이(周敦頤) : 1017~1073. 중국 북송 때의 학자로 다른 이름은 주원호(周元皓), 원명은 주돈실(周敦實)이다. 자는 무숙(茂叔), 호는 염계(濂溪), 시호는 원공(元公)이며 도주(道州, 지금의 호남성

世)》[122]에 마음을 다하여 연구하였다. 문집 중 잡저에서는 모두 이 두 책의 주제에 대해 설명하였다. 〈심 교수를 전송하며[送沈教授序]〉[123]는 모두가 소옹의 학문에 대한 내용이며, 〈상제를 논한 소[論喪制疏]〉[124]와 〈박지화에게 답한 편지[答朴枝華書]〉[125] 역시 모두 마음을 다하여 예제(禮制)를 연구한 것들이니, 서경덕은 진정 정학(正學)에 힘쓴 동방의 선비라 할 수 있겠다.

시는 격양집파(擊壤集派)[126]라고 할 수 있겠으나 조선의 방음이 많이 섞여 있다. 이른바 '가을이 다 지나고 계절 바뀌자, 낙엽 져서 천지가 삐쩍 말랐네[窮秋盛節換, 木落天地瘦]'와 같은 시는 문체(文體)가 맹교(孟郊)[127], 가도(賈島)[128]와

도현) 사람이다. 천성(天聖) 8년(1030) 부친의 병사 이후 당시 용도각 학사(龍圖閣學士)였던 정향(鄭向)의 집에서 자랐다. 경우(景祐) 3년(1036) 정향의 천거로 홍주(洪州 지금의 강서성 남창시) 분녕현(分寧縣)의 주부(主簿)를 지냈다. 무극(無極), 태극(太極), 이기(理氣) 등 성리학에서 논해지는 개념을 제시하였다. 이정 선생으로 불리는 정호(程顥), 정이(程頤) 형제에게 학문을 전수하였다. 정호, 정이, 소옹(邵雍), 장재(張載)와 함께 북송오자(北宋五子)로 불린다. 저서로 《주원공집(周元公集)》, 《태극도설(太極圖說)》, 《통서(通書)》 등이 있다.

120 태극설(太極說) : 중국 북송 때의 학자 주돈이의 저서 《태극도설》을 가리킨다. 그가 그린 《태극도》에 설명을 첨부한 것으로, 모두 249자이다. 내용은 대략 태극은 우주의 근원으로, 인간과 만물은 모두 음양오행의 상호작용으로 이루어졌다는 것을 기초로 하고 있다.

121 소옹(邵雍) : 1011~1077. 중국 북송 때의 학자로 자는 요부(堯夫), 시호는 강절(康節)이고, 임현(林縣 지금의 하남성 임주시) 사람이다. 이지재(李之才)에게서 하도(河圖), 낙서(洛書), 복희팔괘 등을 배웠다. 북송오자의 한 사람으로 꼽힌다. 저서로 《황극경세(皇極經世)》, 《관물내외편(觀物內外篇)》, 《어초문대(漁樵問對)》, 《이천격양집(伊川擊壤集)》 등이 있다.

122 황극경세(皇極經世) : 중국 북송 때의 학자 소옹의 저서로 역리(易理)와 수(數)를 이용해 우주만물의 생성변화와 인간사회의 흥망성쇠를 해석하고 있다. 모두 12권 64편으로 구성되어 있다.

123 심 교수를 전송하며[送沈教授序] : 전문은 《화담집》 권2에 실려 있다.

124 상제를 논한 소[論喪制疏] : 《의상인종대왕논국조대상상제불고지실소(擬上仁宗大王論國朝大喪喪制不古之失疏)》를 가리킨다. 전문은 《화담집》 권2에 실려 있다.

125 박지화에게 답한 편지[答朴枝華書] : 《답박군실서(答朴君實書)》를 가리킨다. 전문은 《화담집》 권2에 실려 있다.

126 격양집파(擊壤集派) : 《격양집》은 소옹이 편찬한 시집인 《이천격양집》을 가리킨다. 시풍(詩風)은 백거이(白居易)에 근원을 두었다. 대개 논리를 근본으로 삼고 수식을 말단으로 삼아 억지로 교묘하게 읊는 것을 배격하였다.

127 맹교(孟郊) : 751~814. 중국 당나라 때의 시인으로 자는 동야(東野)고, 호주(湖州) 무강(武康 지금의 절강성 덕청현) 사람이다. 두 차례 진사시에 낙방한 끝에 46세에 진사가 되었다. 담양 현위(潭陽縣尉)를 지냈으나 뜻에 맞지 않아 공무를 버려둔 채 시를 지으며 배회하였다. 관직을 그만둔 뒤 하남윤(河南尹) 정여경(鄭餘慶)의 천거로 하남에서 다시 벼슬 생활을 시작하였다. 원화(元和) 9년(814) 정여경이 흥원윤(興元尹)으로 부임하면서 그를 따라 휘하의 흥원군 참모로서 임지로 가던 중 병으로 사망하였다. 세태(世態)의 염량(炎涼)이나 민간의 고난을 시로 쓰곤 하여 '시수(詩囚)'로도 불리며, 가도(賈島)와 함께 교한도수(郊寒島瘦)라 병칭된다. 《맹동야시집(孟東野詩集)》 10권이 전한다.

128 가도(賈島) : 779~843. 중국 당나라 때의 시인으로 자는 낭선(閬仙), 자호는 갈석산인(碣石山人)이

비슷하지만 많이 보이지는 않는다. 다른 예로 〈무현금명(無弦琴銘)〉이란 시가 있다.

거문고의 현을 쓰는 것이 아니라	不用其弦
현을 타는 것을 쓰는 거라네	用其弦弦
음률 밖에 울리는 궁상소리	律外宮商
내가 그 참모습을 깨달았도다	吾得其天
소리로써 즐기는 것이 아니라	非樂之以音
음악의 소리를 즐기는 거고	樂其音音
귀로 소리를 듣는 것이 아니라	非聽之以耳
마음으로 소리를 듣는 거라네	聽之以心
음악을 잘 아는 저 종자기는	彼哉子期
어찌하여 내 거문고 소리를 듣지 않나	曷耳吾琴

이 시는 조금은 소식(蘇軾)[129]과 황정견(黃庭堅)[130]의 문풍(文風)을 얻었으

며, 하북 유주(幽州) 범양현(范陽縣, 지금의 하북성 탁주) 사람이다. 여러 차례 과거에 응시하였으나 번번이 낙방하여 승려로 지냈다. 811년 맹교, 한유 등과 교유하면서 환속하였다. 당 문종(唐文宗) 때 사천성 장강현(長江縣)의 주부(主簿)가 되었고, 개성(開成) 5년(840)부터 보주(普州) 사창참군(司倉參軍)으로 지내다 병사하였다. 슬픈 내용의 시로 유명하여 맹교와 함께 교한도수(郊寒島瘦)라 병칭되며, '시노(詩奴)'로도 불린다. '퇴고(推敲)'에 얽힌 일화가 유명하다. 저서로 《장강집(長江集)》 10권, 《시격(詩格)》 1권 등이 전한다.

129 소식(蘇軾) : 1037~1101. 중국 북송 때의 시인으로 자는 자첨(子瞻), 화중(和仲)이고, 호는 철관도인(鐵冠道人), 동파거사(東坡居士)며, 미주(眉州) 미산(眉山, 지금의 사천성 미산시) 사람이다. 서법과 그림으로도 유명하다. 소선(蘇仙)으로도 불린다. 가우(嘉祐) 2년(1057) 진사가 되었고, 송 신종(宋神宗) 때 항주(杭州), 밀주(密州), 서주(徐州) 등지에서 벼슬살이를 하였다. 송 철종(宋哲宗) 즉위 후에는 한림학사, 시독학사, 예부상서 등을 지냈다. 신법당(新法黨) 집권 후 해남으로 유배되었다가 송 휘종(宋徽宗) 때 사면되어 돌아가던 중 상주(常州)에서 병사하였다. 아버지 소순(蘇洵), 동생 소철(蘇轍)과 함께 당송팔대가에 꼽히며, 삼소(三蘇)로 불린다. 저서로 《동파전집(東坡全集)》, 《동파역전(東坡易傳)》 등이 전한다.

130 황정견(黃庭堅) : 1045~1105. 중국 북송 때의 시인으로 자는 노직(魯直)이고, 호는 산곡도인(山谷道人), 부옹(涪翁)이며, 홍주(洪州) 분녕(分寧, 지금의 강서성 구강시 수수현) 사람이다. 치평(治平) 4년(1067) 진사가 되었다. 송 철종 즉위 후 교서랑, 저작좌랑, 집현교리, 기거사인 등을 지냈다. 탄핵을 받고 유배지를 전전하다 의주(宜州)에서 생을 마감하였다. 강서시파(江西詩派)의 시조로, 두보, 진사도(陳師道), 진여의(陳與義)와 더불어 일조삼종(一祖三宗)으로 불리며, 장뢰(張耒), 조보지(晁

나 역시 어쩌다가 우연히 합치된 것이다. 그러나 조선의 문사(文士)로 시문이 중국에 알려지고, 우뚝이 염계(濂溪)의 주돈이, 낙양(洛陽)의 정호(程顥)[131]와 정이(程頤)[132], 관중(關中)의 장재(張載)[133], 민중(閩中)의 주희(朱熹)의 학술을 전하여 향리에서 가르친 것은 서경덕에게서 시작되었으니 역시 출중한 선비라고 할 만하다. 그러므로 시문이 비록 입격(入格)하지는 못했지만 특별히 그 서목을 남겨 서경덕을 기리고자 한다.

우리나라 성리학은 멀리 고려 포은(圃隱) 정몽주(鄭夢周)[134]에서 시작하여 회재(晦齋) 이언적(李彦迪)[135]과 퇴계(退溪) 이황(李滉)[136]에 이르러 크게 발

補之), 진관(秦觀)과 소식의 문하에서 수학하였기에 소문사학사(蘇門四學士)로도 불린다. 소식과 함께 나란히 '소황(蘇黃)'이라 병칭되기도 한다. 저서로 《산곡집(山谷集)》 등이 전한다.

131 정호(程顥) : 1032~1085. 중국 북송 때의 학자로 자는 백순(伯淳), 호는 명도(明道)이고, 하남부(河南府, 지금의 하남성 낙양) 사람이다. 가우(加祐) 2년(1057) 진사가 되었다. 송 신종 때 대타중윤감찰어사를 지냈으며, 왕안석의 신법에 반대하였다. 송 철종 즉위 후 종정승(宗政丞)이 되었으나, 임관하지 못하고 병으로 생을 마쳤다. 동생 정이와 함께 성리학의 기초를 다져 '이정(二程)'으로 불리며, 북송오자의 일인으로 꼽힌다. 낙양에 거주했던 까닭에 이들의 학문은 낙학(洛學)이라 불렸으며, 주희에게 계승·발전되어 정주학파(程朱學派)로도 불리게 되었다. 직접 편찬한 저서로 《정성서(定性書)》, 《식인편(識仁篇)》 등이 있으며, 문집으로 《이정전서(二程全書)》가 전한다.

132 정이(程頤) : 1033~1107. 중국 북송 때의 학자로 자는 정숙(正叔), 호는 이천(伊川)이며, 하남부(河南府 지금의 하남성 낙양) 사람이다. 원우(元祐) 원년(1086) 비서성 교서랑, 숭정전 설서에 제수되었다. 형 정호와 함께 성리하의 기초를 다져 '이정(二程)'으로 불리며, 북송오자의 일인으로 꼽힌다. 낙양에 거주했던 까닭에 이들의 학문은 낙학(洛學)이라 불렸으며, 주희에게 계승·발전되어 정주학파(程朱學派)로도 불리게 되었다. 직접 편찬한 저서로 《역전(易傳)》 등이 있으며, 문집으로 《이정전서(二程全書)》가 전한다.

133 장재(張載) : 1020~1077. 중국 북송 때의 학자로 자는 자후(子厚), 호는 횡거(橫渠), 시호는 명공(明公)이며, 봉상(鳳翔) 미현(郿縣, 지금의 섬서성 미현 횡거진) 사람이다. 가우 2년(1058) 진사가 되었고, 송 신종 희령(熙寧) 연간(1068~1077) 초에 숭문원 교서랑을 지냈다. 병으로 사직한 뒤 관중(關中)에서 강학에 힘썼다. 이로 인해 그의 학문은 관학(關學)이라 불리게 되었다. 희령 10년 여대방(呂大防)의 천거로 경사로 돌아가 관직을 맡게 되었으나, 얼마 후 병으로 사직하고 귀향하던 중 병사하였다. 북송오자의 일인으로 꼽힌다. 저서로 《정몽(正蒙)》, 《횡거역설(橫渠易說)》 등이 전한다.

134 정몽주(鄭夢周) : 1337~1392. 고려 후기의 문신으로 본관은 영일(迎日), 초명은 몽란(夢蘭) 또는 몽룡(夢龍), 자는 달가(達可), 호는 포은(圃隱)이다. 공민왕 6년(1357) 감시(監試) 합격 후, 2년 뒤 문과에 장원으로 급제하여 예문관 검열·수찬이 되었다. 명나라와의 관계 개선에 공을 세웠다. 영원군(永原君)에 봉해졌고, 문하찬성사(門下贊成事), 예문관 대제학(藝文館大提學) 등을 지냈다. 조선 건국을 막으려 하였으나, 정세를 살피고자 이성계를 문병하고 돌아오던 중 이방원의 문객이었던 조영규(趙英珪) 등에게 살해당하였다. 성리학에 조예가 깊어 당시 《주자집주》에 대한 강설로 유명하였다. 《가례(家禮)》에 따라 사당을 세워 신주를 모시고 제사를 지내게 하고, 수도에는 오부학당을, 지방에는 향교를 세워 유학의 진흥을 꾀하였다. 문집으로 《포은집(圃隱集)》이 전한다.

전했다. 화담의 학문이 별도로 성리학의 새로운 길을 열었는데, 그가 힘써 연구한 분야는 소옹의 상수학(象數學)[137]이다. 그런데 지금 서경덕이 오로지 염락관민(濂洛關閩)[138]의 학술만을 전했다고 하니 실제와 조금 다르다.

중국인이 외국의 일을 말할 때는 항상 이렇게 얘기하곤 한다. 이는 이른바 '죽어서 이름을 남기는 것 또한 그 사이에 운이 있어야 한다.'라는 것이 아니겠는가? 그의 시문은 또한 매우 적어 몇 편 되지 않으며 자세히 살펴보아도 탁월한 견해도, 선인이 발명하지 못한 것을 발명한 것도 없는데, 언제 그의 시문이 중국으로 들어가 강소(江蘇)와 절강(浙江) 사이에 이르렀는지 모르겠다.

《고려사高麗史》

《고려사(高麗史)》는 총 139권으로 정인지(鄭麟趾) 등이 교지(敎旨)를 받들어 만들었다. 세상에 전하기를 세종조(世宗朝)에 담당 부서를 개설해 편수

135 이언적(李彦迪) : 1491~1553. 조선 중기의 문신으로 본관은 여강(驪江), 자는 복고(復古), 호는 회재(晦齋), 자계옹(紫溪翁), 시호는 문원(文元)이다. 중종 9년(1514) 급제하여 이조 정랑, 사헌부 장령 등을 지냈다. 김안로(金安老)의 등용을 반대하다 관직에서 쫓겨나 성리학 연구에 매진하였다. 1537년 김안로 등의 몰락 후 종부시첨정으로 다시 관직에 임용되어 홍문관 교리, 직제학, 전주부윤 등을 지냈다. 명종 즉위년(1545) 좌찬성이 되었으나, 을사사화가 일어나자 사직하고 물러났다. 명종 2년(1547) 양재역(良才驛) 벽서(壁書) 사건에 무고로 연루되어 유배되었다. 유배지에서 저술에 힘쓰다 생을 마쳤다. 이기론 중 주리론(主理論)의 견해에서 이선기후설(理先氣後說), 이기불상잡설(理氣不相雜說)을 강조하였다. 이러한 주리론적 견해는 이황으로 이어지는 영남학파의 선구가 되었다. 저서로 《구인록(求仁錄)》, 《대학장구보유(大學章句補遺)》, 《중용구경연의(中庸九經衍義)》, 《봉선잡의(奉先雜儀)》 등이 있으며, 문집으로 《회재집(晦齋集)》이 전한다.

136 이황(李滉) : 1501~1570. 조선 중기의 문신으로 본관은 진보(眞寶), 자는 경호(景浩), 호는 퇴계(退溪), 퇴도(退陶), 도수(陶叟), 시호는 문순(文純)이다. 중종 29년(1534) 문과 급제 후 승문원 부정자(承文院副正字)가 되었다. 명종 4년(1549) 풍기 군수 재임 중 백운동서원 사액을 건의하여 실현되었다. 소수서원(紹修書院)이다. 명종 때 수차례 벼슬에 제수되었으나 신병으로 거절하였다. 선조 때에 대제학(大提學)을 지냈다. 영남학파(嶺南學派)의 조종(祖宗)으로 여겨진다. 벼슬을 하지 않을 때에는 저술과 강학에 힘써 많은 문도를 배출하였다. 사후 문묘, 선조(宣祖)의 묘정에 배향되었고, 여러 서원에 제향되었다. 저서로 《성학십도(聖學十圖)》, 《주자서절요(朱子書節要)》, 《퇴계집》 등이 전한다.

137 상수학(象數學) : 소옹은 수(數)로써 자연의 모든 현상과 이치를 설명하려 하였는데 이를 수리철학(數理哲學)이라 부르기도 한다.

138 염락관민(濂洛關閩) : 염계(濂溪)의 주돈이, 낙양(洛陽)의 정호·정이 형제, 관중(關中)의 장재(張載), 민(閩, 지금의 복건성 일대) 지방의 주희 4인방, 혹은 이 4인방의 학문을 가리킨다.

하게 하여 매번 맛있는 음식을 내어주고, 여름에는 꿀물을 하사하여 갈증을 풀어주었다고 한다. 책이 완성되어 왕에게 바쳤는데 매우 난잡하여 보기가 좋지 않자, 세종은 웃으며 "내 꿀물이 아깝구나."라고 하였다고 한다.

이 말은 비록 허무맹랑한 말에 가깝지만, 이를 통해 《고려사》가 왕의 마음에 차지 않았음을 알 수 있다. 일찍이 주이준(朱彝尊)[139]의 《폭서정집(曝書亭集)》[140]에 있는 《고려사》의 발문을 보았는데, 《고려사》는 체례(體例)가 볼만하고 조리가 있어 어지럽지 않다고 하였다. 어찌 외국서적이라서 올린 것이겠는가. 《사고전서총목》 존목류(存目類)에 분류되어 있으니 그 내용은 다음과 같다.

《고려사》 2권 【왕여조(汪如藻)의 가장본(家藏本)을 편수(編修)한 것이다.】

구본(舊本)에 "正獻【'헌(獻)' 자는 마땅히 '헌(憲)' 자가 되어야 한다.】大夫工曹判書集賢殿大提學知經筵春秋館事兼成均【'관(館)' 자가 빠진 듯하다.】大司成臣鄭麟趾奉敕【'칙(敕)' 자는 마땅히 '교(敎)' 자가 되어야 한다.】撰"이라고 적혀 있다. 《황명실록(皇明實錄)》에 "경태(景泰) 2년(1451)에 고려 사신(使臣) 정인지가 일찍이 이 책을 조정에 올렸다. 세가(世家) 46권, 지(志)

---

139 주이준(朱彝尊) : 1629~1709. 중국 청나라 때의 학자로 자는 석창(錫鬯)이고, 호는 죽타(竹垞), 소장로조어사(小長蘆釣魚師), 금풍정장(金風亭長)이며, 절강 수수(秀水, 지금의 절강성 가흥시) 사람이다. 강희 18년(1679) 박학홍사과(博學鴻詞科)를 통해 한림원검토(翰林院檢討)가 되어 《명사(明史)》 편찬에 참여하였다. 강희 20년 일강기거주관(日講起居注官)이 되었다. 지방에서 진공된 서적을 《영주도고록(瀛洲道古錄)》 편집을 위해 개인적으로 초록하였다가 탄핵을 당하여 강등되었다가 강희 29년(1690) 복관되었으나, 오래지 않아 노환을 이유로 사직하였다. 강희제가 남방을 순행할 때에 여러 차례 어가와 행궁에 불려가 저술한 서적을 올려, '연경박물(研經博物)'이란 편액을 하사받았다. 사인(詞人)으로서도 유명하여 절서사파(浙西詞派)의 창시자로 불린다. 저서로 《폭서정집(曝書亭集)》 80권, 《일하구문(日下舊聞)》 42권, 《경의고(經義考)》 300권, 《명시종(明詩綜)》 100권, 《사종(詞綜)》 36권 등이 있다.

140 폭서정집(曝書亭集) : 중국 청나라 때의 학자 주이준의 사집(詞集)이다. 모두 80권으로, 부(賦) 1권, 고금시 22권, 사(詞) 7권, 문 50권으로 구성되어 있으며, 부록으로 엽아악부(葉兒樂府) 1권이 있다. 사(詞) 7권은 다시 《강호재주집(江湖載酒集)》 3권, 《정지거금취(靜志居琴趣)》 1권, 《다연각체물집(茶煙閣體物集)》 2권, 《번금집(蕃錦集)》 1권으로 구성되어 있다.

39권, 연표 2권, 열전 50권, 목록 2권이었다."[141]라는 말이 있다. 주이준의 《폭서정집》에도 이 책에 대한 제발(題跋)이 있는데 체례가 볼만하고 조리가 있어 어지럽지 않다고 평하였다. 그런데 이 본(本)은 세계(世系) 1권과 후비열전(后妃列傳) 1권밖에 없다. 우연히 보존된 잔질(殘帙)로 완전한 책은 아닐 것이다.

이 자료들에 근거해 보면, 《고려사》는 경태 연간에 올려져 중국인에게 칭송받게 되었다. 그러나 우리나라 전기(傳記)에는 이 일에 관한 내용이 없으니 현재 고증할 방법이 없다. 주이준의 제발 중에는 잔결본(殘缺本)이라는 말이 없으니 당시에는 여전히 전질(全帙)이 보존되어 있었을 것이나, 건륭(乾隆) 연간(1736~1795)에 어찌하여 갑자기 사라져 두 권밖에 남지 않았는지 모르겠다.

우리나라의 판각본도 오래전에 이미 사라졌으며 탑본(搨本)으로 세상에 전해진 것도 매우 드물고, 교서관(校書館)에 소장되어 있는 본도 이미 절반 정도가 사라졌다. 오직 규장각 서고(西庫)에만 완전본(完全本)이 보존되어 있다. 정조 병진(丙辰, 1796)년에 나는 내각(內閣, 규장각)에서 그 책을 교정하여 판각하기를 왕에게 청하였는데 왕께서는 동의만 하였을 뿐, 정식으로 명을 내리지는 않으셨다. 조정에서 물러난 후, 이전의 일을 떠올려 보면 마치 하늘을 대한 듯 까마득하니 서고에 그 책이 아직 있는지 없는지 모르겠다.

비지碑誌가 후세에 전하다

비지(碑誌)를 짓는 것은 그 사람의 이름을 후세에 전하는 것과도 큰 관

---

141 경태(景泰)……2권이었다 : 1451년 정인지가 명나라에 사신으로 간 기록은 《세종실록》과 《문종실록》에 보이지 않으며, 명실록의 《영종예황제실록(英宗睿皇帝實錄)》에도 관련 기사를 찾을 수 없다. 1450년 명나라의 사신이 온 기록이 《세종실록》 32년 윤1월 기사에 보이나, 《고려사》 편수 완료 기사가 《문종실록》 1년 8월 기사에 보이므로 시간대가 맞지 않는다.

련이 있다. 송나라 방봉진(方逢辰)[142]은 진사(進士)에 급제하였고, 여러 번 관직을 옮겨 예부상서(禮部尙書)에 이르렀다. 정대전(丁大全)[143]과 가사도(賈似道)[144]가 정권을 잡았을 때, 그는 힘써 대항하여 정도(正道)를 잡고 굽히지 않았다. 송나라가 멸망한 후 원 세조(元世祖)는 어사중승(御史中丞) 최욱(崔彧)[145]에게 조서를 내려 방봉진을 기용하게 하였으나, 방봉진은 병을 핑계로 관직을 굳게 사양하고 나오지 않았다. 굳은 절개를 소중히 여기는 그의 강직함은 일대의 사라져서는 안 되는 훌륭한 공적인데, 탁극탁(托克托)[146]이 《송사(宋史)》[147]를 찬수할 때 방봉진의 사장(事狀)을 잃어 입전(立傳)

---

142 방봉진(方逢辰) : 1221~1291. 중국 남송 때의 관료, 학자로 자는 군석(君錫), 호는 교봉(蛟峰), 초명은 몽괴(夢魁)고, 순안현(淳安縣) 사람이다. 송 이종 순우(淳祐) 10년(1250) 이종이 친림한 진사시에서 장원으로 급제하여 이종으로부터 봉진(逢辰)이란 이름을 하사받고 개명하였다. 승서랑으로 벼슬을 시작하였다. 천거되어 임관되었다가도 언사로 인하여 파직되기를 반복하다 호부상서까지 이르렀다. 모친 사후 벼슬에 대한 뜻을 접어, 예부상서, 이부상서에 제수되었으나 모두 거절하였고 원나라가 들어선 후 원 세조가 어사중승 최욱(崔彧)에게 조서를 내려 기용하려 할 때에도 거절하였다. 학문에 있어서 격물(格物)과 독행(篤行)을 강조하였다. 저서로 《효경해(孝經解)》, 《역외전(易外傳)》, 《격물입문(格物入門)》 등이 있으며, 문집으로 《교봉문집(蛟峰文集)》 8권이 있다.

143 정대전(丁大全) : 1191~1263. 중국 북송 때의 간신으로 자는 자만(子萬)이고, 진강(鎭江 지금의 강소성 진강) 사람이다. 정청피(丁靑皮)라고 불리기도 하였다. 가희(嘉熙) 2년(1238) 진사가 되었다. 내시 노윤승(盧允昇)과 동송신(董宋臣)에게 아첨하여 소산위(蘇山尉)를 거쳐 대리사직(大理司直), 요주통판(饒州通判)을 지냈다. 보우 연간에 명재상으로 이름 높던 동괴(董槐)를 시기해서 탄핵하여 내쫓고 좌간의대부가 되었고, 후에는 우승상 겸 추밀사까지 올라갔다. 개경(開慶) 원년(1259) 몽고군 침입 당시 군사 정보를 은닉하여 파직되었다. 남강군(南康軍), 신주(新州)를 거쳐 해도(海島)에 유배되었는데, 배가 등주(藤州)에 이르렀을 때 바다로 밀쳐져 익사하였다.

144 가사도(賈似道) : 1213~1275. 중국 북송 때의 권신으로 자는 사헌(師憲), 호는 열생(悅生)이며, 태주(台州) 천태현(天台縣, 지금의 절강성 천태) 사람이다. 단평(端平) 원년(1234) 부친의 음보로 가흥사창(嘉興司倉), 적전령(籍田令)이 되었고, 가희 2년(1238) 진사가 되었다. 송 이종의 총애를 받아 개경 연간 초에 우승상 겸 추밀사가 되었다. 이종 사후 도종(度宗)을 추대하였으며, 태사(太師), 평장군국중사(平章軍國重事)가 되었다. 함순(咸淳) 9년(1273) 원나라에 의해 양양(襄陽)이 함락된 후, 덕우(德祐) 원년(1275) 13만 대군을 이끌고 원나라 군사와 싸웠으나 대패하였다. 이후 폄직되어 유배지로 향하던 도중 회계현위(會稽縣尉) 정호신(鄭虎臣)에게 살해되었다.

145 최욱(崔彧) : ?~1298. 중국 원나라 때의 문신으로 자는 문경(文卿), 시호는 충숙(忠肅), 홍주(弘州 지금의 하북성 양원) 사람이다. 지원(至元) 19년(1282) 집현시독학사가 되었다. 형부상서, 집현대학사, 어사중승 등을 지냈고 벼슬이 평장정사(平章政事)까지 이르렀다. 성품이 강직하고 직언을 하여 원 세조(元世祖)와 원 성종(元成宗)이 중히 여겼다. 지대(至大) 원년(1308) 태부(太傅), 개부의동삼사(開府儀同三司), 정국공(鄭國公)에 추봉되었다.

146 탁극탁(托克托) : 1314~1356. 중국 원나라 말기의 관료 토크토. 탈탈(脫脫)로도 표기한다. 자는 대용(大用) 지원 6년(1340) 중서우승상을 지낼 때 옛 정책을 고치고 과거제도를 부활시켰다. 지정(至正) 3년(1343) 《요사(遼使)》, 《송사(宋史)》, 《금사(金史)》를 주편(主編)하는 도총재관(都總裁官)을 맡았다. 지정 10년(1350) 지폐인 '지정교초(至正交鈔)'를 발행하고 가로(賈魯)를 파견 황하를 치수하게

하지 못했다. 오직 《황진집(黃溍集)》[148]에만 〈봉진묘표(逢辰墓表)〉[149]가 수록되어 그의 생전 업적을 간략하게나마 볼 수 있고, 명나라의 소경방(邵經邦)[150]이 《홍간록(弘簡錄)》[151]을 지으면서 비로소 그의 전기를 보충하였다. 만약 황진(黃溍)이 쓴 묘표가 없었다면 방봉진이 아무리 뛰어났었더라도 끝내 사라져 후대에 그 이름이 전해지지 못했을 것이다. 다만 황진의 문집이 있어 그의 이름도 후인에게 알려지게 되었을 뿐이다. 그렇지 않았다면, 흙 인형이 나무 인형을 지고 물에 뛰어든 것과 무엇이 다르겠는가.[152]

제왕이 지은 묘비명

재위 당시 제왕을 섬긴 신하의 묘비명을 제왕이 직접 짓기도 하였다. 당 태종(唐太宗)이 위징(魏徵)의 비문을, 고종(高宗)이 이적(李勣)의 비문을, 명황

하여 현상(賢相)으로 불렸다. 지정 15년(1355) 운남으로 유배되었다가, 당시 중서평장정사 합마(哈麻)가 거짓으로 보낸 원 혜종(元惠宗)의 조서를 받고 자결하였다.

147 송사(宋史) : 중국 송나라의 역사를 기록한 사서(史書)로 정사(正史)이다. 원나라 때 탁극탁(托克托) 등이 황제의 명으로 편찬하였다. 모두 496권으로 본기 47권, 지 162권, 표 32권, 열전 255권으로 구성되어 있다. 기초로 한 사료 중 현전하지 않는 것이 많아 사료적 가치가 높다.

148 황진집(黃溍集) : 중국 원나라 때의 학자 황진(黃溍, 1277~1357)의 문집인 《문헌집(文獻集)》을 가리킨다. 황진은 자는 진경(晉卿), 시호는 문헌(文獻)으로, 일찍이 한림시강학사 등을 지내며 국사 찬수에 참여한 바 있으며 사후 강하군공(江夏郡公)에 추봉되었다. 당시 게혜사(揭傒斯), 우집(虞集), 유관(柳貫)과 더불어 유림사걸(儒林四杰)이라 불렸다. 다른 저작인 《일손재필기(日損齋筆記)》는 송나라 말기부터 원나라 지원(至元) 연간 사이의 역사를 연구하는 데 중요한 사료로 꼽힌다.

149 봉진묘표(逢辰墓表) : 《문헌집(文憲集)》 권10하에 〈교봉선생천표(蛟峰先生阡表)〉라는 제목으로 실려 있다.

150 소경방(邵經邦) : ?~1558. 중국 명나라 때의 관료로 자는 중덕(仲德)이고 절강 인화(仁和 지금의 절강성 항주시 인화진) 사람이다. 정덕(正德) 16년(1521) 진사가 되었고, 공부주사(工部主事)에 제수되었다. 원외랑, 형부주사 등을 지냈다. 상소를 올려 장부경(張孚敬), 계악(桂萼)을 논핵하였다가 유배되었고, 유배지에서 생을 마쳤다. 저서로 《굉예록(宏藝錄)》 32권, 《홍간록(弘簡錄)》 254권 등이 전한다.

151 홍간록(弘簡錄) : 중국 명나라 때 소경방의 문집으로 모두 254권 80책이다.

152 흙 인형이……다르겠는가 : 《전국책》 〈제책(齊策)〉에 나오는 고사이다. 진왕(秦王)이 맹상군이 지혜롭다는 이야기를 듣고 자기 나라로 부르자, 맹상군의 식객 중 한 사람이 흙 인형과 나무 인형의 비유로 가려는 맹상군을 만류하였다. 나무 인형은 흙 인형에게 비가 오면 그냥 녹아서 없어질 것이라고 말하였는데, 황진이 쓴 묘표가 없었다면 흙 인형이 녹아서 없어지듯이 방봉진의 이름이 후대에 알려지지 않았을 것이라는 말이다.

(明皇)이 장열(張說)의 비문을, 덕종(德宗)이 단수실(段秀實)의 비문을, 송 태종(宋太宗)이 조보(趙普)의 비문을, 인종(仁宗)이 이용화(李用和)의 비문을, 신종(神宗)이 한위공(韓魏公)의 비문을 지었다.[153] 이밖에 전수(篆首)[154]를 써서 내려주는 일도 많았다. 우리 조선은 이런 사례가 매우 드문데, 근세에 금성위(錦城尉) 박명원(朴明源)[155]의 신도비(神道碑)는 바로 정조 임금께서 지어 준 것[156]이다. 전수(篆首)에 대해서는 아직 알려진 것이 없다.

한유가 지은 왕적王適의 묘지명

왕안석(王安石)[157]은 일찍이 "한유(韓愈)[158]는 묘지명을 잘 지었다. 예컨대

---

153 당 태종(唐太宗)이……지었다 : 당 태종과 위징의 일은 《구당서》 권71 〈위징전〉에 "황제께서 직접 비문을 짓고 아울러 비석에 쓰셨다.[帝親碑文, 并爲書石]"라고 보인다. 당 고종과 이적의 일은 《금석록(金石錄)》 권4에 "의봉(儀鳳) 2년(677) 10월 당 고종이 찬하고 아울러 썼다.[高宗撰并行書儀鳳二年十月]"라고 쓰인 소주 등을 통해 확인된다. 당 현종과 장열의 일은 《신당서》 권125 〈장열전〉에 "군신들의 의견이 갈려 결론이 나지 않자, 황제께서 그를 위해 비문을 짓고 시호는 태상(太常)이 말한 대로 하라 하니, 이로 말미암아 정해졌다.[羣臣駮異未決, 帝爲製碑, 謚如太常, 繇是定.]"라고 보인다. 당 덕종과 단수실의 일은 《신당서》 권153 〈단수실전〉에 "황제께서 경도로 돌아오신 뒤 또 조서를 내려 치제하시고 그 고을에 정려하셨으며 직접 그 비문을 새겼다고 하였다.[帝還都, 又詔致祭, 旌其門閭, 親銘其碑云]"라고 보인다. 송 태종과 조보의 일은 《송사》 권256 〈조보전〉에 "상께서 신도비명을 찬하시고 직접 팔분서로 써서 내려주었다.[上撰神道碑銘, 親八分書, 以賜之.]"라고 보인다. 송 인종과 이용화의 일은 《송사》 권464 〈이용화전〉에 "황제께서 신도비를 짓고 쓰기를, '친현(親賢)의 비(碑)'라고 하셨다.[帝撰神道碑, 書曰親賢之碑.]"라고 보인다. 송 신종과 한위공의 일은 《송사》 권312 〈한기전〉에 "그의 비문에 전서로 쓰기를, '양대에 걸쳐 천자의 유언을 받들어 후사 옹립을 도모한 원훈이로다.'라고 하였다.[篆其碑曰'兩朝顧命定策元勳']"라고 보인다.

154 전수(篆首) : 비석의 머리글로서 보통 전서(篆書)체로 쓰기 때문에 이같이 일컬었다.

155 박명원(朴明源) : 1725~1790. 본관은 반남(潘南)이고 자는 회보(晦甫), 호는 만보정(晩葆亭)이다. 1738년(영조 14) 영조의 제3녀 화평옹주(和平翁主)에게 장가들어 금성위(錦城尉)에 봉해졌으며 영조의 깊은 사랑을 받았다. 처음 순의대부(順義大夫)를 받았으나, 뒤에 수록대부(綏祿大夫)로 승진되었다. 글씨를 잘 써서 나라에 경사나 슬픈 일이 있을 때면 금옥보책명정서관(金玉寶册銘旌書官)이 되었는데, 모두 10여 차례에 이르렀다.

156 정조 임금께서 지어 준 것 : 금성위(錦城尉) 박명원(朴明源) 신도비명(神道碑銘)이 《홍재전서(弘齋全書)》 권15에 수록되어 있다.

157 왕안석(王安石) : 1021~1086. 중국 북송 때의 문신으로 자는 개보(介甫), 호는 반산(半山)이며 임천(臨川) 사람이다. 경력(慶曆) 2년(1042)에 진사가 되었다. 희령 3년(1070) 재상에 임명되었고, 변법(變法)을 주장하여, 균수법(均輸法), 청묘법(靑苗法), 모역법(募役法), 보갑법(保甲法) 등의 신법(新法)을 시행하여 수많은 반발에 부딪혔다. 마침 1074년 일어난 대기근으로 좌천되었고, 아들까지 잃는 사고를 당하며 1076년 모든 관직에서 물러나 은거하였다. 사후 형국공(邢國公)에 봉해졌다. 당송팔대가의 하나로 꼽힌다. 저서로 《임천문집(臨川文集)》 100권 등이 전한다.

박명원(朴明源)의 신도비(神道碑)-파주 향토유적 13호(파주시청)

왕적(王適)[159]과 장철(張徹)[160]의 묘지명은 매우 뛰어나다."[161]라고 하였다. 그런데 왕적의 묘지명에 "솥으로 수레를 괼 수 없으며, 말로 마을을 지키게 할 수 없네."[162]라고 하였는데, 이는 순전히 《순자(荀子)》의 문구를 사용한

158 한유(韓愈) : 768~824. 중국 당나라 때의 문장가로 자는 퇴지(退之), 호는 창려(昌黎), 시호는 문(文)이며, 하남(河南) 하양(河陽 지금의 하남성 맹주시) 사람이다. 정원(貞元) 8년(792) 진사가 되었다. 원화(元和) 12년(817) 오원제(吳元濟)의 난을 평정하는 데 공을 세워 형부시랑(刑部侍郎)이 되었으나, 2년 뒤 헌종(憲宗)이 불골(佛骨)을 모신 것을 간하다가 조주자사(潮州刺史)로 좌천되었다. 후에 이부시랑, 경조윤까지 올랐다. 당송팔대가의 하나로 꼽힌다. 저서로 《창려집(昌黎集)》 등이 있다.

159 왕적(王適) : ?~814. 중국 당나라 때의 인물로 한유가 지은 그의 묘지명으로 유명하다.

160 장철(張徹) : ?~821. 중국 당나라 때의 문인으로 청하(淸河) 사람이다. 장경(長慶) 원년(821) 전중시어사(殿中侍御史)를 지낼 때 유주(幽州)에서 절도사의 실정 탓에 반란이 일어나 반군에 사로잡혔는데, 반군의 반란 행위를 꾸짖다 살해되었다. 이후 황제가 충의를 가상히 여겨 급사중(給事中)에 증직되었다. 한유가 지은 그의 묘지명인 〈고유주절도판관증급사중청하장군묘지명(故幽州節度判官贈給事中淸河張君墓志銘)〉이 《창려집(昌黎集)》 권34 등에 전한다.

161 한유(韓愈)는……뛰어나다 : 남송 주밀(周密)의 《호연재아담(浩然齋雅談)》 중권(中卷) 등에 보인다.

162 솥으로……없네 : 鼎也不可以柱車, 馬也不可使守閭.(韓愈, 〈試大理評事王君墓志銘〉)

것이다.[163] 한유가 "진부한 말을 힘써 제거할 뿐이다."[164]라고 한 말은 과연 남을 속인 말이며, 왕안석은 또한 《순자》의 본문을 보지 못했단 말인가?

구양수의 비지문

구양수의 비지문은 천하에 독보적이라고 하나 조응이 잘 되지 않은 곳도 있다. 〈장수현 태군 이씨의 묘지명[長壽縣太君李氏墓誌]〉에 다음과 같은 말이 있다.

"부인이 왕씨 집안에서 쌓은 행실과 공을 이루 다 적을 수가 없다. 그래서 시부모님이 칭찬했던 말들을 기록하여 며느리로서의 도리를 드러내고, 자식이 어질고 출세한 것을 기록하여 어머니로서의 도리를 드러내며, 자손이 번성하고 장수한 것을 기록하여 가문에서 부지런하여 결실을 이루어 마침내 그 후한 복을 누리게까지 되었음을 드러낸다. 부인의 입장으로서는 부족함이 없을 것이다."[165]

여기서 그가 말한 기록했다는 것은 바로 여러 지문(誌文)에서 기록한 것을 말한다. 그 아래에 다시 이어서 "그러나 자식과 자손들은 모두 아직 미진하고 반드시 영구히 드러내어 사라지지 않게 함이 있어야 한다고 하면서 이에 찾아와 묘지명을 청하였다."[166]라고 하였다.

---

163 《순자(荀子)》의 문구를 사용한 것이다 : "솥으로 수레를 끌 수 없으며, 말로 마을을 지키게 할 수 없네" 이 말은 원래 《회남자(淮南子)》 〈제속훈(齊俗訓)〉의 "故愚者有所修, 智者有所不足, 柱不可以摘齒, 筐不可以持屋"에서 따온 말로 인물을 적재적소에 써야 한다는 뜻이다. 서유구가 《순자》의 문구로 착각한 듯하다.

164 진부한……뿐이다 : 始者, 非三代兩漢之書不敢觀, 非聖人之志不敢存. 處若忘, 行若遺. 儼乎其若思, 茫乎其若迷. 當其取於心而注於手也, 惟陳言之務去, 戛戛乎其難哉. 其觀於人, 不知其非笑之爲非笑也.(韓愈, 〈答李翊書〉)

165 부인이……것이다 : 夫人於王氏, 積行累功, 不可以編書. 書其舅姑之所嘗稱者, 以見其爲婦之道, 書其子之賢而有立, 以見其爲母之方, 書其子孫之衆壽考之隆, 以見其勤于其家至于有成, 而終享其福之厚. 於夫人無不足矣.(《文忠集》 卷36, 〈長壽縣太君李氏墓誌〉)

166 그러나……청하였다 : 子若孫皆日未也. 謂必有以示永久而不沒者, 乃來請銘.(《文忠集》 권36, 〈長壽縣太君李氏墓誌〉)

그렇다면 이전에 말한 "며느리로서의 도리를 기록하다", "어머니로서의 도리를 기록하다", "그 가문에서 부지런함을 기록하다"는 모두 묘지명을 청하기 전에 있었던 것이다. 이는 과연 무엇을 기록한 것인가?

구양수가 지은 왕단王旦의 신도비

구양수가 왕단(王旦)[167]의 신도비를 지었는데[168] 진희이(陳希夷)[169]가 일찍이 왕단을 알아본 일을 기술하지 않았다. 【왕공(王鞏)[170]의 《청허잡지(淸虛雜志)》[171]에 이런 말이 있다. "이전에 왕단이 진희이의 도관(道觀)을 찾았는데 진희이가 대문을 나와 맞이하며 '20년 동안 태평성대의 재상이 될 것입니다.'라 하고서, 또 간곡히 말하길 '훗날 다시 여기에 오시면 이곳의 조세를 조절해 주십시오.'라고 하였는데 후에 그의 말과 같았다. 진종(眞宗)이 서쪽으로 분음(汾陰)에 가서 제사지낼 때 왕단이 이전 말을 아뢰자, 상이 바로 조서를 내려 운대관(雲臺觀)[172]의 조세를 없애주었다."[173]】 비지문의 체재

---

167 왕단(王旦) : 957~1017. 중국 송(宋)나라 진종(眞宗) 때의 승상(丞相)이다. 병부시랑(兵部侍郎)을 지낸 진국공(晉國公) 왕호(王祜)의 아들이며, 공부상서(工部尙書)를 지낸 왕소(王素)의 아버지이다. 문집 20권이 있었으나 일실되었고, 《전송시(全宋詩)》와 《전송문(全宋文)》에 그의 작품이 수록되어 있다.

168 구양수가……지었는데 : 구양수의 문집인 《문충집(文忠集》 권22에 〈태위문정왕공신도비명(太尉文正王公神道碑銘)〉이 실려 있다.

169 진희이(陳希夷) : 871~989. 중국 북송(北宋) 때의 저명한 도사이다. 이름은 단(摶)이고, 자는 도남(圖南), 호는 부요자(扶搖子)이다. 하남(河南) 출신이며, 호남(湖南)의 무당산(武當山)에서 수행하였고, 그 후 송(宋)나라 태종(太宗)의 부름을 받아 희이(希夷) 선생이란 호칭을 하사받았다. 저서에 《지현편(指玄篇)》, 《환단가주(還丹歌註)》가 있다.

170 왕공(王鞏) : 1048?~1117?. 중국 북송 때의 화가, 시인으로 자는 정국(定國), 호는 청허(淸虛)이다. 북송 때 명재상 왕단(王旦, 957~1017)의 손자이다. 그림과 시에 뛰어나 일찍이 소식이 서주(徐州) 수령으로 있을 때 교유하였다. 후에 소식이 죄를 얻어 유배될 당시, 폄직되어 빈주(濱州)에 유배되었다. 저서로 《갑신잡기(甲申雜記)》, 《문견근록(聞見近錄)》, 《수수잡록(隨手雜錄)》의 3편 3권으로 구성된 《청허잡저(淸虛雜著)》 등이 전한다.

171 청허잡지(淸虛雜志) : 중국 북송 때의 시인 왕공의 저작인 《청허잡저(淸虛雜著)》를 가리키는 듯하다.

172 운대관(雲臺觀) : 섬서성 화산(華山)에 있는 도관 이름으로, 진희이가 이곳에서 수도(修道)하였다.

173 이전에……없애주었다 : 一日召伯祖叔祖, 同詣陳希夷, 希夷不出户而接之. 坐久不語, 忽問曰: "更有子乎?" 公曰: "仲子在舍." 希夷召之, 及至門, 希夷出門迎顧先文正曰: "二十年太平宰相." 顧伯祖曰: "進士及第." 叔祖曰: "倚兄作官." 或問希夷, 此君鼻偏如何. 希夷曰: "今日拜相, 明日鼻正." 又懇文正曰: "他日至此, 願放此地租稅." 其後卒如其言. 及真宗西祀汾陰, 文正以前言啟之, 上即詔釋雲臺租

가 간략하고 엄정함이 이와 같았다.

자명自銘

《서경잡기(西京雜記)》[174]에 다음과 같은 말이 있다.

"두업(杜鄴)[175]은 장안(長安) 북쪽 4리 되는 곳에 매장되었다. 임종에 이르러 글을 짓기를 '위군(魏郡) 사람 두업은 뜻을 세워 충성을 다하였으나, 견마(犬馬)의 역할을 미처 다 하지 못하고 돌연히 풀 이슬처럼 사라지누나. 뼈와 살은 흙으로 돌아가지만 혼백은 이르지 못하는 곳이 없으니 굳이 고향 땅에 묻힌 후에 흙으로 될 것이 뭐가 있겠는가? 장안 북쪽 외곽에 묻혀 여기서 고이 잠드노라.' 하였다. 죽음에 이르자 돌에 새겨 무덤 옆에 묻어달라고 하였다."[176]

이것이 바로 묘지명을 묻는 시초이고 또한 자명(自銘)의 시초이다.【후세에 채옹(蔡邕)[177]으로부터 묘지명이 비롯되었다고 하는 것은 잘못이다.】

稅.(王鞏, 《甲申聞見二録補遺》)

174 서경잡기(西京雜記) : 중국 전한 때의 일을 기록한 필기류 서적이다. 전한 때의 학자 유흠(劉歆)이 편찬하고 동진(東晉) 때의 학자 갈홍(葛洪)이 편집·초록하였다고 전하나 확실하지 않다. 원래 2권이었으나 현전하는 본은 6권이 되었다. 서명의 서경(西京)은 전한 때의 수도인 장안(長安, 지금의 서안)을 가리킨다.

175 두업(杜鄴) : ?~기원전 2년. 자는 자하(子夏)고, 무릉(茂陵 지금의 섬서성 홍평동북) 사람인데 원적(原籍)은 위군(魏郡) 번양(繁陽, 지금의 하남 내황동북)이다. 장창(張敞)의 외손(外孫)이며, 서한(西漢)의 대신(大臣)이다. 사령(辭令)을 잘 지었고, 특히 고문(古文)을 잘 썼다. 〈재이대(災異對)〉, 〈설왕상(說王商)〉, 〈한서본전(漢書本傳)〉, 〈서단(書斷)〉 등은 모두 당시 사람들에게 칭송받았다.

176 두업(杜鄴)은……하였다 : 杜子夏, 葬長安北四里. 臨終作文曰: '魏郡杜鄴立志忠款, 犬馬未陳, 奄先艸露. 骨肉歸於后土, 氣魂無所不之, 何必故丘然後即化. 封於長安北郭, 此焉宴息'. 及死, 命刊石埋於墓側.(《西京雜記》 卷3)

177 채옹(蔡邕) : 133~192. 중국 후한 말기의 학자로 자는 백개(伯喈)고, 진류군(陳留郡) 어현(圉縣 지금의 하남성 개봉시 어진) 사람이다. 서법과 음률에 뛰어나 일찍이 《동관한기(東觀漢記)》 편찬과 희평석경(熹平石經) 제작에 참여하였다. 후일 모함을 당해 쫓겨나 12년 동안 강해(江海)를 전전하였다. 동탁 집권 후 좨주(祭酒)가 되었고, 3일 사이에 시어사, 치서시어사, 상서, 시중, 좌중랑장 등을 역임하였다. 동탁 사후 사도(司徒) 왕윤(王允)에게 잡혀 하옥되었다. 얼굴에 문신을 새기는 경형(黥刑)과 뒤꿈치를 자르는 월형(刖刑)을 받은 뒤 《한사(漢史)》 찬수를 이어가겠다고 요청하였으나 받아들여지지 않았고, 옥중에서 생을 마쳤다. 문집 20권이 있었으나 실전되었고, 명나라 때 장부(張溥)가 《채중랑집(蔡中郎集)》을 집일하였다.

비간比干의 묘지명

주(周)나라가 봉분한 비간(比干) 묘의 동반명(銅盤銘)[178]이 천고(千古)에 묘지명의 원조가 된다. 원 위휘로 총관부 추관(元衛輝路摠管府推官)인 장숙(張叔)이 《여첩(汝帖)》[179]을 베껴 묘에 쓰니,[180] 그 글은 다음과 같다.

"왼쪽은 숲이요, 오른쪽은 샘이요, 앞은 언덕이며, 뒤는 길이다. 만세의 신령스러움이 여기에 보존되었다[左林右泉, 前岡後道, 萬世之靈, 於焉是保]"

격구에 사용한 운(韻)이 꽤 후세에 명법(銘法)이 될 만하다. 정원(鄭瑗)[181]이 《정관쇄언(井觀瑣言)》[182]에서 그 글이 아름다워 삼대와 같지 않다고 한 말은 믿을 만하다.

《여첩》은 바로 송나라 대관(大觀) 3년(1109)에 여주(汝州) 주지사 왕채(王采)가 돌에 새겨 군재(郡齋)에 둔 것이다. 왕채가 어디에서 《여첩》을 얻었는

---

178 동반명(銅盤銘) : 비간의 묘에서 발견된 구리로 만든 쟁반에 새겨진 명문(銘文)을 가리킨다. 명문의 글자는 다음과 같다. "右林左泉, 後岡前道(또는 前岡後道), 萬世之寧(또는 萬世之藏), 於焉是保(또는 玆焉是寶)."

179 여첩(汝帖) : 왕채(王采)가 《순화각첩(淳化閣帖)》, 《역첩(繹帖)》 및 삼대 이하에서 오계(五季)에 이르기까지 자서(字書) 백가 중 선진(先秦) 금문(金文) 8종 및 진한(秦漢)에서 수당(隋唐)에 이르기까지 오대명가의 서법 94종 모두 109첩을 선별하여 12석에 새겨 《여첩》이라 하였다.

180 원 위휘로 총관부 추관(元衛輝路摠管府推官)인……쓰니 : 원 위휘로 총관부 추관(元衛輝路摠管府推官)인 장숙(張叔)이 누구인지는 자세하지 않다. 다만 청나라 서내창(徐乃昌) 구장(舊藏) 탁본 사진을 보면 연우(延祐) 5년(1318)을 전후로 하여 세워졌던 것으로 추정된다. 이밖에 명대에 세워진 비석에 대해서는 고염무의 《금석문자기(金石文字記)》 권1 〈비간동반명(比干銅盤銘)〉에 "지금 급현(汲縣) 북쪽 15리 지점 비간의 묘에 있다. 《위휘부지(衛輝府志)》에 이르기를, '주 무왕이 비간표의 동반명을 봉(封)하였는데, 비석은 훼손되고 자획은 본래 모습을 잃어, 만력(萬曆) 15년(1587) 위휘부의 지부(知府) 주사신(周思宸)이 《여첩》의 글자를 다시 모사하여 묘 앞에 비석을 세웠다.[今在汲縣北十五里比干墓上. 《衛輝府志》曰: '周武王封比干墓銅盤銘, 碑石殘斷, 字畫失眞, 萬曆十五年, 知府周思宸, 重摹汝帖, 立石於墓前.]"라고 관련한 내용이 보인다.

181 정원(鄭瑗) : ?~?. 중국 명나라 때의 학자로 자는 중벽(仲璧), 호는 성재(省齋)며, 복건 포전(莆田) 사람이다. 성화(成化) 17년(1481) 진사가 되었고, 관직이 남경예부낭중(南京禮部郎中)까지 이르렀다. 경서와 역사에 두루 밝았고 시문을 잘 지었다. 저서에 《정관쇄언(井觀瑣言)》, 《조소집(蜩笑集)》 등이 있다.

182 정관쇄언(井觀瑣言) : 중국 명나라 때의 학자 정원이 편찬한 책이다. 정원 본인이 독서 중 떠오른 생각들을 그때그때 적어두었다가 편집하여 엮은 것으로, 책의 제목은 한유의 〈원도(原道)〉에서 나온 '좌정이관천(坐井而觀天)'에서 따온 것이다.

지 모르지만 《여첩》은 황백사(黃伯思)[183]에게 "한 푼의 가치도 없다."고 하는 비난을 받았으니, 또한 믿을 것이 못됨을 알 수 있다. 설상공(薛尙功)[184]의 《관지기(款識記)》[185]에서는 "당(唐) 개원(開元) 연간(713~741)에 언사(偃師) 사람이 밭을 갈다가 이 동반(銅盤)을 얻었다."고 하였고, 장방기(張邦基)[186]의 《묵장만록(墨莊漫錄)》[187]에서는 "정화(政和) 연간(1111~1118)에 조정에서 삼대(三代)의 정이(鼎彝)를 구하였다. 정당(程唐)[188]이 섬서제점다마(陜西提點茶馬)가 되고 이조유(李朝孺)[189]가 섬서전운(陜西轉運)이 되어 봉상(鳳翔)을 파견하여 비간의 묘소를 부수고 동반을 얻었다."고 하였다. 두 설이 모순되니 더욱 그 결점이 증명되었다.

청나라 서내창(徐乃昌) 구장(舊藏) 탁본 사진

---

183 황백사(黃伯思) : 1079~1118. 북송(北宋) 때의 서법가(書法家), 서학이론가(書學理論家)이다. 저서로는 《동관여론(東觀餘論)》이 있다.

184 설상공(薛尙功) : ?~?. 중국 남송 때의 학자로 자는 용민(用敏)이고, 절강 전당(錢塘 지금의 절강성 항주) 사람이다. 소흥(紹興) 연간에 통직랑(通直郎)이 되었고, 이후 관직이 첨서정강군절도판관청사(僉書定江軍節度判官廳事)까지 이르렀다. 박식하며 전주(篆籀)와 종정(鐘鼎) 등에 새겨진 명문에 정통하였다. 저서에 《역대종정이기관지법첩(曆代鍾鼎彝器款識法帖)》 20권이 있다.

185 관지기(款識記) : 중국 남송 때의 금석학자인 설상공의 저서 《역대종정이기관지법첩(曆代鍾鼎彝器款識法帖)》을 가리키는 듯하다. 여대림(呂大臨)의 《고고도(考古圖)》와 왕보(王黼)의 《선화박고도(宣和博古圖)》를 토대로 광범위하게 명문(銘文)을 수집하여 편집한 책으로, 511건의 명문이 수록되어 있다.

186 장방기(張邦基) : ?~?. 중국 송나라 때의 인물로 자는 자현(子賢)이고, 고우(高郵 지금의 강서성 고우시) 사람이다. 송 고종(宋高宗) 소흥 연간 초를 전후로 살았던 것으로 추정된다. 구체적인 사적(事跡)은 자세하지 않다. 저서로 《묵장만록(墨莊漫錄)》 10권이 전한다.

187 묵장만록(墨莊漫錄) : 중국 송나라 때의 장방기가 편찬한 책으로 대체로 잡다한 사건과 그에 대한 고증이 기록되어 있다. 시문에 관한 비평 등이 비교적 중요하게 여겨질 만한 문학사 사료로서 가치가 있어 주의해서 볼만하다.

188 정당(程唐) : ?~?. 중국 남송 때의 인물이나 구체적인 생애 및 행적은 미상(未詳)이다.

189 이조유(李朝孺) : ?~?. 중국 남송 때의 인물이나 구체적인 생애 및 행적은 미상(未詳)이다.

비음碑陰에 문생을 나열하다

문장가들은 유종원(柳宗元)[190]의 〈선우기(先友記)〉[191]가 천고(千古)에 독창적이라고 하나, 한(漢) 공주(孔宙)[192] 비(碑)의 비음(碑陰)[193]에 문생(門生), 고리(故吏)의 성명을 나열하여 새긴 것이 원조임을 모른다.[194] 공주 비음 62인에는 문생, 문동(門童), 고리, 제자의 구별이 있다. 설자(說者)는 직접 수업을 받은 자를 제자, 다음에 전수받은 자를 문생, 관례(冠禮)를 치르지 않은 자를 문동이라고 하였다. 그렇다면 이 비는 어째서 문생, 문동을 앞에 나열하고 제자를 뒤에 나열하였는가?

도치문

양신(楊愼)은 《단연잡록(丹鉛雜錄)》에서 고문에 도치문이 많다고 하면서 《한서(漢書)》의 중항열(中行說)의 말 "반드시 나일 것이다. 한나라를 근심스럽게 하는 자는[必我也 爲漢患者]"[195]과 관자(管子)의 말 "그대인가? 거나라 정

---

190 유종원(柳宗元) : 773~819. 중국 당나라 때의 문인으로 자는 자후(子厚), 호는 하동(河東)이며, 하동(河東, 지금의 섬서성 운성 영제 부근) 사람이다. 유주자사(柳州刺史)로 관직을 마쳤기 때문에 유유주(柳柳州)로도 불린다. 시보다는 산문에 뛰어났다. 덕종(德宗) 정원(貞元) 9년(793) 진사가 되었고, 집현전정자, 감찰어사 등을 지냈다. 관직에 있을 당시 한유, 유우석 등과 친분을 맺었다. 왕숙문(王叔文)과 뜻을 같이하여 그가 정권을 잡은 뒤 개혁정치에 참여하였다가 실패하여 좌천되었다. 고문(古文)의 대가로서 한유와 병칭되지만 사상적으로는 합리주의적 입장을 취하여 한유와 대비된다. 저서로 《유하동집(柳河東集)》이 있다.

191 선우기(先友記) : 작고한 부친의 벗에 대한 기록이라는 뜻으로, 유종원이 〈선군묘표비음선우기(先君墓表碑陰先友記)〉에 작고한 부친의 벗 67명을 기록하였다.

192 한(漢) 공주(孔宙) : 공자의 18세손이자 건안칠자(建安七子)의 한 사람인 북해태수(北海太守) 공융(孔融)의 아비이다.

193 비음(碑陰) : 비석의 앞, 겉면을 비양(碑陽), 뒷면을 비음(碑陰)이라고 하고, 새겨진 글을 명(銘), 비음부분에 새겨진 글을 음기(陰記) 또는 비음(碑陰)이라고 한다.

194 한(漢)……모른다 : 공주(孔宙)의 비인 《한태산도위공주비(漢泰山都尉孔宙碑)》의 후면에는 문생(門生) 42명, 문동(門童) 1명, 고리(故吏) 8명, 고민(故民) 1명, 제자 10명 도합 62명의 지역과 성명, 자(字)가 차례대로 새겨져 있다. 비석 전면에는 비석을 세운 때를 연희(延熹) 7년(164)으로 밝히고 있다.

195 반드시……자는[必我也 爲漢患者] : 《전한서(前漢書)》 권94상 〈흉노전〉에 보인다.

벌을 말하는 자는[子邪 言伐莒者]"[196]을 인용하여 증명하였으니, 그 말이 옳다. 내가 〈단궁(檀弓)〉[197] 편을 살펴보니 공자께서 "누구인가? 곡자는[誰歟哭者]"[198]이라고 하셨다. 이것이 도치문의 원조인데 양신이 인용하지 않은 것은 어째서일까?

헐후歇後

《농암잡지(農巖雜識)》[199]에서 헐후(歇後)[200]의 뜻을 풀이하면서 《야객총서(野客叢書)》[201]와 《노학암필기(老學庵筆記)》를 다방면으로 인용하여 증명하였는데 설명이 잘 갖추어졌다. 지금 양신(揚愼)의 《단연잡록(丹鉛雜錄)》을 보니 다음과 같이 말하였다.

"문장(文章)에 헐후어와 비슷한 곳이 있다. 예를 들면 도연명(陶淵明)[202]의 시에 '다음으로 기쁜 것은 형제를 만난 것이지[再喜見友於]'[203]라고 하였고, 두

---

196 그대인가?……자는[子邪 言伐莒者] : 《관자(管子)》 권16 〈소문(小問)〉에 보인다.

197 단궁(檀弓) : 《예기》에 실린 편명의 하나이다. 편 첫머리가 단궁(檀弓)이라는 인물의 일로 시작하기에 이 사람의 이름이 그대로 편명이 되었다. 복상(服喪), 매장(埋葬) 등 상례(喪禮)에 관련한 내용이 많이 실려 있다.

198 누구인가? 곡자는.[誰歟 哭者] : 《예기》 〈단궁 상〉에, 공자의 아들 백어(伯魚)가 모친의 상을 당하여 기년이 지났는데도 곡하였는데, 공자가 누가 곡을 하는지 묻고는 심하다고 탄식하자 백어가 곡을 그쳤다는 내용이 보인다.

199 농암잡지(農巖雜識) : 농암 김창협이 지은 것으로 《농암집》 권31~34에 수록되어 있다. 내편(內篇) 3편, 외편(外篇) 1편의 네 편으로 총 410칙이 수록되어 있다.

200 헐후(歇後) : 헐후어(歇後語)라고도 한다. 헐후어는 말의 끝부분을 숨기고 말하지 않는 것으로, 어떤 문장의 일부를 따서 그 문장 전체가 갖는 의미를 부여하는 것인데, 이 경우 따온 말 자체만으로는 원래의 의미를 유추할 수가 없다. (강명관 지음, 《농암잡지평석》, 소명출판, 2007, 369면)

201 야객총서(野客叢書) : 중국 남송 때의 학자 왕무(王楙)가 지은 책으로 전적에 대한 고증부터 송나라 및 역대의 일사(軼事)를 잡다하게 기록하였다.

202 도연명(陶淵明) : 365~427. 중국 동진 말기의 시인 도잠(陶潛)이다. 자는 원량(元亮)이고, 연명(淵明)도 또 다른 자이다. 집 문 앞에 버드나무 다섯 그루를 심고 스스로를 오류선생(五柳先生)이라 칭했다. 세상을 떠난 뒤 벗들이 그에게 '정절(靖節)'이란 사시(私諡)를 지어주었다. 강주좨주(江州祭酒), 건위참군(建威參軍), 팽택현령(彭澤縣令) 등을 지냈다. 의희(義熙) 2년(406) 팽택현령이 된 지 80여 일 만에 누이의 죽음을 구실로 사직하였다. 이때 지은 〈귀거래사(歸去來辭)〉가 유명하다. 저서로 《도연명집(陶淵明集)》이 있다.

203 다음으로……만난 것이지 : 도연명의 〈경자세오월중종도환조풍어규림(庚子歲五月中從都還阻風於規林)〉의 한 구절이다. 友於는 《서경》 〈군진(君陳)〉의 "오직 효도하고 형제에게 우애 있어 정사에 베

보(杜甫)의 시에 '형제들이 모두 뛰어나서[友於皆挺拔]'204, '들새와 산꽃은 나의 형제라네[野鳥山花吾友於]'205라고 하였다. 《남사(南史)》206에는 '도신(到藎)207이 무제(武帝)208를 따라 누대에 올라 시를 지었는데, 무제의 명을 받고서 즉시 완성한 것이었다. 무제가 도신의 조부인 도개(到漑)209에게 다음과 같이 말했다. 「도신은 실로 덕과 재주를 겸한 자이니, 그럴 리는 없겠지만 혹시 경(卿)이 글을 지을 적에 자손[貽厥]210의 솜씨를 빌린 것은 아닌가?」211라고 하였다."212

우어(友於)와 이궐(貽厥)을 헐후어로 여긴 것이 《야객총서》와 어렴풋이 부합하니,213 《단연잡록》이 《야객총서》를 답습한 것인가? 아니면 우연히

풀어지는 것이다.[惟孝, 友於兄弟, 克施有政.]"에서 나왔다.

204 형제들이 모두 뛰어나서 : 두보의 〈봉증태상장경기이십운(奉贈太常張卿垍二十韻)〉의 한 구절이다.

205 들새와 산꽃은 나의 형제라네 : 두보의 〈악록산도림이사행(嶽麓山道林二寺行)〉의 한 구절이다. 《두시상주(杜詩詳注)》에는 野鳥가 山鳥로 되어 있다.

206 남사(南史) : 당(唐)나라 이연수(李延壽)가 편찬한 기전체(紀傳體) 사서(史書)이다. 송(宋), 남제(南齊), 양(梁), 진(陳) 등 남북조시대(南北朝時代) 남조(南朝)의 네 왕조의 역사를 기술하였다.

207 도신(到藎) : ?~?. 남조 양나라의 문장가인 도개(到漑)의 손자로 문장가이자 정치가인 조부의 자질을 물려받았다. 양 무제의 총애를 받았다.

208 무제(武帝) : 464~549(재위 502~549). 남조 양나라의 초대 황제 소연(蕭衍)이다. 자는 숙달(叔達), 소자는 연아(練兒), 묘호는 고조(高祖)이다. 제나라 말인 영원(永元) 2년(500) 황실이 어지러워지자 동혼후(東昏侯)에 대한 타도군을 일으켜 도읍인 건강(建康)을 함락시킨 뒤 남제를 멸망시키고 정권을 장악하면서 양왕(梁王)에 봉해졌다. 이어 제나라 화제(和帝)를 폐위하고 제위에 올라 국호를 양(梁)이라 했다.

209 도개(到漑) : 저본에는 '溉'로 되어 있는데, 《남사(南史)》 권25 〈도언지전(到彦之傳)〉 등에 근거하여 개(漑)로 바로잡아 번역하였다. 477~548. 자는 무관(茂灌)이다. 중국 남조(南朝) 양(梁)나라 무제(武帝) 때의 문장가이며 정치가로, 젊어서 가난했으나 임방(任昉)의 지우를 입어 이름이 널리 알려지기 시작했다.

210 자손[貽厥]: 여기서 자손은 도개의 손자인 도신을 가리킨다. 이궐(貽厥)은 《서경》 〈오자지가(五子之歌)〉에 "전칙(典則)이 있어 자손들에게 남겨주셨네.[有典有則, 貽厥子孫.]"에서 나온 표현이다.

211 도신은……아닌가 : 《남사(南史)》 권25 〈도언지전(到彦之傳)〉에 전문이 보인다. 전문은 다음과 같다. "도경(到鏡 도개의 아들)의 아들 도신이 어려서부터 총명하고 지혜로워 관직이 상서전중랑에 이르렀다. 일찍이 무제를 따라 경구(京口)로 가서 북고루(北顧樓)에 올라 시를 지었다. 도신이 명을 받자마자 바로 화운(和韻)하여 시를 바치니, 무제가 이를 도개에게 보여주며 말하기를, '도신은 실로 덕과 재주를 겸한 자이니, 혹시 경이 종래에 지은 문장들도 도신에게 솜씨를 빌린 것이오?' 하고 비단 20필을 하사하였다. 이후에도 도개가 무제의 시에 화운시를 지을 때마다 무제가 매번 수조(手詔)로 도개에게 농담하기를, '자손의 힘을 빌린 게 아니오?'라고 하였다.[鏡子藎, 早聰慧, 位尙書殿中郎. 嘗從武帝, 幸京口, 登北顧樓, 賦詩. 藎受詔便就, 上以示漑曰: '藎定是才子, 翻恐卿從來文章, 假手於藎?' 因賜絹二十疋. 後漑每和御詩, 上輒手詔戲漑曰: '得無貽厥之力乎?']"

212 문장(文章)에……하였다 : 文章有似歇後語處. 如淵明詩'再喜見友於', 杜詩'友於皆挺拔', '野鳥山花吾友於', 南史'到藎從武帝, 登樓賦詩, 受詔即成. 帝謂其祖漑曰:藎實才子. 卻恐卿文章得無假手於貽厥乎?'(揚愼, 《丹鉛雜錄》 卷14)

합치된 것인가? 다만 양신이 또 "형제를 일컬어 재원천속(在原天屬)이라 하고, 고향을 일컬어 유상지리(維桑之裏)라 하고, 스승을 일컬어 재삼지의(在三之義)라 하고, 자식을 일컬어 즉백지상(則百之祥)이라 한다."는 말을 인용하여 헐후의 의미를 증명하였는데 꼭 그런지는 알 수가 없다. 헐후라고 하는 것은 말은 끝나지 않았지만 의미가 완전한 것을 말한다. 형제를 '재원(在原)'[214]이라 하고, 고향을 '유상(維桑)'[215]이라 하고, 스승을 '재삼(在三)'[216]이라 하고, 자식을 '즉백(則百)'[217]이라 한다면 헐후어라고 할 수 있다. 그런데 지금 '재원' 다음에 '천속' 두 글자를 붙였고, '유상' 다음에는 '지리'를, '재삼' 다음에는 '지의'를, '즉백' 다음에는 '지상'을 각각 붙였으니, 이런 경우에는 어의가 이미 충분하여 미진한 뜻이 없다. 어떻게 헐후어라고 할 수 있겠는가.

《이소離騷》[218]의 구법句法

장지한(蔣之翰)[219]이 다음과 같이 말하였다.

---

213 우어(友於)와……부합하니 : 《야객총서》 권20 〈이궐우우등어(詒厥友于等語)〉 조 첫머리에, "홍구부(洪駒父)가 이르기를, 세간에 형제를 일러 우우(友于)라 하고, 자손을 일러 이궐(詒厥)이라 하는 것이 헐후어라 하였다.[洪駒父云世謂兄弟爲友于; 謂子孫爲詒厥, 歇後語也.]"라고 한 내용이 보인다.

214 재원(在原) : 《시경》 〈소아(小雅)·상체(常棣)〉의 "척령이 언덕에 있으니, 형제가 어려움을 급히 여기누나.[脊令在原, 兄弟急難.]"에서 나온 표현으로 在原만 가지고 형제의 뜻으로 삼은 것이다.

215 유상(維桑) : 《시경》 〈소아·소반(小弁)〉의 "뽕나무와 가래나무도 반드시 공경에 그칠 바가 있는 것이거든, 바라보는 것이 아버지 아닌 경우가 없으며, 의지하는 것이 어머니 아닌 경우가 없도다.[維桑與梓, 必恭敬止, 靡瞻匪父, 靡依匪母.]"에서 維桑은 부모가 계시는 고향을 뜻한다.

216 재삼(在三) : 《논어》 〈선진〉의 "공자가 광(匡)에서 곤란한 지경에 처하였는데……안연이 말하기를 선생님께서 계신데 제가 어찌 감히 죽을 수 있겠습니까?[子畏於匡, ……曰子在, 回何敢死]"의 주석에 "호씨가 말하기를 선왕의 제도에 백성은 세 사람으로 사니 섬기기를 한결같이 하여……[胡氏曰先王之制, 民生於三, 事之如一……]"라고 하였는데, 경문의 在와 주석의 三을 합하여 만든 것이다.

217 즉백(則百) : 《시경》 〈대아·사재(思齊)〉의 "태사가 아름다운 명성을 이었으니, 아들이 백 명이나 되도다[大姒嗣徽音, 則百斯男]"에서 나온 말이다.

218 이소(離騷) : 중국 전국시대 초나라 굴원(屈原)의 작품이다. 제목의 이(離)는 걸림, 소(騷)는 근심으로, 근심을 만났다는 뜻이다. 초나라 회왕과 뜻이 맞지 않아 벼슬에서 물러난 처지에서 느끼는 실망과 나를 걱정하는 마음을 노래하였다. 한대(漢代) 이후의 시부(詩賦)에 큰 영향을 끼쳐, 성인의 말씀이 담긴 서적을 뜻하는 경(經) 자를 덧붙여 〈이소경(離騷經)〉이라 부르기도 한다.

"〈이소경(離騷經)〉은 마치 거센 파도와 세찬 여울이 막혀서 흐르지 못하는 것과 같고, 마치 커다란 고래와 푸른 용이 웅크리고 있으면서 펴지 못하는 것과 같으며, 마치 광석과 옥 덩어리가 진흙과 모래에 가려져 쓰이지 못한 것과 같고, 마치 반짝이는 별빛과 밝은 달이 은하수에 가려져 나오지 못하는 것과 같다."[220]

전수지(錢受之)[221]가 매번 이러한 구법(句法)을 즐겨 답습하곤 했다.

《한시외전韓詩外傳》

《한시외전(韓詩外傳)》[222]에서 언급한 윤편(輪扁)의 일은 대체로 《장자(莊子)》를 답습한 것이다. 그러나 제 환공(桓公)은 초 성왕(成王)으로 되어 있고, 윤(輪)은 윤(倫)으로 되어 있다.[223] 게다가 장자의 이른바 "전할 수 없다."라는 것은 즉, 감고질서(甘苦疾徐)의 솜씨[224]를 가리킨 것이지만, 《한시외전》에서는 "나무 세 개를 합쳐서 하나로 만드는 것"[225]을 전할 수 없는

---

219 장지한(蔣之翰) : ?~?. 송나라 사람으로 철종(哲宗) 원우(元祐) 연간(1086~1094)에 소주(蘇州)를 다스렸다. 북송 때의 문신인 장지기(蔣之奇, 1031~1104)의 형이다.

220 〈이소경(離騷經)〉은……같다 : 離騷經, 若驚瀾奮湍鬱閉而不得流, 若長鯨蒼虬偃蹇而不得伸, 若渾金璞玉泥沙掩匿而不得用, 若明星皓月雲漢蒙蔽而不得出.(《升菴集》 卷52 〈蔣之翰稱離騷〉)

221 전수지(錢受之) : 1582~1664. 중국 명말 청초 시기의 학자 전겸익(錢謙益)으로, 자는 수지(受之), 호는 목재(牧齋), 어초사(漁樵史), 우산종백(虞山宗伯), 상호(尙湖), 몽수(蒙叟), 동간유로(東澗遺老) 등이다. 강소성 상숙(常熟) 출생으로, 예부상서(禮部尙書) 등을 지냈다. 저서로는 《초학집(初學集)》, 《유학집(有學集)》, 《국초군웅사략(國初群雄史略)》 등이 있으나, 건륭제(乾隆帝) 때 그의 변절이 크게 문제되어 일체의 저작이 금절(禁絕)되었다.

222 한시외전(韓詩外傳) : 중국 한(漢)나라 때 한영(韓嬰)의 저서로 본래 내전(內傳) 4권, 외전(外傳) 6권 총 10권으로 구성되었으나, 남송 이후 외전 6권만이 전한다. 일사(軼事)나 도덕적 설교, 윤리 규범에 대한 내용이 뒤섞여 편집되어 있다. 대체로 매 조목 말미마다 《시경(詩經)》을 인용하여 결론을 맺으며 글에서 주장하는 관점을 지지하였다.

223 윤(輪)은 윤(倫)으로 되어 있다 : 사부총간(四部叢刊)에 수록된 《한시외전》에 '倫'으로 되어 있다.

224 감고질서(甘苦疾徐)의 솜씨 : 《장자》 〈천도(天道)〉에 나오는 말이다. 윤편(輪扁)이 제 선왕에게 바퀴 구멍을 깎을 때 너무 깎으면 헐거워지고 덜 깎으면 빡빡하게 되는데, 맞춤하게 깎는 솜씨는 가르쳐 줄 수 있는 것이 아니라 마음으로 터득해야 한다고 한 말에서 유래한다.

225 나무……것 : 《한시외전》 권5에 실려 있는 내용이다. 윤편(輪扁)이 초 성왕에게 둥글고 곧게 만드는 것은 쉽게 전수할 수 있지만 나무 세 개를 합쳐 하나로 만드는 것은 마음으로 터득해야 하므로 전수해 줄 수 없다고 하였다.

것이라고 하였으니, 나무 세 개를 합쳐서 하나로 만든다는 것이 밖으로 드러난 자질구레한 법도에 불과할 뿐 전할 수 없는 신묘한 조화와 오묘한 작용이 아님은 모른 것이다. 이는 참으로 호백구(狐白裘)를 훔치려는 서툰 도적[226]이다.

'근僅' 자의 쓰임

우리나라 사람들은 '僅' 자를 대부분 '少'의 뜻으로 쓰는데, 문헌에 기록되어 있는 것과 상당히 달라서 일찍이 의심했었다. 당(唐)나라 이전에는 대체로 '餘'의 뜻으로 썼는데, 우리나라에서 오류를 답습하여 '少'의 뜻으로 썼다고 할 수 있다. 지금 왕사진(王士禛)[227]의 《향조필기(香祖筆記)》[228]를 보니, "'僅' 자는 '少'와 '餘' 두 가지 뜻이 있다. 당인(唐人)들은 대부분 '餘'의 뜻으로 사용했다."라고 하였다. 또 원미지(元微之)[229]의 "봉장(封章)[230] 간초(諫草)가 매우 많아서, 상자에 가득 쌓여 백축(百軸)이 넘는다."[231]라는 말

226 호백구(狐白裘)를……도적 : 전국시대 제(齊)나라의 맹상군(孟嘗君) 전문(田文)이 일찍이 진(秦)나라에 들어갔다가 참소를 당하여 갇혔을 때, 진 소왕(秦昭王)의 총희(寵姬)를 구슬려 탈출하였는데 총희가 호백구(狐白裘)를 요구하였다. 앞서 진 소왕에게 바친 한 벌뿐이어서 구할 길이 없었는데 맹상군의 식객 중에 개처럼 도둑질을 잘하는 자가 있어 진 소왕에게 바쳤던 호백구를 몰래 훔쳐다 총희에게 주어 풀려나게 되었다는 고사가 《사기》 권75 〈맹상군열전〉에 전한다. 여기에서는 《한시외전》에 실린 윤편의 일이 《장자》의 내용을 답습하였으나 호백구를 훔쳐 낸 도둑처럼 솜씨가 좋게 베끼지는 못했음을 가리켜 말한 것이다.

227 왕사진(王士禛) : 1634~1711. 왕사정(王士禎)으로 사진(士禛)은 그의 본명이다. 자는 이상(貽上) 또는 자진(子眞)이고 호는 완정(阮亭), 어양산인(漁洋山人)이며, 시호는 문간(文簡)이다. 옹정제의 이름자를 피휘하여 사정(士正)으로 고쳤는데, 건륭제가 다시 사정(士禎)이라는 이름을 하사하였다.

228 향조필기(香祖筆記) : 중국 청나라 초기의 문인인 왕사정의 필기류 저작이다. 《거이록(居易錄)》, 《지북우담(池北偶談)》, 《황화기문(皇華紀聞)》에 이어 저자의 말년에 편찬된 책으로, 강희 41년(1702)부터 43년(1704)까지 대략 3년 사이에 저술되었으며, 모두 12권이다. 필기류 저작인 만큼 굉장히 다양하고 광범위한 내용을 다루고 있다.

229 원미지(元微之) : 779~831. 당나라 사람 원진(元稹)으로 미지(微之)는 자이다. 백거이와 함께 원백(元白)으로 불렸다. 저서에 《원씨장경집(元氏長慶集)》 60권과 《앵앵전(鶯鶯傳)》이 있다.

230 봉장(封章) : 밀봉(密封)하여 임금에게 상주(上奏)하던 의견서로 봉사(封事), 봉주(封奏)라고도 한다.

231 봉장(封章)……넘는다 : 원진의 문집인 《원씨장경집(元氏長慶集)》 권22에 〈군무초간인득정비구시병연철분삭봉장번위협사근유백축우성자탄인기낙천(郡務稍簡因得整比舊詩并連綴焚削封章繁委篋笥

과, "백낙천(白樂天)[232]의 남긴 글이 천 수도 넘는다."[233]라는 구절을 인용하여 '餘'의 뜻을 증명하였다. 또 송인에 이르러서야 비로소 '少'의 뜻을 따랐고 지금까지도 그대로 사용하고 있다."라고 하였다.[234] '僅' 자를 '少'의 뜻으로 사용한 것이 전적으로 우리나라 사람들이 거칠고 미숙한 데서 나온 것이 아님을 비로소 알게 되었다. 다만 예나 지금이나 글자의 용법이 이와 같이 상반되니, 무엇 때문에 그런 것인지 도대체 모르겠다.

지팡이에 새긴 경계의 글, 장명杖銘

기억해 보건대, 병오년(1786, 정조10)에 내가 용주(蓉洲)[235]에서 할아버지 문정공(文靖公)[236]의 명으로 지은 〈장명(杖銘)〉에, "경계하고 경계할지어다. 넘어지는데도 붙들어 주지 않고 위태로운데도 잡아주지 않는다면, 저 돕는 자를 어디에 쓰겠는가."[237]라고 하였다.

僅逾百軸偶成自歎因寄樂天)〉이란 시 제목이 보인다.

232 백낙천(白樂天) : 772~846. 중국 당나라 때의 시인 백거이(白居易). 자는 낙천(樂天), 호는 향산거사(香山居士), 취음선생(醉吟先生), 화주(華州) 하규(下邽) 사람이다. 현실주의적 시를 주로 썼다. 유우석과 함께 '유백(劉白)'이라 병칭되기도 한다. 관직은 한림학사, 좌찬성대부까지 이르렀다. 저서로 《백씨장경집(白氏長慶集)》이 전한다.

233 글이……넘는다 : 《백씨장경집(白氏長慶集)》 권1 〈상당구(傷唐衢)〉 2수 중 첫 수에 보인다. 인용된 원문은 다음과 같다. "遺文僅千首, 六義無差忒"

234 '僅' 자는……하였다 : 僅字有少、餘二義, 唐人多作餘義用. 如元微之云: "封章諫草, 繁委箱笥, 僅逾百軸." 白樂天《哭唐衢詩》: "著文僅千首. 六義無差忒." 小說《崔煒傳》: "大食國有陽遂珠, 趙佗令人航海, 盜歸番禺, 僅千載矣." 《甘澤謠》〈陶峴傳〉: "浪跡怡情, 僅三十載." 《摭言》: "曲江之宴, 長安僅於半空." 《玉壺清話》〈南唐先主傳〉: "吳越災, 遣使唁之, 賚帑幣糧鏹, 僅百餘艘"之類. 至宋人始奉從少義, 迄今沿用之.(王士禛, 《香祖筆記》 卷2)

235 용주(蓉洲) : 서유구의 조부 서명응(徐命膺)은 도성 생활에 염증을 느껴 한강으로 물러나 살았다. 서명응이 살던 곳은 농암(籠巖)이라는 곳으로 밤섬 근처에 있었다. 그 앞의 물가를 용주(蓉洲)라고 하고, 그 일대의 한강을 부용강(芙蓉江)이라 불렀다. 서유구는 조부를 모시고 함께 용주에 살면서 자신의 호를 용주자(蓉洲子)라 하고 집 이름은 용주정사(蓉洲精舍)라고 하였다.

236 문정공(文靖公) : 서명응(徐命膺, 1716~1787)으로, 본관은 대구(大邱), 자는 군수(君受), 호는 보만재(保晩齋)·담옹(澹翁)이다. 대사간·이조 판서 등을 역임하였다. 역학(易學)에 정통하였고, 북학파(北學派)에 속한다. 저서로는 《보만재집》, 《보만재총서》 등이 있다.

237 경계하고……쓰겠는가 : 戒之哉, 戒之哉. 顚而不扶, 危而不持, 將焉用彼相爲? (《楓石鼓篋集》 卷6 〈雜著〉)

뒤에 전수지(錢受之)의 《초학집(初學集)》[238]에 있는 〈장명〉을 보았는데, "써주면 도를 행하고 버리면 은둔하는 것을 오직 나와 너만이 할 수 있으니, 위태로운데도 잡아주지 않고 넘어지는데도 붙들어주지 않는다면 저 것을 어디에 쓰겠는가."[239]라고 하였다. 두 일이 모두 《논어》에서 나왔는데,[240] 대구(對句)가 매우 정밀하여 마치 하늘이 지어낸 〈장명〉인 듯하였다. 나는 옛사람이 가져다 비유를 드는 것을 잘함에 깊이 탄복하고, 내가 하나만 들고 하나는 빠뜨린 것을 부끄럽게 여겼다.

근자에 송(宋)나라 장단의(張端義)[241]의 《귀이집(貴耳集)》[242]에 실린 장자암(張紫巖)[243]의 〈공명(筇銘)〉을 살펴보니, 전부 《논어》의 두 대구[聯]를 사용하였고, 두 '이(而)' 자와 두 '지(之)' 자를 산삭했을 뿐이다. 전수지가 일찍이 이것을 보지 않았겠는가? 아니면 우연히 절묘하게 같았던 것인가?

나는 장단의의 《귀이집》에 실린 〈장명〉에서 오로지 《논어》의 두 대구를 사용한 점을 들어 전수지의 〈장명〉이 우연히 절묘하게 같았던 것이라 의심했다. 그런데 지금 주밀(周密)[244]의 《제동야어(齊東野語)》[245]에 고금의 미

---

238 초학집(初學集) : 중국 명말 청초 시기의 학자 전겸익의 저서로 《목재초학집(牧齋初學集)》으로도 불린다. 전겸익이 청나라에 투신하기 전, 명나라 멸망 전에 지은 작품들이 수록되어 있다. 당시 동북방의 병화에 대한 관심, 환관과 간신에 대한 통한을 서술한 시 등 다양한 작품이 수록되어 있다. 모두 110권이다.

239 써주면……쓰겠는가 : 用之則行, 舍之則藏, 惟吾與爾, 危而不持, 顚而不扶, 將焉用彼?(錢謙益, 《初學集》 八)

240 두 일이……나왔는데 : 앞의 세 구절은 《논어》의 〈술이(述而)〉에 보이고, 뒤의 세 구절은 〈계씨(季氏)〉에 보인다.

241 장단의(張端義) : ?~?. 중국 송나라 때의 문인으로 자는 정부(正夫), 호는 전옹(荃翁)이다. 정주(鄭州) 출생으로 소주(蘇州)에 살았다. 단평(端平) 연간에 조서에 응하여 세 차례 글을 올렸다가 망언을 했다고 하여 소주(韶州)에 안치(安置)되었다. 저서로는 《귀이집(貴耳集)》 등이 있다.

242 귀이집(貴耳集) : 중국 송나라 때 사람 장단의의 문집이다. 시인, 문인에 관련된 비평이 약 100여 조로 전체의 40%가량을 차지한다. 당송 때의 인물들은 물론, 금나라와 서하의 문인에 대한 시와 일사(軼事)가 수록되어 있다. 상중하 3권이다.

243 장자암(張紫巖) : 1097~1164. 중국 남송 때의 대신 장준(張浚)으로, 자는 덕원(德遠)이며, 한주(漢州) 면죽(綿竹) 출생이다. 남송 때 재상을 지냈다. 시어사(侍禦史) 등의 벼슬을 지냈다. 금(金)나라에 대항하여 싸우자는 주전파(主戰派)의 영수이다.

244 주밀(周密) : 1232~1298. 중국 남송 때의 학자로, 자는 공근(公謹), 호는 초창(草窓)·소재(霄齋) 등이다. 출생지는 항주(杭州)라고 전하며, 의오 현령(義烏縣令) 등을 지냈다. 송나라가 망하자 원(元)나라에 벼슬하지 않고 변산(弁山)이란 곳에 은거하였다.

어(謎語)[246]를 하나하나 기술한 것을 보니, 거기에 "주장(拄杖)은 '써주면 도를 행하고 버리면 은둔하는 것을 오직 나와 너만이 할 수 있으니, 위태로운데도 잡아주지 않고 넘어지는데도 붙들어주지 않는다면 저것을 어디에 쓰겠는가.[用之則行, 捨之則藏, 惟我與爾, 危而不持, 顚而不扶, 則焉用彼?]'라고 하였다."[247]라고 하였으니, 이 두 대구는 바로 예부터 전해오던 지팡이에 대한 미어(謎語)로, 전수지가 보지 않았을 리 없다는 것을 더욱 알게 되었다.

나는 일찍이 장단의의 《귀이집》에 실린 장자암의 〈장명〉에 의거하여, 전수지의 〈장명〉이 전인(前人)을 그대로 따랐다고 의심했다. 지금 송나라 악가(岳柯)[248]의 《정사(桯史)》에 실린 장자암의 〈장명〉을 보니 매우 자세하다. 이제 그 전문(全文)[249]을 기재하니 다음과 같다.

"장자암이 15년 동안 유배지에 살면서 밤낮으로 나라를 걱정하여 마음에 잊지 못하였다. 마침 권력을 잡은 간신이 막 죽었는데, 당시 재상은 오랑캐와의 우호를 믿고 변방의 방비를 견고하게 하지 않았다. 자암이 모친의 상중에 상소하여 이 일을 논하였는데, 조정에서는 이를 미쳤다고 여겨 다시 조서를 내려 영릉(零陵)[250]에 살게 하였다. 하루는 개탄하며 〈궤간환묵(几間丸墨)〉과 〈상지공죽장(常支笻竹杖)〉이란 두 명(銘)을 지어 자신의 뜻을 담았다. 〈묵명(墨銘)〉에 '어두운 곳에 몸을 두었는데, 천하의 이치가 이로 인해 밝아지도다. 이는 소상(瀟湘)의 보물이니, 내 너와 함께 늙으리라[存身乎昏昏, 而天下之理, 因以昭昭. 斯爲瀟湘之寶, 予將與之歸老]'라고 하였고, 〈장

---

245 제동야어(齊東野語) : 중국 남송 때의 학자 주밀이 편찬한 책이다. 필기류 저작답게 다양한 내용이 수록되어 있으며, 그중 특히 송원 교체기에 조정에서 발생했던 큰 사건들을 기록한 것이 많아 사료적 가치가 있다. 모두 20권이다.

246 미어(謎語) : 우의적으로 다른 사물을 빗대어 은연중에 어떤 뜻을 나타내거나 풍자하는 말이다.

247 주장(拄杖)은……하였다 : 拄杖云: 用之則行, 舍之則藏, 惟我與爾. 危而不持, 顚而不扶, 則焉用彼.(《齊東野語》 卷20 〈隱語〉)

248 악가(岳珂) : 1183~1243. 남송 때의 문학가로, 자는 소지(肅之)이며, 호는 역재(亦齋)·권옹(倦翁)이다. 상주(相州) 탕음(湯陰) 출신으로, 장수 악비(岳飛)의 손자이다. 호부시랑(戶部侍郞) 등을 지냈다.

249 전문(全文) : 《정사(桯史)》 권10 〈자암이명(紫巖二銘)〉에 보인다.

250 영릉(零陵) : 지명으로, 지금의 호남성 영원(寧遠)의 동남쪽에 있다.

명〉에 '써주면 도를 행하고 버리면 은둔하는 것을 오직 나와 너만이 할 수 있으니, 위태로운데도 잡아주지 않고 넘어지는데도 붙들어주지 않는다면 저것을 어디에 쓰겠는가[用則行, 捨則藏, 惟我與爾, 危不持, 顚不扶, 則焉用彼?]'라고 하였다. 어떤 사람이 기록하여 당국자에게 보여주자, 크게 노하며 자기를 풍자했다고 여겼다. 장차 아뢰려고 하였는데 마침 병으로 죽어 아뢰지 못했다. 훗날 정헌(正獻) 진준경(陳俊卿)[251]이 효종(孝宗)[252]을 위하여 암송하니, 효종이 하나의 명(銘)을 뽑아 어장(御杖)에 적었다."

《열자列子》

《열자(列子)》[253]에 이런 말이 있다.

"선행은 명성을 바라지 않는데도 명성이 따르고, 명성은 이익을 바라지 않는데도 이익이 돌아오며, 이익은 남과의 다툼을 바라지 않는데도 다툼이 생긴다."[254]

구법(句法)이 《전국책(戰國策)》의 "존귀함은 부유함을 바라지 않는데도 부유하게 되고, 부유함은 사치하려고 하지 않는데도 사치하게 된다."[255]라는 문장을 완전히 답습하였다. 나는 그래서 《열자》가 후대 사람에 의해

---

251 진준경(陳俊卿) : 1113~1186. 송나라 때의 사람으로, 자는 응구(應求), 시호는 정헌(正獻)이다. 포전(莆田) 출신이다. 벼슬은 상서우복야(尙書右僕射) 등을 지냈다. 치란(治亂)과 안위(安危)에 관해 바른말을 잘하였다.

252 효종(孝宗) : 송 효종(宋孝宗, 1127~1194)을 가리킨다. 1161년부터 1189년까지 재위하였다. 송조(宋朝) 제11대 황제이며, 남송(南宋)으로는 2대 황제이다. 남송 제일의 명군(名君)으로 평가된다.

253 열자(列子) : 중국 전국시대 때의 인물인 열어구(列禦寇 열자)와 그의 제자들이 저술하였다고 하는 책. 당 현종 때부터 《충허진경(沖虛眞經)》으로도, 북송 때부터 《충허지덕진경(沖虛至德眞經)》으로도 불린다. 천서(天瑞)·황제(黃帝)·주목왕(周穆王)·중니(仲尼)·탕문(湯問)·역명(力命)·양주(楊朱)·설부(說符)의 8편으로 구성되어 있다. 전한 말기 유향이 교정하여 8권이 되었고, 동진(東晉) 때의 장담(張湛)이 주를 달았다.

254 선행은……생긴다 : 楊朱曰: 行善不以爲名而名從之, 名不與利期而利歸之, 利不與爭期而爭及之, 故君子必愼爲善.(《列子》 卷8 〈說符〉)

255 존귀함은……된다 : 夫貴不與富期而富至, 富不與粱肉期而粱肉至, 粱肉不與驕奢期而驕奢至, 驕奢不與死亡期而死亡至.(《戰國策》 卷20 〈趙策 三〉)

지어진 것이라고 의심한다.

상앙商鞅이 진 효공秦孝公을 세 번 만나다

《사기(史記)》에 상앙이 진 효공(秦孝公)을 세 차례 만난 일을 서술하였는데,[256] 이는 《남화경(南華經)》의 호자(壺子)가 무당 계함(季咸)을 세 번 만난 한 단락[257]을 완전히 모방하였다.

부정斧政

요즘 사람들은 시문(詩文)을 서로 주면서 번번이 '부정을 올린다[呈斧政]'라고 하니, 그 도끼로 깎아서 교정해주기를 바라며 올린다는 말이다. 《문람(文覽)》[258]에 다음과 같이 말하였다.

"두보(杜甫)의 아들 종무(宗武)[259]가 완 병조(阮兵曹)에게 시를 올렸는데, 완 병조가 돌도끼 한 자루로 응답하고 심부름꾼을 통해 시(詩)를 함께 돌려보냈다. 종무가 말하기를, '부(斧)는 아버지의 도끼[父斤]이니, 병조께서

---

256 《사기(史記)》에……서술하였는데 : 상앙이 진 효공을 만난 일은 《사기》 권68 〈상군열전(商君列傳)〉을 참고해 보면, 상앙의 변법이 시행되기까지 모두 네 차례였으며, 《장자(莊子)》 〈응제왕(應帝王)〉을 참고해 보면, 호자(壺子)와 무당 계함(季咸)이 만난 것도 모두 네 차례이다. 상앙이 진 효공을 네 차례 만나서 법치에 근거한 여러 시책을 내놓고, 진 효공이 이를 모두 받아들여서 통일의 기틀을 마련한 일을 서술하였다. 여기에서 세 번이라고 말한 것은 오기(誤記)인 듯하나, 분명하지 않다.

257 《남화경(南華經)》의……단락 : 정(鄭)나라에 귀신같이 미래를 잘 알아맞히는 무당 계함(季咸)이 있었는데, 열자(列子)가 스승 호자(壺子)에게 그의 도를 높이 평가하자 호자가 그를 만나기를 청하였다. 호자의 관상을 본 계함은 처음에는 호자가 열흘 안에 죽을 것이라고 하였고, 두 번째에는 호자가 자기를 만난 덕에 생기를 되찾게 되어 죽지 않을 것이니 다행이라고 하였다. 세 번째에는 관상이 일정치 않아 볼 수가 없으니, 관상이 일정해지면 그때 다시 봐주겠다고 했다. 네 번째 만남을 청하였을 때, 계함은 관상을 보자마다 어떤 사람인지 알 수 없어 혼비백산하여 달아났다고 한다.(《莊子》〈應帝王〉)

258 문람(文覽) : 미상(未詳). 《운선잡기(雲仙雜記)》 권7과 《설부(說郛)》 권119하에 실린 〈석부욕작[감]단시수(石斧欲斫[砍]斷詩手)〉 조에, 본문의 두종무(杜宗武) 일화를 싣고 그 출전을 《문람》이라 밝혔으나 자세한 사항은 알 수 없다.

259 종무(宗武) : 중국 당나라 때의 시인 두보(杜甫)의 차자(次子) 두종무(杜宗武, 753~?)이다. 어릴 적 이름은 기자(驥子)였으며, 아버지를 닮아 시재가 뛰어났다.

나로 하여금 아버지께 올려 산삭하게 하시는구나.'라고 하였다."[260]

이러한 출처에 의거하면 자제가 부형에게 올리는 것이 아니라면 마땅히 '근정(斤政)'이라고 해야 한다.

송부떡

동월(董越)의 〈조선부(朝鮮賦)〉[261]에 '송부떡[松膚之餠]과 산삼떡[山參之糕]'이라고 하였다. 송부떡은 요즘 풍속에서 말하는 송기떡[松貴餠]이며, 산삼떡은 요즘 풍속에서 말하는 쑥단자[香艾團餈]이다.[262] 송기떡을 만드는 방법은

송부(풍석문화재단음식연구소 제공)

송기떡(농촌진흥청 농사로)

260 두보(杜甫)의……하였다 : 《운선잡기(雲仙雜記)》 권7과 《설부(說郛)》 권119 하에 실린 〈석부욕작단시수(石斧欲斫斷詩手)〉 조에 보인다. 여기에는 뒷내용이 더 있다. 전문은 다음과 같다. "두보(杜甫)의 아들 종무(宗武)가 완 병조(阮兵曹)에게 시를 올렸는데, 완 병조가 돌도끼 한 자루로 응답하고 심부름꾼을 통해 시(詩)를 함께 돌려보냈다. 종무가 말하기를, '부(斧)는 아버지의 도끼[父斤]이니, 병조께서 나로 하여금 아버지께 올려 산삭하게 하시는구나.'라고 하였다. 얼마 뒤 완 병조가 이를 듣고는 말하였다. '틀렸다. 그대가 그 손을 자르게 하고 싶었다는 표현이었다. 이 손이 만약 남아 있다면 천하의 시명(詩名)은 또 두씨 집안에 있게 될 것이기 때문이다.'라고 하였다.[杜甫子宗武, 以詩示阮兵曹. 兵曹荅以石斧一具, 隨使并詩還之. 宗武曰: '斧, 父斤也. 兵曹使我呈父加斤削也.' 俄而阮聞之曰: '誤矣. 欲子斫斷其手. 此手若存, 天下詩名, 又在杜家矣.']"

261 동월(董越)의 조선부(朝鮮賦) : 동월은 명(明)나라의 사신으로, 자는 상구(尙矩)고, 영도(寧都) 사람이다. 조선 성종(成宗) 19년(1488)에 우서자겸한림시강(右庶子兼翰林侍講)으로 조선에 사신으로 왔다가, 우리나라의 산천·풍속·인물·물태(物態)에 대한 자료를 수집하여, 사영운(謝靈雲)이 지은 〈산거부(山居賦)〉를 모방해서 지은 글로, 자신이 직접 주석을 붙였다.

262 산삼떡은……쑥단자이다 : 이 부분은 다소 비약이 있다. 동월의 자주(自註)에, "소나무의 겉껍질은 벗겨내고, 그 희고 부드러운 속껍질을 벗겨 멥쌀과 섞어 찧어서 떡을 만든다. 산삼이란 약으로 쓰는 것이 아니다. 그 길이는 손가락만 한데 형상이 무와 같다. 거기에 멥쌀을 섞어 찧고 구워서 떡을 만든다. 또 3월 3일에 보드라운 쑥의 잎을 뜯어 멥쌀가루를 섞어 쪄서 떡을 만드니 그것을 쑥단자라 한다." 하였으니, 송부떡과 산삼떡 외에 쑥단자를 소개하고 있다. 서유구가 착각한 것인지, 전사 과정에서 누락된 부분이 있었는지는 알 수 없으나, 산삼떡을 쑥단자로 소개한 것은 오류로 보인다.

소나무 껍질 속의 흰 속살을 취하여 만든다. 껍질도 골격도 아니고 껍질과 골격 사이에 있기 때문에 '송부(松膚)'라고 한 것이다. 중국인의 문장이 이처럼 정밀하고 자세하다.

《문장종지文章宗旨》

노소재(盧疎齋)[263]의 《문장종지(文章宗旨)》[264]에 다음과 같이 말하였다.

"시를 지을 때에는 《시경》과 《이소(離騷)》처럼 지어야 한다. 말이 세교(世敎)와 관계되지 않고 비흥(比興)의 의(義)[265]가 없다면, 이런 시는 쓸데없이 짓는 것이다."[266]

위작정(魏勺庭)[267]이 어떤 사람에게 보내는 편지에 다음과 같이 말하였다.

"말이 세도(世道)와 관계되지 않고 식견이 보통사람을 넘지 않는다면, 아무리 기발한 문장이 있어도 지을 수가 없다."[268]

이 두 말은 우연의 일치요, 그대로 따라한 것이 아니니, 역시 시문을 짓는 핵심이라고 할 수 있다.

---

263 노소재(盧疎齋) : 1242~1314. 중국 원나라 때의 인물 노지(盧摯)로, 자는 처도(處道) 또는 신로(莘老), 호는 소재·호옹(蒿翁)이고 탁군(涿郡) 사람이다. 염방사(廉訪使), 한림학사(翰林學士) 등을 역임하였다. 저서로는 《소재집(疏齋集)》, 《문장종지(文章宗旨)》 등이 있다.

264 문장종지(文章宗旨) : 중국 원나라 때의 학자 노지(盧摯)의 저서로 당송 고문(古文) 명가들에 대해 두루 평을 하였다.

265 비흥(比興)의 의(義) : 《시경》의 여섯 가지 체제(體制)를 육의(六義)라고 하는데, 흥(興)·부(賦)·비(比)·풍(風)·아(雅)·송(頌)이다. 흥은 사물을 빌려 느낌을 일으키는 것이고, 부는 그 일을 사실적으로 표현하는 것이고, 비는 사물을 이끌어 비유하는 것이며, 풍은 열국(列國)의 시가(詩歌)이고, 아는 주(周)나라 왕기(王畿)의 시가이고, 송은 종묘의 제악(祭樂)이다.

266 시를……것이다 : 作詩須用三百篇與離騷, 言不關於世教, 義不存於比、興, 詩亦徒作.(盧摯, 《文章宗旨》) 이 부분은 《문장종지》의 내용이라 하여 인용한 것이 많으나 《문장종지》에서는 본문을 찾지 못하였다.

267 위작정(魏勺庭) : 1624~1681. 중국 명말 청초 시기의 인물 위희(魏禧)로, 자는 빙숙(冰叔) 또는 숙자(叔子), 호는 유재(裕齋)이다. 영도(寧都) 사람이다. 명나라가 멸망한 뒤에 여러 유생들이 취미봉(翠微峰)에 은거하였는데, 은거지가 작정(勺庭)이었기 때문에 작정선생(勺庭先生)이라고 불렸다.

268 말이……없다 : 言不關於世道, 識不越于庸衆, 雖有奇文, 可以無作.(魏禧) 이 내용은 위희의 글로 인용되어 있으나 어디에서 인용한 것인지는 찾지 못하였다.

최간이崔簡易의 문장

장공양(莊孔暘)[269]이 장여필(張汝弼)[270]의 초서(草書)를 평하여 말하기를, "원숙함이 극치에 도달하였고, 속됨도 극치에 도달하였다."[271]라고 하였다. 나는 최간이(崔簡易)[272]의 문장을 보고 또한 말하기를, "고상함이 극치에 이르렀고, 속됨도 극치에 이르렀다."라고 하였다.

《각기집脚氣集》에서 논한 소동파蘇東坡의 문장

차약수(車若水)[273]의 《각기집(脚氣集)》[274]에 다음과 같이 말하였다.

"소동파의 〈만언서(萬言書)〉 앞면의 시사(時事)를 말한 부분은 참으로 좋은데, '풍속을 후하게 하고 기강을 보존한다.'라고 한 부분은 심심하고 무미건조하다. 아마도 본원처(本源處)가 부족하여 그런 듯하다."[275]

---

269 장공양(莊孔暘) : 1437~1499. 중국 명나라 때의 학자 장창(張昶)으로, 자는 공양(孔暘) 또는 공양(孔陽)이고, 호는 목재(木齋), 활수옹(活水翁)이며, 시호는 문절(文節)이다. 강포(江浦) 효의(孝義 지금의 강소성 남경 부근) 사람이다. 성화(成化) 2년(1466) 진사가 되어, 한림검토를 지냈다. 관직을 그만둔 후 20여 년간 정산(定山)에 거처하여 정산선생(定山先生)이라 불렸다. 저서로 《장정산집(莊定山集)》 10권이 전한다.

270 장여필(張汝弼) : 1425~1487. 중국 명나라 때 인물 장필(張弼)로, 호는 동해(東海)이다. 만년에는 동해옹(東海翁)이라 불렸다. 송강부(松江府) 화정현(華亭縣) 사람이다.

271 장공양(莊孔暘)이……도달하였다. : 有人問莊孔暘曰: "張汝弼草書何如?" 孔暘曰: "熟到極處, 俗到極處. 識者以爲知言."(楊愼, 《墨池瑣錄》 卷1)

272 최간이(崔簡易) : 1539~1612. 조선 중기의 문신 최립(崔岦)으로, 본관은 통천(通川), 자는 입지(立之), 호는 간이이다. 벼슬은 형조 참판 등을 지냈다. 당대 일류의 문장가로 인정을 받아 중국과의 외교문서를 많이 작성했다. 명나라 왕세정(王世貞) 등과 교류하며 명나라에서도 이름을 날렸다. 저서로 《간이집(簡易集)》 등이 있다.

273 차약수(車若水) : 1209~1275. 남송 사람으로, 자는 청신(淸臣), 호는 옥봉산민(玉峰山民)이다. 대주(臺州) 황암(黃巖) 사람으로, 평생 저술과 강학에 힘썼다. 정주(程朱)의 학맥을 계승하여 주자학 전파에 중요한 역할을 했다. 저술로는 주돈이(周敦頤)로부터 황간(黃幹)에 이르기까지의 이학사상과 전수 연원을 서술한 《도통록(道統錄)》, 육경전주(六經傳注) 및 제유(諸儒)의 설을 평론한 《각기집(脚氣集)》 등이 있다.

274 각기집(脚氣集) : 중국 남송 때의 학자 차약수의 저서. 함순(咸淳) 10년(1274)에 완성되었는데, 이로 인해 각기병(脚氣病)을 얻어 이를 서명으로 삼았다고 한다. 1권이다.

275 소동파의……듯하다 : 東坡萬言書前面說時事儘好, 至於'厚風俗、存紀綱'處, 便淡薄枯槁. 蓋其本源處欠, 所以如此.(車若水, 《脚氣集》)

이것은 〈신종 황제께 올린 상서[上神宗皇帝書]〉[276]를 가리켜 말한 것이다. 풍속을 후하게 하고 기강을 보존한다는 두 조목은 이와 같이 자기의 주장을 펴서 큰 뜻을 다 말하였으니, 앞면에서 신법(新法)을 논하여 조목조목 따져 깨뜨린 것만은 못하다. 하지만 반복해서 주장을 편 뒤에야 비로소 군주의 마음을 움직일 수 있다. 저 차약수는 장황하게 널리 변론한 것이 앞면보다 못한 점을 얼핏 보고 드디어 '심심하고 무미건조하다'고 하였으니, 이것이 예로부터 글을 제대로 평가하기 어려운 것이다.

소동파가 등장민滕章敏을 대신하여 지은 계啓

왕명청(王明淸)[277]의 《휘진후록(揮麈後錄)》[278]에 다음과 같이 말하였다.

"선조께서 등장민(滕章敏)[279]의 막부에 종사할 때, 등장민을 대신하여 표(表)와 계(啓)를 썼는데, 세상에 많이 알려져 암송되었다. 지금 소동파의 문집에 실린 것은 사실 선조께서 쓰신 글이다."[280]

지금 살펴보면 《동파집(東坡集)》에 실려 있는 등보(滕甫)를 대신해서 쓴 글은 몇 편에 지나지 않는데,[281] 그중에 〈등보를 대신해 비방을 변론하고 고을 수령을 청하는 소장[代滕甫辨謗乞郡狀]〉은 너무나도 처량하고 슬퍼서

---

276 신종 황제께 올린 상서[上神宗皇帝書] : 《동파전집(東坡全集)》 권51, 《당송팔대가문초(唐宋八大家文抄)》 권118 등에 실려 있다. 전자에는 〈상황제서(上皇帝書)〉라는 제목으로 실려 있다.

277 왕명청(王明淸) : 1127~1202. 중국 남송 때의 학자. 자는 중언(仲言), 여음(汝陰) 사람이다. 벼슬은 절서참정관(浙西參政官) 등을 지냈다. 저서로는 《휘진록(揮麈錄)》, 《옥조신지(玉照新志)》 등이 있다.

278 휘진후록(揮麈後錄) : 중국 남송 때의 학자 왕명청의 저서 《휘진록(揮麈錄)》 중 〈휘진후록(揮麈後錄)〉을 가리킨다. 《휘진록》은 총 20권으로, 〈휘진전록(揮麈前錄)〉 4권, 〈휘진후록〉 11권, 〈휘진삼록(揮麈三錄)〉 3권, 〈휘진여화(揮麈餘話)〉 2권으로 구성되어 있다.

279 등장민(滕章敏) : 1020~1090. 중국 송나라 때의 인물 등보(滕甫)로, 자는 원발(元發)이다. 고태후(高太後)의 부친 고준보(高遵甫)를 휘(諱)하여 자를 이름으로 하고, 자는 달도(達道)로 고쳤다.

280 선조께서……글이다 : 先祖從滕章敏莫府, 踰十年, 每語先祖曰: '公不但僕之交遊, 實師友焉.' 平日代公表啓, 世多傳誦, 今載東坡公文集中者, 實先祖之文也.(《揮麈後錄》 卷6)

281 《동파집(東坡集)》에……않는데 : 등보를 대신하여 쓴 글은 《동파전집》 권66의 〈등보를 대신해 서하를 논하는 글[代滕甫論西夏書]〉과 〈등보를 대신해 비방을 변론하고 고을 수령을 청하는 소장[代滕甫辨謗乞郡狀]〉이다.

사람을 감동시킨다. 소동파가 아니면 이와 같이 지을 수 없으니, 결코 왕씨(王氏)가 지은 글이 아니다.

〈지희정기至喜亭記〉

범성대(范成大)[282]의 《오선록(吳船錄)》[283]에 이런 글이 있다.

"협주(峽州)에 이르러 지희정(至喜亭)에 올랐는데, 너무 망가져서 소동파의 기문(記文)에 걸맞지 않는다."[284]

〈지희정기(至喜亭記)〉[285]는 구양수(歐陽脩)가 지었으며, 소동파는 이러한 기문을 지은 적이 없으니, 한때의 잘못된 기록인가? 아니면 소동파가 직접 지

지희정

282 범성대(范成大) : 1126~1193. 중국 남송 때의 학자. 자는 치능(致能), 호는 석호거사(石湖居士)이다. 소주(蘇州) 오현(吳縣) 사람이다. 시호는 문목(文穆)이다. 시(詩)에 능했으며, 육유(陸游)·우무(尤袤)·양만리(楊萬里)와 함께 중흥사대가(中興四大家)로 일컬어진다. 저서로는 《석호거사집(石湖居士集)》, 《오선록(吳船錄)》 등이 있다.

283 오선록(吳船錄) : 중국 남송 때의 학자 범성대의 저서이다. 송 효종 순희(淳熙) 4년(1177), 저자가 사천제치사(四川制置使)로 있을 때 조정에 소환되어 5월에 성도(成都)에서 출발하여 배를 타고 수로를 따라 이동하여 10월에 임안(臨安 지금의 절강성 항주)에 이르기까지 보고 들은 것을 일자에 따라 기록하였다. 모두 2권이다.

284 협주(峽州)에……않는다 : 至峽州登至喜亭, 敝甚, 不稱坡翁之記.(范成大, 《吳船錄》 卷下)

285 지희정기(至喜亭記) : 구양수의 문집인 《문충집(文忠集)》 권39에 〈협주지희정기(峽州至喜亭記)〉가 실려 있다. 지희정은 송 인종(宋仁宗) 때 상서(尙書) 우부낭중(虞部郎中) 주공(周公)이란 사람이 이릉현(夷陵縣)의 수령으로 있을 때 세운 정자로, 오늘날의 호북성(湖北省) 의창현(宜昌縣) 남쪽 형강(荊江)의 강가에 있었다고 한다. 이릉현은 서촉(西蜀)의 험난하기로 이름난 삼협(三峽)을 따라 흘러오던 강물이 비로소 잔잔해지는 곳으로 서촉에서 뱃길로 그곳에 당도하는 뱃사공들은 죽지 않고

었는데 《동파전집(東坡全集)》[286]에 수록되지 않은 것인가? 다시 고찰하기를 기다린다.

양신이 주자의 문장을 논하다

박학(博學)을 위주로 하는 부류가 주자를 비방한 것으로는 양신(楊愼)이 주자가 글을 모른다고 평가한 것이 가장 심하다. 그러나 양신의 《단연총록(丹鉛總錄)》[287]에 다음과 같이 논한 조목이 있다.

"성리(性理)의 정미(精微)한 뜻을 분석하여 점점 자세하고 명확해졌으며, 사설(邪說)이 숨어 있는 곳을 끝까지 캐내어 귀신같이 찾아내고 천둥이 내려치듯 맹렬히 공격하였다. 충의(忠義)에 감격하여 《이소(離騷)》의 뜻을 밝게 드러내었으니 궂은비와 찬바람[288]처럼 좋지 않은 상황을 변화시켰다. 인사(人事)에 널리 대응하여 글을 쓴 것이 행운유수(行雲流水)처럼 자연스러우니, 이것이 자양(紫陽, 주희)의 글이로다."

양신이 주자를 추존(推尊)하여 널리 칭찬한 것이 지극하니 노예라도 그의 청명(淸明)함을 알 수 있다. 양신은 특히 사장(詞章)에 대한 식견이 있어 주희를 충심으로 추종하는 표현을 스스로 감추지 않았다.

살아난 것을 서로 축하하였다 하는데, 주공이 강가에 정자를 지어 지극히 기쁘다는 뜻인 지희(至喜)로 이름을 붙이고 뱃사람들이 쉬었다가 가는 장소로 삼았다고 한다.

286 동파전집(東坡全集) : 중국 송나라 때의 문인 소식(蘇軾)의 저서로 모두 115권이다.

287 단연총록(丹鉛總錄) : 명나라 양신(楊愼, 1488~1459)이 작자를 위하여 여러 책들의 이동(異同)을 고변(考辨)한 필기류 작품이다. 이 글은 《단연여록(丹鉛餘錄)》 권6에 보인다. 그러나 이전의 글인 황진(黃震, 1213~1281)의 《황씨일초(黃氏日抄)》 권36에도 보이므로 이는 양신이 황진의 글을 인용한 것으로 판단된다.

288 궂은비와 찬바람 : 절기에 맞지 않는 악천후를 표현한 것으로, 후대에는 대개 처량하고 비참한 처지를 비유하는 말로 쓰였다.

교행간喬行簡과 조허재趙虛齋의 상량문上樑文

송나라 교행간(喬行簡)[289]이 여든에 정치를 그만두고 집으로 돌아가 다음과 같은 상량문을 지었다.

"대(臺)가 있고 연못이 있어 그럭저럭 살아갈 만하나, 자손이 없으니 모두 남의 것이 되겠구나."[290]

나는 이런 상황이 매우 마음 아팠는데, 지금 송나라 유문표(兪文豹)[291]의 《취검록외집(吹劍錄外集)》[292]을 보니 허재(虛齋) 조이부(趙以夫)[293]가 집을 짓고 지은 상량문에도 이런 구절이 있다고 한다.

"꽃이 있고 술이 있어 잠시 과객(過客)과 기쁨을 나눌 수 있으나, 자손이 없으니 모두 남의 것이 되겠구나."[294]

이 두 구절은 우연의 일치인가, 아니면 답습한 것인가?

---

289 교행간(喬行簡) : 1156~1241. 중국 남송 때의 대신. 자는 수붕(壽朋)이며 절강(浙江) 동양(東陽) 사람이다. 저서로 《주례총설(周禮總說)》과 《공산문집(孔山文集)》이 있다.

290 대(臺)가……되겠구나 : 嘉熙之末, 自相位拜平章軍國重事, 年已八袠矣. 時皆以富貴長年羨之, 而公晩年子孫淪喪, 況味尤惡. 嘗作上梁文云: "有園有沼, 聊爲卒歲之遊. 無子無孫, 盡是他人之物." 又乞歸田里表云: 少壯老百年, 已踰八袠, 祖子孫三世, 僅存一身. 聞者憐之.(《齊東野語》 卷5 〈喬文惠晩景〉)

291 유문표(兪文豹) : ?~?. 중국 송나라 때의 학자로 자는 문울(文蔚)이고, 절강성 괄창(括蒼 지금의 절강성 여수) 사람이다. 호북기춘교유(湖北蘄春教諭)를 지냈다. 저서로 《청야록(淸夜錄)》 1권, 《취검록(吹劍錄)》 1권, 《취검록외집(吹劍錄外集)》 1권 등이 있다.

292 취검록외집(吹劍錄外集) : 중국 송나라 때의 학자 유문표의 저서이다. 서문에 의하면 외집에 앞서 두 편이 더 있었던 듯하나 전해지지 않는다. 저자의 도학에 대한 견해나 당금(黨禁)의 시말(始末)을 기록하였는데 매우 자세하다.

293 조이부(趙以夫) : 1189~1256. 중국 남송 때의 인물로 자는 용보(用父)고, 호는 허재(虛齋)며, 복건성 장락현(長樂縣 지금의 복건성 복주시 장락구) 사람이다. 가정(嘉定) 10년(1217) 진사가 되었고, 순우(淳祐) 7년(1247) 지평강부(知平江府)가 되었다. 자정전학사(資政殿學士)로 치사하였다. 저서로 《허재악부(虛齋樂府)》가 있다.

294 꽃이……되겠구나 : 趙虛齋以夫建宅上梁文末云: "有花有酒, 姑爲過客之歡. 無子無孫, 盡是他人之物." 可謂見盡. 樂天詩云: '多少朱門鎖空宅, 主人到了不曾歸.' 虛齋年高德劭, 位冠六聯矣. 若歸以花酒與過客相歡, 尤達見也 .(兪文豹, 《吹劍録外集》)

집안에 보관하다

우리나라의 비지(碑誌)문에는 "시문집 몇 권이 있는데, 집안에 보관하였다."라는 내용이 많이 있는데, 이렇게 말하는 데에는 출처가 있다. 육무관(陸務觀, 육유(陸游))의 《노학암필기(老學菴筆記)》에 다음과 같은 내용이 있다.

"상서(尙書) 안경초(晏景初)[295]가 어느 사대부의 묘지명을 지어서 주희진(朱希眞)[296]에게 보여주었다. 이를 보고 주희진이 '아주 좋습니다. 네 글자가 빠진 것 같지만 말씀드릴 수 없습니다.'라고 하자 안경초가 한사코 캐물었다. 주희진이 文集十卷[문집 10권]이라고 쓰인 그 다음을 가리키며 '여기가 빠졌습니다.'라고 했다. 그랬더니 또 어떤 글자가 빠졌는지 물어서 '不行於世[세상에 유통되지 않았다] 넉 자를 보충해야 합니다.'라고 하였다. 안경초가 결국 '藏于家[집안에 보관하였다]' 석 자를 보충하였다."[297]

대체로 '집안에 보관하였다.'라고 하는 말은 바로 '세상에 유통되지 않았다'는 것을 아첨해서 하는 말이다. 우리나라 사람들이 그것이 폄하하는 표현임을 알지 못하고 이를 용례로 쓰고, 그것을 받아들이는 자제들 또한 거리낌이 없으니 가소롭다.

속자俗字

범성대(范成大)는 《계해우형지(桂海虞衡志)》[298]에 임계(臨桂)의 속자(俗字)를

---

295 안경초(晏景初) : 안돈복(晏敦復, 1120~1191, 또는 1071~1141, 1075~1145)을 가리키며, 생몰년이 자세하지 않다. 경초(景初)는 그의 자(字)이다. 남송대의 시인이며, 정직대신(正直大臣)이었다.

296 주희진(朱希眞) : 1081~1159. 중국 송나라 때의 인물 주돈유(朱敦儒)를 가리킨다. 희진(希眞)은 그의 자이다. 낙양(洛陽) 사람이다.

297 상서(尙書)……보충하였다 : 晏尙書景初, 作一士大夫墓誌, 以示朱希眞. 希眞曰: '甚妙. 但似欠四字, 然不敢以告.' 景初苦問之, 希眞指'文集十卷'字下曰: '此處欠.' 又問: '欠何字?', 曰: '當增「不行於世」四字.' 景初遂增'藏於家'三字.(陸游, 《老學菴筆記》 卷1)

298 계해우형지(桂海虞衡志) : 중국 남송 때의 학자 범성대의 저서이다. 저자가 다닌 곳의 풍물, 토양

다음과 같이 기록하였다.

“䆀【음은 ‘왜’이다】는 자라지 않는다는 뜻이다. 閪【음은 ‘온’이다】은 문 안에 앉아있으니 평온하다는 뜻이다. 奀【음은 ‘온’이다】또한 평온하다는 뜻이다. 仦【음은 ‘뇨’이다】는 어린아이를 뜻한다. 奀【음은 ‘동’이다】은 사람이 수척하고 약한 것을 의미한다. 歪【음은 ‘종’이다】은 사람이 죽는 것을 뜻한다. 奤【음은 ‘납’이다】은 다리를 들지 못한다는 뜻이다. 奺【음은 ‘대’이다】는 큰딸 혹은 누이를 뜻한다. 岊【음은 ‘감’이다】은 산의 바위굴을 뜻한다. 閂【음은 ‘산’이다】은 문에 가로지른 빗장이다.”[299]

우리나라에도 이 같은 속자가 많다. 물을 댄 밭을 ‘답(畓)’이라 하고, 입이 큰 물고기를 ‘화어(呉魚)’라고 하며, 대두를 ‘태(太)’【모양을 본뜬 것이다】라고 하는 것들이다. 아무리 어떤 시기에 근거 없이 만들어진 것이라도 글자의 편방(偏旁)을 잘 연구해 보면 또한 나름대로 근거를 가지고 있다.

어휘의 중복 사용, 사죽관현絲竹管絃

송(宋) 진정민(陳正敏)[300]은 《돈재한람(遯齋閒覽)》에서 왕우군(王右軍, 왕희지)이 쓴 〈난정서(蘭亭序)〉의 ‘絲竹管絃’이란 표현을 두고 같은 말이 중복된 문제가 있다고 평하였다.[301] 그런데 왕무(王楙)[302]는 《야객총담(野客叢

등을 기록한 책으로, 지산(志山)·지금석(志金石)·지향(志香)·지주(志酒)·지기(志器)·지금(志禽)·지수(志獸)·지충어(志蟲魚)·지화(志花)·지과(志果)·지초목(志草木)·잡지(雜志)·지만(志蠻)의 13편으로 구성되어 있다. 원래 3권 혹은 2권 구성이었다고 전하나, 현전하는 것은 1권으로 병합된 본이다.

299 䆀……빗장이다 : 䆀【音矮】不長也. 閪【音穩】坐於門中穩也. 奀【音穩】大坐亦穩也. 仦【音嫋】小兒也. 奀【音動】人瘦弱也. 歪【音終】人亡絕也. 奤【音臘】不能擧足也. 奺【音大】大女及姊也. 岊【音礲】石之巖窟也. 閂【音欄】門橫關也.(范成大, 《桂海虞衡志》)

300 진정민(陳正敏) : ?~?. 중국 송나라 때의 사람. 호는 돈재(遯齋) 또는 돈옹(遯翁). 흥화 참군(興化參軍), 전조봉랑(轉朝奉郎) 등을 지냈다. 저서로 《돈재한람(遯齋閒覽)》 14권, 《검계야어(劍溪野語)》 3권이 있다.

301 표현을……평하였다 : 송(宋) 진정민(陳正敏)의 《돈재한람(遯齋閒覽)》에서는 “絲竹管弦, 語亦重復

談)》[303]에서 "'絲竹管絃'은 원래 《한서》 〈장우전(張禹傳)〉에 나온다."고 하였다.

내 생각에는 옛사람의 글 쓰는 방법이 이와 유사한 것은 이루 다 열거할 수 없을 정도이다. 《시경》 〈빈풍(豳風) 칠월(七月)〉에서는 "찰기장[黍], 메기장[또는 피, 稷], 벼[稻], 차조[粱]와 벼[禾], 삼[麻], 콩[菽], 보리[麥]"[304] 【'稷'은 조(粟)의 다른 이름이며, 조 한 단을 화(禾)라 한다.】의 이름을 쭉 나열하였다. 《맹자》에는 "닭[雞], 돼지[豚], 개[狗], 큰 돼지[彘]"[305]라는 문구가 있으며, 《중용(中庸)》에서는 "물은 한 잔의 물이 많이 모인 것인데 그 측량할 수 없음에 미쳐서는 큰 자라[黿]와 악어[鼉], 교룡[蛟]과 용(龍), 물고기[魚]와 자라[鼈]가 자란다."[306]고 하였다. 《장자》에서도 "자라[黿], 악어[鼉], 물고기[魚], 자라[鼈]도 헤엄칠 수 없는 곳이다."[307]라고 하였으니, 모두 한 가지 사물을 반복해서 열거하는 것을 꺼리지 않았다.

청운靑雲의 선비

《사기》〈백이열전(伯夷列傳)〉에 실린 글이다.

"여항(閭巷)에 살면서 덕행을 연마하여 이름을 떨치려 하는 사람이 청운의 선비[靑雲之士]에 의지하지 않는다면 어찌 그의 이름을 후세에까지 전할 수 있겠는가."[308]

也."라고 기록되어 있다고 송(宋) 상세창(桑世昌)의《난정고(蘭亭考)》를 인용하였다.

302 왕무(王楙) : 1151~1213. 중국 남송 때의 학자. 자는 면부(勉夫), 호는 분정거사(分定居士). 어린 시절 아버지를 여의고 어머니를 모시며 각고의 노력으로 학문하였으나 빛을 보지 못하고 저술에 전념하였다. 호남창사(湖南倉使) 장위(張頠)의 문하에서 빈객으로 30년을 지냈다. 저서로 《야객총서(野客叢書)》 30권이 있다.

303 야객총담(野客叢談) : 인용된 문장이 《야객총서(野客叢書)》 권1 〈난정불입선(蘭亭不入選)〉 조에 보이는 것으로 보아, 중국 남송 때의 학자 왕무의 저서인 《야객총서》의 오기인 듯하다.

304 찰기장……보리 : 《시경》 〈빈풍(豳風) 칠월(七月)〉에는 "黍稷重穋, 禾麻菽麥"으로 되어 있다.

305 닭……돼지 : 雞豚狗彘.(《孟子》 〈梁惠王 上〉)

306 물은……자란다 : 今夫水一勺之多, 及其不測, 黿鼉蛟龍魚鼈生焉.(《中庸》 第26章)

307 자라……곳이다 : 黿鼉魚鼈之所不能游.(《莊子》 第19篇 〈達生〉)

승암(升菴) 양신(楊愼)이 이에 대해 다음과 같이 평하였다.

"'청운의 선비'는 바로 성현(聖賢)으로 훌륭한 말을 세상에 전한 사람을 가리킨다. 후세에 벼슬길에 오르는 것을 일러 '청운'이라 하는데, 이는 잘못된 것이다."

그리고, 경방(京房)[309]이 《역점(易占)》에서 "청운이 뒤덮인 곳, 그 아래에 현인이 은거해 있다."라고 한 것[310]과, 《속일민전(續逸民傳)》[311]에 "혜강(嵇康)[312]은 일찍이 청운의 뜻이 있었다."고 한 것과, 양나라 형양왕(衡陽王)이 "몸은 궁(宮) 안에 있어도 마음은 청운에 있다."[313]라고 한 말, 그리고 완적(阮籍)[314]이

청운 속으로 몸을 던졌으니,	抗身青雲中
그물을 어찌 펼칠 손가.[315]	網羅孰能施

---

308 여항(閭巷)에……있겠는가 : 閭巷之人, 欲砥行立名者, 非附青雲之士, 惡能施於後世哉!(《史記》 卷61 〈伯夷列傳〉 第1)

309 경방(京房) : 기원전 77~기원전 37. 중국 전한 때의 학자. 본래의 성은 이(李), 자는 군명(君明), 동군(東郡) 돈구(頓丘 지금의 하남성 청풍 서남쪽) 사람이다. 성씨는 스스로 고친 것이다. 맹희(孟喜)에게 《주역(周易)》을 배운 초연수(焦延壽)에게 수학하였다. 원제(元帝) 초원(初元) 4년(기원전 45) 효렴(孝廉)으로 천거되어 낭(郎)이 되었다. 후에 위군태수(魏郡太守)를 지냈다. 《춘추》와 《주역》을 인용하여 수차례 재이(災異)에 대한 상소를 올려 당시 환관 석현(石顯)의 미움을 사고, 《주역》을 전공했던 권신 오록충종(五鹿充宗)과 서로의 학설을 비판하다 정치를 비방하고 과오를 천자에게 돌렸다는 죄목으로 기시(棄市)의 형에 처해졌다. 제자인 은가(殷嘉)와 요평(姚平), 승홍(乘弘)이 모두 경학박사가 되면서 경씨역학(京氏易學)이 성립하게 되었다. 《경씨역전(京氏易傳)》, 《주역장구(周易章句)》, 《주역착괘(周易錯卦)》, 《주역요점(周易妖占)》, 《주역점사(周易占事)》 등 《주역》과 관련한 많은 저작을 남겼다.

310 《역점(易占)》에서……것 : 《역》 〈중지곤괘(重地坤卦)〉에는 "天地閉 賢人隱"이라고 되어 있다.

311 속일민전(續逸民傳) : 정사(正史) 열전(列傳)의 일부로서 존재하는 《일민전》을 제외하면 명나라 때 황보효(皇甫涍)의 저작인 《일민전》 2권이 전하는데, 여기에서 언급되는 《속일민전》은 누구의 저작이며 구체적으로 어떠한 내용이 실렸는지 자세하지 않다.

312 혜강(嵇康) : 223~262. 죽림칠현(竹林七賢)의 대표 인물이며, 자는 숙야(叔夜)이다.

313 몸은……있다 : 珪曰: 殿下處朱門, 遊紫闥, 詎得與山人交邪? 答曰: 身處朱門, 而情游江海, 形入紫闥, 而意在青雲. 珪大美之.(《南史》 卷41 〈列傳〉 第31 〈齊宗室〉)

314 완적(阮籍) : 210~263. 자는 사종(嗣宗)이다. 일찍이 보병교위(步兵校尉) 벼슬을 지내서 보통 완보병(阮步兵)이라고 불렀다. 괴짜 시인으로 죽림칠현(竹林七賢) 중에 가장 유명하다. 명문집안에서 태어난 그는 위(魏)의 부패한 정치로부터 스스로를 보호하기 위해 미친 사람 행세를 했다. 그는 시와 산문을 통해 지배층을 비판했다. 결국 조정의 압박을 받지 않는 시골에서 쾌락과 시에 묻혀 지냈다. 그는 삶에 대하여 가볍고 쾌락적인 태도를 보이기는 했으나, 그의 시는 전체적으로 음울하고 비관적이며, 어려운 시대에 대한 심오한 견해가 잘 드러나 있다. 작품으로는 〈영회시(詠懷詩)〉 82수와 《완보병집(阮步兵集)》이 있다.

315 청운……펼칠 손가 : 鴻鵠相隨飛, 飛飛適荒裔. 雙翮臨長風, 須臾萬里逝. 朝餐琅玕實, 夕宿丹山

라고 한 말, 이백이

청운의 사람	所以青雲人
바위 집에서 높이 노래 부르네[316]	高歌在巖戶

라고 한 시를 두루 인용하여 이로써 증명하였다. 그리고 또, "송나라 사람이 '青雲'이라는 글자를 등과시(登科詩)에 사용함으로써 결국 잘못 쓰이게 되었는데 지금까지도 고쳐지지 않고 있다."고 하였으니,[317] 이 말이 옳다. 그러나 맹호연(孟浩然)[318]의 시 가운데,

그대는 청운을 타고 떠나가고	君登青雲去
나는 청산을 바라보며 돌아가네[319]	余望青山歸

라는 구절이 있으니, 청운(青雲)을 벼슬길에 오른다는 뜻으로 쓴 것이 원래 송나라 사람에게서 비롯된 것은 아니다.

際. 抗身青雲中, 網羅孰能制. 豈與鄕曲士, 攜手共言誓.(《漢魏六朝百三家集》卷34 〈詠懷 43〉)

316 청운의……부르네 : 獵客張兔罝, 不能挂龍虎. 所以青雲人, 高歌在巖戶. 韓生信英彦, 裴子含清真. 孔侯復秀出, 俱與雲霞親. 峻節凌遠松, 同衾臥盤石. 斧冰嗽寒泉, 三子同二屐.(《李太白文集》卷13 〈送韓準裴政[一作正]孔巢父還山〉)

317 청운의……하였으니 : 《史記》云: 伯夷叔齊雖賢, 得夫子而名益彰. 顔淵雖篤學, 附驥尾而行益顯. 閭巷之人, 欲砥行立名者, 非附青雲之士, 惡能施於後世哉! 青雲之士, 謂聖賢立言傳世者, 孔子是也. 附青雲, 則伯夷顔淵是也. 後世謂登仕路爲青雲, 謬矣. 試引數條以證之. 《京房易占》: "青雲所覆, 其下有賢人隱." 《續逸民傳》: "嵇康早有青雲之志" 《南史》"陶弘景, 年四五歲, 見葛洪方書, 便有養生之志曰: '仰青雲, 覩白日, 不爲遠矣.'" 梁孔稚圭, 隱居多構山泉, 衡陽王鈞往遊之, 珪曰: "殿下處朱門, 遊紫闥, 詎得與山人交耶?" 鈞曰: "身處朱門而情遊滄海, 形入紫闥而意在青雲." 又袁豢贈隱士庾易詩曰: "白日清明, 青雲遼亮, 昔聞巢許, 今覩臺尙." 阮籍詩: "抗身青雲中, 網羅孰能施." 李太白詩: "獵客張兎罝, 不能挂龍虎. 所以青雲人, 高歌在巖户." 合而觀之, 青雲豈仕進之謂乎? 王勃文: "窮且益堅, 不墜青雲之志." 即論語: "視富貴, 如浮雲"之旨. 若窮而常有覬覦富貴之心, 則鄙夫而已矣. 自宋人用青雲字於登科詩中, 遂誤, 至今不改(楊愼, 《升菴集》卷47 〈青雲〉)

318 맹호연(孟浩然) : 689~740. 중국 당나라 때의 시인인 맹호(孟浩)을 가리킨다. 자는 호연(浩然)이고, 호는 맹산인(孟山人)이며, 양주(襄州) 양양(襄陽 지금의 호북성 양양) 사람이다. 맹양양(孟襄陽)으로도 불린다. 일찍이 녹문산에 은거하였다가, 40세에 장안으로 가 진사시에 응시하였으나 낙방하였다. 일찍이 태학(太學)에서 시를 지어 공경대부들의 감탄을 자아냈다. 개원(開元) 25년(737) 장구령(張九齡)이 자신의 막부로 초빙하였으나 곧 그만두고 은거하였다. 오언 단편 시를 많이 썼으며, 산수와 전원의 풍경을 잘 표현하기로 이름이 높았다. 저서로 《맹호연집(孟浩然集)》 3권이 전한다.

319 그대는……돌아가네 : 君登青雲去, 余望青山歸. 雲山從此別, 淚濕薜蘿衣.(《孟浩然集》卷4 〈送友人之京〉)

아름답고 우아하다

나는 예전에 양용수(楊用修, 양신(楊愼))가 경설에 대해 논한 것 중에 《시경》 〈정풍(鄭風) · 유녀동거(有女同車)〉의 '아가씨가 함께 수레를 타니……아름다운 맹강(孟姜)이여, 아름답고 우아하구나[有女同車, ……彼美孟姜, 洵美且都]'[320]와 관련하여 다음과 같은 말을 기록한 것을 본 적이 있다.

"겉모습을 아름답게 꾸미는 것은 대부분 부귀한 세도가에서 교육받아 몸에 밴 교양에서 나온다. 저 산속 촌구석의 여인이 아무리 아름다워도 우아하게 꾸밀 수는 없으니 비록 무궁화꽃 같은 얼굴에 아름다운 패옥을 걸쳐도 이른바 비작부인(婢作夫人, 부인이 된 여종)[321]이요, 연꽃 잎 두른 쥐[鼠披荷葉] 꼴이다. 그렇기 때문에 '삼대 동안 벼슬하여 이제 옷을 입고 밥을 먹을 수 있다'고 말하지만, 참으로 몸에 배지 않으면 행동거지가 어색하니 어찌 우아할 수 있겠는가. 한 무제 때 궁 안에서 윤부인이 형부인(邢夫人)을 본 일[322]과 가충(賈充)의 집안에서 곽씨[가충의 후처]가 이씨[가충의 본처]를 본 일을 통해서도 증명할 수 있다.

비유하자면, 선비가 우뚝 서려면 반드시 국가의 교육과 부형의 연원, 그리고 사우(師友)와의 강습이 필요하니, 이 세 가지가 갖추어진 다음에야 가능하다. 나무꾼의 딸에게 기거동작을 가르치고 나서 7일 만에 오나라를 기

---

320 아가씨가……우아하구나 : 有女同車, 顔如舜華, 將翺將翔, 佩玉瓊琚. 彼美孟姜, 洵美且都.(《詩》〈鄭風·有女同車〉)

321 비작부인(婢作夫人) : 장언원(張彦遠)의 《법서요록(法書要錄)》 권2에 남조(南朝) 양원앙(梁袁昂)의 《고금서평(古今書評)》의 내용을 인용한 것으로 그 내용은 다음과 같다. "羊欣書如大家婢爲夫人, 雖處其位, 而擧止羞澀, 終不似眞."

322 한 무제 때……본 일 : 武帝時, 幸夫人尹婕妤. 邢夫人號娙娥, 衆人謂之娙何. 娙何秩比中二千石, 容華秩比二千石, 婕妤秩比列侯. 常從婕妤遷爲皇后. 尹夫人與邢夫人同時並幸, 有詔不得相見. 尹夫人自請武帝, 願望見邢夫人, 帝許之. 卽令他夫人飾, 從御者數十人, 爲邢夫人來前. 尹夫人前見之, 曰: 此非邢夫人身也. 帝曰: 何以言之 對曰: 視其身貌形狀, 不足以當人主矣. 於是帝乃詔使邢夫人衣故衣, 獨身來前. 尹夫人望見之, 曰: 此眞是也. 於是乃低頭俛而泣, 自痛其不如也. 諺曰: 美女入室, 惡女之仇.(《史記》 卷49 〈外戚世家〉)

울이고[323], 위숫가에서 낚시하던 이를 상보(尙父)로 세워 3년 만에 주나라 왕업을 이룩한 것[324]이 어찌 일반적인 일이겠는가."[325]

나는 매번 이 글을 읽을 때마다 그의 말에 조리가 있어 좋아하지 않은 적이 없었다. 나중에 유산(遺山) 원호문(元好問)[326]의 《중주집(中州集)》[327]에 실린 계남시로(溪南詩老) 신원(辛愿)의 소전(小傳)을 보게 되었는데, 그 내용은 다음과 같다.

"선비가 출세하려면 반드시 국가의 교육과 부형의 연원, 그리고 사우와의 강습이 필요하니, 이 세 가지가 갖추어진 다음에야 가능하다. 비유하자면, 이 세상 아름다운 여자들은 대부분 부귀한 세도가의 무젖은 짙은 향기에서 나온다. 여염집에 이름난 미인이 없는 것은 아니지만 어느 날 갑자기 공부인(公夫人)이 되면 행동거지가 어색하여 일찍이 대갓집 여종만 못하니, 그 이치가 그러한 것이다. 전기에 실린 것을 보면 서자(西子)[328]는 바로 저라산(苧蘿山)[329] 나무꾼의 딸로 월나라 군신들이 그녀에게 기거동작을 가르친 지 7일 만에 오나라 왕에게 받아들여졌다. 드디어 부차를 유혹하여 오나라를 기울게 하였으니 어찌 이것이 일반적인 일이겠는가."[330]

비유를 들어 논의한 것이 마치 한 사람의 입에서 나온 것과도 같으니

---

323 나무꾼의……기울이고 : 월나라의 서시(西施) 이야기이다.

324 위숫가에서……이룩한 것 : 강태공의 일을 가리킨다.

325 걸모습을……일이겠는가 : 《승암집(升菴集)》 권42 〈순미차도(洵美且都)〉 조에 보인다.

326 원호문(元好問) : 1190~1257. 금나라 흔주(忻州) 수용(秀容) 사람으로, 자는 유지(裕之), 호는 유산(遺山)이다. 저서에 《유산문집(遺山文集)》 40권과 《중주집(中州集)》 10권 등이 있다.

327 중주집(中州集) : 중국 금나라 때 인물 원호문이 편찬한 시집으로 금나라 때의 시인 251명의 작품 2,062수가 실려 있다. 당시 금나라는 중주(中州 지금의 하남성 일대)를 점령한 뒤로 오랜 기간 동안 정치, 문화, 경제의 중심 역할을 하였고, 금나라 사람들 또한 이를 자부하였기에 여기에서 서명을 따왔다. 제왕(帝王), 제상(諸相), 장원(狀元), 지기(知己), 남관(南冠) 등의 순으로 작가를 분류하여 차례대로 싣고 있으며, 각 작가마다 소전(小傳)을 작성하였다.

328 서자(西子) : 중국 전국시대의 미녀인 서시(西施)를 가리킨다.

329 저라산(苧蘿山) : 중국 절강성 중북부의 제기(諸暨) 서쪽에 위치한 산으로 서시(西施)의 고향 지역으로 유명하다.

330 선비가……일이겠는가 : 《중주집(中州集)》 권10 지기(知己)의 처음에 배치된 인물인 계남시로(溪南詩老) 신원(辛愿)의 소전에 보인다. 그의 시는 20수가 실려 있다.

어찌 우연의 일치겠는가? 해박한 양신이 《중주집》을 보지 않았을 리가 없으니, 답습했다는 비난은 옛사람도 피할 수 없을 것이다.

왕촉(王蠋)의 '두 지아비를 섬기지 않는다.'라는 말을
인용하여 아내는 남편이 사랑하느냐 미워하느냐에 따라
그 정절이 변해서는 안 되며, 신하는 임금이 후하게
대우하느냐 박하게 대우하느냐에 따라 그 절개가 변해서는
안 된다는 것이었는데 어른에게 꽤 칭찬을 받았다.

금화경독기 金華耕讀記

권 4

사천斜川 소과蘇過의 시문詩文

소동파 잡문에서 아들 소과(蘇過)[1]에 대해 많이 언급한 것을 보았다. 그리고 《송사(宋史)》에서 "그가 지은 〈사자대부(思子臺賦)〉가 일찍이 세상에 유행하여 그를 '소파(小坡)'라고 불렀다."[2]라고 한 기록도 보았는데 그의 전집을 한 번도 읽어보지 못하여 아쉬웠었다.

신사년(1821) 여름에 우연히 포이문(鮑以文)[3]의 《지부족재총서(知不足齋叢書)》[4]에 들어 있는 《사천집(斜川集)》[5] 6권을 빌려 보았는데 바로 소과의 시문들

---

1 소과(蘇過) : 1072~1123. 중국 북송(北宋) 때의 문학가이다. 자(字)는 숙당(叔黨)이고, 호(號)는 사천거사(斜川居士)며, 미주(眉州) 미산(眉山 지금의 사천성 미산시) 사람이다. 소식(蘇軾 소동파)의 아들로 당시에 소파(小坡)라고 불렸다. 송 철종(宋哲宗) 원우(元祐) 6년(1091)에 예부시(禮部試)에 응시하였으나 급제하지 못했다. 소성(紹聖) 원년(1094)에 소식이 혜주(惠州)로 귀양가고, 4년(1097)에 담주(儋州)로 다시 유배갔을 때 모두 수행하였다. 원부(元符) 3년(1100)에 아버지를 따라 북쪽으로 돌아왔다. 소식이 사망한 뒤에 숙부인 소철(蘇轍)을 의지해 영창(潁昌 지금의 하남성 허창)에 살았다. 휘종(徽宗) 정화(政和) 2년(1112)에 태원세(太原稅)를 감독했으며, 5년에는 언성(郾城)을 담당하였다. 선화(宣和) 5년에 정주(定州)의 통판(通判)으로 세상을 떠났다. 하남(河南)의 겹현(郟縣)에 매장되었다.

2 그가……불렀다 : 初監太原府稅, 次知潁昌府郾城縣, 皆以法令罷, 晚權通判中山府. 有《斜川集》二十卷. 其〈思子臺賦〉, 〈颶風賦〉早行於世. 時稱爲'小坡', 蓋以軾爲'大坡'也. 其叔轍每稱過孝, 以訓宗族.(《宋史》卷338 〈蘇軾傳〉)

3 포이문(鮑以文) : 1728~1814. 청대의 장서가인 포정박(鮑廷博)이다. 이문(以文)은 그의 자(字)이다. 호(號)는 녹음(淥飮)이다. 많은 서적을 넓게 보아 고적의 진위와 판본의 우열 및 수장(收藏) 초간(鈔刊)의 경력에 대한 지식이 매우 자세하였다.

4 지부족재총서(知不足齋叢書) : 포정박이 엮은 총서 30집이다. '지부족재(知不足齋)'는 그의 서재 이름이다. 소장 진서(珍書)는 물론, 다른 장서가들과 교환한 자료를 엄선하여 만들었다. 경서(經書)·사학(史學)의 고증(考證), 제자(諸子)의 주석·수필·잡기(雜記)·시화(詩話) 및 시문집(詩文集) 중 전본(傳本)이 드문 것, 혹은 종래(從來)의 전본에 오자나 탈자가 많은 것 따위를 수록하였다. 도광(道光) 말년에는 고승훈(高承勳)의 《속지부족재총서(續知不足齋叢書)》, 광서(光緖) 연간에는 포정작(鮑廷爵)의 《후지부족재총서(後知不足齋叢書)》가 편찬되었다.

5 사천집(斜川集) : 소과의 시문집으로 모두 6권이다. 소순(蘇洵)과 그의 아들 소식, 소철 형제의 삼소(三蘇) 문집인 《삼소전집(三蘇全集)》(198권) 안에 함께 수록되어 있다. 진진손의 《직재서록해제》

이었다. 마치 해외의 보물선을 얻은 것 같아 3일 만에 다 읽어버렸다. 비록 부친의 웅혼(雄渾)하고 준일한 기운은 없지만 이 역시 여유로운 체재를 갖추고 있고 어느 정도는 부친을 계승한 점도 있었다.

사서(史書)에서는 문집 20권이 있다고 하였는데 진진손(陳振孫)[6]의 《직재서록해제(直齋書錄解題)》[7]에서는 10권이라고 하였으니, 이것은 대체로 《영락대전(永樂大典)》[8]에서 초록한 것이다.

권17에는 10권으로 저록되어 있으며, 《송사(宋史)》 〈예문지(藝文志)〉에도 마찬가지로 저록되어 있다. 명나라 초에 찬수한 《영락대전》에서 증인(證引)한 것이 있었으나 오래지 않아 산일되었다. 《사고전서총목》에 부록된 《사고미수서목제요(四庫未收書目提要)》 《사천집》 6권 제요(提要)에서는 "건륭조 인화(仁和) 오장원(吳長元)이 예전에 초록한 잔본을 입수하여 다시 각각의 서적으로부터 시(詩)와 문(文) 약간을 편집하여 …… 성질(成帙)할 수 있을 것 같았으나 끝내 《사고전서》에 초입(鈔入)되지 못하여 매우 안타깝다."고 하였다. 건륭 52년 정미(1787)에 조회옥(趙懷玉)이 교각(校刻)하여 시문(詩文) 278편을 수록하였다. 청나라 인종(仁宗) 가경(嘉慶) 15년(1818) 법식선(法式善)이 다시 조각본(趙刻本)의 기초 위에 《영락대전》에서 시 53편과 문 15편을 집득(輯得)하였다. 포정박이 조각본을 저본으로 하고 법식선이 집득한 것을 더하고, 다른 서적에서 본 것을 더하여 중각(重刻)하였다. 이것이 《지부족재총서》에 수록되었으니 모두 시문(詩文) 367편인데 그중 시가 277편이다. 그러나 소과의 작품은 아직도 수집될 것이 많다. 북경도서관에 소장된 청나라 구초본 《사천집》은 포정박본보다 시 13수가 더 많고, 주재준(周在浚)의 《진패(晉稗)》에도 포본에는 보이지 않는 시 한 수가 있다. (《중국시학대사전(中國詩學大辭典)》, 傅璇琮·許逸民 외, 절강교육출판사, 879면)

6 진진손(陳振孫) : 1183?~1249. 중국 송나라 때의 장서가이다. 원명은 원(瑗)이고, 자는 백옥(伯玉), 호는 직재(直齋), 절강(浙江) 안길(安吉) 사람이다. 이종(理宗) 보경(寶慶) 3년(1227) 서적의 간인·장서가 성행했던 흥화군(興化軍)의 통판(通判)을 지냈다. 이때, 정씨(鄭氏)·오씨(吳氏)·방씨(方氏)·임씨(林氏) 4대가의 장서를 얻게 되어 장서량이 5만여 권에 달했다. 《군재독서지(郡齋讀書志)》의 체례를 본받아 《직재서록해제(直齋書錄解題)》를 지었는데, 원본은 일실된 지 오래되었다.

7 직재서록해제(直齋書錄解題) : 진진손의 장서목록이다. 3천여 종 51,180권이 수록되어 있다. 원본은 56권으로 경(經)·사(史)·자(子)·집(集)의 사록(四錄)으로 나누고, 다시 경록(經錄) 10류(類), 사록(史錄) 16류, 자록(子錄) 20류, 집록(集錄) 7류 등 모두 53류로 구분하여 도서를 정리하고 간단한 해제를 붙였다. 현재 통행하는 본은 청나라 때 사고관(四庫館)에서 《영락대전(永樂大典)》에서 집출(輯出)한 것을 22권으로 편찬하여 무영전취진판총서(武英殿聚珍版叢書)에 수록한 것이다.

8 영락대전(永樂大典) : 본문은 2만 2,877권, 목록은 60권이다. 1403년 영락제는 해진(解縉) 등에게 유서의 편찬을 명하여 다음 해 완성되자 이를 《문헌대성(文獻大成)》이라 하였으나, 다시 이보다 대규모의 것을 편찬시켜 1407년에 완성되자 《영락대전》으로 고쳤다. 이 사업에 종사한 인원은 2,000명 이상에 이른다. 이 유서는 오늘날의 ABC, 가나다순과 같이 운(韻)에 따라 항목을 배열한 일종의 대백과사전으로, 경서(經書)·사서(史書)·시문집(詩文集)·불교·도교·의학·천문·복서(卜筮) 등 모든 사항에 관련된 도서들을 총망라하여 여기에서 관련 사항을 발췌하여 이를 내용별로 분류하고 《홍무정운(洪武正韻)》의 문자순에 따라 배열하였다. 그 규모가 방대하여 완성 당시 사본(寫本)으로 정본(正本)을 1부 만들고, 1562년 부본(副本)을 1부 만들었는데, 정본은 명조(明朝)가 멸망할 때 소실(燒失)되었다. 부본 1부는 청나라에 전해져 《사고전서(四庫全書)》를 편찬할 때 이용되기도 하였으나, 1860년 영국·프랑스군의 베이징 침공 이후 많이 산실(散失)되었고, 특히 의화단사건(義和團事件) 때 연합군의 약탈로 거의 소실되거나 산실되어 지금은 중국 외에 당시 유출된 것이 영국과 프랑스 등에 산재되어 있으나 모두 합쳐도 겨우 797권에 불과하다. 《영락대전》 중에는 이미 없어

장초蔣超의 게偈

청나라 순치(順治) 연간(1644~1661)에 장초(蔣超)[9]는 한림편수(翰林編修)의 자격으로 순천학정(順天學政)[10]을 맡아 외지로 나가 있었다. 직임을 끝내고 출가하여 아미산(峨眉山)에 있는 복호사(伏虎寺)[11]로 들어갔는데, 입적(入寂)할 때에 게(偈)를 지었다.

공명은 꼭두각시 판 속의 물건이요	功名傀儡場中物
처자는 해골 무리 안의 사람이다[12]	妻子骷髏隊裏人

이는 나의 요즘 처지를 완곡하게 말해준다. 이조원(李調元)[13]의 《담묵록(淡墨錄)》[14]을 보다가 이 부분에 이르러서 나도 모르게 한참 동안 서글펐다.

진 일서(佚書)가 전해지는데 청나라 학자에 의해 집록(集錄)되어 귀중한 사료(史料)가 된 것도 적지 않다.

9 장초(蔣超) : 1624~1673. 중국 명나라 때의 시인이다. 자(字)는 호신(虎臣), 호(號)는 수암(綏庵)이다. 관직은 순천제독학정(順天提督學政)에 이르렀으며, 후에 출가하여 승려가 되었다. 저서로는 《수암시고(綏庵詩稿)》, 《수암집(綏庵集)》, 《지차우제(池此偶祭)》, 《장경(蔣境)》 2권과 《아미산지(峨嵋山志)》 18권이 있다.

10 순천학정(順天學政) : 학정은 '제독학정(提督學政)'의 간칭이다. 조정에서 각 성에 파견하여 각 지방 학관의 관원을 감찰하게 하였다. 학정은 일반적으로 한림원을 지냈거나 진사 출신이었다.

11 아미산(峨眉山)에 있는 복호사(伏虎寺) : 아미산은 중국 사천성(四川省) 아미현(峨眉縣)의 남서쪽에 있으며 중국 불교의 성지로 알려진 산이다. 아미산은 도교의 성지였는데, 불교가 전래되어 융성하면서 불교의 성지로 변모되어 갔다. 특히 산중에 있는 복호사는 도교사원으로 창건되었다가 불교 사찰로 변화하였다. 복호사는 절 뒤의 산봉우리가 흡사 호랑이 모습처럼 보인다 하여 붙여진 이름으로, 1131년에 지어졌으나 명나라 말기에 소실되었다. 1651년, 관지(貫之) 고승에 의하여 중건되어 13개의 불당으로 이루어진 절이 되었다.

12 공명은……사람이다 : 翛然猿鶴自來親, 老衲無端墮孽塵. 妄意鑊湯來避熱, 那從大海去翻身. 功名傀儡場中事, 妻子髑髏隊裏人. 只有君親恩未報, 生生世世祝能仁.(《欽定盤山志》 卷16)

13 이조원(李調元) : 1734~1802. 자는 미당(美堂), 호는 우촌(雨村)이고, 사천(四川) 나강현(羅江縣) 사람이다. 청대의 대표적인 문학가로, 시에 능하였다. 주요 저서로는 《만선당시(萬善堂詩)》, 《동산전집(童山全集)》 등이 있다.

14 담묵록(淡墨錄) : 이조원이 찬술한 책으로 갑과(甲科) 을과(乙科)에 합격한 여러 명신(名臣)의 언행을 기록한 것이다. 모두 7권으로 이루어져 있다.

시詩는 처절함을 꺼린다

기해년(1779) 여름, 나는 새벽에 일어나 뒷간에 가다가 우연히 "풀 속에서 우는 귀뚜라미 새벽빛을 원망하네[艸裏鳴蛩怨曉色]"라는 한 구절이 떠올랐다. 그 당시 내 나이는 열여섯이었고 형님[15]께 시를 배웠다. 돌아와 형님께 말했더니 "기상이 처절하다."라고 하고는 시편을 완성하지 못하게 하였다.

계미년(1823) 봄, 삼호(三湖)[16]에 있을 때 우연히 《사고전서총목(四庫全書總目)》에서 송나라 조필상(趙必瑑)[17]의 《부부집(覆瓿集)》[18] 해제를 보았다. "빗줄기에 우는 개구리는 깊은 밤 어지럽히고, 몇 마디 지저귀며 우는 새는 지는 해 원망하네[一雨鳴蛙亂深夜, 數聲啼鳥怨斜陽]"라는 경구(警句)를 예로 들어 여유롭고 정감과 운치가 있다고 매우 칭찬하였다.[19]

이 시구에서 정경을 묘사하여 시로 표현한 것이 내가 기해년에 지었던 것과 매우 흡사하다.

지난날을 돌이켜 생각해보니 훌쩍 45년이 흘러 형님께 다시 질정하려

---

15 형님 : 서유본(徐有本, 1762~1822)을 말한다. 서유구는 서철수(徐澈修)에게로 출계(出繼)하였고, 서유본은 본가의 맏형이다. 본관은 대구(大丘), 자(字)는 혼원(混原), 호(號)는 좌소산인(左蘇山人)이다. 서호수(徐浩修)의 장남으로 서유구의 형이다. 1805년(순조 5) 음직으로 동몽교관(童蒙敎官)이 되었다. 1806년(순조 6) 중부(仲父) 서형수(徐瀅修)가 남해도(南海島)로 귀양갈 때 연좌되어 관직을 빼앗기자 삼호(三湖)에 거주하면서 경학 연구와 저서 활동에 힘썼다. 초기에는 관직에 나아가 이름을 얻고자 하여 변려문 제작에 힘쓰다가 연암(燕巖) 박지원(朴趾源)의 비판을 받았다. 그 후 부친의 유업을 이어 기하학·역학(曆學)·상수학(象數學)·율려학(律呂學) 등을 깊게 연구하였다. 이후 《주자가례(朱子家禮)》의 근원을 삼례(三禮)로 보고 삼례와 가례를 연구하였다. 저서로 《좌소산인문집(左蘇山人文集)》 등이 있다.

16 삼호(三湖) : 삼호(三湖)는 '마호(麻湖)'라고도 불렸으며, 지금의 마포에 해당한다. 근처의 용호(龍湖), 서호(西湖)와 함께 세 개의 물목이 있다 하여 '삼호'라 했다.

17 조필상(趙必瑑) : 1245~1295. 중국 남송 때의 시인이다. 자(字)는 옥연(玉淵), 호(號)는 추효(秋曉)이다. 동완(東莞 지금의 광동) 사람이다. 저서로 《부부집(覆瓿集)》이 있으며 이 책 말미에 〈지전(志傳)〉과 〈행장(行狀)〉이 부록되어 있다.

18 부부집(覆瓿集) : 시(詩) 2권, 장단구(長短句) 1권, 잡문(雜文) 2권, 부록(附錄) 1권, 총 6권으로 구성되어 있다.

19 《사고전서총목(四庫全書總目)》에서……칭찬하였다 : '一雨鳴蛙亂深夜, 數聲啼鳥怨斜陽'諸句, 固未嘗不綽有情韻也.(《四庫全書總目》 卷165)

해도 그럴 수가 없다.[20] 눈물 한번 닦아내고 이 글을 적는다.

성여학成汝學의 경구警句

이수광(李睟光)의 《지봉유설(芝峯類說)》에 실린 쌍천(雙泉) 성여학(成汝學)[21]의 경구 중 이런 구절이 있다.[22]

풀밭 이슬에 벌레 소리 젖어들고	艸露蟲聲濕
숲속 바람에 새의 꿈 위태롭다[23]	林風鳥夢危

그런데 이 경구는 육방옹(陸放翁)[24]의 "이슬 내린 풀밭에선 벌레 소리 젖어들고, 바람 부는 가지에선 새의 꿈 위태롭다[露艸蟲聲濕, 風枝鳥夢危]"라는 구절을 완전히 베낀 것임을 알지 못한 것이다. 참으로 이른바 "여우 가죽옷을 훔친 어리석은 도둑"[25]이다.

20 지난날을……없다 : 서유본은 순조 22년(1822) 2월에 세상을 떠났는데, 이듬해 우연히 그와 연관된 시구를 보고서 떠오르는 감상을 기록한 것으로 보인다.

21 성여학(成汝學) : 1557~?. 조선 중기의 문신으로, 본관은 창녕(昌寧), 자는 학안(學顔), 호는 학천(鶴泉) 또는 쌍천(雙泉)이다. 일찍이 시에 재능을 보였던 것에 비해 평생 불우하게 지냈고, 예순이 되도록 명성에 걸맞은 벼슬 하나 얻지 못했다. 그래서 평소 시학(詩學), 항간의 이야기를 수집하는 것으로 소일거리로 삼았는데, 저자가 편찬한 한문 소화집(笑話集)인 《속어면순(續禦眠楯)》이 홍서봉(洪瑞鳳)의 발문과 함께 필사본으로 전해지고, 또 《가항골계부(街巷稽滑裒)》를 남겼다. 이 소화집은 송세림(宋世琳)의 《어면순(禦眠楯)》에 실리지 않은 이야기들을 모아 만들었다. 모두 32편의 설화가 실려 있으며, 각 편마다 4자로 된 제목이 있다.

22 이수광(李睟光)의……있다 : 進士成汝學號雙泉, 自少攻詩, 而爲造化兒所困. 年六十, 不得一命, 惜也. 其警句曰: "草露蛩聲濕, 林風鳥夢危. 寒樹鳥無夢, 暗窓虫有聲. 缺月栖深樹, 寒禽穴破籬. 雨意偏侵夢, 秋光欲染詩." 其淸苦如此. (《芝峰類說》 卷14 〈文章部7〉)

23 풀밭……위태롭다 : 不寐憑孤枕, 憂深曉漏遲. 親亡無所恃, 身老有何爲. 草露蟲聲濕, 林風鳥夢危. 那堪垂淚眼, 又値菊花時.(《鶴泉集》 卷1 〈有感〉)

24 육방옹(陸放翁) : 1125~1210. 중국 남송(南宋)의 시인 육유(陸游)이다. 방옹(放翁)은 그의 호이다. 자(字)는 무관(務觀), 월주(越州) 산음(山陰 지금의 절강성 소흥) 사람이다. 스스로 "60년간 만 수의 시를 지었다[六十年間萬首詩]"라고 하였는데, 지금은 9,300여 수가 전한다. 나라의 상황을 개탄한 시나 전원의 한적한 생활을 주제로 한 시를 많이 썼다. 글씨도 뛰어났다. 저서로 《검남시고(劍南詩稿)》, 《입촉기(入蜀記)》, 《남장서(南唐書)》 등이 있다.

25 여우……도둑 : 전국시대 제(齊)나라의 맹상군(孟嘗君)이 진(秦)나라에 들어갔다가 소왕(昭王)에게

사간재謝艮齋의 권농시勸農詩

나는 송나라 사간재(謝艮齋)[26]의 이 〈권농시(勸農詩)〉[27]를 매우 좋아한다.

벼슬하는 자는	仕宦之人
남으로 북으로 오가며	南州北縣
장사하는 자는	商賈之人
하늘과 바다를 오가는데	天涯海岸
다투어 농부 되어	爭如農夫
가족과 함께하리니	六親對面
집안에 벼슬한 이 없어도	門無官府
몸은 편안하다네	身即康健
여름엔 비단으로 새 옷 지어 입고	夏絹新衣
가을엔 햅쌀로 백반 지어 먹으니	秋米白飯
금 귀한 줄은 모르지만	不知金貴
좁쌀 흔한 줄은 안다네	惟聞粟賤
오리며 거위며 무리 지어 다니고	鵝鴨成群
돼지며 양이며 우리에 가득하네	猪羊滿圈
관셀랑 일찌감치 내고	官稅早了
여유롭게 이리저리 소요하네	逍遙散誕

죽임을 당할 위기에 처했는데, 이미 소왕에게 바쳤던 호백구(狐白裘, 여우 가죽)를 훔쳐 내어 소왕의 총희(寵姬)에게 뇌물로 바치고 풀려났다. (《史記》 卷75 〈孟嘗君列傳〉)

26 사간재(謝艮齋) : 《승암집(升菴集)》 〈권농시(勸農詩)〉에 다음과 같은 소주가 있다. "간재는 신유 사람으로 주자와 벗이다. 저술로 고금효자전이 있다.[艮齋新喻人, 與朱子友. 所著有古今孝子傳.]"

27 권농시(勸農詩) : 출전에 따라 약간의 문자 출입이 있다.

▶ 仕宦之人, 南州北縣, 商賈之人, 天涯海岸. 爭如農夫, 六親對面, 夏絹新衣, 秋米白飯. 鵝鴨成群, 豬羊滿圈. 官稅早輸, 逍遙散誕. 似此之人, 直千直萬. (《鶴林玉露》 卷16)

▶ 仕宦之身, 南州北縣, 商賈之人, 天涯海岸, 爭如農夫, 六親對面. 門無官府, 身即強健, 夏絹新衣, 秋米白飯, 不知金貴, 惟聞粟賤. 鵝鴨成群, 猪羊滿圈, 官稅早了, 逍遥散誕, 安眠穩睡, 直千直萬.(《升菴集》 卷58)

편안하고 달콤한 수면은	安眠穩睡
천만금보다 낫다네	直千直萬

여러 차례 읊조려 보았다. 무릇 "우물을 파고 밭을 가는 일에 임금의 힘이 나에게 무슨 상관이랴."[28]라는 기상이 있어, 나는 일찍이 아이들에게 이 시를 써서 벽에 걸어두고 늘 보게끔 하였다.

은사隱士의 제벽시題壁詩

은사(隱士)의 이런 제벽시(題壁詩)가 전한다.

귀뚜라미 밤이 되니 베 짜라고 다그치고	寒蛬入夜忙催織
뻐꾸기[29]는 봄 깊으니 밭 갈라고 채근하네	戴勝春深苦勸農
사람 괴로워 세상 구할 마음 없으면	人苦無心濟天下
곤충과 새의 마음 어떠한지 알 리 없지[30]	不知蟲鳥有何情

비록 잘 쓴 시는 아니지만 시어가 의미와 잘 맞는다. 나는 아이들에게 근삼재(勤三齋) 벽에 이 시를 써서 걸어놓게 하였다.

---

28 우물을……상관이랴 : 요(堯) 임금 때에 노인이 지었다는 격양가(擊壤歌)에 다음과 같은 구절이 있다. "해가 뜨면 일어나고 해가 지면 쉬면서, 내 우물 파서 물 마시고 내 밭을 갈아서 밥 먹으니, 임금의 힘이 나에게 도대체 무슨 상관이랴.[日出而作, 日入而息, 鑿井而飮, 耕田而食, 帝力於我何有哉.]"

29 뻐꾸기 : 원문에는 '대승(戴勝)'으로 되어 있는데, 이규경의 《오주연문장전산고(五洲衍文長箋散稿)》〈기후월령(氣候月令)에 대한 변증설〉을 보면, "《시경(詩經)》〈조풍(曹風) 시구장(鳲鳩章)〉 주(注)에, '시구는 길국(秸鞠)이고 일명 대승(戴勝)이라고도 하는데 오늘날의 포곡(布穀)이다.'라고 하였다. 포곡(布穀)은 뻐꾸기의 별칭이며 뻐꾸기가 울 때 '뻐꾹뻐꾹[布穀布穀]' 하고 울어 마치 '씨 뿌려라, 씨 뿌려라.' 하는 것 같아서 이렇게 부른다고 한다.

30 귀뚜라미……없지 : 이 시는 《후청록(侯鯖錄)》 권6에 부림(傅霖)의 시로 전해진다. 부림은 부암(傅嵒)이라고도 하며 청주(青州 지금의 산동) 사람이다. 어려서 장영(張詠)과 함께 공부했고 평생 벼슬하지 않고 은거하여 당시에 부일인(傅逸人)이라고 불렸다.

우촌雨村 이조원李調元의 견일정見一亭 시

정조 병신년(1776)에 선대부[31]께서 부사(副使)로서 연경에 가셨을 때, 유금(柳琴)[32]이 비장(裨將)으로 따라갔다. 여관에 머물던 날 유금이 우촌(雨村) 이조원(李調元)을 만날 기회가 있어 선대부께서 견일정(見一亭)에 내걸 시 한 수를 지어달라고 편지로 부탁하셨다. 이에 우촌이 칠언 근체시 한 편을 써서 보내주었는데 내용은 이러하다.

지금껏 속박해 온 이 높은 자리	從來縛束是簪纓
벗어나니 이제야 속마음을 보겠네	灑脫方能見素襟
동국의 사자[33]가 먼저 품은 뜻	東國使星先有志
남천의 미천한 몸 일찌감치 같은 마음	南天賤子早同心
구름 낀 상령 멀리서 부르니	雲來象嶺遙相召
【상령(象嶺)은 내가 거처하는 산 이름이다.】	
달 뜬 계림에서 홀로 읊조리려 하네	月出鷄林想獨吟
서로 만나거든 모른다는 말을 마오	莫道相逢不相識

31 선대부 : 서호수(徐浩修, 1736~1799)를 말한다. 서호수는 병신년(1776)과 경술년(1790) 두 차례 연행을 다녀온 기록이 있다.

32 유금(柳琴) : 1741~1788. 조선 후기의 문신이다. 본관은 문화(文化), 자는 연옥(連玉)·탄소(彈素), 호는 기하실(幾何室)·착암(窄菴)이다. 유득공의 숙부로, 원래 이름은 유련(柳璉)인데 1776년(영조 52) 연행을 다녀오면서 유금으로 고쳤다. 연암(燕巖) 학파의 일원이 되어 박지원(朴趾源), 홍대용(洪大容), 박제가(朴齊家), 이덕무(李德懋), 유득공(柳得恭), 이서구(李書九) 등과 교류하였고, 서호수와도 친분이 매우 두터웠다. 서호수의 두 아들 서유구와 서유본의 숙사(塾師)를 지내기도 했다. 정조 즉위년에 사은부사(謝恩副使) 서호수의 막객(幕客)으로 중국에 가서 중국의 문인인 이조원과 교류하기도 했다.

33 사자 : 원문에는 '사성(使星)'으로 되어 있다. 후한(後漢) 화제(和帝) 때에 한번은 미복 차림의 사자(使者)를 각 주현(州縣)에 나누어 파견했는데, 이때 사자 두 사람이 익주(益州)에 당도하여 이합(李郃)의 집에 투숙하였다. 마침 여름밤이라 주객이 모두 밖에 나가 앉았을 때, 이합이 천문을 보고는 그 두 사람에게 묻기를, "두 분이 경사(京師)를 출발할 때에 혹 조정에서 두 사자를 파견한 사실을 들어 봤는가?" 하였다. 그 두 사람이 속으로 놀라 그 사실을 어떻게 아느냐고 물으니, 이합이 별을 가리켜 보이면서 "두 사자의 별이 익주의 분야를 향했기 때문에 아는 것이다."라고 하였다고 전하여 사성은 곧 사자의 대칭으로 쓰인다.(《後漢書》 卷82 〈李命列傳〉)

아침 일찍 문밖으로 쏜살같이 말 달리리[34] 早朝門外馬駸駸
【말 위에서 바라보면 마치 신선 세계 사람이 된 것 같다.】

이 시는 지금도 김천(金阡) 견일정 벽에 걸려 있다.

최근에 우촌이 지은 《월동황화집(粵東皇華集)》[35]에 실린 〈부사 서(徐) 아무개에게 써 보낸 견일정 시 두 수〉를 보았는데 그 서문에 이런 말이 있었다.[36]

"부사가 와서 말하기를, '제 관직이 비록 청화직[淸華]에 있사오나 마음은 재야에 있습니다. 서울에서 백 리 떨어진 곳에 백학령(白鶴嶺)이 있는데 깊은 산골짜기의 좋은 경치가 제법 있습니다. 그곳에 새로 정자 하나를 세우고 견일정이라고 했는데[37] 「임하에 어디 한 사람이라도 보이더냐[林下何曾見一人]」[38] 라고 한 데서 뜻을 취한 것입니다. 원컨대 시를 한 수 얻어서 돌아가 고향의 볼거리로 꾸미고 싶습니다.'라고 하였다. 그의 뜻을 차마 저버릴 수 없어서 시 두 수를 지어주었다."

그 시가 이것이다.

벼슬자리 물러난 일 예부터 찾기 어려운데 急流勇退古難尋
과연 훌훌 털고 고향 돌아가는 것을 보았네 果見飄然返故林

---

34 서로……달리리 : 서호수의 《연행기(燕行紀)》 제1권 경술년(1790) 7월 9일 조에 이 시구가 보인다.

35 월동황화집(粵東皇華集) : 황화(皇華)는 《시경》 소아(小雅)의 편명인 황황자화(皇皇者華)의 약칭으로 임금이 사신을 보낼 때 부른 노래이다. 후세에는 사신과 이를 맞이한 원접사(遠接使)가 서로 주고받았던 시를 모아 《황화집》이라 이름하였다. 이조원은 향시를 주관하는 책임을 맡아 월동(粵東) 지역을 다녀왔다.

36 최근에……있었다 : 서호수는 유금 편에 편지를 써서 자신의 정자 견일정에 내걸 제시를 부탁했고, 이조원은 흔쾌히 시 두 수를 지어 보낸다. 이 내용은 이덕무의 《속함해(續函海)》 속 《청비록(淸脾錄)》 〈이우촌(李雨村)〉에만 실려 있다. (《18세기 한중 지식인의 문예 공화국》, 정민, 문학동네, 2014)

37 서울에서……했는데 : 서호수는 1783년 평안도 관찰사를 그만두고 장단(長湍)으로 내려가 백학산(白鶴山) 아래에 견일정을 짓고 살았다. (《조선의 문화공간 4》, 이종묵, 휴머니스트, 2006, 369면)

38 임하에……보이더냐 : 중국 당나라 때의 승려 영철(靈澈, 746~816)이 위단(韋丹)에게 지어 준 시에, "서로 만나면 다 벼슬을 그만두고 떠난다지만, 임하에 어디 한 사람이라도 보이더냐.[相逢盡道休官去, 林下何曾見一人.]"라고 하였다.

자고로 시인은 거짓말하지 않으니	自古詩人無假語
지금은 이 사람 진심인 듯하네	如今若箇是眞心
세상엔 구양수의 귀전록[39]이 전하고	世傳永叔歸田錄
손님은 한유의 유묘금[40]을 빼앗았네	客奪昌黎諛墓金
듣자 하니 길이 꼬불꼬불하고 한없이 험하다던데	聞道羊腸無限險
때를 보아 누가 먼저 벼슬 관두려나	見幾誰是早投簪

또 한 수는 이것이다.

돌아오니 오솔길은 황폐해졌고[41]	得歸三徑就荒蕪
둘러보니 소나무 삼나무도 거칠어졌으나	點檢松杉十倍麤
술 거르던 두건[42]은 아직도 있고	尙有頭巾堪漉酒
세금 내란 독촉장은 전혀 없네	絕無手簡問催租
사슴은 눈 속에서 길을 잃어 나무꾼 만나고	鹿迷雪崦逢樵叟
물고기는 안개 자욱한 물결에서 노니 낚시꾼 찾아오네	魚擲煙波訪釣徒
닮지 마라. 지나치게 시를 많이 지은 육방옹을	莫學放翁太顚劇
집집마다 부채에 그의 모습 그렸다네[43]	家家團扇盡成圖

---

39 귀전록(歸田錄) : 송나라 구양수의 필기(筆記)로 2권 150조로 되어 있다. 만년에 관직을 물러나 영주(潁州)에서 한가로이 지내면서 시를 지어 귀전(歸田)이라고 제목을 지었다. 조정의 옛 일들과 사대부의 소소한 이야기들이 많이 기록되어 있으며 대부분이 자기 자신의 경력과 견문에 관련되어 사료로써 믿을 만하다.

40 유묘금(諛墓金) : 한유(韓愈)가 남의 묘지문(墓誌文)을 써주고 받은 사례금의 일부를 유차(劉叉)라는 젊은 지인(知人)이 가져가면서 말하기를, "이 돈은 무덤 속의 사람에게 아첨하여 번 돈이니, 나 같은 사람과 더불어 수(壽)를 누리는 것이 낫다."고 한 일을 가리킨다. 예전에 묘지문은 흔히 고인의 행적을 실제보다 부풀려 칭양(稱揚)하는 일이 많았다.(《新唐書》 卷176 〈劉叉列傳〉)

41 돌아오니 오솔길은 황폐해졌고 : 도연명의 〈귀거래사(歸去來辭)〉에 "호젓한 오솔길은 황폐해졌어도, 솔과 국화는 그대로 남아 있네.[三徑就荒, 松菊猶存.]"라는 구절이 있다.

42 술 거르던 두건 : 도연명이 술이 익으면 갈건(葛巾)으로 술을 걸러낸 다음 다시 머리에 썼다고 한다.

43 집집마다……그렸다네 : 露箬霜筠織短篷, 飄然來往淡煙中. 偶經菱市尋溪友, 卻揀蘋汀下釣筒. 白菡萏香初過雨, 紅蜻蜓弱不禁風. 吳中近事君知否, 團扇家家畫放翁.(《宋詩抄》 卷66 〈六月二十四日夜

두 편의 시 모두 병신년에 써 보낸 것이 아니다. 병신년에 쓴 시는 문집에 실려 있지 않으니 아마도 나중에 고친 것이 아니겠는가. 그런데 정유년(1777)과 무술년(1778) 사이에 유금과 여러 차례 편지를 주고받았는데도 고친 시를 끝내 보내주지 않은 것은 무슨 까닭인지 모르겠다.

《월동황화집》에 실린 선대부와 병신년에 주고받은 편지에는 이렇게 적혀 있다.[44]

"아무개 아룁니다. 종인이 두 번이나 찾아갔는데 자연스럽고 친근하게 대해주셨습니다. 처음에는 시를 읊어주시고 이윽고 의논(議論)을 들려주시니 이는 덕스러운 용모를 바라보며 맑은 가르침을 접한 것과 다름이 없습니다. 그런데 하물며 또 옥 같은 문장을 보내주시고 칭찬하는 말씀을 해주셨으니 해외에서 온 미천한 몸이 어떻게 이 대국의 군자에게서 이러한 글을 받을 수 있겠습니까? 금지하여 막힌 몸이 되어 곧바로 감사의 마음을 전하지도 못했는데, 마침 상을 당하여 또한 졸렬한 시를 보내지 못하게 되었습니다. 부끄럽고 송구스럽습니다. 마치 물고기가 낚시 바늘에 걸린 것과도 같은 신세입니다. 며칠 조금씩 따스해짐을 느낍니다. 엎드려 바라옵건대 존체 보존하소서.

시학(詩學)이 없어진 지 이미 오래되었습니다. 명나라 말기부터 군자들이 경치를 묘사할 때 걸핏하면 당나라 사람의 것을 인용하고, 사건을 서술할 때에는 번번이 송조(宋調)를 칭탁했습니다. 그래서 풍신(風神)[45]은 깊고 그윽한 맛이 있는 듯도 하고, 도세(陶洗)[46]는 정치하고 공교한 듯도 합

分, 夢范至能李知幾尤延之同集江亭, 諸公請予賦詩, 記江湖之樂, 詩成而覺, 忘數字而已.〉)

44 《월동황화집》에……있다 : 옌칭도서관 소장 《월동황화집》에 서호수의 친필 편지가 실려 있다. 이조원은 《월동황화집》 재판 때 서호수의 편지를 권두에 실었다. (《18세기 한중 지식인의 문예 공화국》, 정민, 문학동네, 2014)

45 풍신(風神) : '재조(才藻)'와 상대되는 개념으로 예술 작품 속에 갖추어져 있는 '정신(情神)', '풍채(風采)'를 가리킨다. 《중국시학대사전(中國詩學大辭典)》, 傅璇琮·許逸民 외, 절강교육출판사, 35면)

46 도세(陶洗) : 도세(陶洗)는 '혁제(革除)', '척제(滌除)'의 뜻이다.

니다. 그러나 빨리 읽으면 어금니와 뺨이 어긋나고, 천천히 보면 의취(意趣)[47]가 삭막합니다. 그 폐단이 음절은 각박하며 기상(氣象)[48]은 처량하고 천박하게 되어 온유돈후(溫柔敦厚)[49]한 뜻을 완전히 잃게 되었습니다. 대체로 당나라 시를 배우되 그 천기(天機)를 잃고, 송나라의 것을 배우되 그 재정(才情)을 없앴으니 껍데기요, 꾸밈일 뿐입니다.

그런데 집사의 시는 바로 《황화집(皇華集)》[50]의 시편으로 보건대, 인습의 비루함을 초탈하고 오로지 순아한 참모습에만 의지하여 당나라의 것도 송나라의 것도 아닌 오직 집사만의 말을 만들었습니다. 그리고 풍격과 기운은 창건(蒼健)하고 음운은 고결하여 마치 산곡(山谷) 황정견(黃庭堅)과 방옹(放翁) 육유(陸游)에 마음을 두지 않았는데도 저절로 산곡·방옹과 합치되니, 또한 구양수가 태사공을 잘 배운 것과 같다고 할 수 있겠습니다. 세 번을 반복해 읊조릴 즈음에는 경탄하지 않을 수가 없었습니다. 걱정되는 것은 부유한 공업이 있는데 여기에 그치게 해서는 안 된다는 것입니다. 저민 고기 한 점의 맛으로는 구정(九鼎)의 맛을 다 알 수 없습니다. 그러나 사율(詞律)은 아주 작은 가지에 불과하니, 집사는 분명 시 이외에도 잘하는 일이 있을 것입니다. 예컨대 근세의 용촌(榕村) 이광지(李光地)가 경학에 침잠하고, 영인(寧人) 고염무(顧炎武)[51]가 박물(博物)과 고고(考古)에 능

---

47 의취(意趣) : 시학(詩學)과 관련된 미학(美學) 개념으로 주로 창작 주체가 선명(鮮明)한 사상(思想)·정감(情感)을 위주로 선택하여 창조해낸 문예작품의 심미(審美) 의식과 독특한 풍격(風格)이다. 《중국시학대사전(中國詩學大辭典)》, 傅璇琮·許逸民 외, 절강교육출판사, 32면)

48 기상(氣象) : 시학(詩學)과 관련된 미학(美學) 개념으로 창작 주체의 정신(精神)과 기운(氣韻)이 작품 속에 표현되는 풍격(風格) 가운데 웅혼(雄渾)한 경지를 가리킨다. 이는 논리(論理) 서사(敍事)를 위주로 하는 산문의 체제에는 활용되지만, 서정(抒情)적인 시사(詩詞)에는 합당하지 않다.

49 온유돈후(溫柔敦厚) : 한시에서 풍기는 독실한 정취. 기교를 부리거나 노골적인 표현이 없는 것을 이르는 말로, 중국에서는 이를 시의 본분으로 여겼다.

50 황화집(皇華集) : 명나라의 사신과 조선의 원접사(遠接使)가 서로 주고받은 시를 모은 것으로 모두 50권이다. 조선시대 명나라 사신이 처음 조선에 온 1450년(세종 32)부터 1633년(인조 11)까지 180여 년간 24차례에 걸쳐 양측이 주고받은 시를 모아 편집한 것이다. 1773년(영조 49)에 어명으로 다시 수집·정리해 간행하였다.

51 영인(寧人) 고염무(顧炎武) : 1613~1682. 중국 청나라 때의 학자이다. 원명은 강(絳), 자는 충청(忠淸)이었으나, 명나라 멸망 후 염무(炎武)로 개명하고 자도 영인(寧人)으로 고쳤다. 소주(蘇州) 곤산(昆山) 사람으로 대대로 집안에 장서가 많았다. 대표 저작인 《일지록》 외에도 《음학오서(音學五書)》,

하고, 물암(勿庵) 매문정(梅文鼎)[52]이 뛰어난 기예에 전문이어서, 모두들 깊이 스스로 터득한 학문에 나아갔으니, 그저 귀로 들은 것을 입으로 내뱉은 말[入耳出口][53]이 아닙니다. 집사가 경(經)이나 사(史)에 관하여 저술로 발휘한 것이 있다면 그것을 보고 싶습니다. 그것은 진정 목마른 자의 금경로(金莖露)[54] 정도에 그치지는 않을 것입니다. 그럼 이만 줄이겠습니다. 정유년 상원(上元 정월 대보름)에 조선의 부사 서(徐) 아무개 배상(拜上)."

뒤에는 선대부의 관직명이 기록되어 있는데, "서(徐) 아무개의 자(字)는 아무이고 호(號)는 학산(鶴山)이다. 본관은 조선의 대구(大邱)이다. 관직은 예조 판서(禮曹判書) 겸 동지경연성균관사(同知經筵成均館事), 전(前) 홍문관 부제학(弘文館副提學), 집현전 학사(集賢殿學士), 의정부 사인(議政府舍人), 호남 포정사(湖南布政使), 승정원 도승지(承政院都承旨), 이조 참판(吏曹參判)"이라고 하였다. 예조 판서라고 한 것은 부사(副使)의 차함(借銜)[55]이고, 집현전 학사라고 한 것은 또한 잘못 전해들은 것이다.

《천하군국이병서(天下郡國利病書)》, 《조역지(肇域志)》 등 40여 종에 달하는 저서를 남겼다.

52 물암(勿庵) 매문정(梅文鼎) : 1633~1721. 물암(勿庵)은 매문정의 호이다. 자(字)는 정구(定九), 안휘성(安徽省) 선성(宣城) 사람이다. 청나라 초기의 저명한 천문 수학자이다. 매문정은 어려서부터 천상을 보는 것을 좋아하여 항상 보고서 얻는 것이 있었다. 장성해서는 고대와 최근의 역산서들을 정밀하게 연구하였고, 더욱이 명나라 말에 수입된 서양의 수학도 겸하여 통달하였다. 천문산법서 80여 종을 저술하였는데 모두 이전의 학자들이 발명하지 않은 것이었다. 저술한 천문서들을 《매씨총서(梅氏總書)》라 하였다.

53 귀로……내뱉은 말[入耳出口] : '들은 말을 곧 남에게 말한다'라는 뜻으로, 남의 말을 제 주견(主見)인 양 그대로 옮기는 것을 가리키기도 한다.

54 금경로(金莖露) : 금경(金莖)은 한 무제(漢武帝)가 세웠던 승로반(承露盤 이슬을 받는 소반)의 동주(銅柱)를 가리킨다. 한 무제가 일찍이 신선을 사모한 나머지, 건장궁(建章宮)에 동(銅)으로 선인장(仙人掌)을 만들어 세워서 승로반을 받쳐 들고 이슬을 받게 하여 그 이슬을 옥가루[玉屑]에 타서 마셨다고 한다. 승로반에 담긴 이슬을 옥가루와 버무려 먹으면 신선의 도를 얻을 수 있다는 전설이 있다.

55 차함(借銜) : 외국에 사신을 보낼 때에, 그 사람의 관직이 높지 않으면 국가의 체면상 임시로 높은 직함을 붙여 보내는데, 이것을 차함(借銜)이라 한다.

두보 시의 측백나무와《장자》의 상수리나무

두보의 시 〈고백행(古柏行)〉에 "서리 맞은 거죽은 비에 젖어 마흔 아름, 검푸른 빛 하늘에 닿아 높이 이천 자[霜皮溜雨四十圍, 黛色參天二千尺]"[56]라고 하였는데 이를 두고 논자들이 지나치게 자세하고 과장된 것이 결점이라고 하였다.

《장자(莊子)》의 〈인간세(人間世)〉에서 "상수리나무의 둘레는 백 아름이요, 그 높이는 열 길이다."[57]라고 하였다. 백 아름은 백 자고, 열 길은 팔십 자니, 이 나무 또한 그 기세가 대단함을 알 수 있다.

나는《장자》의 상수리나무와 두보의 오래된 측백나무가 한 마리 오리와 한 마리 학처럼 서로 딱 들어맞는 대구라고 생각한다.

왕안석의 시

왕안석이 어떤 고사(高士)를 찾아갔다가 만나지 못하여 그 벽에 다음과 같이 써 놓았다.

담 모퉁이에 매화 몇 가지	墻角數枝梅
홀로 추위를 무릅쓰고 절로 피었네	凌寒獨自開
멀리서도 눈 아님을 알겠으니	遙知不是雪
풍겨 오는 그윽한 향기 때문이라네[58]	爲有暗香來

56 서리……이천 자 : 孔明廟前有老柏, 柯如青銅根如石. 霜皮溜雨四十圍, 黛色參天二千尺. 君臣已與時際會, 樹木猶爲人愛惜. 雲來氣接巫峽長, 月出寒通雪山白. 憶昨路繞錦亭東, 先主武侯同閟宮. 崔嵬枝幹郊原古, 窈窕丹青戶牖空. 落落盤踞雖得地, 冥冥孤高多烈風. 扶持自是神明力, 正直元因造化功. 大廈如傾要梁棟, 萬牛回首丘山重. 不露文章世已驚, 未辭翦伐誰能送. 苦心豈免容螻蟻, 香葉終經宿鸞鳳. 志士幽人莫怨嗟, 古來材大難爲用.(《杜少陵詩集》 卷15 〈古柏行〉)

57 상수리나무의……길이다 : 匠石之齊, 至乎曲轅, 見櫟社樹. 其大蔽數千牛, 絜之百圍, 其高臨山, 十仞而後有枝, 其可以爲舟者旁十數, 觀者如市.(《莊子》 〈人間世〉)

58 담 모퉁이에……때문이라네 : 牆角數枝梅, 凌寒獨自開. 遥知不是雪, 爲有暗香來.(《臨川文集》 卷4

몇 가지에 드문드문 핀 매화를 보고 어떻게 눈인가 의심할 수 있으며, 게다가 멀리서 보고 눈일까 의심했다면 분명 거리가 백 보 내외일 텐데 또 어떻게 그윽한 향기를 맡을 수 있겠는가. 이 노인은 시력은 매우 어두우면서 후각은 매우 뛰어난 사람이다. 요컨대 이 글은 어폐를 면치 못하였다.

기러기 모양의 돌

진(晉) 등덕명(鄧德明)[59]의 《남강기(南康記)》[60]에 다음과 같은 내용이 있다.

"복사산(覆笥山)의 평호(平湖)에 기러기 모양의 돌[石雁]이 있는데 호수에 떠 있다가 매번 무더위가 찾아올 때면 날아오르니 마치 기후를 감지하는 듯하다."[61]

이것은 영릉(零陵)의 제비 모양의 돌[石鷰][62]과 서로 견줄 만하다.

막다른 길에서 발걸음을 재촉하다

진사도(陳師道)[63]는 평생 청빈하여 아내와 자식이 외가에 얹혀살았다. 가족의 소식을 듣고 쓴 시에 "전해 준 소식 들어 잘 알았으나, 차마 어떻

〈梅花〉)

59 등덕명(鄧德明) : 생몰년은 미상이다. 남조(南朝) 유송(劉宋, 420~477)시기의 남강군(南康郡 지금의 공주) 사람이다. 학문에 정진하여 박학다식하고 고금에 관통하였다. 당시에는 과거제도가 없었기 때문에 재주와 학식이 있었음에도 불구하고 궁벽한 고향에서 고향을 위한 일에 힘썼다.

60 남강기(南康記) : 산수와 관련한 저작들을 참고하여 남강 지역의 산천과 명승지, 자연, 신기한 이야기, 사회 인사에서 민간에 떠도는 기이한 이야기를 종합적으로 소개한 이 지역 최초의 산수인문지(山水人文志)다. 1권이다.

61 복사산(覆笥山)의……듯하다 : 覆笥山平湖中有石雁, 浮在水, 每至炎氣代序, 則飛翔若知感候.【並出南康記】(《錦繡萬花谷》後集 卷6〈贛州〉)

62 영릉(零陵)의……돌 : 《상주기(湘洲記)》에 "영릉에 석연이라는 제비 모양의 돌이 있는데 비를 맞으면 날고 비가 멈추면 다시 돌이 된다.[零陵山有石燕, 遇風卽飛, 止還爲石]"라고 하였다.

63 진사도(陳師道) : 1051~1101. 송나라 때 시인으로 자는 무기(無己), 이상(履常)이며 호는 후산(後山)이다. 강소(江蘇) 동산현(銅山縣) 사람으로 본래 '소문 6군자(蘇門六君子)'의 하나였으나 후에 증공에게 산문을 배우고 왕안석에게 시를 배워 시로 이름을 날렸다. 문집으로 《후산집(後山集)》이 있다.

게 지내는지 더는 묻지 못하네[深知報消息, 不敢問何如]”[64]라고 하였으니, 그 상황을 짐작할 만하다.

병인년(1806) 여름에 작은아버지 명고공(明皐公, 서형수)께서 바닷가 섬에 유배 되었을 때[65] 나는 아침마다 불안했다. 바다가 보이는 마을에 임시로 거처하고 있었는데 온 집안이 불안에 벌벌 떨며 마치 잠시도 보장할 수 없는 듯하였다. 집에서 온 편지를 볼 때마다 괴로움만 더해갔다.

내가 지은 〈삭거(索居)〉 8수에 “초가에 칩거한 지 오래되었지만 도리어 찾아오는 사람 드물기를 바라네[縱然逃藿久, 還願聞跫稀]”라고 하였는데, 심란하고 무료한 심사를 잘 표현한 시라고 스스로 생각했었다. 뒤에 진사도의 시를 보고 “벌써 진사도가 먼저 지었구나!”라고 탄식하였다. 그러자 같이 있던 한 사람이 웃으며 “그대는 시학(詩學)에 어둡군. 두보의 시구에 ‘집으로 편지 보낸 지 이미 열 달이 지났거늘 소식이 올까 도리어 두려워지는 것은 또한 무슨 마음인가[自寄一封書, 今已十月後, 反畏消息來, 寸心亦何有]’[66]라고 한 구절은 보지 못했는가?” 하였다. 이에 나는 웃으며 “두보를 놔두고 막 다른 길에서 발걸음을 재촉한 사람이 되었군.” 하였다.

---

64 전해……못하네 : 巴蜀通歸使, 妻孥且舊居. 深知報消息, 不敢問何如. 身健何妨遠, 情親未肯疏. 功名欺老病, 淚盡數行書.(《後山先生集》 卷4 〈寄外舅郭大夫〉)

65 명고공께서……되었을 때 : 1806년, 서형수는 벽파 계열인 우의정 김달순(金達淳) 등이 안동김씨 계열인 김조순(金祖淳) 등에 밀려 사사될 때, 이에 연루되어 전라도 흥양현(興陽縣) 등지에서 18년 동안 유배생활을 하였다.

66 집으로……마음인가 : 지덕(至德) 2년(584)에 장안을 탈출한 두보가 천신만고 끝에 행궁(行宮)에 도착하여 좌습유(左拾遺)의 벼슬을 받고 부주(鄜州)에 두고 온 가족을 걱정하며 지은 시다.
去年潼關破, 妻子隔絕久. 今夏草木長, 脫身得西足. 麻鞋見天子, 衣袖見兩肘.
朝廷愍生還, 親故傷老醜. 涕淚受拾遺, 流離主恩厚. 柴門雖得去, 未忍即開口.
寄書問三川, 不知家在否. 比聞同罹禍, 殺戮到雞狗. 山中漏茅屋, 誰複依戶牖.
摧頹蒼松根, 地冷骨未朽. 幾人全性命, 盡室豈相偶. 嶔岑猛虎場, 鬱結回我首.
自寄一封書, 今已十月後. 反畏消息來, 寸心亦何有. 漢運初中興, 生平老耽酒.
沈思歡會處, 恐作窮獨叟.(《補注杜詩》 卷3 〈述懷〉)

신중선辛仲宣

《군방보(群芳譜)》[67]에 다음과 같은 내용이 있다.

"신중선(辛仲宣)[68]이 대나무를 잘라 술병을 만들어 술을 담고는 '나는 오직 대나무와 술을 좋아해서 이 두 가지를 항상 함께 두려고 했을 뿐이다.'라고 하였다."[69]

내가 전에 쓴 〈소음재기(篠飮齋記)〉에 이를 인용하여 '중선(仲宣)'이라고 썼는데,[70] 지금 우연히 진(晉)나라 왕소(王韶)의 《남옹주기(南雍州記)》를 보니 '선중(宣仲)'이라고 되어 있다.[71] 어느 것이 맞는지 모르겠으니 다시 조사해 봐야겠다.

예양豫讓

내가 일곱 살 때 《사기》를 배우다가 예양(豫讓)[72]이 비수를 품고 간 부분에서 스승에게 이렇게 물었다.

"예양이 처음에는 범(范)씨와 중항(中行)씨를 섬기다가 다시 지백(智伯)을

---

67 군방보(群芳譜) : 명나라 때 왕상진(王象晉, 1561~1653)이 편찬한 책으로 곡물, 채소, 과일, 화훼 등의 종류와 재배법, 효능 등을 설명하였다. 전체 30권이다. 청나라 강희(康熙) 연간에 왕호(汪灝) 등이 왕명을 받아 이 책을 증보하여 《광군방보(廣群芳譜)》 100권을 편찬하였다.

68 신중선(辛仲宣) : 생몰년은 미상이다. 송나라 농서(隴西) 사람으로 쟁(箏)을 잘 연주했다고 한다.

69 신중선(辛仲宣)이……하였다 : 辛仲宣截竹爲罌以酌酒曰: "吾性愛竹及酒, 欲令二物相並耳.(《廣博物志》 卷43 《襄陽耆舊傳》)

70 〈소음재기(篠飮齋記)〉에……썼는데 : 昔人謂竹君子, 謂酒狂藥, 狂之於君子遠矣. 然余嘗怪愛竹者必善飮, 嵇康阮籍之徒, 居竹林號竹林七賢, 其愛竹也如此, 而是七人者皆酒徒也. 辛仲宣截竹爲罌以盛酒曰: "我惟愛竹好酒, 欲合之使常竝." 蓋此二者若相因而不相離者.……(《楓石鼓篋集》 卷2 〈篠飮齋記〉)

71 진(晉)나라……있다 : 辛居士名宣仲. 家貧, 春月, 鬻筍充腸. 酌, 截竹爲罌, 用充盛置. 人問其故, 宣仲曰: 我惟愛竹好酒, 欲令二物常相並耳. (《御定佩文齋廣群芳譜》 卷85 《南雍州記》)

72 예양(豫讓) : 생몰년은 미상이다. 처음에 진(晉)의 경(卿)이었던 범(范)씨·중항(中行)씨를 섬겼으나, 뒤에 지백(智伯)의 신하가 되어 총애를 받았다. 기원전 5세기 중엽에 지백은 조양자(趙襄子)를 치려다가, 조(趙)·한(韓)·위(魏)의 연합군에게 멸망하였다(기원전 453). 이때 조양자는 지백을 깊이 원망하여 그의 두개골로 술잔을 만들었다고 한다. 예양은 "선비는 자기를 알아주는 이를 위하여 죽는다."고 하고 보복을 맹세한 뒤 죄인으로 가장하여 비수를 품고 조양자를 죽이려고 잠입했다가 발각되어 자결하였다.

섬겼으니 이것은 두 임금을 섬긴 것입니다. 어떻게 예양이 '천하 후세 남의 신하가 되어 두 마음을 품은 자를 부끄럽게 하기 위해서라네.'[73]라는 말을 할 수 있습니까?"

이에 스승은 이렇게 말씀하셨다.

"예양은 확고하게 '범씨와 중항씨는 보통사람으로 나를 대우하였으므로 나는 보통사람으로 보답하였고, 지백은 나를 국사(國士)로 대우하였으므로 나 또한 국사로 그에게 보답하는 것이다.'라고 하였다."

내가 "그렇다면 신하가 임금을 섬길 때에 본디부터 나를 대우하는 것이 후하게 하느냐 박하게 하느냐에 따라 충성하기도 하고 소홀히 하기도 할 수 있는 것입니까?"라고 하였더니 스승은 아무런 대답도 못 하셨다.

나는 물러 나와 〈예양론〉 백여 자를 지었는데 지금 다 기록할 수는 없고 그 내용의 대의는 대체로 왕촉(王蠋)[74]의 '두 지아비를 섬기지 않는다.'[75]라는 말을 인용하여 아내는 남편이 사랑하느냐 미워하느냐에 따라 그 정절이 변해서는 안 되며, 신하는 임금이 후하게 대우하느냐 박하게 대우하느냐에 따라 그 절개가 변해서는 안 된다는 것이었는데 어른에게 꽤 칭찬을 받았다.

최근 장녕(張寧)의 《봉사록(奉使錄)》[76]에서 그가 지은 〈예양론〉을 보았는데 이런 내용이었다.

---

73 천하……위해서라네 : 凡吾所爲者極難耳, 吾所以如此者, 將以愧天下後世爲人臣而懷二心者也.(《史記》卷86〈刺客列傳〉)

74 왕촉(王蠋) : 생몰년은 미상이다. 전국시대 제(齊)나라의 충신이다. 태부(太傅)를 지내다 물러나 화읍(畫邑)에 있을 때 연(燕)나라 악의(樂毅)의 군대가 쳐들어와 성이 함락되자 항복하라는 권유를 물리치고 스스로 목매어 죽었다. 두 임금을 섬기지 않은 충신으로 이름이 높다.

75 두 지아비를…… 않는다 : 王蠋回答說: "忠臣不事二主; 貞女不嫁二夫. 我的大王不聽我的勸告, 逃出去被人殺了. 國家破亡了, 難道我會自個兒活著嗎?"(《史記》〈齊世家〉)

76 봉사록(奉使錄) : 장녕(張寧, 1426~1496)이 조선사행 기간에 남긴 시문집이다. 상권은 조선 경내에 진입하기 전에 적은 것으로 풍물을 기록하거나 사행 길의 고됨, 그리고 지인을 만나 그림을 보고 감상을 적는 등 비교적 자유로운 개인 서정이 위주가 된 글로 구성되어 있다. 하권은 조선 경내에서 지어진 시문으로 조선 조정에서 펴낸 《황화집》이 그 모본이다. 장녕은 1460년 천순사절단(天順使節團)의 정사 자격으로 조선에 왔다.(《장녕(張寧) 〈봉사록(奉使錄)〉 시문연구》, 한국중국학회, 이남종, 2015)

“지백의 신하였지만 중항씨의 신하이기도 하지 않았던가? 지백에게는 두 마음을 품어서는 안 되고 중항씨에게만 유독 두 마음을 품어도 된단 말인가?”

또 “신하와 군주와의 관계는 아내와 남편과의 관계와도 같다. 부인이 다른 집안에 재가한 뒤에 나중에 아무리 절개가 있더라도 정부(貞婦)가 될 수 없으니, 신하가 다시 벼슬하여 다른 군주의 신하가 된 뒤에 비록 목숨을 바치더라도 의사(義士)가 될 수 있겠는가.” 하였다.

옛사람 중에 이런 주장을 한 사람이 벌써 있었음을 이제야 알았다.

최근에 왕사진(王士禛)[77]의 시 〈국사교(國士橋)〉를 보았는데 그 내용은 이러하다.

국사교[78] 아래 흐르는 물은	國士橋邊水
천 년의 한이 다하지 않았으니	千秋恨未窮
주여숙이 거오공에게	如聞柱厲叔
죽음으로 보답한 것이[79] 들리는 듯하네[80]	死報莒敖公

심덕잠(沈德潛)[81]이 이 시를 다음과 같이 평하였다.

---

77 왕사진(王士禛) : 1634~1711. 청대의 시인으로 자는 이상(貽上), 호는 완정(阮亭), 어양산인(漁洋山人)이다. 산동 신성(山東新城) 사람으로 벼슬은 형부상서(刑部尙書)에 이르렀으며, 문집으로는 《대경당집(帶經堂集)》이 있다. 그는 탈속과 운치를 중시하는 시인으로 유명하다.

78 국사교 : 산동성 동남부 거현(莒縣)의 노호성(老護城)에 있는 강 위의 돌다리를 말한다.

79 주여숙이……것이 : 주여숙(柱厲叔)은 춘추시대의 사람으로, 거(莒)의 오공(敖公) 밑에서 벼슬을 살다가 그 재능이 알려지지 않아 벼슬을 버리고 떠났다. 오공이 변란을 당하자 그는 벗들과 하직하고 오공에게 가서 목숨을 바치겠다고 나섰다. 주여숙의 이러한 행동은 후세의 임금 중에 인물을 못 알아보는 자를 부끄럽게 하는 동시에, 임금의 은총을 받고도 임금의 어려움에 자신만을 보전하려 드는 신하를 부끄럽게 만들었다고 한다.

80 국사교……듯하네 : 國士橋邊水, 千年恨未窮. 如聞柱厲叔, 死報莒敖公.(《古夫于亭雜錄》 卷4)

81 심덕잠(沈德潛) : 1673~1769. 청대의 시인으로 자는 확사(確士), 호는 귀우(歸愚)이다. 강소(江蘇) 출생이다. 만년(晩年)에 진사, 예부시랑(禮部侍郎)이 되었으며 건륭제(乾隆帝)에게 시재(詩才)를 인정받고 진군(陳群)과 함께 동남(東南)의 이로(二老)로 불렸다. 작품으로는 《고시원(古詩源)》, 《당송

"거오공은 주여숙을 국사로 대우하지도 않았는데 거오공이 난을 당하자 주여숙은 죽음으로 보답하였다. 예양이 범씨, 중항씨를 위해서는 죽지 않고 오직 지백만을 위해 죽었으니 완벽한 사람이 될 수 없다."

예양이 완벽하기를 요구한 사람은 육심(陸深)[82] 한 사람만이 아니다.

구양관歐陽觀

구양수(歐陽脩)는 〈상강천표(瀧岡阡表)〉[83]에서 돌아가신 아버지와 어머니를 대단히 칭송하였다.[84] 지금 왕명청(王明清)의 《휘주후록(揮麈後錄)》에 수록된 〈구양관전(歐陽觀傳)〉을 보니, 출전이 용곤(龍袞)[85]의 《강남야록(江南野錄)》[86]이라고 하며, "용곤이 구양관[87]이 아내를 내쫓은 문제를 심하게 말해 사람들을 놀라게 했으니, 어찌 구양관에게 묵은 감정을 갖고 이 《벽운

팔대가독본(唐宋八大家讀本)》 등이 있다.

82 육심(陸深) : 1477~1544. 자는 자연(子淵)이고, 호는 문유(文裕)·엄산(儼山)으로 화정(華亭) 사람이다. 1505년에 진사과에 합격해 서길사(庶吉士)에 뽑히고 가정 연간에 첨사부(詹事府) 첨사(詹事)가 됐다. 치사한 뒤에 예부시랑으로 추증됐다. 주요 저서에 《사통회요(史通會要)》 3권이 있다.

83 상강천표(瀧岡阡表) : 상강(瀧岡)은 중국 강서성(江西省)의 봉황산(鳳凰山)에 있는 언덕 이름이다. 송나라 구양수가 네 살 때 아버지를 여의었는데 아버지의 무덤이 이곳에 있었다. 60년이 흐른 뒤에 구양수가 직접 묘표를 세웠다. '천(阡)'은 묘지로 통하는 길을 뜻하며, '천표(阡表)'는 묘지로 통하는 길에 세우는 비문을 말한다.

84 구양수(歐陽脩)는……칭송하였다 : 修不幸, 生四歲而孤. 太夫人守節自誓, 居窮, 自力於衣食, 以長以教, 俾至於成人. 太夫人告之日: 汝父爲吏廉, 而好施與, 喜賓客. 其俸祿雖薄, 常不使有餘, 日毋以是爲我累. 故其亡也, 無一瓦之覆, 一壟之植以庇而爲生. 吾何恃而能自守邪? 吾於汝父, 知其一二, 以有待於汝也. 自吾爲汝家婦, 不及事吾姑, 然知汝父之能養也. 汝孤而幼, 吾不能知汝之必有立, 然知汝父之必將有後也. 吾之始歸也, 汝父免於母喪方逾年. 歲時祭祀, 則必涕泣…….(《歐陽文粹》 卷20 〈瀧岡阡表〉)

85 용곤(龍袞) : 생몰년은 미상이다. 자는 군장(君章)이고, 길주(吉州) 영신(永新 지금의 강서) 사람이다. 아버지는 용여(龍璵)이다. 북송(北宋) 숭녕(崇寧) 임오(壬午, 1102)년에 거인(擧人)이 되었다. 회화에 능했으며 《백마도발(百馬圖跋)》을 지었다. 저서로 《강남야록(江南野錄)》 20권이 있다.

86 강남야록(江南野錄) : 용곤(龍袞)이 기전체로 남당사(南唐史)와 관련된 일을 기록한 것이다. 정초(鄭樵)의 《통지(通志)》에 따르면 이 책은 원래 20권이었다고 하나 지금은 10권만 전한다.

87 구양관(歐陽觀) : 952~1010. 자는 중빈(仲賓), 강서(江西) 영풍현(永豐縣) 사계진(沙溪鎭) 사람이다. 송(宋) 진종(眞宗) 함평(鹹平) 3년, 49세의 나이로 벼슬길에 나갔다. 그의 아들은 구양수(歐陽脩)이다. 구양관이 죽자 고향 영풍현 사계진 상강(瀧岡)에 장사 지냈다.

하(碧雲騢)》[88] 같은 수단을 쓴 것이 아니겠는가."[89]라고 하였다.

가령 당시에 좋지 않은 소문이 실제로 있었다면 하송(夏竦)[90] 등 여러 사람이 구양수를 참소하여 얽어맸을 것이며, 구차하게 장씨(張氏)의 경대(鏡臺) 같은 소소한 일[91]을 주워 모을 필요가 더더욱 없었을 것이다.

이제 《휘주후록》에 있는 전문을 기록하여 공에 대한 근거 없는 비방이 사후에도 그치지 않음을 보이고자 한다.

"구양관은 본래 여릉(廬陵) 사람이다. 집안 대대로 벼슬을 하였으며, 한 조상의 형제들 가운데 강남에서 지금까지 진사시에 급제한 사람이 모두

---

88 벽운하(碧雲騢) : 송(宋)나라 위태(魏泰)라는 자가 《벽운하》라는 소설을 짓고는 매요신(梅堯臣)의 이름을 슬쩍 빌려 선배 명공(名公)들을 무함하며 헐뜯었는데, 그중에서도 범중엄(范仲淹)을 공격하는 데에 온 힘을 기울였다. 위태는 양양(襄陽) 출신으로, 사람됨이 볼만한 행실은 없어도 말재주는 있었는데, 과거 시험에서 뜻대로 되지 않자 위서(僞書)를 지어내면서 혼자 즐겼다고 한다. 《벽운하》가 처음 세상에 나왔을 때엔 사람들이 꽤나 매요신을 의심했는데, 시간이 한참 지나고 나서 위태의 소행인 것을 알아챘다고 한다.

89 용곤이……아니겠는가 : 觀文忠所述, 則觀初無出婦之玷. 文忠又敘其考妣之賢如此. 袞, 螺江人, 與文忠爲鄕曲, 豈非平時有宿憾, 與夫祈望不至云爾. 信夫毀譽不可深信, 不獨碧雲騢手一書而已. 不可不爲之辯. 文忠公親筆, 今藏其孫家, 明淸親見之.(《揮麈後錄》 卷6)

90 하송(夏竦): 985~1051. 송나라 강주(江州) 덕안(德安) 사람으로 자는 자교(子喬)다. 재주와 지략이 있었지만 권술(權術)을 좋아하고 성격이 탐욕스러워 사람들이 간사하다고 평했다. 문장을 잘 지었으며, 관직에 있었을 때는 치적(治績)이 있었다. 후에 왕약흠(王若欽) 등과 붕당을 만들어 당시 사람들에게 비난을 받았고, 석개(石介)는 시를 지어 그를 대간(大姦)이라고 배척하기도 했다. 시호는 문장(文莊)이다. 저서에 《문장집(文莊集)》 36권, 《책론(策論)》 13권, 《전주(箋奏)》 3권, 《고문사성운(古文四聲韻)》 5권, 《성운도(聲韻圖)》 1권 등이 있다.

91 장씨(張氏)의……소소한 일 : 1045년 구양수의 나이 39세에 범중엄, 한기(韓琦), 부필(富弼) 등이 보수파의 공격으로 좌천을 당하자 하북전운안찰사(河北轉運按察使)였던 구양수가 이들을 변호하는 상소를 올렸다가, 그 역시 저주로 좌천되었다. 그런데 그의 죄명은 다름 아닌 '남녀간의 문란함'이었다. 구양수의 외조카딸 장(張)씨가 있었는데 구양수 매형의 전처소생으로 어려서 부모를 잃었기에 구양수가 그를 양육시켜서 조카 구양성(歐陽晟)에게 시집보냈다. 그런데 구양성이 외관으로 나갔을 때 장씨는 구양성의 하인 진간(陳諫)과 간통하는 일이 발생했고, 이 사건은 개봉부 우군순원(開封府右軍巡院)에서 심문하였다. 장씨는 죄를 벗어나기 위해 아무렇게나 진술하다가, 시집가기 전 구양수와의 애매한 관계를 언급하게 되었던 것이다. 당시 우군순원의 판관인 손규(孫揆)는 장씨와 진간의 간통사건만을 보고하여 일을 더 키우지 않았다. 그러나 재상 진집중(陳執中)은 그의 심복에게서 장씨의 '자백'을 얻어서, 태상박사 소안세(蘇安世)에게 다시 가서 감찰하여, 장씨의 자백을 마음대로 과장하여 안건으로 기록하도록 하였다. 또한 구양수와 앙금을 가진 환관 왕소명(王昭明)을 감독관으로 보냈다. 그런데 왕소명은 양심적인 관리였기에 이 사건을 철저히 조사하였고, 장씨의 자백이 심한 고문으로 인해 꾸며진 것이라는 사실을 밝혔다. 결국 이 안건은 "증서가 이미 분명하지 않고 판별한 필요가 없다[券旣弗明, 辨無所驗.]"고 마무리되었다.

6, 7명이나 된다. 구양관은 어려서부터 글재주가 있어 수차례 과거에 응시했는데 번번이 품계가 으뜸으로 천거되곤 했다. 함평 3년(1000) 과거에 급제하여 도주군사추관(道州軍事推官)에 제수되었다. 임기가 끝나기 전에 사주(泗州)로 천직되었는데, 당시 회수(淮水), 변수(汴水)의 어귀는 이곳저곳을 항해하는 조운선들이 빽빽이 모이는 곳이었다. 조운선을 타고 사신이 도착하였으나 구양관은 그들을 깔보고 즉시 만나 보지 않았으며, 군수가 음식을 차려놓고 불러도 가지 않았다. 이 때문에 직무에 태만하다는 탄핵을 당해 마침내 서거주(西渠州)로 이임(移任)되었는데 그곳에서 임기가 만료될 때쯤 부임지에서 죽었다. 구양관은 눈병이 있어 먼 데 것을 볼 수 없어서 글을 읽을 때는 책과의 거리가 한 치도 되지 않았다. 그 사람됨이 의로운 행실이 꽤 많았다. 예전에 제 아내를 내쫓았는데 아들이 어미를 따라가 어미의 손에 길러졌다. 그 아들이 과거에 급제하여 찾아왔을 때 남처럼 대하였고 도외시하고 상대하지 않았다. 추울 때나 더울 때나 해진 옷 한 벌로 힘들게 지냈으며, 종들을 가까이 신임하였다. 구양관이 죽을 때까지 곁에서 모시고 정겨운 이야기를 나눈 적은 없지만 그의 유골은 결국 아들의 손에 의해 수습되어 장사 지내졌다."

나는 예전에 용곤의 《강남야록》에 실려 있는 구양관이 아내를 내쫓은 일이 아마도 용곤이 구양관에게 오래된 원한이 있어 모함한 것 같다고 논평했었는데, 송나라 이심전(李心傳)[92]의 《구문증오(舊聞證誤)》[93]를 보니 실

92 이심전(李心傳) : 1166~1243. 자는 미지(微之)이고 융주(隆州) 정연(井研 지금의 사천성) 사람이다. 경원(慶元) 원년(1195) 향시(鄉試)에서 낙방한 뒤 과거를 포기하고 저서에 힘썼다. 공부 시랑(工部侍郎) 등을 지냈다. 저서로는 《시문(詩文)》 100권, 《고종격년록(高宗擊年錄)》 200권, 《학역편(學易編)》 5권, 《송시훈(誦詩訓)》 5권, 《춘추고(春秋考)》 13권, 《예변(禮辨)》 23권, 《독사고(讀史考)》 12권, 《구문증오(舊聞證誤)》 15권, 《조야잡기》 40권 등이 있다.

93 구문증오(舊聞證誤) : 이심전은 《건염이래계년요록(建炎以來繫年要錄)》을 저술하여 여러 책의 잘못된 점을 변증하였다. 이 책에서는 북송의 일을 많이 논했고 빠진 남송 때의 일은 《구문증오》에서 보충하였다. 《송사(宋史)》 〈예문지(藝文志)〉에서 《구문증오》는 15권이라고 했는데 명대부터 전하지

제로 이러한 일이 있는 듯하여 이제 그 전문을 다음과 같이 싣는다.

"구양수의 〈상강천표〉는 희령(熙寧) 2년(1069)에 이루어졌고 거기에서 '장사 지낸 지 60년이 되었다.'고 하였다. 장사 지낸 해를 거꾸로 계산해 보면, 당시(1009) 구양수의 나이는 겨우 4살일 뿐이었다. 〈상강천표〉에는 아내를 내쫓은 일이 보이지 않으나 기록을 살펴보면 구양관은 나이 59세에 재직 중에 죽었고, 부인 정(鄭)씨의 나이가 29세였으니 분명 첫째 부인은 아닐 것이다. 구양관이 아내를 내쫓았다면 그의 아들이 그 일을 말하기는 참으로 어려웠을 것이다. 구양수가 편찬한 족보에는 '구양관, 아들 둘.'이라고 하였다. 구양병(歐陽昞)이 구양관의 전처 아들로 이른바 구양관의 장사를 지내 준 자일 것이다. 구양수가 훗날 구양병의 아들을 여릉위(廬陵尉)로 세운 일이 분황제문(焚黃祭文)에 보이고, 구양수의 〈폄저주사상표(貶滁州謝上表)〉에서 '같은 어머니의 형제로는 누이만 하나 있다.'라고 하였으니, 구양병이 구양관의 전처 아들이라는 것은 의심할 여지가 없다. 중명(仲明, 왕명청)이 비록 구양수를 위해 휘하려 했다고 한 뜻은 매우 훌륭하지만 사실이 아니다. 더구나 구양관의 전처에게 실제로 어떤 허물이 있었는지도 알 수 없다. 공자와 자사도 분명히 밝힌 것을 구양수만 스스로 말하지 못하고 다른 사람이 휘할 리 있겠는가."[94]

중명은 바로 왕명청의 자(字)이고 왕명청이 《휘주후록》을 저술하였다. 구양수가 직접 쓴 그의 아버지 묘표에는 애당초 아내를 내쫓은 문제에 대한 것이 없기 때문에 아마 용곤이 자신의 원한을 풀 의도를 가지고 말한 것이 아닌지 의심되어 여기에 남김없이 밝혀 둔다.

않는다. 지금 《영락대전(永樂大典)》에 실려 있는 것들을 모아보면 140여 조이다.

94 구양수의……있겠는가 : 《구문증오(舊聞證誤)》 권2에 보인다.

장자야張子野

송나라 범공칭(范公稱)은 《과정록(過庭錄)》[95]에서 낭중(郎中) 장선(張先)[96]의 사(詞) 〈일총화령(一叢花令)〉의 구절 "복사 살구꽃보다 못한 신세여라. 꽃들은 그래도 봄바람에 시집이나 가련만[不如桃杏, 猶解嫁東風]"을 싣고 이렇게 말하였다.

"당시에 상당히 구전되었고, 구양영숙(歐陽永叔, 구양수)이 특히 이 구절을 좋아했는데 그 작자를 알지 못해 유감스러워했다. 자야(子野, 장선)는 집이 남쪽 지역이라 일부러 도읍에 가서 구양영숙을 찾아갔는데 문지기가 그가 왔다고 알렸더니 구양영숙이 신발을 거꾸로 신고 달려 나와 맞이하며 '그대가 바로 도행동풍(桃杏東風)을 쓴 낭중인가?'라고 하였다."

그리고 이렇게도 말하였다.

"소동파가 항주 태수였을 때(1071~1074), 장자야가 아직 살아 있어 연회자리에 참여한 적이 있었다. 〈남향자(南鄉子)〉 사(詞) 끝 구절에, '도를 아는 현인들이 오분(吳分, 항주)[97]에 모였으니, 묻노니 응당 곁에 노인성(老人星)[98]

---

95 범공칭(范公稱)은 《과정록(過庭錄)》 : 범공칭은 범중엄의 현손(玄孫)으로 생몰년은 미상이다. 저서로 《유환기문(遊宦紀聞)》 10권 5책과 《과정록》 1권 1책이 있다. 《과정록》은 조상의 덕을 서술한 것이 많고 아버지에게서 들은 것이기에 《과정록》이라고 이름하였다. 《과정록》은 《논어》에 공자의 아들이 마당을 지나갈 때 공자가 아들과 학문을 주고받은 데서 연유한 것이다.[鯉趨而過庭, 曰: "學詩乎?" 對曰: "未也." "不學詩, 無以言." 鯉退而學詩.] (《論語》 〈季氏〉)

96 장선(張先) : 990~1078. 자는 자야(子野)이며, 호주(湖州) 오정(烏程 지금의 절강성 오흥현) 출신이다. 1030년에 진사가 되었고 이후 관직이 도관낭중(都官郎中)에 이르렀다. 만년에는 향리를 유람하다가 죽었다. 작품으로 문집 100권, 시집 20권, 사 1권이 있다고 전해지는데, 현재는 《안육집(安陸集)》 1권만이 전한다. 성품이 분방하여 해학을 즐겼고, 안수(晏殊)·구양수(歐陽脩)·소동파(蘇東坡) 등과 교유했으며 시에 능하고 특히 사(詞)에 뛰어났다. 장선의 사는 주로 남녀 간의 사랑과 즐거움을 노래하고 있는데, 서술적 수법을 사용했으며, 자구(字句)를 세밀하게 다듬었다. 또한 그의 사는 만사(慢詞)의 형식을 많이 사용하여 만사 발전에 공헌하였다. 사람들은 그의 사에 '마음속의 일(心中事)', '눈 속의 눈물(眼中淚)', '마음속의 사람(意中人)'이 드러나 있다고 하여 이를 '장삼중(張三中)'이라 하였다. 또한 시에도 뛰어났는데, 소동파는 《자야사발(子野詞跋)》에서 "자야의 시는 노련하고 기묘하며, 사는 그 여파일 따름이다."라고 평하였다.

97 오분(吳分) : 오(吳)의 분야(分野)이다. 분야는 전국시대 때 천문가가 중국 전토를 하늘의 28수(宿)로 배당해서 구별한 이름이다. 오분은 항주로, 항주는 오대(五代, 907~960)에는 오월(吳越)의 수도였다.(《한국학사전》, 황충기, 한국학자료원, 2002)

98 노인성(老人星) : 천구(天球)의 남극 부근에 있어 2월 무렵에 남쪽 지평선 가까이에 잠시 보이는 별

있겠지[聞道賢人聚吳分, 試問, 也應傍有老人星]'라고 하였다. 이때 아마도 나이가 80여 세쯤 되었을 것이다."

그러나 구양수의 〈장자야묘지명(張子野墓誌銘)〉[99]에 따르면, 자야의 성명과 자호는 모두 같은데 개봉(開封) 사람이지 남방 사람이 아니고, 죽을 당시 직책은 바로 비서승(秘書丞)으로 호주(亳州)의 녹읍현(鹿邑縣)을 담당하였으니 낭중이 아니다. 게다가 그의 나이는 48세에 불과하여 구양수가 현인군자가 세상에 오래 살지 못함을 매우 개탄하였다. 《과정록》에서 말한 것과는 구구절절 어긋나니, 어찌 같은 시대에 두 명의 자야가 있었겠는가. 같은 시대에 두 명이 있을 수는 있겠으나, 성명과 자호가 하나하나 똑같고 동시에 구양수의 인정을 받는다는 것 또한 예나 지금이나 드문 일이다.

위상魏祥

영도(寧都)의 위씨(魏氏) 삼 형제[100]는 천하에 명성이 자자했는데, 나는 유독 맏형 위상(魏祥)[101]이 한대임(韓大任)에게 죽임을 당한 것이 의아했다. 과연 어찌된 일인가? 막내 위례(魏禮)는 맏형의 묘지명을 지었는데 다만 다음과 같이 말하였다.

"정사년(1677) 2월, 형님은 공주(贛州)에 이르러 대수(大帥)의 객이 되었다. 4월에 길안(吉安)에 있던 한대임이 포위를 뚫고 달아나 무릇 두 번이나 영도

이다. 중국의 고대 천문학에서는 사람의 수명을 관장하는 별이라 하여 이 별을 보면 오래 산다고 믿었다. 수성(壽星)이라고도 한다.

99 장자야묘지명 : 《문충집(文忠集)》 권27에 보인다.

100 영도(寧都)의……형제 : 위상(魏祥), 위희(魏禧), 위례(魏禮) 삼 형제는 성품이 민첩하고 총명하며 학문을 좋아하였다. 모두 시(詩)·사(詞)·고문(古文)을 잘 지어 옛사람들이 '영도삼위(寧都三魏)'라고 불렀다.

101 위상(魏祥) : 1620~1677. 자(字)는 선백(善伯)이고 17세에 제서(際瑞)로 개명하였다. 위희(魏禧)의 형으로 사람들이 백자선생(伯子先生)이라고 불렀다. 저서로는 《위백자문집(魏伯子文集)》 10권, 《잡조(雜俎)》 5권, 《사차당고(四此堂稿)》 10권이 있다.

의 상향(上鄕)에 숨자 청의 병사 십만 명이 돌아와 심하게 짓밟았다.[102] 한대임을 달랠 방법을 의논하였으나 오래도록 진척이 없었다. 한대임이 스스로 말하기를 '위상이 아니면 나는 믿지 않는다.'라고 하자 일 처리를 형님에게 맡겼다. 형님은 고향의 화가 끝나지 않음을 아파하며 개연히 그를 만나러 갔다. 강서(江西)에 이르자 병사들이 갑자기 동쪽 길에서 한대임의 진영을 핍박하니 한대임은 마침내 형님이 자기를 팔아먹었다고 의심하고서 거절하고 만나보지 않았다. 또 한대임을 이끌어 민(閩) 땅 군사에게 항복하게 하여 스스로 공명을 이루고자 하는 어떤 간사한 사람이 밤낮으로 형님을 한대임에게 음해하였다. 한대임이 패주하여 민 땅에 항복하니 형님이 마침내 해를 당했다."[103]

나는 처음에는 친형을 위해 적극적으로 변호해 주는 말이라고 생각했는데, 근래에 남창(南昌) 유건(劉健)[104]의 《정문록(庭聞錄)》[105]을 보니 위상이 한대임에게 살해당한 일을 다음과 같이 기록해 놓았다.

"한대임이 길안을 침범하자 대규모의 병사가 사방에서 공격하였고, 간왕(簡王)과 안왕(安王)이 모두 투항을 권유하였지만 한대임은 머뭇거렸다. 이때 강왕(康王)은 요계성(姚啓聖)과 함께 민 땅을 다스리고 있었다. 한대임의 빈객인 손욱(孫旭)은 한대임이 요계성에게 나아가기를 원했는데, 투항

---

102 4월에……짓밟았다 : 강희(康熙) 15년(1676) 오삼계(吳三桂)의 부장 한대임(韓大任)이 길안성(吉安城)을 점령하였다. 다음해에 청(清)의 간친왕(簡親王)이 동위국(董衛國)을 총독하고, 병사 10만을 거느리고 성을 둘러싸 진군산(真君山), 천화산(天華山), 신망산(神岡山), 나자산(螺子山)에 영(營)을 쌓았다. 길안성을 둘러싸고 공격하니 오삼계가 즉시 병사 9천을 거느리고 구원하러 왔으나 물이 막혀 성에 이르지 못하고 물러났다.

103 정사년(1677)……당했다 : 《비전선집(碑傳選集)》 권137 〈선백형위상묘지명(先伯兄魏詳墓誌銘)〉에 보인다.

104 유건(劉健) : ?~1719. 자는 여가(汝嘉)이고 남창인(南昌人)이다. 아버지 유곤(劉崑)이 1659년에 진사가 되어, 이후 관직이 운남동지(雲南同知)에 있을 때, 오삼계(吳三桂)가 청나라에 반란을 일으켜 위협했다. 이에 유건은 이에 굴하지 않고 벽 속에 자신이 쓴 원고를 감추고 자신은 머리를 깎고 보대산(寶臺山)에 은둔하였다. 오삼계의 난이 평정된 후, 원고는 불에 타고 없어져 10분의 1밖에 남아 있지 않았다. 저서로 《오삼계전(吳三桂傳)》, 《전변기(滇變記)》, 《정문록(庭聞錄)》 6권이 있다.

105 정문록(庭聞錄) : 유건이 평서왕(平西王) 오삼계(吳三桂)의 활동 내력을 편년식으로 기술한 역사서이다. 저자가 직접 경험한 바를 기록하여 매우 상세하다.

을 권유하는 여러 사람은 모두 반대하여 따르지 않고 공주의 절이긍(折爾肯)은 위상을 보내 투항을 권유하도록 하였다. 위상의 자는 선백(善伯)이고 영도 사람이며, 호는 이당(易堂)으로 높은 명성을 가지고 있었다. 손욱이 위상의 재주를 시기하여 한대임이 그에게 휘둘린다면, 자신이 민 땅과 맺은 약속을 지키지 못할까 염려하여 한대임에게 위상을 음해하였다. 한대임이 그의 말에 먹혀들어 화를 내며 말하기를, '두 왕이 나를 불러도 허락하지 않을 것인데 절이긍은 어떤 사람이기에 사신을 미끼로 삼으려 하는가?' 하고는 손욱에게 위상을 잡아오게 하여 혹독하게 고문하다가 마침내 죽였다. 손욱이 날마다 한대임에게 민 땅으로 들어가라고 설득하니 한대임이 그의 말을 따라 민 땅에 항복하였다."[106]

이 글이 묘지명과 부합하니, 묘지명에서 말한 간사한 사람은 곧 《정문록》에서 말한 손욱이다. 다만 묘지명에서 "강서(江西)에 이르자 병사들이 갑자기 동쪽 길에서 한대임의 진영을 핍박하니 한대임은 마침내 형님이 자기를 팔아먹었다고 의심하였다."라고 한 것은, 한신(韓信)의 역하군(歷下軍)과 사뭇 같다.[107] 그러므로 지혜롭게 《정문록》에 의거해보면, 그 일에 의심날 것이 없다. 유건은 유□□[108]의 자제로 당시를 목격한 사람이니 그 말이 분명 사실일 것이다.

나덕헌羅德憲

내 나이 열다섯 살 때, 건륭(乾隆) 황제의 《어제전운시(御製全韻詩)》[109]를

---

106 한대임이……항복하였다 : 《정문록(庭聞錄)》 권5에 보인다.

107 한신(韓信)의……같다 : 한신이 역하(歷下)란 곳을 지키던 제나라 군대를 습격하여 무찌르고 제나라의 수도인 임치로 진격하자 제왕(齊王)이 군대를 거느리고 동쪽 고밀(高密)로 도주하였다.

108 유□□ : 저본에는 빈칸으로 처리되어 있다. 유건의 부친은 유곤(劉崑)이다.

109 어제전운시(御製全韻詩) : 건륭 황제가 창업할 때의 어려움을 서술한 것으로 만족(滿族)의 기원 신화와 청나라 태조의 노력, 건국 후의 금나라 정권의 역사를 기술하였다.

보았는데, 우리나라 사신 나덕헌 등이 절개를 굽히지 않았던 일[110]이 매우 자세하게 기록되어 있었다. 처음부터 그의 절개가 바르지 않았던 적이 없었는데, 지금 남구만(南九萬)[111]의 《약천집(藥泉集)》을 보니 홍기천(洪沂川)[112]의 시호를 청하는 행장에는 이렇게 적혀 있다.

"숭정(崇禎, 1628~1644) 병자년(1636)에 홍기천이 백씨(伯氏)인 남녕공(南寧公)의 서번(西藩)[113] 임소로 모부인(母夫人)을 문안 갔는데, 나덕헌 등이 심양에 사신으로 갔다가 왕명을 욕되게 했다는 말을 듣고는 남녕공을 도와 상소를 올려 그의 목을 베어 머리를 오랑캐 땅으로 보낼 것을 청하였다."[114]

당시 잘못된 소문이 바로 이와 같았다.

주탁周倬이 고려에 사신으로 가다

《사고전서총목(四庫全書總目)》 명(明) 공효(龔斆)[115]의 〈아호집(鵝湖集)〉 제요

110 나덕헌……일 : 나덕헌(1573~1640)은 조선 중기의 무신으로, 본관은 나주(羅州)이고, 자는 헌지(憲之), 호는 장암(壯巖)이다. 1636년 춘신사(春信使)로 심양에 갔는데 동지(同知) 이곽(李廓)과 심양에 도착하자, 후금의 태종은 국호를 청(淸)이라 고치고 황제(皇帝)를 칭하며 즉위식을 거행하였다. 그때 우리나라 사신에게도 경축반열에 참석하라고 하였으나, 하례를 완강히 거부하다가 옷이 찢어지고 갓이 부서지는 구타를 당하였다. 구타와 회유를 거듭하여도 시종 거부하다가, 청나라가 볼모를 요구하는 국서를 주어 돌려보내기로 하자, 내용을 알기 전에는 받을 수 없다고 받지 않았다. 100여 명의 기병으로 통원보(通院堡)까지 호송되었는데, 기병의 호위가 풀리자 통원보의 호인(胡人)에게 국서를 맡기고 귀국하였다. 이 사실을 안 삼사(三司)와 조복양(趙復陽)을 중심으로 한 관학유생들은 황제참칭(皇帝僭稱)의 국서를 받았다 하여 논핵하였다. 영의정 김류(金瑬)까지 가세한 조정의 거센 척화론으로 위기에 몰렸으나, 이조판서 김상헌(金尙憲)의 적절한 변호로 극형만은 면하고 백마산성(白馬山城)으로 유배되었다. 1636년 병자호란 후 과거 춘신사로 심양에 가서 하례를 거부, 항거한 사실이 밝혀져 유배에서 풀려나 삼도통어사로 특진되었으며, 1639년 벼슬에서 물러났다.

111 남구만(南九萬) : 1629~1711. 자는 운로(雲路), 호는 약천(藥泉)·미재(美齋), 시호는 문충(文忠)이다. 조선 후기의 문신으로 우의정, 좌의정을 거쳐 영의정까지 지냈으며 기사환국 후에는 유배되기도 하였다. 저서에 《약천집(藥泉集)》이 있다.

112 홍기천(洪沂川) : 1607~1667. 기천(沂川)은 홍명하(洪命夏)의 호이다. 본관은 남양(南陽), 자는 대이(大而), 시호는 문간(文簡)이다.

113 서번(西藩) : 평안도를 가리킨다. 평안도는 서북쪽 변경 지역으로 항시 외침(外侵)이 그치지 않았다.

114 숭정……청하였다 : 歲丙子, 省母夫人于伯氏南寧公西藩任所. 聞羅德憲等使瀋陽辱命, 贊南寧公疏請斬, 送其首于虜中.(《藥泉集》 卷23 〈領議政洪公請諡行狀〉)

115 공효(龔斆) : 명나라 연산(鉛山) 사람으로, 저술로는 《아호집(鵝湖集)》 6권, 《경야류초(經野類抄)》 28권이 있다.

(提要)에 다음과 같은 내용이 있다.

"문집의 〈고려에 사신으로 가는 주탁과 장부를 보내는 서문[送周倬張溥使高麗序]〉에 '홍무(洪武) 18년(1385)에 주탁 등에게 명하여 봉국에 가서 왕으로 삼아라.'라는 내용이 있는데, 《명사(明史)》 〈고려전(高麗傳)〉에는 그 일이 빠져 있다."[116]

살펴보니 홍무 18년은 바로 고려 신우(辛禑, 우왕)[117] 때이다. 홍무 7년에 신우가 즉위하여 21년에 비로소 방폐(放廢)되었으니, 홍무 18년 말에 왕을 봉하라는 사신이 있었다는 것은 잘못 전해진 것이다.[118] 《명사》에 실리지 않은 것은 과연 빠뜨린 것이 아니다.

구양수가 적청狄靑을 논한 차자에 대해 위희魏禧가 논하다

위희(魏禧)[119]의 〈구양수가 적청을 논한 차자[120] 뒤에 쓰다[書歐陽文忠論狄靑箚子後]〉[121]에 다음과 같은 내용이 있다.

"적청(狄靑)[122]이 큰 공을 세워 당시의 명장이 되었으나 마음을 조심하고 언행을 삼가는 것을 조정과 재야에서 모두 알고 있었다. 구양수가 '지

116 문집의……있다 : 其有送周倬張溥使高麗序, 稱'洪武十八年, 命倬等往封國而王', 《明史》〈高麗傳〉失載其事.(《四庫全書總目》 卷169 集部22 別集類22 〈鵝湖集〉 提要)

117 신우(辛禑) : 고려 32대 임금인 우왕(禑王)을 신돈(辛旽)의 시녀 반야(般若)의 소생이라 하여 이르는 말이다. 재위 기간은 1374~1388년이다.

118 살펴보니……것이다 : 《고려사절요》 제32권 신우3 을축(乙丑) 조에 다음과 같은 내용이 있다. "병자일에 주탁(周倬)·낙영(雒英) 등이 와서 우를 책봉하여 왕을 삼고 또 경효왕(敬孝王)의 시호를 주어 공민(恭愍)이라 하였다.[丙子, 周倬, 雒英等, 來册禑爲王, 又賜敬孝王謚恭愍.]"

119 위희(魏禧) : 1624~1680. 청나라 문인으로 강서성(江西省) 영도(寧都) 출신이다. 자는 빙숙(氷叔), 호는 유제(裕齋)·작정(勺庭)·위숙자(魏叔子)이다. 고학(古學)에 열중하였으며, 특히 사학에 권위가 있었다. 저서로는 《사기(史記)》, 《좌전경세(左傳經世)》, 《일록(日錄)》, 《위숙자문집(魏叔子文集)》이 있다.

120 구양수가……차자 : 《문충집(文忠集)》 권109에 〈적청을 논한 차자[論狄靑箚子]〉라는 제목으로 실려 있다. 지화(至和) 3년(1056)에 올렸다.

121 구양수가……쓰다 : 《산서통지(山西通志)》 권250에 실려 있다.

122 적청(狄靑) : ?~1057. 송나라 인종(仁宗) 때의 무장(武將)이다. 서하(西夏)가 배반할 때와 광원주(廣源州)의 만인(蠻人) 농지고(儂智高)가 배반할 때 모두 물리쳤다. 훗날 추밀사(樞密使)가 되었는데 구양수 등 문신들이 좋아하지 않았다.

금은 비록 드러난 허물을 볼 수 없을지라도'라고 하였는데, 이는 은연히 적청의 마음을 알 수 없다고 여긴 것이다. 또 '바깥사람들이 적청의 마음 씀에는 알 수 없는 것이 있다고 하나, 이것은 신이 감히 결단하지 못하는 바입니다.'라고 하였는데, 이는 드러내놓고 적청을 헤아릴 수 없다고 한 것이다. 심지어 몸은 도참에 해당하고 집에 화광(火光)이 있다는 황당한 헛소문을 채택해 주상을 동요시키고, 또 주자(朱泚)[123]의 일을 인용하여 증명하였다. 다행히 그 군주가 인종(仁宗)이었기 망정이지 만약 한나라 경제(景帝), 선제(宣帝)와 당나라 숙종(肅宗), 덕종(德宗)이었다면 구양수의 한마디 말이 적청을 죽이고도 남았을 것이고, 적청은 멸족지화를 진실로 피할 수 없었을 것이다.

그간 비록 한두 마디 적청을 옹호하는 말로 조종(操縱), 출입(出入)하는 사이에 공평함을 가진 듯하지만, 무함하는 글과 교묘한 비방으로 그를 깊은 화에 빠뜨리고 자신은 소인이라는 비방에서 벗어난 것이다. 험악하고 음흉한 것이 마치 옛날 소인이 군자를 해치는 방법과 같고 또 교묘하기는 이보다 심한 것이 없다고 생각한다."【위희의 글은 여기까지다.】

아! 위희가 지나치다. 구양수는 지극히 충군애국하는 마음으로 당시의 헛소문에 마음이 동하지 않을 수 없었을 뿐이니, 어찌 무함하는 글과 교묘한 비방으로 그를 깊은 재앙에 빠뜨리려는 마음이 있었겠는가. 지금 〈적청본전(狄青本傳)〉[124]을 살펴보니 이렇게 되어 있다.

"적청이 추밀(樞密) 자리에 있는 4년 동안 나갈 때마다 사졸들은 번번이 그를 가리키며 찬미하고 감탄하였다. 또 간관(諫官)은 적청의 집에는 개가 뿔이 나 있고, 또 여러 차례 괴이한 화광이 있었다며 적청을 외직으로 내보내 그를 보전하고자 청했으나 받아들여지지 않았다. 가우(嘉祐) 연간(1056~1063)에 서울에 홍수가 났는데 적청이 홍수를 피해 집을 상국사(相國

---

123 주자(朱泚) : 742~784. 당나라 창평(昌平) 사람으로, 요령언(姚令言)의 난군(亂軍)과 합세하여 반란을 일으켜 국호를 대진(大秦)이라 하고 황제를 자칭하다가 나중에 부하 장교에게 피살되었다.

124 적청본전(狄青本傳) : 《송사(宋史)》 권290에 실려 있다.

寺)로 옮기다가 전각(殿閣) 근처에서 가던 길을 멈추니 사람들이 자못 의심하였다. 이에 적청을 파면시켜 동중서문하평장사(同中書門下平章事)로 삼고 진주(陳州)로 나가 담당하게 하였다."

당시 헛소문이 선동한 것과 적청이 혐의에 잘 대처하지 못한 점을 미루어 볼 수 있다.

명도(明道) 연간(1032~1033)에 왕덕용(王德用)[125]이 추밀원(樞密院)에 있었는데 용모가 씩씩하고 뛰어나 사람의 마음을 움직여 오랑캐까지도 모두 그의 이름을 알고 있었다. 그런데 어사중승(御史中丞) 공도보(孔道輔)의 말 때문에[126] 추밀 자리에서 파면되어 외직으로 우간우위상장군(右干牛衛上將軍)이 되었다. 구양수가 적청을 논한 것도 공도보가 왕덕용을 논한 마음과 같을 뿐이니 어찌 다른 이유가 있었겠는가.

적청은 인종의 깊은 은총을 입었다. 적청이 농지고(儂智高)[127]를 치러 갈 때 그의 위명(威名)은 적에게 두려움이 되었다. 인종은 치사(馳使)를 보내 좌우의 사령(使令)은 모두 가깝고 믿을 수 있는 사람을 쓰고, 일상생활을 하면서 절발(竊發)을 막으라고 경계하였다. 임금의 은총이 이와 같았으니 논(論)이 절실하지 않으면 어찌 임금의 마음을 움직일 수 있었겠는가. 한두 마디 지나치게 준절(峻切)한 말을 가지고 무함한 글과 교묘한 비방으로 사람을 깊은 화에 빠뜨렸다고 하니, 이는 화살 만드는 사람에게 화살촉을 날카롭게 하여 반드시 갑옷을 뚫고 사람을 상하게 하려고 한다고 꾸

---

125 왕덕용(王德用) : 980~1058. 자는 원보(元輔)로 송나라 조주(趙州) 사람이다. 용맹한 장수로서 많은 전공을 세워 인종(仁宗) 때 첨서추밀원사(簽書樞密院事)가 되었다. 당시 천하에 명성이 자자하여 위엄 있고 남다른 모습이 신하의 상이 아니라는 풍문이 돌자, 어사중승으로 있던 공도보가 탄핵하였다.

126 공도보(孔道輔)의 말 때문에 : 공도보가 왕덕용을 참소할 때에 "얼굴은 예조(藝祖)와 똑같고, 집은 건강(乾岡)에 지었다."라고 했다. 예조는 즉 송 태조(宋太祖)로서 왕덕용이 그와 같은 기상이 있다는 말이고, 건강(乾岡)은 집좌향이 건좌(乾坐)임을 말한 것인데, 옛날 천자의 궁궐을 건좌에 지었다고 한다.

127 농지고(儂智高) : 1026~1055. 송나라 광원주(廣源州)의 만인(蠻人)이다. 황우(皇祐) 연간에 광원주를 거점으로 반란을 일으켜 국호를 남천국(南天國)이라 하고 인혜황제(仁惠皇帝)라 참칭(僭稱)하면서 연주(沿州)·강주(江州) 등 9주를 함락했다. 뒤에 송 인종이 적청으로 하여금 토벌하게 하여 옹주(邕州)에서 대패(大敗)시켰다.

짖는 것과 무엇이 다르겠는가.

경력(慶曆) 연간(1041~1048)에 적청은 장항(張亢)과 함께 사신으로 가서 지나치게 공용전(公用錢)을 사용한 일로 거구추섭(拒句追攝)의 율(律)[128]로 조사받았다. 구양수가 상차(上箚)하여 그를 구제하여 말하기를 "국가에 병란이 일어난 이래로 얻은 변장(邊將)은 적청, 충세형(种世衡) 두 사람뿐입니다. 두 사람이 어찌 이 작은 공용전의 일로 적에게 구금당해 고생할 수 있겠습니까? 청컨대 적청이 설령 연좌되었을지라도 특별히 처벌을 면하게 해 주십시오."라고 하였다. 나라를 위해 인재를 애호(愛護)하고 아끼는 뜻이 말 밖에 넘친다. 전일에는 특별히 처벌을 면할 것을 청하고, 후일에는 기탄없는 말로 임금을 움직이게 한 것은 모두 나라를 위해 정성을 다하는 마음에서 나온 것이지, 한때의 좋아하고 싫어함에서 나온 것이 아님을 알 수 있다.

대개 당(唐) 중엽 이래로 번진(藩鎭)은 군사의 사정에 따라 폐지하고 설치하는 경우가 많았다. 점차 오계(五季) 말에 이르러 마침내 황포(黃袍)가 몸에 입혀지는 변[129]이 있었고, 연회를 베풀어 병권(兵權)을 회수한 일[130]이 있었으니, 그 당시도 늠름하게 우러르면서 고심한 뜻을 볼 수 있다. 구양수는 이 차자를 지화(至和) 2년(1055)에 올렸다. 이때에 인종의 나이는 많았고 황사(皇嗣)를 세우지 못했는데, 적청이 군대의 마음을 갑자기 얻은 것이 이미 이와 같았다. 또 당대에 헛소문이 성도에 크게 퍼지니 구양수가 평소 나라를 걱정하여 말하지 못할 충성이 없다는 것을 알았을 것이다.

---

128 거구추섭(拒句追攝)의 율(律) : 《대명률(大明律)》의 형률(刑律)에 나오는 한 조문이다. "관사(官司)에서 사람을 보내어 전량(錢糧)을 추징(追徵)하거나 공사(公事)를 집행하는 데 항거하거나 불복하고, 보낸 사람을 때리는 경우에는 장(杖) 80대를 때린다."라고 하였다.

129 황포(黃袍)가 몸에 입혀지는 변 : 현덕(顯德) 7년(960)에 조광윤이 후주(後周)의 공제(恭帝)에게 황제를 선양받아 송나라를 건국한 사건이다. 진교역(陳橋驛)에서 군인들이 조광윤에게 술을 먹이고 황포를 입혀 강제로 추대하였다. 조광윤은 부하들에게 못 이기는 척하며 개봉(開封)에 입성하여 황제를 선양받고 송나라를 건국하였다.

130 연회를……회수한 일 : 송 태조(宋太祖)가 평화적인 방법으로 병권을 회수한 것을 말한다. 건륭(建隆) 2년(961)에 송 태조가 금군(禁軍)의 장령(將領)들을 소집하여 연회를 베풀면서 고관(高官)과 후록(厚祿)을 주겠다는 조건으로 그들의 병권을 회수하였고, 다시 개보(開寶) 2년(969)에 동일한 방법을 써서 번진(藩鎭)의 절도사(節度使)의 병권을 회수하여 중앙 집권의 통치력을 강화하였다.

어찌 침묵하고 말이 없을 수 있겠는가. 진실로 말하고자 했다면 반복하여 주입하고 숨기는 것 없이 모두 말했을 것이니, 도리에 당연할 뿐만 아니라 글을 짓는 체(體)는 부득이해서 그런 것이다.

공도보가 죽자 객(客)이 왕덕용에게 "그 사람은 공(公)을 해쳤던 자입니다."라고 하니, 왕덕용이 초연히 말하기를 "공도보는 맡은 일로 말한 것이니 어찌 나를 해치는 자이겠는가. 애석하게도 조정은 정직한 신하를 잃었구나." 하였다.

안타깝다! 위희는 왕덕용이 공도보를 용서하는 마음으로 천백 년 후에 구양수를 용서하지 못하였다. 심지어 혹자의 말을 인용하여 적청은 무인(武人)으로 기밀(機密)을 담당하여 대신의 대열이 되니 구양수가 같은 유(類)가 되는 것을 싫어하였다고 말하였다. 말의 낭패가 이와 같으니 아, 심하도다! 구양수는 당시에 한림학사여서 애당초 적청과 대적할 위치가 아니고 형세가 핍박하는 혐의가 없었다.

위희가 또한 연회를 베풀어 병권을 회수한 뒤로 장수들이 큰 악을 행하지 못한 지 백여 년이라고 하였는데 이 또한 잘못된 계산이다. 지화(至和) 2년(1055)은 연회를 베풀어 병권을 회수한 지 8, 90년밖에 되지 않았는데 어찌 백여 년이라고 하는가?

우겸于謙이 왕세자의 복위를 청하다

《위숙자집(魏叔子集)》[131]의 〈모치황에게 답하는 편지[答毛馳黃]〉[132]에 태부

131 위숙자집(魏叔子集) : 위희(魏禧, 1624~1680)의 저서이다. 모두 33권이며, 문집(文集)이 22권, 일록(日錄) 3권, 시집(詩集)이 8권이다. 청나라 강희 연간에 임시익(林時益)이 편한 《영도삼위문집(寧都三魏文集)》 속에 들어 있다. 위희는 강서(江西) 영도(寧都) 사람으로 자는 응숙(凝叔) 또는 숙자(叔子), 빙숙(氷叔)이고, 호는 유재(裕齋) 또는 작정(勺庭)이다. 명나라가 망하자 취미봉(翠微峰)에 은거하여 역당(易堂)을 짓고 이등교(李騰蛟), 팽사망(彭士望), 임시익(林時益), 구유병(丘維屛), 증찬(曾燦), 팽임(彭任) 등과 함께 '역당구자(易堂九子)'로 불렸다. 형 위상(魏祥), 동생 위례(魏禮)와 함께 '영도삼위(寧都三魏)'라 일컬어졌고, 역당구자의 영수가 되었다. 주이존(朱彝尊), 매문정(梅文鼎) 등과 교유하였으며, 저서로 《위숙자집》과 《좌전경세(左傳經世)》 등을 남겼다.

(太傅)가 왕세자의 폐위를 간언하지 않은 일에 대한 논의가 있다. 지금 왕세정(王世貞)[133]의 〈명향독기(名鄕讀記)〉와 이지조(李之藻)[134]가 쓴 〈우충숙집 서문[于忠肅集序]〉을 살펴보니, 모두 우겸[135]이 일찍이 왕세자의 복위를 청한 상소문을 두 차례 올렸다고 한다. 그러나 《우충숙집》 속에는 이런 상소문이 실제 실려 있지 않고, 《명사》에도 그 일이 기록되어 있지 않다. 단지 예악(倪岳)[136]이 우겸을 위해 지은 〈신도비(神道碑)〉[137]에만 "경제(景帝)가 병을 앓자, 우겸은 조정의 중신들과 함께 상소문을 올려 왕세자의 복위를 청했다."라고 하였다. 그 당시 올렸던 상소는 바로 조정의 중신들과 공동으로 작성한 상소문이었고, 우겸 한 사람이 단독으로 작성한 것이 아니었다. 그러므로 《우충숙집》 속에는 그 원고를 싣지 않은 것이다. 왕세정 등은 이 문제를 전적으로 우겸에게만 떠맡기니, 참으로 정밀하게 고찰하지 못한 과오를 면치 못하였다.[138] 게다가 '간언하지 않았다'라는 말도 사실이 아니다. 위희는 어찌하여 여태껏 〈신도비〉의 내용을 보지 못했단 말인가?"

132 모치황에게 답하는 편지 : 《위숙자문집》 권7에 실려 있다.

133 왕세정(王世貞) : 1526~1590. 명나라 강소성(江蘇省) 태창(太倉) 사람으로, 호는 봉주(鳳州)·엄주산인(弇州山人)이다. 저서로는 《엄주산인사부고(弇州山人四部考)》, 《속고(續稿)》가 있다.

134 이지조(李之藻) : 1565~1631. 명나라 문신, 학자이다. 이마두(利瑪竇, Matteo Ricci)에게 서양과학을 배우고 세례도 받았다. 저서로 《원용교의(圓容較義)》와 《신법산서(新法算書)》, 《혼개통헌도설(渾蓋通憲圖說)》, 《천학초함(天學初函)》, 《동문산지(同文算指)》 등이 있다.

135 우겸(于謙) : 1398~1457. 명나라 신하로 자는 정익(廷益), 호는 절암(節庵)이고, 충숙(忠肅)은 그의 시호이다. 1449년에 와랄부(瓦剌部)의 야선(也先)이 남침한 토목지변(土木之變)이 일어나 영종(英宗)이 포로가 되자 영종의 아우 경태제(景太帝)를 옹립한 후 경사(京師)를 수호하였다. 영종이 돌아와 복위하자 석형(石亨)과 환관 조길상(曹吉祥) 등은 우겸이 주후경(朱厚熲)의 아들을 맞아들여 대통(大統)을 이으려는 음모를 꾸몄다고 누명을 씌워 사형에 처하고 가족과 가산을 몰수하였다. 저서로 《우충숙집(于忠肅集)》 12권이 있다.

136 예악(倪岳) : 1444~1501. 명나라 강소성(江蘇省) 남경(南京) 사람으로, 자는 순자(舜咨)이다. 배움을 좋아했고 문장에도 능통했다. 저서로는 《청계만고(青溪漫稿)》 등이 있다.

137 예악(倪岳)이……〈신도비(神道碑)〉 : 예악의 문집 《청계만고(青溪漫稿)》 卷21에 실려 있다.

138 지금……못하였다 : 又案王世貞《名鄉讀記》、李之藻, 皆謂謙嘗再疏請復儲, 今集中並無此疏, 《明史》亦不著其事. 惟倪岳〈神道碑〉稱"景帝不豫, 謙同廷臣上章, 乞復皇儲." 當時所上, 乃廷臣公疏, 非謙一人作. 故《集》中不載其稿. 世貞等之專屬之謙, 殆亦考之未審歟.(《忠肅集》 卷13)

소송蘇頌이 부친에 대한 비난에 변명하다

주희는 〈기염계전(記濂溪傳)〉에서 다음과 같이 말했다.

"소송(蘇頌)[139]은 부친 소신(蘇紳)에 대한 비난의 이유를 파헤쳐 《송사》에 기록되어 있는 '초두목각(草頭木脚)[140]'이라는 말을 편집해 달라고 요청했고, 신조(神祖, 조상에 대한 높임말)께서도 이 점을 오히려 숙연하게 따르셨다."[141]

지금 《송사》를 살펴보니 "소신과 양적(梁適)이 함께 양금(兩禁)[142]에 있는데 사람들이 이들을 음험하고 바르지 못하다고 생각하여 '초두(草頭)와 목각(木脚)은 사람들을 모함하여 전복시킨다.'라고 말하였다."라고 쓰여 있다. 그렇다면 소송이 삭제하려고 한 것은 당시의 실록(實錄)에 불과하지 백세(百世)의 공의(公議)는 아니다. 이는 이른바 효성스러운 자손은 부친의 추악한 점을 그대로 덮어둘 수 없다는 것이다.

반양귀潘良貴와 향자인向子諲에 대한 시비의 문제

지난날 《주자문집(朱子文集)》을 보니, 반양귀(潘良貴)[143]가 향자인(向子諲)[144]이 여름에 오래도록 아뢴 것을 탄주한 일이 기록되어 있었다. 이는 과연

---

139 소송(蘇頌) : 1020~1101. 자는 자용(子容)이며, 천주(泉州) 남안(南安) 사람이다. 저서로는 《문헌통고(文獻通考)》, 《신의상법요(新儀象法要)》 등이 있다.

140 초두목각(草頭木脚) : '소(蘇)'는 초두(草頭)이고, '양(梁)'은 목각(木脚)으로 소신(蘇紳)과 양적(梁適)을 가리키는 은어이다.

141 소송(蘇頌)은……따르셨다 : 蘇子容特以爲父辨謗之故, 請刪國史所記草頭木脚之語, 而神祖猶俯從之.(《晦庵集》 卷71 〈記濂溪傳〉)

142 양금(兩禁) : 북송 때 한림학사(翰林學士)의 직사(直舍)이다. 황궁의 북문 양쪽에 있어서 양금이라 칭하였다.

143 반양귀(潘良貴) : 1094?~1150? 송나라 무주(婺州) 금화(金華) 사람으로, 자는 의영(義榮)·자천(子賤)이며, 호는 묵성거사(默成居士)이다. 저서로 《묵성문집(默成文集)》이 있다.

144 향자인(向子諲) : 1085~1152. 송나라 임강군(臨江軍) 청강(淸江) 사람으로 자는 백공(伯恭), 호는 향림거사(薌林居士)이다. 저서로 《향림집(薌林集)》, 《향림가규(薌林家規)》 등이 있다.

국가의 경영이나 국민들의 고충과 관련된 것이었을까? 오히려 아룀이 자세하지 못하거나 신하들의 말을 열심히 받아들이지 않을 것을 걱정해야 할 따름인데, 어찌 여름에 오랫동안 임금에게 아뢴 일을 가지고 자리에 나아가 향자인을 논박하였을까? 훗날 강순(江洵)이 지은 《등하한담(燈下閒談)》에[145] "어떤 사람이 말하기를, 향자인이 그날 상주한 것은 바로 벼루, 글씨, 그림에 대한 평론이었다."는 내용을 보고서야, 비로소 반양귀의 비난은 과연 한때의 궁녀나 환관 같은 애정에서 나온 것임을 알게 되었다.

훗날 나대경(羅大經)의 《학림옥로(鶴林玉露)》를 보니 이런 내용이 있었다.

"반양귀가 우사(右史)가 되었을 때, 종신(從臣) 향자인이 상주한 일이 있었는데, 고종(高宗)은 이 일로 그와 함께 필법(筆法)에 관해 논하면서 한참 동안 끝마치지 않았다. 반양귀가 홀(笏)을 들고 가까이 다가가 성이 난 큰 목소리로 '향자인은 무익한 말로 오랫동안 임금의 귀를 더럽힌다.'고 꾸짖어서 내쳤다. 곁에 있던 모두가 간담이 서늘해져 이로 말미암아 국정을 떠나고 그림과 서법에 대해 논하지 않았다."[146]

반양귀가 백성과 국가의 일을 밝게 드러내지 못한 점은 향자인과 마찬가지다. 그러나 반양귀의 이러한 처신은 그의 강직함으로 어사(御史)의 체통을 얻어낸 것이다.

명인名人의 불초한 자식들

《주자어류(朱子語類)》에서 이런 글을 본 적이 있다.

145 강순(江洵)이 지은 《등하한담(燈下閒談)》에 : 2권 1책의 필기집이다. 강순은 북송의 인물로 생몰년은 미상이다. 《등하한담》은 송나라의 증조(曾慥, ?~1155)가 편찬한 《유설(類說)》 52권에 수록되어 있다.

146 반양귀가……않았다 : 潘良貴爲右史時, 從臣向子諲奏事, 高宗因與論筆法, 言久不輟. 良貴擧笏, 近前厲聲, 曰: '向子諲, 以無益之言, 久瀆聖聽.' 叱之使下, 左右皆膽落由是去國, 毋論研書與書法.(《鶴林玉露》 卷11)

"소동파(蘇東坡)의 아들 소과(蘇過)와 범순부(范淳夫)[147]의 아들 범온(范溫)[148]이 모두 양사성(梁師成)[149]의 문하에 드나들면서 양사성을 부친처럼 섬겼다. 양사성의 처가 죽자 모친의 상으로 상복을 입으려 하다가, 아무개가 의심하고 꺼리니 최질(衰絰)만 입고 돌아갔다."[150]

이 글을 보고 깜짝 놀라 "명망 있는 부친을 둔 자식에게 이러한 일이 있을 수 있는가?"라고 말하였다.

뒤에 조열지(晁說之)[151]가 지은 소숙당(蘇叔黨, 소과)의 묘지명을 보니 다음과 같은 내용이 있었다.

"언젠가 한번 경사(京師)로 가서 마음껏 술을 마시며 세상 밖에서 노닐고, 만나는 자들과 진심을 모두 쏟아내어 말하고 갑작스럽게 크게 웃으며 농담하는 중에도 절개가 그 속에 있을 것이니, 오직 이를 아는 자만이 알 것이다."[152]

아마도 조열지가 필시 무언가 가리키는 것이 있겠지만 말 속에 감추고 생략하여 자세히 알 수가 없다.

지금 포정박(鮑廷博) 각본(刻本)에 부록으로 실려 있는 죽타(竹垞) 주이준

---

147 범순부(范淳夫) : 1041~1098. 범조우(範祖禹)이다. 순부(淳夫)는 그의 자이다. 또 다른 자는 몽득(夢得)이다. 성도(成都) 화양(華陽) 사람이다. 저명한 역사학자로 《당감(唐鑒)》 12권, 《제학(帝學)》 8권, 《인종정전(仁宗政典)》 6권을 저술하였다.

148 범온(范溫) : 생몰년은 미상이다. 자는 원실(元實)이고, 호는 잠재(潛齋)며, 화양(華陽 지금의 사천 쌍류) 사람이다. 범조우(範祖禹)의 아들이며, 여본중(呂本中)의 외삼촌이자 진관(秦觀)의 사위이다. 황정견(黃庭堅)을 따라 시(詩)를 배워 황정견의 영향을 많이 받았다.

149 양사성(梁師成) : ?~1126. 북송 시대의 환관으로 자는 수도(守道)이다. 북송 말기 6대 간신[六賊] 중 한 명으로 정화(政和) 연간(1111~1117)에 휘종(徽宗)의 신뢰를 받아 어서(御書)와 호령(號令)이 그에게서 나왔으며, 황제의 필체를 모방하는 사람을 찾아 성지(聖旨)를 위조하기도 했다. 흠종(欽宗)이 즉위한 후에 창화군절도부사(彰化軍節度副使)로 강등되었는데 길을 가던 중 피살되었다.

150 소동파(蘇東坡)의……돌아갔다 : 東坡子過、范淳夫子溫, 皆出入梁師成門, 以父事之. 梁妻死, 欲喪以母禮, 忌某人而衰絰以往.《朱子語類》 卷130 〈本朝自熙寧至靖康人物〉

151 조열지(晁說之) : 1059~1129. 자는 이도(以道), 호는 경우생(景迂生)이다. 《시(詩)》와 《서(書)》에 능하고, 육경(六經)에 통달하였으며, 특히 《역(易)》에 정통하였다. 《유언(儒言)》, 《경우생집(景迂生集)》 등을 저술하였다.

152 언젠가……것이다 : 時一至京師, 自得於醉醒, 而徜徉一世之外, 所遇者與談, 靡不傾盡, 造次大笑謔浪間, 節槩存焉. 唯有知之者, 知之也.《景迂生集》 卷20 〈宋故通直郎眉山蘇叔黨墓誌銘〉

(朱彝尊)[153]의 〈조열지가 지은 소숙당의 묘지명 뒤에 쓰다[書晁以道撰蘇叔黨墓志後]〉를 보니 다음과 같은 내용이 있다.

"소동파 선생은 휘종(徽宗) 건중정국(建中靖國) 원년 신사년(1101)에 상주(常州)에서 죽음을 맞이했다. 선생이 죽고 난 뒤에 채경(蔡京)[154]은 상서좌승(尙書左丞)을 거쳐 좌우복야(左右僕射)로 승진하였고, 채변(蔡卞)[155]도 지추밀원사(知樞密院事)가 되었다. 숭녕(崇寧) 원년(1102)부터 4년(1105)까지 소동파의 구법당(舊法黨) 당인(黨人)들의 명부를 조당(朝堂)에 걸어놓고, 명부에 올린 사람들을 상중하(上中下)와 육사(六邪)[156]의 등급으로 정하여 추방하거나 강등시켰다. 그리고 또 그들의 자제들에 대한 명부를 만들어 자제들의 대궐 출입을 금지하였다. 첫 번째는 단례문(端禮門)에 비석을 세우고, 두 번째는 제주(諸州)에 비석을 세웠으며, 세 번째는 문덕전문(文德殿門)에 비석을 세웠다.[157] 그 당시 소숙당은 몸을 숨기고 화를 피하는 데 겨를이 없었는데,

---

153 주이준(朱彝尊) : 1629~1709. 청나라 수수(秀水) 사람으로, 자는 석창(錫鬯), 호는 죽타(竹垞)이다. 고학(古學)에 힘써 금석고증(金石考證) 및 고문시사(古文詩詞)에 밝았다. 한(漢)대부터 명(明)대까지의 경설(經說)들을 수집하여 《경의고(經義考)》를 편찬하였는데, 자료마다 '存', '佚', '闕', '未見' 등의 주석을 달아 목록학의 발전에 공헌하였다.

154 채경(蔡京) : 1047~1126. 송나라 흥화(興化) 사람으로, 자는 원장(元長)이다. 송나라 휘종(徽宗) 때 환관 동관(童貫)의 도움으로 재상이 되었다. 휘종에게 사치를 권하여 재정을 궁핍하게 하였고, 반대파인 구법당(舊法黨)을 철저하게 탄압하였다. 흠종(欽宗) 즉위 후 국난을 초래한 6적의 우두머리로 몰려 담주(儋州)로 귀양가는 도중 담주(潭州)에서 병사하였다.

155 채변(蔡卞) : ?~1117. 송나라 휘종(徽宗) 때의 간신으로, 채경(蔡京)의 동생이며 왕안석(王安石)의 사위이다. 형인 채경과 함께 구법당을 탄압하였다. 안진경(顔眞柳)에게 서법을 배워 행서에 능했다.

156 육사(六邪) : 유향(劉向)의 《설원(說苑)》에 나오는 말로, 나라에 해를 끼치는 여섯 종류의 나쁜 신하인 구신(具臣), 유신(諛臣), 간신(姦臣), 참신(讒臣), 적신(賊臣), 망국신(亡國臣)을 말한다. 나라에 이로운 신하인 육정(六正)과 대조를 이룬다. 구신은 관직에 안주하고 녹봉을 탐하며 공직은 돌보지 않고 사리사욕을 채우는 신하, 유신은 군주에게 아부하여 군주의 눈과 귀만을 즐겁게 해주는 신하, 간신은 군주로 하여금 신하에 대한 판단을 잘못하게 하여 상벌을 적당치 않게 하고 임무를 잘못 맡기게 하는 신하, 참신이란 말과 글을 잘 꾸며 군주가 골육(骨肉)의 친척과 이반하게 하고 조정을 어지럽히는 신하, 적신이란 권세를 마음대로 휘두르고 사사로이 당(黨)을 이루어 그 가문을 부유하게 하고 한편으로 군주의 명령을 마음대로 하는 자, 망국신이란 군주로 하여금 흑백시비를 제대로 가리지 못하게 함으로써 그 악함이 나라 안팎에 널리 퍼지게 하는 신하를 말한다.

157 첫 번째는……세웠다 : "원우당(元祐黨) 사건" 혹은 "당금(黨禁)의 화"를 말한다. 신종(神宗) 원우(元祐) 연간에 사마광(司馬光) 등의 구당(舊黨)이 왕안석(王安石)을 필두로 하는 신당(新黨)과 대립하였다. 휘종(徽宗)이 즉위하자 증포(曾布) 등이 휘종에게 주청하여 구당 220인을 간당(姦黨)으로 지목하고, 그 이름과 사실을 기록한 비석을 단례문(端禮門)에 세우고, 이듬해 원우간당비(元祐姦黨碑)를 세웠으며, 숭녕(崇寧) 3년에 사마광 이하 3백인을 간당으로 정하여 황제가 친히 그 이름과

어찌 부귀와 영달에 대한 생각이 일 수 있었겠는가.

양사성은 스스로 소동파의 사생아라 하면서, 일찍이 유릉(裕陵)[158]에게 상소하기를 '선신(先臣, 소동파)이 도대체 무슨 죄가 있기에 그의 문장을 외지도 못하게 하고 글마저도 없애도록 하셨단 말입니까?'라고 하였다. 이에 선생의 유문(遺文)과 친필이 비로소 점차 다시 세상에 나타날 수 있게 되었다. 소숙당이 차마 양사성과의 관계를 분명하게 끊어버릴 수 없었던 것은 바로 이 때문이다. 그러나 당금(黨禁)의 화가 처음 완화된 뒤에 비록 경사(京師)에 들어와서 해학을 빌려서 세상을 비웃었지만 세상에 물들지 않았으니, 묘지명에서 '실없이 웃고 놀아도 절개가 있었다'라는 말이 이것이다. 비록 소숙당을 비방하는 자들이 '소숙당이 양사성에게 아부하여 섬기면서 스스로 양아들이라고 자처했다'고 하였지만, 양사성은 이미 소동파를 아버지로 여기며 그를 '선신(先臣)'으로 칭하였다. 그렇다면 필시 형제로 소숙당을 대우했을 것이니, 어찌 형제가 되려고 일삼고서, 또 낮추어 양아들이라고 칭할 이유가 있었겠는가. 이는 낙파(洛派, 정호와 정이 형제)를도와 촉파(蜀派, 왕안석(王安石))를 공격한 자들이 헐뜯는 행각일 뿐이다."[159]

아마도 이 점을 이해하면 소숙당에 대한 무고(誣告)가 비로소 드러나게 될 것이다. 오직 범순부의 아들은 지금까지도 어떠한 호소나 원통도 없으니, 어쩌면 이것 또한 행운일까, 불행일까?

또 육유(陸游)의 《노학암필기(老學庵筆記)》를 살펴보니 이런 내용이 있다.

"항주의 승려 사총(思聰)은 소동파가 자설(字說)을 지어준 자이다. 대관(大觀)과 정화(政和) 연간(1100~1125)에 거문고를 들고서 벼슬을 구하러 나서 매일 고관의 문하에 드나들었다. 얼마 후 마침내 환속하여 어전(御前)의 관리가 되었다. 사총이 막 환속하려 할 즈음에 소숙당이 절강(浙江)의

행적을 써서 문덕전(文德殿)의 동벽(東壁) 밑에 비석을 세웠다.

158 유릉(裕陵) : 영유릉(永裕陵)으로 송나라 신종(神宗)의 능이다. 여기서는 신종을 가리킨다.

159 소동파 선생은……뿐이다 : 《폭서정집(曝書亭集)》 권52 〈서조이도찬소숙당묘지후(書晁以道撰蘇叔黨墓志後)〉에 보인다.

승려(사총)가 도시로 내려왔다는 소식에 그에게 '시험 삼아 〈북산이문(北山移文)〉[160]을 읊조리니, 나를 위해 거문고 든 사총을 불러주오.'라는 시를 보내었다."[161]

가령 소숙당이 양사성 섬기기를 언자(言者)들의 말과 같이 했다면, 어떻게 자신에게도 잘못이 있는데 이처럼 남을 비난할 수 있었겠는가. 또한 소숙당의 원통함을 드러낼 만하다.

패수浿水

전기(傳紀)에서 말하는 패수는 대강 일곱 군데이다.

《한서(漢書)》 〈지리지(地理志)〉에서 "요동군(遼東郡) 번한현(番汗縣)에 패수(沛水)가 있는데 변방 밖에서 시작하여 서남쪽으로 흘러 바다로 들어간다."[162]라고 한 것이 첫 번째이다.

또 "낙랑군(樂浪郡)에 있는 패수는 서쪽으로 증지현(增地縣)에 이르러 바다로 들어간다."[163]라고 한 것이 두 번째 경우이다.

《수경(水經)》[164]에 "패수는 낙랑군 누방현(鏤方縣)에서[165] 나와 동남쪽으

---

160 북산이문(北山移文) : 공치규(孔稚圭, 447~501)의 작품이다. 북산(北山)은 남경(南京)의 북쪽에 있는 종산(鍾山)이다. 주옹(周顒)이라는 사람이 이 산에서 은거하다가 해염현(海鹽縣)의 현령(縣令)으로 나갔는데 뒤에 임기가 끝나 다시 북산으로 오려 하자, 공치규는 산신령의 뜻에 가탁한 이문(移文)을 지어 그가 오는 것을 거절하였다. 즉 가짜 은사(隱士)를 배척하는 내용이다.

161 항주의……보내었다 : 杭僧思聰, 東坡爲作字說者. 大觀、政和間, 挾琴遊梁, 日登中貴之門. 久之, 遂還俗, 爲御前使臣. 方其將冠巾也, 蘇叔黨因浙僧入都, 送之詩曰: "試誦北山移, 爲我招琴聰."(《老學庵筆記》 卷7)

162 요동군(遼東郡)……들어간다 : 遼東郡番汗縣有沛水, 出塞外, 西南入海.(《前漢書》 卷28 〈地理志〉)

163 낙랑군(樂浪郡)에……들어간다 : 浿水西至增地縣入海.(《水經注》 卷14)

164 수경(水經) : 삼국시대에 만들어진 중국 지리서이다. 중국 각지의 하천과 수계(水系)를 간단히 기록하였다. 편찬자는 미상이다.

165 누방현(鏤方縣) : 기원전 107년에 중국의 한(漢)나라 무제(武帝)가 위만조선(衛滿朝鮮)을 정복하고, 그곳에 4군(郡)을 설치하였는데, 낙랑군은 그 중심지였다. 낙랑군에는 처음에 25현이 있었는데, 누방현은 그중의 하나로서, 위치는 지금의 평안남도 성천(成川)·양덕(陽德) 지방으로 추정된다.

로 임패현(臨浿縣)을[166] 지나 동쪽으로 흘러 바다로 들어간다."[167]라고 했는데, 역도원(酈道元)의[168] 주(註)에 "위만(衛滿)이 패수로부터 조선에 이르렀으니, 만약 패수가 동쪽으로 흘러간다면 패수를 건널 이치가 없다."[169]라고 하였다. 《자치통감(資治通鑑)》의 호삼성(胡三省) 주에는 "내가 고구려의 사신에게 물어보니, '성(城)이 패수의 북쪽에 있다'고 하였다. 패수는 서쪽으로 흘러 낙랑군 조선현(朝鮮縣)으로 곧바로 들어가므로 《한서》〈지리지〉에 '패수는 서쪽으로 증지현에 이르러 바다로 들어간다.'고 한 것이다. 《수경》이 잘못된 것이다."[170]라고 한 것이 세 번째 경우이다.

《한서》〈조선전(朝鮮傳)〉에 "한나라 사신 섭하(涉何)가 조선에서 돌아올 때 국경에 이르러 패수에 다다르자 전송 나온 자들을 찔러 죽이고는 바로 패수를 건너 국경 요새로 달려들어 왔다. 순체(荀彘)가 요동으로부터 군대를 출동시켜 조선의 패수 서군을 공격하였다. 조선의 태자(太子)가 중국에 들어와 조회하려고 하다가 패수를 건너지 않고 다시 이끌고 돌아가자, 순체가 패수 가에 주둔한 조선의 군대를 격파하고 전진하여 성 아래에 이르러서 서북쪽을 포위했다."[171]라고 한 것이 네 번째 경우이다.

《당서(唐書)》에 "평양성은 한나라 낙랑군이다. 산을 따라 구불구불 성곽을 쌓았는데, 남쪽은 패수에 접하였다."[172]라고 한 것이 다섯 번째 경우이다.

---

166 임패현(臨浿縣) : 조위(曹魏)에서 설치했다가 바로 폐지한 곳으로 추정된다. 역도원의 《수경주》에서도 임패(臨浿)에 대해 자세히 알 수 없다고 하였다.

167 패수(浿水)는……들어간다 : 浿水出樂浪鏤方縣, 東南過臨浿縣, 東入海.(《水經注》 卷14)

168 역도원(酈道元) : 469~527. 자는 선장(善長)이다. 각지의 많은 문헌을 모아 《수경주(水經注)》를 지었다. 이 책에서 《수경(水經)》에 나오는 물길의 원류 및 연안의 풍토와 경치에 관해 논술했으며, 아울러 《수경》의 오류를 바로잡았다.

169 위만(衛滿)이……없다 : 衛滿自浿水至朝鮮, 若浿水東流, 無渡浿之理.(《水經注》 卷14)

170 《자치통감(資治通鑑)》의……것이다 : 《자치통감(資治通鑑)》은 《음주자치통감(音註資治通鑑)》을 말한다. 이 부분은 호삼성(胡三省)이 《수경(水經)》의 역도원 주석을 인용한 것이다.

171 한나라……포위했다 : 《前漢書》 卷95 〈朝鮮傳〉에 보인다.

172 평양성은……접하였다 : 平壤城亦謂長安城, 漢樂浪郡也. 去京師五千里, 而贏隨山屈繚為郛, 南涯浿水.(《新唐書》 卷220)

《삼국사기(三國史記)》에 "백제의 시조가 강역을 정할 때 북쪽으로 패수에 이르렀다."[173]라고 한 것이 여섯 번째 경우이다.

《고려사(高麗史)》에 "평산부(平山府)에서는 저탄(猪灘)을 패수라 한다."[174]고 한 것이 일곱 번째 경우이다.

패수에 대한 설명들에서 위치가 서로 어긋나니, 궁구하여 한 곳으로 정할 수 없다.

약천(藥泉) 남구만(南九萬)은 다음과 같이 말하였다.

"반고(班固)의 《한서》〈지리지〉를 살펴보면, 패(浿)와 패(沛)는 글자는 다르지만 음이 같으니 한 물인 듯한데, 번한현의 패(沛)는 요동에 있어야 하고 패수현(浿水縣)의 패(浿)는 대동강(大同江)이 되어야 한다. 한나라가 이미 진(秦)나라의 변경이 멀다고 여겨 물러나 요동의 옛 성을 수리하여 패수(浿水)를 경계로 삼았다. 그리하여 위만이 도망칠 때 국경 요새를 나가 패수를 건넜고, 섭하가 패수를 건너 국경 요새로 달려들어 온 것이니, 그렇다면 패수가 요동에 있음은 의심할 나위가 없다. 순체가 출병했을 때의 일로 미루어 보면 조선의 군대가 반드시 패수를 건너 한나라 성으로 들어가지는 못했을 터인데, 패수의 서쪽 군대라고 하였으니, 그렇다면 패수 서쪽은 조선 땅인 듯하다. 순체가 패수 근처의 군대를 격파하고 성 아래에 이르렀으니, 패수에서 평양까지는 멀지 않은 듯하다. 그렇다면 지금의 압록강(鴨綠江)이거나 혹은 청천강(淸川江)이 되어야 할 것이다. 《자치통감》의 호삼성 주와 《당서》를 가지고 미루어 보면 또 지금의 대동강이 되어야 할 것이다. 백제의 시조가 강역을 정한 것을 가지고 미루어 보면 백제의 국경은 지금의 양주(楊州)와 광주(廣州) 사이를 넘나드니, 또한 지금의 임진강(臨津江) 혹은 한강(漢江)이 되어야 할 것이다. 《고려사》에서는 또한 이곳을 가리켜 저탄(猪灘)이라고 하였다. 하나의 물로 결정할 수 없음이 이와 같다.

---

173 백제의……이르렀다 : 《삼국사기(三國史記)》에서 관련된 내용을 찾지 못했다.

174 평산부(平山府)에서는……한다 : 《고려사(高麗史)》에 관련된 내용은 卷58에 보인다. 平州, 本高句麗大谷郡[一云多知忽]. …… 有猪淺[一云浿江].

예전에 어떤 책을 보았는데 '조선의 물을 다 패(浿)라고 말하니, 이는 중국에서 북방의 물을 하(河)라 하고 남방의 물을 강(江)이라 하는 것과 같다.'고 하였다."[175]

나는 약천이 본 것이 과연 어떤 책인지, 그 말이 모두 확실한지 모르겠다. 강(江)이니 하(河)니 라고 말하는 것은 물의 통칭일 뿐이다.

심괄(沈括)[176]의 《몽계필담(夢溪筆談)》에 이런 내용이 있다.

"물에는 장(漳), 락(洛)으로 이름한 것이 가장 많다. 조(趙), 진(晉) 사이에는 청장(淸漳)과 탁장(濁漳)이 있고, 당양(當陽)에는 장수(漳水)가 있으며, 공상(贛上)에는 장강(漳江)이, 장주(漳州)에는 장포(漳浦)가, 호주(亳州)에는 장수가, 안주(安州)에도 장수가 있다. 그리고 낙중(洛中)에는 낙수(洛水)가 있고 북지군(北地郡)에도 낙수가 있으며, 사현(沙縣)에도 낙수가 있다."[177]

패수가 여러 지역에 같은 이름으로 있는 것 또한 장(漳), 락(洛)이 다른 지역에 동일한 명칭이 있는 것과 같다.

서한西漢의 강토

서한의 강토는 동서로 9천 3백여 리, 남북으로 1만 3천 3백 6십여 리이다. 임씨(林氏)가 말하기를, "한(漢)나라의 산천이 〈우공(禹貢)〉에서 나눈 지역과 다르지 않은데, 리(里)의 수가 배나 더해진 것은 고금의 척도와 보법(步法)이 같지 않기 때문이다."[178]라고 하였다. 이는 고증하지 않은 의론이다. 한나

---

175 반고(班固)의……하였다 : 《약천집(藥泉集)》 권29 〈동사변증(東史辨證)·패수(浿水)〉에 보인다.

176 심괄(沈括) : 1031~1095. 중국 북송의 학자이며 정치가로 자는 존중(存中), 호는 몽계옹(夢溪翁)이다. 사천감이 되어 천체 관측법, 역법 등을 창안하였으며, 요나라와의 국경선 설정에 공을 세웠다. 저서에 《몽계필담(夢溪筆談)》, 《장흥집(長興集)》 등이 있다. 《몽계필담》은 모두 26권으로 천문, 수학, 동식물, 물리, 약학, 문학, 미술, 음악, 역사, 행정 등 다양한 분야를 다루었다.

177 물에는……있다 : 水以漳名洛名者最多. 趙晉之間有淸漳、濁漳, 當陽有漳水, 贛上有漳江, 漳州有漳浦, 亳州有漳水, 安州有漳水. 洛中有洛水, 北地郡有洛水, 沙縣有洛水.(《夢溪筆談》 卷3)

178 한(漢)나라의……때문이다 : 林氏云: "漢山川不出 〈禹貢〉 分域, 而里數倍加者, 古今尺步不同."(《通鑑地理通釋》 卷2)

라는 주(周)나라의 척도를 그대로 썼으며, 또한 보법을 고친 적이 없다. 오씨(吳氏)가 말하기를, "남북으로 만 3천여 리라는 것은 삭방(朔方)[179]과 일남(日南)[180]을 모두 들어 말한 것이다."[181]라고 하였으니, 이 설은 옳다.

《방여기요方輿記要》에 언급된 흑수黑水의 오류

《위빙숙집(魏冰叔集)》[182]에서 고조우(顧祖禹)의 《방여기요(方輿記要)》[183]에 대한 서문을 본 적이 있는데, 수천백 년 동안 거의 없고 어쩌다 있는 책이라고 대단히 칭찬하였다. 고유겸(顧柔謙)의 묘지명을 지을 때에도 다시 말하기를, "그의 아들 고조우는 학문이 넓고 저술을 잘하였으니, 그가 저술한 《방여기요》는 고금에 거의 없고 어쩌다 있는 책이다."[184]라고 하였으니, 마음으로 탄복하여 추천하고 장려함이 지극하였다. 그 책이 반드시 볼 만한 점이 많을 것이라 여겼으나 다만 간행되었는지는 알 수 없었다. 근래 이조원(李調元)의 《나강현지(羅江縣志)》[185]에 간간이 《방여기요》의 문장을 인용한 부분이 있는 것을 보았으니, 이 책은 이미 세상에 간행된 듯하다. 다만 이조원은 흑수(黑水)에 관한 한 단락에서 《방여기요》의 오류를 변증하여 확실하게 증거를 들었고, 이어서 책 전체가 그릇되고 근거가

---

179 삭방(朔方) : 한나라 때의 북방 변군의 하나이다. 후한(後漢) 때에 병주(并州)에 병합되었다.

180 일남(日南) : 한나라 때의 군(郡)으로, 한 무제(漢武帝) 때 세워졌다. 후한 이후 임읍국(林邑國)의 소유가 되었다.

181 남북으로……것이다 : 吳氏云: "南北萬三千餘里, 擧朔方日南而言."(《通鑑地理通釋》 卷2)

182 위빙숙집(魏冰叔集) : 위희(魏禧, 1624~1681)의 문집인 《위숙자집(魏叔子集)》을 말한다. 위희의 자가 빙숙(冰叔)이다.

183 고조우(顧祖禹)의 《방여기요(方輿記要)》 : 《독사방여기요(讀史方輿紀要)》를 간략하게 《방여기요(方輿記要)》라 부른다. 원명(原名)은 《이십일사방여기요(二十一史方輿紀要)》로 모두 130권으로, 고조우(顧祖禹, 1631~1692)가 찬술하였다. 이 책은 대략 강희(康熙) 31년(1692)에 완성되었다. 고조우는 명말 청초의 역사·지리학자로 자가 복초(復初)이다. 명이 망한 이후에 은거하면서 벼슬길에 나가지 않고 30여 년 동안 중국 전역에 걸친 역대 지리에 관해 내용을 폭넓게 수집하여 《방여기요》에 담았다.

184 그의……책이다 : 其子祖禹博學善著書, 所著《方輿記要》, 爲古今絕無而僅有之書.(《魏冰叔集》 〈顧柔謙墓誌〉)

185 나강현지(羅江縣志) : 나강현(羅江縣)의 지방지(地方志)로 모두 10권이다. 나강현은 사천성(四川省)의 성도부(成都府)에 있던 현이다. 이조원은 나강현 출신이다.

없음을 지적하였다. 이에 저술한 책이 후대의 평론을 면하기 쉽지 않음을 알았다. 이제 여기에 그 전문(全文)을 싣는다.

"고금의 여러 지리서들을 살펴보건대 오직 본조(本朝) 고조우의 《독사방여기요(讀史方輿記要)》가 가장 그릇되고 근거가 없다. 예를 들어, 흑수를 인용하여 나강(羅江) 서북쪽에 있고 안현(安縣) 남쪽으로부터 유입되어 하류(下流)가 한주(漢州)의 면수(綿水)에서 모인다고 하면서 오대(五代)시대의 동장(董璋)이 서천(西川)의 군대에 패한 일[186]로 증거를 삼았다. 이는 면수와 낙수(雒水)가 나란히 흘러내려가 합하여 유수(渝水)가 되는데, 이것이 곧 파수(巴水)임을 알지 못한 것이다. 어찌 일찍이 한주로 도로 왔다가 다시 하류로 흘러갔겠는가. 또 한주에는 무슨 근거로 흑수를 날아오게 한 건지 모르겠다. 이것은 큰 오류가 아니겠는가.

〈우공(禹貢)〉에서 말한 '화산(華山) 남쪽과 흑수(黑水) 사이에 양주(梁州)가 있다.'[187]라는 것은 포함된 지역이 매우 넓다. 화산의 남쪽에 있다고 했기 때문인데, 화산은 옹주(雍州)에 속해 있으니 옛날의 봉역(封域)엔 옹주에 양주를 합한 것이 이것이다. 흑수는 장납(漳臘)과 반주(潘州)의 경계에서 나온다. 지금은 오랑캐 땅에 속하니, 이것은 민강(岷江)의 시작이 된다. 물은 문산(汶山)으로부터 내려와 지나가니, 하수(河水)가 곤륜(崑崙)에 도달하는 것과 같다. 또 한 물줄기가 전강(滇江)으로 들어가서 금사강(金沙江)에서 나와 마호강(馬湖江)으로 유입되어 문수(汶水)와 합해진다. 지금의 서주(敘州)

---

186 동장(董璋)이……일 : 동장(?~932)은 본래 후량 태조(後梁太祖) 주전충(朱全忠)에게 신임을 받던 장수인데, 뒤에 후당(後唐)에 귀의하여 동천 절도사(東川節度使)가 되었다. 후당 명종(明宗)이 즉위하여 제천(祭天)을 위한 공미(貢米)를 걷으려고 사신 이인구(李仁矩)를 보냈는데, 이인구의 무례로 둘 사이가 크게 틀어졌다. 이인구가 조정에 올라가 동장을 무함하자, 명종이 조서를 내려 동천의 병사를 감축하였다. 전부터 조정에 불만이 있던 동장은 당시 권력대신 안중회(安重誨)의 심복 무건유(武虔裕)를 잡아 가두었다. 이 사건으로 인해 동장은 관직을 삭탈당하고 아들 동광업(董光業)은 피살되었다. 이에 동장이 장흥(長興) 3년(930)에 반란을 일으켰다가 서천 절도사 맹지상(孟知祥)과 여러 장수들의 군대에 대패하였다.

187 화산(華山)……있다 : 《서경집전(書經集傳)》 권3 〈하서(夏書)·우공(禹貢)〉에 보인다.

와 노주(瀘州)의 경계니, 노수(瀘水)가 바로 흑수다. 제갈량(諸葛亮)이 '오월에 노수를 건넜다.'[188]라고 한 것이 바로 이것이다.

이른바 사천(四川)은 네 개의 물줄기인 민수(岷水)·노수(瀘水)·낙수(雒水)·파수(巴水)이다. 민수는 면주(綿州)로부터 나와 흘러내려 가고, 노수는 아주(雅州)로부터 나와 흘러내려 가고, 낙수는 한주(漢州)로부터 나와 흘러내려 가고, 파수는 중경(重慶)으로부터 나와 흘러내려 간다. 이는 흑수가 네 물줄기와 더불어 오래전에 이미 각각 네 갈래로 바다로 흘러들어간 것이니, 어찌 나강(羅江)이라는 작은 읍 사이에서 오히려 배회하고 왕래하며 얽혀 있겠는가.

고조우는 또 '첩계영성(疊溪營城)[189] 서북쪽에 흑수가 있다.'라고 인용하였는데, 곧 옛날의 익수(翼水)이다. 원류가 양주(梁州)와 생번(生番)[190] 동쪽으로부터 나오고, 또 남쪽으로 무주(茂州)를 거쳐 안주(安州)에 이르러 나강에 들어간다. 이는 물빛이 검어서 흑수라고 일컬은 것으로 볼 수 있으니, 모두 흑수의 작은 줄기이다.

물이 검은 곳은 대략 네 곳이 있다. 첫 번째는 《한서(漢書)》〈지리지(地理志)〉에 보이는데, 부현(符縣)에 건위(犍爲) 남광현(南廣縣)의 분관산(汾關山) 북쪽으로부터 나와 장강(長江)으로 들어가는 물이 있으니, 이것이 부현의 흑수이다. 두 번째는 흑수가 한중(漢中) 남정현(南鄭縣)의 북산(北山)으로부터 나오는데, 제갈량이 올린 장계에, '아침에 남정(南鄭)을 출발하여 날이 저물어 흑수에서 잔다.'[191]라고 하였으니, 이것이 남정의 흑수이다. 세 번째는 흑수가 강중(羌中)의 남쪽으로부터 나오는데, 《통전(通典)》[192]에 '부주(扶

---

188 오월에 노수를 건넜다 : 이 말은 제갈량이 지은 〈출사표(出師表)〉에 보인다.

189 첩계영성(疊溪營城) : 사천(四川) 무현(茂縣) 서북부에 위치한다. 잠릉진(蠶陵鎭)이라고도 한다.

190 생번(生番) : 중원에서 아주 멀리 떨어진 남쪽 끝 바다에 있다. 현재 대만(臺灣)에 속해 있다.

191 제갈량이……잔다 : 諸葛亮牋云: "朝發南鄭, 暮宿黑水."(《水經注》 卷27 〈沔水〉)

192 통전(通典) : 두우(杜祐, 735~812)의 저서이다. 상고로부터 현종(玄宗) 때까지 역대의 제도를 아홉 부분으로 분류하여 수록한 역사서로 오늘날에도 제도사 연구에 중요한 자료가 된다. 두우는 당나라의 정치가·역사가로 자(字)는 군경(君卿)이며 장안(長安) 사람이다.

州) 상안현(尙安縣)에 흑수가 있다.'라고 하였으니, 이것이 상안의 흑수이다. 네 번째는 숭경주(崇慶州) 서북쪽에 흑수가 있는데, 《원일통지(元一統志)》[193]에 '원류가 상락산(常樂山)으로부터 나오는데, 돌이 모두 검다.'라고 하였으니, 이것이 숭경의 흑수이다. 이것들은 모두 양주의 흑수가 아니다. 《행수금감(行水金鑑)》[194]에 한여절(韓汝節)[195]이 이르기를, '양주에는 별도로 흑수가 있으니, 오랑캐 땅으로부터 갈라져 흐른다.'라고 하였다. 이것이 천고의 탁월한 견해인데, 고조우가 구구하게 그 하나를 가리켜 흑수라고 하였으니 잘못이다."

평양平壤의 지형

평양성(平壤城) 안에는 우물이 없어서 거주하는 사람들이 모두 대동강(大同江)의 물을 길어다 마신다. 세상에 떠도는 말에, "평양의 지세(地勢)는 떠가는 배의 형상과 같다. 배에 틈이 있으면 물이 새어 배가 가라앉기 때문에 우물 파는 것을 꺼리는 것이다."라고 하는데, 이는 풍수가(風水家)의 그릇된 설이다.

이조원(李調元)의 《남월필기(南越筆記)》[196]에 다음과 같이 말하였다.

---

193 원일통지(元一統志) : 원명은 《대원대일통지(大元大一統志)》이다. 1286년 세조의 명을 받아 찰마사정(札馬剌丁), 우응룡(虞應龍) 등이 편찬한 원대의 총지지이다. 전국을 로(路)로 나누고, 각 로를 건치연혁·향진(鄕鎭)·이지(里至)·산천·토산(土産)·풍속·경승(景勝)·고적·궁적(宮跡)·인물·선석(仙釋) 등의 항목으로 나누어 기록하고 있다.

194 행수금감(行水金鑑) : 중국의 수리사(水利史) 자료서(資料書)로 175권의 거질이다. 〈우공(禹公)〉에서부터 청나라 강희(康熙) 말년(1721)에 이르기까지 황하(黃河)와 장강(長江)을 비롯하여 운하(運河)와 영정하(永定河) 등 수계(水系)의 원류와 변천 및 시공(施工)과 경과(經過)하는 곳을 고찰하고, 하류(河流) 등을 분류하였다. 이 책은 부택홍(傅澤洪)이 주편(主編)하고 정원경(鄭元慶)이 편집하여 청나라 옹정(雍正) 3년(1725)에 완성되었다.

195 한여절(韓汝節) : 1479~1556. 한방기(韓邦奇)이다. 여절은 그의 자이고, 호는 원락(苑洛)이다. 남경병부 상서(南京兵部尙書) 등을 지냈다. 저서로는 《원락집(苑洛集)》 등이 전한다.

196 남월필기(南越筆記) : 전체 16권이다. 청나라 이조원(李調元)이 저작한 것으로, 《월동필기(粵東筆記)》로도 불린다. 이 책에는 광동(廣東) 지역의 천문, 지리, 풍토, 풍속, 물산(物産) 등에 대해 기록되어 있다.

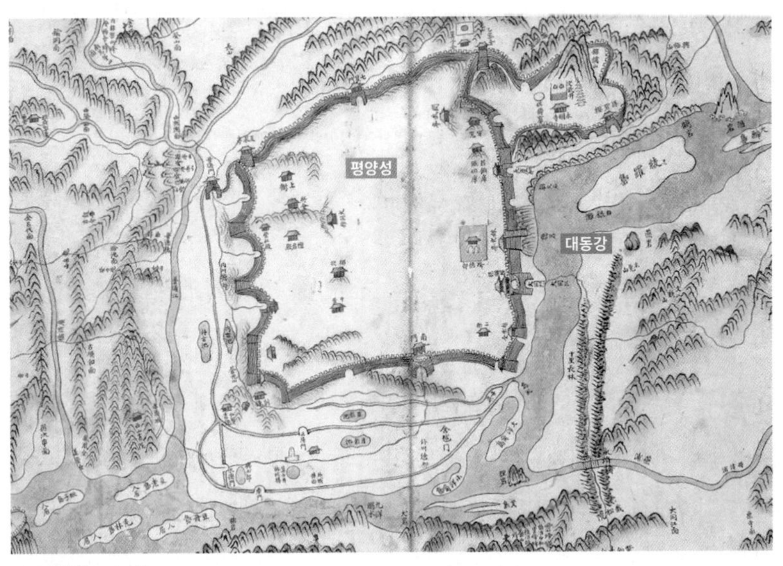

평양부(《해동지도》)

"혜주성(惠州城)[197] 안에는 우물이 없어서 백성들이 모두 동강(東江)의 물을 길어다 마신다. 풍수가들이 '혜(惠)는 아성(鵝城)을 일컬으니, 곧 날아가는 거위 형태의 땅이다. 우물을 파서 거위의 등을 상하게 하면 안 된다.' 라고 하여 백성들을 불안하게 한다."[198]

태사공(太史公, 사마천)이 '풍수가들은 꺼리는 것이 많다'라고 말한 것이 어느 곳인들 그렇지 않겠는가.

둔라 屯羅

심괄(沈括)의 《몽계필담(夢溪筆談)》에 다음과 같이 말하였다.

---

197 혜주성(惠州城) : 중국 광동(廣東)의 혜주(惠州)에 있다. 이 성은 '아성(鵝城)'이라고 일컬어진다. 전설에 한 신선이 목아(木鵝)를 타고 먼 곳에서 날아오다가, 혜주성의 수려함을 보고 이르렀다. 곧 내려와 떠나려고 하지 않자, 목아가 변하여 호숫가에 엎드려 산령(山嶺)이 되었다고 한다. 멀리서 보면 마치 날아가는 거위가 날개를 편 형상 같다고 하여 이렇게 불린다.

198 혜주성(惠州城)……한다 : 惠州城中無井, 民皆汲東江以飮. 堪輿家謂: '惠稱鵝城, 乃飛鵝之地, 不可穿井以傷鵝背.' 致人民不安.(《南越筆記》 卷3 〈肇慶七井〉)

"가우(嘉祐) 연간(1056~1063)에 소주(蘇州) 곤산현(崑山縣)의 바닷가에 배 한 척이 돛대가 꺾인 채 바람에 떠밀려 언덕에 이르렀다. 배 안에는 30여 명의 사람이 있었는데, 의관(衣冠)이 마치 당나라 사람처럼 붉은 가죽으로 만든 각띠를 차고, 검은 베로 만든 짧은 적삼을 입고 있었다. 사람들을 보니, 모두 통곡하고 말은 알아들을 수 없었다. 시험 삼아 글자를 써보게 하였지만, 글자 또한 읽을 수 없었다. 걸을 때는 서로 이어져 마치 기러기가 날아가듯 하였다. 한참이 지나 스스로 글 한 통을 내어 사람들에게 보여주니, 곧 당(唐)나라의 천우(天祐) 연간(904~919)에 둔라도(屯羅島)의 수령 배융부위(陪戎副尉)에게 내리는 칙서였다. 또 한 통의 글이 있었는데, 곧 바로 고려(高麗)에 올리는 표문(表文)으로, 역시 둔라도라고 칭하였다. 모두 한자를 사용하였으니, 아마도 동이(東夷)의 신하로서 고려에 속한 사람들인 듯했다. 배 안에는 여러 곡식이 있었는데, 삼씨의 크기가 연밥과 같았다. 소주 사람들이 그것을 심자 첫해에는 연밥만 하였는데, 다음해부터는 점차 작아지더니, 수년 뒤에는 중국의 삼씨와 같아졌다."[199]

둔라도는 곧 지금의 탐라(耽羅)이다. 다만 지금 탐라에는 이와 같이 큰 삼씨가 없을 뿐이다.

연광정練光亭 편액

평양(平壤) 연광정(練光亭)[200]의 편액에는 '제일강산(第一江山)'이라고 쓰여 있다. 한 글자의 직경이 네 자 정도 되고 매우 신묘한 기세가 있는데, 유독 '강(江)' 자만 다른 글자들에 비해 자못 못했다.[201] 세상에 전하기로는,

199 가우(嘉祐)……같아졌다 : 《몽계필담(夢溪筆談)》 권24에 보인다.

200 연광정(練光亭) : 평양의 대동강 강가 덕암(德巖) 위에 있으며, 감사 허굉(許硡)이 지었다고 한다.(《국역 신증동국여지승람》 제51권 평안도 평양부)

201 한 글자의……못했다 : 본 내용과 관련된 현판의 글씨들을 모아 비교하였다. 평양 연광정의 현판을 보면 '강' 자가 작음을 확연히 볼 수 있다. [그림1]은 연광정 현판 글씨를 임모한 것으로 강릉의 경포대 정자에 걸린 현판이다. [그림2]는 평양 연광정 현판 사진이다. [그림3]은 미불이 쓴 '제일산(第一

평양 연광정

명나라 주지번(朱之蕃)의 글씨인데[202] 나중에 '강(江)' 자가 떨어져 나가서, 판서 윤순(尹淳)[203]이 직접 '강' 자를 써넣어 보완하였다고 하나 또한 명백한 증거가 없다.

우연히 진무인(陳懋仁)의 《천남잡지(泉南雜誌)》[204]를 보게 되었는데, "동악행궁방(東嶽行宮坊)의 '만산제일(萬山第一)'이라는 편액은 미원장(米元章)[205]이 '제일산(第一山)'이라고 써서 묘각암(妙覺巖) 아래에 새긴 것을, 어떤 도사가 임서(臨

山)' 탑본이다.

202 명나라 주지번(朱之蕃)의 글씨인데 : 주지번(1546~1624)의 자는 원개(元介), 호는 난우(蘭嵎)이다. 명나라 산동(山東) 치평(茌平) 사람이다. 글씨에 매우 능하였다. 조선 후기의 연행록인 《계산기정(薊山紀程)》이나 필기류인 《임하필기(林下筆記)》 등에 연광정의 현판을 주지번의 글씨라고 한 말이 보이나, 누가 전한 말인지는 분명하지 않다.

203 윤순(尹淳) : 1680~1741. 본관은 해평(海平), 자는 중화(仲和), 호는 백하(白下)·학음(鶴陰)이다. 만년에는 만옹(漫翁)이라 하였다. 정제두(鄭齊斗)의 문인이다. 조선 후기를 대표하는 글씨의 대가로 백하체로 불려질 만큼 개성적 서법의 새로운 경지를 열어 일세를 풍미하였다.

204 진무인(陳懋仁)의 《천남잡지(泉南雜誌)》 : 《천남잡지》는 2권으로 명나라 진무인이 찬한 것이다. 진무인의 자는 무공(無功)으로 가흥(嘉興) 사람이다.

205 미원장(米元章) : 1051~1107. 미불(米芾)로 원장(元章)은 미불의 자이다. 송대(宋代)의 서예가이다.

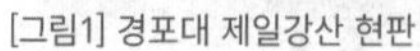

[그림1] 경포대 제일강산 현판

[그림2] 평양 연광정 현판

[그림3] 미불이 쓴 '제일산(第一山)'

書)하고 직접 '만(萬)' 자를 써서 보충했다고 전해진다."[206]라고 하였으니, 윤순도 묘각암의 탑본(榻本)을 얻어서 직접 '강' 자를 써서 보충한 듯하다.

연광정의 편액 '제일강산(第一江山)' 네 자에 대해 세상에는 명나라 주지번의 글씨인데 윤순이 '강(江)' 자를 써서 보충하였다고 전한다. 나는 진무

206 동악행궁방(東嶽行宮坊)의……전해진다 : 東嶽行宮坊, 扁曰'萬山第一', 是米元章書'第一山'刻妙覺巖下者, 相傳一羽士臨出, 自書'萬'字足之.(陳懋仁, 《泉南雜誌》 卷下)

인의 《천남잡지》에 근거하여 '제일산(第一山)' 세 자는 본래 묘각암에 새긴 미원장의 글씨라고 생각하였다. 나중에 이광사(李匡師)[207]의 《원교필결(圓嶠筆訣)》을 보았는데, 또한 미원장의 글씨라고 하였다. 그런데 지금 손승택(孫承澤)[208]의 《한자헌첩고(閑者軒帖考)》를 보니, "'제일산(第一山)' 세 자는 본래 오거(吳琚)[209]의 글씨이니, 세상에서 간혹 미원장의 글씨라고 하는 것은 잘못이다."[210]라고 한다. 어디에 근거한 말인지 모르겠다.

사견四堅

지난 기사년(1809) 봄에 나는 유양(維揚, 양주(楊州))에 있으면서, 이웃의 친구 최중수(崔仲受)와 안협(安峽)[211]에 가서 사견(四堅)[212]을 보았다. 강가의 작은 산기슭 위에 늙은 홰나무가 있는 것을 보고 주민들이 율옹정(栗翁亭)이라고 부르며 율곡 선생(栗谷先生)이 찾은 곳이라고 하였는데, 선생이 무슨 일로 이곳에 오셨는지 몰랐다. 최근에 《율곡전서(栗谷全書)》를 보니, 〈송운장(宋雲長)에게 보내는 편지[與宋雲長]〉[213]에 "안협의 산과 시내는 진실로 사

207 이광사(李匡師) : 1705~1777. 본관은 전주(全州), 자는 도보(道甫), 호는 원교(圓嶠)·수북(壽北)이다. 안평대군(安平大君)·윤순·한석봉(韓石峯)과 아울러 조선시대 4대 서예가로 손꼽힌다. 그는 중국과 다른 우리나라의 독특한 서체인 동국진체(東國眞體)를 완성했고, 서예이론서인 《원교필결(圓嶠筆訣)》, 《원교서결(圓嶠書訣)》을 저술하였다.

208 손승택(孫承澤) : 1593~1676. 자는 이북(耳北)·이백(耳伯), 호는 북해(北海)·퇴곡(退穀) 등이다. 명말 청초의 산동(山東) 익도(益都) 사람이다. 장서가이며, 서화 감별에 매우 뛰어났다. 저서로 《춘명몽여록(春明夢餘錄)》, 《소회집(溯洄集)》, 《연산재집(研山齋集)》 등 40여 종이 전한다.

209 오거(吳琚) : 생몰년은 미상이다. 자는 거보(居父), 호는 운학(雲壑)이다. 남송(南宋) 때의 서법가(書法家)이다.

210 제일산(第一山)……잘못이다 : 《한자헌첩고(閑者軒帖考)》에서는 찾지 못했으나, 《서록(書錄)》에서는 오거가 쓴 것이라고 하였다. "谷中云: 吳琚工扁榜, 鄂渚有壓雲二大字極工. 又有天下第一江山字, 亦其所書."(《書錄》 卷下)

211 안협(安峽) : 강원도 이천(伊川) 지역의 옛 지명이다.

212 사견(四堅) : 예전에 율곡 이이가 너무 경치가 좋아 네 번이나 와 봤다고 해서 붙여진 마을 이름이다.

213 송운장(宋雲長)에게 보내는 편지 : 송운장은 송익필(宋翼弼, 1534~1599)로, 본관은 여산(礪山), 자는 운장, 호는 구봉(龜峯)이다. 시문에 매우 뛰어났다. 저서로는 《구봉집(龜峯集)》이 전한다. 이 편지는 《율곡전서(栗谷全書)》 권11에 보인다.

랑하고 즐길 만하며, 토지 또한 비옥하니 은거할 만하오. 형이 만약 거처로 정한다면 나도 몇 칸의 집을 지어 교유 장소로 삼겠소."[214]라고 하였으니, 선생께서 과연 사견에 집을 지을 뜻이 있었고, 이때에 직접 가서 집터를 보셨음을 비로소 알았다.

압구정鴨鷗亭

상당부원군(上黨府院君) 한명회(韓明澮)[215]가 양화진(楊花津) 북쪽에 새로 정자를 짓고, 사명(使命)을 받들어 연경(燕京)에 갔을 때 학사(學士) 예겸(倪謙)[216]에게 정자의 이름을 지어 달라고 청했다. 예겸이 '압구(狎鷗)'라는 이름을 지어 주고,[217] 당시의 문사들이 너도나도 시를 지어 주니, 압구의 이름이 천하에 알려졌다. 지금 사람들이 두포(豆浦)[218] 남쪽 언덕에 있는 '압구'라고 편액한 정자를 가리켜 한 상당(韓上黨)이 지었다고 하는 것은 잘못이다.

김괴애(金乖崖)의 기문[219]에 따르면, "왕도(王都)에서 남쪽으로 5리 떨어진

---

214 안협의……삼겠소 : 安峽溪山, 誠可愛, 田土亦肥, 可以考槃. 事之成不成, 在於力之何如耳, 魚君已還耶. 此君定居, 則兄業亦成矣. 珥則初無移卜之計, 但兄弟當會坡山, 人夥糧少, 故欲作農墅以添數月之糧. 兄若卜居, 則珥亦築數間, 以爲相從之所爲計.(《栗谷全書》卷11 〈與宋雲長〉)

215 상당부원군(上黨府院君) 한명회(韓明澮) : 1415~1487. 본관은 청주(淸州), 자는 자준(子濬), 호는 압구정(狎鷗亭)·사우당(四友堂)이다. 1453년(단종 1) 계유정난 때에 수양대군(首陽大君)을 위해 공을 세워 정난공신(靖難功臣)이 되었고, 1455년(세조 1)에 세조가 즉위하자 좌익공신(佐翼功臣)이 되었다. 1457년 이조 판서가 되고, 상당부원군에 봉해졌다.

216 예겸(倪謙) : 1415~1479. 상원(上元) 혹은 전당(錢塘) 사람이라고 한다. 자는 극양(克讓)으로 명(明)나라 때 관리이다. 천부적인 자질이 총명하고 기억력이 특별히 좋았다고 한다. 사후에 태자소보(太子少保)로 추증되었고, 시호는 문희(文僖)이다.

217 예겸이……주고 : 《국역 사가문집》 제3권 〈압구정 제명기(狎鷗亭題名記)〉에 내용이 자세히 보인다. 기문에 "상당(上黨) 한 상공(韓相公)은 훈공과 지위가 매우 높으나 가득차는 것을 경계하여 겸손하였으며, 한강(漢江) 가에 정자를 지어 조정에서 퇴청하였을 때에 한가히 지내는 장소로 삼았다. 공이 일찍이 표문(表文)을 받들고 경사(京師)에 갔을 때에 한림 예 학사에게 이름을 지어 달라고 청했다. 한림은 일찍이 우리나라에 사신으로 나온 적이 있어서 한강이 우리나라의 명승인 줄을 알았고, 또 한 공(韓公)에게 겸퇴하는 마음이 있는 줄을 알았기 때문에, 편액을 '압구'라고 짓고 한 위공(韓魏公)의 고사를 끌어다 그 기문을 지었으며, 여러 대부들이 즐거이 창화하였다."라고 하였다.

218 두포(豆浦) : 두모포(豆毛浦)라고도 한다. 지금의 서울시 동호대교 북단에 있었던 조선시대의 포구이다.

219 김괴애(金乖崖)의 기문 : 괴애(乖崖)는 김수온(金守溫, 1410~1481)의 호이다. 본관은 영동(永同),

양화도의 북쪽과 마포(麻浦)의 서쪽에 언덕 하나가 있는데, 우뚝 솟아 상쾌하며 빙 둘러 강물이 일렁이니, 세상에서 화도(火島)라고 부른다. 상당부원군 한 공이 그 위에 정자를 지어 놀고 즐기는 장소로 삼았다."[220]라고 하였다. 그곳은 도성 오부(五部)의 안을 벗어나지 않으니, 애초에 한강 너머 광주(廣州) 땅에 있었던 것이 아니다. 지금 두포 건너편의 광주 땅에 있는 것은 누가 지었는지 모르겠지만 정자의 이름이 '압구'인 것은 우연히 같은 것인가? 아니면 답습한 것인가? 지리지(地理志)에 간혹 한명회의 압구정이 광주에 있다고 한 것은 고증하지 않아서 생긴 잘못이다.

완구정翫鷗亭

〈완구정기(翫鷗亭記)〉에 다음과 같이 말하였다.

"내 마음이 외물을 이길 수 있다면 이광(李廣)의 돌을 호랑이가 되게 할 수 있고,[221] 내 마음이 외물을 이기지 못하면 악령(樂令)의 활도 뱀이 될 수 있다.[222] 만약에 나의 마음이 목석(木石)과 같다면 갈매기도 엿볼 수 없을 것이니, 어찌하여 즐길 수 없겠는가?"[223]

자는 문량(文良)이다. 1441년(세종 23)에 식년 문과에 급제하였고, 집현전 학사가 되었다. 호조 판서 등을 지냈다. 저서로 《식우집(拭疣集)》 등이 전한다. 이 기문은 《식우집》 권2 〈압구정기(鴨鷗亭記)〉를 이른다.

220 왕도(王都)에서……삼았다 : 王都南去五里, 楊花之北、麻浦之西. 有一丘穹窿爽塏, 環以漣漪, 俗號火島. 先是, 爲牛羊所牧, 上禿而下葑, 未有卽而愛者也. 上黨府院君韓公, 作亭其上, 以爲遊衍之地.(《拭疣集》 卷2 〈狎鷗亭記〉)

221 이광(李廣)의……있고 : 이광은 농서(隴西) 성기(成紀) 사람으로, 한(漢)나라 때의 명장(名將)이다. 《사기》 권109 〈이장군열전(李將軍列傳)〉에 "이광이 밤에 사냥을 나갔다가 풀 속의 바위를 보고 호랑이로 여기고 활을 쏘았는데 화살이 바위에 깊이 박혔다."라고 하였다.

222 악령(樂令)의……있다 : 동진(東晉)의 악광(樂廣)이 친한 손님이 오랫동안 오지 않다가 다시 오자, 그 까닭을 물었다. 대답하기를 "전에 이 자리에서 술을 마실 때 잔 속에 뱀이 있는 것을 보고 마음속으로 매우 싫어서 마시고 난 뒤에 병이 들었다."고 하였다. 그 당시 하남(河南) 청사(廳事) 벽 위에 뱀 모양을 그려서 칠한 각궁(角弓)이 걸려 있었다. 악광이 "술잔 가운데 뱀이란 곧 각궁의 그림자였을 것이다." 생각하고, 다시 이전의 장소에 술상을 차려놓고 손님에게 이르기를 "술잔에 다시 보이는가?" 하니, 대답하기를 "전에 보던 것과 똑같다."고 하였다. 악광이 그 까닭을 말하니 손님의 의심이 풀려 오래된 병이 나았다는 고사가 전한다.

223 완구정기(翫鷗亭記)에……없겠는가 : 〈玩鷗亭記〉云: "使吾心有以勝物, 則李廣之石, 可使爲虎; 使吾爲

이것은 양신(楊愼)[224]의 《단연잡록(丹鉛雜錄)》에 실려 있는데, 기문을 지은 사람의 이름을 언급하지 않았고, 또한 누구를 위한 정자인지도 알 수 없다. 우리나라의 한강에 있는 압구정은 상당부원군 한명회의 별장으로, 압구의 뜻은 완구와 다름이 없지만 "마음이 목석과 같다"는 말은 압구정에 쓸 수 없다.

나는 일찍이 김괴애의 〈압구정기〉에 근거하여 한명회의 압구정이 양화도 이쪽 편의 화도 위에 있고, 지금 두모포(豆毛浦) 건너편에 있는 압구정은 한명회 정자의 옛터가 아니라는 것을 증명하였는데, 누가 지었는지는 모르겠다. 지금 심수경(沈守慶)[225]의 《견한잡록(遣閑雜錄)》[226]에, "압구정은 저자도(楮子島)[227] 서쪽 수 리(里)에 있으니, 고(故) 정승 한명회의 별장으로 또한 유명하다."[228]라고 하였다. 어찌 한명회의 정자는 본래 화도에 있었는데, 뒤에 다시 저자도의 서쪽으로 옮겨 지어졌단 말인가? 모르겠다.

전철煎鐵

방덕원(方德遠)의 《금릉기(金陵記)》[229]에 "정호(程皓)가 쇠판에 고기를 굽는

物所勝, 則樂令之弓, 亦能爲蛇. 苟吾心如木石, 則鷗莫得而窺矣. 何爲不可玩哉.(《丹鉛雜錄》 卷1)

224 양신(楊愼) : 1488~1559. 자는 용수(用修), 호는 승암(升庵)이다. 명나라 때의 문장가로, 사천(四川) 신도(新都) 사람이다. 한림원 수찬 등을 지냈다. 저서로는 《단연잡록》, 《승암시화(升庵詩話)》 등이 전한다.

225 심수경(沈守慶) : 1516~1599. 본관은 풍산(豊山), 자는 희안(希顔), 호는 청천당(聽天堂)이다. 우의정을 지냈다. 저서로 《청천당시집(聽天堂詩集》 등이 전한다.

226 견한잡록(遣閑雜錄) : 조선 중기 우의정을 지낸 심수경이 만년에 쓴 필기잡록이다. 《청천견한록(聽天遣閑錄)》이라고도 하며, 필사본 1책이다. 내용은 대체로 저자 자신이 선조 연간에 직접 경험한 이야기가 많고, 그 밖에 과거 및 일반 정사(政事)·시화(詩話)·설화 등을 수록하였다. 이 책은 또 《대동야승(大東野乘)》 13권에도 수록되어 있다. 조선 전기의 상층(上層) 문화의 동향을 아는 데 중요한 자료이다.

227 저자도(楮子島) : 강남구 삼성동에 있던 마을로, 옛날에 닥나무가 많이 있던 데서 마을 이름이 유래되었다. 삼성동 동쪽 한강 가운데 있던 섬으로, 1970년대에 압구정동 일대에 고층아파트를 짓는 데 이 섬의 흙을 파다 써서 섬은 사라지고 말았다.

228 압구정은……유명하다 : 狎鷗亭在楮子島西數里, 故相韓明澮別業亦以勝名.(《大東野乘》 卷13 《遣閑雜錄》)

전철(광주김치타운)

데 지방이 불에 닿아 기름이 아래로 뚝뚝 떨어졌다. 정호가 이 모습을 보고 '새끼 양이 울고 있네!'라고 농담을 했다."라고 하였다.[230]

쇠판의 제도에 대해 자세히는 모르지만 아마도 지금의 전철(煎鐵)[231]과 같지 않겠는가? 지금 사람들이 단철로 고기를 굽는 기구를 만들었는데 외형은 거꾸로 놓은 삿갓과 같다. 미나리, 도라지와 같은 야채를 가늘게 썰어 젓국에 절인 후 쇠판 중앙의 오목한 곳에 담고 숯불 위에 놓는다. 쇠판을 뜨겁게 달구고 종이처럼 얇게 썬 고기를 간장에 담근 후 젓가락으로 집어 쇠판의 주위 평평한 곳에 놓아 구워 먹는데 대략 서너 명에게 제공할 수 있다. 세속에서는 '전철'이라고 부른다. 그 방식은 일본에서 와서 지금은 전국적으로 여기저기에 있는데 중국에 이런 음식이 있다는 것을 들어 보지 못했다.

---

229 방덕원(方德遠)의 《금릉기(金陵記)》 : 방덕원은 당나라 때의 인물로 생몰년은 미상이다. 그가 지은 《금릉기》는 주로 선가(仙家)의 내용을 담고 있으며, 《사고전서(四庫全書)》의 자부(子部) 소설가류(小說家類)에 들어 있는 당(唐)의 빙지(馮贄)가 편찬한 《운선잡기(雲仙雜記)》에 인용되어 있다.

230 방덕원(方德遠)의……하였다 : 程皓以鐵床燔肉, 肥膏見火則油焰淋漓, 皓戲言曰: "羔羊揮淚矣." 又云: "我以三十萬錢償鐵匠, 而得此奉養, 豈不太過!" 【方德遠金陵記】(《雲仙雜記》 卷2 〈羔羊揮淚〉)

231 전철(煎鐵) : 번철(燔鐵)이라고도 하며 전을 부치거나 고기 따위를 볶을 때에 쓰는, 솥뚜껑처럼 생긴 무쇠 그릇이다.

한구寒具

한구(寒具)가 바로 지금의 산자(饊子)라는 것은 의심할 여지가 없다. 주자가 《초사(楚辭)》의 "거여밀이(粔籹蜜餌)"에 "한구이다."라고 주석했다. 허신(許愼)의 《설문해자(說文解字)》[232]에는 "거여(粔籹)는 고환(膏環)이다."라고 했다. 가사협(賈思勰)의 《제민요술(齊民要術)》에는 "거여는 이름이 환병(環餅)이고 《광아(廣雅)》[233]에는 부류(粰䊀)라고 했지만 지금은 보통 산자라고 한다."라고 했다. 《유빈객가화록(劉賓客嘉話錄)》[234]에는 "한구는 염두(捻頭)이다."라고 했다. 이런 여러 설을 살펴보면 한구, 거여, 고환, 환병, 부류, 염두, 산자는 다 한 가지 물건의 다른 이름일 뿐이다.

한구를 만드는 방법을 이야기하자면, 《초사주(楚辭注)》[235]에는 "쌀가루를 기름에 튀겨 만든다."[236]라고 했다. 임홍(林洪)[237]의 《산가청공(山家淸供)》[238]에는 "찹쌀가루를 반죽한 후 기름에 튀겨 설탕을 뿌려서 먹는

232 허신(許愼)의 《설문해자(說文解字)》: 후한(後漢) 때 허신이 편찬한 중국 최초의 문자학 서적이다. 고문자에 대한 자료가 많이 보존되어 있어서, 중국 고대 서적을 읽거나 특히 갑골문·금석문 등의 고문자를 연구하는 데 참고할 만한 가치가 있다.

233 광아(廣雅): 위(魏)나라 장읍(張揖)이 편찬한 자전(字典)이다. 처음 장읍이 《삼창(三蒼)》과 《설문해자》 등을 토대로 《이아(爾雅)》를 증보하여 3권으로 편찬하였다. 《이아》에 없는 경전의 주석을 보충하고 또 새로 생겨난 의미를 첨가하여 태화(太和, 227~232) 연간에 《광아》를 완성하였다. 이후 수(隋)의 조헌(曹憲)이 《광아》를 10권으로 나누어 펴냈는데, 수나라 양제(煬帝) 시호를 휘(諱)하여 《박아(博雅)》라는 이름으로 바꾸었다. 《광아》는 모두 18,150자를 수록하고 있다. 청나라의 훈고학자 왕염손(王念孫, 1744~1832)은 《광아》를 증보한 《광아소증(廣雅疏證)》을 지었다.

234 유빈객가화록(劉賓客嘉話錄): 당나라 위현(韋絢)이 지었다. 위현은 자가 문명(文明)이고, 경조(京兆 지금의 섬서성 서안) 사람이다. 이 책의 내용은 주로 당나라 때 저명한 시인 유우석(劉禹錫)이 목종(穆宗) 장경(長慶) 원년(元年, 821)에 백제성(白帝城)에 있을 때 말한 것을 기록했다.

235 초사주(楚辭注): 《초사집주(楚辭集注)》를 말한다. 이 책은 주희(朱熹)가 편찬한 것으로 모두 8권인데, 《초사변증(楚辭辨證)》 상(上), 하(下) 2권과 《초사후어(楚辭後語)》 6권이 부기(附記)되어 있다. 《초사후어》는 주희 사후(死後)에 간행되었다.

236 쌀가루를……만든다: 粔籹, 環餠也. 吳謂之膏環, 亦謂之寒具, 以蜜和米面煎熬作之.(《楚辭集注》)

237 임홍(林洪): 자(字)는 용발(龍發), 호(號)는 가산(可山)이며, 천주(泉州 지금의 복건성(福建省)) 사람이다. 남송시대 시인으로 저서로는 《산가청사(山家淸事)》, 《산가청공(山家淸供)》 등이 있다.

238 산가청공(山家淸供): 모두 2권인데 104항목으로 되어 있다. 산림과 전야(田野)에서 생장하는 채소와 과일을 비롯하여 산새와 물에 사는 동물 등의 주요한 식재(食材)를 수록하고 그 명칭과 특성을 기록하였을 뿐만 아니라, 요리할 때 삶는 방법 등도 두루 제시하고 있다.

한구

다."[239]라고 했다. 지금의 산자를 만드는 방법과 같다. 모양을 말하자면, 가사협은 고리나 팔찌와 같다고 했으니 지금의 요화산자(蓼花饊子)와 비슷하다. 이시진(李時珍)의 《본초강목(本草綱目)》에는 "찹쌀가루를 반죽해서 길게 당겨 서로 휘감으면 고리나 팔찌의 모양이 된다."라고 했다.

지금의 차수(搓手)【산자의 하나인데 길게 당겨져 서로 휘감아서 만든 것으로 우리 조선 방언에 차수라고 부른다.】와 비슷하다. 이름의 뜻으로 말하자면, 산(饊)이란 산(散)으로 씹으면 쉽게 부서져 흩어지는 것을 말하는데 가사협은 한구가 입에 들어가자마자 부서진다고 했다. 과자 중에 오랫동안 나둬도 상하지 않는 것으로는 산자만한 것이 없다. 한구라는 이름을 얻은 이유는 바로 오랫동안 저장해도 상하지 않아 사흘간 부엌에서 화기를 금하는 한식 때 먹을 수 있기 때문이다. 그렇다면 산자가 한구라는 것이 분명하다.

그런데 임홍은 유독 두보 〈시월일일(十月一日)〉의 "거여(粔籹)를 선물로 삼는다[粔籹作人情]"라는 시구를 근거로 하여 《초사(楚辭)》의 그 두 구절은 실제로 세 가지 음식을 가리켰으니 거여(粔籹)는 10월에 먹는 개로병(開爐餠)이고 밀이(蜜餌)는 밀면(蜜麵)이고 장황(餦餭)은 한구라고 했다. 이 말은 잘못

239 찹쌀가루를……먹는다 : 《산가청공(山家淸供)》 上卷 〈한구(寒具)〉에 보인다.

된 것이다.

한구는 원래 겨울과 봄에 흔히 먹는 음식인데, 하물며 시인이 물건을 칭하는 말이 어쩌면 이렇게 전아하고 간요한가? 만일 거여가 반드시 10월에 먹는 계절음식이고, 장황이 꼭 화기를 금할 때 먹는 것이라고 한다면 《초사》에 신을 제사할 때 왜 두 가지 물건을 아울러 들었겠는가? 또 자서(字書)를 살펴보니 장황은 바로 당(餹)으로 당(餳)의 다른 이름이니[240] 한구를 말하는 것이 아니다.

요화蓼花

지금 세속에서 찹쌀가루를 반죽하여 손가락 크기에 길이는 세 치 되게 만들어 기름에 튀겨서 정(飣)을 만든다. 빨간색과 흰색의 강반(糨飯)을 묻히면 모양이 막 피어난 요화(蓼花)와 같으니 요화산자(蓼花饊子)라고도 부른다. 그 유래는 아주 오래되었다. 송나라 주밀(周密)[241]의 《호연재아담(浩然齋雅談)》[242]에, "세속에서 유당(油餳)에 쌀가루를 뿌려 만든 음식을 요화라고 부르는데 모양이 비슷하기 때문이다."라고 하였고, 육방옹(陸放翁 육유(陸遊))의 시에 "기름에 새로 튀긴 당지(餳枝)에 붉은 쌀가루를 뿌렸네[新煠餳枝綴紅糝][243]"라고 했는데 바로 붉은 요화를 가리킨다.

---

240 자서(字書)를……이름이니 : 《방언(方言)》에 "餳謂之餹."이라 하고 곽박 주에 "江東皆言餹, 音唐."이라 하였다. 또 "餌謂之餻, 餳謂之餦餭."이라 하고 곽박 주에 "即乾飴也."라고 하였다.

241 주밀(周密) : 1232~1308. 송나라 말기 제남(濟南) 사람으로, 나중에 오흥(吳興)으로 옮겨 살았다. 사(詞) 작가이며, 자는 공근(公瑾), 호는 초창(草窓) 또는 빈주(蘋洲), 변양노인(弁陽老人), 사수잠부(四水潛夫) 등을 썼다. 저서가 대단히 많은데, 옛 것을 수집하고 기록한 것이 대부분이다. 저서로는 《제동야어(齊東野語)》, 《초창사(草窓詞)》, 《초창운어(草窓韻語)》, 《무림구사(武林舊事)》, 《계신잡지(癸辛雜識)》, 《호연재아담(浩然齋雅談)》 등이 있다.

242 호연재아담(浩然齋雅談) : 남송 시대 주밀(周密)이 편찬한 상·중·하 3권의 필기집이다. 주로 당대의 생활 문화와 관련한 내용을 담고 있다.

243 기름에……뿌렸네 : 北風城頭鼓紞紞, 徂歲崢嶸正多感. 老夫假寐角巾低, 穉子高吟兩髦髧. 衰遲笑我藏袖手, 狂率憐渠滿軀膽. 旋炊粉餈裹青箬, 新煠餳枝綴紅糝. 未言問事漸瀾翻, 且賞揮毫能果敢. 嗟予疇昔如汝年, 萬卷縱橫恣窺覽. 即今見汝尙懽欣, 此癖眞同嗜昌歜. 夜闌我困兒亦歸, 獨與狸奴分坐毯.(《劍南詩藁》 卷18 〈夜坐觀小兒作擬毛詩欣然有賦〉)

요화

대보름 약밥

《동경잡기(東京雜記)》[244]에 이런 내용이 있다.

"신라 소지왕(炤智王) 10년(488) 정월 15일에 왕이 천주사(天柱寺)에 행차했을 때 날아가던 까마귀가 왕에게 경고하여 역모(逆謀)를 꾀한 중을 쏘아 죽인 일이 있었다. 그래서 나라 풍습에 정월 대보름날에 매조미쌀밥을 지어 새에게 보사제(報祀祭)를 지낸다."[245]

이수광의 《지봉유설》에도 우리나라 약밥은 신라시대부터 시작되었다고 했다.[246] 정말 그렇다면 우리나라 사대부 집안에서는 약밥으로 조상에

---

244 동경잡기(東京雜記) : 3권 3책으로 1669년(현종 10) 경주부윤 민주면(閔周冕)이 이채(李埰)·김건준(金建準) 등과 함께 편찬, 간행한 경주부 읍지(邑誌)다. 책 이름은 고려시대 경주가 동경(東京)으로 불리던 것에서 붙여졌다. 각동(各洞)·각방(各坊) 등을 통해 17세기 중반 경주 지역의 통치 구조와 수취 구조는 물론 향촌 사회의 운영에 대한 이해의 폭을 넓힐 수 있고, 인물 관련 항목에 소개된 인물들의 행적을 통해서는 과거 경주 지역의 인물사뿐 아니라 《동경잡기》 편찬 당시 사족(士族)들의 동향과 경주 부민의 동태를 엿볼 수 있다.

245 신라……지낸다 : 新羅炤智王旣免琴匣之禍, 國人以爲若非烏鼠龍馬豬之功, 則王之身戚矣. 遂以正月上子上辰上午上亥等日忌愼百事, 不敢動作, 以爲愼日. 俚言怛忉言悲愁而禁忌也. 又以十六日爲烏忌之日, 以糯飯祭之, 國俗至今猶然.(《東京雜記》 卷1 〈糯飯祭烏〉)

246 이수광의……했다 : 《지봉유설(芝峯類說)》 권1 〈시령부(時令部)〉에 다음의 내용이 나온다.[今俗正

게 제사지내니 불경한 음식이 됨을 면치 못할 것이다.

위거원(韋巨源)[247]의 《식보(食譜)》[248]를 살펴보니 장수미(張手美) 가게의 명절 음식 이름을 첨부했는데 상원유반(上元油飯)을 유화명주(油畫明珠)라고 불렀다.[249] 유반(油飯)을 만드는 방법은 자세히 모르겠지만 아마 참기름으로 밥을 쪄서 색깔이 빛나는 진주와 같으니 바로 우리나라 약밥 종류인 것 같다. 약밥이 신라시대부터 시작되었다는 말은 확실히 잘 모르겠다.

상공일上工日

중국의 옛날 풍습은 2월 2일을 상공일(上工日)로 삼았다. 아마 농촌에서 고용자들에게 이날은 일이 시작되는 날이라서 '상공(上工, 작업을 시작하다)'이라고 이름을 붙였을 것이다. 우리 조선의 노비일과 같기는 하지만 하루가 더 늦을 뿐이다. 《신당서(新唐書)》 〈이필전(李泌傳)〉을 살펴보니 2월 초하루에 마을 사람들이 의춘주(宜春酒)[250]를 빚어 구망신(句芒神)[251]에게 제사 지내 풍

月十五日, 喫雜果飯, 謂之藥飯, 中朝人甚珍之. 按新羅時, 正月十五日, 有烏啣書之異. 故每於是日, 以糯飯祭烏, 蓋因此成俗也.]

247 위거원(韋巨源) : 631~710. 경조(京兆) 만년(萬年 지금의 섬서성(陝西省) 서안(西安)) 사람이다. 문음(門蔭)으로 입사(入仕)하여, 이부상서(吏部尚書)와 예부상서(禮部尚書) 등을 지냈고, 당나라 측천무후(則天武后) 시에 상서좌복야(尚書左僕射) 등에 올랐다. 저서로 《소미연식단(燒尾宴食單)》이 있다.

248 식보(食譜) : 《소미연식단(燒尾宴食單)》이라고도 한다. 당대(唐代)의 풍속에 과거에 급제하면 동료들이 술과 음식, 음악을 장만하여 성대한 잔치를 베푸는데 이를 '소미연(燒尾宴)'이라고 하였다. 요리의 명칭과 후인들의 주문(注文)이 기록되어 있어 당나라 고급연회의 구도와 요리 종류 등을 알 수 있다.

249 장수미(張手美)……불렀다 : 당나라 때에 장안에는 이름난 요릿집이 있었는데 사람들은 그 솜씨가 뛰어남을 빗대어 그 주인을 장수미(張手美)라고 불렀다고 한다. 항상 새로운 요리를 개발하여 명절날이면 그에 맞는 요리를 대접하였으므로 장안의 식도락가들이 모두 그곳에 가서 먹는 것을 큰 즐거움으로 알았다. 예를 들면 원소절(元宵節)에는 유화명주(油畵明珠)라는 볶음밥, 여름의 복날에는 녹하포자(綠荷包子)라는 만두, 추석에는 완월갱(玩月羹)이라는 수프를 내놓는 방식이다.

250 의춘주(宜春酒) : 당나라 중화절(中和節)에 신에게 제사지낼 때 쓰던 술이다. 《신당서(新唐書)》 권139 〈이필전(李泌傳)〉에 의춘주로 구망신에게 제사지내 풍년을 기원했다는 내용이 있다.[廢正月晦, 以二月朔爲中和節……裏閭釀宜春酒, 以祭勾芒神, 祈豐年.]

251 구망신(句芒神) : 구망신은 사람 얼굴에 새의 몸을 한 여신(女神)으로, 양쪽 발톱으로 두 마리의 용을 한 마리씩 찍어서 잡아타고 날아다녔다고 한다. 봄의 신이자, 초목의 생장을 관장하는 생명신으로 불려진다.[東方句芒, 鳥身人面, 乘兩龍.](《山海經》 卷9 〈海外東經〉)

년을 빈다고 했다. 또 《구당서(舊唐書)》 〈덕종기(德宗紀)〉에 따르면 중화절(中和節)에는 백관에게 농서와 곡물의 씨를 올리게 했다[252]고 한다. 이런 것을 보면 중화절에 풍년을 비는 것은 당나라에서 시작된 것이 틀림없다.

등석燈夕

《고려사(高麗史)》에 "나라의 풍속에 4월 8일은 석가의 탄생일로 집마다 등불을 밝힌다."[253]라고 하였으니, 오늘날 관등절 저녁에 등불을 밝히는 것은 아마도 고려의 풍속에서 유래한 것 같다. 그러나 《건순세시기(乾淳歲時記)》[254]에 "4월 8일은 석가가 탄생한 날이니, 모든 사원이 각각 욕불회(浴佛會)[255]를 한다."[256]라고 하였고, 《요사(遼史)》 〈예지(禮志)〉에 "2월 8일은 실달태자(悉達太子)[257]의 생일이니, 경부(京府)와 모든 고을에서 나무를 조각하여 불상을 만들고, 의장과 온갖 놀이패와 행렬을 따르는 사람들이 성을 돌며 즐긴다."[258]라고 하였다. 송나라는 4월 8일을 석가의 탄생일로 삼고, 요나라는 2월 8일을 석가의 탄생일로 삼은 것이다. 《보요경(普耀經)》[259]에

252 중화절(中和節)에는……했다 : 中和節日令百官進農書, 司農獻穜稑之種.(《舊唐書》 卷13)

253 나라의……밝힌다 : 國俗以四月八日, 是釋伽生日, 家家燃燈.(《高麗史》 卷40 〈世家〉)

254 건순세시기(乾淳歲時記) : 송나라 주밀(周密)의 저서이다. 건순은 송 효종(宋孝宗)의 건도(乾道)·순희(淳熙) 두 연호(年號)로, 이 시기에 철을 따라 행해지던 자연(自然), 인사(人事)에 관한 여러 가지 민속적인 행사를 적은 책이다.

255 욕불회(浴佛會) : 관불회(灌佛會)·욕화재(浴化齋)·불생회(佛生會)라고도 한다. 매년 음력 4월 8일에 불상을 목욕시키는 행사이다. 이날 화초로 꾸민 화정(花亭) 가운데에 동반(銅盤)에 봉안한 탄생불상을 모시고, 그 불상의 머리에 향탕이나 감차(甘茶)를 붓는 일이다.

256 4월 8일은……한다 : 四月八爲佛誕日, 諸寺院各有浴佛會.(《說郛》 卷69 《乾淳歲時記》 〈浴佛〉)

257 실달태자(悉達太子) : 석가모니가 출가하기 전의 이름을 음역한 실달타(悉達多)의 준말인 실달에 당시 태자였으므로 그 지위를 합친 호칭이다.

258 2월 8일은……즐긴다 : 二月八日爲悉達太子生辰, 京府及諸州, 雕木爲像, 儀仗百戲導從, 循城爲樂.(《遼史》 卷53 〈禮志六〉)

259 보요경(普耀經) : 《불설보요경(佛說普曜經)》 또는 《방등본기경(方等本起經)》이라고 불린다. 서진(西晉) 영가(永嘉) 2년(308)에 축법호(竺法護)가 천수사(天水寺)에서 번역한 것으로 모두 8권이다. 이 경은 천인 정거천의 물음에 답하여 부처님이 자신의 생애의 한 시기에 대해 이야기해주는 형식으로 꾸며져 있다.

따르면 "석가는 주 소왕(周昭王) 24년 갑인년 4월 8일에 탄생하였다."[260]라고 하였는데, 주나라의 4월은 곧 하정(夏正)의 2월이니, 마땅히 2월 8일이 옳다. 고려의 땅이 거란에 가까워 일을 그대로 따른 것이 많은데, 이것만 유독 건순(乾淳, 송나라 효종의 연호)의 풍속을 따른 것은 어째서인가?

《송사(宋史)》〈외국전(外國傳)〉 고려(高麗, 고구려) 조에 "2월 15일에 승려와 속세의 사람들이 등불을 밝히니, 중국의 상원절(上元節, 정월 대보름)과 같다."[261]고 하였고, 지금 《고려사》를 살펴보니 "왕궁과 국도로부터 향과 읍에 이르기까지 정월 보름에 이틀 밤에 걸쳐 등불을 밝혔다.", "최이(崔怡)[262]는 4월 8일에 등불을 밝혔다."[263]라고 한다. 어찌 삼한(三韓) 때에는 2월 보름에 등불을 밝혔고, 고려 때에 이르러서는 중국을 모방하여 상원절에 등불을 밝히다가 최이 때에 와서는 4월의 석가 탄생일로 바꿔 등불을 밝혔겠는가? 대개 중국 사람은 우리나라의 고적(故蹟)을 기록하면서 신라·백제·고구려·고려를 논하지 않고 모두 고려라고 일컬었다.

중명조重明鳥

【중명조는 일명 '쌍정雙睛'이니, 눈에 두 개의 눈동자가 있음을 말한 것이다.】

요즘 사람들은 세수(歲首)[264] 때마다 문 벽에 수탉 그림을 붙이고 '벽양

---

260 석가는……탄생하였다 : 이 내용은 《보요경(普耀經)》에서는 찾지 못하였고 《천중기(天中記)》 권5에 보인다. 원문은 다음과 같다. 佛以周昭王二十四年甲寅四月八日, 生于母之右脇.(《天中記》 卷5 〈四月八日〉)

261 2월 15일에……같다 : 二月望, 僧俗燃燈, 如中國上元節.(《宋史》 卷487 〈外國 三〉)

262 최이(崔怡) : ?~1249. 고려 무신정권의 집권자로, 처음 이름은 최우(崔瑀)이며 최충헌의 아들이다. 1232년에 몽고에 대항하기 위하여 왕에게 강화도로 천도할 것을 청하여 단행하게 하였다. 시호는 광렬(匡烈)이다.

263 왕궁과……밝혔다 : 國俗, 自王宮國都以及鄕邑, 以正月望燃燈二夜.(《高麗史》 卷69 〈志23〉)

264 세수(歲首) : 음력 정월 초하룻날의 이름. 한 해가 시작되는 설날인데, 설날을 뜻하는 한자어로는 신일(愼日), 원단(元旦), 세수(歲首), 연수(年首)라고도 한다.

(壁禳)'이라고 한다. 어떤 사람은 "초하루는 계일(鷄日 닭날)이기 때문에 그 형상을 그렸다.[265]"라고 하고, 어떤 사람은 "진(晉)나라 사람들은 세수에 위교(葦茭)·도경(桃梗)·책계(磔鷄)[266]를 궁과 모든 절의 문에 설치하여 나쁜 기운을 물리쳤는데, 후대 사람들은 닭을 그려서 그것을 대신하였다."[267]라고 하는데 모두 잘못되었다. 그린 것은 닭이 아니라 바로 중명조이다.

《습유기(拾遺記)》[268]에는 이렇게 말하였다.

"제요(帝堯)의 재위시절에 지지(秖支)라는 나라가 중명조를 바쳤는데, 일명 '중정(重精)'이라고도 하였다. 형상이 닭과 같고 울음이 봉과 같은데, 범과 이리 같은 맹수를 쫓고 재앙과 모든 악이 사람을 해칠 수 없게 하였다. 백성들은 문호(門戶)를 청소하여 중명조가 모이기를 바랐고, 그것이 오지 않았을 때는 혹은 나무를 조각하고, 쇠를 주조하여 이 새의 형상을 만들어 문호의 사이에 두면 도깨비 같은 추악한 무리가 자연스럽게 물러가리라 생각하였다. 요즘 사람들이 정월 초하루에 나무를 조각하고 쇠를 주조하거나, 혹은 그림을 그려서 닭의 형상을 만들어 창문 위에 놓는 것은 이것의 유상(遺像)이다."[269]

---

265 초하루는……그렸다 : 《형초세시기(荊楚歲時記)》에 말하기를 "정월 1일은 닭이 되고, 2일은 개가 되고, 3일은 양이 되고, 4일은 돼지가 되고, 5일은 소가 되고, 6일은 말이 되고, 7일은 사람이 되고, 8일은 곡식이 된다."라고 하였다.[荊楚歲時記: "正月一日爲鷄, 二日爲狗, 三日爲羊, 四日爲猪, 五日爲牛, 六日爲馬, 七日爲人, 八日爲穀."]

266 위교(葦茭)·도경(桃梗)·책계(磔鷄) : 위교는 갈대풀로 새끼를 꼰 것이고, 도경은 복숭아나무 가지이고, 책계는 닭을 기둥에 묶어놓고 창으로 찌르거나 찢어 죽이는 것이다. 나쁜 기운을 쫓는 의식으로 문 앞에 이것들을 설치하였다.

267 진(晉)나라……대신하였다 : 歲旦常設葦菱、桃梗、磔雞於宮及百寺之門, 以禳惡氣.(《晉書》 卷19)

268 습유기(拾遺記) : 저자는 후진(後晉)시대의 왕가(王嘉)로 모두 10권이다. 중국에 숨겨진 여러 가지 전설을 모아서 만들어진 지괴서(志怪書)이다. 원본은 없어졌고 현재 《한위총서(漢魏叢書)》 등에 수록되어 있는 것은 양(梁)나라 소기(蕭綺)가 재편한 것이다.

269 제요(帝堯)의……유상(遺像)이다 : 帝堯在位, 有秖支之國, 獻重明鳥, 一名重精. 狀如雞, 鳴似鳳, 能搏逐猛獸虎狼, 使妖災群惡, 不能爲害. 國人掃灑門戶, 以望重明之集, 或刻木鑄金, 爲此鳥之狀, 置於門戶之間, 則魑魅醜類自然退伏. 今人歲首元日, 或刻木鑄金; 或圖畫, 爲雞於牖上, 此之遺像也.(《拾遺記》 卷1)

전좌傳坐

《남부신서(南部新書)》[270]에 "장안(長安)의 풍속에 정월 초하루 이후에 번갈아가면서 음식을 준비하여 서로 초대하는 것을 '전좌(傳座)'라고 한다."[271]라고 하였다. 오늘날의 풍속에 정월 초하루 아침 이후에 세배하려고 온 손님이 있으면 반드시 탕과 떡과 술과 반찬을 차려 대접하는데, 그것을 '세찬(歲饌)'이라고 한다. 고을 안에서는 그 예가 더욱 엄격하여 번갈아가며 서로 본받아서 혹시라도 그 예를 빠트리는 일이 없으니, 또한 전좌의 유풍이다.

유상곡수流觴曲水

속석(束皙)[272]이 일시(逸詩)의 '우상수파(羽觴隨波)'[273]라는 문장에 의거하여 유상곡수(流觴曲水)[274]를 "주공(周公)이 낙읍(洛邑)을 경영했을 때에 시작된 것이다."라고 하였는데, 실제로 그런지는 모르겠다. 진(晉)나라 사람들이 난정계(蘭亭禊)에서 술을 마신 일[275]로부터 드디어 상사절(上巳節, 음력 3월

---

270 남부신서(南部新書) : 중국 북송 때의 한림학사 전역(錢易, 968~1026)의 저작이다. 전역의 자는 희백(希白)이고, 항주(杭州) 임안(臨安 지금의 절강) 사람이다. 재주와 학문이 뛰어났고 회화에도 능했으며 행서와 초서를 잘 썼다. 저서에 《동미지(洞微志)》, 《청운총록(青雲總錄)》 등이 있다.

271 장안(長安)의……한다 : 長安市里風俗, 每至元日以後, 遞飮食相邀, 號爲傳座.(《南部新書》 卷6)

272 속석(束皙) : 264~303. 서진(西晉)의 문학가이자, 문헌학자로 자는 광미(廣微)이다. 박학다문하고 문장을 잘 짓는 것으로 명성이 있었다. 젊어서 국학에 유학하여 《현거석(玄居釋)》을 지었는데, 장화(張華)가 보고 기특하게 여겨 불러서 아전으로 삼았다. 저작좌랑(著作佐郎)에 올라 《진서(晉書)·제기(帝紀)》를 찬술하고, 박사로 승진하였다.

273 우상수파(羽觴隨波) : 진 무제(晉武帝)가 지우(摯虞)에게 삼일에 곡수(曲水)에 잔을 띄우는 의미를 물었다. 속석이 나아가 이렇게 말하였다. "지우는 소생이라 이것을 알지 못합니다. 신이 청컨대 그 기원을 말해보겠습니다. 옛날에 주공이 낙읍을 완성하고 흐르는 물에 술잔을 띄웠습니다. 그러므로 일시에 '우상(羽觴)이 물결을 따라 흐른다'고 한 것입니다.[武帝嘗問摯虞三日曲水之義, ……晳進曰: 虞小生, 不足以知, 臣請言之. 昔周公城洛邑, 因流水以汎酒. 故逸詩云: 羽觴隨波.]" (《晉書》 卷51 〈束皙〉)

274 유상곡수(流觴曲水) : 삼월 삼짇날, 굽이도는 물에 잔을 띄워 그 잔이 자기 앞에 오기 전에 시를 짓던 놀이이다.

275 난정계(蘭亭禊)에서 술을 마신 일 : 진 목제(晉穆帝) 영화(永和) 9년(353) 늦은 봄에 회계(會稽) 산

3일)의 일로 삼았으나, 유자후(柳子厚, 유종원(柳宗元))의 〈서음(序飮)〉[276]을 상고해보면 또 상사절 만의 일은 아니다.

음(山陰)의 난정(蘭亭)에서 왕희지(王羲之) 및 사안(謝安) 등 42인의 명사들이 모여 계사(禊事)를 행하고 이어 곡수(曲水)에 술잔을 띄우고 시를 읊으면서 성대한 풍류놀이를 하였다. 이때 왕희지가 직접 짓고 쓴 난정기(蘭亭記)가 유명하다.

276 유자후의 서음(序飮) : 원화(元和) 4년(809) 유종원이 영주사마(永州司馬)로 있을 때 쓴 작품이다. 작은 언덕을 매입하여 그곳을 정리한 뒤에 벗들과 모여 술 마시는 놀이를 한 이야기를 서술하였다. 《당송팔대가문초(唐宋八大家文抄)》 권21에 보인다.

우리나라의 사대부 가운데는 장서가로 이름난 사람이 드물다.
오직 벽오재(碧梧齋) 상서(尙書) 이공(李公) 집안만이 가장 많은
책을 소장하였다. 지금 진천(鎭川) 초평리(艸坪里)에 있는 구택에
아직까지 만 권 가까이 소장되어 있는데, 모두 분지(粉紙)에
비단으로 장황을 한 좋은 책들이다.

금화경독기 金華耕讀記

권 5

옥각玉刻[1]

중부(仲父) 명고공(明皐公)[2]이 성천(成川)에 부임해 있을 때(1791) 한 농부가 조그마한 옥 한 조각을 바치면서 "흘골성(紇骨城)[3]에 있는 밭에서 얻었습니다."라고 하였다. 그 옥은 사방 한 치쯤 되었다. 앞면에는 경물과 탑, 다리가 매우 정교하게 새겨져 있다. 뒷면에는,

푸른 풀 하얀 돌 하주(河洲)에 가득하고,　　綠莎白石滿河洲,
아득한 모래펄 얕은 물결 띠고 있네.　　渺渺平沙帶淺流.
붉은 나무 푸른 산 들어갈 길 없으니,　　紅樹靑山無路入,
행춘교(行春橋)[4] 가에서 고깃배 찾노라.　　行春橋畔覓漁舟.

라는 시가 새겨져 있다. 아래에는 '자강(子剛)'이라는 작은 인장이 새겨져 있는데, 어느 시대 사람이 만든 것인지는 알지 못하겠다.[5]

---

1 옥각(玉刻) : 이와 관련하여 서형수(徐瀅修)의 문집인 《명고전집(明皐全集)》 권2 〈차흘골성옥패시운(次紇骨城玉佩詩韻)〉에 다음과 같은 내용이 있다. "成都民鋤耕于紇骨城古址, 得一小玉珮方寸許. 前刻雲物塔橋, 極精工, 後刻一詩曰: '綠莎白石滿河洲, 渺渺平沙帶淺流. 紅樹靑山無路入, 行春橋畔覓漁舟.' 下刻小章曰子剛, 雖未知時代高下, 而盖古蹟也. 成士執·柳惠風, 皆來見之, 以爲元人詩畫, 未知信否. 遂次其韻, 以備詩話. '千年故國在西洲, 雉礎依俙繞沸流. 活畫名詩灰劫出, 汲人冢簡晉人舟.'(汲郡人發冢, 得科斗竹簡晉人於大航頭, 得書逸篇.)"

2 중부(仲父) 명고공(明皐公) : 서유구의 작은 아버지인 서형수(1749~1824)를 가리킨다. 명고는 그의 호이며, 자는 유청(幼淸)이다. 음보로 선공감 가감역(繕工監假監役)이 되었고, 1783년(정조 7) 증광문과에 을과로 급제하였다. 1799년 진하 겸 사은부사가 되어 청나라에 다녀왔다. 생부 서명응(徐命膺), 형 서호수(徐浩修)와 함께 정조의 특별한 지우(知遇)를 받았으나 정조가 승하한 뒤 김달순(金達淳)의 옥사에 연루되어 만년을 유배지에서 보내다 죽었다. 저서로 《명고전집(明皐全集)》이 있다.

3 흘골성(紇骨城) : 평안남도 성천(成川)에 있던 산성이다.

4 행춘교(行春橋) : 중국 소주(蘇州) 남쪽에 있는 석호(石湖)에 남북으로 걸쳐 있는 다리 이름이다. 행춘교는 9개의 동굴이 서로 연결된 형태로 물에 비껴 있는데, 팔월 보름날 달이 뜨면 9개의 다리 동굴에 달이 하나씩 비껴 달 9개가 한 줄에 꿰인 기이한 경관을 형성한다고 한다.

5 아래에는……못하겠다 : 이유원(李裕元)은 《임하필기(林下筆記)》 권33 〈화동옥삼편(華東玉糝編)〉

문팽文彭과 하진何震의 인각印刻

강소서(姜紹書)[6]의 《운석재필담(韻石齋筆談)》에, "명(明)나라 인각(印刻)의 묘수는 삼교(三橋) 문팽(文彭)[7] · 설어(雪漁) 하진(何震)[8]보다 뛰어난 자가 없다. 삼교는 한(漢)나라의 노련한 관리와 같아서 글자마다 풍상(風霜)의 기운을 지니고 있고,[9] 설어는 붉은 구름이 하늘에 있는 것과 같아서 거두고 펼치는 것이 자유롭다."[10]라고 하였으니, 추앙한 바가 또한 지극하다.

왕년에 이 아무개[李某][11]가 사신을 따라 연경(燕京)에 가서 한림원 편수(翰林院編修) 진숭본(陳崇本)과 교유하고 도장 두 개를 받았는데, 하나는 "우물을 파고 밭을 갈며 태평의 즐거움을 노래한다[鑿井耕田, 歌詠太平之樂]"라고

의 〈가륭옥패(嘉隆玉佩)〉에서 유득공(柳得恭)의 《냉재서종(冷齋書種)》에 실린 이 일화를 소개하면서, 명(明)나라 서위(徐渭)의 작품인 〈음영선잠(咏水仙簪)〉을 근거로 들어 자강은 성이 육씨(陸氏)이며, 이 옥은 명나라 가정·융경 연간의 물건이라고 하였다.

6 강소서(姜紹書) : 생몰년은 미상이다. 중국 명나라 말기·청나라 초기의 장서가이다. 자는 이유(二酉), 호는 연여거사(晏如居士)이며, 강소성 단양(丹陽, 지금의 진강(鎮江)) 사람이다. 감별에 능하였고 그림을 잘 그렸으며 사학(史學)에도 정통하였다. 저서로 《무성시사(無聲詩史)》, 《운석재필담(韻石齋筆談)》 등이 있다. 《운석재필담》은 상·하 2권으로, 주밀(周密)의 《운연과안록(雲烟過眼錄)》을 모방하여 저자가 본 서화와 기완(器玩)의 형태와 전해진 과정 등에 대해 상세히 기술한 책이다.

7 문팽(文彭) : 1498~1573. 중국 명나라 때의 전각가(篆刻家)로, 자는 수승(壽承), 호는 어양자(漁陽子)·삼교거사(三橋居士)·국자선생(國子先生) 등이다. 명나라 때의 화가인 문징명(文徵明)의 장자(長子)로 국자감박사(國子監博士)를 지냈다.

8 하진(何震) : 1522~1604. 중국 명나라 중기의 전각가로, 자는 주신(主臣)·장경(長卿), 호는 설어(雪漁)이다. 고주(古籀)와 육서(六書)를 정밀히 연구하였으며, 전서(篆書)와 인장(印章)에도 힘썼다. 그의 전각 작품은 순박하고 청신하며 전아하다고 평가되었으며 문팽과 함께 "문하(文何)"로 일컬어졌다. 그의 작품은 《설어인보(雪漁印譜)》에 수집되어 있으며 저서로 《속학고편(續學古編)》이 있다.

9 글자마다……있고 : 준엄하고 엄숙하게 시문을 짓는 것을 비유한 말이다. 《서경잡기(西京雜記)》 권3에 한나라 유안(劉安)이 《회남자(淮南子)》를 짓고서 "글자마다 모두 풍상의 기운을 담고 있다.[字中皆挾風霜]"라고 자부했다는 고사가 나온다. 풍상(風霜)의 기운이란 엄격하고 장엄한 기운을 말한다.

10 명(明)나라……자유롭다 : 《운석재필담(韻石齋筆談)》 권상(卷上) 〈명인장(明印章)〉에 나온다. 원문은 다음과 같다. "鐵筆之妙莫過於文三橋彭, 何雪漁震. 三橋如漢庭老吏, 字挾風霜; 雪漁如絳雲在霄, 舒卷自如."

11 이 아무개[李某] : 이희경(李喜經, 1745~?)을 가리키는 듯하다. 이희경은 본관은 양성(陽城), 자는 성위(聖緯), 호는 윤암(綸菴)·십삼재(十三齋)·사천(麝泉)이다. 1769년 연암(燕巖) 박지원(朴趾源)을 스승으로 섬기며 이용후생의 학문을 계승하였고, 백탑시사(白塔詩社)를 결성하여 유득공(柳得恭)·박제가(朴齊家)·이서구(李書九) 등과 어울려 학문을 연마하였다. 1786년 2차 연행 때 연경의 문사인 진숭본(陳崇本)·대구형(戴衢亨) 등과 교유하였다. 저서로 《설수외사(雪岫外史)》·《윤암집(綸菴集)》 등이 있다.

쓰인 옆에 '삼교문팽사(三橋文彭寫)' 다섯 자가 새겨져 있었으며, 하나는 '강물 위의 가을 달[一江秋月]'이라 쓰인 옆에 '설어하진사(雪漁何震寫)' 다섯 자가 새겨져 있었다. 후에 문팽의 인각은 나에게 왔고 하진의 인각은 숙부 명고공[서형수]에게 갔는데, 때때로 살펴보니 강소서의 말이 올바른 평이라는 것을 더욱 믿게 되었다.

근래에 염약거(閻若璩)[12]의 《잠구차기(潛邱箚記)》[13]를 보았는데, "근래의 도장(圖章)은 힘써 하설어(何雪漁)를 논박하고 문삼교에게로 돌아가며, 서가(書家)는 힘써 동문민(董文敏)[14]을 논박하고 조송설(趙松雪)[15]에게로 돌아간다."[16] 라고 하였으니, 또한 흐름을 되돌려 질박함을 회복하는 데 일조한 것이다.

협접도 蛺蝶圖

당(唐)나라 등왕(滕王)[17]은 고조(高祖)의 아들로 그림을 잘 그렸는데, 특

---

12 염약거(閻若璩) : 1636~1704. 중국 청나라 초기의 학자로, 자는 백시(百時), 호는 잠구(潛邱)이다. 20세 무렵 《상서(尙書)》의 문헌에 의구심을 품고 30년 동안 연구한 끝에 《상서고문소증(尙書古文疏證)》 8권을 저술하여, 고문 25편과 《상서공전(尙書孔傳)》이 동진(東晉) 사람의 위작임을 논증하였다. 그 외에도 《사서석지(四書釋地)》, 《잠구차기(潛邱箚記)》 등의 저술이 있다.

13 잠구차기(潛邱箚記) : 염약거가 찬술한 책으로 모두 6권이다. 경전과 역사서 등의 내용을 고증한 짧은 글로 이루어져 있다.

14 동문민(董文敏) : 중국 명나라 후기의 서예가 동기창(董其昌, 1555~1636)이다. 문민은 그의 시호이다. 자는 현재(玄宰), 호는 사백(思白)·향광(香光)·사옹(思翁)이다. 관리로서의 명성뿐 아니라 문학에도 능통하여 당시 제일의 문인으로 각 방면에서 지도적 위치에 있었다. 시인·서예가·문인화가로서 널리 알려졌고, 감식(鑑識)·감장(鑑藏)·임모(臨摸) 등에도 업적을 남겼다. 서예가로서 명대 제일이라고 불리며 왕희지(王羲之)를 주종으로 삼으면서도 서체보다 내용을 더 추구하였다. 그림은 동원(董源)·거연(巨然)을 스승으로 삼았고, 송(宋)·원(元) 화가들의 장점을 빠짐없이 수집하여 심석전(沈石田)·문징명 등의 오파문인화(吳派文人畵)의 남종화풍을 계승 발전시켰다. 저서로 《용태집(容台集)》 등이 있다.

15 조송설(趙松雪) : 중국 원나라 때의 서화가 조맹부(趙孟頫, 1255~1322)이다. 자는 자앙(子昻), 호는 집현(集賢)·송설도인(松雪道人)이다. 정치·경제·시서화에 넓은 지식을 가졌으며, 특히 서화에 뛰어났다. 서예에서는 당나라 안진경(顔眞卿) 이래로 송나라에서 성행하였던 서풍을 배격하고, 왕희지의 전형에 복귀할 것을 주장하였다. 그림에서는 남송의 원체(院體) 화풍을 타파하고, 당·북송의 화풍으로 되돌아갈 것을 주장하였다. 그림은 산수·화훼·죽석·인마 등에 모두 뛰어났고, 서예는 특히 해서·행서·초서의 품격이 높았다.

16 근래에……돌아간다 : 《잠구차기(潛邱箚記)》 권6 〈여대당기서(與戴唐器書)〉에 나온다. 원문은 다음과 같다. "近代圖章, 力駁何雪漁而返文三橋, 書家力駁董文敏而歸趙松雪."

이명기(李命基), 〈강세황 초상〉 (국립중앙박물관 소장)

히 나비를 그리는 데 뛰어났다. 왕건(王建)[18]의 〈궁사(宮詞)〉에 "대궐에서 며칠 동안 부름이 없었는데 등왕의 협접도(蛺蝶圖)를 전해 얻었네."[19]라고 한 것이 이것이다. 지금 이명기(李命基)[20]는 전신(傳神 초상화)으로 이름이 났는데

17 등왕(滕王) : 중국 당나라 고조 이연(李淵)의 아들 이원영(李元嬰, ?~684)이다. 당 태종 이세민(李世民)의 동생이다. 정관(貞觀) 13년(639)에 등왕에 봉해졌다.

18 왕건(王建) : 877~943. 중국 당나라 때의 시인으로, 자는 중화(仲和)이다. 대력(大歷) 10년(775) 진사가 되었고 협주사마(陝州司馬)를 지냈다. 그가 지은 〈궁사(宮詞)〉 백 수는 궁사의 효시로 일컬어진다. 앞의 20수는 제왕의 생활을 다각도로 보여주고 있으며 뒤의 80수는 궁중 부녀자들의 생활을 형상화하고 있다. 저서로 《왕사마집(王司馬集)》 등이 전한다.

19 대궐에서……얻었네 : 《왕사마집(王司馬集)》 권8 〈궁사(宮詞) 100수〉 중 제60수이다. 전문은 다음과 같다. "避暑昭陽不擲盧, 井邊含水噴鵶鶵. 內中數日無呼喚, 搨得滕王蛺蝶圖."

20 이명기(李命基) : 1756~?. 조선 후기의 화가로, 본관은 개성이고, 호는 화산관(華山館)이다. 복헌(複軒) 김응환(金應煥)의 사위로 화원(畫員)으로 있다가 찰방(察訪)을 지냈다. 특히 그는 초상화에 뛰어나 1791년(정조 15)에는 정조 어진 원유관본(遠遊冠本) 제작에 주관화사(主管畵師)로 활약하였다. 주인공의 내면과 보이지 않는 부분까지 담아낸다는 뜻의 전신(傳神)에 뛰어난 솜씨를 보여주었다. 특히 화중 인물과 바위의 모습, 필법 등은 김홍도(金弘道)의 화풍을 많이 따르고 있다고 한다. 채접(彩蝶)을 잘 그렸다고 하나 전하는 작품은 없다. 유작으로는 〈강세황초상(姜世晃肖像)〉, 〈서직수초상(徐直修肖像)〉, 〈송하독서도(松下讀書圖)〉 등이 있다.

또한 나비를 잘 그린다. 매양 늦봄에 날개가 큰 호랑나비를 잡아다가 책 사이에 끼워 두고 수십 일 뒤에 꺼내면 종이처럼 얇아지는데 곁눈질로 보며 베껴 그려서 몹시 닮게 되었다. 그것을 본 사람 중에 그 나비 날개에 있는 가루가 손에 묻을까 의심하지 않은 이가 없었다.

백자도百子圖

오늘날 갓 결혼한 부녀자의 방에는 반드시 채색화가 그려진 병풍을 두는데, 여러 아이들이 노니는 모습을 그리고 '백자도(百子圖)'라 부르니, 이는 자식이 많기를 기원해서이다. 고사기(高士奇)[21]의 《천록지여(天祿識餘)》[22]에 이르기를, "당(唐)·송(宋) 때 궁중에 임금의 혼례가 있으면 비단에 많은 어린아이들이 노는 모습을 수놓아 만들고 '백자장(百子帳)'이라 이름하였다."[23]라고 하니, 비단 우리나라만 그러한 것이 아니다.

백자도(국립고궁박물관 소장)

21 고사기(高士奇) : 1645~1704. 중국 청나라 때의 학자로, 자는 담인(澹人), 호는 강촌(江村)이다. 강희(康熙) 15년(1676)에 내각중서(內閣中書)가 되었으며, 한림원시독학사(翰林院侍讀學士)·예부시랑(禮部侍郎) 등을 지냈다. 그는 박학하고 고증을 정밀히 하였으며, 시문과 서법에 능하고 감상을 잘하여 많은 서화를 소장하고 있었다. 저서로 《청음당집(淸吟堂集)》, 《좌전기사본말(左傳紀事本末)》 등이 있다.

22 천록지여(天祿識餘) : 고사기(高士奇)가 송나라와 명나라 학자들의 학설을 모아 찬술한 책으로 《사고전서존목(四庫全書存目)》에는 2권으로 기록되어 있다.

23 당(唐)……이름하였다 : 《천록지여(天祿識餘)》 상(上) 〈백자장(百子帳)〉에 나온다. 《천록지여》의 내용은 다음과 같다. "唐宋禁中大婚, 以錦繡織成百子兒嬉戲狀, 名百子帳."

화염도火炎圖와 적설도積雪圖

유포(劉褒)는 한나라 영제(靈帝) 때 사람으로, 북풍도(北風圖)를 그리면 보는 이들이 서늘함을 느꼈고 운한도(雲漢圖)를 그리면 보는 자들이 더위를 느꼈다.[24] 우리나라 강표암(姜豹菴)[25]이 그림 두 점을 그렸는데, 하나는 온 산이 불타는 모습을 그리고 '벽한(辟寒)'이라 하였으며, 하나는 겹겹의 절벽에 눈이 쌓인 모습을 그리고 '벽서(辟暑)'라 하였으니, 이는 유포의 옛 지혜를 본받은 것이다.

계첩禊帖[26]

난정계첩은 천고의 법첩 중에 으뜸이며 논의되는 것이 여러 가지이다.

---

24 유포(劉褒)는……느꼈다 : 장화(張華)의 《박물지(博物志)》에 나온다. 《박물지》에는 한(漢)나라 환제(桓帝) 때 사람으로 되어 있다. 《박물지》의 내용은 다음과 같다. "劉褒, 漢桓帝時人. 曾畫雲漢圖, 人見之覺熱; 又畫北風圖, 人見之覺涼."

25 강표암(姜豹菴) : 조선 후기의 서화가 강세황(姜世晃, 1713~1791)이다. 자는 광지(光之), 호는 표암(豹菴)·첨재(忝齋)·산향재(山響齋)·박암(樸菴)·의산자(宜山子)·견암(蠒菴)·노죽(露竹)·표옹(豹翁)·해산정(海山亭)·무한경루(無限景樓)·홍엽상서(紅葉尙書) 등이다. 8세에 시를 짓고, 13·14세에 쓴 글씨를 얻어다 병풍을 만든 사람이 있을 정도로 일찍부터 뛰어난 재능을 보였으며, 32세 때 가난으로 안산(安山)에 이주하여 오랫동안 학문과 서화에 전념하였다. 영조의 배려로 61세에 처음 벼슬길에 올라 병조 참의·한성부 판윤 등을 두루 거쳤으며, 72세 때 북경 사행(北京使行), 76세 때 금강산 유람을 하고 기행문과 실경사생 등을 남겼다. 시·서·화 삼절(三絕)로 일컬어졌으며, 높은 식견과 안목을 갖춘 사대부 화가로서 스스로 그림 제작과 화평(畵評) 활동을 통해 당시 화단에서 '예원의 총수'로 중추적인 구실을 하였다. 특히, 한국적인 남종문인화풍(南宗文人畵風)의 정착에 크게 기여하였으며 진경산수(眞景山水)의 발전과 풍속화·인물화의 유행, 새로운 서양화법의 수용에도 많은 업적을 남겼다. 그의 작품으로 〈첨재화보(忝齋畵譜)〉·〈표암첩(豹菴帖)〉·〈난죽도(蘭竹圖)〉 등이 전하며, 문집으로 《표암유고(豹菴遺稿)》가 있다.

26 계첩(禊帖) : 계첩, 즉 〈난정서(蘭亭序)〉는 왕희지가 쓴 것으로 '천하제일의 행서'로 불린다. 진(晉)나라 목제 영화 9년(353) 3월 3일에 왕희지는 사안 등 41명과 함께 회계의 산음(山陰)에 있는 난정(蘭亭)에서 성대한 계사를 거행하였다. 굽이굽이 흐르는 물에 술잔을 띄우면서 시를 지었는데 당시 나이 51세인 왕희지는 거나하게 술을 마신 뒤 잠견지(蠶繭紙)에다 서수필(鼠鬚筆)을 사용하여 단숨에 천고의 명작이라고 알려진 〈난정서〉를 썼다. 전문은 모두 28행으로 전체의 글자 수는 324자이다. 〈난정서〉는 여러 형태로 일컬어졌는데, 진(晉)나라 당시에는 임하서(臨河序)라 불렸고, 당나라 때는 난정시서(蘭亭詩序) 또는 난정기(蘭亭記)라고도 하였다, 송나라 때 구양수(歐陽修)는 수계서(修禊序), 채군모(蔡君謨)는 곡수서(曲水序)라 하였고, 소식(蘇軾)은 난정문(蘭亭文), 황정견(黃庭堅)은 계음서(禊飮敘)라 하였다. 청 고종(高宗)은 계첩(禊帖)이라 하였고 어떤 이는 난정수계서(蘭亭修禊序)라고도 하였다.

하연지(何延之)[27]의 〈난정기(蘭亭記)〉와 유속(劉餗)[28]의 《전기(傳記)》[29]에서 말하는 것이 서로 같지 않다.[30] 하연지는 "왕희지 자손 대대로 전해오다가 왕희지의 7대손인 지영(智永)에 이르러 제자인 변재(辯才)에게 주었다."라고 하였다. 유속은 "양(梁)나라의 난(502~557) 때 외부로 유출되었다가 진(陳)나라(557~589) 천가(天嘉) 연간(560~566)에 지영이 입수하였고, 태건(太建) 연간(569~582)에 선제(宣帝)에게 헌상하였다. 수(隋)나라가 진(陳)나라를 평정하였을 때(589) 어떤 이가 진왕(晉王, 수 문제 양견의 아들 양광)에게 바쳤는데 승려 지과(智果)가 그걸 빌려다가 탑본하고 돌려주지 않았다. 지과가 죽자 제자인 변재(辯才)가 그것을 얻게 되었다."[31]라고 하였다. 하연지는 "태종이 소익(蕭翼)[32]을 시켜 속여서 가져오게 하였다."라고 하였고, 유속은 "구양

---

27 하연지(何延之) : 생몰년은 미상이다. 중국 당나라 때의 문인이다. 하연지 개인에 관하여는 알려진 것이 별로 없고 〈난정기(蘭亭記)〉가 전한다. 〈난정기(蘭亭記)〉는 당(唐)나라 장언원(張彥遠)의 《법서요록(法書要錄)》 권3과 《태평광기(太平廣記)》 권2, 권8에도 실려 있는데 앞뒤로 일부가 산삭되었다. 송나라 상세창(桑世昌)은 《법서요록(法書要錄)》에 근거하여 전재하고 《태평광기(太平廣記)》를 참작하여 《난정고(蘭亭考)》를 저술하였는데 끝에 "朝議郎行職方員外郎上柱國何延之記"라고 부기하였다. 훗날 난정서와 관련하여 주요 참고자료가 되었다.

28 유속(劉餗) : 생몰년은 미상이다. 중국 당나라 때의 관리로, 본명은 유야(劉枒)이고, 자(字)는 정경(鼎卿)이다. 팽성(彭城, 지금의 강소성 서주) 사람이다. 사학가(史學家)인 유지기(劉知幾)의 아들로 관직은 우보궐(右補闕)·집현전학사(集賢殿學士)를 지냈다. 저서로는 《수당가화(隋唐嘉話)》가 있는데 남북조(南北朝)에서 당나라 개원(開元) 연간에 이르는 역사인물의 언행과 사적을 기록하였다. 특히 당태종(唐太宗)과 무후(武後) 두 왕조에 관한 것이 많은데 신(新)·구(舊) 《당서(唐書)》와 《자치통감(資治通鑑)》의 내용 중 일부는 이 글에서 취하기도 하였다. 3권으로 되어 있다. 《신당서》 〈유자현전(劉子玄傳)〉 및 《신당서》 〈예문지〉에 근거하면 유속의 저작으로 《국조전기(國朝傳記)》 3권이 있는데, 《국사이찬(國史異纂)》이라고도 한다. 그러나 전본(傳本)은 없고 타서에 인용되는 《국조전기》 일문(佚文)은 대부분이 《수당가화》에 보이기에 《수당가화》를 곧 《국조전기》로 본다.

29 유속(劉餗)의 《전기(傳記)》 : 《국조전기(國朝傳記)》 즉 《수당가화(隋唐嘉話)》를 가리킨다.

30 하연지(何延之)의……같지 않다 : 몇 가지 당대 사람의 기록이 있지만 사람들이 가장 중시한 것은 〈난정기(蘭亭記)〉이며 그 다음이 《수당가화(隋唐嘉話)》이다. 본서에서 논의하는 내용은 송(宋)나라 상세창(桑世昌)의 《난정고(蘭亭考)》 권3을 상당 부분 참고한 것으로 보인다. 특히 첫 부분은 내용은 물론이고 서술 형식까지 답습하고 있으며, 따라서 오류마저 그대로 따른 흔적이 보인다.

31 양(梁)나라의……되었다 : 유속(劉餗)의 《수당가화(隋唐嘉話)》 권1에 나온다. 《수당가화》의 내용은 다음과 같다. "王右軍《蘭亭序》, 梁亂出在外, 陳天嘉中爲僧永所得. 至太建中, 獻之宣帝. 隋平陳日, 或以獻晉王, 王不之寶. 後僧果從帝借拓. 及登極, 竟未從索. 果師死後, 弟子僧辯得之. 太宗爲秦王日, 見拓本驚喜, 乃貴價市大王書《蘭亭》, 終不至焉. 及知在辯師處, 使蕭翊就越州求得之, 以武德四年入秦府. 貞觀十年, 乃拓十本以賜近臣. 帝崩, 中書令褚遂良奏: '《蘭亭》先帝所重, 不可留.' 遂秘於昭陵."

32 소익(蕭翼) : 생몰년은 미상이다. 양원제(梁元帝)의 증손으로 당(唐) 정관(貞觀) 연간에 간의대부(諫議大夫)와 감찰어사(監察禦史)를 지냈다.

순(歐陽詢)[33]을 시켜 월주(越州)[34]에 가서 가져오게 하였다."라고 하였다. 하연지의 말에 따르면 태종이 난정을 얻은 것은 즉위한 뒤의 일이며, 유속의 말에 따르면 무덕(武德) 2년(619)[35]에 진왕부(秦王府)에 들어갔다고 하였다. 하연지의 말에 의하면 당 태종(太宗, 599~649) 말년에 유언에 따라 순장하였다고 하며, 유속의 말에 의하면 당 고종(高宗, 628~683)이 저수량(褚遂良)[36]의 상주(上奏)를 따랐다고 한다.[37]

하연지와 유속은 모두 당시 사람인데 이처럼 현격한 차이가 나는 것은 어째서인가? 하연지는 "직접 변재의 제자 양원소(楊元素)에게서 들었다."라고 하였으며, 또 "개원(開元) 10년(722) 4월 27일에 아들에게 지영이 베낀 본을 진상하게 하여 비단 30필을 하사받았다."[38]라고도 하였다. 이는 당시에 황제께 진상했다는 글이니 전문(傳聞)에 진실하지 않은 말이 있어서는 안 된다.

---

33 구양순(歐陽詢) : 《수당가화(隋唐嘉話)》에는 '소상(蕭翊)'으로 되어 있는데, 이는 '소익(蕭翼)'의 오류로 보인다. 《난정고(蘭亭考)》에는 '구양순(歐陽詢)'으로 되어 있다. 서유구는 《난정고(蘭亭考)》를 참고한 것으로 보인다.

34 월주(越州) : 옛 지명으로 지금의 광동성(廣東省) 포북현(浦北縣) 앙천호(仰天湖) 주변에 위치한다. 지금은 소흥시(紹興市) 월성구(越城區)가 되었다.

35 무덕(武德) 2년 : 《수당가화(隋唐嘉話)》에는 '武德四年'으로 되어 있고, 《난정고(蘭亭考)》에는 '武德二年'으로 되어 있다. 서유구는 《난정고(蘭亭考)》를 참고한 것으로 보인다.

36 저수량(褚遂良) : 596~658. 중국 당(唐)나라의 정치가이자 서예가이다. 자(字)는 등선(登善), 절강성(浙江省) 항주(杭州) 전당현(錢唐縣) 사람이다. 우세남(虞世南)·구양순(歐陽詢) 등과 함께 초당(初唐) 3대가의 한 사람이다. 칙령으로 동진(東晉)의 왕희지(王羲之)의 필적 감정과 수집·정리를 맡았다. 간의대부(諫議大夫)를 거쳐 중서령(中書令)에 이르렀다. 당 태종(太宗)이 죽을 때 후사를 부탁할 정도로 총애를 받았다고 한다. 당 고종(高宗) 때 하남공(河南公)에 봉해졌고, 이어서 상서우복야(尙書右僕射)에 이르렀다. 고종이 무씨(武氏, 측천무후)를 황후로 맞는 것을 반대하다가 애주(愛州, 지금의 베트남 북부)로 좌천되어 그곳에서 죽었다. 유묵(遺墨)으로 해서(楷書)인 〈맹법사비(孟法師碑)〉·〈안탑성교서비(雁搭聖教序碑)〉·〈이궐불감비(伊闕佛龕碑)〉, 행서(行書)인 〈고수부(枯樹賦)〉 등이 유명하다.

37 하연지의……한다 : 《난정고(蘭亭考)》 권3에 나온다. 《난정고》의 내용은 다음과 같다. "何謂, 王氏子孫傳掌至七代孫智永, 永付弟子辯才. 劉謂, 梁亂, 出在外, 陳天嘉中爲永所得, 太建中獻之, 隋平陳, 或以獻晉王, 王即煬帝, 帝不知寶, 僧智果借榻, 因不還, 果死, 弟子辯才得之. 何謂, 太宗使蕭翼詭取. 劉謂, 太宗見榻書驚喜, 使歐陽詢求得之. 據何說, 太宗得蘭亭, 在即位後. 劉謂, 以武德二年入秦王府. 何謂, 太宗末年, 從高宗乞蘭亭從葬. 劉謂, 高宗從褚遂良之請."

38 개원(開元)……하사받았다 : 이 내용은 《법서요록(法書要錄)》에는 있으나, 《태평광기(太平廣記)》에는 없다.

염입본《소익잠난정고사도(蕭翼賺蘭亭故事圖)》(타이베이고궁박물원 소장)

또 송대 오설(吳說)[39]의 〈소익잠난정고사도(蕭翼賺蘭亭故事圖)〉[40] 발문에는 이렇게 쓰여 있다.

"당 우승상(右丞相) 염입본(閻立本)[41]의 화필이다. 서생(書生)의 모습을 한 자는 서대어사(西臺御史) 소익(蕭翼)이고, 노승의 모습을 한 자는 회계(會稽) 비구(比丘) 변재(辯才)이다. 서생은 의기양양하게 만족스런 낯빛이고, 노승

---

39 오설(吳說) : 생몰년은 미상이다. 중국 송나라 때의 서예가로 자는 부붕(傅朋), 호는 연당(練塘)이고, 전당(錢塘, 지금의 절강성 항주) 사람이다. 송 고종(宋高宗) 소흥(紹興) 14년(1144)에 상서랑(尙書郎)에 제수되었다. 해서(楷書), 행서(行書), 초서(草書) 및 방서(榜書)에 고루 능하였으며 특히 소해(小楷) 부분에서 "송대제일(宋代第一)"로 일컬어졌다.

40 소익잠난정고사도(蕭翼賺蘭亭故事圖) : 당대의 화가 염입본이 하연지의 〈난정기〉 고사에 근거하여 그린 작품으로 크기는 세로 28cm, 가로 65cm이다. 북송 때의 모본은 현재 요녕성박물관(遼寧省博物館)에, 남송 때의 모본은 타이베이고궁박물원(臺北故宮博物院)에 소장되어 있다. 그림의 뒷면에는 송나라 소흥(紹興) 연간의 진사(進士) 심규(沈揆)와 청대 김농(金農)의 관관(觀款; 題名)이 있으며, 명대 성화(成化) 연간의 진사 심한(沈瀚)의 발문도 있다. 이 그림의 내용과 유전 정황에 대하여 송대 오설(吳說)이 쓴 발문이 있는데 상당히 상세하게 기술되어 있다.

41 염입본(閻立本) : 601(?)~673. 중국 당나라 때의 화가이다. 옹주(雍州) 만년(萬年, 지금의 섬서성 임동현) 사람이다. 부친 염비(閻毗)는 북주(北周) 때 부마(駙馬)가 되었으며, 전서(篆書)·예서(隸書) 등의 서법과 회화, 건축 방면에서도 모두 뛰어나 수 문제(隋文帝)와 수 양제(隋煬帝)의 사랑을 받았다. 수(隋)대에 들어서 관직이 조산대부(朝散大夫)·장작소감(將作少監)에 이르렀다. 형인 염입덕(閻立德) 역시 서화와 공예 및 건축에 뛰어나서 부자 3인이 모두 공예와 회화로써 수·당대에 이름을 떨쳤다.

염입본 《소익잠난정고사도(蕭翼賺蘭亭故事圖)》(타이베이고궁박물원 소장)

은 입을 벌리고 다물지 못하니 실의에 빠진 모습이다. 집사(執事) 두 명이 입김을 불며 찻물을 끓이는 모습이 살아 있는 듯하다."[42] 집현원도서인(集賢院圖書印)이 찍혀 있다.

염입본 역시 당시 사람이니, 당시에 정말로 그런 일이 없었다면 어떻게 허황되고 형체도 없는 그림을 그릴 수 있었겠는가?

그렇다면 하연지의 기록이 분명 실제 기록일 터인데, 혹 유지기·유속 부자가 사관이라고 하여 그의 말을 믿을 만하다고 하는 것은 잘못이다.

당 태종은 세상을 뒤엎을 정도의 영웅으로 자기가 좋아하는 것을 탐닉하였다. 살아서는 속임수로 빼앗아 거간꾼의 가격 흥정으로 눈치보는 것도 꺼리지 않았고, 죽어서는 순장을 좋아하여 많은 매장품으로 후하게 장사 지냈다는 기롱을 받았다. 유속이 그를 감싸고 옹호하여 마치 공자가 《춘추》를 지을 때 노나라를 위해 기피했던 뜻과 같이 기사로 나타내지 않은 잘못이다.

임모(臨摸)하고 탑서(榻書)한 사람의 성명도 말마다 다르다.

하연지는 "공봉탑서인(供奉榻書人) 조모(趙模)[43]·한도정(韓道政)[44]·풍승소

---

42 당……듯하다 : 《난정고(蘭亭考)》 권3에 나온다. 《난정고》의 내용은 다음과 같다. "唐右丞相閻立本筆. 一書生狀者, 唐太宗朝, 西臺御史蕭翼也. 一老僧狀者, 智永嫡孫會稽比邱辯才也. …… 書生意氣揚揚, 有自得之色; 老僧口張不呿, 有失志之態. 執事二人, 其噓氣止沸者, 其狀如生."

43 조모(趙模) : 627~?. 중국 당나라의 관리로, 당 태종(唐太宗) 때의 한림공봉탁서인(翰林供奉拓書人)이며, 태자우감문부(太子右監門府) 개조참군(鎧曹參軍)이다. 글씨를 매우 잘 썼으며 특히 임모에 뛰어났다.

44 한도정(韓道政) : 미상.

(馮承素)[45]·제갈정(諸葛貞)[46]이 각각 여러 본을 탑본하였다."라고 하였다. 고사손(高似孫)[47]은 "탕보철(湯普徹)·조모·한도정·풍승소의 탑본은 모두 영선사(永禪師)와 저하남(褚河南, 저수량)이 임모한 것만 못하다."라고 하였다. 《남부신서(南部新書)》[48]에서는 "난정첩은 이미 진왕부(秦王府)로 들어가 마도숭(麻道嵩)[49]이 황명으로 두 본을 탑본하여 한 본은 변재에게 보내고 한 본은 진왕이 직접 거두었으며, 마도숭은 개인적으로 한 부를 탑본하였다."[50]라고 하였다. 어떤 이는 "우세남(虞世南)[51]·저수량(褚遂良)·구양순(歐陽詢)이

---

45 풍승소(馮承素) : 617~672. 중국 당나라 때의 서예가로, 정관(貞觀) 연간에 내부공봉탑서인(內府供奉榻書人)에 임명되었으며, 홍문관(弘文館)을 맡았다. 정관(貞觀) 13년에 《악의론(樂毅論)》 진적을 모사(模寫)하게 하여 장손무기(長孫無忌)·방현령(房玄齡)·고사렴(高士廉)·방군집(房君集)·위징(魏徵)·양도사(楊師道) 등 여섯 명에게 하사했는데 모두 필획이 정묘하고 바르고 규칙에 맞았다. 또한 조모(趙模)·제갈정(諸葛貞) 등과 함께 명을 받아 왕희지의 〈난정서〉를 여러 본 임모하여 태종이 그것을 황태자와 여러 제후들에게 하사하였다는 기록이 보인다.

46 제갈정(諸葛貞) : 생몰년은 미상이다. 중국 당 태종(唐太宗) 때의 서예가로, 고비첩(古碑帖) 모탁(摹拓)에 능했으며, 태종의 명을 받들어 풍승소와 《악의론》 및 잡첩(雜帖) 여러 본을 탁본하여 장손무기(長孫無忌) 등에게 주었다.

47 고사손(高似孫) : 1158~1231. 중국 남송 때의 문인으로, 자는 속고(續古)이고, 호는 소료(疏寮)이다. 은현(鄞縣 지금의 절강성 영파) 사람이다. 일설에는 여요(餘姚 지금의 절강성) 사람이라고도 한다. 효종(孝宗) 순희(淳熙) 11년(1184)에 진사(進士)가 되어 회계현(會稽縣) 주부(主簿)로 임명되었고, 교서랑(校書郎) 등을 역임하였다. 저서로는 《소료소집(疏寮小集)》, 《섬록(剡錄)》, 《자략(子略)》, 《해략(蟹略)》, 《소략(騷略)》, 《위략(緯略)》 등이 있다.

48 남부신서(南部新書) : 중국 북송 때의 한림학사 전역(錢易)의 저작이다. 전역(錢易, 968~1026)의 자는 희백(希白)이고, 항주(杭州) 임안(臨安 지금의 절강) 사람이다. 재주와 학문이 뛰어났고 회화에도 능했으며 행서와 초서를 잘 썼다. 저서에 《동미지(洞微志)》, 《남부신서(南部新書)》, 《청운총록(青雲總錄)》 등이 있다.

49 마도숭(麻道嵩) : 미상.

50 난정첩은……탑본하였다 : 《남부신서(南部新書)》 권4에 나온다. 《남부신서》의 내용은 다음과 같다. "蘭亭序, 武德四年, 歐陽詢就越訪求得之, 始入秦王府. 麻道嵩奉教拓兩本, 一送辯才, 一王自收. 嵩私拓一本."

51 우세남(虞世南) : 558~638. 중국 당나라 때의 문인으로, 자는 백시(伯施)이고, 월주(越州) 여요현(餘姚縣) 사람이다. 어릴 때부터 학문을 좋아하여 《옥편(玉篇)》의 저자인 고야왕(顧野王)에게 가르침을 받았으며 시문(詩文)에 뛰어났다. 남조의 진(陳)나라에 이어 수 양제(隋煬帝)를 섬긴 뒤 당나라로 돌아왔다. 남조 말기의 승려 지영(智永) 밑에서 왕희지(王羲之)의 서법(書法)을 공부하였다. 구양순(歐陽詢)·저수량(褚遂良)과 함께 초당(初唐) 3대가로 불렸다. 영흥현공(永興縣公)으로 임명되었다. 태종(太宗)은 그를 덕행(德行)·충직(忠直)·박학(博學)·문사(文辭)·서한(書翰)의 5절(五絕)이 있다며 높이 칭찬하였다. 필적(筆蹟)으로는 〈공자묘당비(孔子廟堂碑)〉, 〈여남공묘지명(汝南公墓誌銘)〉, 〈적시첩(積時帖)〉 등이 알려져 있다. 우세남이 임서한 난정서를 "우세남임본(虞世南臨本)"이라고 하는데, 원 문종(元文宗) 때 황제로부터 "천력지보(天曆之寶)" 인(印)을 받아서 "천력본(天曆本)"이라고도 한다. 서첩 뒷면에는 송 고종(宋高宗)의 "소흥(紹興)" 연호인(年號印)도 있으며, 건륭(乾隆) 연간에는 "난정팔주(蘭亭八柱)"의 제일주(第一柱)에 새겨져 사람들이 흠모하여 그것을 따라 배웠다.

모두 임모하였는데 저수량이 임모한 것[52]은 획이 조금 통통하며 황견본(黃絹本)[53]이 되었고, 구양순이 임모한 것은 조금 마른 획이며 정무본(定武本)[54]이 되었다."라고 하였다. 어떤 이는 "정관(貞觀) 연간(627~649)에 임모하여 공신들에게 하사했을 때 저하남(褚河南, 저수량)이 정무에서 스스로 돌에 쓴 것[自撫於石][55]이 정무본이니 바로 저수량의 필획이다."라고 하였다. 어떤 이는 "정무본은 글자가 놓인 자리가 구양순과 비슷하니 아마도 구양순의 필획일 것이다."라고 하였다. 어떤 이는 "구양순의 글씨는 하나같이 차갑고 날카로운데 어찌 정무본처럼 팔면에서 다양하게 변화할 수 있겠는가? 정무본은 분명 진본을 임모한 것이다."라고 하였다. 어떤 이는 "명황(明皇, 당 현종) 때(685~762)에 지영본(智永本)을 옥석(玉石)에 모각한 것이 바로 정무본이다."라고 하였으니, 각자 자기가 보고 들은 것에 근거하여 이러한 차이가 생긴 것이다.

나는 이렇게 생각한다.

"태종이 진본을 얻고는 기뻐하여 탑본하여 황태자와 여러 제후들 그리고 가까운 신하에게 주었는데 이때 옆에서 받든 이가 한 사람이 아니었다. 우세남·저수량·구양순 또한 모두 가까이서 모시고 있어서 탑본을 하사받

52 저수량이 임모한 것 : 저수량임본(褚遂良臨本)이다. "난정팔주(蘭亭八柱)"의 제삼주(第三柱)에 새겨져 있다. 명대에 진경종(陳敬宗)에 의해 "저임본(褚臨本)"으로 감정되었다. 필획과 서법형태가 송대의 미원장(米元章, 미불〈米芾〉)과 비슷하다고 하여 "미임본(米臨本)"이라고도 한다.

53 황견본(黃絹本) : "낙양궁본(洛陽宮本)"이라고도 하며 서첩 중에 '領' 자 위에 '山' 자가 더 있어서 세칭 "영자종산본(領字從山本)"이라고도 하는데, 전하여 "저본(褚本)"(明王世貞藏)이 되었다. "황견본"과 "영자종산본"은 다르다는 설도 있지만 동일한 조본(祖本)에서 나온 것이다. 일반적으로 황갈색 비단에 쓰여 있기 때문에 "황견본(黃絹本)"이라고 한다.

54 정무본(定武本) : 석각본(石刻本)으로 당나라 구양순이 임모한 것으로 전해진다. 송대에 가장 유행하여 가장 많이 번각(翻刻)되었다.

55 스스로……쓴 것 : 저본에는 "自撫於石"으로 되어 있다. "撫石"이라고 하면, "돌을 문지르다" 즉 "탁본"의 의미가 된다. 그러나 그렇게 한 것이 "저수량의 필획[褚筆]"이라고 하였기 때문에 앞뒤가 잘 맞지 않아 의역하였다. 추측컨대 "저수량이 쓴 글을 돌에 복각했다."는 의미거나, 아니면 직접 돌에 글을 썼거나, 아니면 "직접 글을 쓰고, 새기고, 탁본까지 했다."는 의미로까지 볼 수 있겠다. 그러나 본의를 알 수는 없다.

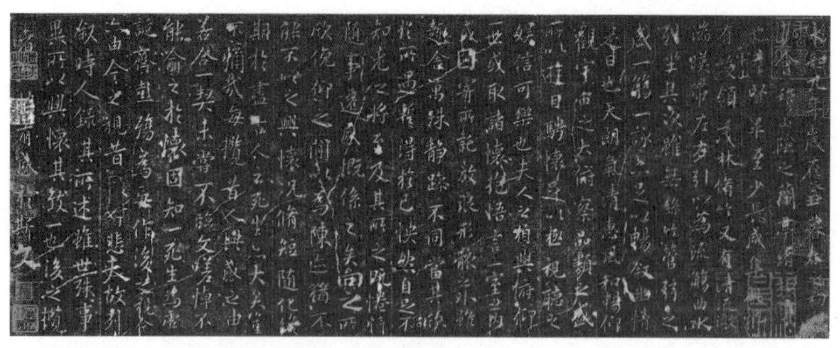

구양순 임본 난정서 탑본[정무본](타이페이고궁박물원 소장)

풍승소 모본 난정서(북경고궁박물원 소장)

우세남 모본 난정서(북경고궁박물원 소장)

았으니, 서로 다투어 임모하였음도 당연하다. 훗날의 감상가들은 한쪽 눈만 혜안을 갖춰 누구 것이 좋고 누구 것이 못한지만 살폈지, 그 임모와 탑서가

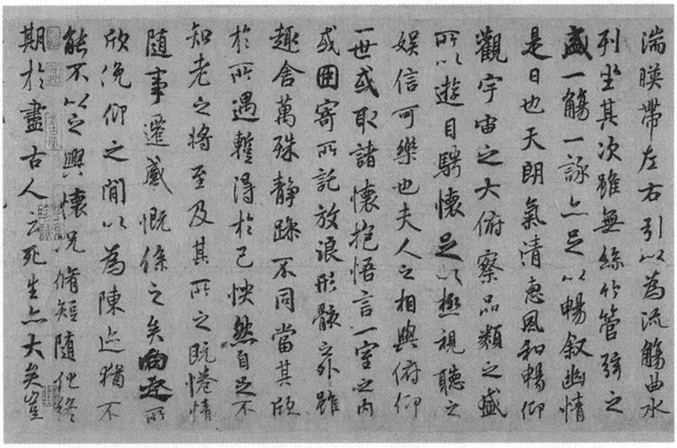

저수량 모본 난정서(북경고궁박물원 소장)

누구에게서 나왔는지는 따지지 않았다."

정무본(定武本)이 계첩(禊帖)의 적장자 자리를 차지한 지는 이미 오래되었다. 세상 사람들은 모두 설사백(薛嗣伯)[56]이 가지고 간 것을 정무고각(定武古刻)이라고 생각한다. 그러나 여기에도 역시 의심나는 점이 있다. 영기(滎芑)[57]와 하원(何薳)[58]은 모두 이렇게 말하였다.

"진본석각은 본래 학사원(學士院)[59]에 있었는데 주량(朱梁, 후량)[60]이 찬탈하였을 때 변경(汴京)[61]으로 옮겨갔다. 거란이 석진(石晉, 후진)[62]을 격파하고

---

56 설사백(薛嗣伯) : 바로 다음에 나오는 설소팽(薛紹彭) 혹은 설소팽의 동생인 설사창(薛嗣昌)으로 보인다. 《난정고》와 《송사》에는 설소팽의 동생인 설사창이 종이 3장을 가지고 탁본한 이야기가 나온다.

57 영기(滎芑) : 미상.

58 하원(何薳) : 송대 《춘저기문(春渚記聞)》의 저자로 개인 행적에 대해서는 알려진 것이 없다.

59 학사원(學士院) : 관서(官署)의 이름이다. 당 초기에는 특별한 명칭이 없다가 이후 내상(內相)으로 불리기도 하였다. 송 대에는 한림학사원(翰林學士院)으로 불렸으며 궁궐 내 황제와 가까운 곳에 있다하여 옥당(玉堂) 또는 옥서(玉署)라고도 하였다. 금(金) 대에도 한림학사원으로 있었고, 원(元) 대에는 규장각학사원(奎章閣學士院)이 있었다. 명(明)·청(淸) 대에는 학사원의 명칭을 폐지하고 한림원(翰林院)으로 개칭하였다.

60 주량(朱梁) : 5대의 최초 왕조인 후량(後梁)을 가리킨다. 남북조(南北朝)시대의 후량(後梁, 西梁)과 구별하여 주량이라고 부르기도 한다. 당나라 말기 혼란한 시기에 당나라 조정을 장악하고 있던 군벌 수령 주전충(朱全忠)이 907년에 당 소선제(昭宣帝)에게 선양케 하여 건국하였다. 도읍은 개봉(開封)이다.

61 변경(汴京) : 간칭(簡稱)하여 변(汴)이라고도 한다. 옛날에는 '변주(汴州)', '동경(東京)', '대량(大梁)'이라 하였다. 역대 중요한 왕조의 수도였다. 전국시대 위(魏)나라가 건국하였을 때 이곳에 도읍하여

강을 건너 북쪽으로 가져갔으나 중산(中山)의 살호림(殺虎林)에 버려졌다. 송나라 경력(慶曆) 연간(1041~1048), 송기(宋祁)[63]가 정무(定武)[64]를 다스릴 때 이 석각을 얻어서 공관 창고에 두었고, 희녕(熙寧) 연간(1068~1077) 설향(薛向)[65]이 와서 정무를 다스렸을 때 아들 설소팽(薛紹彭)[66]이 가짜 본을 새겨서 정무군에 남겨두고 구각(舊刻)과 바꿔치기해서 장안(長安)으로 돌아갔다. 대관(大觀, 1107~1110) 중에 그 석각을 가져다가 선화전(宣和殿)[67]에 두었다."

제가들이 말하는 정무본의 내력은 모두 여기에 근본한다.

그러나 채조(蔡絛)[68]의 말을 살펴보면 다음과 같다.

"정무본은 바로 강동(江東)에서 전해온 진(晉)나라 회계 석각이다. 진(晉)나라부터 전씨 말(錢氏末)[69] 송나라가 천하를 통일할 때까지 정무석각은 부

'대량(大梁)'이라 하였다. 제철업이 발달하여 매우 번영하였다. 5대 10국 시기에는 지리적 조건이 농업 경제 발전에 매우 적합하여 천하 통일의 기반이 되었다. 앞뒤로 후량(後梁), 후진(後晉), 후한(後漢) 및 후주(後周)의 수도가 되었다. 916년 송나라가 천하를 통일하고 수도로 삼아 동경(東京)이라고 불리게 되었다.

62 석진(石晉) : 936~946. 중국 오대(五代) 때 후진(後晉)의 별칭이다. 석경당(石敬塘)이 후당을 멸하고 세운 나라라는 데서 '석진'이라고 불렸다. 후당의 중신 석경당이 거란을 원조하여 후당(後唐)을 멸망시키고 세운 중원의 왕조이다. 2대 때 거란에 의해 멸망하였다.

63 송기(宋祁) : 생몰년은 미상이다. 자(字)는 자경(子京)이고, 북송 안주(安州) 안륙(安陸, 지금의 호북성 안륙) 사람으로 나중에는 개봉(開封) 옹구(雍丘, 지금의 하남성 기현(杞縣))로 옮겨가 살았다. 천성(天聖) 2년(1024)에 형 교(郊, 나중에 상(庠)으로 개명)와 함께 진사시에서 형은 1등으로, 아우인 송기는 10등으로 합격하여 당시에 대소송(大小宋)으로 불렸다.

64 정무(定武) : 지금의 하북성(河北省) 정현(定縣) 일대이다.

65 설향(薛向) : 생몰년은 미상이다. 북송시대의 관리로 자는 사정(師正), 시호는 공민(恭敏)이다. 음관으로 관직을 시작하였다. 설소팽(薛紹彭)과 설사창(薛嗣昌) 두 아들이 있다.

66 설소팽(薛紹彭) : 장안(長安, 지금의 섬서성 서안) 사람이며 생몰년은 자세하지 않다. 북송(北宋) 시기의 서법가(書法家)로 송 신종(宋神宗) 때 사람이다. 자(字)는 도조(道祖)이며 호(號)는 취미거사(翠微居士)이다. 공경공(恭敬公) 설향(薛向)의 아들로 한묵(翰墨)으로 세상에 이름을 떨쳤다. 미불(米芾)과는 친구사이로 서로의 작품을 감상하고 품평하곤 했다. 그들을 "미설(米薛)"로 아울러 부르기도 하였다.

67 선화전(宣和殿) : 북송(北宋) 황궁 건축물 중의 하나이다. 서화(書畫)를 보관하였으며 저명한 《선화서보(宣和書譜)》와 《선화화보(宣和畫譜)》는 모두 선화전과 밀접한 관계가 있다.

68 채조(蔡絛) : 생몰년은 자세하지 않다. 자(字)는 약지(約之)이며, 호(號)는 백납거사(百納居士)이다. 저서로 《서청시화(西清詩話)》와 《철위산총담(鐵圍山叢談)》 등이 세상에 전한다. 그의 사적은 《송사(宋史)》 〈채경전(蔡京傳)〉에 보인다.

69 전씨 말(錢氏末) : 5대 10국 시대의 오월(吳越) 전씨(錢氏, 5대 71년, 907~978)가 북송(北宋)에 의해 멸망된 시기를 말한다.

유한 민가에 있었다. 호사가가 많은 돈을 들여서 회계에서 가져다가 집에 간직했던 것인데 후사가 끊어지게 되어 사몰현(賁沒縣, 기주(冀州) 거록군(巨鹿郡)에 속함) 관원이 처음으로 그것을 발견하고 정무 관아의 한쪽 모퉁이 벽 사이에 두었다. 희녕(熙寧) 연간 손공이 정무를 다스릴 적에 교지를 받아 그 석각을 궁중에 들이고 별도로 돌에 새겨서 원래 있던 벽에 돌려놓았다. 원풍(元豊, 1078~1085) 후반에 설향이 정무에 와서 드디어 그 석각을 가지고 돌아갔다. 세상 사람들은 단지 석각이 설씨에게로 돌아갔다고만 하였다. 그러나 그것이 바로 고각(古刻)이 아님은 몰랐다. 대관(大觀) 초에 황제의 명으로 그 향방을 찾아보았지만 있는 곳을 알아내지 못하여 다시 설씨의 석각을 가져다 궁중 서고[御府]에 들였다."[70]

채조는 바로 채경(蔡京)[71]의 아들이자 채양(蔡襄)[72]의 조카로 희녕과 대관 사이의 일에 대하여 분명 가장 잘 알고 있을 터인데 그의 말이 제가의 말과 크게 다르다. 이것이 의심스러운 첫 번째 점이다.

논자는 "설씨가 이미 고각을 바꿔치기하여 가지고 돌아갈 때, '단(湍)', '류(流)', '대(帶)', '우(右)', '천(天)' 다섯 자를 깎아 훼손시켜 사람들을 미혹시켰다."라고 했다. 이로부터 정무본의 진위를 논의하는 자들은 결국 이 다

---

70 정무본은……들였다 : 《난정고(蘭亭考)》 권3에 나온다. 《난정고》의 내용은 다음과 같다. "定武本者, 乃江左所傳晉會稽石也. 自晉至錢氏末, 天下旣大一統, 而定武在富民之家. 好事者, 厚以金幣, 從會稽取之而藏於家. 未知在熙陵時歟? 在定陵時歟? 世罔得其始末. 及后户絕, 賁沒縣官人, 始見之, 因置諸定帥之便坐壁間. 熙寧中, 孫次公侍郎帥定, 有旨, 納其石禁中, 則又刻石而還之壁. 元豐后, 薛尙書向來定, 遂取其石以歸, 世但謂石歸薛氏, 然不知雅非古矣. 大觀初, 裕陵方向文博雅, 詔索諸向方則無有, 或謂此石亦殉裕陵, 乃更取薛氏石, 入御府."

71 채경(蔡京) : 자는 부장(符長)이며, 흥화(興化) 선유(仙遊, 지금의 복건성) 사람이다. 북송대 권력자 중의 하나이자 서법가이다. 희녕(熙寧) 3년에 진사시에서 장원을 하여 지방관이 되었다가 나중에 중서사인(中書舍人)에 임명되었고, 용도각대제(龍圖閣待制)와 지개봉부(知開封府)가 되었다. 숭녕(崇寧) 원년(1102)에 우복야(右仆射) 겸 문하시랑(門下侍郎)이 되었으며 나중에는 관직이 태사(太師)에 이르렀다. 채경은 네 차례나 재상이 되어 모두 합해 17년 동안 재상 자리에 있었다. 《동도사략(東都事略)》 권101과 《송사(宋史)》 권472에 그에 관한 전(傳)이 실려 있다.

72 채양(蔡襄) : 1012~1067. 자는 군모(君謨)이다. 원적(原籍)은 선유(仙遊) 풍정향(楓亭鄉) 동타촌(東垞村)인데 나중에 포전(莆田) 채타촌(蔡垞村)으로 옮겨가 살았다. 천성(天聖) 8년(1030)에 진사가 되어 송나라 중앙정부에서 관각교감(館閣校勘), 지간원(知諫院), 직사관(直史館), 지제조(知制誥), 용도각직학사(龍圖閣直學士), 추밀원직학사(樞密院直學士), 한림학사(翰林學士), 삼사사(三司使), 단명전학사(端明殿學士) 등을 역임하였으며, 사후에 예부시랑(禮部侍郎)으로 추증되었다.

섯 자가 빠졌는지를 보고 진본의 증거로 삼게 되었다. 그러나 나는 이렇게 생각한다.

"설씨가 이미 이 석각을 감상하는 것을 좋아하여 몰래 바꿔치기해 갔다면 마땅히 큰 옥구슬[珙璧]처럼 귀하게 보호하여 털끝 하나라도 훼손될까 걱정하여 오히려 자획을 남겨두려 했을 것이다. 그러니 사람들을 미혹시켰다고 하는 말은 참으로 가소롭다. 정말로 욕심을 가진 사람이라면 깎아내어 훼손한 것이 신각석(新刻石)에 있을 것이지 구각석(舊刻石)에 있지는 않을 것이다."

나는 일찍이 다음과 같은 필양사(畢良史)[73]의 발문을 본 적이 있다.

"어렸을 적에 비감(秘監) 정무군관[君官定武]이신 조부를 따라가서 정주 관할의 동원(東園) 사포(射圃)의 동쪽, 규정(葵亭) 서쪽 벽에서 난정고각을 보았다. 다섯 째 행의 '대(帶)' 자와 '석(石)' 자, 그리고 여덟 째 행의 '천(天)' 자의 자획이 이미 훼손되어 있었고 각석은 푸른빛이었다. 대관 기축년[大觀己丑, 1109]에 왕언소(王彦昭)를 따라 정무에 와서 각석을 보았는데 예전에 보았던 것과 다름이 없었다. 그런데 각석이 흰빛이지 푸른빛이 아니었다."[74]

아마도 처음에 보았던 푸른빛의 각석이 바로 구각(舊刻)이고, 두 번째 본 흰 각석이 곧 신각(新刻)일 것이다. 필양사는 그 당시에 직접 목격한 사람으로 그의 말은 증거가 될 만하다. 신·구각에 모두 결손이 있는데 여기에 집착하여 진위를 분별하는 것은 어리석은 사람에게 꿈 이야기를 하는

---

73 필양사(畢良史) : ?~1150. 자는 소동(少董)이다. 채주(蔡州, 지금의 하남성 여남(汝南)) 사람. 혹은 대주(代州, 지금의 산서성 대동(大同)) 사람이라고도 한다. 소흥(紹興) 연간에 진사가 되었으며 과목(窠木)과 죽석(竹石)을 잘 그렸다. 자학(字學)을 좋아해서 진(晉)·당(唐) 사람의 필법을 터득하였으며 특히 소해(小楷)에 능했다. 젊었을 때 경사(京師)에서 노닐며 고기(古器)·자화(字畫) 따위를 매매하며 귀인들의 집을 드나들었다. 옛 기물들과 서화를 수집하여 사람들은 그를 '필골동(畢骨董)'이라고도 불렀다.

74 어렸을 적에……푸른빛이 아니었다 : 《난정고(蘭亭考)》 권3에 나온다. 《난정고》의 내용은 다음과 같다. "兒時, 從祖秘監君官定武, 見蘭亭古刻, 在州治東園射圃之東, 葵亭西壁, 刻治甚妙. 第五行帶字右字, 第八行天字筆畫, 已闕壞, 石青色. 大觀己丑, 下第京師, 頗無聊, 賴適王彦昭侍郎出帥定武, 相與携持而去, 復求此石, 與舊所見無異. 移置書室中, 護持甚謹. 但白石, 非青石, 而葵亭迷所在矣."

것[癡人說夢][75]과 무엇이 다르겠는가. 이것이 의심스러운 두 번째 점이다.

논자들은 "저수량(褚遂良)이 임모한 것은 너무 통통하고, 장경선(張景先)의 궐석본(闕石本)은 또 너무 마른 것이 아쉽다."라고 하였다. 황정견(黃庭堅)[76]이 《산곡외집(山谷外集)》 권9 〈서왕우군난정초후(書王右軍蘭亭草後)〉에서 정무본을 "통통하나 너무 비대하지 않고, 말랐으나 뼈를 드러내지는 않는다[肥不剩肉 瘦不露骨]."라고 칭찬하였고, 사대부들이 그 말에 휩쓸려 동화되었다. 그러나 세상에 전하는 정무본에는 또한 원래 통통하고 마른 차이가 있다. 우무(尤袤)[77]는 "필획이 마른 것이 진짜 정무본"이라고 하고, 왕후지(王厚之)[78]는 "필획이 통통한 것이 진짜 정무본"이라고 하였다.[79] 이 두 사람 모두 박학하고 고아한 군자로 알려져 있는데도 이처럼 다르니, 장차 누

---

75 어리석은……하는 것 : 이 말의 출전은 송대(宋代) 혜홍(惠洪)의 《냉재야화(冷齋夜話)》이다. 대체적인 이야기는, 어떤 사람이 한 스님에게 "성이 무엇이냐?[汝何姓]"라고 물었더니 "하씨이다.[姓何]", 그럼 "어느 나라 사람이냐?[何國人]"라고 물었더니 "하나라 사람이다[何國人]"라고 장난삼아 대답하였다. 이것을 당(唐) 이옹(李邕)이 제대로 이해하지 못하고 "대사의 성은 하씨이고, 하나라 사람이다.[大師姓何 何國人]"라고 비문을 썼다. 이처럼 원래의 의미는 어리석은 사람한테 꿈 이야기를 했더니 진실로 이해했다는 것인데, 후에 황당무계하고 이치에 맞지 않는 것을 의미하게 되었다.

76 황정견(黃庭堅) : 북송의 서법가(書法家)이자 문학가(文學家)이다. 자(字)는 노직(魯直)이고 호(號)는 산곡도인(山谷道人) 또는 부옹(涪翁)이며, 분녕(分寧 지금의 강서성 수수현(修水縣)) 사람이다. 당시에 소동파와 어깨를 나란히 하여 '소황(蘇黃)'으로 불렸다. 치평(治平) 3년(1066)에 진사가 되어 집현교리(集賢校理), 저작랑(著作郎), 비서승(秘書丞), 부주별가(涪州別駕), 이부원외랑(吏部員外郎) 등을 역임하였다. 문장을 잘 짓고 시가(詩歌)에 뛰어나 강서시파(江西詩派)의 으뜸이 되었다. 저서로는《산곡집(山谷集)》이 있다.

77 우무(尤袤) : 1127~1194. 남송대의 시인으로, 자는 연지(延之) 또는 정지(廷之)라고도 한다. 호(號)는 수초거사(遂初居士)이며 만년에는 낙계(樂溪) 또는 목석노일민(木石老逸民)이라고도 하였다. 양만리(楊萬裏)·범성대(範成大)·육유(陸遊)와 함께 "남송사대시인(南宋四大詩人)"으로 불린다. 그의 시작품은 민중의 아픔을 충분히 반영하였으며, 시풍은 평이하고 담백하며 참신하였다. 문집은 이미 일실되었는데 청대 사람 우동(尤侗)이 그의 고금체시(古今體詩) 47수와 잡문(雜文) 26편을 수집하여 편찬한《양계유고(梁谿遺稿)》2권이 전해진다.

78 왕후지(王厚之) : 1131~1204. 자는 순백(順伯)이고 호(號)는 복재(複齋)이며 강서성 임천(臨川) 사람이다. 남송(南宋)의 저명한 금석학가(金石學家)이자 어문학가(語文學家)이며 이학가(理學家) 겸 장서가(藏書家)이다. 주전(籒篆)에 깊이 통달하였다. 기물이나 서책을 얻으면 반드시 교감하고 정리하였으며 고정하고 주를 달았다. 진위를 변별하고 오류를 찾아냈다. 저서로는《복재금석록(複齋金石錄)》,《복재인보(複齋印譜)》,《종정관식(鍾鼎款識)》,《고이(考異)》,《고고인장(考古印章)》,《한진인장도보(漢晉印章圖譜)》,《제발주선왕석고문(題跋周宣王石鼓文)》,《석고음석(石鼓音釋)》,《고정진혜왕저초문(考訂秦惠王詛楚文)》등이 있다.

79 우무(尤袤)는……하였다 :《명문해(明文海)》권315 〈주헌왕소모난정서(周憲王所模蘭亭序)〉에 나온다.《명문해》의 내용은 다음과 같다. "尤延之謂瘦者眞定武, 王順伯以肥者爲眞定武."

가 절충할 수 있겠는가?

내 생각에, 필획이 마르거나 통통한 것은 각자 자기가 좋아하는 대로 따르는 것이니 통통한 것을 좋아하는 이는 혹 마를까 걱정하고, 마른 획을 좋아하는 이는 혹여 통통해질까 걱정한다. 그러므로 이로써 정무본의 진위를 찾는 것은 통통하고 마른 것으로 비연(飛燕)과 합덕(合德)[80] 중에 누가 더 나으냐를 따지는 것과 무엇이 다르겠는가. 이것이 의심스러운 세 번째 점이다.

육유(陸遊)[81]는 《위남문집(渭南文集)》[82] 〈발난정서(跋蘭亭序)〉에 이렇게 말하였다.

"난정계첩을 볼 때는 선종에서 변감(辨勘)[83]하는 것과 같이 입문해야 한다. 만약 입만 벌리고 기다리고 있다면 무엇을 할 수 있겠는가? 아는 사람들은 한 번만 펼쳐보면 바로 정밀한지 거친지 알 수 있다. 그런데 어떤 이는 오직 점획만 따져서 들은 대로 감정하니 속인들을 속이는 것은 가능하겠지만 아마도 왕희지는 수긍하지 않을 것이다."[84]

이 말이야말로 감상가(鑑賞家)의 오묘한 경지를 가장 잘 터득한 것이라 하겠다.

---

80 비연(飛燕)과 합덕(合德) : 한(漢)나라 성제(成帝)의 황후인 조비연(趙飛燕)과 여동생 합덕(合德)을 말한다. 이들은 태생이 미천하나 가무(歌舞)에 뛰어난 절세미인으로, 함께 후궁(後宮)이 되어 임금의 총애를 서로 다투었다. 성제가 죽은 후 합덕은 자살하였으며, 조비연도 평제(平帝) 때에 서민(庶民)으로 쫓겨나 자살하였다.

81 육유(陸遊) : 1125~1210. 남송 때의 시인이자 사인(詞人)이다. 자는 무관(務觀)이고 호(號)는 방옹(放翁)이다. 월주(越州) 산음(山陰, 지금의 절강서 소흥) 사람이다.

82 위남문집(渭南文集) : 육유(陸游)의 문집이다. 모두 50권으로, 문집이 42권, 입촉기(入蜀記) 6권, 사(詞) 2권으로 구성되어 있다.

83 변감(勘辨) : 선종에는 변감(勘辨)하는 과목이 있는데 모든 언행 하나하나에 대하여 스승은 배우는 이의 깊이를 시험하고, 배우는 이는 스승의 올바름[邪正]을 시험하는 것을 말한다.(《불학대사전(佛學大辭典)》)

84 난정계첩을……것이다 : 《위남문집(渭南文集)》 권29 〈발난정서(跋蘭亭序)〉에 나온다. 《위남문집》의 내용은 다음과 같다. "觀蘭亭, 當如禪宗勘辨, 入門便了. 若待渠開口, 堪作什麼? 識者, 一開卷, 已見精麤. 或者, 推求點畫, 參以耳鑑, 瞞俗人則可, 但恐王内史不肯爾."

주지번朱之蕃의 글씨

들리는 말에, 파주(坡州) 세류점(細柳店)[85] 북쪽 도로에 '총석(叢石)' 두 글자[86]가 새겨진 돌이 있는데, 조사(詔使) 주지번(朱之蕃)[87]의 글씨라고 한다. 내가 여러 번 그곳을 지나다가 찾아보았으나 끝내 보지 못하였다.

도서 수집[儲書]

정초(鄭樵)[88]의 책을 구하는 여덟 가지 방법.

1. 부류(部類)에 따라 구함.
2. 부류를 확장하여 구함.
3. 지역에 따라 구함.
4. 학파에 따라 구함.
5. 공적으로 구함.
6. 사적으로 구함.

---

85 세류점(細柳店) : 지금의 경기도 파주시 광탄면 용미리 세류마을이다.

86 총석(叢石) 두 글자 : 홍길주의 《수여난필속(睡餘瀾筆續)》에 "총석"을 발견한 경위에 대해 설명한 내용이 있다. "무술년(1838)에 …… 세류점 북쪽으로 백여 보 거리에 있었는데, …… 물길을 따라 예닐곱 개의 삐쭉삐쭉한 돌이 늘어서 있다. …… 그중에 조금 큰 것을 살펴보니, 가로로 총석이란 두 글자를 새겨놓았다. …… 주지번의 글씨인지는 확인할 수 없었다." (정민 외 옮김, 《19세기 조선 지식인의 생각 창고》, 353~354쪽, 돌베개, 2006.)

87 주지번(朱之蕃) : 1546~1624. 자는 원승(元升)이고 호는 난우(蘭嵎)이다. 만력(萬曆) 23년(1595) 회시(會試)에 급제하여 한림원 수찬(翰林院修撰), 예부시랑(禮部侍郞), 이부시랑(吏部侍郞) 등을 지냈다. 그림과 글씨에 능하였으며 많은 서화와 고기(古器)를 소장하고 있었다고 한다. 1606년 조선에 사신으로 와서 명(明)의 문화를 조선 문단에 전하고 조선 문인과 교유하며 조선의 문화를 수집하는 등 활발한 교류 활동을 펼쳤다. 저서로 《사조선고(使朝鮮稿)》, 《남환잡저(南還雜著)》 등이 있다.

88 정초(鄭樵) : 1104~1162. 중국 송대(960~1279)의 역사가이다. 자는 어중(漁仲)이고, 호는 협제(夾漈)이며, 홍화군(興化軍) 포전현(莆田縣 지금의 복건성) 사람이다. 관직은 추밀원(樞密院) 편수(編修)에 이르렀다. 평생 동안 수많은 책을 저술했는데, 《통지(通志)》, 《이아주(爾雅注)》, 《시변망(詩辨妄)》, 《육경오론(六經奧論)》, 《계성악보(系聲樂譜)》 등이 있다. 《통지》는 총 200권으로 중국 상고시대부터 당대(618~907)까지 역대 제도의 변천을 다룬 유명한 책이다. 이 책에서는 문자학[六書], 음성학[七音], 씨족의 발달까지 다루었는데, 이전에는 이 분야에서 이처럼 체계적으로 다루어진 적이 없었다. 이 책의 방법론과 서술양식은 후일 많은 역사가들의 모범이 되었다.

7. 인물에 따라 구함.

8. 시대에 따라 구함.

논자들은 이것이 서적을 구하는 경제적인 방법이라고 말하지만, 이는 다만 중국인이 책을 구하는 방법일 뿐이다. 만약 바다 건너 외진 나라에서 태어나 보고 들은 것이 중국과 접할 수 없는데 지역에 따라, 학파에 따라, 공적으로, 사적으로 구하려 한다면 우물에 앉아 하늘을 건는 것과 무엇이 다르겠는가. 내가 이런 의도를 따르되 조금 변통하여 우리나라 사람이 책을 구하는 방법을 생각해보았으니 그 여덟 가지를 낱낱이 들어 보겠다.

1. 연관된 부류를 구함.

2. 상대되는 것을 구함.

3. 간략하여 보충할 것을 구함.

4. 유추하여 빠진 것을 구함.

5. 시대로써 구함.

6. 문호(門戶)에서 구함.

7. 서목(書目)에서 구함.

8. 제발(題跋)에서 구함.

무릇 본래 장서(藏書)가 수천 권 이상이면 먼저 자기 책 상자에 있는 것을 문류(門類)에 따라 분류하여 살펴봐야 한다. 가령 《역(易)》의 부류가 열이고 《서(書)》의 부류가 하나면 《서》를 풀이한 제가의 책을 급히 구해서 채우고, 《예(禮)》의 부류가 열이고 《악(樂)》의 부류가 둘이면 율려(律呂) 여러 편을 급히 구해서 보충한다. 이렇게 부류(部類)를 확충하여 사부(四部)를 대략 갖추는 것을 일러 '연관된 부류를 구한다.'라고 하는 것이다.

왕필(王弼)[89]의 《주역주(周易註)》[90]와 정현(鄭玄)[91]의 〈전(箋)〉[92]은 역학(易學)

89 왕필(王弼) : 226~249. 위(魏)나라의 학자로서 하안(何晏)과 함께 위·진(魏晉) 현학(玄學)의 시조로

에서 서로 상대가 되고, 모장(毛萇)의 〈소서(小序)〉[93]와 정현의 《모시정전(毛詩鄭箋)》[94]은 시경학(詩經學)에서 상대가 된다. 영가(永嘉)의 사공(事功)[95]과 무민(婺閩)의 의리(義理)[96]가 상대되고, 요강(姚江)의 양지(良知)[97]와 태화(泰和)의 거경(居敬)[98]이 상대가 된다. 만약 이쪽 방면의 서적을 모은다면 반드시 다른 쪽 방면의 저술도 함께 모아 서로 비교해야만 따를 것인지 버릴 것인지가 비로소 판단된다. 이것을 일러 '상대되는 것을 구한다.'라고 하는 것이다.

일컬어진다. 의(義)와 이(理)의 분석적·사변적 학풍을 창설하여 중국 중세의 관념론 체계에 영향을 끼쳤다. 저서인 《노자주(老子註)》, 《주역주(周易註)》는 육조시대(六朝時代)와 수·당에서 성행하였으며, 현존한다.

90 주역주(周易註) : 중국 삼국시대 위(魏)나라의 학자 왕필(王弼)이 지은 《주역(周易)》의 주석서로 모두 10권이다. 한대(漢代) 상수(象數) 위주의 역학을 배격하고 의리(義理)를 강조하였다. 《주역(周易)》에 대한 중요한 주석서 중 하나로, 공영달(孔穎達)은 〈주역정의서(周易正義序)〉에서 "오직 왕세보의 주석만이 고금에 최고이다.[唯魏世王輔嗣之注, 獨冠古今.]"라고 하였다.

91 정현(鄭玄) : 127~300. 중국 후한(後漢)의 학자로 장공조(張恭祖), 마융(馬融) 등을 사사하였으며, 고향으로 돌아와 연구와 교육에 진력하였다. 경학(經學)을 집대성하고 고대의 역사문헌을 정리하는 데 공이 크다.

92 전(箋) : 후한 정현(鄭玄)의 《주역(周易)》 주석을 말한다. 《수서(隋書)》 〈경적지(經籍志)〉에는 정현의 주석서 9권이, 《신당서(新唐書)》 〈예문지(藝文志)〉에 10권이 기록되어 있으나 실전되었다. 뒤에 송나라 왕응린(王應麟)이 집일하여 《주역정강성주(周易鄭康成註)》를 편찬하였고 청나라 때 장혜언(張惠言)도 정현의 주석을 집일하여 《주역정씨주(周易鄭氏注)》 3권을 편찬하였다.

93 모장(毛萇)의 소서(小序) : 모장은 조(趙)나라 사람으로 《모시(毛詩)》를 전수하였다. 《모시》에는 맨 앞머리에 자하(子夏)가 썼다는 〈대서(大序)〉가 있고, 각 시의 앞머리에는 자하와 모공의 합작이라는 〈소서(小序)〉가 있어 시의(詩意)를 설명하고 있다.

94 모시정전(毛詩鄭箋) : 후한 정현(鄭玄)의 모시(毛詩)에 대한 주석서로 《모시전(毛詩箋)》이라고도 한다. 이강범(李康範)은 그의 논문에서 정현의 《정전(鄭箋)》이 "《모전(毛傳)》의 주석을 더욱 충실히 하여 《모전》의 수준과 지위를 높였다"(54쪽)고 하였으며 또한 "한대(漢代) 금문학(今文學)의 면모를 약간이나마 알아볼 수 있다"(62쪽)고 하였다.(이강범, 《정현 모시정전 석례와 시경학상의 공헌》, 《시경연구》 창간호, 1999. 12.)

95 영가(永嘉)의 사공(事功) : 영가(永嘉)는 중국 후한 때의 연호이다. 영가의 사공은 한나라의 훈고학을 뜻한다.

96 무민(婺閩)의 의리(義理) : 무주(婺州)는 여조겸이 태어난 곳이고, 민중(閩中)은 주자가 태어난 곳이다. 무민의 의리는 송나라의 성리학을 뜻한다.

97 요강(姚江)의 양지(良知) : 요강(姚江)은 왕양명이 학문을 하던 곳이고, 양지(良知)는 양명학에서 주장하는 학설이다. 요강의 양지는 양명학을 뜻한다.

98 태화(泰和)의 거경(居敬) : 태화(泰和)는 명나라 유학자 나흠순이 태어난 곳으로, 나흠순은 양명학을 비판하였다.

구양수(歐陽脩)의 《오대사(五代史)》[99]는 십국(十國)[100]의 일을 기록한 것이 매우 간략하니 오임신(吳任臣)[101]의 《십국춘추(十國春秋)》[102]를 빨리 사들여야 한다. 송기(宋祁)[103]의 《당서(唐書)》[104]는 공거(貢擧)[105] 제도를 기록한 것이 생략되었으니 왕정보(王定保)[106]의 《당척언(唐摭言)》[107]을 급히 수집해야 한다. 유안기(俞安期)의 《당류함(唐類函)》[108]은 당 이후의 일은 싣지 않았으니 반드시 《연감류함(淵鑑類函)》[109]을 구입해야 유서(類書)가 비로소 갖추어진다. 음

---

99 오대사(五代史) : 《신오대사(新五代史)》를 말한다. 송나라 인종(仁宗) 때 구양수(歐陽修) 등이 춘추(春秋)의 필법(筆法)으로 편찬한 것으로, 후량의 태조로부터 후주의 공제(恭帝)에 이르기까지의 사적을 기록한 역사서이다. 75권으로 이루어져 있다. 《오대사기(五代史記)》라고도 한다.

100 십국(十國) : 당(唐)나라의 멸망부터 송(宋)나라가 통일할 때까지 화북을 중심으로 일어난 후오대(後五代), 곧 후량·후당·후진·후한·후주에 대해, 각지에 분립(分立)하여 있었던 열 나라, 곧, 전촉·오·남한(南漢)·형남·오월·초·민·남당·후촉·북한(北漢)을 말한다.

101 오임신(吳任臣) : ?~1689. 자는 지이(志伊)이며 인화(仁和) 사람이다. 청나라 때의 저명한 역사학자로 《산해경광주(山海經廣註)》, 《십국춘추(十國春秋)》를 저술하였다.

102 십국춘추(十國春秋) : 청대의 사학자 오임신(吳任臣)의 저술로 총 114권이다. 오(吳) 14권, 남당(南唐) 20권, 전촉(前蜀) 13권, 후촉(後蜀) 10권, 남한(南漢) 9권, 초(楚) 10권, 오월(吳越) 13권, 민(閩) 10권, 형남(荊南) 4권, 북한(北漢) 5권으로 이루어져 있다.

103 송기(宋祁) : 998~1061. 중국 송나라 안륙(安陸) 사람이다. 자는 자경(子京), 시호는 경문(景文)이다. 용도각학사(龍圖閣學士)를 거쳐 사관수찬(史館修撰)이 되어 구양수(歐陽脩)와 함께 《당서(唐書)》를 편찬하였는데, 본기(本紀)·지(志)의 표제(表題)는 구양수가 붙이고 열전(列傳)의 표제는 송기가 붙였다. 저서로는 《송경문집(宋景文集)》, 《익부방물략(益部方物略)》, 《필기(筆記)》 등이 있다.

104 당서(唐書) : 《신당서》를 말하는 것으로, 1044년부터 1060년까지 17년에 걸쳐 완성하였다. 구양수(歐陽修)·송기(宋祁) 등이 고쳐 편찬하였고, 재상 증공량(曾公亮)이 총재(總裁)하였다. 총 225권이다. 《구당서》에 비해 〈본기〉 10권이 줄고, 〈지〉가 3종목 신설되어 20권이 늘었다. 〈표〉 4종목 15권이 신설되고, 〈열전〉은 권수는 같으나 종목이 늘었다. 중복된 것을 없애고 부족한 것을 보충하며, 체계를 정비하여 내용이 갖추어졌다.

105 공거(貢擧) : 고대 중국에서 각 지방의 우수한 인재를 추천하여 등용하던 제도로, 수양제 이후 실시하였다.

106 왕정보(王定保) : 870~954. 중국 당나라 말기 남창(南昌) 사람으로 광화(光化) 3년 진사가 되었다. 저서에 《당척언(唐摭言)》이 있다.

107 당척언(唐摭言) : 당대(唐代)의 필기소설집으로 당말(唐末) 오대(五代)의 왕정보(王定保)가 편찬하였다. 총 15권이다.

108 당류함(唐類函) : 명 만력 연간에 유안기(俞安期)가 편집한 유서(類書)이다. 200권을 43부분으로 나누었다. 당인의 유서를 휘집하되 《예문류취(藝文類聚)》를 위주로 하고, 《북당서초(北堂書初)》, 《초학기(初學記)》, 《통전(通典)》 등에서 취하면서 중복된 것을 빼서 만들었다. 누락된 것은 한악(韓鄂)의 《세화기려(歲華紀麗)》, 두우(杜祐)의 《통전(通典)》 등 관련 자료에서 보충해 넣었다.

109 연감류함(淵鑑類函) : 연감재(淵鑑齋)는 청(清)나라 성조(聖祖) 강희제(康熙帝)가 독서하던 곳이다. 강희제의 명에 따라 장영(張英) 외 4명을 편수 총재(總裁)로 하여, 130여 명의 학자를 동원하여 강희(康熙) 49년(1710)에 완성한 유서이다. 총 450권이다. 형식(形式)은 유안기의 《당류함(唐類函)》에 의거하여 널리 여러 책에서 뽑아, 당·송·원·명의 시문(詩文)·사적(事蹟)까지 적고 있는데 내용이

시부(陰時夫)[110]의 《운부군옥(韻府群玉)》[111]은 빠진 것이 많으니 반드시 《패문운부(佩文韻府)》[112]를 구입해야 예서로 된 운서[隸韻]의 체재가 비로소 갖추어진다. 이를 일러 '간략하여 보충할 것을 구한다.'라고 하는 것이다.

반고(班固)의 《한서(漢書)》, 순열(荀悅)[113]의 《한기(漢紀)》, 원굉(袁宏)[114]의 《후한기(後漢紀)》를 예로부터 삼사(三史)라고 일컬었다. 두우(杜佑)[115]의 《통전(通典)》[116], 정초(鄭樵)의 《통지(通志)》[117], 마단림(馬端臨)[118]의 《통고(通考)》[119]를

풍부하여 글이나 시를 짓는 데 크게 도움이 되며, 중국의 시문(詩文)을 읽거나 고사·전고(典故)를 찾아보는 데 간편하고도 귀중한 책이다.

110 음시부(陰時夫) : 생몰년은 미상이다. 이름은 유우(幼遇) 혹은 시우(時遇)이고, 시부(時夫)는 자이다. 원나라 초엽 인물로 형인 음유달(陰幼達)과 함께 《운부군옥(韻府群玉)》을 편찬하였다.

111 운부군옥(韻府群玉) : 중국 송말 원초의 학자인 음시부(陰時夫)가 찬하고 그의 형인 음중부(陰中夫)가 주석한 사전으로 모두 20권으로 이루어져 있다. 운(韻)을 구분하여 배열하고 참고가 되는 고사성어의 원전까지 소개하였다. 매 글자마다 반절음(反切音)으로 표기하고, 글자의 이동(異同)과 변천(變遷)을 밝혔다. 오늘날 통용되는 운서(韻書)는 대부분 이 책을 근간으로 하여 편찬되었다.

112 패문운부(佩文韻府) : 운(韻)에 따라 분류, 편찬한 중국의 어휘집(語彙集)이다. 청나라 강희제(康熙帝)의 칙명에 따라 장옥서(張玉書)·진정산(陳廷敬)·이광지(李光地) 등 76명이 편집에 종사, 1711년에 간행하였고, 습유는 1716년에 완성되었다. 숙어(熟語)의 용례를 경사자집(經史子集)의 고전(古典)에서 널리 채록하여 맨 아랫자의 운에 따라 106운으로 나누어 배열하고, 매 운자를 1권으로 묶었다. 모두 106권이다.

113 순열(荀悅) : 148~209. 후한 말기의 학자로, 자는 중예(仲豫)이다. 하남성(河南省) 영음(潁陰) 사람이다. 조조(曹操)의 부름을 받고 황문시랑(黃門侍郎)이 되어 헌제(獻帝)에게 강의하였고, 비서감시중(秘書監侍中)에 올랐다. 때마침 조조가 실권을 잡고 후한 왕조가 쇠퇴하여 인의(仁義)를 바탕으로 시폐(時弊)를 구제하려는 정책을 논한 《신감(申鑒)》 5편을 저술하였고, 《한서(漢書)》를 간편한 편년체(編年體)로 고친 《한기(漢紀)》 30권을 편찬하였다.

114 원굉(袁宏) : 328~376. 진(晉)나라 양하(陽夏) 사람으로, 자는 언백(彦伯)이다. 어려서 고아가 되어 가난하게 지내다가 사상(謝尙)의 천거로 참군(參軍)이 되었으며, 환온(桓溫)의 기실(記室)로 있다가 동양 태수(東陽太守)가 되었다. 문장 솜씨가 있어서 글을 잘 지었는데, 특히 부(賦)를 잘 지어 그가 지은 〈동정부(東征賦)〉, 〈북정부(北征賦)〉 등이 당시 사람들의 입에 회자되었다. 저서로는 《후한기(後漢紀)》, 《죽림명사전(竹林名士傳)》 등이 있다.

115 두우(杜佑) : 735~812. 당나라의 정치가·역사가이다. 자(字)는 군경(君卿)이며 장안(長安) 사람이다. 덕종·순종·헌종 등 3제에 걸쳐 재상을 지냈다. 한(漢)나라의 사마천 이후 제일의 역사가로 인정받았으며 저서 《통전(通典)》은 오늘날에도 제도사 연구에 중요한 자료이다. 그 밖의 저서로 《통전》의 요점을 쓴 것으로 생각되는 《이도요결(理道要訣)》 등이 있다.

116 통전(通典) : 당(唐)나라의 재상(宰相) 두우(杜佑)가 편찬한 제도사(制度史) 200권이다. 766년에 착수하여 30여 년에 걸쳐 초고(初稿)가 완성되고, 그 후에도 많은 보필(補筆)이 있었던 것으로 추정된다. 현종(玄宗, 재위 712~756) 시대에 유질(劉秩)이 편찬한 《정전(政典)》 35권을 핵(核)으로 하여, 역대 정사(正史)의 지류(志類)를 비롯해서 기전(紀傳)·잡사(雜史)·경자(經子), 당대의 법령·개원례(開元禮, 현종(玄宗) 때의 예제(禮制)) 등의 자료를 참조하여, 식화(食貨)·선거(選擧)·직관(職官)·예(禮)·악(樂)·병(兵)·형(刑)·주군(州郡)·변방(邊防)의 각 부문으로 나누어, 상고부터 중당(中唐)에

세상에서 삼통(三通)이라고 한다. 그 둘만 간직하고 하나를 빠뜨린다면 세 발 달린 솥의 발 하나가 구부러진 것과 무엇이 다르겠는가. 기타 사원(詞垣)[120]의 여러 학자들 중에 북송(北宋) 때 삼공(三孔)[121]이 명성을 나누었고, 남송(南宋) 때 사홍(四洪)[122]이 연이어 벼슬을 하였으며, 우집(虞集)[123]·양재(楊載)[124]·범곽(范椁)[125]·게혜사(揭傒斯)[126]는 원대사가(元代四家)가 되었고, 고

이르는 국제(國制)의 요항(要項)을 종합한 것이다. 이 책은 북송(北宋) 송백(宋白) 등의 《속통전(續通典)》, 남송(南宋) 정초(鄭樵)의 《통지(通志)》, 원(元)나라 마단림(馬端臨)의 《문헌통고(文獻通考)》 등에 큰 영향을 끼쳤다.

117 통지(通志) : 중국 남송(南宋) 때에 정초(鄭樵, 1104~1162)가 편찬한 기전체(紀傳體)의 역사서로 200권으로 이루어졌다. 〈제기(帝紀)〉 18권, 〈황후열전(皇后列傳)〉 2권, 〈연보(年譜)〉 4권 〈약(略)〉 51권, 〈열전(列傳)〉 125권으로 이루어졌다. 《통감(通鑑)》, 《통감기사본말(通鑑記事本末)》과 더불어 송나라 사학(史學)의 대표작이다. 왕조 중심의 단대사(斷代史)를 배제하고, 사회 전체를 중심으로 한 통사(通史)이다.

118 마단림(馬端臨) : 1254~1323. 중국 남송말 원초의 유학자로, 《문헌통고》의 편찬자이다. 자는 귀여(貴與), 호는 죽주(竹洲)이다. 강서(江西)의 낙평현(樂平縣)에서 태어났으며, 남송말의 승상인 마정란(馬廷鸞)의 아들이다. 널리 여러 서적들을 섭렵하고, 휘주(徽州)의 조경(曹涇) 아래서 주자학을 수학했다. 당나라의 두우가 지은 《통전》의 빠진 부분을 보충하는 것을 지향하여 《문헌통고》를 편찬하였고, 이를 연우 4년(1317)에 인종에게 진상하였다. 그 밖의 저작으로 《대학집록(大學集錄)》, 《다식록(多識錄)》 등이 있다.

119 통고(通考) : 중국 송말(宋末), 원초(元初)의 학자 마단림이 저작한 제도와 문물사(文物史)에 관한 저서인 《문헌통고(文獻通考)》를 가리킨다. 348권으로 구성되어 있다. 높은 정치가의 견식과 역사가의 정신으로 20여 년에 걸쳐 완성하여 1319년에 간행하였다. 당나라 두우의 저작인 《통전》, 송나라 정초의 저작인 《통지》와 아울러 3통(三通)이라 불린다. 주로 경제·제도에 대해 기술하였다. 또, 앞의 둘이 당대까지의 기술인 데 비하여 본서는 남송의 영종(寧宗, 재위 1194~1224) 대까지 기술하여 당·송의 변혁기를 포함하고 있는 점이 가장 중요하다. 체제는 전부(田賦)·전폐(錢幣)·호구(戶口)·직역(職役)·정각(征榷)·시적(市糴)·토공(土貢)·국용(國用)·선거(選擧)·학교(學校)·직관(職官)·교사(郊社)·종묘(宗廟)·왕례(王禮)·악(樂)·병(兵)·형(刑)·경적(經籍)·제계(帝系)·봉건(封建)·상위(象緯)·물이(物異)·여지(輿地)·사예(四裔) 등 24개 항목으로 되어 있다.

120 사원(詞垣) : 홍문관이나 예문관 등 문학하는 신하가 봉직하는 부서를 이른다. 문학하는 신하를 사신(詞臣)이라 칭하는 데에서 유래하였다.

121 삼공(三孔) : 북송(北宋) 때의 학자인 공문중(孔文仲, 자는 경보(經父)), 공무중(孔武仲, 자는 상보(常父)), 공평중(孔平仲, 자는 의보(義甫)) 세 형제는 문장으로 강서(江西) 일대에서 명성이 높아 삼공(三孔)이라 불렸다.

122 사홍(四洪) : 남송(南宋) 때의 학자인 홍호(洪皓)와 그의 아들 홍괄(洪适), 홍준(洪遵), 홍매(洪邁) 부자를 가리킨다. 이들은 정치적 지위가 있고, 문학과 다방면에 학술적 성취가 높아 사홍(四洪)이라 불렸다.

123 우집(虞集) : 1272~1348. 규장각을 창설하고 시서학사(侍書學士)가 되어 신임을 받은 중국 원나라의 시인이다. 자는 백생(伯生), 호는 도원(道園) 또는 소암(邵庵)이며 시호는 문정(文靖)이다. 원시사대가(元詩四大家)의 으뜸으로 일컫는다. 주요 저서에는 《도원학고록(道園學古錄)》 등이 있다.

124 양재(楊載) : 1271~1323. 중국 원나라의 시인으로, 자는 중홍(仲弘)이고, 포성(浦城) 사람이다.

125 범곽(范椁) : 1272~1330. 중국 원나라의 시인으로, 자는 형부(亨父) 또는 덕궤(德机)이고, 청강현

계(高啓)[127] · 장우(張羽)[128] · 서분(徐賁)[129] · 양기(楊基)[130]는 명초사걸(明初四傑)[131]이 되었으며, 남원(南園)에 선생(先生)은 그 수가 다섯을 채웠고[132], 민중(閩中)에 재자(才子)는 열 손가락을 꼽았다.[133] 그 하나를 가지고 있으면 반드시 그 둘을 구하고, 셋을 얻으면 다시 그 하나를 구하여 그 수를 다 채워야 끝난다. 이것을 일러 '유추하여 빠진 것을 구한다.'라고 하는 것이다.

《기사본말(紀事本末)》[134]은 위열왕(威烈王, 기원전 426~402)에서 끊어져 마침내 고삼대(古三代, 夏·商·周)의 일이 빠졌으니 마땅히 마숙(馬驌)[135]의 《역사(繹

(淸江縣) 사람이다.

126 게혜사(揭傒斯) : 1274~1344. 원나라의 문인으로 자는 만석(曼碩)이고, 시호는 문안공(文安公)이다. 강서성(江西省) 풍성현(豊城縣) 사람이다. 국사원(國史院) 편수관, 한림원 시강학사(翰林院侍講學士)를 지냈으며 정사(正史) 편찬의 총재관이 되어 《금사(金史)》를 편찬하다가 죽었다. 저서에 《게문안공전집(揭文安公全集)》이 있다.

127 고계(高啓) : 1336~1374. 중국의 원말(元末)·명초(明初)의 시인이다. 자는 계적(季迪)이고, 호는 청구자(靑邱子)이다. 소주(蘇州) 사람이다. 근체시(近體詩)에서는 주로 강남의 수향(水鄕)의 풍물을 담백하게 노래했고, 고체(古體)에서는 역사나 전설에서 취재한 낭만을 노래하였다. 대표작인 《청구자가(靑邱子歌)》는 분방한 환상을 엮어 나가면서 시인의 사명을 노래하였다.

128 장우(張羽) : 1333~1385. 자는 내의(來儀), 부봉(附鳳)이며 저서에 《정거집(靜居集)》이 있다.

129 서분(徐賁) : 1335~1393. 중국 명(明)나라 때의 문인화가로, 자는 유문(幼文)이고, 호는 북곽생(北郭生)이다. 시문·서화에 뛰어나 오중4걸(吳中四傑)의 한 사람으로, 또한 10재자(十才子)의 한 사람으로 꼽혔던 전형적인 문인화가이다. 그림은 산수화를 잘 그렸고, 동원화풍(董源畵風)을 주로 따랐다고 한다. 명나라 초기의 몇 명 안 되는 남종문인화가 중에서 특히 주목할 만한 화가이다.

130 양기(楊基) : 1326~1378? 자는 맹재(孟載), 호는 미암(眉菴)이고, 시문과 서화에 능하였다.

131 명초사걸(明初四傑) : 모두 옛 오나라 땅 출신이므로 오중사걸(吳中四傑)이라 일컬어지기도 한다.

132 남원(南園)에……채웠고 : 남원시사(南園詩社)를 결성한 손분(孫蕡), 황철(黃哲), 왕좌(王佐), 조개(趙介), 이덕(李德)을 가리킨다.

133 민중(閩中)에……꼽았다 : 민중십재자(閩中十才子)는 임홍(林鴻), 정정(鄭定), 왕포(王褒), 당태(唐泰), 고병(高棅), 왕공(王恭), 진량(陳亮), 왕칭(王偁), 주현(周玄), 황현(黃玄) 등 10인이다.

134 기사본말(紀事本末) : 중국 최초의 기사본말체(紀事本末體) 사서(史書)인 《통감기사본말(通鑑紀事本末)》을 말한다. 남송(南宋) 원추(袁樞)가 편저한 것으로, 총 42권으로 구성되어 있다. 사마광(司馬光)이 지은 《자치통감(資治通鑑)》의 기사를 항목별로 분류해서 안배하였다. 종래 중국 사서의 기술방법이던 《사기(史記)》와 같은 기전체(紀傳體)나 《자치통감》 같은 편년체(編年體)는 한 사건의 추이(推移)를 파악하는 데 불편하여 이와 같은 결점을 보완하기 위해 기사본말체라고 하는 새로운 역사 기술방법을 창안하여, 사건별로 정리해서 그 발생과 결과를 자세히 기록한 것이다. 이와 같은 역사의 기술방법은 후세의 사서편찬에 영향을 끼쳤다.

135 마숙(馬驌) : 1621~1673. 자는 총어(驄御)·완사(宛斯)이며, 제남(濟南) 추평(鄒平)사람이다. 《역사(繹史)》, 《좌전사위(左傳事緯)》 등을 저술하였는데, 삼대(三代)의 사실에 가장 정통하여 마삼대(馬三代)라고 불렸다.

史)》[136]를 이용해서 보충해야 한다. 《통감장편(通鑑長編)》[137]은 북송(北宋)에서 내용이 끝나 남도(南渡) 이후의 일이 빠졌으니 마땅히 이심전(李心傳)의 《계년요록(繫年要錄)》[138], 실명씨(失名氏)의 《양조비요(兩朝備要)》[139], 《삼조정요(三朝政要)》[140]를 이용해서 이어야 한다. 시문선집(詩文選集)의 경우는 풍유눌(馮惟訥)[141]의 《시기(詩紀)》[142]를 소장하여 한위육조(漢魏六朝) 이전 시의 비흥(比興)[143]을 살펴보고 나면, 이어서 시대를 내려와서 《전당시(全唐詩)》[144], 《송시초(宋詩鈔)》[145], 《원시선(元詩選)》[146], 《명시종(明詩綜)》[147]까지 하나도 빠

---

136 역사(繹史) : 중국 청나라 때 마숙(馬驌)이 지은 역사책이다. 태고로부터 진(秦)나라 말기까지의 고서를 섭렵하여 뽑아낸 사료를 유형별로 모아 논단(論斷)을 붙인 것으로, 청나라 때의 경사(經史) 고정학(考訂學)에 많은 영향을 끼쳤다. 160권이다.

137 통감장편(通鑑長編) : 중국 송나라의 학자 이도(李燾, 1115~1184)가 찬한 《속자치통감장편(續資治通鑑長編)》의 약칭이다. 북송조(北宋朝)의 역사만을 전적으로 다루고 있다. 168권이다.

138 계년요록(繫年要錄) : 중국 남송 시대 이심전(李心傳, 1167~1244)이 찬한 《건염이래계년요록(建炎以來繫年要錄)》을 말한다. 200권이다.

139 양조비요(兩朝備要) : 《양조강목비요(兩朝綱目備要)》를 가리킨다. 송 광종(光宗) 소희(紹熙) 원년부터 저종(宁宗) 가정(嘉定) 17년까지의 사적(事迹)을 기록하였다. 작자는 알 수 없다.

140 삼조정요(三朝政要) : 편년체 사서인 《송계삼조정요(宋季三朝政要)》를 가리킨다. 6권이다. 송말 원초(宋末元初)에 지어진 것이나 작자는 알 수 없다.

141 풍유눌(馮惟訥) : 1513~1572. 풍유(馮裕)의 넷째 아들로, 자는 여언(汝言), 호는 소주(少洲), 임구(臨朐) 사람이다. 저서에 《고시기(古詩紀)》 156권과 《풍아엄일(風雅嚴逸)》 8권이 현존한다.

142 시기(詩紀) : 중국 명나라 때의 풍유눌(馮惟訥)이 엮은 시집으로, 156권이다. 전집(前集) 10권에는 옛날의 일시(逸詩)를, 정집(正集) 130권에는 한·위(漢魏) 이후 진·수(陳隋) 이전의 시를, 외집(外集) 4권에는 신선이나 귀신의 시를, 별집(別集) 12권에는 전인들의 시화(詩話)를 수록하였다. 시대순, 작자별로 배열한 것이 그 특색이다. 《고시기(古詩紀)》라고도 한다.

143 비흥(比興) : 《시경(詩經)》 육의(六義) 중의 '비(比)'와 '흥(興)'의 수사법으로, 시를 창작할 때의 전통적인 표현 수법을 말한다. '비'는 비슷한 사물을 들어 읊고자 하는 바를 비유로써 표현하는 방법이고, '흥'은 다른 사물을 먼저 서술하여 표현하고자 하는 말을 이끌어 내는 방법이다.

144 전당시(全唐詩) : 중국 청대(清代)에 편찬된 당시(唐詩) 전집으로, 900권이다. 2,200여 명에 이르는 작자의 작품 4만 8,900여 수를 수록하였다. 1705년 3월에 강희제의 명으로 팽정구(彭定求) 등 10명이 편찬에 착수하여 1745년 10월에 완성하였으며, 1746년 4월에 양주시국(揚州詩局)에서 간행하였다. 시국본(詩局本)이라고 부르며, 청조 선본(清朝善本)의 하나로 되어 있다. 이 방대한 책이 비교적 단시일에 완성된 것은 명대(明代) 호진형(胡震亨)의 《당음통첨(唐音統籤)》, 청대 계진의(季振宜)의 《전당시》 등과 같은 비슷한 책들이 그 당시에 이미 나와 있었기 때문이다.

145 송시초(宋詩鈔) : 중국 송시 선집으로 94권이다. 청(清)나라의 오지진(吳之振)·여유량(呂留良)·오이요(吳爾堯) 등이 편집하였다. 1666년에 완성하여 1671년에 간행되었다. 송나라의 시인 84명의 시집을 초록·편집한 것이다. 예를 들면 왕우칭(王禹偁)의 시는 《소축집초(小畜集鈔)》라는 표제로 수록되었다. 당시(唐詩)에 편중했던 명대(明代)에 대하여, 송시 재평가를 위한 실천의 한 기도로서, 송시의 독자성을 띤 시를 선택의 기준으로 삼았다. 목록에는 100명의 시인의 이름을 기록하고 있으면서도 16명의 시가 빠져 있다.

뜨려서는 안 된다. 황종희(黃宗羲)[148]의 《명문해(明文海)》[149]를 소장하여 홍희(洪熙, 1425)·선덕(宣德, 1426~1435), 융경(隆慶, 1567~1572)·만력(萬曆, 1573~1619) 연간 사이의 체재를 살펴보고 나면 시대를 거슬러 올라가서 《원문류(元文類)》[150], 《송문감(宋文鑑)》[151], 《당문수(唐文粹)》[152], 《소명선(昭明選)》[153], 《황패

---

146 원시선(元詩選) : 중국 원대(元代)의 시를 망라한 선집이다. 청대(淸代) 고사립(顧嗣立, 1669~1722)이 편집하였다. 초집(初集)(100명 분), 2집(100명 분), 3집(100명 분)의 3개 집을 강희(康熙) 연간에 간행하였으며, 전집에 없는 시인의 시를 수필·지지(地誌)를 비롯한 광범위한 자료에서 찾아내어 《계집(癸集)》이라 불렀는데 이것은 그가 죽은 뒤 간행되었다. 《원시선》에는 시인의 상세한 전기가 실려 있기 때문에 원대의 전기 자료로서 귀중하다. 또한 원시에 대한 망라적인 선집은 이것이 최초인 동시에 후속 작품도 없다.

147 명시종(明詩綜) : 중국 청나라의 주이준(朱彝尊)이 편찬한 명나라 시집이다. 홍무(洪武)에서 숭정(崇禎)에 이르기까지 각계각층 시인의 시와 민요를 수집하여 수록하고, 작자마다의 소전(小傳)과 여러 문장 대가의 시평을 기록하였다. 100권이다.

148 황종희(黃宗羲) : 1610~1695. 중국 명말·청초의 사상가로, 호는 남뢰(南雷)·이주(梨洲)이고, 자는 태충(太沖)이다. 절강성(浙江省) 여요(餘姚) 출신이다. 명사(明史) 편찬 시에 아들과 제자를 명사관(明史館)에 보내어 고국의 역사를 남기려고 힘썼다. 그의 학문은 박람(博覽)과 실증(實證)을 존중하고, 청나라 학문에 커다란 영향을 미쳤는데, 명대(明代)의 철학사(哲學史)라고 할 《명유학안(明儒學案)》, 군주 독재제도를 통렬히 비판한 《명이대방록(明夷待訪錄)》은 명저(名著)로 알려졌다. 특히 《명이대방록》은 청말(淸末) 혁명사상의 형성에도 영향을 주었다.

149 명문해(明文海) : 황종희가 84세 때 완성한 저서이다. 총 482권으로 황종희 일생의 최대 저서이다. 집필 과정에서 2천여 종에 달하는 명나라 문집을 참고했고, 26년이라는 긴 시간을 쏟아 부었다.

150 원문류(元文類) : 중국 원대(元代)의 한시문(漢詩文) 선집(選集)으로, 70권이다. 1334년에 간행되었다. 본래의 이름은 《국조문류(國朝文類)》이며 원나라 말기의 학자 소천작(蘇天爵)이 《당문수(唐文粹)》, 《송문감(宋文鑑)》 등의 전례에 따라서 편집한 것이다. 저자는 별도로 《원조명신사략(元朝名臣事略)》도 저술하였는데, 원대의 문헌에 통달했으므로 선택의 범위가 넓고도 적절하였다. 원나라의 시문학, 특히 그 고문(古文)의 문학을 살피는 데는 이 책이 유일한 자료로 되어 있다.

151 송문감(宋文鑑) : 남송(南宋)의 여조겸(呂祖謙, 1137~1181)이 편찬한 중국 북송(北宋)시대의 시문 선집으로, 150권이다. 1177년에 효종(孝宗) 황제의 칙명으로 착수하여 1179년에 완성하였으며, 《황조문감(皇朝文鑑)》이라는 이름을 하사받았다. 체재는 부(賦)·시(詩)·조(詔)·제(制)·고(誥)·주소(奏疏) 등의 문체로 나누어져 있으며, 그 각부는 대체로 연대에 따라 개인별로 정리되어 있다. 주로 조정의 공용문이나 정치에 관한 문장이 많으며, 선택에 있어서 당파적인 점이 있다고 비난받았다. 그러나 북송시대의 문학을 알 수 있는 중요한 자료이다.

152 당문수(唐文粹) : 중국 당나라 때의 시문선집으로, 100권이다. 송(宋)나라의 요현(姚鉉, 968~1020)이 편집한 것으로, 양(梁)나라의 소명태자(昭明太子) 소통(蕭統)이 편집한 《문선(文選)》을 본보기로 하여, 당 일대(唐一代)의 우수한 시문을 분류별로 편집한 것인데, 《문선》과는 분류상 약간의 차이가 있다.

153 소명선(昭明選) : 양(梁)나라의 소명태자(昭明太子) 소통(蕭統)이 편집한 《문선(文選)》을 말한다. 진(秦)·한(漢)나라 이후 제(齊)·양나라의 대표적인 시문을 모아 엮은 책으로, 30권이다. 여기에 실린 문장가는 130여 명으로, 이 중에는 무명작가의 고시(古詩)와 고악부(古樂府)도 포함되어 있다. 소통은 자신의 서문에서 밝히고 있듯이 주로 침사(沈思)·한조(翰藻)의 내용과 형식의 글을 취하였는데, 이는 그 자신의 문학관인 동시에 6조(六朝)시대 일반 학자들의 신조이기도 하였다.

문기(皇覇文紀)》까지 하나도 빠뜨려서는 안 된다. 이것을 '시대로써 구한다.' 라고 이르는 것이다.

도술(道術)이 분열되어 선원(墠垣)이 제각기 열렸다. 자양(紫陽, 주희(朱熹))의 도통(道統)은 면재(勉齋)[154], 북계(北溪)[155]로부터 아래로는 여유량(呂留良)[156], 육롱기(陸隴其)[157] 여러 사람에 이르기까지 그 전수받은 원류를 알 수 있다. 금계(金谿, 육구연(陸九淵))의 학적은 자호(慈湖)[158], 혈재(絜齋)[159]로부터 아래로는 담약수(湛若水)[160], 유양(劉陽)[161] 제가(諸家)에 이르기까지 그 법

---

154 면재(勉齋) : 1152~1221. 중국 송나라의 학자 황간(黃榦)을 말한다. 면재(勉齋)는 그의 호이다. 지안경부(知安慶府) 등을 지냈으며 양담계(陽潭溪)에서 담계정사(潭溪精舍)를 세워 저술 활동과 후진 교육에 힘썼다. 주희(朱熹)의 제자이자 사위이다. 저서에 《면재집(勉齋集)》이 있다.

155 북계(北溪) : 1159~1223. 중국 송나라의 학자 진순(陳淳)을 말한다. 북계(北溪)는 그의 호이고, 자는 안경(安卿), 시호는 문안(文安)이며, 장주(漳州) 용계(龍溪) 사람이다. 주자가 장주 태수(漳州太守)로 있을 때 나아가 수학하여 황간(黃榦)과 함께 고제(高弟)가 되었다. 저서에 《북계자의(北溪字義)》 등이 있다.

156 여유량(呂留良) : 1629~1683. 초명은 광륜(光綸), 자는 용회(用晦), 호는 만촌(晩村)이며, 절강성(浙江省) 동향(桐鄕) 사람이다. 명말 청초의 경학가로, 황종희(黃宗羲)·고두괴(高斗魁) 등과 교유했다. 명나라가 망하자 부흥운동을 펼쳤으며, 청나라 초 산림은일(山林隱逸), 박학홍유(博學鴻儒)로 천거되었으나 나아가지 않았다. 강렬한 민족의식을 가지고 화(華)·이(夷)의 분별을 엄격히 하였다. 학문은 주자학을 위주로 하여 양명학을 배척하였다. 저술로 《여만촌문집(呂晩村文集)》, 《동장음고(東莊吟稿)》 등이 있는데, 정주(靖州) 사람 증정(曾靜)이 그의 저술로 반청운동의 사상적 기반을 삼음으로써 옹정(雍正) 연간(1723~1735)에 문자옥(文字獄)이 일어났다.

157 육롱기(陸隴其) : 1630~1692. 초명은 용기(龍其), 자는 가서(稼書), 호는 당호(當湖), 시호는 청헌(淸獻)이며, 절강성(浙江省) 평호(平湖) 사람이다. 청나라 때 경학가로, 1670년 진사가 되어 가정현령(嘉定縣令)·영수현령(靈壽縣令) 및 사천도감찰어사(四川道監察御史)를 지냈다. 육세의(陸世儀)와 이름을 나란히 하여 당시 '이륙(二陸)'이라 불렸다. 정주학을 신봉하고 양명학을 배척하였으며, 일상의 수양에서는 거경궁리(居敬窮理)를 주장하였다. 청초 성리학파의 대표적 인물로서 사후 문묘(文廟)에 배향되었다. 저술로 《고문상서고(古文尙書考)》, 《사서강의(四書講義)》, 《곤면록(困勉錄)》, 《송양강의(松陽講義)》, 《독주수필(讀朱隨筆)》, 《삼어당문집(三魚堂文集)》 등이 있다.

158 자호(慈湖) : 1141~1225. 중국 송나라의 문신·학자 양간(楊簡)을 말한다. 자호(慈湖)는 그의 호이고, 자는 경중(敬仲). 보모각 학사(寶謨閣學士) 등을 지냈고, 육구연(陸九淵)의 제자로, 스승의 심(心)은 곧 이(理)라는 심즉리(心卽理)의 사상을 이어받았다. 저서에 《자호유서(慈湖遺書)》가 있다.

159 혈재(絜齋) : 1144~1224. 중국 송(宋)나라의 문신·학자 원섭(袁燮)을 말한다. 혈재(絜齋)는 그의 호이고, 자는 화숙(和叔), 예부시랑(禮部侍郎)·직학사(直學士) 등을 역임하였고, 육구연(陸九淵)의 제자로 그의 문집 서문을 쓰고 간행하였다. 저서에 《혈재집(絜齋集)》이 있다.

160 담약수(湛若水) : 1466~1560. 초명은 로(露), 자는 민택(民澤)이다. 이름을 우(雨)로 고쳤다가 다시 지금의 이름으로 정하였다. 자는 원명(元明), 호는 감천(甘泉), 시호는 문간(文簡), 문정(文正)이며, 광동성(廣東省) 증성(增城) 사람이다. 명나라 때 경학가로, 진헌장(陳獻章)에게 배웠다. 1505년 진사가 되어 한림원(翰林院) 편수(編修)·남경예부상서(南京禮部尙書) 등을 지냈다. 왕수인(王守仁)과

을 전해주는 단서를 찾을 수 있다. 나머지 문예(文藝)를 다루는 경우 강서(江西)의 종파도(宗派圖)[162]를 헤아려 보니 이름을 올린 자가 모두 25명이고, 북지(北地)[163]가 설법(說法)의 기치를 세웠으니 그 법을 전하는 자가 칠자(七子)[164] 즉, 후칠자(後七子), 말칠자(末七子)이다. 마삼양(馬三揚)이 관각(館閣)[165]의 맹주였는데 뒤따르는 것은 장사(長沙)이고, 공안파(公安派)[166]는 옆길을 따로 열었는데 견줄 만한 파는 경릉파(竟陵派)[167]이다. 서적을 구입하는 집에서

함께 강학하였지만 왕수인은 '치양지(致良知)'를 종지(宗旨)로 삼았고, 담약수는 '수처체인천리(隨處體認天理)'를 종지로 삼아 각각의 학파를 세웠다. 그는 허무(虛無)가 천지의 시종(始終)이며 기(氣)라고 주장하였다. 그리고 기는 만물을 생성하는 근본이며, 천지만물은 기로 구성되어 있을 뿐만 아니라 정신의식 현상 또한 기의 표현이기 때문에 우주 사이에는 기뿐이라고 하였다. 학문을 하는 방법에 있어서 '함양(涵養)'과 '문학(問學)'을 병행해야 한다고 주장하였다.

161 유양(劉陽) : ?~? 자는 일서(一舒), 호는 삼오(三五)이며, 강서성(江西省) 안복(安福) 사람이다. 명나라 때 학자로, 1525년 향시(鄕試)에 발탁되어 탕산현령(碭山縣令)을 지냈다. 처음에는 유효(劉曉)에게 수학하였으며, 뒤에 왕수인의 어록(語錄)을 읽고 그를 사숙하였다. 저술로 《논학요어(論學要語)》, 《삼오선생동어(三五先生洞語)》, 《접선편(接善編)》, 《인륜외사(人倫外史)》 등이 있다.

162 강서(江西)의 종파도(宗派圖) : 중국 북송(北宋) 말기부터 남송 초기에 걸친 시의 유파인 강서시파(江西詩派)를 말한다. 강서종파(江西宗派) 또는 강서파라고도 한다. 이 명칭은 여거인(呂居仁)이 강서 출신인 황정견(黃庭堅)을 시종(詩宗)으로 하여 그를 비롯한 25명의 시인을 모은 《강서시사종파도(江西詩社宗派圖)》를 지은 데서 붙여졌다. 따라서 북송말의 시인들이 공통된 문학의식을 가지고 유파를 형성한 것이 아니고, 여거인이 시풍이 같은 시인이라고 판단하여 붙인 명칭이다. 대표적 시인으로 진사도(陳師道)·조충지(晁冲之) 등이 있다.

163 북지(北地) : 1475~1529. 중국 명나라의 시인 이몽양(李夢陽)을 가리킨다. 자는 헌길(獻吉)이고, 호는 공동자(空同子)이다. 효종(孝宗)과 무종(武宗)을 섬겨 강직한 신하로 평가되었다. 전칠자(前七子)의 영수로 하경명(何景明)·서정경(徐禎卿) 등과 함께 시문의 복고를 주창하여 '문필진한(文必秦漢), 시필성당(詩必盛唐)'을 주장, 진한(秦漢)의 고문과 이두(李杜: 이백·두보)의 시를 이상으로 하고 시의 격조를 중시하였기 때문에, 격조설(格調說)이라고 하여 문단을 주도하기도 하였으나 모의표절(模擬剽竊)의 비난도 받았다. 저서에는 《이공동전집(李空同全集)》 66권과 그 부록 2권이 있다.

164 칠자(七子) : 중국 명나라 가정 연간(嘉靖年間)의 시인(詩人)인 이반룡·왕세정·사진(寫眞)·종신·양유예·서중행·오국륜의 일곱 사람을 가리킨다. 산문(山門)은 진한을, 시는 성당을 모범(模範)으로 하여 당시(當時) 문단의 주류를 이루었다. 후칠자(後七子)라고도 한다.

165 관각(館閣) : 홍문관(弘文館)과 예문관(藝文館)을 말한다.

166 공안파(公安派) : 중국 명(明)나라 때의 문학 집단이다. 만력기(萬曆期, 1573~1619)에 문학은 동심(童心)의 소산이라는 견해를 가지고 모든 봉건적 권위와 도덕을 무시한 이지(李贄)의 사상적 영향을 받아, 당시의 복고파(復古派) 문학에 도전했던 문학 집단의 명칭이다. 이 명칭은, 대표 기수였던 원종도(袁宗道)·굉도(宏道)·중도(中道) 3형제의 출신지가 호북성(湖北省) 공안현(公安縣)이었던 데서 생긴 것이다. 그들은 당시의 복고파가 케케묵은 느낌인 데 비해서 성당(盛唐)의 시가 오히려 신선한 것은 자신의 내부에 있는 성령(性靈)에 그 바탕을 두기 때문이라고 생각하였으며, 그러한 성령의 발로와 풍운(風韻)의 표출을 낭만주의적 문학론의 밑바닥에 깔고, 실제 창작에 있어서도 평이하고 명석하며 청순한 필치로 개성적인 자아 표현에 힘쓰는 반면, 옛사람들이 하던 낡은 생각을 그대로 답습하는 일을 철저히 거부하였다.

167 경릉파(竟陵派) : 중국 명나라 말기의 시단을 풍미한 시파이다. 중심 인물은 종성(鍾惺)과 담원춘

는 반드시 먼저 그 계통을 살펴봄으로써 그 본말을 구별한 연후에야 눈금 없는 저울을 조종하거나 온갖 보물을 제멋대로 쓰는 데 이르지 않을 수 있다. 이것을 '문호에서 구한다.'라고 이르는 것이다.

《칠략(七略)》[168]은 높일 만하니 조공무(晁公武)[169]와 진진손(陳振孫)[170]이 저록한 것을 헤아려보면 옛날에는 있었고 지금은 없는 책이 열에 대여섯이다. 그러니 목록에 따라 책을 찾아보는 것은 종일토록 주린 배를 붙들고 앉아 휘장 안의 음식을 쳐다보기만 하거나, 제호탕이나 곰발바닥 요리를 흥미진진하게 말하는 것과 같지 않겠는가. 내가 말하는 것은 근래에 저록한 책을 가리키는 것일 뿐이다. 《사고전서총목(四庫全書總目)》과 같은 경우 건륭(乾隆, 1736~1795) 신축(辛丑, 1781)·임인(壬寅, 1782) 연간에 모아서 내놓은 것이고, 《절강서록(浙江書錄)》[171] 또한 건륭 연간에 조서를 내려

(譚元春) 두 사람인데 그들이 호북성의 경릉 출신이어서 그렇게 불렸다. 명대의 문학은 중기 이후 크게 의고주의(擬古主義)에 기울었고, 따라서 고전의 모방으로 시종하는 경향이 많아 청신한 맛을 잃고 있었다. 이에 대해 개혁주의자들은 반의고(反擬古)의 입장을 취하였다. 당시 각 파가 모두 독자적인 문장론과 작풍을 가지고 있었는데, 그중에서 경릉파는 고전의 참된 정신을 자신에의 엄격한 침잠을 통해 재발견할 것을 목표로 하여 그것을 《고시귀(古詩歸)》 15권, 《당시귀(唐詩歸)》 36권에 구체적으로 나타내, 이 시귀(詩歸)가 널리 유행하게 되었다.

168 칠략(七略) : 중국 전한(前漢) 때의 서적 분류 목록으로, 유향(劉向)의 《별록(別錄)》을 이어 그의 아들 유흠(劉歆)이 지은 것이다. 서적을 집략(輯略)·육예략(六藝略)·제자략(諸子略)·시부략(時賦略)·병서략(兵書略)·술수략(術數略)·방기략(方技略)의 7가지로 분류하였다.

169 조공무(晁公武) : ?~? 중국 남송(南宋)의 저명한 목록학가로 단주(澶州) 청봉(淸丰 지금의 산동 거야현(鋸野縣)) 출신이며, 자는 자지(子止)이다. 지금까지 전하는 저서에 《군재독서지(郡齋讀書志)》가 있다. 이 책은 경·사·자·집의 4부를 다시 유(類)로 나누어, 부(部)와 유의 첫머리에 서문을 붙여 책마다 권수, 저자의 약력, 내용의 개요 등을 기술하였다. 완전히 정리되지는 않았으나, 《칠략(七略)》의 체재를 본받은 중요한 해설서로서 《문헌통고(文獻通考)》의 경적고(經籍考)는 이 책의 체재를 취택하고 있다.

170 진진손(陳振孫) : 1186?~1262? 중국 남송(南宋)의 대장서가이자 목록학가이다. 원명은 원(瑗), 자는 백옥(伯玉), 호는 직재(直齋)로, 안길(安吉) 매계(梅溪) 사람이다. 이종(理宗) 보경(寶慶) 3년(1227) 서적의 간인·장서가 성행했던 흥화군(興化軍, 복건성 보전(莆田))의 통판(通判)을 지내면서 다량의 전적을 수집했으며, 조공무(晁公武)가 지은 《군재독서지(郡齋讀書志)》의 체례를 본떠 사가장서목록(私家藏書目錄)인 《직재서록해제(直齋書錄解題)》 22권을 찬술하였다. 이 책은 여러 장서가의 5만여 권의 책을 베껴서 경·사·자·집의 4부로 분류하고, 저자·권수에 고증을 가하여 그 내용을 비판하였다. 청대에 와서 《영락대전(永樂大典)》에 수록되어 있는 것이 발견되었다.

171 절강서록(浙江書錄) : 절강서목(浙江書目)이라고도 한다. 청나라 건륭 37년(1772) 사고전서관을 설치하고 서적 수집령을 내렸을 때, 심초(沈初) 등이 절강의 서적을 집록하여 1774년에 완성한 《절강

유서(遺書)를 구할 때 사고전서관(四庫全書館)에서 엮어서 내놓은 것이다. 두 책은 지금과 불과 3, 40년밖에 지나지 않았다[172]. 건륭 초에 명하여 찬수한 《천록임랑서목(天錄琳琅書目)》[173]과 황우직(黃虞稷)[174]의 《천경당서목(千頃堂書目)》 또한 모두 근래에 편찬한 것으로 이 몇 가지 사례에 의거하여 그 존일(存佚)을 살펴보면 비록 꼭 맞지 않더라도 크게 틀리지는 않는다.[175] 그러므로 '서목에서 찾는다.'라고 하는 것이다.

모진(毛晉)[176]의 《진체비서(津逮秘書)》[177]는 남북송(南北宋) 여러 명가의 문집 가운데서 가려 뽑은 서적의 제발(題跋)을 끝에 부기하여 더욱 참고해 볼 수 있게 하고자 했으니 고서 전각(傳刻)의 원류이다. 모진은 전서(傳書)로 세상에 이름이 났는데 서적에 대한 풍부한 감식안이 있었기 때문에 이렇게 사람의 마음을 깊이 끌어당긴 것이다. 그러나 송나라 판본(板本)은 지금까지 남아 있는 것이 새벽별처럼 드무니 송나라 사람의 제발은 오늘날 이미 전제(筌蹄)[178]가 되었다. 내가 근대의 문집에서 취하고자 하였는데

채집유서총록(浙江採集遺書總錄)》을 말한다. 모두 12권 10책이다.

172 3, 40년밖에 지나지 않았다 : 서유구는 1806년 체직되어 1824년 복직될 때까지 금화(金華) 등지에서 농사를 지으며 《금화경독기(金華耕讀記)》, 《임원경제지(林園經濟志)》 등을 저술하였는데, 이 시기가 《사고전서총목(四庫全書總目)》, 《절강서록(浙江書錄)》 등이 나온 때와 3, 40년 정도 차이가 난다는 말이다.

173 천록임랑서목(天錄琳琅書目) : 청나라의 관부 장서 목록으로 건륭(乾隆) 9년(1744)에 시작하여 40년(1775)에 10권으로 편찬하였다. 송(宋), 원(元) 이래의 선본(善本) 1천여 부가 수록되어 있다.

174 황우직(黃虞稷) : 1629~1691. 중국 명대의 사학가로, 자는 유태(俞邰), 호는 저원(楮园)이다. 진강(晋江) 안해(安海) 사람이다. 저명한 장서가이자 목록학자이다. 중국 명대의 저술을 광범위하게 수집하여 경, 사, 자, 집 사부로 분류하여 정리하고 송(宋), 요(遼), 금(金), 원(元)의 저작을 부록한 목록집 《천경당서목(千頃堂書目)》 32권을 편찬하였다. 천경당(千頃堂)은 황우직의 부친인 황거중(黃居中)이 지은 서재로 8만여 책의 장서가 수장되어 있었다고 한다.

175 비록…… 않는다 : 《대학》에 "心誠求之, 雖不中不遠."이라는 구절이 있는데, 정성을 다하여 한다면 꼭 맞지 않는다 하더라도 거리가 멀지 않다는 뜻이다.

176 모진(毛晉) : 1599~1659. 중국 명나라 말기의 학자이자 장서가로, 자는 자진(子晉)이고, 호는 잠재(潛在)이다. 초명은 봉포(鳳苞)이다. 강소성(江蘇省) 상숙(常熟) 사람이다. 전겸익(錢謙益)에게 사사하였다. 급고각(汲古閣) 목경루(目耕樓)를 세워 수만 권의 서적을 수장하고, 많은 선본고서(善本古書)를 복각(復刻)하였다.

177 진체비서(津逮秘書) : 명나라 모진(毛晉)이 편찬한 총서(叢書)로 모두 15집(集)으로 이루어져 있다.

178 전제(筌蹄) : 전(筌)은 대나무로 만든 물고기 잡는 통발, 제(蹄)는 토끼 잡는 창애로서, 어떤 목적을

이용촌(李榕村)[179], 주죽타(朱竹垞)[180], 왕원정(王阮亭)[181], 기효람(紀曉嵐)[182] 같은 제가들은 각종 서적에서 서(序), 인(引), 제발(題跋)을 채록하여 남아 있는 것과 일실된 것을 갖추어 드러냈으며, 아울러 각(刻)은 어디에 있고, 전(傳)은 어느 곳에 있는지 언급하여 서목의 분명치 않은 점을 보충하였다. 그런 연후에 조용(曹溶)[183]이 말한 밤길을 밝히는 등불[夜行之燭]과 보배를 찾는 구슬[探寶之珠]을 비로소 논의할 수 있을 것이다. 그러므로 '제발에서 구한다.'라고 하는 것이다, 이 여덟 가지 방법으로 비교하여 진단하고, 이끌어 펼친다면 저서(儲書)의 큰 강목(綱目)이 갖추어질 것이다.

조용(曹溶)이 책을 구입하는 세 가지 방법에 대해 기록하였다. 첫 번째는 '시야(視野: 眼界)를 넓히고자 해라[眼界欲寬]', 두 번째는 '정신(精神)을 집중하려고 해라[精神欲注]', 그리고 세 번째는 '생각[心思]을 정교하게 하고자

달성하기 위한 수단이나 공구를 말한다. 《장자(莊子)》 외물편(外物篇)에, '고기를 얻은 다음에는 통발을 잊어버리고, 토끼를 얻은 다음에는 창애를 잊어버린다.[得魚而忘筌 得兎而忘蹄]'라고 하여, 이미 목적을 달성한 후에는 그 수단을 잊어버린다는 의미로 쓰인다.

179 이용촌(李榕村) : 1642~1718. 중국 청나라의 학자 이광지(李光地)를 말한다. 용촌(榕村)은 그의 호이다. 자는 진경(晋卿). 벼슬은 문연각 태학사(文淵閣太學士)에 이르렀고, 학문은 정주학(程朱學)을 숭상하였으며, 저서에는 《주역통론(周易通論)》·《상서해의(尙書解義)》·《홍범설(洪範說)》 등이 있다.

180 주죽타(朱竹垞) : 1629~1709. 중국 청나라의 문인·고증학자 주이준(朱彝尊)을 말한다. 죽타(竹垞)는 그의 호이다. 자는 석창(錫鬯). 시(詩)·사(詞)·산곡(散曲)에 뛰어났으며 《명사(明史)》의 편집에 참여하였다. 저서에 《폭서정집(曝書亭集)》, 《일하구문(日下舊聞)》, 《경의고(經義考)》 등이 있다.

181 왕원정(王阮亭) : 1634~1711. 중국 청나라의 시인 왕사정(王士禎)을 말한다. 완정(阮亭)은 그의 호이고, 자는 이상(貽上), 시호는 문간(文簡)이며, 본명은 진(禛)이다. 만년에 전겸익(錢謙益)의 지우(知遇)를 받았고, 주이준(朱彝尊)과 함께 '남주북왕(南朱北王)'이라 불리었다. 그가 편집한 《당현삼매집(唐賢三昧集)》에서는 왕유(王維)·맹호연(孟浩然)의 시를 가장 많이 취하였고, 이백(李白)·두보(杜甫)의 시는 고르지 않았다. 시문집에 《대경당집(帶經堂集)》 92권이 있는데, 명작을 정선한 《어양산인정화록(漁洋山人精華錄)》 12권이 유행하고 있다. 수필에 《지북우담(池北偶談)》 26권, 《거이록(居易錄)》 34권, 《향조필기(香祖筆記)》 12권 등이 있다.

182 기효람(紀曉嵐) : 1724~1805. 중국 청나라의 학자 기윤(紀昀)을 말한다. 효람(曉嵐)은 그의 자이고, 호는 석운(石雲), 시호는 문달(文達)이다. 1773년에 고종의 칙명으로 《사고전서》 편집사업의 총찬수관으로 10여 년 간 종사하였다. 많은 학자의 협력을 얻어 《사고전서총목제요》 200권을 집필하였다. 학풍은 형이상학적인 송학(宋學)을 배제하고, 실증적인 한학의 입장을 취하였다. 저서에 《기문달공유집(紀文達公遺集)》 16권, 소설 《열미초당필기(閱微草堂筆記)》가 있다.

183 조용(曹溶) : 1613~1685. 중국 명·청의 저명한 장서가이다. 자는 추악(秋岳), 길궁(洁躬), 또는 감궁(鑒躬)이며, 호는 권포(倦圃), 서채옹(鉏菜翁)이다. 수수(秀水, 지금의 절강(浙江) 가흥(嘉興)) 사람이다. 주이준(朱彝尊)의 스승으로 많은 영향을 주었다. 저서에 《정척당시사집(靜惕堂詩詞集)》이 있다.

해라[心思欲巧]'이다.

'시야를 넓히고자 해라[眼界欲寬]' 단락의 내용은 다음과 같다.

"세상에서 과거 공부에 힘쓰는 자는 다만 팔비(八比)와 사고(四股)[184]만 알아 다른 책들을 살펴보려 하지 않는다. 만약 남몰래 살펴보다가 눈앞의 책 한두 종을 읽고, 문득 스스로가 학식이 박아(博雅)하다 여기며 교만스레 스스로 기뻐한다면, 광활한 우주에 대관(大觀)이 있음을 알지 못하는 것이다. 벼슬아치나 선인들은 책을 모은 것이 으레 3, 4만 권을 넘으니 어찌 사내대장부로서 스스로를 궁벽한 시골의 비루한 사내와 동일시할 수 있겠는가?"

'정신을 집중하고자 해라[精神欲注]' 단락의 내용은 다음과 같다.

"사람은 호걸이 아니라 해도 즐기고 좋아하는 것이 없을 수 없으나 마땅히 일체의 즐기고 좋아하는 것을 모두 책을 즐기는 데로 집중하기를 마치 완부(阮孚)가 나막신[屐]을 좋아하고 혜강이 담금질[鍛]을 좋아하며 유령(劉伶)이 술을 좋아하듯[185]이 해야 한다. 이와 같이 하면 물건은 좋아하는 이에게 모여드니 기이하고 진귀한 책은 정신을 집중하는 자가 얻게 되는 경우가 많다."

'생각을 정교하게 하고자 해라[心思欲巧]' 단락의 내용은 다음과 같다.

"고서(古書)가 비록 일실되었다고 하지만 후인(後人)의 저술에서 그 책을 인용한 것이 많다. 대체로 본문에서 인용하고 주해에서 증거로 쓴 것이

184 팔비(八比)와 사고(四股): '팔비와 사고'는 과문(科文)의 문체(文體) 이름이다. 배율(排律)의 본체(本體)인 6운(韻) 12구(句) 가운데서 그 처음과 끝의 1운 2구를 제외하고 그 가운데 4운 8구를 팔비(八比)라고 하는데, 그 4운의 처음을 승제(承題) 또는 함비(頷比)라 하고, 다음은 경비(頸比) 또는 중비(中比)라고도 하며, 그 다음은 복비(腹比)라 하고 끝은 후비(後比)라 한다. 팔비는 팔고문(八股文)이라고도 하며, 대부분 사서(四書)에서 내므로 사서문(四書文)이라고도 한다.

185 완부(阮孚)가……좋아하듯 : 진(晉)나라 때에 완부(阮孚)는 나막신[屐]에 대한 습벽[癖]이 있어 늘 나막신에 밀[蠟] 칠을 하였고[阮孚好屐], 죽림칠현(竹林七賢)의 한 사람인 혜강(嵇康, 223~262)은 일찍이 집이 가난하여 상수(向秀)라는 사람과 큰 나무 아래서 쇠붙이를 다루는 대장장이 노릇을 하였다. 또한 유령(劉伶)은 술을 좋아했던 것으로 유명하다.

전대의 책을 보았다는 것인데 지금 실전된 것은 그 책의 기록에서 뽑고 차례에 따라 모았으니, 말[馬]의 일부분만을 들었는데도 말이 일찍이 앞에서 있는 듯하다."

그 말[言]이 훌륭하다.[186]

내가 또 그 뜻에 부연하여 두 개를 더해 다섯 개로 만들었다. 그 하나는 "버리기를 과감하게 하지 말라[割捨勿果]"이고, 다른 하나는 "힘을 쏟기를 특히 오래하라[定力特久]"이다.

'버리기를 과감하게 하지 말라[割捨勿果]'란 무슨 뜻인가? 명나라 말엽 이후로 저작의 조목이 번다해졌는데 수식만 번잡하고 표절이 많으며 평범하고 모호한 것[187]들이었다. 감상가의 숨겨놓은 귀중한 서책[枕中鴻寶][188]들은 대개 쉽게 볼 수 없는 폐해가 있었다. 그러나 그 가운데에는 이따금 크게 훼손되었지만 조금은 온전히 보전된 것이 있고, 천려일득(千慮一得)한 것도 있으며, 혹은 다른 책에는 수록되지 않은 고서를 실은 것도 있다.

이는 마치 이런 경우와 같다. 방각본 《사서장도(四書章圖)》[189]가 완성되었지만 체례(體例)가 어지러이 뒤섞여 실마리를 찾아 살필 수 없어 경의가(經義家)에게 냉대를 받았다. 예사의(倪士毅)[190]의 《사서집석(四書輯釋)》[191]은 알려

---

186 시야를……훌륭하다 : 이상은 조용(曹溶)의 《유통고서약(流通古書約)》에 보이는 내용이며, "그 말이 훌륭하다[其言善矣]"는 것은 이상에 기록된 모든 문장에 대한 평이다.

187 수식만……모호한 것 : 원문은 '餖飣剿襲, 榛楛迷茫'이다. 두정(餖飣)은 '문사의 수식만 하고 실제 내용이 빈약하다는 뜻'으로 문사(文詞)의 퇴체(堆砌)를 이른다. 초습(剿襲)은 남의 것을 덮쳐서 빼앗거나 하여 자기 것으로 하는 것을 뜻하며 남의 말이나 글을 따다가 쓰는 도습(蹈襲)과 같은 말이다. 진고(榛楛)는 진목(榛木)과 고목(楛木) 등의 잡목(雜木)을 뜻하며, 평범한 물건의 범칭이다. 미망(迷茫)은 모호하여 명확하지 않다는 뜻이다.

188 숨겨놓은 귀중한 서책[枕中鴻寶] : 침중홍보(枕中鴻寶)는 한(漢)나라 선제(宣帝) 때 회남(淮南)의 침상 속에 《홍보》와 《원비서(苑祕書)》라는 도술(道術)에 관한 서책이 있었다는 데서 나온 말로, 남들이 보지 못하도록 숨겨 둔 귀중한 서책을 의미한다.

189 사서장도(四書章圖) : 중국 원(元)나라 때의 학자인 정복심(程復心)이 주자(朱子)의 《사서집주(四書集註)》를 참고하여 도식(圖式)을 만들고 자기의 뜻을 덧붙여 만든 책이다.

190 예사의(倪士毅) : 중국 원(元)나라의 학자이다. 스승인 진역(陳櫟)이 지은 《사서발명(四書發明)》과 호병문(胡炳文)이 지은 《사서통(四書通)》을 합하여 《사서집석(四書輯釋)》을 찬술하였다.

191 사서집석(四書輯釋) : 원나라 예사의가 편찬한 책이다. 영락 연간에 편찬한 《사서대전》은 이 책에

지지 않아서 세상에 전해지는 것이 없고 낙질과 결문이 있다. 절강의 서적을 위한 서고(書庫)에도 역시 〈자한(子罕)〉 이하 세 편이 일실(佚失) 되었는데, 오직 《사서장도》만이 《사서집석》의 전문을 나누어 싣고 따로 편집하여 옛 모습을 찾을 수 있었다.

또 이런 것과도 같다. 장백행(張伯行)[192]이 송(宋)나라와 원(元)나라 유림의 문집을 정정(訂正)하였으나[193] 산삭함에 법도가 없고 오류가 많아 예술을 논하는 자들이 그저 방치하고 쓰지 않게 되었다. 유독 조단(曹端)[194]의 《월천집(月川集)》이 알려지지 않아 예전에 이미 실전되었다고 여겼는데, 오직 장백행만이 거두어 주워 모은 것을 엮어 책을 만들었으니 다른 책에는 없는 것이다.

또 이런 것과도 같다. 《영가팔면봉(永嘉八面鋒)》,[195] 《금수만화곡(錦繡萬化谷)》,[196] 《군서회원절강강(群書會元截江綱)》[197] 등은 모두 남송 방각판(坊刻版)으로 과거 시험을 준비함에 누구라도 볼 수 있도록 한 것이다. 감상가들은 이것들을 간과하며 거들떠보지도 않지만 그중에는 왕왕 송대의 일사(軼事)나 일문(軼文) 중에 고증이 될 만한 자료가 있으니, 이러한 부류들은

약간 증산(增刪)을 가한 것으로 알려져 있다. 서유구의 《풍석전집(楓石全集)》 권3에는 〈서형수에게 《사서집석(四書輯釋)》을 논하는 장문의 편지[上仲父明皐先生論四書輯釋書]〉가 있다.

192 장백행(張伯行) : 1652~1725. 자는 효선(孝先), 호는 서재(恕齋)·경암(敬庵). 의봉(儀封 지금의 하남(河南) 난고(蘭考)) 출신이다. 1685년에 진사가 되어 내각중서(內閣中書)·중서과중서(中書科中書)에 임명되었다. 그는 이 관직에 있으면서 큰 제방과 큰 호수 등지에 살고 있는 집의 제방에 돌을 쌓는 일을 감독했다. 1723년에는 예부 상서로 승진하였다. 저서로 《거재일득(居濟一得)》, 《곤학록(困學錄)》, 《속곤학록(續困學錄)》, 《정의당전서(正誼堂全書)》 등이 있다. 《청사고(淸史稿)》, 《청사열전(淸史列傳)》, 《비전집(碑傳集)》 등이 전한다.

193 장백행(張伯行)이……정정(訂正)하였으나 : 이는 장백행의 《정의당전서(正誼堂全書)》를 말하는 듯하다. 《정의당전서》는 청대(淸代) 장백행의 문집으로 선배 유학자들의 저서를 교정하고 주(註)를 단 찬술서(纂述書)와 자신의 저서(著書) 등 총 70여 종의 서적들이 수록된 책이다.

194 조단(曹端) : 1376~1434. 자는 정부(正夫), 호는 월천(月川), 하남(河南) 면지(澠池) 사람으로 명나라 초기 저명한 성리학자이다. 인륜(人倫)의 일상적인 일로서 시행할 만한 것을 조목별로 뽑아 《야행촉(夜行燭)》이라는 책을 지었다.

195 영가팔면봉(永嘉八面鋒) : 송(宋)나라 진부량(陳傅良)이 지은 책이다.

196 금수만화곡(錦繡萬化谷) : 송나라 사람이 편집한 책으로 전집과 속집으로 나뉘어 있으며 각 40권이다.

197 군서회원절강강(群書會元截江綱) : 송나라의 책으로, 작자 미상이다.

마땅히 모두 수집해서 함께 보관하여 일체 버려져서는 안 된다. 만약 그렇게 하지 않으면, 지나치게 성근 체로 걸러내서 진정한 금을 가려내지 못하게 된다. 그러므로 "버리기를 과감하게 하지 말라"라고 한 것이다.

'힘을 쏟기를 특히 오래하라[定力特久]'란 무슨 뜻인가? 우리나라 사람들이 중국 서적을 구입하는 통로는 연행 사신길 하나뿐이어서 할 수 없이 역관에게 그 구입 권한을 맡기지만[198] 역관이 찾아 다니는 것 또한 서점과 필첩식(筆帖式)[199]에 지나지 않을 뿐이다. 나라 안에서 통행되는 책이야 수레에 실어올 수 있으나, 촉각(蜀刻)과 절급(浙笈)[200]같은 희귀본이나 숨겨진 책들은 무슨 수로 얻겠는가. 하물며 관사에 머무르도록 제한되어 여기저기 찾아보지도 못하는데, 간혹 비싼 가격으로 구매해오는 것들은 본래 이미 서가에 있는 것들이고, 목록을 부탁하면 도리어 없다고 하니 결국 뜻이 사라지고 의욕이 꺾여 책을 모으는 일을 이따금 시작부터 이겨내지 못하는 자가 있다. 우리나라의 상인이나 역관이 연경의 시장에서 상품을 구입하면서 시장의 대부(大富) 상인과 거래하지 않는 경우가 없는데, 각기 서로 계약을 맺고 속칭하여 부르기를 '주고(主顧)'라 한다. 무릇 상품을 구입하는 일은 일체 주인에게 부탁하는데, 먼저 돈을 넘겨주고 나중에 물건을 살피기도 하고 혹은 미리 상품을 가지고온 후에 값을 치르기도 하

198 역관에게……맡기지만 : 청나라 연행 도중 물품을 비롯하여 서적 등의 구입은 주로 역관을 통해 이루어졌다. 역관은 물품 구입은 물론 상업행위도 적지 않게 하였기 때문에 상역(商譯)이라고도 불렀다. 특히 서적의 구입은 주로 청의 서반(序班)을 통해 이루어졌는데, 서반은 주로 명(明)·청(淸) 때 백관(百官)의 반차(班次)나 황제의 칙명을 전하는 일은 물론 통역일도 맡아보았다. 역관들은 이들 서반을 통해 서적 구입과 중국에 관한 물정을 탐문하였다.

199 필첩식(筆帖式) : 중국 청나라 때의 관직명으로, 각 아문에 소속되어 한족어와 만주어로 된 공문서의 번역을 담당하였다. 특히 만주어의 번역을 담당한 만주족들이 관료로 진입하는 데 주요한 통로로 이용되었다. 공문서의 기록과 번역을 담당하였던 것에서 조선의 녹사(錄事)에 비견된다.

200 촉각(蜀刻)과 절급(浙笈) : 촉각은 촉(蜀) 지방에서 판각한 송판본(宋版本)을 말하며, 절급은 절강(浙江) 지방을 지칭하는 듯하다. 촉의 사천(四川)은 절강의 항주(杭州)와 복건(福建)의 건양(建陽)과 함께 송대(宋代) 각서(刻書)의 중심지였다. 촉본은 대체로 안진경체(顔眞卿體)로 된 것이 많고 글자가 비교적 크나, 송말(宋末)에 원(元)과의 전쟁에서 파괴되어 현전본이 극히 적다. 서품은 절본(浙本)이 최고이고 촉본이 다음, 건본(建本)이 가장 낮다는 평이다. (《中國古籍板刻辭典》)

니 다방면으로 상조(相助)하고 사정이 서로 통해 구하지 못한 것이 있으면 반드시 찾아서 얻게 된다. 나는 책을 사는 것도 마땅히 이를 본받아야 한다고 생각한다. 매번 공물을 바치는 수레가 떠날 때마다 서신에 돈을 부쳐 그곳의 감식안이 있는 중국 문사에게 맡기고 구하려는 책 목록을 미리 보내 삼오(三吳)나 칠민(七閩)[201] 등지에서 다른 이를 통하여 간접적으로 구하거나 시험 보는 해를 기다려 과거 응시자의 전대에 지닌 것을 구하고 간혹 거간꾼이나 농단(壟斷)하는 부류를 통해 벼슬아치나 대대로 벼슬하던 집안에 오래 보관되어 있는 책을 꾀어서 얻는다. 오랜 세월 동안 끊임없이 부탁하여 올해에 얻을 수 없으면 다음해에 다시 구하고 이번 사행에 부탁할 수 없으면 다시 다음 사행에 부탁한다. 작은 것을 얻었다고 만족하지 말고, 처음에는 부지런했다가 뒤에 게을러지지 말아야 한다. 우공이 산을 옮기는 데에 귀신도 부릴 수 있는 것이다. 그러므로 "힘을 쏟기를 특히 오래하라"라고 한 것이다. 앞의 여덟가지 방도를 경(經)으로 삼고 이 다섯 가지 방법을 위(緯)로 삼아야 책을 모으는 일을 능히 마칠 수 있다.

세상에는 세 개의 위대한 책이 있다. 그중 하나는 명나라 영락(永樂) 초에 황제의 명을 받들어 편찬한 《영락대전(永樂大典)》[202]으로 총 2만 2천

---

201 삼오(三吳)나 칠민(七閩) : 삼오는 강남(江南)의 오군(吳郡), 회계(會稽) 지방을 말하며, 칠민은 고대(古代)에 지금의 복건성(福建省)과 절강성(浙江省) 남부(南部) 지방에 살던 종족 이름에서 따온 지명이다.

202 영락대전(永樂大典) : 본문은 2만 2,877권, 목록은 60권이다. 1403년 영락제는 해진(解縉) 등에게 유서의 편찬을 명하여 다음해 완성되자 이를 《문헌대성(文獻大成)》이라 하였으나, 다시 이보다 대규모의 것을 편찬시켜 1407년에 완성되자 《영락대전》으로 고쳤다. 이 사업에 종사한 인원은 2,000명 이상에 이른다. 이 유서는 오늘날의 ABC, 가나다순과 같이 운(韻)에 따라 항목을 배열한 일종의 대백과사전으로, 경서(經書)·사서(史書)·시문집(詩文集)·불교·도교(道教)·의학·천문·복서(卜筮) 등 모든 사항에 관련된 도서들을 총망라하고 여기에서 관련사항을 발췌하여 이를 내용별로 분류하고 《홍무정운(洪武正韻)》의 문자순에 따라 배열하였다. 그 규모가 방대하여 완성 당시 사본(寫本)으로 정본(正本)을 1부 만들고, 1562년 부본(副本)을 1부 만들었는데, 정본은 명조(明朝)가 멸망할 때 소실(燒失)되었다. 부본 1부는 청나라에 전해져 《사고전서(四庫全書)》를 편찬할 때 이용되기도 하였으나, 1860년 영국·프랑스군의 베이징 침공 이후 많이 산실(散失)되었고, 특히 의화단사건(義和團事件) 때 연합군의 약탈로 거의 소실되거나 산실되어 지금은 중국 외에 당시 유출된 것이 영국과 프랑스 등에 산재되어 있으나 모두 합쳐도 겨우 797권에 불과하다. 《영락대전》 중에는 이미 없어진 일서(佚書)가 전해지는데 청나라 학자에 의해 집록(集錄)되어 귀중한 사료(史料)가 된 것도 적지 않다

9백 3십여 권이요, 청나라 건륭(乾隆) 연간에 황제의 명을 받들어 편찬한 《사고전서(四庫全書)》[203]는 총 7만 9천 2백 5십여 권으로 모두 고금에 있지 않았던 거전(鉅典)이다. 《영락대전》은 초기에는 판에 새기도록 명하였으나 후에 제작비가 많이 들고 번거로워 그만두었다. 다만 정본과 부본 두 본을 베꼈는데 문연각(文淵閣)과 황사성(皇史宬)에 따로 보관하여 외부인은 볼 수가 없었다. 《사고전서》는 비밀리에 수장한 귀중본을 가려 취진판(聚珍板)으로 인쇄하고, 나머지는 선사(繕寫)하여 책으로 만들어 왕실 도서관에 보관하였다. 그러나 인쇄한 책도 겨우 열에 서넛밖에 안 되니 외부인은 역시 그 전체를 볼 수 없었다.

오직 강희(康熙) 연간에 《도서집성(圖書集成)》[204]을 편찬하도록 명하였는데 권질은 거대하지 않았지만 《영락대전》에 뒤지지 않았고, 전부가 모두 활자로 인쇄되었기에 지금에 이르러 중국 문인 장서가의 서가에서 흔히 볼 수 있다고 한다. 우리나라에서 구입했던 것은 다만 이 한 질뿐인데 궁궐에 한 부 있는 것 외에는 들어본 적이 없다. 비단 책이 크고 값이 비쌀 뿐 아니라 또한 그것을 운반할 방법이 없기 때문이다.

---

203 사고전서(四庫全書) : 중국에서는 유서(類書)의 편집이 성행했는데, 청나라 때에도 《고금도서집성(古今圖書集成)》이 있으나, 유서는 원문을 모두 싣는 것이 아니기 때문에, 이에 미흡함을 느낀 건륭제(乾隆帝)가 1741년에 천하의 서(書)를 수집한다는 소(詔)를 내려 1772년에 편찬소인 사고전서관이 개설되었고, 1781년에는 《사고전서》의 첫 한 벌이 완성되었다. 그 후 궁정에 4벌, 민간에 열람시키는 3벌 등 7벌이 만들어졌다. 수록된 책은 3,458종, 7만 9,582권(각 벌의 서적 수는 동일하지 않음)에 이르렀으며, 경(經)·사(史)·자(子)·집(集)의 4부로 분류 편집되었다. 수집된 서적 중에는 청왕조(淸王朝)로서 못마땅하여 소각하거나 판목(版木)을 부수는 등 이른바 금서(禁書)가 된 것도 많았으며, 수록된 책 중에서도 부분적으로 고쳐진 것도 있다. 수록된 서적은 모두 8행 22자로 고쳐 썼으며, 분류와 제요(提要)를 붙였다. 편집의 중심인물은 총찬관(總纂官)인 기윤(紀昀)을 비롯하여 대진(戴震), 소진함(邵晉涵), 주영년(周永年) 등이다.

204 도서집성(圖書集成) : 정식 명칭은 《흠정고금도서집성(欽定古今圖書集成)》이다. 강희제(康熙帝) 때의 진몽뢰(陳夢雷)가 시작한 것을 옹정제(雍正帝) 때의 장정석(蔣廷錫)이 이어받아 1725년에 완성하였다. 총 권수 1만 권, 목록 40권이다. 천문(天文)을 기록한 역상휘편(曆象彙篇), 지리·풍속의 방여휘편(方輿彙篇), 제왕·백관의 기록인 명륜휘편(明倫彙篇), 의학·종교 등의 박물휘편(博物彙篇), 문학 등의 이학휘편(理學彙篇), 과거·음악·군사 등의 기록인 경제휘편 등의 6휘편으로 되어 있다. 이를 다시 32전(典) 6,109부(部)로 세분하였다. 각 부는 휘고(彙考)·총론·도표·열전(列傳)·예문(藝文)·선구(選句)·기사(紀事)·잡록(雜錄) 등으로 구분된다. 고금의 서적에서 사항별(事項別)로 뽑아 수록한 책이다.

대개 먼 지역에서 운반하는 방법은 말보다는 수레가 낫고, 수레보다는 배가 낫다. 신라는 해로를 통해 당나라와 교역하여 중국의 문헌을 얻어 다른 나라보다 뛰어날 수 있었다. 당시 강서성과 절강성의 상선들이 예성강(禮成江)에 정박하는 것을 허락했고 기이한 서적, 진귀한 책과 여러 물품들이 함께 팔려서 당시 서적이 크게 갖추어졌다.

해외의 여러 나라들은 일본과 같이 구석에 치우쳐 있어도 능히 중원에 이를 수 있었으니 겸가당(蒹葭堂) 목홍공(木弘恭)[205]이 모은 책이 삼만 권이었다.[206] 즉 《도서집성》과 같은 거작이 그동안 일본에 흘러들어간 것이 서너 부나 되었으니 이 역시 배로 강남(江南)과 교역했기 때문이다.[207]

---

205 목홍공(木弘恭) : 1736~1802. 목공공(木孔恭)이라고도 한다. 자는 세숙(世肅)이고, 호는 겸가당(蒹葭堂) 또는 손재(巽齋, 遜齋)이다. 이덕무(李德懋)의 《청장관전서(青莊館全書)》에는 목홍공에 대한 기사가 여러 곳에 보이는데 그중 〈청비록(清脾錄) 1·겸가당(蒹葭堂)〉 조를 보면, "(목홍공은) 일본 오사카[大阪]의 상인이다. 낭화강 가에 살면서 술을 팔아 많은 재산을 모았다. …… 책을 3만 권이나 구입(購入)하였다. …… 축현(筑縣)부터 에도까지 수천 리 사이에서 어진 선비나 불초한 선비를 막론하고 세숙을 칭찬하였다. 또 상선(商船)에 부탁하여 중국 문인들의 시 몇 편을 구해 벽에 걸어 놓았다. 낭화강 가에 겸가당(蒹葭堂)을 세웠는데 …… 이곳에서 축상(筑常)·정왕(淨王)·합리(合離)·복상수(福尙修)·갈장(葛張)·강원봉(罡元鳳)·편유(片猷) 등과 《겸가당아집도(蒹葭堂雅集圖)》를 만들었다.[(木弘恭)……日本大坂賈人也. 家住浪華江上, 賣酒致富.………購書三萬卷. ……自筑縣至江戶數千餘里, 士無賢不肖皆稱世肅. 又附商舶, 得中國士子詩數篇以揭其壁. 築蒹葭堂於浪華江, ……與竺常·淨王·合離·福尙脩·葛張·罡元鳳·片猷之徒作雅集於堂上.]"고 하였다.(신호열 등 역, 《국역청장관전서》 7, 민족문화추진회, 1980. * 번역문은 일부 수정하였다.) 박혜민의 《이덕무의 일본에 관한 지식의 형성과정》(2012, 연세대학교 대학원 국어국문학과 석사학위논문)에 따르면 이덕무의 목홍공을 비롯한 일본에 대한 정보는 계미통신사 일행으로 일본에 다녀온 원중거(元重擧), 성대중(成大中) 등에게서 얻은 것으로 보인다.

206 삼만 권이었다 : 원중거(元重擧)의 《승사록(乘槎錄)》 권2 갑신(甲申, 1764)년 1월 25일의 기사에 보면 "목홍공은 도장으로 이름이 나 표표히 뛰어난 재주가 있다. 오사카[浪華] 제일의 주점을 운영하며 술 판 돈으로 책을 샀는데, 나가사키[長崎島]에서 중국 남경의 책을 구한 것이 매우 많았다. 강가에 당을 짓고 겸가(蒹葭)라고 이름 지었는데 장서가 3만 권에 이른다[木弘恭以圖章名, 飄飄有逸才. 以浪華第一酒家取酒直購書, 自長碕島得南京書甚多. 爲堂於江上, 扁以蒹葭, 藏書至三萬卷.]"라고 하였다.

207 도서집성과…… 때문이다 : 《도서집성(圖書集成)》이 일본에 들어가게 된 정황은 《청장관전서(青莊館全書)》와 《지수염필(智水拈筆)》에 보인다. 《청장관전서》 〈앙엽기(盎葉記)4·도서집성(圖書集成)〉에는 "건륭(乾隆) 갑오년(1774) 《사고전서(四庫全書)》를 편집할 적에……절강(浙江)의 포사공(鮑士恭), 범무주(范懋柱), 왕계숙(汪啓淑)과 양회(兩淮)의 마유(馬裕) 네 사람이……책을 바쳤다. 이에 내부(內府)에 소장(所藏)된 《도서집성(圖書集成)》을 각 1부(部)씩 내려 주었다.……중국의 부상(富商)이 《도서집성》 3부를 사서 일본의 나가사키에 팔았는데, 1부는 나가사키의 관고(官庫)에 있고, 2부는 에도로 들어갔다 하니, 또한 기이한 이야기이다[乾隆甲午, 始輯《四庫全書》……浙江鮑士恭·范懋柱·汪啓淑·兩淮馬裕四家, 獻書.……因賜內府所藏《圖書集成》各一部.……中國富商購《圖書集成》三部, 輸于日本長碕島, 一部在長碕官庫, 二部入江戶, 亦異聞也.]"라고 하였고, 《지수염필(智水拈筆)》 권1 〈고금도서집성〉에는 "내가 듣건대 병신년(1776)에 사올 때 연경의 서점 사람들이……말

우리나라는 유독 다른 나라의 상선이 정박하는 것을 허락하지 않아서 중국 서적을 구매하는 방법이 단지 조공 사신편의 육로뿐이었다. 그러나 수레의 비용이 왕왕 책값보다 비싸서 전대에 넣어 간 재화를 살펴보면 10분의 1에도 미치지 못하니 어찌 낙담하여 손을 거두고 기가 죽어 물러나지 않겠는가. 우리나라가 문물이 융성했던 때에는 중국에 비견되었는데, 책을 모으는 양이 전대(前代)보다 훨씬 못해진 것은 다만 배와 수레를 이용해 구입하지 않은 데 따른 것이다. 해로로 통상하는 것이 금지되었을지라도 육로로 운반하는 계책은 누차 말했던 바이다.

매년 조공 사신이 연경으로 들어갈 때, 만주에서부터 십만 전을 나눠주어 책문(柵門)에 들어간 후 방물(方物)[208]을 운송하는 비용으로 삼았다. 지금 만약 이십만 전으로 건장한 말과 노새 예닐곱 필을 사고 방물을 실을 큰 수레 몇 량을 만들면, 내 수레에 내가 싣는 것이 된다. 돌아옴에 미쳐서는 사사로이 무역한 서적을 싣는 것을 허락하고 책 주인에게 노자를 거두어들이면 공적으로나 사적으로 모두 비용을 덜고 일을 나눌 수 있다. 이는 한 관리가 고칠 수 있는 일에 불과한데, 아직까지 일을 벌이고 조처하는 자가 있다는 것을 듣지 못했다. 마땅히 책을 모으는 일에 반대하는 자는 칠치(漆齒)[209]와 훼복(卉服)[210]에도 미치지 못하는 부류일 것이다.

하기를, '이 책이 간행된 지는 거의 50년이 지났는데, …… 지금에야 사가나요? 일본은 나가사키(長崎島)에서 1부, 에도(江戸)에서 2부 등 이미 3부를 구해갔습니다.' 하니, 우리나라 사람들은 부끄러워 대답을 못했다고 한다." 하였다. (신호열 등 역, 《국역청장관전서》 9, 민족문화추진회, 1981. * 번역문은 일부 수정하였다.), (김윤조, 진재교 옮김, 《19세기 견문지식의 축적과 지식의 탄생 지수염필(상)》, 소명출판, 2013) 일본에 《도서집성》이 수입된 것은 1763년으로, 계미통신사 일행이 귀국하던 1764년 오사카에서 만난 일본인 승려 다이텐(大典)이 기록한 필담집 《평우록(萍遇錄)》을 보면 《도서집성》에 대한 언급이 나온다.(진재교, 김문경 외 옮김, 《18세기 일본 지식인, 조선을 엿보다-평우록》, 성균관대학교 출판부, 2013, 193~195쪽)

208 방물(方物) : 조선시대에 중국 명(明)나라에 보낸 토산물을 말한다. 경우에 따라 감사(監司)·수령(守令)이 임금에게 바친 지방 토산물도 방물이라 한다.

209 칠치(漆齒) : 오랑캐를 가리킨다. 오랑캐 풍속이 이를 검게 만들고 이마에 새기므로[漆齒雕額] 한 말이다.

210 훼복(卉服) : 풀로 만든 옷으로, 오랑캐의 옷을 이른다. 옛날 중국 변방의 섬사람들이 입었기에 그들을 낮추어 가리키는 말로 쓰인다.

나에게는 평생 보기를 원했으나 보지 못한 책이 있다.

첫째, 일찍이 용촌(榕村) 이광지(李光地)[211] 문집에서 〈《옹계록(翁季錄)》[212] 간행을 청하는 차자[請刊翁季錄箚]〉를 본 적이 있는데, 《옹계록》은 주희와 채계통(蔡季通)[213]이 상수(象數)와 율려(律呂)를 논한 책이다. 당시에 이미 판각되었는지 모르겠으나 탑본이 우리나라로 전래된 것은 끝내 보지 못했다.

둘째, 일찍이 《사고전서간명서목(四庫全書簡明書目)》[214]에서 왕무횡(王懋竑)[215]의 《백전잡저(白田雜著)》[216]를 보았는데, 왕무횡은 주희의 서적에 대하여 매우 깊이 탐독하여 진위를 변별할 수 있고, 그 같고 다름을 비교할 수 있었다고 한다. 왕무횡은 근대 사람이지만 그 책은 반드시 볼만한 것이 있다고 생각했다. 매번 사행간 자들을 통해 찾아보았으나, 《사고전서》에 수록된 것은 한 본만을 베껴 궁고(宮庫)에 감추어 놓아 볼 방법이 없었다. 근래 듣자하니 왕무횡의 집안에서 이미 판각하였다고 하나 아직까지 보지 못했다.

셋째, 일찍이 위희(魏禧)의 문집[217]을 보았는데, 그가 찬술한 《좌전경세(左

---

211 이광지(李光地) : 1642~1718. 자는 진경(晉卿), 호는 후암(厚庵)·용촌(榕村)이다. 황제의 칙명으로 《성리정의(性理精義)》와 《주자대전(朱子大全)》 등을 편수했다. 저서로 《이정유서(二程遺書)》, 《주자어류사찬(朱子語類四纂)》, 《용촌전집(榕村全集)》 등이 있다.

212 옹계록(翁季錄) : 주희(朱熹)가 그의 제자인 채원정(蔡元定)과의 사이에 주고받은 편지를 모은 책으로 옹(翁)은 주희를 가리키고 계(季)는 채원정의 자인 계통(季通)의 첫 글자이다.

213 채계통(蔡季通) : 1135~1198. 남송 건녕(建寧) 건양현(建陽縣) 사람 채원정(蔡元定)이다. 계통(季通)은 그의 자이고, 호는 서산(西山)이다. 벼슬에 나아가지 않고 학문과 강학에 몰두했다. 장성하여 이정(二程)과 소옹(邵雍), 장재(張載)의 학문을 배웠다. 나중에 주희를 찾아가 수학했다. 주희의 이학사상(理學思想)을 계승 발전시킨 주요 인물로 평가된다. 저서로 《황극경세지요(皇極經世指要)》, 《홍범해(洪範解)》, 《태현잠허지요(太玄潛虛指要)》, 《서산공집(西山公集)》 등이 있다.

214 사고전서간명서목(四庫全書簡明書目) : 《사고전서간명목록(四庫全書簡明目錄)》이다. 기윤(紀昀)이 200권의 《사고전서총목(四庫全書總目)》을 산절하여 20권으로 줄여 편찬한 책이다.

215 왕무횡(王懋竑) : 1668~1741. 강소(江蘇) 보응현(寶應縣) 사람으로, 자는 여중(予中), 호는 백전(白田)이다. 주희의 저술을 정밀히 고증하고 연구하였다. 저서로 《주자연보(朱子年譜)》, 《주자논학절요어(朱子論學切要語)》, 《백전잡저(白田雜著)》가 있다.

216 백전잡저(白田雜著) : 8권으로 이루어져 있는데, 《주자연보》와 관련하여 고증하고 변론한 글들을 모은 책이다.

217 위희(魏禧)의 문집 : 《위숙자문집(魏叔子文集)》을 말한다. 위희(魏禧)의 자는 빙숙(冰叔) 또는 숙자(叔子)이고 호는 유재(裕齋)이다. 명나라가 멸망한 뒤에 작정(勺庭)에 은거하여 작정선생(勺庭先生)이라고 하였다. 《위숙자문집》은 33권으로, 문(文) 20권, 목록(目錄) 3권, 시(詩) 8권으로 이루어져 있다.

傳經世)》[218]는 동시대에 평론한 자가 이천 년의 역사에서 얼마 되지 않는 훌륭한 서적이라고 하였다. 또한 이미 판각되었다고 하는데 보지 못하였다.

넷째, 일찍이 고조우(顧祖禹)[219]의 《독사방여기요(讀史方輿紀要)》[220] 총 백여 권에 대해 익히 알고 있었다. 산천의 형세와 관방(關防)[221]의 득실 자취에 대하여 자세히 논하였으나, 경물유람의 승경에 대해서는 기록하지 않았다고 한다. 위희가 수천 수백 년 동안 이러한 서적은 전혀 없었고 거의 유일한 서적이라고 칭송하였는데, 간행이 되었는지 알 수 없다.

다섯째, 북평(北平) 왕원(王源)[222]이 지은 《문장연요(文章練要)》[223]로 《좌전(左傳)》·《맹자(孟子)》·《장자(莊子)》·《초사(楚辭)》·《전국책(戰國策)》·《사기(史記)》를 뽑아 육종(六宗)이라 하였다. 내가 전에 그 《좌전》 일종(一宗)을 보았는데, 평정(評訂)·기복(起伏)·관쇄(關鎖)·조응(照應)·전인(轉紉)의 수법이 마치 뺨 위의 세 가닥 수염이 형상 너머로 신묘함을 전하는 것 같았다.[224] 만약 《맹자》 이하의 간행된 책들을 얻어 육종의 문법을 갖추어 본다면 아마도 글 쓰는 이들의 나침반이 될 것인데 아직까지 보지 못했다.

---

218 좌전경세(左傳經世) : 위희(魏禧)의 저작으로 총 10권이다. 《좌전경세초(左傳經世鈔)》가 《속수사고전서(續修四庫全書)》에 수록되어 있다.

219 고조우(顧祖禹) : 1631~1692. 강소성(江蘇省) 사람으로, 자는 경범(景范), 호는 낭하(廊下)이다. 청나라에서 벼슬하지 않고, 20년에 걸쳐 《여도요람(輿圖要覽)》 4권, 《독사방여기요(讀史方輿紀要)》 130권을 완성하였다. 서건학(徐乾學)·진덕화(陳悳華) 등과 함께 칙명에 따라 《대청일통지(大淸一統志)》 편찬에 참여하였다.

220 독사방여기요(讀史方輿紀要) : 1659년에 착수하여 1678년에 완성하였다. 내용은 중국 전역에 걸쳐 역대 주역(州域)의 지세(地勢)를 약술하고, 이어 성별(省別)로 부주현(府州縣)의 연혁·위치·산천 등을 적었으며, 끝에는 천독(川瀆)으로 하도(河道)·조운(漕運)의 변천과 천문에 관한 것을 실었다.

221 관방(關防) : 관문, 또는 국경 요새지이다.

222 왕원(王源) : 1648~1710. 자는 곤승(崑繩), 호는 혹암(或菴)이다. 위희에게 고문을 배웠다. 송 명리학(明理學)과 왕수인의 심학(心學)을 비판하고 경세치용과 실사실공(實事實功)을 주장했다. 저서로 《혹암평춘추삼전(或菴評春秋三傳)》, 《거업당집(居業堂集)》이 있다.

223 문장연요(文章練要) : 현전하는 것은 《좌전(左傳)》에 관한 내용을 다룬 《문장연요좌전진본(文章練要左傳眞本)》 뿐이다. 청 건륭(乾隆) 9년에 간행되었다.

224 마치……같았다 : 동진의 화가 고개지(顧愷之)가 일찍이 배해(裴楷)의 초상을 그리면서 뺨 위에 수염 세 가닥을 더 그렸으므로, 어떤 이가 그 까닭을 물었다. 고개지가 대답하기를, "배해는 준수하고 청랑한 데다 식견이 있으니, 바로 이것이 그 식견을 나타낸 것이다."라고 하므로, 그림을 보는 이가 그것을 세밀히 살펴보니, 세 가닥 수염을 더한 것이 마치 신명(神明)이 있는 것처럼 여겨져서 그것을 더하지 않은 때보다 훨씬 나음을 깨닫게 되었다는 고사에서 온 말이다.

이것들을 모두 중국의 문인들에게 널리 찾는다면, 《옹계록》 한 종 이외에는 모두 근대 저술이라서 전해지는 판본이 있을 것이니 얻지 못할까 두려워할 필요는 없다.

고렴(高濂)[225]이 책을 사는 일에 대해 논하기를 "장서가는 책갑(册匣)의 좋고 나쁨을 따지지 않고, 오직 기이하고 잘 알려져 있지 않은 서적을 찾아내는 것을 귀하게 여긴다."[226]고 하였다. 나는 그 뜻을 미루어 덧붙여 말하기를 "책을 구하면서 장황(裝潢)[227]이 아름다운 것만을 찾는 것은, 벗을 구하면서 의관을 곱게 차려입은 자만을 취하는 것과 같다."고 하였다.

벗을 구하면서 의관을 곱게 차려입은 자만을 취하면, 다 해진 옷을 입었지만 옥을 품은 선비는 멀리하게 된다. 책을 구할 때 장황이 아름다운 것만을 구하면 희귀한 이본의 책들은 빠지게 된다. 책을 모으는 데 있어서 귀한 것은, 장차 앞 시대의 행적을 많이 알아 나의 학식을 증익시키고자 함인가, 아니면 고아한 비단으로 싸서 서가에 꽂아놓고 문방(文房)의 기이한 물건을 아끼고 감상하듯이 아름다움을 보려고 하는 것인가? 백금을 쏟아부어 비단으로 치장한 서책 한 질을 구하느니, 십금을 써서 종이로 두른 서책 두 질, 세 질을 구하는 것이 어떠한가?

감내할 수 없는 것은 판각이 깎여 결손된 것이고, 인쇄 상태가 어두운 것이고, 편간(編簡)이 탈루된 것이다. 책을 구할 때는 반드시 먼저 매 쪽을 펼쳐보아 그 판각과 인쇄 상태가 어찌 되었는지를 살펴야 하고, 그 다음으로는 목록을 펼쳐서 편간의 낙질 여부를 살펴야 한다. 서책의 장황이 고운지 추한지에 대해서는 모름지기 묻지 않는다. 가령 훼손이 너무 심하다면 기워 잇거나 싸개를 바꾸어도 무방하다.

---

225 고렴(高濂) : 생몰년은 미상이다. 명나라 절강(浙江) 전당(錢塘) 사람으로 자는 심보(深甫), 호는 서남(瑞南)이다. 일찍이 고금의 서적들을 모았는데, 장서의 양이 대단했고 서적을 모으는 것을 스스로 장부가 평생 동안 제일로 해야 할 일로 여겼다. 저서로 《아상재시초(雅尙齋詩草)》가 있다.

226 장서가는……여긴다 : 《준생팔전(遵生八牋)》 권14 〈논장서(論藏書)〉에 나온다. 내용은 다음과 같다. "藏書者, 無問册帙美惡, 惟以搜奇索隱得見古人一言一論之秘, 以廣心胸."

227 장황(裝潢) : 서책이나 서화첩 따위를 종이나 비단으로 발라서 꾸미는 것이다.

조용(曹溶)[228]은 《담생당장서약(澹生堂藏書約)》[229]에서 서적을 구하는 완급에 대해 "'사(史)'는 서둘러 구하고 '자(子)'와 '집(集)'은 천천히 구해도 된다."[230]고 하였다. 나는 서적을 구할 때 완급에 따라 취하고 버리는 것은 가난한 선비의 빈한한 형편일 뿐이라고 생각한다. 대방가(大方家)들이 책을 모으는 것은 온갖 보화를 파는 가게에서 색색으로 갖추어 놓고 구하는 것이 있으면 바로 사는 것과 같다. 또 약을 파는 사람이 온(溫)·량(涼)·한(寒)·열(熱)을 따지지 않고 좋은 기운은 북돋고 나쁜 기운은 내보내는 약을 모두 모아 쌓아 놓는 것과 같다. 진실로 그 증세에 맞추어서 팔고 조제한다면, 적소에 사용한 우수마발(牛溲馬勃)[231]은 삼령(蔘苓)과 같을 것이다.

무릇 자신의 집 서고에 없는 것이면 경(經)·사(史)·자(子)·집(集)의 완급과 귀천을 따지지 않고 보이는 대로, 구하는 대로 소장하여 서책 목록에 갖추어 둔다. 대개 기서(奇書)와 이종(異種)의 서책들 가운데 종종 평생을 구하더라도 얻지 못하는 것이 있는데 만약 당장 눈앞에 급한 것이 아니라고 해서 보고도 놓아둔다면, 오늘 십금으로 소장할 수 있는 것을 다른 날에 구하면 비록 천금을 바치더라도 닿을 수 없게 될 것이다.

장서가들이 귀하게 여기고 아끼는 것이 너무 지나치면 비단으로 띠를

---

228 조용(曹溶) : 서유구가 《담생당장서약(澹生堂藏書約)》의 저자인 기승한(祁承㸁)을 잘못 쓴 것으로 보인다.

229 담생당장서약(澹生堂藏書約) : 중국 명대의 장서가이자 목록학자인 기승한(祁承㸁 1563~1628)이 지은 책이다. 서적을 구매하는 법과 감정하는 법 등에 대해 설명하고 있다. 기승한의 자는 이광(爾光), 호는 이도(夷度), 밀사(密士), 광옹(曠翁)으로 절강(浙江) 산음(山陰) 사람이다. 젊은 시절부터 책을 모았으며 뒤에 담생당(澹生堂)이라는 서재를 지어 수장하였다. 진귀한 서적을 많이 소장하고 있었다고 한다.

230 사(史)는……된다 : 《담생당장서약(澹生堂藏書約)》 〈감서(鑒書)〉에 나온다. 《담생당장서약》의 내용은 다음과 같다. "子與集緩, 而史爲急."

231 우수마발(牛溲馬勃) : 질경이(또는 소의 오줌)와 먼지버섯(약재)으로, 가치 없고 쓸모없는 물건을 비유하는 데 쓰이거나, 비천하거나 흔하지만 때로는 유용하게 쓰이는 재료나 약재를 비유하는 말로도 쓰인다. 한유(韓愈)의 〈진학해(進學解)〉에서 유래한 말이다.

두르고 비단 주머니에 넣어서 상자 속에 숨겨놓고 자제들조차 감히 그 겉면도 보지 못하게 한다. 옛사람이 창고에 봉해놓고 배를 텅텅 비운다고 비유한 것도 지나친 말이 아니다. 반대로 책을 보호하는 데에 무관심하여 어떤 경우는 행록(行簏)[232]에 넣어 다니면서 물과 불도 조심하지 않고, 또 어떤 경우는 이 사람 저 사람에게 빌려주어 유실되기도 하니 모두 좋은 방법이 아니다.

일찍이 《유씨서훈(柳氏序訓)》[233]을 보니 "우리집 승평리서당(昇平里西堂)에는 경(經)·자(子)·사(史)를 베껴 써서 모두 세 본씩 가지고 있다. 한 본은 종이·먹·첨지가 화려한 것으로 창고에 넣어두고, 한 본은 열람하는 데 사용하고, 다른 한 본은 훗날 자제들이 사용하게 한다."고 했는데 이것이 가장 좋은 방법이다. 그러나 유빈(柳玭)이 살았을 때는 천하의 전적들이 아직 많고 다양하지 않았기 때문에 모든 책을 꼭 세 본씩 갖추어 놓을 수 있었다. 후대로 내려와 오대(五代)가 되어 침판법(鋟板法)이 성행하고 저작의 재료가 안개 낀 바다처럼 넓어졌으니 어찌 일일이 세 본씩을 만들 수 있겠는가.

모진(毛晉)의 급고각본(汲古閣本)과 청대 건륭(乾隆) 연간의 내부각본(內府刻本), 《통전(通典)》·《통지(通志)》·《통고(通考)》·《온공통감(溫公通鑑)》·《자양강목(紫陽綱目)》 등은 방각본(坊刻本)과 비부각본(秘府刻本)이 있다. 시문의 경우 《이두집(李杜集)》·《당송대가전집(唐宋大家全集)》·《이정전서(二程全書)》·《주자문집(朱子文集)》의 서적들도 구각본(舊刻本)과 근각본(近刻本)이 있다. 이런 서적들은 이본까지 한데 합쳐 소장할 수 있으면 교감(校勘)하여 오류를 바로잡는 데 도움이 될 것이다.

모아둔 책이 만 권 이상이면 마땅히 남쪽을 향해 북쪽을 등지고, 열

232 행록(行簏) : 들고 다니는 대나무로 만든 책 상자이다.

233 유씨서훈(柳氏序訓) : 당나라 유빈(柳玭)이 자손들을 경계하기 위해 남긴 글이다. 유빈은 당나라 학자로 자는 직청(直淸)이다.

기가 있는 곳에서 멀리 떨어진 곳에 장서각을 세워야 한다. 세 벽면은 벽돌로 쌓고 오직 남쪽 면만은 창문을 내어 왕정(王禎)[234]의 《왕정농서(王禎農書)》에 실려 있는 장생옥법제(長生屋法製)에 사용한 회니(灰泥)[235]를 발라서 불을 막는다. 북쪽 벽을 따라 서가를 배치하고 나무로 창살을 만들어 종이를 붙이는데 경우에 따라 4격(格) 또는 5격으로 한다.

한 격마다 각기 여닫이문을 만들어 열고 닫고 잠글 수 있도록 한다. 안에는 분전(粉箋)을 찧어서 바르고 밖에는 황칠을 덧발라서 먼지가 묻지 않도록 한다. 별도로 여러 색의 분전(粉箋)에 서가에 소장되어 있는 서명을 나열하여 써서 여닫이 문 앞에다 붙여 찾아보고 꺼내고 넣는 데 참고한다.

우리나라 서책[東本]은 무거워서 중국 서책[華本]과 같은 곳에 둘 수 없다. 별도로 누각을 하나 세워 저장하되 궤짝에 넣어 둘 필요는 없고 단지 서가에 줄지어 꽂아놓으면 된다.

《수서(隋書)》〈예문지(藝文志)〉에 "사부장표법(四部裝標法)[236]은 매우 아름다

---

234 왕정(王禎) : 원나라 때 사람으로 자는 백선(伯善)이다. 안휘성 정덕현(旌德縣)과 풍성현(豊城縣)의 장관으로 일하며 많은 업적을 남겼다. 농업 기술에 박학하여 농기구를 직접 설계하고 제작해 보급했다. 그의 저서 《왕정농서(王禎農書)》는 농작법과 재배법, 농기구에 관한 이론을 자세히 서술하여 그림 273폭과 함께 실었다.

235 장생옥법제(長生屋法製)에 사용한 회니(灰泥) : 서유구의 《임원경제지(林園經濟志)》〈섬용지(贍用志)〉에 장생옥법제와 회니에 관한 이야기가 나온다. 그 내용은 다음과 같다.
"일찍이 지난해에 복리(腹裏, 중국 산동 서쪽에 위치한 하부구 지역)의 여러 군을 살펴보았다. 사람들이 거처하는 기와집은 벽돌로 처마를 감싸고, 초가집은 진흙으로 위아래를 발라놓았다. 불이 번져 나가는 것을 예방할 수 있을 뿐만 아니라 불을 끄기도 쉬웠다. 또 따로 창고를 설치하여 그 외부를 벽돌과 진흙으로 둘렀다. 그것을 토고(土庫)라고 부르는데 불이 그 안까지 침범하지 못했다. 이러한 일을 통해 미루어 보건대, 농가의 거실, 부엌, 누에방, 창고, 외양간에는 모두 법제니토(法製泥土)를 사용하는 것이 마땅하다. 먼저 장대한 목재를 골라 골격을 다 짜고 난 뒤 서까래 위에다 판자를 깔고 판자 위에다 진흙을 바른다. 진흙 위에는 법제유회니(法製油灰泥)를 바르고 햇볕에 쪼여 말리면 자기나 돌같이 견고하여 기와를 대신할 수 있다. 집의 안팎에서 목재가 노출된 곳과 문창 벽 담장에는 모두 법제회니(法製灰泥)로 바른다. 바를 때는 두께가 일정하고 견고하고 차지게 하여 빈틈이 없도록 힘써야 한다. 그래야만 불에 타버리는 걱정을 면할 수 있다. 이것을 이름하여 법제장생옥(法製長生屋)이라 한다. 이 방법은 화재가 발생하기 전에 막는 것이므로 참으로 좋은 계책이다."(안대회 역, 《산수간에 집을 짓고》, 231쪽, 돌베개, 2005.)

236 사부장표법(四部裝標法) : 사부(四部)의 각 부(部)별 표시에 홍전(紅箋)·청전(青箋)·황전(黃箋)·백

워 진실로 전적(典籍)을 마주 대하면 서권(書卷)이 매우 장엄하다."라고 하였다. 선비들은 평소 개인적으로 소장하고 있는 책들을 어떻게 구별하였을까? 단지 각각의 색 첨지로 사부를 구별하였다. 방법은 전후지(箋厚紙)[237]를 사용하여 각 색깔 비단에 배접(褙接)하고 손가락 두 개 크기로 큰 첨지를 만들어 서명과 함의 순서를 적어 함 둘레에 붙여서 서권의 머리 부분 밖으로 드리워 둔다.

경부(經部)는 짙은 붉은색 첨지, 예부(藝部)는 옅은 붉은색 첨지, 사부(史部)는 청색 첨지, 지부(志部)는 푸른색[碧] 첨지, 자부(子部)는 황색 첨지, 회부(薈部, 총집류)는 송화(松花)색 첨지, 집부(集部)는 흰색 첨지를 사용하여, 부(部)의 차례대로[238] 서가에 꽂아 한번 눈을 돌리면 어떤 부(部)의 어떤 책이 있는지 알 수 있다.

그것들을 위치시킬 때는 건물의 북쪽 벽에 서가를 배열하고 경부를 제일 위에 예부를 그 다음에 놓고, 사부·지부·자부·회부·집부의 순서로 놓는다. 한 부마다 각기 한 서가나 두셋의 서가 또는 네댓 서가를 지정한다. 장서의 많고 적음을 살펴보고, 혹 어떤 부의 서가에 두서너 권의 공간이 비어 있어도 다른 부를 집어넣는 것은 허용하지 않고 후일에 구입하여 보충하여 채워 넣는다.

옛사람들이 책을 포쇄(曝曬)하는 것은 반드시 장마 전[239]에 하거나 장마가 끝난 후에 하므로, 이르면 4월 초이고 늦으면 7월 이후이다. 포쇄는 음습(陰濕)한 것을 가장 꺼린다. 그렇기 때문에 반드시 맑게 개고 바람 부는 날을 골라서 각주(閣櫥)의 문을 활짝 열고, 남쪽 창문 아래에 낮고 폭

전(白箋)을 사용하는 것이다.

237 전후지(箋厚紙) : 문서 용지로 두터운 종이이다.

238 부(部)의 차례대로 : 원문은 "州居部次"인데 "州居"의 의미가 통하지 않아 빼고 해석하였다.

239 장마 전 : 원문은 '入梅'이다. 매실이 익을 무렵에 장마가 시작되므로 장마를 '매우(梅雨)'라고도 한다. '입매'는 장마철에 들어가는 것으로, 뒤이어 나오는 '출매(出梅)'는 장마철에서 벗어나는 것으로 보고 해석하였다.

이 좁으면서 긴 서궤(書几)를 여러 개 설치한다. 첫 번째 각주부터 시작하여 차례차례 서함(書函)을 서궤로 옮겨, 먼지떨이로 책의 먼지를 떨거나 책을 펼쳐 바람에 말린다. 몇 시간 뒤 본래 각주의 격 속에 넣는데, 첫 번째 각주가 끝나면 두 번째 각주의 책을 내고, 두 번째 각주가 끝나면 세 번째 각주의 책을 내는데, 하루에 수천 권을 포쇄하면 멈춘다. 장서(藏書)가 수 만 권이면 10여 일을 정해놓고 일을 마치는데, 기간 중에 혹 비가 오면 다시 다른 날에 포쇄해야지, 절대 조급하게 하거나 허술하게 해서는 안 된다. 또한 어리석은 하인, 조심성 없는 아이, 집사(執事)를 시켜서는 안 된다. 자제(子弟)나 문생(門生) 가운데 이문(異聞)을 초록하고자 하면 허락한다.

강소서(姜紹書)[240]는 《운석재필담(韻石齋筆談)》[241]에서, "조선 사람들은 서적을 좋아한다. 매번 사신들이 조공하러 들어올 때마다 구전(舊典), 신서(新書), 패관소설(稗官小說)을 막론하고 저들에게 없는 책은 아무리 비싸도 구입하여 간다. 그렇기 때문에 저 나라에 오히려 이서(異書) 장본(藏本)이 있다."[242]라고 하였다. 이는 참으로 사실을 기록한 말이다.

우리나라 사람은 본래 저서에 견문이 좁고 어두우며 더욱이 판각이나 초략(抄略) 등의 일을 익히지 않아, 여러 가지를 섭렵하여 심도 있게 연구하는 사람은 다만 중국 책만을 믿어 가르침으로 여긴다. 게다가 땅이 중국과 가깝고 사신 행렬이 계속 이어지므로 서적 구입에 특히 힘쓰기 쉬웠다. 매번 사신이 돌아오면서 수십 수백 종의 서적을 가지고 오지 않은 적

---

240 강소서(姜紹書) : 자는 이서(二西), 호는 안여거사(晏如居士)이다. 명(明)나라 숭정(崇禎) 15년(1642)에 남경 공부랑(南京工部郎)이 되었다. 감별(鑒別)을 잘했으며 그림을 잘 그렸다. 저서로는 《무성시사(無聲詩史)》, 《운석재필담(韻石齋筆談)》이 있다.

241 운석재필담(韻石齋筆談) : 주밀(周密)의 《운연과안록(雲煙過眼錄)》을 본떠 지은 것으로, 옛 기물(器物), 서화(書畫) 및 여러 완물에 대한 견해를 기술하였다. 주밀의 《운연과안록》이 소장한 사람을 표제로 삼아 사물의 이름만 기입한 데 반해, 이 책은 사물을 표제로 삼아 모양과 제가(諸家)들이 주고받은 득실의 시말도 아울러 기록하였다.

242 조선 사람들은……장본(藏本)이 있다 : 《운석재필담(韻石齋筆談)》 권상(卷上) 〈조선인은 책을 좋아한다[朝鮮人好書]〉에 보인다. 《운석재필담》의 내용은 다음과 같다. "朝鮮國人最好書. 凡使臣入貢, 限五六十人, 或舊典, 或新書, 或稗官小說, 在彼所缺者, 日出市中, 各寫書目, 逢人遍問, 不惜重直購回. 故彼國反有異書藏本也."

이 없었으니, 달로 세면 부족하고 해로 세면 남음이 있다.

비록 감별에 법도가 없고 한번 구입하면 버리질 않아서 무더기로 쌓아 놓고 한 권만 거론하고 만 권을 빠뜨리지만, 우리나라의 장서를 통틀어 논한다면 사부(四部) 서적이 거의 넘쳐난다. 희귀한 비급(秘笈)이라 비록 쉽게 보지 못하는 것이라도, 만약 해내(海內)에 통행된 서적이라면 멀리 중국에서 구하지 않아도 우리나라에서 구입할 수 있다.

동파(東坡, 소식(蘇軾))의 〈고려가 책을 구매하는 것에 대한 이해를 논한 차자[論高麗買書利害箚子]〉에 보면, 희령(熙寧) 연간(1068~1077)에 고려 사신이 《태평어람(太平御覽)》[243]을 하사해달라고 요청했으며, 원우(元祐) 연간(1086~1093)에 고려 사신이 역대 사서(史書)와 《책부원구(策府元龜)》[244]의 매입을 요청했다.[245] 팽승(彭乘)[246]의 《묵객휘서(墨客揮犀)》[247]를 보면, 희령 연간에 고려에서 사신을 보내 입공하기를 요청하고, 또 왕평보(王平甫)[248]의 시

---

243 태평어람(太平御覽) : 태평류편(太平類編) 또는 태평편류(太平編類)라고 불렸으나 뒤에 송나라 태종(太宗)이 하루에 3권씩 1년 동안 독파했다고 해서 "태평어람(太平御覽)"으로 불리게 되었다. 《태평광기(太平廣記)》, 《문원영화(文苑英華)》, 《책부원구(冊府元龜)》와 함께 송사대서(宋四大書)로 불린다. 송 태종의 명으로 이방(李昉) 등이 태평흥국(太平興國) 2년(977)에 시작하여 태평흥국(太平興國) 8년(984)에 완성하였다. 모두 1,000권에 달하는 송대(宋代) 최대 유서(類書) 중 하나이다. 천부(天部), 시서부(時序部), 지부(地部), 황왕부(皇王部) 등 55문(門)으로 나누고 각 문(門)은 다시 류(類)로 그리고 그 아래에 목(目)으로 나뉘어 유목(類目)의 총수는 5,474류(類)이며, 인용된 서적은 1,690여 종에 이른다.

244 책부원구(策府元龜) : 1,000권, 목록 10권. 《태평광기》, 《태평어람》, 《문원영화》와 함께 송대(宋代)의 4대 편찬서 가운데 하나이다. 왕흠약(王欽若)과 양억(楊億) 등이 황명을 받들어 편찬했다. 경덕(景德) 2년(1005)에 착수하여 1013년에 완성했다. 역대 군신(君臣)의 정치에 관한 사적을 제왕(帝王), 윤위(閏位)부터 총록(總錄), 외신(外臣)에 이르기까지 31부(部) 1,115문(門)으로 분류하여 열거하고 있다.

245 희령(熙寧)……요청했다 : 《동파전집(東坡全集)》 권63 〈논고려매서이해차자(論高麗買書利害箚子)〉에 나온다. 《동파전집》의 내용은 다음과 같다. "收買諸般文字内, 有策府元龜, 歷代史及敕式. ……昔年高麗使乞賜太平御覽."

246 팽승(彭乘) : 생몰년 및 자, 호는 미상이다. 송나라 균주(筠州) 고안(高安) 사람으로 《묵객휘서(墨客揮犀)》 10권을 저술하였다.

247 묵객휘서(墨客揮犀) : 총 10권이다. 송나라의 유문(遺聞), 일사(逸事) 및 시화(詩話), 문평(文評)에 대해 기술하였다.

248 왕평보(王平甫) : 1028~1074. 왕안국(王安國)으로 평보(平甫)는 자이다. 왕안석(王安石)의 아우로, 왕안례(王安禮), 왕방(王雱) 등과 함께 "임천 삼왕(三王)"으로 불렸다. 저서로는 《왕교리집(王校理

를 구하였다.[249] 우리나라 사람이 서적에 목말라한 것은 고려 때에도 이러했다.

고려 충선왕(忠宣王)이 원(元)나라에 있을 때, 연경의 사저에 만권당(萬卷堂)[250]을 짓고, 박사(博士) 유연(柳衍) 등을 강남(江南)에 보내 보초(寶鈔)[251] 150정(錠)으로 만 팔백 권의 책을 구입하게 하였다. 또 원나라 황제가 비각장본(秘閣藏本) 4,070권을 하사하였다. 충선왕이 고려에 돌아올 때 그 책을 가지고 돌아와 비각(秘閣)에 두었다. 조선에서 한양(漢陽)을 도읍으로 정한 뒤에 경복궁(景福宮) 집현전(集賢殿)으로 옮기고, 더 보태었다. 명나라 선덕(宣德) 원년(1426)에는 경사(經史)를 하사받아 홍문관(弘文館)으로 옮겨 두었다. 열조(列朝)가 내려오면서 전적(典籍)이 매우 갖추어졌다.

만력(萬曆) 연간(1573~1619)에 내의원 허준(許浚)[252]에게 명하여 《동의보감(東醫寶鑑)》[253]을 찬집하게 하면서 의서(醫書) 오백여 권을 내어 참고하도록 하였다[254]. 의서가 이러했으니 다른 서적의 수도 유추할 수 있다. 비부(秘府)

集)》 1권이 전한다.

249 희령……구하였다 : 《묵객휘서(墨客揮犀)》 권4에 나온다. 내용은 다음과 같다. "熙寧中, 高麗遣使, 求入貢, 且求王平甫學士京師題詠."

250 만권당(萬卷堂) : 충선왕이 아들 충숙왕에게 왕위를 물려주고 원나라 서울인 연경(燕京)의 자기 저택에 건립한 서재이자 고금의 진서(珍書)를 수집하여 학문을 연구하게 하던 학술 연구기관이다. 충선왕은 본국으로부터 이제현(李齊賢), 박충좌(朴忠佐) 등을 부르고, 원나라의 조맹부, 염복(閻復), 우집(虞集), 요봉(姚烽) 등을 초빙하여 경사(經史)와 학술, 문화 등을 연구·토론하는 등 고려와 원나라와의 문화교류의 중심적인 구실을 하였다.

251 보초(寶鈔) : 원나라, 명나라, 청나라 등에서 발행한 일종의 지폐이다.

252 허준(許浚) : 1539~1615. 자는 청원(淸源), 호는 구암(龜巖)이다. 내의원의 어의로 《동의보감(東醫寶鑑)》, 《찬도방론맥결집성(纂圖方論脈訣集成)》, 《언해구급방(諺解救急方)》, 《신찬벽온방(新纂辟瘟方)》 등을 저술하였다.

253 동의보감(東醫寶鑑) : 허준(許浚)이 저술한 의서로 1596년에 시작하여 1610년에 완성하였다. 모두 25권 25책으로 〈목록(目錄)〉 2권, 〈내경편(內經篇)〉 4권, 〈외형편(外形篇)〉 4권, 〈잡병편(雜病篇)〉 11권, 〈탕액편(湯液篇)〉 3권, 〈침구편(鍼灸篇)〉 1권으로 구성되어 있다. 우리나라를 비롯하여 중국과 일본에서도 간행되었다.

254 만력(萬曆) 연간에……참고하도록 하였다 : 이정귀(李廷龜)의 《월사선생집(月沙先生集)》 권39 〈동의보감서(東醫寶鑑序)〉에 보면 《동의보감(東醫寶鑑)》 찬집 과정이 기술되어 있는데, 요약하면 다음과 같다. "병신년(선조 29, 1596)에 허준에게 제가의 의방을 수집해서 책을 만들도록 하여, 정작(鄭碏), 양예수(楊禮壽) 등과 함께 찬집하던 중 1597년 정유재란으로 인해 의관들이 흩어지는 바람에 중단되었다. 이에 선조가 허준 혼자 찬집하도록 하교하고 내각(內閣)에 소장 중이던 의서 500여 권을 내어 주어 참고하도록 하였다. 이후 광해군 2년인 1610년에 완성하여 《동의보감(東醫寶鑑)》이라 제목

의 장서(藏書)는 이보다 많았는데 얼마 지나지 않아 임진왜란 중에 불타버렸다. 지금 홍문관과 시강원(侍講院) 두 곳의 장서는 모두 임진왜란 후에 새로 모은 것이다. 정조(正祖) 초기에, 창덕궁 내원(內苑)에 규장각(奎章閣)을 설치하면서 열고관(閱古觀)과 서고(西庫) 두 곳에 서적을 보관했는데[255], 홍문관과 시강원의 선본(善本)을 골라 옮기고, 새로 구입한 《도서집성(圖書集成)》 등 총 23,700여 책(冊)의 서적을 더하였다. 그리고 홍문관·시강원의 장본(藏本)은 관여하지 않았다. 이것이 우리나라 삼관(三館)[256] 장서의 시말이다.

비부(秘府)에 보관하여 외인(外人)이 볼 수 있는 것이 아니라곤 해도 중비(中秘)의 서적을 읽기 원했던 일이 미담으로 전하고,[257] 떡으로 배고픔을 달래며 책을 베꼈다[258]는 이야기도 있으니, 세상에 어찌 그런 사람이 없었겠는가. 경·사·자·집(經史子集) 가운데 권엽(卷頁, 책 페이지)이 수십 면 이하

을 붙여 올렸다.[嘗於丙申年間, 召太醫臣許浚, 敎曰: "近見中朝方書, 皆是抄集, 庸瑣不足觀. 爾宜裒聚諸方, 輯成一書. 且人之疾病皆生於不善調攝, 修養爲先, 藥石次之. 諸方浩繁, 務擇其要. 窮村僻巷, 無醫藥而夭折者多. 我國鄕藥多産, 而人不能知. 爾宜分類, 竝書鄕名, 使民易知." 浚退與儒醫鄭碏, 太醫楊禮壽, 金應鐸, 李命源, 鄭禮男等, 設局撰集, 略成肯綮. 値丁酉之亂, 諸醫星散, 事遂寢. 厥後先王又敎許浚獨爲撰成, 仍出內藏方書五百餘卷, 以資考據. 撰未半而龍馭賓天. 至聖上位之三年庚戌, 浚始卒業而投進, 目之曰"東醫寶鑑". 書凡二十五卷.]"

255 정조(正祖)……보관했는데 : 1776년 3월 왕위에 오른 정조는 본궁(本宮)인 창덕궁 금원(禁苑)에 규장각 창건을 명하였다. 9월에 2층 건물이 완성되어 경희궁에 설치하였던 주합루를 2층으로 이전하였다. 그 건물의 아래층을 어제존각(御製尊閣)이라 하여 역대 선왕의 친필·저술 등을 보관하였고, 서재로 별도 건물 서향각(書香閣)을 지었다. 곧 어제존각을 규장각으로 이름을 바꾸고 정조의 어진(御眞), 어제(御製), 어필(御筆), 인장 등을 보관하고, 그곳에 보관되었던 선왕의 유품들은 봉모당(奉謨堂)을 새로 지어 옮겼다. 또한 주합루 일대에 열고관(閱古觀), 개유와(皆有窩), 서고(西庫) 등의 건물을 지어 국내외 서적을 수집 보관하였다. 그때 처음으로 제학(提學), 직제학(直提學), 직각(直閣), 대교(待敎) 등의 각신(閣臣)을 임명함으로써, 규장각이 나라의 정식 기구로 발족하였다.

256 삼관(三館) : 홍문관, 예문관, 교서관이다. 시강원과 규장각은 각각 예문관, 교서관과 관련된다.

257 중비(中秘)의……전하고 : 중비는 황궁의 도서들을 보관하고 관장하는 곳이다. 《흠정남순성전(欽定南巡盛典)》 권20 〈천장(天章)·시(詩)〉에 "사고전서를 반포할 적에 중비의 서적을 읽기 원하는 자에게 허락하고 초록할 수 있게 하였다.[命頒布四庫全書時, 許願讀中秘者抄錄毋靳]"는 내용이 있다.

258 떡으로……베꼈다 : 축목(祝穆)의 《고금사문유취(古今事文類聚)》 별집 권4 〈유학부(儒學部)·회병독서(懷餠讀書)〉에 "곽달(郭達)이 젊었을 때 매일 떡 2개를 지니고 경사의 서루에서 독서를 했는데 배가 고프면 가지고 간 떡을 먹고 한 되의 술을 사서 마시고는 다시 책을 읽다가 저녁에 돌아오기를 매일같이 하였다[郭宣徽達, 少時, 日懷二餠, 讀書於京師西樓上, 饑卽食其餠, 沽酒一升飮, 再讀書, 抵暮歸, 率以爲常.]"는 내용이 있다. 같은 내용이 명나라의 팽대익(彭大翼)이 찬술한 《산당사고(山堂肆考)》 권124 〈회병독서(懷餠讀書)〉에도 나온다.

인 책은 진실로 공봉(供奉)[259]이나 서사(書史)[260]들이 초록(鈔錄)하여 유출한 덕분에 희귀하고 비밀스런 서적이 점차 세상에 유통될 수 있었다. 명나라 성화(成化) 연간(1465~1487)에 구준(邱濬)[261]이 문연각(文淵閣)[262]에 있었는데, 여정(余靖)[263]의 《무계집(武溪集)》을 보고 세간에 드문 전본임을 애석해하여 마침내 손수 베껴서 전하였다. 옛사람들이 고서를 유통하려 했던 고심이 이와 같았다.

중국의 책인데도 중국에서 구할 수 없는 것이 있다. 전겸익(錢謙益)[264]의 《목재초학집(牧齋初學集)》[265]과 《유학집(有學集)》은 둘 다 건륭(乾隆) 연간(1736~1796)에 조서를 내려 그 판본을 없앴으며, 사적으로 소장하는 사람에게는 죄를 물었다. 여유량(呂留良)[266]의 《만촌집(晩村集)》 또한 금서(禁書)에

---

259 공봉(供奉) : 고려 때 벼슬의 하나이다. 충렬왕(忠烈王) 34년에 설치한 예문 춘추관(藝文春秋館)의 정6품 이상의 벼슬로, 정원은 2명이며, 다른 관원이 이를 겸직(兼職)하였다.

260 서사(書史) : 고려 때 국자감(國子監), 태복시(大僕寺), 예빈성(禮賓省), 대부시(大府寺), 사재시(司宰寺) 등에 둔 이속(吏屬)이다.

261 구준(邱濬) : 명(明)나라의 학자이자 정치가이다. 자(字)는 중심(仲深), 호(號)는 경산(瓊山)이고, 시호는 문장(文莊)이다. 전고(典故)에 능통하였으며, 시폐(時弊)를 직언(直言)하여 황제를 잘 보필하였다. 《영종실록(英宗實錄)》, 《헌종실록(憲宗實錄)》 등을 편찬하였고, 진덕수(陳德秀)의 《대학연의(大學衍義)》를 증보한 《대학연의보(大學衍義補)》를 완성하였다.

262 문연각(文淵閣) : 명나라 때 설치한 궁중 장서각이다. 명나라 태조(太祖)가 남경(南京)의 봉천문(奉天門) 동쪽에 처음 설치하였고 성조(成祖) 때 북경(北京)으로 천도한 뒤에 새로 건립하였다. 청나라 때는 자금성(紫禁城) 안에 문연각을 설치하여 《사고전서(四庫全書)》를 소장하였다.

263 여정(余靖) : 1000~1064. 본명은 희고(希古)이며, 자는 안도(安道), 호는 무계(武溪)이다. 공부상서(工部尙書), 집현원학사(集賢院學士), 형부상서(刑部尙書) 등을 역임했다.

264 전겸익(錢謙益) : 1582~1664. 자는 수지(受之), 호는 목재(牧齋), 어초사(漁樵史), 우산종백(虞山宗伯)이다. 여러 학문에 통달하였고, 시부(詩賦)에 뛰어나 오위업(吳偉業), 공정자(龔鼎孶)와 함께 강좌(江左)의 삼가(三家)로 불렸다. 명나라 멸망 후, 명의 황족 주유숭(朱由崧)이 남경(南京)에 세운 조정에서 예부상서(禮部尙書)가 되었다. 청나라에서 예부 우시랑에 임명되어 《명사(明史)》의 편집을 맡았으나, 사후에 건륭제(乾隆帝)로부터 두 왕조에서 벼슬한 불충한 신하로 비난받고 모든 저서가 불태워졌다.

265 목재초학집(牧齋初學集) : 전겸익(錢謙益)의 저서로 《초학집》이라고도 한다. 시 20권, 문 80권, 태조실록변증(太祖實錄辯證) 5권, 독두소전(讀杜小箋) 3권, 독두전(讀杜箋) 2권 등 모두 110권이다. 명(明)나라 숭정(崇禎) 16년(1643) 전겸익의 문인인 구사(瞿耜)가 판각했다. 청(淸)나라 건륭(乾隆) 연간에 금서로 없어졌다가 청(淸)나라 말인 선통(宣統) 2년(1910)에 요한재(邃漢齋)가 구각본(瞿刻本)과 전주본(箋注本)을 교감(校勘)하여 출판하였다.

266 여유량(呂留良) : 1629~1683. 명말(明末) 청초(淸初)의 학자이자 출판가(出版家)이다. 자는 장생(莊

속한다. 근래에 들으니 《고정림집(顧亭林集)》[267], 《치청전집(豸青全集)》[268]도 모두 금서가 되었다고 한다.

그러나 목재(牧齋)의 시문(詩文)은 용사(用事)가 잘 활용되어 있어 과거 공부하는 데에 여러 가지를 섭렵하는 자료로 매우 유익하므로, 조금이나마 글로 명성이 난 우리나라 문인이라면 서가에 꽂아두지 않은 이가 없다. 여유량과 고염무의 문집 또한 금서가 되기 전에 우리나라에 들어온 것이 있으므로 모두 우리나라에서 구할 수 있다. 훗날 금서에서 풀리면 중국 사람들이 우리나라를 공벽(孔壁)으로 여길 것이다.[269]

중국인들의 기록 중에 우리나라에 관한 일을 담고 있는 책을 들어보면 다음과 같다. 《당서(唐書)》 〈예문지(藝文志)〉에 저자를 알 수 없는 《봉사고려기(奉使高麗記)》 1권, 배구(裵矩)[270]가 지은 《고려풍속(高麗風俗)》 1권, 고음(顧愔)이 지은 《신라국기(新羅國記)》[271] 1권, 장건장(張建章)이 지은 《발해국기(渤

生), 호는 만촌(晩村), 치옹(耻翁), 남양포의(南陽布衣), 여의산인(呂醫山人) 등이다. 명나라가 망하자 삭발하고 중이 되어 이름을 내가(耐可), 자를 불매(不昧), 호를 하구노인(何求老人)으로 고쳤다. 저서로 《여만촌문집(呂晩村文集)》, 《동장시존(東莊詩存)》, 《속집(續集)》 등이 있다.

267 고정림집(顧亭林集) : 고염무(顧炎武, 1613~1682)의 문집이다. 고염무는 명나라 멸망과 함께 청(淸) 순치(順治) 원년(1644)부터 약 12년간 두 차례 무장투쟁과 비밀결사인 복사(復社)에도 간여했다. 이후 청조 출사를 거부하고 북방 지역을 여행하면서 역사와 경학의 고증과 음운 연구 및 저술 활동에 주력했다. 《일지록(日知錄)》 32권, 《천하군국이병서(天下郡國利病書)》 100권, 《음학오서(音學五書)》 38권 등 370여 권의 저술을 남겼다.

268 치청전집(豸青全集) : 이개(李鍇, 1686~1755)의 문집이다. 이개의 자는 철군(鐵君), 호는 미산(眉山), 부청산인(腐青山人), 초명자(焦明子), 후염생(後髥生), 치청(豸青) 등이다. 진재(陳梓)와 함께 남진(南陳)·북이(北李)로 병칭되었다. 사성(四聲)에 통달하고 소전(小篆)에 밝았다. 이덕무(李德懋)의 《청장관전서(青莊館全書)》에 따르면 이개의 《첩소집(睫巢集)》 몇 권이 조선에 유입되었던 것을 알 수 있다.

269 우리나라를……것이다 : 공벽(孔壁)은 한(漢)나라 때 노 공왕(魯恭王)이 궁을 넓히기 위하여 공자의 옛집을 헐다가 벽 안에 숨겨놓았던 《고문상서(古文尙書)》, 《예기(禮記)》, 《논어(論語)》, 《효경(孝經)》 등을 발견했던 데서 나온 말이다. 훗날 중국 사람들이 우리나라를 공자의 집 벽[공벽]으로 여길 것이라는 말은, 중국에서 금서가 되어 사라진 전겸익, 여유량, 고염무의 문집을 우리나라에서 찾을 수 있다는 말이다.

270 배구(裵矩) : 547~627. 당(唐)나라 문희(聞喜) 사람으로 자는 홍대(弘大)이다. 북제(北齊)에서 벼슬을 하여 고평왕(高平王)의 문학(文學)을 돕다가 수(隋)가 건국되자 이부시랑(吏部侍郎)에 천거되었으며, 서역(西域) 경략(經略) 때에는 토곡혼(吐谷渾)을 쳐부수고, 황제를 따라 요(遼)나라를 정벌하여 그 공로로 우광록대부(右光祿大夫)가 되었으나 곧 황제의 뜻에 거슬려 관직에서 물러났다. 후에 우문화(宇文化)가 참위(僭位)하자 하북도안무대사(河北道安撫大使)가 되었으며, 얼마 있다가 당(唐)나라에 귀화하여 민부상서(民部尙書)에 천거되었다.

271 신라국기(新羅國記) : 당나라 고음(顧愔)이 767년(신라 혜공왕 3)에 경덕왕에 대한 조제와 혜공왕

海國記)》[272] 3권이 실려 있다. 《통지(通志)》[273] 〈예문략(藝文略)〉에는 승안(僧顏)이 지은 《발해행년기(渤海行年記)》 10권이 실려 있다.

《문헌통고(文獻通考)》[274] 〈경적고(經籍考)〉에는 저자를 알 수 없는 《계림유사(雞林類事)》 3권이 실려 있다. 왕응린(王應麟)[275]이 지은 《옥해(玉海)》에는 손목(孫穆)이 짓고 왕운(王雲)이 편찬한 《계림지(雞林志)》 30권, 장요(章僚)가 지은 《해외사정광기(海外使程廣記)》[276] 3권, 서긍(徐兢)[277]의 《고려도경(高麗圖經)》 40권이 실려 있다. 《옥해(玉海)》〈예문류(藝文類)〉에는 오식(吳拭)이 지은

에 대한 책립을 위한 사신의 일행으로 신라에 왔다 가서 쓴 견문기이다.

272 발해국기(渤海國記) : 당나라 장건장(張建章, 806~866)이 쓴 것으로 알려진 발해에 관한 역사책이다. 현존하지는 않으며, 《신당서(新唐書)》, 《송사(宋史)》, 《통지예문략(通志藝文略)》 등에 이 책의 서명과 인용된 내용이 전한다. 장건장은 중산(中山) 북평(北平) 출생으로, 833년에 유주(幽州)를 출발하여 해로와 육로를 통하여 발해에 도착하였다. 그는 발해에서 1년간 머물렀으며, 귀국한 후에는 견문한 것을 토대로 발해의 풍속, 관품, 궁전 등에 대해 기록한 《발해국기》를 저술하였다. 현재 남아있지 않으나 《신당서(新唐書)》〈발해전(渤海傳)〉에서 이 책을 근거로 발해에 관한 내용을 수록하고 있다.

273 통지(通志) : 남송의 정초(鄭樵)가 소흥 31년(1161)에 편찬한 책이다. 통사 형식인 《사기》의 체제를 본떠, 삼황으로부터 시작하여 수나라, 당나라에 이르는 전장(典章), 제도를 기록한 정서(政書)이다. 두우의 《통전》, 마단림의 《문헌통고》와 함께 삼통(三通)으로 일컬어진다. 이 책은 청나라의 장학성에 의해 그 가치가 재평가되었다. 전체가 200권이고, 고증 3권이 붙어 있으며, 기전체로서 본기, 연보, 세가, 열전, 재기와 이십략(二十略) 등이 포함되어 있다.

274 문헌통고(文獻通考) : 중국 송말(宋末), 원초(元初)의 학자 마단림(馬端臨)이 지은 제도와 문물사(文物史)에 관한 저서이다. 총 348권이며, 높은 정치가의 견식과 역사가의 정신으로 전후 20년에 걸쳐 완성하여 1319년에 간행하였다.

275 왕응린(王應麟) : 1223~1296. 남송 때의 학자로, 자는 백후(伯厚), 호는 심녕거사(沈寧居士)이다. 관직은 예부상서겸급사중(禮部尙書兼給事中)에 이르렀다. 경사백가(經史百家)와 천문지리 등에 조예가 깊었다. 장고제도(掌故制度)에 익숙하고 고증에 능통했다. 저서로는 《곤학기문(困學紀聞)》, 《옥해(玉海)》, 《심녕집(深寧集)》 등이 있다. 특히 《옥해》는 모두 200권으로 남송시대의 대표적인 유서(類書)이다.

276 해외사정광기(海外使程廣記) : 이규경(李圭景)의 《오주연문장전산고(五洲衍文長箋散稿)》〈사적총설(史籍總說)〉에 《해외사정광기(海外使程廣記)》에 대한 《문헌통고》의 내용을 인용한 부분이 있는데 다음과 같다. "《해외사정광기》 3권에 대해서는 진씨(陳氏)가 말하기를 '남당(南唐)의 여경사(如京使, 관명) 장요(章僚)가 찬하였는데, 그가 고려에 사신으로 갔을 때 기록한 해도(海道)와 산천(山川)·사적(事蹟)·물산(物産) 등이 매우 자세하게 기록되었다. 사허백(史虛白)이 거기에 서(序)를 쓰면서 기미(己未) 시월(十月)이라 하였으니, 아마 본조(本朝, 송나라를 말함)가 개국(開國)하기 1년 전인 듯하다.'라고 하였다."

277 서긍(徐兢) : 생몰년은 미상이다. 송(宋)나라 때의 문신(文臣)으로, 자는 명숙(明叔)이다. 고려(高麗) 인종(仁宗) 1년(1123)에 사신으로 와서 한 달간 머물면서 보고 들은 사실(事實)을 글과 그림으로 기록한 《선화봉사고려도경(宣和奉使高麗圖經)》 40권을 지어 고려(高麗)를 중국에 소개하였다. 현재 그림은 없어지고 글만 전한다. 내용 중에 우리말을 기록한 것이 있는데, 오늘날 국어 연구(硏究)에 귀중한 자료가 된다.

《계림지(雞林志)》 20권이 실려 있다.[278]

《명사(明史)》 〈예문지(藝文志)〉에는 송응창(宋應昌)[279]이 지은 《조선복국경략(朝鮮復國經略)》 6권, 소응궁(蕭應宮)이 지은 《조선정왜기략(朝鮮征倭紀略)》 1권, 예겸(倪謙)[280]이 지은 《조선기사(朝鮮記事)》[281] 1권, 전부(錢溥)가 지은 《조선잡지(朝鮮雜志)》 3권, 공용경(龔用卿)[282]이 지은 《사조선록(使朝鮮錄)》 3권이 실려 있다.

《위계자집(魏季子集)》[283] 〈영도선현전(寧都先賢傳)〉에는 동월(董越)[284]이 지은 《사동일록(使東日錄)》[285] 1권이 실려 있고, 《열조시집(列朝詩集)》[286]에는 오

---

278 문헌통고(文獻通考)……실려 있다 : 《옥해》 권16 〈지리(地理)〉에 따르면, 《계림유사(雞林類事)》 3권은 숭녕(崇寧, 1102~1106) 초에 손목(孫穆)이 편찬한 것으로 되어 있다. 《계림지(雞林志)》는 숭녕(崇寧) 연간에 오식(吳拭)이 편찬한 20권본과 왕운(王雲)이 편찬한 30권본이 있는 것으로 되어 있다.

279 송응창(宋應昌) : 중국 명(明)나라 신종(神宗) 때의 문신·장군으로, 자는 동강(桐岡)이다. 병부우시랑(兵部右侍郎)·대사마(大司馬)를 지내다가 임진왜란(壬辰倭亂) 때 경략군문(經略軍門)에 임명되어 제독군무(提督軍務) 이여송(李如松) 등과 명군(明軍) 4만여 명을 이끌고 참전하였다.

280 예겸(倪謙) : 중국 명(明)나라 때의 문신으로, 1450년(조선 세종 32) 경제(景帝)의 등극을 알리러 조선에 사신으로 왔다. 예부상서(禮部尙書)를 지냈고, 저서로 《조선기사(朝鮮紀事)》를 남겼다.

281 조선기사(朝鮮記事) : 예겸(倪謙)이 조선에 사신으로 왔을 적에 지은 기행문이다. 압록강에서부터 왕성에 이르기까지 총 1,170리를 가는 동안에 28곳의 관소를 거치면서 기록하였는데, 내용이 소략하다. 그 당시에 조선에서는 국왕과 세자가 모두 병을 핑계 대면서 조서를 맞이하지 않았는데, 예겸이 이를 다투었으나 허락을 얻지 못하였는 데도 어찌하지를 못하였다. 이는 대개 막 토목(土木)의 변고가 일어나서 나라의 형세가 위태로운 때였으니, 또한 명나라가 점차 약해져서 아주 가까운 곳에 있는 나라에서도 명령이 행해지지 않았다는 것을 알 수가 있다.

282 공용경(龔用卿) : 자는 명치(鳴治), 호는 운강(雲岡)이다. 조선에 사신으로 온 일이 있고, 남경 국자감 좨주(南京國子監祭酒)에 발탁되었으나 병 때문에 사퇴하였으며, 저술로는 《사조선록(使朝鮮錄)》, 《운강집(雲岡集)》 등이 있다.

283 위계자집(魏季子集) : 위례(魏禮, 1628~1693)의 문집이다. 위례의 자는 화공(和公)이며, 자호는 오려(吾廬)이다. 형인 위제서(魏際瑞), 위희(魏禧)와 함께 학문에 높은 성취가 있었으며, 관직에 나아가지 않았는데 세상 사람들은 이들을 '영도삼소(寧都三蘇)'라고 불렀다. 위례는 3형제 중 막내였던 까닭에 '위계자(魏季子)'라고 불린다.

284 동월(董越) : 자는 상거(尙矩), 호는 규봉(圭峯)이다. 성종 19년(1488)에 즉위조서(卽位詔書)를 가지고 사신으로 왔다. 저서로 《사동일록(使東日錄)》, 《조선잡지(朝鮮雜誌)》, 《봉사록(奉使錄)》, 《조선부(朝鮮賦)》, 《규봉문집(圭峯文集)》 등이 있다.

285 사동일록(使東日錄) : 동월이 조선에 사신으로 오가는 중에 지은 기행시(紀行詩)를 모은 책이다.

286 열조시집(列朝詩集) : 청나라의 전겸익(錢謙益, 1582~1664)이 1652년에 펴낸 책으로 81권이다. 황제로부터 승려·여성·외국인 등 약 2,000명에 이르는 명나라 사람들의 시를 골라서 엮었다. 작자마다 소전(小傳)을 붙였는데 그것만을 뽑은 《열조시집소전(列朝詩集小傳)》이 간행되기도 하였다. 다만 전겸익이 청조를 비방하였기 때문에 이 책도 18세기 후반 금서(禁書)가 되었다.

명제(吳明濟)가 지은 《고려세기(高麗世紀)》[287] 1권이 실려 있고, 《사고전서총목(四庫全書總目)》에는 동월(董越)의 《조선부(朝鮮賦)》 1권, 정약증(鄭若曾)의 《조선도설(朝鮮圖說)》[288] 1권, 황홍헌(黃洪憲)의 《조선국기(朝鮮國紀)》[289] 1권이 실려 있다. 모두 19종이다. 《지부족재총서(知不足齋叢書)》[290]에 실려 있는 서긍의 《고려도경》과 《소대총서(昭代叢書)》[291]에 실려 있는 동월의 《조선부》는 모두 내가 본 것이다. 황홍헌의 《조선국기》는 한림편수(翰林編修) 정진방(程晉芳)[292]의 집안에 소장본이 있다고 전해지며, 정약증의 《조선도설》은 범씨 천일각(天一閣)[293]에 소장본이 있다고 전해진다. 나머지 15종은 전해지는지 일실되었는지 알 수가 없다. 그러나 《조선복국경략》, 《조선정왜기략》, 《조선기사》 등의 책은 근래 사람들이 편찬한 것이니, 그중 한두 종만 구해 볼 수 있어도 우리나라에 대한 기록을 고증(考証)하는 데 적지 않

---

287 고려세기(高麗世紀) : 명나라 오명제(吳明濟)가 편찬한 책으로 조선의 시종(始終)에 대해 기록한 것이 아주 상세하다. 오명제는 만력 정유년(1597, 선조 30)에 유황상(劉黃裳)을 따라 조선에 다녀갔다.

288 조선도설(朝鮮圖說) : 명나라 정약증이 편찬한 책이다. 먼저 도(圖)를 그리고 뒤에 고(考)를 붙였으며, 그 다음에 세기(世紀), 도읍(都邑), 산천(山川), 풍속(風俗), 토산(土産), 도리(道里), 공식(貢式)을 상세하게 적고, 송(宋)나라 정흥예(鄭興裔)의 주의(奏議) 1편을 첨부하였다.

289 조선국기(朝鮮國紀) : 황홍헌(黃洪憲)이 편찬한 책이다. 조선에 사신으로 왔다가 조선 선대(先代)의 실기(實記)를 보고는 그로 인하여 왕위를 전수한 차서(次序) 및 흥폐의 대요(大要)를 편찬하여 이 책을 지었다.

290 지부족재총서(知不足齋叢書) : 중국 청나라 때의 장서가인 포정박(鮑廷博)이 엮은 총서이다. '지부족재(知不足齋)'는 그의 서재 이름이다. 자신이 소장(所藏)한 진서(珍書)와 다른 장서가들과도 자료를 교환(交換)하여, 그 중에서 골라 이 총서를 만들었다. 경서(經書)와 사학(史學)의 고증(考證), 제자(諸子)의 주석, 수필, 잡기(雜記), 시화(詩話) 및 시문집(詩文集) 등의 전본(傳本)이 드문 것, 혹은 종래(從來)의 전본에 오자나 탈자가 많은 것 등을 선택(選擇)하고 있다.

291 소대총서(昭代叢書) : 장조(張潮, 1650~?)가 청대(清代) 사람들의 잡저(雜著)를 모아서 편집한 총서이다. 장조의 자는 산래(山來), 호는 심재(心齋)이다. 처음에는 갑집(甲集)과 을집(乙集)만 출판하고, 얼마 뒤에 병집(丙集)을 만들었는데, 후에 양복길(楊復吉)과 심무덕(沈懋悳) 등이 이어서 정(丁), 무(戊), 기(己), 경(庚), 신(辛), 임(壬), 계집(癸集)까지 출판하였다.

292 정진방(程晉芳) : 1718~1784. 청나라 때의 경학가이며 시인이다. 초명(初名)은 정황(廷璜)이고, 자는 어문(魚門), 호는 즙원(蕺園)이다. 《사고전서(四庫全書)》 찬수에 참여하였다. 5만 권의 장서를 구입하여 집안에서 선비들과 탐구하고 토론하였다. 저서로 《즙원시(蕺園詩)》, 《면화재문(勉和齋文)》 등이 있다.

293 천일각(天一閣) : 명나라 가정제(嘉靖帝) 때 병부우시랑(兵部右侍郎)을 지낸 범흠(范欽)이 자신이 소장한 책들을 보관하기 위하여 지은 장서각이다. 천일각이라는 명칭은 《주역》의 "천일이 물을 낳고, 지육이 그것을 이룬다[天一生水, 地六成之]"에서 따온 것으로, 불과 상극인 물의 힘을 빌려 화재로부터 장서들을 보호하려는 바람이 담겨 있다.

은 도움이 될 것이다.

우리나라 사람이 찬술(纂述)한 책 가운데 중국의 서적에 보이는 것들을 시험 삼아 들어보면 다음과 같다. 왕응린(王應麟)의 《옥해(玉海)》에는 심민(沈忞)의 《삼국사(三國史)》 50권이 있다. 【《삼국사》는 고려(高麗)의 김부식(金富軾)이 지었는데, 여기에서 심민이 지었다고 한 것은 기록의 오류이다.】 주이준(朱彝尊)의 《폭서정집(曝書亭集)》[294]에는 〈고려사발(高麗史跋)〉이 실려 있는데, 그 체재(體才)가 볼만하고 조리가 있어 어지럽지 않다[295]고 칭찬하였다. 기윤(紀昀) 등이 편찬한 《사고전서총목(四庫全書總目)》에는 서경덕(徐敬德)의 《화담집(花潭集)》 2권이 실려 있는데, 《태극도설(太極圖說)》과 《황극경세서(皇極經世書)》의 뜻을 잘 드러내었다고 칭찬하였다.[296] 《사고전서총목》에는 또, "《조선사략(朝鮮史略)》 1권[297]. 편찬한 사람은 알 수 없다. 만력(萬曆) 연간의 동정(東征) 때 풍중영(馮仲纓)이 입수한 것이다."[298]라고 하였다. 《사고전서총목》에는 또 《조선지(朝鮮志)》[299] 2권과 《조선국지(朝鮮國志)》[300] 1권이 있는데, 모두 우리나라 사람이 저술하였다고 하였다. 지금 《삼국사》, 《고려사(高麗史)》, 《화담집》은 모두 전하는 본이 있지만, 나머지 《조선사략》, 《조선지》, 《조선국사》 등과 같은 책은 전하는 본이 없을 뿐 아니라,

---

294 폭서정집(曝書亭集) : 청나라 주이준이 자편(自編)한 문집으로 모두 80권으로 이루어져 있다.

295 체재(體才)가……않다 : 《폭서정집(曝書亭集)》 권44 〈서고려사후(書高麗史後)〉에 나온다. 《폭서정집》의 내용은 다음과 같다. "觀其體例, 有條不紊."

296 서경덕(徐敬德)의……칭찬하였다 : 《사고전서총목(四庫全書總目)》 권178 〈서화담집(徐花潭集)〉에 나온다. 《사고전서총목》의 내용은 다음과 같다. "敬德之學一以宋儒爲宗, 而尤究心於周子太極圖說, 邵子皇極經世, 集中襍著, 皆發揮二書之旨."

297 조선사략(朝鮮史略) 1권 : 《사고전서총목(四庫全書總目)》에는 6권으로 되어 있다.

298 《조선사략(朝鮮史略)》……것이다 : 《사고전서총목(四庫全書總目)》 권66 〈조선사략(朝鮮史略)〉에 나온다. 《사고전서총목》의 내용은 다음과 같다. "朝鮮史略六卷.[浙江鮑士恭家藏本.] 一名東國史略. 不著撰人名氏. 乃明時朝鮮人所紀. …… 書末有萬曆庚戌趙琦美跋, 稱借錄於馮仲纓家. 蓋倭陷朝鮮, 出師東援時所得之本也."

299 조선지(朝鮮志) : 《사고전서총목(四庫全書總目)》 권71에 나온다. 내용 중에 "此書, 出其國人所述."이라고 하였다.

300 조선국지(朝鮮國志) : 《사고전서총목(四庫全書總目)》 권78에 나온다. 내용 중에 "稱我康獻王, 知爲朝鮮人作."이라고 하였다.

편찬한 사람의 성명도 상고할 수가 없다. 이에 관심이 있는 사람이 응당 모으고 찾아야 할 바이다.

《오대사(五代史)》〈사이전(四夷傳)〉에, "주 세종(周世宗) 6년(959)에 고려에서 《별서효경(別序孝經)》 1권을 바쳤다."[301]라고 하였다. 그러나 우리나라에는 지금 전하는 판본이 없으며, 우리나라의 유자(儒者) 가운데 전아하다고 일컬어지는 사람도 《별서효경》이라는 이름을 거론하지 못하였다. 근래 포정박(鮑廷博)의 《지부족재총서(知不足齋叢書)》에 실린 각고본(刻古本) 《효경》을 보니, "일본의 상선(商船)에서 구했다."라고 하였고, 또 《사고전서총목》을 살펴보니, 일본인 정정(井鼎)[302]의 《칠경맹자고문(七經孟子考文)》이 실려 있는데, 그 범례(凡例)에 "그 나라의 족리학(足利學)[303]에는 고본 《주역(周易)》 3통, 《약례(略例)》 1통, 황간(皇侃)[304]의 《논어의소(論語義疏)》 1통, 고문 《맹자(孟子)》 1통이 있다."라고 하였다. 이는 모두 중국에 전하지 않는 비본(秘本)이다. 마땅히 서둘러 도해 역관(渡海譯官)을 통해 좋은 값을 쳐주고 구해야 하니, 이른바 '학문이 사방 오랑캐에 있다'[305]고 하는 것이다.

우리나라의 서적은 종류가 없어 사부(四部)[306]의 체제를 갖출 수 없고, 잡다하고 볼만한 것으로 동우(棟宇)를 가득 채우기에 충분한 것은 다만 별

---

301 주 세종(周世宗)……바쳤다 : 이 말은 《구오대사(舊五代史)》 권120 〈주서(周書) 공제기(恭帝紀)〉에 보이는데, 주(注)에 다음과 같이 말하였다. "《문창잡록(文昌雜錄)》에 '《별서(別序)》는 공자의 소생과 제자들이 종유하며 학문한 일을 기록하였다.'라고 하였다.[文昌雜錄云: 別序者, 記孔子所生及弟子從學之事.]"

302 정정(井鼎) : 본명은 산정정(山井鼎)이다. 일본 기이(紀伊) 사람으로, 일명 중정(重鼎)이며, 호는 곤륜(崑崙), 자는 군이(君彝)이다. 저서로는 《곤륜산상생기행(崑崙山相生紀行)》, 《칠경맹자고문(七經孟子考文)》이 있다.

303 족리학(足利學) : 일본 족리시대의 학교를 말한다. '족리'는 실정 막부(室町幕府)의 시조이다.

304 황간(皇侃) : 남북조(南北朝)시대 양(梁)나라의 유학자이다. 특히 《삼례(三禮)》, 《효경(孝經)》, 《논어(論語)》에 정통하였고, 저서에 《예기강소(禮記講疏)》, 《논어의(論語義)》, 《예기의(禮記義)》 등이 있다.

305 학문이……있다 : 《춘추좌씨전》 소공(昭公) 17년 조에 공자가 "내가 듣기로는 '천자가 관직을 잃으면 학문이 사방 오랑캐에게 존재한다.' 하니 그 말을 믿을 만하구나!" 하였다.

306 사부(四部) : 중국 서적의 네 갈래인 경부(經部)·사부(史部)·자부(子部)·집부(集部)를 말한다.

집(別集) 한 종류뿐이다. 선조(先朝) 병진년(1796, 정조20)에 나는 내각(內閣)[307]에 있으면서 명을 받고 《누판고(鏤版考)》[308]를 편찬하였다. 도성 안팎에 공적·사적으로 소장된 누판(鏤版)을 조사하여 낱낱이 차례대로 기록하고, 아울러 저술한 사람의 성명도 기록하니 의례(義例)가 대략 갖추어졌다. 그 책의 판본이 어느 곳에 있는지, 판각이 온전한지 훼손되었는지, 인지(印紙)가 많은지 적은지를 알고자 할 땐 이것을 가지고 살펴본다면 거의 어긋나지 않을 것이다. 그러나 이 책은 현존하는 판각을 기록하였을 뿐이다. 판본이 일실되고 책만 남아 있거나, 활자가 깨졌거나, 원래 판각을 하지 않고 필사본으로 세상에 전해지는 경우에는 또 별도로 그때그때 사들여야 한다. 김부식(金富軾)의 《삼국사(三國史)》는 근래 활자본이 세상에 전해지지만 수습하여 보관하고 있는 것은 거의 없고, 정인지(鄭麟趾)의 《고려사(高麗史)》 또한 판본은 일실되고 책만 남았는데, 인본(印本)이 날이 갈수록 훼손되고 있다. 우리나라의 정사(正史)는 이 두 종뿐인데, 다시 수백 년이 지나 드디어 전해지지 않게 된다면, 우리나라 수천 년의 문헌이 끊어질 것이다.

장서가(藏書家)가 먼저 사서 보관해야 할 책은 그 밖에도 서사가(徐四佳)[309]의 《여지승람(輿地勝覽)》[310]이나 유형원(柳馨遠)[311]의 《여지지(輿地志)》[312]

---

307 내각(內閣) : 규장각(奎章閣)의 별칭으로, 정조(正祖) 원년에 창설하였으며, 역대 국왕의 글·글씨·고명(顧命)·유교(遺教)·선보(璿譜)·보감(寶鑑) 등과 어진(御眞)을 봉안(奉安)하는 곳이다.

308 누판고(鏤版考) : 조선 후기 전국에 소장되어 있던 책판의 목록 겸 해제로, 18세기 후반에 존재하던 목판을 전체적으로 정리하려는 목적에서 편찬되었다. 독자적인 기준에 의해 중국본 서적을 정리하여 《규장총목(奎章總目)》, 《내각방서록(內閣訪書錄)》 등의 해제집을 편찬하고, 정조(正祖) 연간 정부에서 간행한 서적에 대해서 《군서표기(群書標記)》를 통해 내용과 의미를 정리하던 당시의 문화적 흐름 속에서 이루어진 책이다. 정조는 1778년(정조 2) 관아를 비롯하여 서원·사찰·민가 등 전국에 소장되어 있는 책판의 판본을 국가간행과 민간간행을 막론하고 중앙에 보고하게 한 후 규장각에서 정리하게 하였으며, 그 후 1796년 규장각 관원 서유구에게 종합하고 분류하여 목록을 만들게 하였다.

309 서사가(徐四佳) : 서거정(徐居正, 1420~1488)으로 사가(四佳)는 그의 호이다. 자는 강중(剛中)이고, 또 다른 호는 정정정(亭亭亭)이고 시호는 문충(文忠)이다. 《향약집성방(鄕藥集成方)》을 언해하였으며, 《동문선(東文選)》, 《동국여지승람(東國輿地勝覽)》, 《삼국사절요(三國史節要)》 등을 찬진하였다. 저서로 《사가집(四佳集)》, 《동인시화(東人詩話)》, 《북정록(北征錄)》, 《필원잡기(筆苑雜記)》 등이 있다.

310 여지승람(輿地勝覽) : 《동국여지승람(東國輿地勝覽)》을 말한다. 《명일통지(明一統志)》의 체제를 참고하여 성종 12년(1481)에 노사신(盧思愼), 강희맹(姜希孟), 서거정(徐居正), 성임(成任), 양성지(梁

같은 지리서, 허준(許浚)의 《경험방(經驗方)》과 이광사(李匡師)[313]의 《원교필결(圓嶠筆訣)》[314] 같은 의방(醫方)과 기예서, 정초(鄭招)[315]가 왕명을 받들어 편찬한 《농사직설(農事直說)》[316], 강희맹(姜希孟)[317]의 《금양잡록(衿陽雜錄)》[318], 신속(申洬)[319]의 《농가집성(農家集成)》[320] 같은 농가서는 혹 판각이 오래전에 일

誠之) 등이 총재하여 50권으로 완성하였으며, 이후 연산군 5년(1499)에 일부 수정을 하여 중간하였다. 중종 25년(1530)에는 기존의 《동국여지승람》을 증보하여 55권의 《신증동국여지승람(新增東國輿地勝覽)》을 간행하였다. 광해군 3년(1611)에는 신증본을 저본으로 선조(宣祖) 때 사실을 추가하여 번각한 목판본을 간행하였다. 각 도별로 도의 연혁, 관원 등을 기재하고, 이어서 각 군현별로 건치 연혁, 형승, 산천, 인물, 고적, 제영 등을 기재하였다.

311 유형원(柳馨遠) : 1622~1673. 자는 덕부(德夫)이고, 호는 반계(磻溪)이다. 1653년 이후 전라도 부안에 은거하며 독서와 연구에 전념하였다. 홍계희(洪啓禧)가 지은 전(傳)에 따르면 저술에 힘써 많은 저작이 집안에 소장되어 있다고 하였으나 현재는 《반계수록(磻溪隨錄)》, 《동국여지지(東國輿地志)》 등이 남아 있고, 대부분은 일실되었다.

312 여지지(輿地志) : 《동국여지지(東國輿地志)》를 말한다. 유형원이 1656년에 편찬한 전국 지리지로, 1530년 《신증동국여지승람》 편찬 이후 《여지도서(輿地圖書)》가 편찬된 1759년까지 약 230년의 공백을 메워주는 지리지 자료이다. 현재 남아 있는 것은 모두 9권 10책으로 권4 상(上)에 해당하는 경상도 상이 결락되어 있다. 규장각 한국학연구원에 소장되어 있다.

313 이광사(李匡師) : 1705~1777. 자는 도보(道甫)이고, 호는 원교(圓嶠), 수북(壽北)이다. 정제두(鄭齊斗)와 윤순(尹淳)에게서 수학하였으며 서예가로 이름을 떨쳤다. 나주괘서(羅州掛書) 사건에 연루되어 23년간 유배되었으며 결국 유배지인 신지도(薪智島)에서 사망하였다. 시, 서, 화에 모두 능하였으며, 원교체(圓嶠體)라는 필체를 남겼다. 저서로는 시문집인 《원교집선(圓嶠集選)》 10권과 서법 이론서인 《원교서결(圓嶠書訣)》 등이 있다. 《연려실기술(燃藜室記述)》을 지은 이긍익(李肯翊)은 그의 아들이다.

314 원교필결(圓嶠筆訣) : 《원교서결(圓嶠書訣)》을 말한다. 이광사(李匡師)가 신지도(薪智島) 유배 시절에 지은 서법 이론서로, 전, 후 2편으로 구성되어 있는데 후편은 다시 상, 하로 이루어져 있다. 본문의 기록에 의하면 전편은 이광사가 60세 되던 해인 갑신년(1764) 6월에, 후편은 무자년(1768) 1월에 완성되었다. 전편은 이광사의 시문집인 《원교집선(圓嶠集選)》에도 실려 있다.

315 정초(鄭招) : ?~1434. 자는 열지(悅之)이고, 시호는 문경(文景)이다. 조선 초기의 문신, 학자로 세종의 명으로 《칠정산내편(七政算內篇)》, 《농사직설(農事直說)》 등의 편찬에 참여하였다.

316 농사직설(農事直說) : 세종 때 정초(鄭招) 등이 왕명으로 편찬한 농서(農書)로, 세종 11년(1429)에 간행하였다. 정초의 서문에 따르면 우리나라 농토에 이미 시행한 경험을 바탕으로 긴요한 것을 추려서 만들었다고 하였다. 이후 성종, 효종, 숙종 대에도 지속적으로 증보 간행하였다.

317 강희맹(姜希孟) : 1424~1484. 자는 경순(景醇), 호는 사숙재(私淑齋), 운송거사(雲松居士), 무위자(無爲子), 시호는 문량(文良)이다. 세종 29년(1447) 문과 별시에 장원하여 관직 생활을 시작하였으며, 《국조보감(國朝寶鑑)》, 《경국대전(經國大典)》, 《동문선(東文選)》, 《동국여지승람(東國輿地勝覽)》 등의 편찬에 참여하였다. 저서로는 시문집인 《사숙재집(私淑齋集)》과 농사에 대해 기술한 《금양잡록(衿陽雜錄)》 등이 있다.

318 금양잡록(衿陽雜錄) : 강희맹(姜希孟)이 처가 소유인 금양(衿陽 현 서울 금천구와 경기도 시흥시, 광명시 일원)의 별장에 머무를 적에 직접 농사를 지은 경험과 이웃 농부들과의 대화를 바탕으로 저술한 농서(農書)이다. 농가(農家), 농담(農談), 농자대(農者對), 제풍변(諸風辨), 종곡의(種穀宜), 선농구(選農謳)의 6개 항목으로 이루어져 있다. 별도로 유전되다 1805년 강희맹의 시문집인 《사숙재집(私淑齋集)》을 중간할 당시 권11로 편차되어 시문집에 합하여졌다.

실되었거나 혹 원래 판각을 맡기지 않은 것이 있으니, 판각은 일실되고 책만 남아있는 것은 비싼 값을 치러 구하고, 필사본으로 세상에 전하는 것은 빠진 부분을 보충하여 전해야 한다. 낙질이 있거나, 내용이 덧붙여졌거나 하여 자질구레하게 무더기로 쌓여있는 패사(稗史)와 야승(野乘) 같은 것들은 이루 다 열거할 수가 없다. 대체로 필사본이 많으니, 이런 종류의 책들은 좋은지 나쁜지 따지지 말고 모두 모아 쌓아두어 밝은 시대의 사료로 갖추어 놓아야 한다.

별집(別集) 한 종류는 근래에 더욱 넘쳐나 좋은 것과 그렇지 못한 것이 뒤섞여 있어 이루 헤아리기 어려울 만큼 많다. 이러한 것들은 마땅히 유림(儒林)의 원류와 문단의 품재(品裁)로 구별하여 보존해야 한다. 오직 옛날에 판각한 고본(古本)의 경우, 예컨대 신라 최치원(崔致遠)의 《계원필경(桂苑筆耕)》, 고려 이규보(李奎報)의 《이상국집(李相國集)》, 진화(陳澕)의 《매호집(梅湖集)》, 이암(李嵒) 등의 《철성연방집(鐵城聯芳集)》, 한수(韓修)의 《유항집(柳巷集)》과 전녹생(田祿生)의 《야은집(埜隱集)》은 모두 판각되었으나 오래전에 일실되었고 전하는 판본 또한 드무니, 특별히 마음을 쏟아 수장(收藏)해서 마침내 세상에서 사라지지 않게 하여 옛사람들의 불후(不朽)의 저술이 전해질 수 있도록 해야 한다. 근래에 찬술(纂述)한 이익(李瀷)[321]의

319 신속(申洬) : 1600~1661. 조선 중기의 문신, 학자로 신숙주(申叔舟)의 후손이다. 7대조인 신숙주의 문집인 《보한재집(保閑齋集)》을 중간하였으며, 1655년 공주 목사로 재직할 당시 정초(鄭招)의 《농사직설(農事直說)》을 증보하고 아울러 여러 농서를 합하여 편찬한 《농가집성(農家集成)》을 간행하였다.

320 농가집성(農家集成) : 1655년 신속(申洬)이 편찬한 농서이다. 상편(上篇)과 하편(下篇)으로 이루어져 있다. 상편에는 세종(世宗)의 〈권농교서(勸農敎書)〉, 정초(鄭招)의 《농사직설(農事直說)》, 주희(朱熹)의 〈권농문(勸農文)〉, 강희맹의 《금양잡록(衿陽雜錄)》 등을, 하편에는 《사시찬요초(四時纂要抄)》를 편차하고 《구황촬요(救荒撮要)》를 부록하였다.

321 이익(李瀷) : 1681~1763. 자는 자신(子新), 호는 성호(星湖)이다. 중형(仲兄)인 이잠(李潛)이 장희빈을 두둔하는 상소를 올렸다가 국문을 받고 죽은 뒤로 과거를 포기하고 학문에 힘썼다. 조선 후기 대표적인 실학자로 백과전서류 저술인 《성호사설(星湖僿說)》을 지었다. 저서로 문집인 《성호집(星湖集)》과 《성호사설》, 《성호질서(星湖疾書)》, 편서로 이황(李滉)의 어록을 모은 《이자수어(李子粹語)》 등이 있다.

《성호사설(星湖僿說)》[322], 안정복(安鼎福)[323]의 《동사강목(東史綱目)》[324], 신경준(申景濬)[325]의 《동국지리고(東國地理考)》[326], 이덕무(李德懋)[327]의 《앙엽기(盎葉記)》[328]와 《정연국사(蜻蜓國史)》[329], 유득공(柳得恭)[330]의 《발해고(渤海考)》[331]와

---

322 성호사설(星湖僿說) : 조선 후기 실학자인 성호(星湖) 이익(李瀷)이 지은 백과전서류 저술이다. 자서(自序)에 따르면 독서하는 틈틈이 기록하여 둔 것을 문별로 구분 정리하여 권질(卷帙)로 만들었다고 하였다. 천지문(天地門), 만물문(萬物門), 인사문(人事門), 경사문(經史門), 시문문(詩文門)의 5문으로 구성되어 있으며 모두 30권이다. 뒤에 제자인 순암(順菴) 안정복(安鼎福)이 20권으로 정리한 《성호사설유선(星湖僿說類選)》이 있다.

323 안정복(安鼎福) : 1712~1791. 자는 백순(百順), 호는 순암(順菴), 한산병은(漢山病隱), 우이자(虞夷子), 상헌(橡軒), 시호는 문숙(文肅)이다. 이익(李瀷)의 제자이자 조선 후기의 실학자로 스승이 편찬한 《이자수어(李子粹語)》를 교정하였으며 《성호사설(星湖僿說)》을 정리하여 《성호사설유선(星湖僿說類選)》을 편찬하였다. 대표적인 저술로는 우리나라의 역사를 서술한 《동사강목(東史綱目)》이 있다. 저서로 문집인 《순암집(順菴集)》과 《하학지남(下學指南)》, 《동사강목(東史綱目)》, 《임관정요(臨官政要)》 등이 있다.

324 동사강목(東史綱目) : 안정복(安鼎福)이 지은 강목체의 우리나라 역사서로, 단군에서 고려까지의 역사를 기술하였다. 본편 17권, 도 1권, 부록 2권으로 이루어져 있다.

325 신경준(申景濬) : 1712~1781. 자는 순민(舜民), 호는 여암(旅菴)이다. 조선 후기의 학자로, 지리학(地理學), 문자학(文字學) 등에 조예가 깊었다. 영조(英祖) 때 《동국문헌비고(東國文獻備考)》를 편찬할 적에 〈여지고(輿地考)〉의 편찬을 담당하였다. 저서로 《강계지(疆界誌)》(혹은 《강계고(疆界考)》), 《도로고(道路考)》, 《사연고(四沿考)》, 《산수경(山水經)》, 《가람고(伽藍考)》 등의 지리 저술과 《훈민정음운해(訓民正音韻解)》 등의 문자, 음운학 저술이 있다.

326 동국지리고(東國地理考) : 신경준의 저술에 《동국지리고(東國地理考)》는 없다. 아마도 신경준이 편찬을 담당한 《동국문헌비고(東國文獻備考)》 중 〈여지고(輿地考)〉의 오기인 듯하다.

327 이덕무(李德懋) : 1741~1793. 자는 무관(懋官), 호는 청장관(青莊館), 형암(炯菴), 아정(雅亭), 선귤당(蟬橘堂), 단좌헌(端坐軒), 사이재거사(四以齋居士), 주충어재(注蟲魚齋), 학상촌부(鶴上村夫), 학초목당(學草木堂), 향초원(香草園), 한죽당(寒竹堂)이다. 1779년 검서관(檢書官)에 선발된 이후 규장각에서 많은 서책을 교정하였다. 같은 검서관 출신인 유득공(柳得恭), 박제가(朴齊家) 등과 교유하였으며 이서구(李書九)와도 교유하였다. 저서로는 저자의 저술을 모은 《청장관전서(青莊館全書)》가 있다.

328 앙엽기(盎葉記) : 이덕무(李德懋)의 저술로 일종의 자료집 또는 소백과사전이다. 각종 소제목에 대해 저자가 직접 해설하거나 자료를 인용하여 정리한 것이다. 400여 가지의 제목으로 서술하였으며, 내용은 역사, 풍속, 서적, 경전 등에 관한 것이 많다. 《청장관전서(青莊館全書)》 권54~61에 수록되어 있다.

329 정연국사(蜻蜓國史) : 이덕무(李德懋)의 저술인 《청령국지(蜻蛉國志)》의 오기인 듯하다. 《청령국지(蜻蛉國志)》는 일본의 역사와 지리에 대해 기록한 책으로 세계, 성씨, 직관, 여지, 풍속, 물산 등 다양한 내용을 담고 있다. 《청장관전서(青莊館全書)》 권64~65에 수록되어 있다.

330 유득공(柳得恭) : 1748~1807. 자는 혜보(惠甫), 혜풍(惠風), 호는 영재(泠齋), 영암(泠庵), 고운당(古芸堂), 고운거사(古芸居士), 가상루(歌商樓), 은휘당(恩暉堂)이다. 이덕무(李德懋), 박제가(朴齊家), 박지원(朴趾源) 등과 교유하였다. 이덕무, 박제가와 같은 시기에 검서관에 선발되었다. 대표 저작으로는 우리나라에 세워졌던 나라들의 도읍 21곳에 대한 회고시인 《이십일도회고시(二十一都懷古詩)》로 모두 43수로 이루어졌다. 저서로는 문집인 《영재집(泠齋集)》과 《고운당필기(古芸堂筆記)》, 《발해고(渤海考)》, 《사군지(四郡志)》 등이 있다.

331 발해고(渤海考) : 유득공(柳得恭)의 저술로 발해(渤海)의 역사를 기록한 책이다. 군고(君考), 신고(臣考), 지리고(地理考), 직관고(職官考), 의장고(儀章考), 물산고(物産考), 국어고(國語考), 국서고(國書考), 속국고(屬國考)의 9개 고(考)로 이루어져 있으며, 《구당서(舊唐書)》, 《속일본기(續日本記)》,

《사군고(四郡考)》[332]는 모두 수집하여 고증하는 데에 대비해야 한다.

영조(英祖) 갑신년(1764)에 할아버지 문정공(文靖公)[333]께서 홍문관의 책임자로 계실 때 명을 받들어 팔도 군현에서 찬수(纂修)한 읍지(邑志) 이상을 모아 책으로 만들어 총 50여 책을 홍문관에 보관해 두었는데, 지금 존재하는지 일실되었는지 알 수 없다.[334] 선조(先朝) 병진년(1796, 정조20)에는 이만운(李萬運)[335]이 교지를 받들어 《동국문헌비고(東國文獻備考)》[336] 총 100여 책을 증수(增修)하였으니,[337] 지금 이문원(摛文院)[338]에 보관되어 있다. 우리

《문헌통고(文獻通考)》, 《명일통지(明一統志)》, 《여지승람(輿地勝覽)》 등 국내외 22종의 서책을 참고하여 지었다. 본격적인 발해의 역사서라는 데 의미가 있다.

332 사군고(四郡考) : 유득공(柳得恭)이 저술한 《사군지(四郡志)》의 오기인 듯하다. 《사군지(四郡志)》는 속칭 한사군(漢四郡)의 연혁을 기록한 지리서로 사군도(四郡圖), 사군표(四郡表), 사군지(四郡志)의 세 부분으로 이루어져 있다. 참고로 《사군고(四郡考)》는 연경재(研經齋) 성해응(成海應)의 저술로 연경재전집(研經齋全集)에 실려 있는데 폐사군(廢四郡)의 연혁과 지리 등을 기록하고 있다.

333 문정공(文靖公) : 서명응(徐命膺, 1716~1787)으로, 서유구의 할아버지이다. 본관은 대구(大邱)이고, 자는 군수(君受), 호는 보만재(保晩齋)·담옹(澹翁)이며, 시호는 문정이다. 사헌부 대사헌, 한성부 판윤 등을 지냈다. 역학에 통달했으며 실학 연구에 전력한 북학파의 시조로 일컬어지며 학자로서 명망이 높았다. 영조의 명으로 악보를 수집하여 간행했으며 글씨에도 능했다. 저서로는 《보만재집(保晩齋集)》 등이 있다.

334 팔도 군현에서……알 수 없다 : 《여지도서(輿地圖書)》를 말하는 것으로 보인다. 《여지도서》는 1757년(영조 33)부터 1765년(영조 41)까지 영조의 명으로 각 도에서 편찬한 읍지를 모아 만든 지리서이다. 현재 남아 있는 것은 모두 55책으로 한국교회사연구소에 소장되어 있다.

335 이만운(李萬運) : 1723~1797. 자는 중심(仲心)이다. 이덕무(李德懋) 등과 교유하였다. 1782년 정조의 명으로 《동국문헌비고(東國文獻備考)》를 증수하였다. 저서로는 《기년아람(紀年兒覽)》 등이 있다.

336 동국문헌비고(東國文獻備考) : 영조 46년(1770)에 편찬한 한국의 문물제도를 분류하고 정리한 책이다. 목판본이며, 100권 40책으로 구성되어 있다. 영조의 명으로 1769년(영조 45) 편찬에 착수, 1770년에 완성되었다. 체재는 중국 《문헌통고(文獻通考)》의 예에 따라 상위(象緯)·여지(輿地)·예(禮)·악(樂)·병(兵)·형(刑)·전부(田賦)·재용(財用)·호구(戶口)·시적(市糴)·선거(選擧)·학교(學校)·직관(職官)의 13고(考)로 나누어 수록하였다. 고종 때 이를 다시 증보하여 《증보문헌비고(增補文獻備考)》 250권을 간행하였다.

337 증수(增修)하였으니 : 영조 46년(1770)에 완성된 《동국문헌비고(東國文獻備考)》의 오류를 수정하기 위해 정조 6년(1782) 이만운(李萬運)을 시켜 증수 작업을 시작하여 1790년 246권으로 일단락을 지었다. 이를 증정본(增訂本) 《동국문헌비고(東國文獻備考)》라고 한다. 이후 다시 정조 즉위 이후의 내용을 반영하도록 명하여 1797년 이만운이 사망할 때까지 지속적으로 추가사항을 증수하였다. 이만운 사후에는 증보 작업이 중단되었다가, 순조(純祖) 8년(1808) 아들인 이유준(李儒準)에게 증수 작업을 지시하여 1809년에 완성하였다. 이후 이유준에게 1813년 혼전(魂殿)에 대한 기사를 추가하게 하였다. 하지만 결국 간행되지는 못하였고, 사대부가에서 많이 등사해갔다.(옥영정, 《東國文獻備考》에 대한 書誌的 고찰, 진단학보 제104호, 2007. 12, pp.243-246. 참조.) 여기서 병진년(1796)이라고 한 것은 《군서표기(群書標記)》에 기재된 〈증정문헌비고(增訂文獻備考)〉의 편찬 연도를 기록한 것으로 보인다.

338 이문원(摛文院) : 조선시대 역대 왕의 어제(御製)·어필(御筆)·어진(御眞)·고명(顧命)·지장(誌狀) 등

나라의 장고(掌故)를 다룬 책은 이 두 책이 가장 볼만하니, 서둘러 선사(繕寫)하여 서가에 꽂아 놓고 고증에 대비해야 한다. 이는 모두 《누판고》에 실리지 않은 것들이다.

사마온공(司馬溫公, 사마광(司馬光))[339]의 독서당(讀書堂)[340]에는 문학서와 사서(史書) 만여 권이 있는데, 스스로 말하기를, "매년 초여름이면 청명한 날에 곧바로 햇빛이 비치는 쪽으로 책상을 설치하여 그 위에 책들을 올려놓고 속을 말린다."라고 하였다. 후대의 장서가들이 책을 말릴 때 대체로 이 방법을 사용한다. 그러나 실제로 햇볕을 쬐이고 곧바로 거두어들이면, 열기가 안에 쌓여 도리어 좀이 슬기 쉽다. 이는 내가 일찍이 여러 번 경험한 일이다. 마땅히 장서각(藏書閣) 남쪽으로 처마에 베 장막을 쳐서 가리거나 대나무로 만든 차양을 쳐서 직사광선을 차단하여 건조한 바람만을 받게 해야 하니, 그러면 장마철 습기가 가시지 않는 것을 근심할 일이 없다.[341]

장서지裝書紙[342] 만드는 방법

장서지(裝書紙)를 만드는 방법은 다음과 같다.

오래된 뽕나무의 목심(木心)에서 적색을 띤 부분을 취하여 가늘게 쪼개서 푹 달이고 백반(白礬)을 조금 넣어 수십 차례 염색하면 낙타색[駝色]이 된다. 오래된 뽕나무의 목심에서 황색을 띤 부분을 취하여 삶은 물에 백

을 봉안(奉安)·편찬·간행·보관하던 곳이다.

339 사마온공(司馬溫公) : 사마광(司馬光, 1019~1086)으로, 자는 군실(君實), 속수선생(涑水先生)이라고도 불렀다. 북송(北宋) 때 사람으로, 시호(諡號)인 태사온국공(太師溫國公)을 따서 온공(溫公)이라 불렀다. 송(宋)나라 철종(哲宗) 때에 재상을 지냈다. 저술로 《자치통감(資治通鑑)》이 전한다.

340 독서당(讀書堂) : 사마광(司馬光)이 만년에 관직에서 물러나 낙향하여, 독락원(獨樂園)에 독서당(讀書堂)을 마련하고, 독서하며 저술에 몰두하였다고 전한다.

341 장서가들이……없다 : 책을 말리는 것을 포쇄(曝曬)라고 하는 데 바로 위에 자세하게 나온다.

342 장서지(裝書紙) : 책을 장황(裝潢)할 때 사용하는 종이다.

반과 검금(黔金)[343]을 조금 넣으면 침향색(沈香色)이 된다. 소나무 껍질의 자적색(紫赤色)을 띤 부분을 취하여 거친 껍질을 제거하고 망치로 두들겨서 푹 삶아 즙을 내고 백반과 연지(臙脂)를 각각 조금씩 집어넣으면 담자색(淡紫色)이 된다. 고련근(苦練根)[344]을 취하여 푹 삶고 백반을 조금 넣으면 장색(醬色)이 된다. 이는 모두 종이를 염색하여 서질을 배접하거나 표구할 수 있다. 근래 연경(燕京) 서사(書肆)의 책 중에 치자만을 써서 염색한 것은 제품에서 향기가 난다.

《거가필용(居家必用)》[345]에는 고경지(古經紙)를 만드는 방법이 있고, 《준생팔전(遵生八牋)》[346]에는 송전(宋箋)의 색을 만드는 방법[347]이 있으니 【모두 〈문방아제(文房雅製)〉에 자세히 보인다.】 모두 책을 장황하는 용으로 충당할 만하다.

여러 색의 분전(粉箋)을 사용하여 책을 장황한 것은 배접할 필요가 없다. 다만 백랍으로 광택을 내어 금가루를 가득 뿌린 듯한 것이라야 비로소 품격에 든다.

---

343 검금(黔金) : 녹반(綠礬), 또는 조반(皁礬)으로, 검게 물들일 때 사용한다.

344 고련근(苦練根) : 멀구슬나무를 가을에 줄기 껍질을 벗겨 햇볕에 말린 것을 고련피, 열매를 말린 것을 고련자, 뿌리를 말린 것을 고련근이라 한다.

345 거가필용(居家必用) : 《거가필용사류전집(居家必用事類全集)》으로 원나라 때 지어진 것으로 보이는 편자 미상의 일상생활 백과이다. 모두 10권으로 우리나라의 전통 음식에 대한 내용이 들어 있다.

346 준생팔전(遵生八牋) : 명(明)나라 고염(高濂)이 1591년에 간행(刊行)한 책으로 모두 20권이다. 도가(道家)와 석가(釋家)의 설을 취한 심신 수양법(修養法), 사계(四季)의 섭생법(攝生法), 생활(生活)의 모든 시설(施設), 건강법, 음식물(飮食物), 고기 서화 문방구(古器書畵文房具) 등 상완품(賞玩品), 화초(花草), 약제 처방(藥劑處方), 역대(歷代) 은일자(隱逸者)의 사적(事蹟) 등을 체계적(體系的)으로 정리하였다.

347 송전(宋箋)의 색을 만드는 방법 : 황백(黃柏)과 상수리 열매[橡斗子], 연지(臙脂)로 각각의 염색액을 만들고 나서, 송전지(宋箋紙)를 먼저 황백으로 만든 염색액에 담가 물들인 다음 상수리 열매를 우린 물에 담가서 물들인다. 그 다음 연지를 침전시켜 끓인 연지에 담가 물을 들인다. 이렇게 각각의 염색액에 차례로 물들인 다음 햇볕에 말려서 사용하면 된다.

우리나라 책의 장서지 만드는 방법은 깨끗하고 하얀 종이를 방책(方冊) 크기로 잘라 황백(黃柏)이나 홰나무 열매의 즙으로 염색하고 배접하여 햇볕에 말린 뒤, 우선 성질이 단단하고 결이 촘촘한 나무에 능화(稜花)나 만(卍) 자나 칠보(七寶)의 문양을 새기고, 배접한 종이에 물을 뿌려 조금 축축해지면 판각한 문양 위에다 덮은 다음 밀랍으로 문질러 지극히 빛나고 매끄러워 비춰볼 수 있을 정도가 되게 한다.

관서(關西)지방 사람들은 짚과 겨를 찧어서 종이를 만드는데, 그 색이 담황색이다. 시속(時俗)에서는 '고정지(藁精紙)[348]'라고 부르니, 또한 문양을 눌러서 책을 장황할 수 있다.

정장(釘裝, 서책에 구멍을 뚫어 장식하는 것)이 이미 이루어지면, 3~4권 이상의 서권(書卷)은 반드시 책갑에 넣어 보관한다. 중국에서 만든 것은 고지(藁紙)를 사용하는데, 고지를 절반으로 나누어 만들고, 우리나라에서 만든 것은 수십 겹을 풀칠하여 배접하고 다림질하여 만든다. 책갑 하나에 다섯 판을 서로 연결하는데, 겉면은 검푸른 면포를 사용하거나 여러 가지 문양을 낸 비단으로 옷을 입히기도 하고, 안쪽은 분전지(粉箋紙)를 짓이겨 바르거나 면지(綿紙)로 둘러싼다. 서권의 윗면은 두 판이 서로 덮어 깃을 만들고, 깃이 만나는 끝부분의 위아래로 각각 하나의 찌[籤]를 꽂아 고정한다. 찌는 상아를 사용하고, 첨대(籤帶)는 오색실로 짜서 만들거나 그냥 책갑에 입힌 색과 같은 색의 실을 쓰기도 한다.

옛사람들이 서권(書卷)을 휴대하는 도구 중에, '건(巾)', '파(帕)', '복(袱)'은 모두 여러 폭을 이은 비단으로 싼 것이다. '상(箱)', '협(篋)', '녹(簏)'은 모두 대나무를 엮어 만들어서 책을 보관하는 데 사용한다. 운두가 높은 것을

348 고정지(藁精紙) : 함경북도에서 나는 황지(黃紙)이다. 귀리 짚으로 만든 것이다.

'녹(簏)'이라고 하고, 【《설문해자(說文解字)》에 "대나무로 만든 높은 상자이다."라고 하였다.[349]】 네모난 것을 '협(篋)'이라 한다. 【《의례(儀禮)》 주(注)에, "네모 난 것을 '협(篋)'이라 한다[隋方曰篋]"라고 하였고, 소(疏)에 "모나고 좁으면서 길다[隋狹而長也]"라고 하였다.】

우리나라 책은 응당 나무로 만든 상자를 사용하여 보관해야 하는데, 대소(大小)와 고심(高深)에 차이가 없다. 서질(書帙)이 높은 것은 내부를 2격이나 3격으로 나눈 뒤, 앞에 한 짝으로 된 문을 설치하고, 문턱 위아래를 파서 깊이가 2, 3푼이 되게 하고, 문짝 위아래에 1, 2푼 너비로 설(舌)을 만들어 올리거나 내리거나 당겨서 열 수 있게 하였다. 문짝 정중앙에는 서명(書名)을 새기는데, 이금색(泥金色)이나 이청색(二靑色)[350]으로 메우고, 서명 위에 동(銅)으로 만든 고리 한 개를 단다. 권질이 큰 것은 한 상자에서 네다섯 상자나 여덟아홉 상자에 이르는데, 서로 겹겹이 쌓아 사용한다. 오동나무에 백랍을 문질러 광택을 내고 인두로 매긴 것이 가장 좋다.

책함(국립중앙박물관)

349 설문해자(說文解字)에……하였다 : 《설문해자(說文解字)》 권5상(上)에 나온다. 《설문해자》의 내용은 다음과 같다. "簏, 竹高篋也. 从竹鹿聲."

350 이청색(二靑色) : 흰 빛깔이 나는 군청색을 말한다.

장황裝潢

마영경(馬永卿)[351]의 《난진자(嬾眞子)》[352]에 이런 말이 있다.

"당나라 비서성(秘書省)의 관리 중에 장황장(裝潢匠)은 6명인데, 장황은 아마도 지금의 표배장(裱褙匠)일 것이다. 그러나 그것을 일러 '황(潢)'[353]이라고 하니 뜻이 자세하지 않다"[354]

옛사람들은 조제(詔制) 및 왕실 도서관의 책은 모두 황벽(黃蘗)나무의 수액으로 염색하여 좀을 없앴기 때문에 '정서(釘書)[355] 한다'라고 했으니, 이것을 '장황'이라 한다.

자황雌黃

심괄(沈括)의 《몽계필담(夢溪筆談)》에 이런 내용이 있다.

"관각(館閣)의 신서(新書) 정본(淨本)에 잘못 쓴 글이 있으면 자황(雌黃)[356]을

---

351 마영경(馬永卿) : 생몰년은 미상이다. 송나라 때 양주(揚州) 사람으로, 자는 대년(大年)이며, 원성(元城) 유안세(劉安世)의 제자이다. 1109년(대관 3)에 진사가 되었고, 유안세가 호주(亳州)로 귀양 가서 영성현(永城縣)의 회거원(回車院)에 머물 때 마영경(馬永卿)이 영성(永城)의 주부(主簿)를 지냈다. 당시 삼촌인 고수(高郵) 장동(張桐)의 추천으로 유안세에게 나아가 뵙고는 그 인품과 학문에 감탄하여 26년이나 그를 좇아 공부하였으며, 1135년(소흥 5)에 《원성어(元城語)》 3권을 엮었다.

352 난진자(嬾眞子) : 고거(考據)·변증(辨證) 위주의 필기(筆記)이다. 이 책은 서문이나 발문이 없어 간행 등의 상황에 대해 전혀 알 수 없으며, 《사고전서총목제요(四庫全書總目提要)》에도 이 방면에 대한 정보는 기재되어 있지 않다. 다만 이 책 5권의 가장 마지막 조(條)인 「東坡詩下立字有來處」에 1136년(소흥 6)의 일을 언급하고 있는 것으로 미루어보아 남송(南宋) 이후에 이루어졌으리라 짐작할 뿐이다. 이 책은 잡사(雜事)를 많이 언급하고 있으나 고증하는 문장도 다수를 차지하고 있다. (규장각, 《난진자(嬾眞子)》 해제 참고)

353 황(潢) : 《집운(集韻)》에서는 "종이를 염색하는 것[潢, 一日染紙也]"으로 풀이하였고, 《통아(通雅)》에서는 "바깥쪽에 테두리를 하고 안쪽에 꾸밈을 하는 것[潢治者, 裝潢也. 潢, 猶池也. 外加緣則內爲池.]"이라고 하였다.

354 당나라……않다 : 《난진자》 권1에 나온다. 《난진자》의 내용은 다음과 같다. "唐秘書省吏, 凡六十七人. 典書四人, 楷書十人, 令史四人, 書令史九人, 亭長六人, 掌故八人, 熟紙匠十人, 裝潢匠六人, 筆匠六人. 且世但知鄕邨之吏謂之亭長, 殊不知唐諸司多有之. 尙書省志云, 以亭長啓閉傳禁約, 則知三省亦有也. 然裝潢, 恐是今之表背匠. 然謂之潢, 其義未詳."

355 정서(釘書) : 서적을 장정(裝釘)하는 것을 말한다.

356 자황(雌黃) : 비소와 유황의 화합물로 선명한 황색을 띤다. 주로 약용이나 안료(顔料)로 사용된다.

발랐다. 대체로 글자를 고치는 방법 중에 도려내고 씻어내는 괄세(刮洗)[357]는 종이를 상하게 하고, 종이에 풀칠을 하여 덧붙이는 것도 종이가 쉽게 벗겨진다. 가루를 바르는 분도(粉塗)는 글자가 지워지지 않아서 여러 번 발라야 바야흐로 잘못된 글자가 문드러져서 없어지게 된다. 그러나 오직 자황만은 한번 칠하여 지우면 없어져서 오랫동안 벗겨지지 않는다. 그래서 옛사람들은 그것을 연황(鉛黃)[358]이라 하였으니, 대개 평소 사용했던 것이다."[359]

옛날에 관각(館閣)의 서권은 모두 황벽(黃檗)[360]으로 염색하여 사용하였기 때문에 자황을 사용한 것은 다만 글자와 그림을 지울 뿐 아니라 또한 지운 글자나 그림과 같은 색을 취한 것이라고 생각한다.

할부割付

근래 책을 편집하는 사람들은 이미 베낀 것을 다시 산삭하거나 보태어 개정하면서 재전(裁剪, 마름질)한 사본을 공지(空紙)에 옮겨 붙이는데, 세속에서는 이것을 '할부(割付)'라고 한다. 옮겨 붙인 것과 비교하면 일은 줄어들었으나 공력은 배가 되는데, 다만 그 방법이 누구에게서 시작되었는지는 모르겠다. 근래 주자가 여정보(余正甫)[361]에게 답한 편지를 보니, 예서(禮書)의 의례를 논하면서 "다른 책을 구입하여 잘라 붙이는 것에 대비한다"는

중국에서는 오기(誤記)하였을 때 자황(雌黃)으로 지우고 다시 썼기 때문에 '자구(字句)를 첨삭하다'는 뜻으로 쓰였고, 조공물품(朝貢物品)으로 자황을 요구하였다.

357 괄세(刮洗) : 괄장세위(刮腸洗胃) 즉 칼을 삼켜 창자를 도려내고 잿물을 마셔 위를 씻는다는 뜻으로 잘못된 부분을 고쳐 새롭게 만든다는 뜻으로 쓰였다.

358 연황(鉛黃) : 연분(鉛粉)과 자황(雌黃)은 옛사람들이 서적을 교감할 때 사용하였다. 그래서 교감하는 일을 연황(鉛黃)이라고 한다.

359 관각(館閣)의……것이다 : 《몽계필담(夢溪筆談)》 권1에 나온다. 《몽계필담》의 내용은 다음과 같다. "館閣新書淨本, 有誤書處, 以雌黃塗之. 嘗校改字之法, 刮洗則傷紙, 紙貼之, 又易脫. 粉塗則字不沒, 塗數遍, 方能漫滅. 唯雌黃一漫則滅, 仍久而不脫. 古人謂之鉛黃, 盖用之有素矣."

360 황벽(黃檗) : 황벽나무로 운향과의 낙엽 활엽 교목이다. 껍질은 담회색을 띠며 황녹색의 작은 꽃이 핀다. 줄기는 황색 염료의 재료가 되며 나무껍질은 약재로 쓰인다.

361 여정보(余正輔) : 주희(朱熹)의 문인인데 그 이름과 출신 등은 자세하지 않다. 《회암집(晦庵集)》에 주희가 여정보에게 보낸 편지가 여러 편 실려 있다.

말이 있고, 또 "글자의 크기나 높이가 들쑥날쑥하여 고르지 않다."라고 하였다.[362] 생각해보면 그 방법이 지금의 이른바 할부(割付)[363]라는 것과 다른 게 없으니, 그 유래가 오래되었다.

장서藏書

우리나라의 사대부 가운데는 장서가로 이름난 사람이 드물다.[364] 오직 벽오재(碧梧齋) 상서(尙書) 이공(李公)[365] 집안만이 가장 많은 책을 소장하였다. 지금 진천(鎭川) 초평리(艸坪里)에 있는 구택에 아직까지 만 권 가까이 소장되어 있는데, 모두 분지(粉紙)에 비단으로 장황을 한 좋은 책들이다. 이밖에는 별로 들어보지 못하였다. 《계곡집(谿谷集)》[366]에 있는 충목공(忠穆公) 유홍(兪泓)[367]의 비명(碑銘)[368]에서, '책 읽기를 좋아하여 가장(家藏)된 서적이 만 권에 이른다.'라고 칭송하였다. 우리나라 사람들은 책의 권수를

---

362 근래……하였다 : 《회암집(晦庵集)》 권63 〈답여정보(答余正甫)〉에 나온다. 《회암집》의 내용은 다음과 같다. "所喻買書以備剪貼, 恐亦不濟事. 蓋嘗試爲之, 大小高下旣不齊等."

363 할부(割付) : 책을 편집할 때에 판면을 구성하고 배치하는 것을 말한다.

364 우리나라의……드물다 : 홍한주(洪翰周)는 《지수염필(智水拈筆)》 권1에서, 18세기 이후 조선의 이름난 장서가로 심상규, 조병구, 윤치정, 이경억, 서유구를 들었다.

365 이공(李公) : 이시발(李時發, 1569~1626)을 말한다. 조선 중기의 문신으로 본관은 경주(慶州)이고, 자는 양구(養久), 호는 벽오(碧梧) 또는 후영어은(後潁漁隱)이다. 저서로 《주변록(籌邊錄)》, 《벽오유고》가 있다.

366 계곡집(谿谷集) : 장유(張維, 1587~1638)의 문집이다. 조선 중기의 문신. 본관은 덕수(德水). 자는 지국(持國), 호는 계곡(谿谷), 묵소(默所)이다. 많은 저서가 있었다고 하나 대부분 없어지고 현재 《계곡만필》, 《계곡집》, 《음부경주해(陰符經注解)》가 전한다.

367 유홍(兪泓) : 1524~1594. 조선 중기의 문신. 본관은 기계(杞溪). 자는 지숙(止叔), 호는 송당(松塘)이다. 1549년(명종 4) 사마시에 합격하고, 1553년 별시문과에 병과로 급제한 후 여러 요직을 거쳤고, 1587년 명나라에 사신으로 가서 그동안 조선왕조의 시조가 고려의 권신 이인임(李仁任)의 아들로 잘못된 것을 바로잡았으며, 1589년 좌찬성으로서 판의금부사를 겸하여 정여립(鄭汝立)의 역옥(逆獄)을 다스린 점을 그의 치적으로 들 수 있다. 성품이 중후관대하고, 의리를 위하여 기개를 굽히지 않았으며, 시문에 뛰어났고 장서가 많았다. 유저로는 《송당집》 4권이 있다. 시호는 충목(忠穆)이다.

368 비명(碑銘) : "수충공성익모수기광국 추충분의협책평난공신 대광보국숭록대부 의정부좌의정 겸 영경연사 감춘추관사 기성부원군 증시 충목 유공 신도비명(輸忠貢誠翼謨修紀光國推忠奮義協策平難功臣大匡輔國崇祿大夫議政府左議政兼領經筵事監春秋館事杞城府院君贈謚忠穆兪公神道碑銘)"으로 《계곡집(谿谷集)》 권14에 실려 있다.

헤아릴 때 으레 책수(冊數)를 세는데 만약 그와 같이 책수로 헤아린 것이라면 마땅히 수만 권을 밑돌지 않을 터인데 근고(近古)에 들은 바가 없다. 근래 시랑(侍郎) 심함재(沈涵齋)[369]가 책 쌓아두는 것을 매우 좋아하여 모은 책이 수만 권에 이르렀다. 그의 아들인 두실(斗室)[370] 상서(尙書)는 더욱 책 모으기를 일삼아서 사부가 대략 갖추어졌으니 이는 우리나라에서는 매우 드문 일이다.

책방[書肆]

서사(書肆 책방)가 만들어진 유래는 매우 오래되었다. 《후한서(後漢書)》[371] 〈왕충[372]전(王充傳)〉에, "집안이 가난하여 책이 없었는데, 항상 낙양(洛陽) 저자의 책방[市肆]을 돌아다니며 그곳에서 파는 책을 읽었다."[373] 라고 하였

---

369 심함재(沈涵齋) : 심염조(沈念祖, 1734~1783)를 가리킨다. 함재는 그의 호이다. 조선 후기의 문신으로, 본관은 청송(靑松)이고, 자는 백수(伯修)이다. 1777년 사은 겸 진주사(謝恩兼陳奏使) 채제공(蔡濟恭)의 서장관(書狀官)이 되어 청나라에 다녀온 뒤 《서장문견록(書狀文見錄)》을 지어 정조에게 바쳤다. 청나라에서 돌아와 홍문관교리에 임명되었으며, 1780년 함종부사·규장각직제학·이조참의를 거쳐, 1782년 홍문관부제학으로 감인당상(監印堂上)에 임명되었으나, 대사간의 탄핵을 받아 홍주(洪州 지금의 충청남도 홍성)로 유배되었다가 풀려났다.

370 두실(斗室) : 심상규(沈象奎, 1766~1838)를 가리킨다. 두실은 그의 호이다. 본관은 청송(靑松)이다. 초명은 상여(象輿)이고, 자는 가권(可權)·치교(稺敎)이며, 호는 두실(斗室)·이하(彝下)이다. 정조의 지우(知遇)를 받은 뒤 상규라는 이름과 치교라는 자를 하사받았다. 저서로는 《두실존고(斗室存稿)》 16권이 전하며, 글씨로 〈경춘전기(京春殿記)〉가 남아 있다. 시호는 문숙(文肅)이다. 조선 후기 장서가의 한 사람으로 명성이 났다.

371 후한서(後漢書) : 남조(南朝) 송나라 범엽(范曄, 398~446)이 지은 책으로, 중국의 기전체(紀傳體) 역사서 24사(二十四史) 가운데 하나이다. 유수(劉秀)가 스스로 황제에 오른 25년부터 위(魏)의 조비(曹丕)가 칭제하여 후한이 망한 220년까지의 후한시대의 역사를 기록했다. 현재 전하는 것은 120편 130권으로, 후한시대 역사 연구에서 빠질 수 없는 귀중한 문헌자료이다.

372 왕충(王充) : 27~100? 회계(會稽) 상우(上虞, 지금의 절강성) 출신으로, 자는 중임(仲任)이다. 낙양에 유학하여 저명한 역사가 반고(班固)의 부친 반표(班彪)에게 사사하였다. 가난하여 늘 책방에서 책을 훔쳐 읽고 기억했다고 한다. 그는 철저한 반속정신(反俗精神)의 소유자로, 독창성 넘치는 자유주의적 사상은 한대적(漢代的) 사상을 타파하고 언론의 자유를 내세우는 위진적(魏晉的) 사조를 만들어 내었다. 사상적 전환기에 선 선구자로서 그가 중국 사상사에서 차지하는 지위는 크다. 대표적 저서로 전통적인 당시의 정치나 학문을 비판한 《논형(論衡)》 85편이 있다.

373 집안이……읽었다 : 《후한서(後漢書)》 권79 〈왕충전(王充傳)〉에 나온다. 〈왕충전〉의 내용은 다음과 같다. "王充, 字仲任, 會稽上虞人也. 其先自魏郡元城徙焉. 充少孤, 鄕里稱孝. 後到京, 師受業太學, 師事扶風班彪, 好博覽, 而不守章句, 家貧無書, 常游洛陽市肆, 閱所賣書, 一見輒能誦憶, 遂博通衆

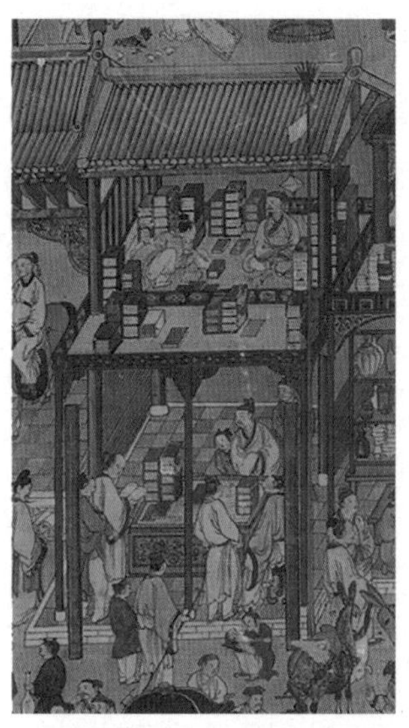

책방《태명성시도》(국립중앙박물관 소장)

다. 이 글로 줄 지은 가게에서 책을 파는 것은 한나라 때 벌써 있었음을 알 수 있다. 그러나 당시 누판법(鏤板法)[374]이 없어 모든 서적은 모두 베껴서 전하였으니 그 어려움은 지금의 백배나 되었다.

활판

나는 예전에 육심(陸深)[375]의 《촉도잡초(蜀都雜抄)》[376]에 활자(活字)의 제도에 대해 기록되어 있는것을 보고,[377] 그 방법이 명나라 중엽 때 만들어졌

流百家之言."

374 누판법(鏤板法) : 판목에 글자나 그림 따위를 새기는 방법을 말한다.

375 육심(陸深) : 1477~1544. 명나라 송강(松江) 상해(上海) 사람이다. 초명은 영(榮)이고 자는 자연(子淵), 호는 엄산(儼山)이다. 홍치(弘治) 18년(1505)에 급제하여 편수(編修)에 제수되었다. 관직은 첨사부첨사(詹事府詹事)에 이르렀다. 시호는 문유(文裕)이다. 저서에는《엄산집(儼山集)》,《속집(續集)》,《외집(外集)》이 있다.

376 촉도잡초(蜀都雜抄) : 육심(陸深)이 사천 좌포정사(四川左布政使)로 나갔을 당시 촉 지방의 산천과 고적을 기록한 것으로 저서인《엄산외집(儼山外集)》권30에 실려 있다.

377 활자(活字)의……보고 :《엄산외집(儼山外集)》권8에 나온다. 사본과 판각본을 설명한 다음에 나오

다고 생각했었다. 최근에 심괄(沈括)[378]의 《몽계필담(夢溪筆談)》[379]을 보니, "경력(慶曆) 연간(1041~1048)에 포의(布衣) 필승(畢昇)[380]이란 사람이 활판을 만들었다."[381]라고 하고, 또 그 방법이 실려 있었다. 그제야 활자로 책을 인쇄하는 것이 멀리 북송(北宋) 초기부터 시작되었음을 알았으니, 책은 널리 보지 않을 수 없다는 것을 새삼 깨달았다.

심괄의 《몽계필담》에 필승의 활판법(活板法)이 기록되어 있는데, 이것이 곧 활판의 시초이다. 목판에 새기는 것과 비교해보면 힘이 적게 들고 공정이 빨랐으니, 후세에 그 방법이 점차 발전해서 혹 나무로 만들기도 하고, 혹 납으로 만들기도 하고, 혹 구리로 만들기도 하였는데, 우리나라에서도 이 방법을 따랐다.

태종(太宗) 계미년(1403)에 주자소(鑄字所)[382]를 설치하고 구리로 틀을 떠서 글자를 만들어 경적(經籍)을 인쇄했다. 정조 때에는 여러 번 동활자(銅活字)를 주조했는데, 혹 위부인(衛夫人)[383]의 글씨체를 쓰기도 하고, 혹 한

는데 내용은 다음과 같다. "近時毘陵人, 用銅鉛爲活字, 視板印, 尤巧便, 而布置間, 訛謬尤易. 夫印已不如録, 猶有一定之義, 移易分合, 又何取焉. 玆雖小故, 可以觀變矣."

378 심괄(沈括) : 1031~1095. 북송의 학자이자 정치가이다. 자는 존중(存中)이고, 호는 몽계옹(夢溪翁)이며, 절강성(浙江省) 출생이다. 사천감(司天監, 천문대장)이 되어 천체관측법·역법 등을 창안하였다. 지방관을 지내며 요나라와의 국경선 설정에 공을 세웠으며, 《몽계필담(夢溪筆談)》, 《보필담(補筆談)》, 《속필담(續筆談)》을 남겼다.

379 몽계필담(夢溪筆談) : 북송의 학자이자 정치가인 심괄(沈括)의 저서로 총 26권이다. 심괄은 유능한 정치가였을 뿐만 아니라, 박학하여 문학·예술·역사·행정 분야는 물론, 수학·물리·동식물·약학·기술·천문학 등 자연과학의 모든 분야에 걸쳐 일가견이 있었는데 이 책에는 그러한 내용들이 실려 있다.

380 필승(畢昇) : 미상.

381 경력(慶曆)……만들었다 : 《몽계필담(夢溪筆談)》 권18 〈기예(技藝)〉에 나온다. 내용은 다음과 같다. "板印書籍, 唐人尙未盛爲之. 自馮瀛王始印五經, 已後典籍皆爲板本. 慶曆中, 有布衣畢昇, 又爲活板."

382 주자소(鑄字所) : 태종 3년(1403)에 설치하여 승정원에 소속시키고, 예문관 대제학 이직(李稷), 총제(摠制) 민무질(閔無疾), 지신사(知申事) 박석명(朴錫命), 우대언(右大言) 이응(李膺) 등으로 하여금 활자를 만들도록 하였다. 이것이 조선 최초의 금속활자인 계미자(癸未字)이다. 서울 남부 훈도방(薰陶坊)에 있던 관청을 세종 17년(1435) 경복궁 안으로 옮겼으며, 세조 6년(1460)에는 교서관(校書館)으로 소속을 옮기고, 전교서(典校署)라 개칭하였다. 정조 때에 규장각을 내각, 교서관을 외각으로 삼아 관찬서를 편찬하다가 1794년 창경궁 안 홍문관 자리에 교서관을 새로 설치하여 감인소(監印所)라고 하다가 태종 때의 예에 따라 주자소로 개칭하였다.

383 위부인(衛夫人) : 동진(東晉) 때의 여류 서예가인 위삭(衛鑠, 272~349)을 가리킨다. 동진 하동(河東)

구(韓構)[384]의 글씨체를 쓰기도 하였다.[385] 을묘년(1795)에는 《강희자전(康熙字典)》[386]의 글씨체로 대소(大小) 15만 자를 주조하여 '생생자(生生字)'[387]라고 사명(賜名)하였다. 민간에서도 개인적으로 주조한 것이 있었으니, 근래에 새로 문집(文集)과 보첩(譜牒)을 간행한 것은 열에 아홉이 모두 활자본이다.

침서

서적을 판각한 것은 후당(後唐, 923~936) 명종(明宗, 재위 926~933) 때부터 시작되었는데, 이는 여러 사람들의 기록이 모두 동일하다.

안읍인(安邑人)이며, 자는 무의(茂猗)이다. 위항(衛恒)의 조카딸로, 여양태수(汝陽太守) 이구(李矩)의 아내다. 글씨를 잘 썼고, 예서(隸書)에 아주 뛰어났다. 종요(鍾繇)를 스승으로 본받아, 그의 오묘한 서법을 전했다. 왕희지(王羲之)도 어린 시절 그녀에게 서예를 배웠다. 저서에 《필진도(筆陣圖)》가 있다.

384 한구(韓構) : 1636~1715. 본관은 청주(淸州)이고, 자는 긍세(肯世)이며, 호는 안소당(安素堂)이다. 1675년(숙종 1) 증광문과에 급제한 뒤, 여러 관직을 거쳐 1684년 승지에 오르고, 1689년 기사환국(己巳換局) 후 아들 중혁(重爀)이 김춘택(金春澤) 등과 공모하여 인현왕후의 복위를 꾀하다가 투옥되자, 이에 연좌되어 유배되었다. 1694년(숙종 20) 갑술옥사(甲戌獄事) 후 용서를 받아 80세 때 가선대부(嘉善大夫)에 올랐다. 시문에 능하고, 특히 글씨를 잘 썼다.

385 한구……하였다 : 총 3회에 걸쳐 주조되었다. 처음 주조한 것을 '초주(初鑄) 한구자'라고도 하며, 그 인쇄본을 '초주한구자본'이라고 한다. 1695년(숙종 21) 박태상(朴泰尙)의 건의로 정부가 사들여 사용하였다. 그 뒤 활자가 점차 마멸되고 보충한 글자가 섞여서 인쇄가 깨끗하지 않자, 1782년(정조 6) 서호수(徐浩修)의 책임 아래 8만여 자를 다시 주조하였는데, 이를 '재주(再鑄) 한구자', 혹은 '임인자(壬寅字)'라고 하며 내각에 두고 사용하였다. 초주 활자를 본떠 잘 만들었으나 식별은 가능하다. 재주 한구자는 1857년(철종 8)에 주자소에 불이나 소실되었고, 이듬해인 1858년 김병기(金炳冀) 등의 책임 하에 3만여 자를 주조하였는데 이것이 '삼주(三鑄) 한구자'다. 이때에 만든 활자는 글자 획에 박력이 없고 만든 솜씨도 거칠어 그다지 이용되지 않았다.

386 강희자전(康熙字典) : 청나라 때 출판된 자전으로 전 42권이다. 강희제(康熙帝)의 칙명으로 당시의 대학사(大學士) 진정경(陳廷敬)·장옥서(張玉書) 등 30명의 학자가 5년 만인 1716년(강희 55)에 완성한 것이다. 명(明)나라의 《자휘(字彙)》, 《정자통(正字通)》 등의 구성을 참고하고 더욱 내용을 충실하게 하였으며, 12지(支)의 순서로 12집(集)으로 나누고 119부(部)로 세분하였다. 강희자전은 당시 청나라 고증학에 따른 《설문해자》의 연구 등에 기초를 둔 복고주의 경향에 따라 정자(正字)를 택했는데, 그 가운데는 《설문해자》에 있는 소전의 글자꼴을 해서(楷書)로 고쳐서 새로 만든 글자도 들어있다. 이런 《강희자전》식 정자 체계를 특히 '강희자전체'라고 부른다.

387 생생자(生生字) : 《강희자전》의 글씨체를 본떠 만든 목활자이다. 1792년(정조 16)에 1773년에 《사고전서》의 귀중본을 뽑아 활자로 인쇄한 책의 취진판(聚珍版)식을 따라 《강희자전》을 자본(字本)으로 하여 황양목(黃楊木)으로 대소 32만여 자를 각자(刻字)하였는데, 그중 16만 자는 규장각에서, 18만 자는 평양 감영(監營)에서 만들었다. 이 목판자 제조의 목적은 종래 사용하던 구리활자의 크기가 고르지 못하여 인쇄에 능률이 나지 않았기 때문이었으나, 1796년에는 이것을 자본으로 하는 정리자(整理字)가 주조되어 폐물화되었다. 간행본으로는 《어정인서록(御定人瑞錄)》, 《생생자보(生生字譜)》 등 4종류가 있다.

"송대(宋代) 왕명청(王明淸)[388]의 《휘진여화(揮麈餘話)》[389]에 이런 글이 있다. 관구검(毌丘儉)[390]이 빈천했을 때 일찍이 교유하던 사람에게 《문선(文選)》[391]을 빌리려고 하였는데 그 사람이 난색을 표했다. 관구검이 발분(發憤)하여 '나중에 부귀해지면 판에다가 새겨 배우는 자들에게 남겨 주리라.'라고 하였다. 후에 왕촉(王蜀)[392]에서 재상(宰相)이 되었는데, 마침내 그때의 말을 실천하여 간행하였다. 서적을 간행한 것이 여기에서 최초로 보이니, 이때의 일이 도악(陶岳)[393]의 《오대사보(五代史補)》[394]에 실려 있다."[395]

이 또한 후당 명종 이전이다.

서적을 판각하는 데에는 대추나무와 배나무가 제일 좋고 가래나무가 그 다음이다. 잘라서 판자(板子)를 만들어 소금물로 삶은 후에 꺼내서 햇

---

388 왕명청(王明淸) : 1127~? 송나라 영주(潁州) 여음(汝陰) 사람으로, 가화(嘉禾)에 살았고, 자는 중언(仲言)이다. 왕질(王銍)의 둘째 아들이다. 젊어서 가학(家學)을 이어 역대의 사실(史實)과 전장제도(典章制度)를 익혔다. 저서에 《휘진록(揮麈錄)》과 《옥조신지(玉照新志)》, 《투할록(投轄錄)》, 《청림시화(淸林詩話)》가 있다.

389 휘진여화(揮麈餘話) : 《휘진록(揮麈錄)》에 수록된 여화(餘話)이다. 《휘진록》은 송나라 왕명청(王明淸)이 편찬한 것으로, 전록(前錄) 4권, 후록(後錄) 11권, 삼록(三錄) 3권, 여화(餘話) 2권으로 되어 있다. 조정의 고사(故事)를 기술하였다.

390 관구검(毌丘儉) : 삼국시대 위(魏)나라 장수였던 관구검(毌丘儉, ?~255)은 아니다. 《고금사문유취(古今事文類聚)》에 근거할 때 관구검은 '모소예(毋昭裔)'의 오기인 듯하다. 《고금사문유취(古今事文類聚) 별집(別集)》 권3에 나오는 기사는 다음과 같다. "毋昭裔, 貧時, 嘗借文選於交遊間, 其人有難色, 發憤, 曰: 異日若貴, 當版以鏤之, 遺學者. 後仕於蜀爲宰相, 遂踐其言刋之. 印行書籍, 創見於此, 事見陶岳五代史."

391 문선(文選) : 중국 양(梁)나라의 소통(蕭統, 501~531)이 진(秦)·한(漢) 이후 제(齊)·양(梁)의 대표적인 시문을 모아 엮은 책이다.

392 왕촉(王蜀) : 미상. 《고금사문유취(古今事文類聚) 별집(別集)》에 근거할 때 "왕(王)" 자는 "어(於)" 혹은 "우(于)" 자의 오기로 보인다.

393 도악(陶岳) : 북송(北宋)의 관리이자 문장가로, 자는 순자(舜咨)이고, 영주(永州) 기양(祁陽) 사람이다. 저서에 《오대사보(五代史補)》, 《영릉총기(零陵總記)》, 《형호근사(荊湖近事)》, 《도강주문집(陶康州文集)》, 《도릉주집(陶陵州集)》, 《화천록(貨泉錄)》이 있다.

394 오대사보(五代史補) : 북송의 도악(陶岳)이 편찬한 책이다. 송나라 초기에 설거정(薛居正) 등이 《오대사(五代史)》를 편찬했는데, 도악이 그 빠진 부분이 많음을 안타깝게 여겨, 여러 나라의 숨겨진 사실과 여러 왕조의 창업사적(創業事迹)을 모아 편찬함으로써 그 부족한 부분을 보충했다고 한다.

395 송대(宋代)……실려 있다 : 《사고전서총목(四庫全書總目)》 《오대사보(五代史補)》에 나온다. 내용은 다음과 같다. "考王明淸揮麈錄, 載毌邱儉貧賤時, 借文選於交遊, 間有難色. 發憤, 異日若貴, 當版鏤之, 遺學者. 後仕蜀爲宰相, 遂踐其言刊之. 印行書籍, 創見於此. 事載陶嶽五代史補云云. 今本無此條, 殆傳寫有遺漏矣."

볕에 쬐어 말리면, 판이 뒤집히거나 삐뚤어지지 않고, 또 새기기가 쉽다. 판의 넓이는 한 자를 넘기지 않고, 길이는 7~8촌을 넘기지 않아야 한다. 대개 작게 하는 것이 낫지 크게 하면 안 된다. 크게 하면 나무와 종이를 낭비하고, 또 권질(卷帙)이 매우 거칠고 무거울 수 있기 때문이다. 테두리[格]는 단변(單邊)으로 하고, 【송판(宋板)은 모두 단변이다.】 행(行)은 19행으로 하거나 혹은 20행으로 해야 한다. 자체(字體)는 구양순의 '솔경체(率更體)'[396]를 본뜬 것이 제일 좋고, 《홍무정운(洪武正韻)》[397]이 그 다음이다. 우리나라의 원필(院筆)[398]은 단아하지 못해서 봐 줄 수가 없다. 매번 인쇄를 마치면 바로 씻어서 햇볕에 쬐어 말려, 목궤(木櫃)에 넣어 고각(高閣)에 두어야 오래되어도 훼손되지 않는다. 합천(陜川) 해인사(海印寺)에 장경(藏經)의 판본이 보관되어 있는데, 고려 고종(高宗) 때 판본으로 지금 육백 년이 지났는데도 여전히 새로 만든 것 같다.

대장경大藏經

합천 해인사에 대장경(大藏經) 판본이 있는데, 예로부터 신라(新羅) 애장왕(哀莊王, 재위 800~809) 때에 판각한 것이라고 하였다. 내가 예전부터 의심하기를, 서적을 판각하여 인쇄하는 방법이 오대(五代)[399] 때부터 시작되었는데 애장왕 때에 어떻게 이것이 있었겠는가? 이덕무(李德懋)의 《앙엽기(盎

---

396 솔경체(率更體) : 당(唐)나라 구양순(歐陽詢, 557~641)의 서풍(書風)을 말한다. 당 태종(太宗) 때 태자솔경령(太子率更令)을 역임하여 그의 서풍을 이렇게 부른다.

397 홍무정운(洪武正韻) : 명 태조 연간인 1375년(홍무 8)에 황제의 명으로 악소봉(樂韶鳳)·송염(宋濂) 등이 편찬한 15권의 운서(韻書)이다. 양(梁)나라의 심약(沈約)이 제정한 이래 800여 년이나 통용되어 온 사성(四聲)의 체계를 일체 북경(北京) 음운을 표준으로 삼아 고쳐 정한 것이다. 《예부운략(禮部韻略)》의 분운(分韻)을 전면적으로 개편하여 평성(平聲)·상성(上聲)·거성(去聲)을 각각 22운(韻), 입성(入聲)을 10운(韻)으로 하였다. 이 책은 《훈민정음(訓民正音)》과 《동국정운(東國正韻)》을 짓는 데 참고자료가 되기도 하였다.

398 원필(院筆) : 서원(書院)에서 판각한 서체를 말하는 것으로 보인다.

399 오대(五代) : 중국 당나라와 송나라와의 사이 53년 동안에 흥망한 다섯 왕조, 곧 후량(後梁)·후당(後唐)·후진(後晉)·후한(後漢)·후주(後周)를 말한다.

葉記)》[400]에서도 역시 의심하였지만,[401] 어느 때에 판각된 것인지 고찰하지 못했다. 내가 병진년(1796)에 명을 받고 경외(京外)의 누판(鏤板) 목록을 찬진(撰進)할 적에[402], 합천군에 행회(行會)[403]하여 대장경 목록을 인쇄하여 왔는데, 권단(卷端)에 "무신년(1248) 고려대장도감(高麗大藏都監)에서 명을 받아 새겨 만들었다."라고 적혀 있었다. 그때서야 고려 때의 판각본임을 알았다. 이에 《고려사(高麗史)》를 가지고 자세하게 살펴보니, 〈한언공전(韓彦恭傳)〉에 "성종(成宗, 재위 981~997) 때에 한언공이 병부시랑으로서 송나라에 가서 대장경을 부탁하였는데 태종 황제가 장경 481함(函), 2,500권(卷)을 주었다."[404]라는 내용이 있었다.

---

400 앙엽기(盎葉記) : 이덕무(李德懋, 1741~1793)의 저작으로 《청장관전서(靑莊館全書)》 권54~61에 수록되어 있다. 《앙엽기》는 일종의 자료집 또는 소백과사전으로, 각종 소제목에 대해 저자가 직접 해설하거나 자료를 인용하여 정리한 것이다. 400여 가지의 제목으로 서술하였으며, 내용은 역사, 풍속, 서적, 경전 등에 관한 것이 많다.

401 이덕무(李德懋)의……의심하였지만 : 《청장관전서》 권60, 《앙엽기》 7, 〈대각국사(大覺國師)〉에 다음과 같이 서술되어 있다.

"(前略) 해인사에 있는 장경판(藏經版)에 대하여 옛 기록에 신라(新羅) 애장왕(哀莊王) 정묘년에 판각(版刻)하였다고 하였는데, 애장왕은 왕위(王位)에 있었던 기간이 10년으로 정묘년이 없으니, 아마 고려 선종 4년(1087)에 의천의 장경판을 판각한 사적이 애장왕 정묘년으로 와전(訛傳)된 것이리라. 의천이 해인사로 물러나와 기거하였으니, 장경판을 해인사에 저장해 놓았다는 것도 있을 법한 일이다. 내가 해인사에서 놀 적에 세조(世祖) 때 간행된 불경 두 책을 보았는데 한 책의 맨 마지막에는 계묘년에 대장도감(大藏都監)에서 칙명을 받아 판각했다 하였고, 다른 한 책 마지막에는 갑진년에 판각했다 하였다. 또 사승(寺僧)이 별도로 기록해 놓은 것에는 무신년에 고려국 대장도감에서 칙명을 받아 판각했다 하였다. 의천이 간행한 불경이 5천여 권이 된다는데, 지금 보관하고 있는 것은 6천 5백 29권이나 되어 그 숫자가 서로 맞지 않는 것은 의천이 미처 판각하지 못하였던 1천 5백여 권을 계묘년 이후로 해마다 보각(補刻)한 때문인 것 같다. 그러나 계묘년이니, 무신년이니 하는 연도는 어느 시대를 가리키는 것인지 알 수 없다.(後略) (신호열 등 역, 《국역 청장관전서》 10, 민족문화추진회, 1981. *번역문은 일부 수정하였다.)

402 내가……찬진(撰進)할 적에 : 《홍재전서(弘齋全書)》 권184 《군서표기(群書標記)》 6 〈누판고칠권(鏤板考七卷)〉 병진년(1796, 정조 20) 조에 다시 각신 서유구(徐有榘)에게 명하여 중외(中外)의 《장판부(藏板簿)》를 가져다 유별로 분류하고 목록을 작성하되 매 책마다 반드시 편찬자의 성명과 의례(義例)의 대략적인 내용을 표시하고 권질(卷帙)의 수효와 판본의 소재를 빠짐없이 자세히 기재하도록 하였다. 그런데 이 책은 오로지 목판본만을 대상으로 하였기 때문에 서명을 《누판고》라고 하였다.

403 행회(行會) : 나라의 지시를 관아의 우두머리가 부하들에게 알리고, 그 실행 방법을 의논하여 정하기 위한 모임을 말한다.

404 성종(成宗)……주었다 : 《고려사(高麗史)》 권93 〈한언공(韓彦恭)〉에 나온다. 《고려사》의 내용은 다음과 같다. "成宗時, 再轉刑兵二官侍郎, 如宋謝恩. 宋以彦恭儀容中度, 授金紫光祿大夫檢校兵部尙書兼御史大夫. 彦恭奏請大藏經, 帝賜藏經四百八十一函, 凡二千五百卷."

합천 해인사 대장경판(문화재청)

〈고종세가(高宗世家)〉에 "대장경이 현종 때의 판목은 임진년(1232) 몽고 병화로 불타버렸다. 왕과 여러 신하들이 다시 발원하여 도감을 세웠으니, 16년이 지나고서야 일을 마쳤다. 신해년(1251)에 성의 서문 밖 대장경판당(大藏經板堂)에 행차하여 백관을 이끌고 분향하였다."[405]라고 하였다. 이것을 살펴보니 대장경이 동쪽으로 온 것은 고려 성종 때의 일이고, 현종 때에 판각하였으며, 고종 때에 다시 새긴 것을 의심할 여지가 없었다. 원래 송경(松京) 서문 밖 판당에 보관되어 있었는데, 해인사로 옮겨진 것이 언제인지는 모르겠다.[406]

---

405 대장경이……분향하였다 : 《고려사(高麗史)》 권24 〈고종세가(高宗世家)〉에 나온다. 내용은 다음과 같다. "壬午. 幸城西門外大藏經板堂, 率百官行香. 顯宗時板本燬於壬辰蒙兵, 王與群臣更願立都監, 十六年而功畢."

406 원래……모르겠다 : 고려 현종 때 간행된 《초조대장경(初雕大藏經)》이 1232년 몽고의 침입으로 소실되었다. 같은 해 강화도로 피신한 고종과 무신정권은 새로 대장경을 판각하기로 하고 대장도감을 설치하여 교감 작업을 진행하는 한편 1237년부터 경판을 조성하였다. 이후 강화의 대장도감과 남해 등의 분사도감에서 나누어 작업을 하여 1251년 완성하고 강화의 대장도감에서 봉안식을 거행하였으며, 대장경판당에 봉안하였다. 이후 조선 초기에 서울로 이안되었다가 해인사로 이안되었다. (오용섭, 八萬大藏經의 造成과 江華, 인천학연구1, 2002. 12.), (김미영·이성현·이재명, 고려대장경 판각 추정지 정밀 지표조사 유적유물 분석, 경남연구 제10집, 2014.) 해인사로 이안된 정확한 시기는 불명이나 《조선왕조실록》 정종 1년(1399) 1월 9일 기사에 "태상왕(太上王, 태조)이 대장경을 인쇄하여 만들고자 하니 …… 해인사(海印寺) 근방 여러 고을의 미두와 그 수량대로 바꾸게 하였다" 하였고, 태종 13년(1413) 3월 11일 기사에 "대장경을 해인사에서 인행하게 하였다"는 내용이 있는 것

당나라 개원(開元) 연간(713~741)에 대장경[經律論] 목록을 모두 모았는데[407] "대장경은 총 5,048권이다."라고 하였고, 정원(貞元) 연간(785~804)에 이르러 새로운 경전 200여 권을 증보하였다. 송나라 지도(至道) 연간(995~997) 이후에 유정(惟淨)이 번역한 새로운 경전이 또 9천여 권이다.[408] 그러나 남송(南宋) 이후부터 원(元), 명대(明代)에 이르기까지 증손(增損)이 된 것이 있어 이른바 장경(藏經)의 권수는 대략 5~6천 권에 불과하다. 대개 한 모퉁이 변방 땅에서 부처의 법을 가지고 온 이래로, 장경이 온전히 보존되어 지금 5~6백 년이 지났는데도 새것 같은 것은 이 또한 불법(佛法)에 있어서 성대한 일이요, 전적(典籍)에 있어서도 특별한 일이다.

《동국문헌비고(東國文獻備考)》[409] 〈여지지(輿地志)〉에 "합천 해인사는 신라 애장왕이 창건하였다. 당나라에 사신(使臣)을 보내어 팔만대장경(八萬大藏經)을 사서 배에 싣고 돌아와, 120여 칸의 장각(藏閣)을 지었다."[410]라고 하였다. 이 또한 항간에 전해지는 잘못을 따른 것이다.

으로 보아 태종 13년 이전에 경판이 해인사로 이안된 것으로 보인다. 보관처에 대해 서유구가 "송경의 서문 밖"이라고 한 것은 강화의 오기로 보인다.

407 당나라……모았는데 : 730년(개원 18)에 지승(智昇) 스님이 경전을 내용별로 분류하여 《개원석교록(開元釋敎錄)》이라는 최초의 대장경 목록서를 만들었다. 지승은 한역(漢譯) 경전을 연구함에 있어 이전에 저술된 여러 경전의 목록을 참조해 보고, 그 기사에 과오와 결함이 많음을 발견, 이를 유감으로 여겨 여러 목록의 기재를 비교·연구하는 한편, 현존 경전의 실제 내용과 대조하여 여러 해의 고심 끝에 완성하였다. 본서에 수록된 당시의 현존 경전수는 1,078부(部) 5,048권(卷)이다.

408 유정(惟淨)이……9천여 권이다 : 유정이 번역한 경전으로 《시설론(施設論)》, 《해혜보살소문정인법문경(海慧菩薩所問淨印法門經)》, 《불설개각자성반야바라밀다경(佛說開覺自性般若波羅蜜多經)》 등이 있는데, 북송(北宋)시대에 법호(法護)와 함께 많은 경전을 번역했다고 전해진다.

409 동국문헌비고(東國文獻備考) : 영조 46년(1770)에 편찬한 한국의 문물제도를 분류하고 정리한 책이다. 목판본이며, 100권 40책으로 구성되어 있다. 영조의 명으로 1769년(영조 45) 편찬에 착수, 1770년에 완성되었다. 체재는 중국 《문헌통고(文獻通考)》의 예에 따라 상위(象緯)·여지(輿地)·예(禮)·악(樂)·병(兵)·형(刑)·전부(田賦)·재용(財用)·호구(戶口)·시적(市糴)·선거(選擧)·학교(學校)·직관(職官)의 13고(考)로 나누어 수록하였다. 그 후 고종 때 이를 다시 증보하여 《증보문헌비고(增補文獻備考)》 250권을 간행하였다.

410 합천……지었다 : 《동국문헌비고(東國文獻備考)》 권9 〈산천(山川)·경상도(慶尙道)〉에 나온다. 《동국문헌비고》의 내용은 다음과 같다. "陜川. 北山, 烏頭山, 伽倻山. 西迆爲月留峰, 有海印寺. 新羅哀莊王所創. 遣使入唐, 購八萬大藏經, 以船載來. 建閣百二十間藏庋. 至今板如新刻."

내 벼슬과 녹봉을 범문정공과 오문숙공의 벼슬과 녹봉에 비한다면 비록 미치지 못한다고 할 수 있겠지만, 유휘가 처음 벼슬할 때에 비한다면 그보다 훨씬 나은데도 끝내 이 뜻을 이루지 못했다. 이를 보고 나도 모르게 부끄러워 식은땀이 흐른 지 오래다.

금화경독기 金華耕讀記

권 6

문장지우文章知遇

《옥호청화(玉壺清話)》[1]에 이런 내용이 실려 있다.

송(宋) 태종(太宗, 재위 976~997)이 양휘지(楊徽之)[2]의 시명(詩名)을 듣고 그가 지은 작품을 찾으니, 수백 편을 구해 바쳤다. 태종이 그중에서 10수를 가려 병풍에 베껴두었다. 양주한(梁周翰)[3]의 시에,

누가 금화(金華)의 양학사(楊學士)와 견줄까?	誰似金華楊學士
열 수의 시가 임금의 병풍에 있는데.	十聯詩在御屏中

라고 하였으니,[4] 조우(遭遇)라고 할 만하다.

마땅히 왕원미(王元美)[5]의 〈문장구명(文章九命)〉 중에 '지우(知遇)' 조목으

---

1 옥호청화(玉壺清話) : 송나라 때 승려 문형(文瑩)이 편찬한 것으로 총 10권이다. 잡사를 기록하였으며 《옥호야사(玉壺野史)》라고도 한다.

2 양휘지(楊徽之) : 921~1000. 중국 송나라 때의 관료로, 자는 중유(仲猷), 시호는 문장(文莊)이며, 건주(建州) 포성(浦城) 사람이다. 교서랑(校書郎), 집현교리(集賢校理) 등을 역임하고 우습유(右拾遺)에 올랐다. 진종(眞宗) 때 한림대독학사(翰林侍讀學士)를 지냈다. 저서에 《문원영화(文苑英華)》가 있다.

3 양주한(梁周翰) : 929~1009. 중국 오대(五代), 송초(宋初) 시기의 문학가로, 자는 원포(元褒), 하남(河南) 정주(鄭州) 사람이다. 송나라 때 한림학사(翰林學士)를 지냈다. 고석(高錫), 유개(柳開), 범고(範杲) 등과 고문운동을 주도하여 당시에 '고양유범(高梁柳範)'이라고 불렸다. 저서에 《한원제초집(翰苑制草集)》이 있다.

4 옥호청화(玉壺清話)에……하였으니 : 太宗聞其詩名, 盡索所著, 得數百篇奏御, 仍獻詩以謝, 卒章曰: "十年牢落今何幸? 叨遇君王問姓名." 上和之以賜, 謂宰臣曰: "眞儒雅之士, 操履無玷." 拜禮部侍郎. 御選集中十聯, 寫於屏. 梁周翰詩曰: "誰似金花楊學士? 十聯詩在御屏中."(《玉壺野史》 卷5)

5 왕원미(王元美) : 중국 명나라 때의 학자 왕세정(王世貞, 1526~1590)을 가리킨다. 원미는 그의 자이다. 호는 봉주(鳳州)·엄주산인(弇州山人)이다. 가정칠재자(嘉靖七才子)의 한 사람으로, 이반룡

로 보충해야 한다.[6]

성인의 사람 보는 눈

《사기(史記)》에 한 고조(漢高祖)가 오왕(吳王) 유비(劉濞)[7]의 관상을 본 일이 실려 있고,[8] 《옥호청화》에는 송(宋) 신종(神宗, 재위 1067~1085)이 여진(呂溱)[9]

(李攀龍)과 함께 이왕(李王)이라 불렸다. 저서로 《엄주사부고(弇州四部稿)》 174권, 《속고(續稿)》 207권 등이 전한다.

6 마땅히……한다 : 〈문장구명(文章九命)〉은 《엄주사부고(弇州四部稿)》 권151, 〈설부(說部)·예원치언(藝苑巵言)〉에 실린 왕세정의 글을 가리킨다. 늙음과 근심, 병환과 유배 등은 사람들이 아름답다고 말하는 바가 아니나, 시(詩)로 들어가면 아름답게 여겨지고, 부귀와 현달 등은 사람들이 아름답다고 말하는 바이나 시로 들어가면 아름답게 여겨지지 않으니, 이렇게 사람들은 좋게 여기지 않지만 문장에서 좋게 여겨지는 것을 아홉 가지 명(命)으로 꼽아 지은 글이다. 첫째는 빈곤(貧困), 둘째는 혐기(嫌忌), 셋째는 점결(玷缺), 넷째는 언건(偃蹇), 다섯째는 유찬(流竄), 여섯째는 형욕(刑辱), 일곱째는 요절(夭折), 여덟째는 무종(無終), 아홉째는 무후(無後)이다. 서유구의 말은 양주한과 같이 자신을 알아주는 임금을 만나는 경우 또한 문장의 명(命)이라 할 수 있으니 〈문장구명〉에 '지우'라는 새로운 조목을 만들어야 한다는 의미로 보인다. 일례로 청나라 초기 문인(文人)인 왕단록(王丹麓)은 〈갱정문장구명(更定文章九命)〉을 지어 왕세정이 지은 〈문장구명〉에 반대되는 의미에서 문장의 아홉 가지 명을 새로이 정하였는데, 첫째는 통현(通顯), 둘째는 천인(薦引), 셋째는 순전(純全), 넷째는 총우(寵遇), 다섯째는 안락(安樂), 여섯째는 영명(榮名), 일곱째는 수고(壽考), 여덟째는 신선(神仙), 아홉째는 창후(昌後)로, 이 중 넷째 명인 '총우'가 서유구가 말한 '지우'와 상통한다.

7 유비(劉濞) : 기원전 215~기원전 154. 중국 전한(前漢) 시기의 제후로, '오초칠국(吳楚七國)의 난(기원전 154, 전한시대 제후국인 오(吳)나라 외 6국이 일으킨 반란)'의 주동자이다.

8 사기(史記)에……있고 : 《사기(史記)》 권106 〈오왕비열전(吳王濞列傳)〉에 다음과 같은 내용이 보인다.
"한 고제(漢高帝)의 여러 아들들은 아직 어렸으므로 비(濞)를 패(沛)에 세우고 오왕(吳王)으로 삼아 3개 군, 53개 성을 다스리게 하였다. 이미 왕인(王印)을 배수(拜受)하고 난 뒤에 고제는 비를 불러 그의 관상을 보고 나서 이렇게 말하였다. '너의 얼굴에는 모반의 상(相)이 있다.' 내심 후회하였으나 이미 왕인을 배수한 뒤였으므로 그의 등을 토닥거리며 경계의 말을 일러주었다. '한나라에서 앞으로 50년 후에 동남쪽에서 난을 일으키는 자가 있다면 바로 너일 것이다. 그러나 천하는 동성(同姓)으로 한 집안이니, 조심하여 모반하지 않도록 하라.' 비는 머리를 조아리며 말하였다. '감히 그러지 않겠습니다.'[諸子少, 乃立濞於沛爲吳王, 王三郡五十三城, 已拜受印, 高祖召濞, 相之謂曰: '若狀有反相, 心獨悔業.' 已拜因拊其背告曰: '漢後五十年, 東南有亂者, 豈若耶. 然天下同姓爲一家也, 愼無反.' 濞頓首曰: '不敢.']"

9 여진(呂溱) : 생몰년은 미상이다. 송나라 신종 때의 관료로 자는 제숙(濟叔)이고 양주(揚州) 사람이다. 인종(仁宗) 보원(寶元) 원년(1038) 장원 급제 후 통판박주(通判亳州), 직집현전(直集賢殿), 기거주(起居注) 등을 지냈다. 성품이 매우 진중하여 항주 지주(杭州知州)를 지낼 때 손님을 맞이하고 보내는 과정에서 말을 몇 마디 하지 않아 사람들이 칠자사인(七字舍人)이라 일컬었다.

의 관상을 본 일이 실려 있으니,[10] 아무리 신술(神術)을 전공했다 하더라도 이에 미치지 못할 것이다. 제왕의 관물(觀物)이 보통 사람의 식견보다 매우 뛰어난 것이 이와 같다.

정조(正祖) 임자년(1792)에 임금께서 전(殿)에 임하셔서 시사(試士)하실 때에 내가 사관(史官)으로 곁에서 모시고 있었는데, 이제만(李濟萬)[11]이 병조 참의(兵曹參議)로 위반(衛班)에 있었다. 조회를 마치고서 임금께서 나를 보고 말씀하시기를, "조회 때 이제만을 보니 기색이 이상하였다."라고 하셨다. 내가 대답하기를, "신이 볼 때에는 특별히 달라 보이지 않았습니다."라고 하였다. 임금께서 말씀하시기를, "두고 보거라."라고 하셨다. 과연 며칠 후에 사건에 연루되어 탄핵을 받아 망측(罔測)한 일에 거의 빠지게 되었다.[12]

마음을 분산시키지 않기

주자(朱子)의 《회암집(晦庵集)》[13]〈우독만기(遇讀謾記)〉에 이런 내용이 있다.

"승려 중에 청초당(淸草堂)[14]이라는 자가 있는데 여러 승려들 가운데 이

---

10 옥호청화에는……있으니 : 《옥호청화》의 자료는 확인할 수 없었다. 《송사(宋史)》 권320 〈여진열전(呂溱列傳)〉에 본문과 관련한 내용이 보인다. 내용은 다음과 같다.
"신종이 그에게 병색이 있음을 살펴보고 의약(醫藥)을 가까이 하라고 격려하니, 얼마 안 가 과연 병이 났다.[神宗察其有疾色, 勉以近醫藥, 已而果病.]"

11 이제만(李濟萬) : 1738~1810. 조선 후기의 문신으로 본관은 전의(全義)이며, 자는 겸지(兼之), 호는 수와(守窩)이다. 진사 태백(泰白)의 아들이며, 신택녕(辛宅寧)의 사위이고, 유일성(柳一星)의 외손자이다. 1766년(영조 42) 정시문과에 병과로 급제한 뒤 검열이 되었고, 1773년 이조정랑으로서 시관이 된 뒤 함경도의 과거를 관장하였다. 1792년(정조 16) 좌부승지와 병조참의가 되었으며, 1796년 영광군수로 있으면서 토지를 많이 장악하고 백성들에게 탐학하였다는 이유로 대간의 탄핵을 받아 한때 파직되었다가 1800년 다시 홍주목사가 되었다. 순조가 즉위한 후 세도정치에 대한 논척으로 광양현에 유배되었으며, 그 뒤 1805년 대사령을 받아 석방되었으나 우의정 김관(金觀)에 의하여 다시 고창으로 귀양가게 되었다. 그 해 다시 풀려나와 승지가 되었다가 1810년 사임하고 낙향하여 은퇴하였다.

12 과연……되었다 : 《정조실록(正祖實錄)》 16년 임자(壬子, 1792), 윤4월 27일 기사에 지평 심달한(沈達漢)이 좌부승지 이제만을 윤구종(尹九宗)의 일과 연루해서 문초하기를 청하는 내용이 보인다.

13 회암집(晦庵集) : 중국 송나라 주희(朱熹, 1130~1200)의 문집으로, 총 100권이며 속집(續集) 5권, 별집(別集) 7권으로 구성되어 있다.

14 청초당(淸草堂) : 1057~1142. 중국 송나라 때의 임제종(臨濟宗) 황룡파(黃龍派) 승려로, 초당선청(草堂善淸)으로도 불린다. 남웅(南雄) 보창(保昌) 사람으로 속성(俗姓)은 하씨(何氏)이다. 어릴 때부터 향운

름이 나 있었다. 그가 처음 배울 때에 입문할 곳이 없는 듯하였는데, 고해주는 자가 말하기를 '그대는 고양이가 쥐를 잡을 때를 보지 못하였는가? 네 발을 땅에 붙이고 머리부터 꼬리까지 한결같이 곧게 펴서, 눈동자를 깜빡이지 않고 마음에 다른 생각 없이 꼼짝 않고 있지만, 움직이면 쥐가 도망갈 길이 없다.'라고 하자, 청초당이 그 말을 듣고서 비로소 입문할 곳을 찾게 되었다."[15]

이것이 바로 《장자(莊子)》〈달생(達生)〉에서 이른바 "마음을 한 곳에 쓰고 분산시키지 않아야 비로소 정신에 응집된다."[16]라고 하는 것이다.

살아있을 때 미리 관 짜두기

요즘 시골에서 연로한 자들 중에 가끔 생전에 미리 관을 짜 옻칠하여 두는 자가 있는데, 어떤 이들은 흉사에 미리 대비하는 것이라고 헐뜯

사(香雲寺) 법사선사(法思禪師)를 모셨다. 신종(神宗) 원풍(元豐) 4년(1081) 득도하고 대위모철(大潙慕喆)을 뵌 뒤 회당조심(晦堂祖心) 문하에 들어가 그 법을 이었다. 정화(政和) 5년(1115) 강서(江西) 황룡산(黃龍山)에서 법을 크게 떨쳤으며, 조산(曹山)과 소산(疎山), 흥룡(興隆) 늑담사(泐潭寺)에서 주지를 지냈다. 소흥(紹興) 12년 늑담사에서 86세, 법랍(法臘) 62세로 입적하였다. 월남불교 초당선파의 초조(初祖)로도 일컬어진다. 저서에 《초당청화상어요(草堂淸和尙語要)》 1권이 있다.

15 승려……되었다 : 釋氏有淸草堂者, 有名叢林, 問其始學時, 若無所入, 有告之者曰: "子不見猫之捕鼠乎? 四足据地, 首尾一直, 目睛不瞬, 心無它念, 唯其不動, 動則鼠無所逃矣." 淸用其言, 乃有所入, 彼之所學, 雖與吾異, 然其所以得之者, 則無彼此之殊, 學者, 宜以是而自警也.(《晦庵集》 卷71 〈遇讀謾記〉)

16 마음을……응집된다 : 《장자(莊子)》 외편 〈달생(達生)〉에 다음과 같은 내용이 있다.
"……공자께서 초나라에 갔다. 숲속을 지나다가 등이 굽은 꼽추 노인이 매미를 잡는 것을 보았는데, 매미를 잡는 것이 땅에 떨어진 것을 줍는 것과 같이 쉽게 하였다. 공자께서 묻기를 '그대는 재주가 있구나. 무슨 방법이 있는가?'라고 하자 말하기를 '오뉴월 매미를 잡을 때에 흙을 뭉친 둥근 덩어리 두 개를 매미채 꼭대기에 올려놓고 떨어지지 않게 되면 실수도 매우 적게 되고, 세 개 포개 올려서 떨어지지 않으면 실수는 열에 하나, 다섯 개 포개 올려 떨어지지 않으면 그때는 줍는 것과 같이 됩니다. 내가 몸을 처하는 것이 마른 나무와 같고 내 팔을 잡는 것은 고목의 가지와 같아서 비록 천지의 큰 것, 만물의 많은 것이라도 오직 매미만을 알 뿐, 反하지도, 側하지도 않고 오직 만물로써 매미의 날개와 바꾸지 않습니다. 무엇을 한들 얻지 못하겠습니까.'라고 하였다. 공자께서 돌아보고 제자들에게 말씀하시기를, '마음을 한 곳으로 써서 분산되지 않게 하여야 비로소 정신에 응집되어 신과 같아진다고 한다더니, 그것이 바로 이 등이 굽은 꼽추 노인을 두고 하는 말이구나.'라고 하셨다[仲尼適楚, 出於林中, 見痀僂者承蜩, 猶掇之也. 仲尼曰: "子巧乎. 有道邪?" 曰: "我有道也, 五六月累丸二而不墜, 則失者錙銖. 累三而不墜, 則失者十一. 累五而不墜, 猶掇之也. 吾處身也, 若橛株拘. 吾執臂也, 若槁木之枝. 雖天地之大, 萬物之多, 而唯蜩翼之知. 吾不反不側, 不以萬物易蜩之翼, 何爲而不得." 孔子顧謂弟子曰: "用志不分, 乃凝於神, 其痀僂丈人之謂乎."]"

었다. 그러나 소장형(邵長蘅)[17]의 《청문집(青門集)》[18]〈식암기(息菴記)〉에 또한 생전에 관을 짰다는 기록이 있다.[19] 송나라 한표(韓淲)[20]의 《간천일기(澗泉日記)》[21]에 "천축(天竺) 자운법사(慈雲法師)[22]가 생전에 관을 짜고 '하탑(遐榻)'이라 이름 붙였다."[23]라고 하였으니, 이는 장형이 생전에 관을 짜 둔 것에 앞서 더욱 오래전에 있던 일이고, 불교에서는 스님이 죽은 뒤에 사대(四大)[24]를 관에 두는 일이 거의 없었는데 이러한 기록이 있으니 또한 기이한 일이다.

나는 일찍이 소장형의 〈식암기〉와 천축 자운법사의 하탑을 인용하여 생전에 관을 짠 것의 증거로 삼았다. 지금 도종의(陶宗儀)[25]의 《철경록(輟耕

---

17 소장형(邵長蘅) : 1637~1704. 중국 청나라 때의 문인으로, 자는 자상(子湘), 호는 청문산인(青門山人)이며, 강소(江蘇) 무진(武進) 사람이다. 10살 때 제생(諸生)이 되었으나 소안(銷案)을 올렸다가 제명당했다. 후에 태학(太學)에 들어갔다가 그만두고 고향으로 돌아왔다. 북경에 있을 때 시윤장(施閏章), 왕사진(王士禛), 서건학(徐乾學), 진유숭(陳維崧), 주이준(朱彝尊) 등과 교유했다. 명나라의 칠자(七子) 중 하경명(何景明), 이몽양(李夢陽), 왕세정(王世貞), 이반룡(李攀龍) 등 4명의 시집을 편찬하여 전겸익(錢謙益)이 칠자에 반대한 편파성을 바로잡았고, 왕사진과 송락(宋犖)의 시를 뽑아 《이가시초(二家詩鈔)》를 편찬했다. 문집으로 《청문집(青門集)》 30권이 있다.

18 청문집(青門集) : 소장형(邵長蘅)의 문집으로, 강희(康熙) 34년(1695)에 간행되었으며 모두 30권이다. 강희 17년(1678)에 지은 《청문녹고(青門簏稿)》 16권(文 10권, 詩 6권), 강희 18년부터 30년에 지은 《청문여고(青門旅稿)》 6권(文 4권, 詩 2권), 강희 30년 이후에 지은 《청문잉고(青門剩稿)》 8권(文 5권, 詩 3권) 등으로 이루어져 있다.

19 소장형(邵長蘅)의……있다 : 邵子年五十三, 而治棺.(《青門旅稿》 卷4 〈息菴記〉)

20 한표(韓淲) : 1159~1224. 중국 남송 시기의 시인으로, 자는 중지(仲止), 호는 간천(澗泉)이다. 사인(詞人) 한원길(韓元吉)의 아들이다. 일찍이 부친의 음보로 평강부(平江府) 속관을 지냈다. 시로 당세에 이름을 날려 장천(章泉) 조번(趙蕃)과 더불어 "이천(二泉)"으로 불렸다. 인품과 학문 모두 훌륭했고, 청렴하고 지절이 있어 나이 오십에 관직을 떠나 벼슬하지 않았다. 가정(嘉定) 17년 66세에 병을 얻어 세상을 떠났다. 저서로 《간천집(澗泉集)》 20권, 《간천일기(澗泉日記)》 3권, 《간천시집(澗泉詩集)》 1권이 있다.

21 간천일기(澗泉日記) : 한표(韓淲)가 편찬한 역사서로, 송대의 역사 사실을 기록하였다. 인물을 품평하고 경사(經史)에 대해 고증한 학술적 필기로, 송대의 역사와 문학을 연구하는 데에 참고할 만하다.

22 자운법사(慈雲法師) : 963~1032. 송나라 때의 승려로, 이름은 준식(遵式), 자는 지백(知白)이다. 학행이 고고해서 절서(浙西)와 절동(浙東) 지방에서 명성이 자자하였다. 저서로는 《정토결의행원(淨土抉疑行願)》과 《정토참법(淨土懺法)》이 있다.

23 천축(天竺)……붙였다 : 天竺慈雲法師, 生前制棺名, 爲遐榻.(《澗泉日記》 卷下)

24 사대(四大) : 사람의 몸, 곧 여기에서는 사람의 시신을 가리킨다. 불교에서는 지(地), 수(水), 화(火), 풍(風)을 사대(四大)로 삼는데 이 네 가지는 견(堅), 습(濕), 난(暖), 동(動)이라는 네 종류의 성질을 분별하여 포함하고 있다. 사람의 몸은 이로 말미암아 구성되므로, 몸의 대칭(代稱)으로 쓰인다.

25 도종의(陶宗儀) : 생몰년은 미상이다. 중국 원말 명초 시기의 학자로, 자는 구성(九成), 호는 남촌(南村)이며, 절강 황암(黃巖 지금의 청도(淸陶)) 사람이다. 박학하였고 시문에 능하였으며, 서화에도 뛰어났다. 원나라 말기 병란이 일어나자 송강(松江) 화정(華亭)으로 피신하여 농사를 짓고 살며 여가에 글을 썼다. 지정(至正, 1341~1370) 말기 문인들이 그의 글 580여 편을 정리하여 《철경록(輟

錄)》[26]에서 도사(道士)의 수함(壽函)에 대해 기록하기를, "회계(會稽) 양명동천(陽明洞天)[27]에 노자궁(老子宮)이 있었다. 일찍이 그곳에 이르러 한 늙은 도사를 만났었는데, 방 안에 빈 관 하나를 놓아두고서 이르기를, '이 관을 둔 지 벌써 십여 년인데 아직 덧없는 세상을 버리고 이 상자에 들어가지 못했습니다.'라고 하였다."[28] 하니, 유교(儒教)에서 '식암'이라 하고 불교(佛教)에서 '하탑'이라 하며, 도교(道教)에서 '수함'이라고 하는 것이 모두 생전에 관을 짠 것이다.

적호(翟灝)[29]의 《통속편(通俗編)》[30]에 이르기를, "《집운(集韻)》[31]에서 '도(𣟂)는 음이 도(檮)와 같으니 관(棺)이다.'라고 하였고, 초횡(焦竑)[32]의 《자학(字

耕錄)》 30권을 편찬하였다. 이밖에 《남촌시집(南村詩集)》, 《국풍존경(國風尊經)》 등 다양한 저작을 남겼으며, 《설부(說郛)》 100권과 같은 방대한 총서를 편찬하기도 하였다.

26 철경록(輟耕錄) : 명나라 도종의(陶宗儀)가 찬술한 서명으로 총 30권으로 되어 있다. 내용은 대개 원대의 법령제도 및 원나라 지정(至正) 말엽에 있었던 병란(兵亂) 사실, 항간에서 일어난 저속한 일, 희학잡담(戲謔雜談), 보고 들은 잡설 등을 수록하였다.

27 양명동천(陽明洞天) : 회계현(會稽縣) 완위산(宛委山)에 있는 동(洞) 이름으로, 도가(道家)의 명승지인 용서궁(龍瑞宮)의 곁에 있다.(《회계지(會稽志)》 권11 〈동(洞)〉)

28 회계(會稽)……하였다 : 會稽陽明洞天, 在秦望山後, 禹廟之西南云, 即古禹穴越之勝境也. 諸峯環聳, 盤鬱空曲中, 有東嶽行祠, 及老子宮, 余嘗宿留, 其間一老道士者, 朱顏鶴髮, 延至其室, 室横一空棺云, '已十餘年矣, 未能即棄浮世, 而入此匣也.'(《輟耕錄》 卷24 〈道士壽函〉)

29 적호(翟灝) : ?~1788. 중국 청나라 때의 학자로, 자는 대천(大川), 또는 청강(晴江), 자호는 소적자(巢翟子)며, 절강(浙江) 인화(仁和 지금의 항주(杭州)) 사람이다. 건륭(乾隆) 19년(1754)에 진사가 되었다. 금화 교수(金華教授), 구주 교수(衢州教授) 등을 지냈다. 거처하는 방 이름을 서소(書巢 책 둥지)라 하고 경사(經史) 이외에 야사, 소설, 불경, 도술에 관한 책 등 갖추지 않은 것이 없었다. 사서(四書)에 능통했는데, 한나라 말기 유학자들의 학설을 널리 취하여 《사서고이(四書考異)》를 저술하였다. 그밖에 곽박(郭璞)의 주를 보충한 《이아보곽(爾雅補郭)》, 《설문칭경증(說文稱經證)》, 《호산편람(湖山便覽)》, 《간산잡지(艮山雜志)》, 《통속편(通俗編)》, 《무불의재고(無不宜齋稿)》 등의 저서가 있다.

30 통속편(通俗編) : 중국 청나라 때의 학자 적호가 편찬한 책이다. 한어(漢語) 가운데 각종 통속 사어(詞語), 방언 등을 채집하여, 천문(天文)·지리(地理)·시서(時序) 등 38류(類) 5,456조(條)로 나누고 각 조목 아래 예증(例證)과 출전을 기록하였다.

31 집운(集韻) : 중국 북송 인종(仁宗) 때 정도(丁度) 등이 칙명을 받아 편집하여 영종(英宗 1063~1067) 때 완성한 음운서이다. 수록 글자 수는 53,525자로 《광운(廣韻)》보다 27,331자가 많으나 주석이 간결하다.

32 초횡(焦竑) : 1540~1620. 중국 명나라 때의 학자로, 자는 약후(弱侯), 호는 담원(澹園), 시호는 문단(文端)이며, 응천부(應天府) 강녕(江寧, 지금의 남경) 사람이다. 만력(萬曆) 17년(1589) 회시(會試)에서 일갑(一甲) 제일(第一)로 급제하여 한림원 수찬(翰林院修撰)을 지냈다. 만력 25년(1597) 순천향시(順天鄉試)를 주관했다가 무고로 탄핵을 당해 복녕주 동지(福寧州同知)로 좌천되었고, 얼마 안 가 사임하고 귀향하였다. 이지(李贄)와 매우 친하였다. 왕수인(王守仁)의 치양지설(致良知說)을 학문의 근본으로 삼았다. 불교에서 말하는 본래무일물(本來無一物)이 《중용(中庸)》의 '미발(未發)'과 같다고 주장하여, 유불(儒佛)의 조화를 시도하였다. 저서에 《초씨필승(焦氏筆乘)》과 경전 목록인 《국사경적지(國史經籍志)》는 중국 문헌학상 중요한 자료로 평가된다. 그 밖에 《노자익(老子翼)》,

學)》33에서 '생전에 미리 관을 짜는 것을 도(㯥)라고 하니, 세속에서는 도도(㯥圖)라 한다.'라고 하였다." 하니, 이 또한 생전에 미리 관을 짰다는 증거이다.

혼인할 집에서 먼저 물건을 보내는 것

왕희지(王羲之)[34]의 〈논제갈혼서(論諸葛昏書)〉에 이르기를, "만약 혼인할 집안이 가난하면, 본래 마땅히 물품을 제공하여 혼사에 도움을 주어야 한다."[35]라고 하였으니, 대개 두 집안이 혼인을 의논할 적에 한 집안은 넉넉하고 한 집안이 가난하면, 넉넉한 집안에서 먼저 재물과 폐백을 가난한 집에 보냈으니, 예로부터 이러한 풍습이 있었다. 지금 사대부의 집안에서는 혼인할 집에서 먼저 보내온 물건 받는 것을 부끄럽게 여기고 심하게는 혹 인륜을 폐하는 것이라고 하여 받지 않으려 하는 지경에 이르렀으니, 이런 일은 향촌의 물정 어두운 이들에게서 많이 보인다.

곡식 창고를 턴 도둑을 처벌하는 법률

송나라 왕요신(王堯臣)[36]이 광주(光州) 지주(知州)로 있을 때에 그 해 큰 기

《장자익(莊子翼)》, 《국조헌징록(國朝獻徵錄)》 등의 주석집과 시문집 《담원집(澹園集)》이 있다.

33 자학(字學) : 초횡(焦竑)이 지은 문자학 저서이다. 명나라 만력(萬曆) 35년(1607) 이당태(李當泰)가 명을 받고 장위(張位, 1538~1605)의 《문기집(問奇集)》과 초횡의 《자학》을 합하여 《자학정와(字學訂譌)》 2권을 편찬하였다.

34 왕희지(王羲之) : 307~365. 중국 동진(東晉) 때의 서예가로, 자는 일소(逸少)이다. 우군장군(右軍將軍)의 벼슬을 하였으므로, 세상 사람들이 왕우군이라고도 불렀다. 중국 고금(古今)의 첫째가는 서성(書聖)으로 칭송되며, 일곱째 아들 왕헌지(王獻之)와 함께 '이왕(二王)'으로 일컬어진다.

35 만약……한다 : 二族舊對, 故欲結援. 諸葛若以家窮, 自當供助昏事, 欲速知決.(《漢魏六朝百三家集》 卷59 〈論諸葛昏書〉)

36 왕요신(王堯臣) : 1003~1058. 중국 북송 시기의 대신으로, 자는 백용(伯庸)이며, 졸할 당시 시호는 문안(文安)이었다가, 신종 때 문충(文忠)으로 바뀌었다. 응천부(應天府) 우성(虞城 지금의 하남성 우성) 사람이다. 천성(天聖) 5년(1027) 장원 급제하여, 지제조, 한림학사 등에 발탁되었다. 권삼사사(權三司使)를 지낼 적에 상소를 주달하여 증세(增稅)를 막았다. 황우(皇祐) 3년(1051) 추밀부사(樞密副使)를 지냈고, 가우(嘉祐) 원년(1056) 참지정사(參知政事)에 배수되었다.

근이 들어 도적떼가 민간의 창고를 터니 관리의 법령상 사형이 마땅하였는데, 왕요신이 말하기를, "이는 굶주린 백성들이 먹을 것을 구한 것일 뿐이니, 황정(荒政)[37]으로 구휼할 바입니다."라고 하며 사형을 감면해주기를 청하였다. 구양수(歐陽脩)[38]가 왕요신의 묘지명(墓誌銘)을 지어 그 일을 기록하고, 또 이르기를, "후에 마침내 법령이 되어 지금까지도 쓰인다."라고 하였으니,[39] 그 일을 아름답게 여긴 것이다.

위희(魏禧)[40]의 〈구황책(救荒策)〉[41]에서는 강제로 쌀을 사들이는 일에 대한 형벌을 무겁게 하여야 한다고 하였는데, 그 설(說)에, "한창 큰 기근이 들어 백성들이 난을 일으키기 쉬우니, 강제로 쌀을 사들이는 일을 금하지 않으면 형세가 반드시 약탈하게 될 것이요, 약탈하게 되면 형세가 반드시 죽이게 될 것이다. 마땅히 법령으로 제정하여 '시가(時價)를 기준으로

---

37 황정(荒政) : 흉년을 구제하는 정책을 말한다. 주대(周代)에 베풀었던 황정십이사(荒政十二事)가 대표적이다. 황정십이사는 다음과 같다. 첫째는 산리(散利, 종자나 식용으로 곡물을 바꾸어 줌), 둘째는 박정(薄征, 조세를 가볍게 함), 셋째는 완형(緩刑, 형벌을 덜어 줌), 넷째는 이력(弛力, 요역을 경감함), 다섯째는 사금(舍禁, 금령을 취소하여 백성들로 하여금 먹을 수 있게 함), 여섯째는 거기(去幾, 관세를 면제함), 일곱째는 생례(眚禮, 혼례를 간소하게 함), 여덟째는 쇄애(殺哀, 장례를 간략하게 함), 아홉째는 번악(蕃樂, 악기를 거두어들이고 음악을 연주하지 않음), 열째는 다혼(多婚, 혼례를 간소하게 하여 혼인을 쉽게 하고 인구가 늘어나게 함), 열한째는 색귀신(索鬼神, 이미 그만둔 제사의 귀신을 찾아내어 제사를 지냄), 열두째는 제도적(除盜賊, 형벌을 강화하여 도적을 없앰)이다.

38 구양수(歐陽脩) : 1007~1072. 중국 북송(北宋) 때의 문장가이자 정치가로, 자는 영숙(永叔), 호는 취옹(醉翁)이며, 만년에는 육일거사(六一居士)라고 하였다. 당송팔대가(唐宋八大家)의 한 사람으로, 수식을 중시하던 변려문(駢儷文)을 배격하고, 평이하고 간결한 고문(古文)의 부흥을 주도함으로써 중국 문학의 새로운 지평을 열었다는 평가를 받았다. 저서로 《구양문충공집(歐陽文忠公集)》·《육일사(六一詞)》·《육일시화(六一詩話)》 등이 있다.

39 구양수(歐陽脩)가……하였으니 : 公姓王氏, 其先太原祁人, ……知光州, 歲大饑, 羣盜發民倉廩, 吏法當死, 公曰: "此饑民求食爾, 荒政之所恤也." 乃請以減死論. 其後. 遂以著令, 至今用之, ……(歐陽脩, 《文忠集》 卷32 〈尙書戶部侍郎參知政事贈右僕射文安王公墓誌銘〉)

40 위희(魏禧) : 1624~1680. 중국 명말 청초 시기의 문인으로, 자는 응숙(凝淑)·숙자(叔子)·영숙(永叔), 호는 유재(裕齋)·작정(勺庭)이며, 강서(江西) 영도(寧都) 사람이다. 고문을 잘 지었고, 충렬(忠烈)에 관한 일을 서술하였는데, 묘사가 실감나서 사람을 감동시켰다. 40세 이후 사방을 주유하면서 가는 곳마다 문장으로 친구를 모았다. 강희(康熙) 17년(1678)에 박학홍유(博學鴻儒)에 제수되었지만 병으로 사양했고 나중에 진주(眞州)에서 병사하였다. 저서에 《위숙자집(魏叔子集)》과 《좌전경세(左傳經世)》 등이 있다.

41 구황책(救荒策) : 위희가 자연재해로 인한 기근을 구원하는 대책을 기록한 것으로, 기근이 있기 전의 대책[先事之策], 기근에 당면했을 때의 대책[當事之策], 기근을 겪고 난 뒤의 대책[事後之策]으로 분류하여 대책을 서술하였다.(《荒政叢書》 卷7 〈魏禧救荒策〉)

하지 않고 강제로 쌀을 한 되라도 사들이는 자는 효수형(梟首刑)에 처한다.' 라고 하여야 한다."[42]라고 하였다.

나는 일찍이 '강제로 쌀을 한 되라도 사들인 죄가 효수형에 이르는 것은 보통의 정서로 말하자면 진실로 지나치게 무거운 뜻이 있다.'라고 생각하였다. 그러나 이른바 '강제로 쌀을 사들이는 것을 금하지 않으면 형세가 반드시 약탈하게 될 것이요, 약탈하게 되면 형세가 반드시 죽이게 될 것이다.'라고 한 것은 이러한 일이 없으리라고는 할 수 없다. 강제로 쌀을 사들이는 죄는 비록 효수형에 처하더라도 의아할 것이 없지만, 빼앗고 죽이는 일에 대해 어찌 사형을 시행하지 않을 수 있겠는가? 그렇다면 도둑이 창고를 털어갔는데 사형에 해당하는 형벌을 감해 달라고 한 것은 처벌을 너무 가볍게 하여 난(亂)이 차츰 이루어지게 만드는 것이 아니겠는가? 다행히 천성(天聖) 연간(1023~1032)과 경우(景祐) 연간(1034~1038)을 만나 국가의 원기가 한창 강성하여 한때의 흉년이 난까지 이르지는 않았을 뿐이니, 이것은 쇠미한 말기에 본받을 만한 것이 아니다.

소 도살 금지

주익(朱翌)[43]의 《의각료잡기(猗覺寮雜記)》[44]에 이런 글이 있다.

"제오륜(第五倫)[45]이 회계 태수(會稽太守)로 있을 적에 함부로 소를 잡아

---

42 한창……한다 : 一日重强糴之刑. 時方大飢, 民易生亂, 若縱其强糴, 則有穀者愈不肯糶, 四方客粟聞風不來, 立飢死矣. 且强糴不禁, 勢必搶奪, 搶奪, 勢必擄殺, 當著爲令曰: "有不依時價强糴一升者, 即行梟首.……"(《荒政叢書》卷7〈魏禧救荒策〉)

43 주익(朱翌) : 1097~1167. 자(字)는 신중(新仲)이고, 호는 잠산거사(潛山居士)로 서주(舒州 지금의 안휘성) 사람이다. 명산의 빼어난 경치와 두루 유람을 다닌 행적이 《건염이래계년요록(建炎以來系年要錄)》, 《보경사명지(寶慶四明志)》 8권, 《연우사명지(延祐四明志)》 4권에 많이 보인다. 저서로 《송사익(宋史翼)》, 《의각료잡기(猗覺寮雜記)》 2권, 《잠산집(潛山集)》 44권 등이 있다.

44 의각료잡기(猗覺寮雜記) : 북송(南宋) 주익(朱翌)의 저서로 모두 6권 435조(條)로 이루어져 있다. 앞의 3권으로 이루어진 상권(上卷)은 모두 시화(詩話)로 전거(典據)를 고증(考證)하는 데 그쳤고 문자의 잘되고 잘못됨은 평가하지 않았다. 뒤의 3권으로 이루어진 하권(下卷)은 잡론(雜論)으로 역사와 관련된 일이 실려 있다.

죽이는 자는 관리가 바로 형벌을 주었으니, 주군(州郡)에서 소 도살을 금지한 것이 이때부터 시작되었다. 진(晉) 원제(元帝, 276~322) 때 정택(丁澤)의 글에 '소를 죽이는 것이 금지되어 있어서 소를 산 사람도 자기 마음대로 잡을 수 없다.'라고 하였으니, 조정에서 소 도살을 금지한 것은 이때부터 시작되었다."[46]

이것이 중국에서 소 도살을 금하게 된 유래이다.

우리나라의 조정에서는 본교(本敎)[47]를 가장 중시하여 모든 경외(京外)에서 몰래 소를 잡는 자가 있으면 현장에서 바로 벌금형에 처하되 모두 공평하게 하였다. 근고(近古) 이래로 법이 느슨해지고 백성들이 교활해져서 해마다 정월 초하루가 되면 몰래 제멋대로 도살하였다. 이윽고 정조 계축년(1793, 정조 18)에 옛 규범을 더욱더 엄격히 단속하자 주현(州縣)의 관리 중에 종종 이 법에 따라 처벌받는 자가 있었다. 단속한 지 몇 해 만에 소가 더 많이 번식하게 되었으니, 농사를 권면하는 가르침과 짐승을 풀어주는 너그러움[48]을 도살금지법 하나로 모두 이룬 것이다.

술 만드는 도구의 금지

망계(望溪) 방포(方苞)[49]가 사공(司空) 벼슬의 서원몽(徐元夢)[50]에게 술을 금

---

45 제오륜(第五倫) : 후한(後漢) 경조(京兆) 장릉(長陵)사람으로 자는 백어(伯魚)이다. 건무(建武) 29년(53)에 효렴(孝廉)으로 천거되어 나중에 회계 태수(會稽太守)가 되었다. 재직하면서 무축(巫祝)을 금지하고 밭갈이 하는 소를 도살하는 것을 막아 백성들이 편안하게 생업에 종사할 수 있게 하였다.

46 제오륜(第五倫)이……시작되었다 : 第五倫守會稽, 有妄屠牛者, 吏輒行罰, 州郡禁屠牛, 始于此. 晉元帝時, 丁澤書云"殺牛有禁, 買者不得輒屠", 朝廷禁屠牛, 始于此.(朱翌, 《猗覺寮雜記》 卷上)
내용 중 '殺牛有禁, 買者不得輒屠.'에 대한 것은 《진서(晉書)》 권78 〈장무열전(張茂列傳)〉에 나오는데 주익이 장무(張茂)를 정택(丁澤)으로 오인한 듯하다.

47 본교(本教) : 티벳의 전통 종교로 본포교(bon-po)라고도 한다.

48 짐승을 풀어주는 너그러움 : 탕(湯) 임금이 사면(四面)에 쳐진 그물을 본 뒤 삼면의 그물을 걷어 버리고 일면만 남겨 두고서 "왼쪽으로 가려는 놈은 왼쪽으로 가고 오른쪽으로 가려는 놈은 오른쪽으로 가고 위로 올라가려는 놈은 올라가고 아래로 내려가려는 놈은 내려가라. 나는 나의 명을 범하는 놈만 취하리라."라고 했다는 고사에서 온 말이다.(《史記》 卷3 〈殷本紀〉)

49 방포(方苞) : 1668~1749. 청대 동성인(桐城人)으로 자는 영고(靈皐), 호는 망계(望溪)이다. 송유(宋

하는 것에 대해 논하여 준 편지[51]에, "삼국시대에 집에 술 만드는 도구가 있으면 벌을 주고 용서하지 않았다."라고 하였다.

예로부터 술 빚는 것을 금지하던 시대에 술 만드는 도구까지 금지한 적은 없었다. 오직 촉(蜀)의 선주(先主)인 유비(劉備, 161~223)만이 당시에 가뭄이 들어서 술 빚는 것을 금지하였는데, 어떤 형(刑)을 집행하는 관리가 민가에서 술 빚는 도구를 보고, 술 빚는 법에 따라 죄를 따지려고 하였다. 이때 간옹(簡雍)[52]이 유비와 함께 유람하고 다니다가 남녀가 길을 가고 있는 것을 보고 유비에게 "저 사람들이 음란한 짓을 하려고 하니 어찌 결박하지 않겠습니까?"라고 하였다. 이에 유비가 "어떻게 아는가?"라고 묻자, 간옹이 "저들이 그 도구를 가졌으니 술을 빚으려는 자와 같습니다."라고 대답하였다. 유비가 크게 웃고는 술을 빚으려는 자를 용서하였다.[53] 지금까지도 전하여 구실(口實)을 삼지만, 만약 이를 가지고 술 빚는 도구를 금지한 실제 자취로 생각한다면 잘못이다.

선침온피扇枕溫被

부모의 잠자리를 여름에는 부채질하여 시원하게 하고, 겨울에는 제 몸

儒)를 종주로 삼아 정주(程朱)의 학을 추연하였으며, 《춘추》와 삼례(三禮)에 치력하였다. 동성파(桐城派)의 초조(初祖)이며 저서로 《망계문집(望溪文集)》 등이 있다.

50 서원몽(徐元夢) : 1655~1741. 청대 만주(滿洲) 정백기(正白旗) 사람으로, 자는 선장(善長), 호는 접원(蝶園)이다. 시호는 문정(文定)이다. 《방망계선생전집(方望溪先生全集)》에 주금(酒禁)에 대해 논한 글이 실린 〈사공 서접원에게[與徐司空蝶園書]〉 외에 〈서사공시집서(徐司空詩集序)〉가 실려 있는 것으로 보아 방포와 교유가 깊었던 듯하다.

51 술을……편지 : 《방망계선생전집(方望溪先生全集)》 권6 〈사공 서접원에게[與徐司空蝶園書]〉에 들어 있는 내용이다.

52 간옹(簡雍) : 생몰년은 미상이다. 삼국시대 촉(蜀)나라 탁군(涿郡) 사람으로 유비(劉備) 막하의 문사이며, 자는 헌화(憲和)이다. 제갈량이나 방통(龐統)이 등용되기 전에 유비의 막하에서 중요한 역할을 한 사람으로, 유비가 매우 존중해서 예로써 대했다고 한다.

53 오직……용서하였다 : 時天旱, 禁酒釀者, 有刑吏於人家, 索得釀具, 論者欲令與作酒者同罰. 雍與先主游觀, 見一男女行道, 謂先主曰: "彼人欲行淫, 何以不縛?" 先主曰: "卿何以知之?" 雍對曰: "彼有其具, 與欲釀者同." 先主大笑, 而原欲釀者. 雍之滑稽, 皆此類也.(《三國志》 卷38 〈蜀志 簡雍傳〉)

으로 이불을 따뜻하게 한 고사에 대해서 세상 사람들은 단지 황향(黃香)[54]이 있다는 것만 알 뿐, 또 왕연(王延)[55]이 있다는 것을 모른다. 왕연은 진(晉)나라 때의 사람으로 어버이를 섬김에 기쁜 안색으로 봉양하여 여름에는 잠자리에 부채질을 해드리고 겨울에는 몸으로 이불을 따뜻하게 해드렸으니, 황향의 효행과 매우 비슷하다. 송나라 서적(徐積)[56]이 주학(州學)에 있었을 때 항상 죽은 부모의 궤연(几筵)을 마련하여 아침저녁으로 안부를 묻고 음식을 차리고 그릇을 씻어 마치 살아계실 때처럼 음식을 올렸다. 겨울에는 불을 지펴 침구를 따뜻하게 하고, 여름에는 부채질하여 모기를 쫓았다. 이야말로 '죽은 이 섬기기를 산 사람 섬기듯이 한다[事死如事生]'[57]라고 하는 것이니 황향과 왕연의 효행보다 더욱 어려운 것이다.

수년장隨年杖

오대(五代)의 유수(劉銖)[58]는 매번 사람을 매질할 적에 반드시 나이 수에

54 황향(黃香) : 생몰년은 미상이다. 후한 강하(江夏) 안릉(安陸) 사람으로 자는 문강(文强)이다. 지극히 효성스러웠고, 경전에 해박했으며, 문장에도 능해 '천하무쌍 강하황향(天下無雙 江夏黃香)'이란 말을 들었다. 9살 때 어머니를 여의고 아버지를 섬기는 자세가 지극히 효성스러워 여름에는 베갯머리에서 부채질을 하고 겨울에는 몸으로써 이불을 따뜻하게 했다고 한다.

55 왕연(王延) : 진(晉)나라 때의 효자(孝子)로, 9세 때 모친상을 당하여 3년 동안 슬픔을 다했고, 그 후 계모(繼母)를 섬기면서도 효성이 매우 극진했다. 집이 매우 가난하여 품팔이로 모친을 모셨는데, 여름철이면 모친의 침석(枕席)에 부채질을 해서 시원하게 하고, 겨울철이면 모친의 이불 속에 자신이 먼저 들어가 자신의 체온으로 이불을 따뜻하게 해 드렸다.《晉書》 卷88 〈王延列傳〉

56 서적(徐積) : 1028~1103. 북송 초주(醋州) 산음(山陰) 사람으로, 자는 중거(仲車)이다. 휘종(徽宗) 정화(政和) 6년(1116)에 절효처사(節孝處士) 시호가 내려졌다. 철종(哲宗) 원우(元祐, 1086~1093) 초에 천거되어 초주 교수(楚州敎授)가 되었다. 《시경》과 《춘추》, 《예기》를 고증하고 주석했으며, 천도와 인도의 합일을 주장했다. 저서에 《효절집(孝節集)》과 《효절어록(孝節語錄)》이 있다.

57 죽은……한다 : 《중용장구(中庸章句)》 제19장에 보인다.

58 유수(劉銖) : 생몰년은 미상이다. 《구오대사(舊五代史)》 권107, 《한서》 제9 〈열전 4(列傳四)〉에 유수(劉銖)에 대한 다음과 같이 기록이 있다. "유수(劉銖)는 섬주(陝州) 사람이다. 은제(隱帝)가 즉위하고 검교태사 겸 시중에 더해졌는데 유수가 법을 세우는 것이 매우 엄격하여 명령하면 행하고 금하면 그치게 해서 관리와 백성들에게 허물이 있으면 그 잘못의 경중을 따지지 않고 일찍이 용서해준 적이 없었다. 매번 직접 일을 집행함에 조금이라도 게으른 뜻이 있으면 바로 명령하여 거꾸로 끌고 나가서 수백 걸음 밖에 이르러서야 그쳤으니 피부가 온전한 자가 없었다. 매번 사람을 때릴 적에 두 몽둥이를 마주보고 겹쳐지게 하여 '합환장(合歡杖)'이라고 하였고, 혹은 사람을 때리는 것을 그 사

따라 매질하고 '수년장(隨年杖)'이라고 하였다. 이 법은 만약 어린아이에게 시행한다면 할 수 있겠지만, 연로(年老)한 자에게 시행하면 나이가 일흔인 자는 70대를 때리고 여든인 자에게는 80대를 때려, 아흔, 백 세인 자에 이르기까지 나이가 많을수록 더욱 과중되어 몸이 온전한 자가 거의 없게 될 것이니, 고금을 통틀어 지나치게 형벌을 남발한 것이라고 할 수 있겠다.

죄수를 풀어주다

세상 사람들은 단지 당 태종(唐太宗)이 죄수를 풀어준 일[59]만 알고 후대의 사람들이 그 일을 본받아서 시행한 경우가 한둘이 아니라는 것은 알지 못한다. 북송 사람 척륜(戚綸)[60]이 태화(太和)[61] 지현(知縣)으로 있었을 때 매번 새해가 되면 죄수들과 약속하길 "너희들을 잠시 방면하여 돌아가게 해줄 터이니 조상에게 제사지내고 서캐와 이를 씻어 내거라."라고 하였는데, 백성들은 그 은혜에 감동하여 모두 기일에 맞추어 돌아왔으며 뒤늦게 온 자가 없었다.[62] 이것이 지현으로서 죄수를 풀어준 경우이다.

람의 나이와 같이 한다고 하여 '수년장(隨年杖)'이라고도 하였다[劉銖, 陝州人也.……隱帝即位, 加檢校太師, 兼侍中. 銖立法深峻, 令行禁止, 吏民有過, 不問輕重, 未嘗貸免. 每親事, 小有忤旨, 即令倒曳而出, 至數百步外方止, 膚體無完者. 每杖人, 遣雙杖對下, 謂之"合歡杖"; 或杖人如其歲數, 謂之"隨年杖"……]"

59 당 태종(唐太宗)이……일 : 《신당서(新唐書)》 권2 〈태종 이세민 본기(太宗李世民本紀)〉를 살펴보면, 정관(貞觀) 6년(632) 12월에 사형수들을 풀어주고, 7년 9월에 죄수들이 돌아오자 모두 사면시켜 준 내용이 있다. 구양수(歐陽脩, 1007~1072)의 〈종수론(縱囚論)〉에도 이 일에 대해 언급되어 있다.

60 척륜(戚綸) : 954~1021. 983년 진사에 합격. 이후 태화현을 다스리면서 죄수를 풀어주는 등 선정을 베풀고 백성들을 잘 교화한 것으로 유명하였고, 벼슬이 분사남경(分司南京)에까지 이르렀다. 북송 송주(宋州) 초구(楚丘) 사람. 자는 중언(仲言). 《송사(宋史)》 열전 65에 〈척륜전(戚綸傳)〉이 실려 있다.

61 태화(太和) : 오늘날 중국 안휘성(安徽省) 태화현이다.

62 매번……없었다 : 每當歲時, 與囚約曰: "放汝暫歸, 祀其先, 櫛沐蟣虱." 民感其惠, 皆及期而還, 無敢違者.(《事實類苑》 卷22 〈宦政治績 戚密學〉)

옥대玉帶 도둑

《신오대사(新五代史)》〈잡전(雜傳)〉 제35에 다음과 같은 내용이 있다.

"진(晉) 땅[63]의 장종간(萇從簡)[64]이 허주(許州)[65]의 부자가 옥대(玉帶)를 갖고 있다는 것을 듣고 그것을 갖고 싶은데 얻을 수 없자, 병졸 두 명을 시켜 밤에 부자의 집에 들어가서 부자를 죽이고 옥대를 가져오게 하였다. 병졸이 밤에 담장을 넘어 나무 사이에 숨어 있다가 부부가 서로 빈객을 대하듯 공경하는 것을 보고는 탄식하여 '우리 공께서 보물을 빼앗고 이 사람을 해치고자 하시는 한 나는 반드시 이 일에서 벗어나지 못할 것이다.'라고 하고는 뛰어나가 부자에게 사실을 알려주고 빨리 장종간에게 옥대를 바치게 하고는 마침내 담장을 넘어 떠나갔다."[66]

이 부자가 어찌 기(冀)의 극결(郤缺)[67]만 못하겠는가마는 역사에 그 성조차 전하지 않으니 안타깝다.

큰 수레

송나라 주밀(周密)[68]의 《계신잡지속집(癸辛雜識續集)》[69]에 이런 내용이 있다.

---

63 진(晉) 땅 : 이존욱(李存勗 후당(後唐)의 초대 황제)의 아버지인 이극용(李克用)이 당(唐)에 봉사(奉事)하며 황소의 난 진압에 공을 세워 895년 진왕(晉王)으로 훈봉(勳封)을 받은 것을 가리킨다.

64 장종간(萇從簡) : 생몰년은 미상이다. 본래 도축업자였으나 이존욱을 섬겨 수차례 전공을 쌓아 여러 벼슬을 거쳐 1233년 허주절도사(許州節度使)를 역임하였다. 평소 재물을 탐하였으며, 인육을 즐겨 먹는 등 자신의 용맹을 믿고 자주 범법행위를 저질렀으나 이존욱이 항상 용서해주었다.

65 허주(許州) : 지금의 하남성(河南省) 허창시(許昌市)이다.

66 진(晉) 땅의……떠나갔다 : 從簡好食人肉, 所至多潛捕民間小兒以食. 許州富人有玉帶, 欲之而不可得, 遣二卒, 夜入其家, 殺而取之. 卒夜踰垣, 隱木間, 見其夫婦相待如賓, 二卒歎曰: "吾公欲奪其寶, 而害斯人, 吾必不免." 因躍出而告之, 使其速以帶獻, 遂踰垣而去, 不知其所之.(《新五代史》卷47 〈雜傳 萇從簡〉)

67 기(冀) 땅의 극결(郤缺) : 춘추시대 진 문공(晉文公) 때 기읍(冀邑)에 살았던 극결이 처음 기 땅에서 농사를 짓고 살면서 부부간에 서로 공경하기를 서로 손님을 대하듯이 했는데, 나중에 대부 구계(臼季)의 천거로 문공에게 쓰여서 하군대부(下軍大夫)가 되었다.(《소학(小學)》 〈계고(稽古)〉)

68 주밀(周密) : 1232~1298. 송말 원초(宋末元初)의 문학가로 평생 벼슬을 하지 않고 지냈으며, 시서화(詩書畵)에 능했다. 자는 공근(公謹)이고, 호는 초창(草窗)이다. 《초창구사(草窗舊事)》, 《계신잡지

"북방의 큰 수레는 4, 5천 근을 실을 수 있다. 소와 노새 십여 마리에 멍에를 하여 수레를 모는 자는 겨우 주인 한 명에 노복 한 명뿐인데도 크게 호통치는 소리에 소와 노새가 명령을 듣기에 여념이 없다. 모든 수레에 반드시 방울을 몇 개씩 달고 다니는데, 소리가 몇 리 밖에서도 들리니, 그 지역이 아무것도 없는 텅 빈 들판이기 때문이다. 이는 오는 수레와 서로 만나면 미리 피하기 위해서이니, 그렇게 하지 않는다면 아마도 부딪칠 우려가 있을 것이다. 밤을 새워 애쓰는 것이 남들과 사뭇 다르고, 눈서리가 내리고 진창을 지나는 것은 평소와 달리 더 어렵고 고달프다. 혹 진흙탕에 미끄러지고 빠지거나 혹 수레 축이 부러지게 되면 반드시 수리하고 정비를 해야지만 갈 수 있어서 열흘씩 지체되기도 한다."[70]

여기에서 말한 수레의 제도와 수레를 모는 법은 모두 지금 중국에 통용되는 것이다. 주밀이 이 내용을 기록할 때에는 흡사 처음 보아서 놀랍고 주목할 만한 이역(異域)의 풍속인 것처럼 썼다. 그러나 어찌 그 당시 양자강(揚子江) 이남에서 일찍이 큰 수레를 사용하지 않았겠는가.

땅에서 나는 밀가루麪

무술(戊戌, 1058)년과 기해(己亥, 1059)년 사이에 광주(廣州) 땅에서 밀가루가 나왔다. 당시에 연달아 기근이 들어서 백성들이 다투어 캐다 먹었는데 맥면(麥麪)과 차이가 없었다.

송나라 가우(嘉祐) 연간(1056~1063)의 서주(徐州)에서 올라온 상소문에,

(癸辛雜識)》, 《호연재아담(浩然齋雅談)》 등 필기류의 저작을 다수 남겼다.

69 계신잡지속집(癸辛雜識續集) : 《계신잡지》는 주밀(周密)이 찬한 것으로 남송 말기에서 원나라 초기의 사회상을 아는 데 많은 참고가 된다. 전집·후집 각 1권, 속집·별집 각 2권이다.

70 북방의……한다 : 北方大車, 可載四五千斤, 用牛騾十數駕之, 管車者, 僅一主一僕, 叱咤之聲, 牛騾聽命惟謹. 凡車必帶數鐸, 聲聞數里之外. 其地乃荒凉空野故耳, 蓋防來車相遇則豫先爲避. 不然, 恐有突衝之虞耳. 終夜勞苦, 殊不類人, 雪霜泥濘, 尤艱苦異常. 或泥滑陷溺, 或有折軸, 必須修整, 乃可行, 濡滯有旬日.(《癸辛雜識續集》 卷上 〈北方大車〉)

"팽성현(彭城縣) 백학향(白鶴鄕) 땅에서 밀가루가 나왔는데 그 면적이 모두 10여 경(頃)에 달했고 백성들이 다들 그 밀가루를 가져다 먹었습니다."라고 하니, 황제가 내시 두승수(竇承秀)[71]를 파견하여 가서 살펴보게 하였다. 점괘에 "땅에서 밀가루가 나오면 백성들이 장차 굶주릴 것이다."라고 하였다. 이 시기에 호주(濠州)에서서도 종리현(鍾離縣) 땅에서 밀가루가 나왔는데 백성들이 가져다 먹었다고 하였다.[72]

원풍(元豊) 연간(1078~1085)에 청주(靑州)와 치주(淄州)에 거듭 기근이 들었는데 산속과 평지에서 모두 백면(白麪)과 백석(白石)이 나왔으니 재 같으면서도 미끄러웠다. 백성들이 이 밀가루를 조금 섞어서 탕병(湯餠)을 만들면 먹을 만하였기에 기근에서 크게 구제되었다.[73]

또 우리나라의 이정형(李廷馨)[74]이 편찬한 《동각잡기(東閣雜記)》[75]를 살펴보면 다음과 같은 내용이 있다.

"함길도(咸吉道, 함경도) 화주(和州)[76]에 모양과 색깔이 모두 황랍(黃蠟, 벌들이 분비한 밀랍)과 같은 흙이 있는데 떡을 만들면 맛이 메밀과 같으니, 굶주린 백성들이 가져다 먹고 배를 채워 굶주림을 면했다. 또 갑오(甲午, 1594)년에 크게 기근이 들었을 때, 봉산(鳳山)[77] 지방에 소맥분(小麥粉)처럼 차지고 미끄러운 흙이 나왔는데 흙 7~8푼과 쌀가루 2~3푼으로 떡을 만들어 먹

---

71 두승수(竇承秀) : 미상이다.

72 송나라……하였다 : 徐州言彭城縣白鶴鄕地生麪, 凡十餘頃, 民皆取食. 上遣內侍竇承秀往視之. 占曰: "地生麪, 民將饑也." 旣而濠州亦言鍾離縣地生麪. 民取食之.(《續資治通鑑長篇》 卷196 〈嘉祐七年〉)

73 원풍(元豊)……구제되었다 : 元豊中, 靑、淄荐饑, 山中及平地, 皆生白麪白石, 如灰而膩, 民有得數十斛, 以少麪, 周和爲湯餠, 可食, 大濟乏絕.(《澠水燕談錄》 卷10 〈雜錄〉)

74 이정형(李廷馨) : 1549~1607. 조선 중기의 학자·문신이다. 임진왜란 때 좌승지로 임금을 모시고 평안도로 가다가 송도에서 의병을 일으켜 적을 막았으며 만년에는 성리학을 연구하였다. 자는 덕훈(德薰)이고, 호는 지퇴당(知退堂)·동각(東閣)이다. 저서에 《동각잡기(東閣雜記)》, 《황토기사(黃兎記事)》, 《지퇴당집》이 있다.

75 동각잡기(東閣雜記) : 선조 때 이정형이 고려 말부터 조선 선조 때까지의 사실(史實)을 뽑아 엮은 책이다. 필사본 2권 1책이며, 국립중앙도서관에 소장되어 있다. 〈본조선원보록(本朝璿源寶錄)〉 또는 〈선원보록〉이라고도 한다. 《대동야승(大東野乘)》 권53~54에도 실려 있다.

76 화주(和州) : 지금의 함경도 영흥(永興) 지방이다.

77 봉산(鳳山) : 지금의 황해도 봉산(鳳山) 지방이다.

어서 주린 배를 채울 수 있고, 또한 병도 나지 않아 굶주린 백성들이 그 덕분에 온전할 수 있었다."[78]

하늘에서 보리가 내리다

하늘에서 좁쌀이 내리고 말에 뿔이 난다는 것은 이치상 결코 있을 수 없는 일을 말한다. 순조(純祖) 경오(庚午, 1810)년 초여름에 호서(湖西)지방의 아산(牙山)과 평택(平澤) 사이에 우박이 내렸는데 그 모양이 메밀의 열매와 같았다. 씹어보면 약간 비린내가 느껴졌으며, 한참이 지나도 녹지 않고 낱알 하나하나가 모두 완전했다. 그 지방 사람들은 의심스러워 감히 먹지 않았는데 어떤 호사가가 그것을 가져다가 심으며 "뭐가 다른지 모르겠네."라고 하였다.

다시 살아나다

《한서(漢書)》〈오행지(五行志)〉에 "원시(元始) 원년(기원 1)에 북쪽지방의 여자가 병들어 죽었는데, 염(殮)을 하여 관(棺)에 넣은 지 6일이 지난 뒤에 관 밖으로 나왔다."[79]라고 하였다.

우리나라에도 이 같은 기이한 일이 많다. 내 금릉(金陵) 묘막(墓幕)[80]의 동쪽 산기슭에 환성암(喚醒庵)이라는 곳이 있는데 주지승인 봉민(奉敏)이 한 번은 나에게 이렇게 말했다.

---

78 함길도……있었다 : 又於咸吉道和州有土, 其形與色如黃蠟, 作餅, 味似木麥, 飢民取食, 充腹免飢. 今上甲午大饑, 鳳山境產土粘, 滑如眞末, 以土七八分米屑二三分, 作餅食之, 則療飢而亦不生病, 飢民多賴以濟活.(《東閣雜記》卷上〈本朝璿源寶錄〉)

79 원시(元始)……나왔다 : 平帝元始元年二月, 朔方廣牧女子趙春病死, 斂棺積六日, 出在棺外.(《漢書》卷27〈五行志下〉)

80 금릉(金陵) 묘막(墓幕) : 서유구의 아버지 서호수(徐浩修)의 묘소가 장단(長湍) 백학산(白鶴山) 서쪽 금릉리(金陵里)에 있었다.

"저의 양어머니는 문화(文化)[81] 민가의 여자입니다. 어려서 죽은 지 3일 만에 다시 소생해서 살다가 늙어 죽었는데, 염을 했던 곳이 시커멓게 변해 알아볼 수 있었습니다."[82]

또 정조(正祖) 정미년(1787, 정조 11)에 평안도 정주(定州)에 어떤 여자가 병들어 죽었다. 장례를 치른 지 14일이 지났을 때 어떤 초동(樵童)이 여자의 무덤가를 지나고 있었다. 그런데, 무덤이 갑자기 저절로 움직이더니 잔디가 심어진 부분이 무너지면서 열렸다. 초동이 놀라서 집으로 달려가 어머니에게 알렸다. 그 어미가 무덤으로 가서 자세히 살펴보니 과연 관이 부서져 있었다. 관을 열고 염한 것을 풀어주자 그 여자가 다시 살아났다. 정주의 사또가 관찰사에게 그 사실을 알리자, 관찰사는 거짓이라고 의심하여 사람을 보내 살펴보게 하였는데, 과연 말한 그대로였다. 그러나 사건이 귀신의 괴이한 일에 연관되어 관찰사는 그냥 두고 상부에 아뢰지 않았다.

기이한 사람

영조(英祖) 병술년(1766, 영조 42)에 산음현(山陰縣) 마을 여자 종단(終丹)이 여섯 살에 아이를 낳았다. 관찰사가 이 사실을 조정에 아뢰자, 임금이 어

---

81 문화(文化) : 지금의 황해도 신천군 문화면 일대에 있던 옛 지명으로, 후삼국시대에는 유주(儒州)라 불렸다.

82 저의……있었습니다 : 서유구의 《풍석전집(楓石全集)》에 "환성암의 주지승인 봉민은 자주 나를 따라 노닐었다. 하루는 가사(袈裟)를 걸치고 석장을 짚고서 나에게 찾아와 말하기를 '만나 뵙기를 원합니다.'라고 하였다. 내가 들어오게 하여 까닭을 묻자, 봉민이 합장을 하며 말하기를 '우리 암자에 도가 있는 비구니가 있었는데 지금 입적하였습니다. 이 사람이 드러나지 못할까 두려우니, 그대의 말을 얻고자 합니다.'라고 하였다. 다시 글과 폐물을 받들고 합장하고 재배하며 말하기를 '그 비구니는 제 고모로 성은 아무개이고 호는 해화당(海花堂)이며, 문화(文化) 민가의 여자입니다. 어려서부터 재주와 지혜가 있었고 파나 마늘을 먹지 않았으며 정성껏 부처님을 받들어 출가할 뜻을 두고 있었습니다. 예전에 죽은 지 3일 만에 다시 소생했다가 늙어 죽자 염을 했던 곳이 검게 변하였으니 사람들이 모두 기이하게 여겼습니다.'[庵住持奉敏數從余遊, 一日衣水田衣杖錫而踵門曰: "願有謁也." 余進之而問焉, 奉敏合爪禮而曰: "吾庵有有道比丘尼, 今化矣. 不章是懼, 願得子之言." 復捧書幣, 合爪再拜曰: 尼, 吾姑也. 姓某氏, 號海花堂, 文化民家女, 幼奇慧, 不茹葷, 虔奉大士, 有出世想. 嘗死三日復甦, 至老死斂處黟然, 人咸異之.]"라고 한 말이 보인다.(《楓石全集 楓石鼓篋集 卷5 喚醒庵舍利塔銘》)

사를 보내 자세히 조사하게 하여, 간통한 남자에게 유배형을 내리고, 종단과 그녀가 낳은 아이를 흑산도(黑山島)에 유배 보냈다. 그리고 산음현의 이름을 산청현(山淸縣)으로 바꿨다.[83]

정조 임술년[84]에 포천(抱川)의 이씨(李氏) 집안 여종 하나가 어떤 사내에게 시집을 갔다. 몇 년이 지나 갑자기 아랫배가 부풀어 오르며 아프고 음부 곁에 살이 덩어리로 뭉쳐 있어 마치 사발을 엎어놓은 듯 한 모양이었다. 얼마 후 그것이 변해서 남근(男根)과 불알 두 쪽이 갖추어지고, 모습과 목소리도 모두 남자 같아졌다.

금상 을축년(1805, 순조 5)에 장성(長城) 농가의 아낙이 임신을 하였다. 열달이 지나자 배꼽 주변에 통증이 극심하더니 살이 트고 찢어져 점차적으로 하나의 구멍이 되었는데, 그 크기가 주먹이 들어갈 만하였다. 아이가 그 구멍으로 나와서 어미는 결국 출산의 고통이 없었다.

백 세 노인

이조원(李調元)[85]의 《미자총담(尾蔗叢談)》[86]에 다음과 같은 내용이 있다.

"동냥하러 다니는 어떤 노인이 스스로 말하기를, '지금 나이가 140살인데도 기력이 정정하여 10리 거리를 동냥하러 가면 날이 저물기 전에 돌

---

83 산음현의……바꿨다 : 《청장관전서(青莊館全書)》 권68 〈한죽당섭필 상(寒竹堂涉筆上) 종단(終丹)〉에 "英宗大王丙戌, 山陰縣村女終丹, 六歲生子. 上遣御史具庠按覈, 刑配所奸男子, 而配終丹及所生子于黑山島, 改山陰爲山淸."이라고 하였다. 《국역 영조실록》 43년 윤7월 30일 기사에 이 일로 인해 산음현의 이름을 산청현으로 고친 일이 보인다. 《청장관전서》에는 병술년의 일이라고 하였고, 《국역 영조실록》에는 정해년의 일이라고 하였는데, 어느 것이 맞는지 분명하지 않다.

84 임술년 : 정조 재위 기간에 임술년은 없다. 잘못 기록한 것인데, 어느 해인지는 분명하지 않다.

85 이조원(李調元) : 1734~1802. 자는 미당(美堂), 호는 우촌(雨村)이고, 사천(四川) 나강현(羅江縣) 사람이다. 청대(淸代)의 대표적인 문학가로, 시에 능하였다. 주요 저서로는 《만선당시(萬善堂詩)》, 《동산전집(童山全集)》 등이 있다.

86 미자총담(尾蔗叢談) : 이조원이 편찬한 《함해(函海)》에 수록되어 있는 책으로, 총 4권이다.

아오고, 20리 거리를 동냥하러 가면 다음날 돌아온다.'라고 하였다. 그는 용모에 달리 이상한 점은 없고 키는 넉 자[尺]가 채 안 되었으며 몸이 마르고 피부가 검으니, 딱 봐도 걸인처럼 보였다. 유독 두 귀만은 늘어져 길이가 두 치[寸]쯤 되었고 늙었는데도 피부가 여전히 기름지고 윤기가 있었다."

또 다음과 같이 말하였다.

"그는 아직도 색욕계(色慾戒)[87]를 깨지 않아 세간 남녀의 혼인이 무슨 일인지조차 알지 못하였고, 지금까지도 여전히 동자의 몸을 간직하였다."

우리나라 함경도 함흥(咸興)에도 생년을 알지 못하는 노인이 있는데, 스스로 말하기를 "만력(萬曆) 연간(1573~1619)에 남쪽지방에서 황해도의 평산(平山)으로 와서 타향살이하다가 그대로 보병에 충원되었고, 임진년 왜란 때 함경도로 도망쳐 품을 팔아먹고 살고 있다."라고 하였으니, 나이가 3백 살이 넘은 것이다. 모발과 치아가 어린아이 같고 다른 것도 남들과 다를 것이 없었는데, 오직 스스로 말하기를 "평소에 색욕계를 깬 적이 없다."라고 하였다.

육경六更

양성재(楊誠齋)[88]의 시에,

술에 취해 잠이 들면 은하수의 까치를 시켜	醉眠管得銀河鵲
하늘에서 내려와 육경을 치게 하리[89]	天上歸來打六更

---

87 색욕계(色慾戒) : 음탕한 욕정을 금지하는 계율을 말한다.

88 양성재(楊誠齋) : 양만리(楊萬里, 1124~1206)로, 중국 남송(南宋)의 시인이다. 자는 정수(廷秀)이고, 호는 성재(誠齋)로 길수(吉水, 江西省) 사람이다. 그가 낸 시집은 《강호집(江湖集)》에서 《퇴휴집(退休集)》까지 모두 9부로, 시의 총 편수는 4,000여 편이다. 또한 고전의 주석(註釋)인 《성재역전(誠齋易傳)》의 저작도 남겼으며, 남송사대가 중의 한 사람으로 꼽힌다.

89 술에……하리 : 《성재집(誠齋集)》 권31 〈사여처공송칠석주과밀식화생아(謝余處恭送七夕酒果蜜食化生兒)〉 두 수 가운데, 첫 번째 시이다. 시 전문은 다음과 같다. "踉蹡兒孫忽滿庭, 折荷騎竹臂春鶯. 巧樓後夜迎牛女, 留鑰今朝送化生. 節物催人教老去, 壺觴拜賜喜先傾. 醉眠管得銀河鵲, 天上皈

라고 하였는데, 그가 이렇게 주(注)를 달았다.

"내가 경술년(1190) 고시(考試) 때에 전려(殿廬)[90]에 있는 야루(夜漏)가 오경(五更)이 지난 뒤에 다시 일경을 치기에, 계인(鷄人)[91]에게 물어보니, '궁루(宮漏)에는 육경이 있습니다.'라고 하였다."

내가 처음에 그 말을 매우 이상하게 여기고 있었는데 나중에 채조(蔡絛)[92]의 《철위산총담(鐵圍山叢談)》[93]에서 이와 관련된 내용을 보았다.

"한·위(漢魏) 이후로 밤을 알리는 제도는 오고(五鼓)를 넘지 않았다. 오경이 지나 날이 밝아지려고 할 때 또 '야루의 시각이 다하지 않았다.'라고 말하는 일이 있다. 국조(國朝, 송나라) 문덕전(文德殿)의 종고원(鐘鼓院)[94]에서도 야루의 시각이 다하지 않아 아직 날이 밝지 않았을 적에 다만 북을 쳐서 여섯 번째로 알릴 뿐 경점(更點)[95]은 없는데, 잘 모르는 자가 이를 '궁중에는 육경이 있다'라고 한다."[96]

성재가 말한 육경은 곧 오경이 이미 다했어도 날이 아직 밝아지지 않았을 경우 다시 북을 쳐서 여섯 번째로 알리는 것일 뿐이지, 정말로 육경

來打六更."

90 전려(殿廬) : 궁궐 곁에 있는 막사로 제왕의 알현을 기다리거나 번을 든 신하의 대기소로 쓰였다.

91 계인(鷄人) : 주(周)나라 때의 관직 이름이다. 국가에서 큰 의식을 거행할 때에 새벽을 알리며 백관을 깨워 일으키는 일을 관장하였는데, 뒤에는 궁중의 물시계를 관리하는 사람을 일컫게 되었다.

92 채조(蔡絛) : ?~1147. 송(宋)나라 사람으로, 자는 약지(約之), 호는 백납거사(白衲居士)이다. 권신이었던 아버지 채경(蔡京)을 믿고 국권을 농락하다가 백주(白州)로 유배되어 죽었다. 저서로는 《서청시화(西清詩話)》, 《철위산총담(鐵圍山叢談)》 등이 전한다.

93 철위산총담(鐵圍山叢談) : 채조가 백주로 유배 갔을 때 지은 필기로, 총 6권이다. 백주에 철위산(鐵圍山)이라 불리는 산이 있었다.

94 문덕전(文德殿)의 종고원(鐘鼓院) : 문덕전은 주로 임금에게 유교경전을 강론하던 곳이다. 때때로 관리들에게 잔치를 베풀 때 사용되기도 하였고, 가뭄이 심하게 들면 비를 기원하기도 하였다. 종고원은 관서명으로, 문덕전 종고루의 시각을 관리했다.

95 경점(更點) : 북과 꽹과리를 쳐서 알리는 밤의 시간을 말한다. 하룻밤의 시간을 5경(更)으로 나누고, 1경과 5경은 3점(點)으로, 2경부터 4경까지는 5점으로 나누어 경에는 북을 치고, 점에는 꽹과리를 친다.

96 한·위(漢魏)……한다 : 漢、魏以來, 警夜之制, 不過五鼓. 蓋冬夏自酉戌至寅卯, 斗杓之建, 盈縮終不過五辰, 故言甲夜至戊夜, 或言五更而已. 然日入之後, 未知甲夜則又謂之昏刻. 至五更已滿, 將曉之時, 則又有謂之至夜漏不盡刻. 國朝文德殿鍾鼓院於夜漏不盡刻, 旣天未曉, 則但撾鼓六通而無更點也, 不知者乃謂"禁中有六更".(《鐵圍山叢談》 卷1)

이 있는 것이 아님을 비로소 알았다. 채조는 채경(蔡京)[97]의 막내아들이니, 정화(政和) 연간(1111~1117)에 궁궐의 조례(條例)에 대해 들었을 것이다.

의장義莊과 의숙義塾

의장[98]과 의숙[99]을 내가 평소에 짓고자 하였지만, 끝내 그 뜻을 이루지 못했다. 근래에 송(宋)나라 왕벽지(王闢之)[100]의 《민수연담록(澠水燕談録)》[101]에 연산(鉛山) 유휘(劉輝)[102]의 일을 기록한 것을 보았는데, 다음과 같은 내용이 었다.

"유휘는 용모가 준수하고 아름다우며 문장과 학문에 뛰어났다. 가우(嘉祐) 연간(1056~1063)에 국학(國學)과 천부(天府)[103]의 시험에서 잇달아 수석 합격하여 진사(進士)가 되었다. 가우 4년(1059)에 숭정전(崇政殿) 전시(殿試)에 또 장원으로 급제하여 대리평사(大理評事)가 되었고, 건강군(建康軍)의 첨서판관(簽書判官)이 되었다. 그는 일가 중에 생계를 잇지 못하는 사람을 불쌍

---

97 채경(蔡京) : 1047~1126. 북송(北宋) 말기의 재상으로, 자는 원장(元長)이다. 휘종조(徽宗朝)에 환관 동관(童貫)의 도움으로 52세에 재상이 된 뒤 전후 4회에 걸쳐 16년을 재상 자리에 있었다. 금군(金軍)이 침입하고 흠종(欽宗)이 즉위하자 국난을 초래한 6적(賊)의 우두머리로 몰려 해남도(海南島)인 담주(儋州)의 배소(配所)로 가던 도중 병사하였다.

98 의장 : 문중에서 일가 중의 가난한 집을 도와주기 위하여 관리하는 토지를 말한다.

99 의숙 : 옛날에 학비를 받지 않았던 사설 글방을 말한다.

100 왕벽지(王闢之) : 1031~? 송나라 철종(哲宗) 때의 문인으로, 자는 성도(聖塗)이다. 산동(山東) 임치(臨淄) 사람이다. 송 영종(宋英宗) 치평(治平) 4년에 진사가 되었고, 철종(哲宗) 원우(元佑) 연간에 하동현 지현(河東縣知縣)을 역임하였다. 저서로는 《민수연담록(澠水燕談錄)》 등이 전한다.

101 민수연담록(澠水燕談錄) : 북송 개국부터 철종(哲宗) 소성(紹聖) 연간에 이르기까지 140여 년의 북송 잡사(雜事)가 기재되어 있다. 모두 17부류로 나누어져 있는데, 제덕(帝德), 당론(讜論), 명신(名臣), 지인(知人), 기절(奇節), 충효(忠孝), 재식(才識), 고일(高逸), 관제(官制), 공거(貢擧), 문유(文儒), 선조(先兆), 가영(歌咏), 서화(書畫), 사지(事志), 잡록(雜錄), 담학(談謔)으로, 360가지가 넘는 이야기가 수록되어 있다.

102 유휘(劉輝) : ?~? 원명은 기(幾)이고, 자는 자도(子道)이다. 신주(信州) 연산(鉛山) 사람이다. 인종(仁宗) 가우(嘉祐) 4년(1059)에 진사가 되었다. 대평리사와 첨서하중부절도판관(簽書河中府節度判官)을 지냈다. 저서로는 《동귀집(東歸集)》, 《무위집(無爲集)》 등이 전한다.

103 천부(天府) : 주(周)나라의 관직 명칭이다. 춘관(春官) 소속으로, 제기(祭器), 보물, 관문서(官文書) 등의 간수를 맡았다.

히 여겨 수백 무(畝)의 밭을 사들여 그들을 돌봐주었다. 사방에서 유휘를 따라 배우는 사람이 매우 많아지자 산수가 좋은 곳을 택하여 그들을 거처하게 하니, 현대부(縣大夫)가 그 마을의 이름을 바꾸어 '의영사(義榮社)'라고 하고, 그 집의 이름을 '의영재(義榮齋)'라고 하였다."[104]

또 다음과 같은 내용도 있었다.

"범문정공(范文正公)[105]과 오문숙공(吳文肅公)[106]이 모두 의전(義田)[107]에 뜻을 두었지만, 훗날 이부(二府)[108]에 오르고서야 그 뜻을 이룰 수 있었다. 그런데 유휘는 처음 벼슬하여 집안이 넉넉하지 않았을 때에 벌써 그 일을 이루었으니, 사군자(士君子)들은 유휘가 한 행동을 더욱 어렵게 여겼다."[109]

내 벼슬과 녹봉을 범문정공과 오문숙공의 벼슬과 녹봉에 비한다면 비록 미치지 못한다고 할 수 있겠지만, 유휘가 처음 벼슬할 때에 비한다면 그보다 훨씬 나은데도 끝내 이 뜻을 이루지 못했다. 이를 보고 나도 모르게 부끄러워 식은땀이 흐른 지 오래다.

하루에 쓰는 비용을 절약하다

소식(蘇軾)이 황주(黃州)에 있을 때[110] 스스로 매우 절약하여 하루에 쓰

---

104 유휘는……하였다 : 鉛山劉輝俊美有辭學. 嘉祐中, 連冠國庠及天府進士. 四年, 崇政殿試, 又爲天下第一, 得大理評事, 簽書建康軍判官. 喪祖母, 乞辭官以嫡孫承重服. 國朝有諸叔而嫡孫承重服者, 自輝始. 哀族人之不能爲生者, 買田數百畝以養之. 四方之人從輝學者甚衆, 乃擇山溪勝處處之. 縣大夫易其里曰"義榮社", 名其館曰"義榮齋".《澠水燕談錄》卷4〈忠孝〉

105 범문정공(范文正公) : 범중엄(范仲淹, 989~1052)으로, 자는 희문(希文), 시호는 문정이다. 중국 북송(北宋) 때의 명재상이자 학자이다. 저서로는《범문정공집(范文正公集)》이 전한다. 범중엄이 벼슬이 높아져 참지정사(參知政事)에 이르자 오현(吳縣)의 자기 종족을 위하여 자신의 봉급을 덜어서 성곽을 등지고 있고 곡식이 항상 잘 익는 전답 1천 무(畝)를 사서 의전이란 전답을 마련하고 대소사의 경비를 충당하였다.

106 오문숙공(吳文肅公) : 오규(吳奎, 1011~1068)로, 자는 장문(長文), 시호는 문숙이다. 유주(濰州) 북해(北海) 사람이다. 오규는 젊었을 때 매우 가난하였다가 귀해져서는 밭을 사서 의장을 만들어 일가와 친구들을 구휼해 주었다.

107 의전(義田) : 가난한 친족을 구제하기 위하여 마련한 토지를 말한다.

108 이부(二府) : 송나라 때의 중서성(中書省)과 추밀원(樞密院)을 가리킨다.

109 범문정공(范文正公)과……여겼다 : 初, 范文正公與吳文肅公, 皆有志義田, 及後登二府, 祿賜豐厚, 方能成其志, 而輝於初仕, 家無餘資, 能力爲之. 今士君子尤以爲難.《澠水燕談錄》卷4〈忠孝〉

는 비용이 150문(文)을 넘지 않게 했다. 매월 초하루에 4,500전(錢)을 가져오면 30묶음으로 나누어 집의 들보 위에 걸어 놓고, 아침에 한 묶음을 가져다가 하루의 비용으로 쓰고 남으면 따로 저축해서 빈객들에게 베풀어 주었다.[111]

내가 생각하기에, 소식이 이때에 오히려 박봉의 단련부사(團練副使) 직이라도 맡고 있었기 때문에 하루에 150문을 쓸 수 있었을 것이다. 만약 초야에서 가식(家食)[112]하는 자라면 어찌 이럴 수 있겠는가? 혹은 5, 60문을, 혹은 2, 30문을 그 집안 살림의 상황에 따라 쓰되, 다만 날마다 금액을 일정하게 정하여 그 액수를 넘지 않으면 될 것이다.

인생을 받아서 쓰다

내가 언젠가 숙제(叔弟) 붕래(朋來)에게 답한 편지[113]에 이렇게 말하였다.

"인생을 받아서 씀이 각각 분량이 있어서 넉넉하고 박함과 행불행(幸不幸)이 분명하여 어긋남이 없다. 전기(傳紀)에 실린 내용을 살펴보면, 만 마리의 양고기를 모두 먹은 뒤에 죽은 자가 있고, 오 년 동안 연잎만 먹다가

---

110 소식(蘇軾)이……때 : 소식(蘇軾, 1037~1101)의 자는 자첨(子瞻), 호는 동파거사(東坡居士)이다. 문장이 매우 뛰어나 당송팔대가(唐宋八大家)의 한 사람으로 일컬어졌다. 소식이 일찍이 왕안석(王安石)이 제창한 신법(新法)의 불편한 점을 극력 논박한 죄로 항주통판(杭州通判), 지호주(知湖州) 등으로 폄적(貶謫)되었다. 이윽고 풍자시(諷刺詩)를 지은 것으로 인하여 어사대(御史臺)에 의해 군부(君父)를 원망하고 비방했다는 죄목으로 하옥되었다가, 감형되어 다시 황주 단련부사(黃州團練副使)로 안치(安置)되었다.

111 소식(蘇軾)이……주었다 : 서유구는 《설부(說郛)》 권75 하 〈임하청록(林下淸錄)〉에 보이는 고사를 본 것으로 보인다. 이 고사는 본래 소식이 진태허(秦太虛)에게 답하는 편지에 보이는데, 편지의 내용은 다음과 같다. "初到黃, 廩入旣絕, 人口不少, 私甚憂之. 但痛自節儉, 日用不得過百五十, 每月朔, 便取四千五百錢, 斷爲三十塊, 掛屋梁上, 平旦用盡, 又挑取一塊, 卽藏去. 又仍以大竹筒別貯用不盡者, 以待賓客."(《東坡全集》 卷74 〈答秦太虛書〉)

112 가식(家食) : 벼슬을 하지 않고 놀면서 먹고 지냄을 말한다.

113 숙제(叔弟)……편지 : 숙제는 서유락(徐有樂, 1772~1830)으로, 본관은 달성(達城), 자는 붕래(朋來)이다. 서유구는 모두 4형제인데, 위로 큰형 서유본(徐有本)이 있고, 아래로는 숙제(叔弟) 서유락徐有樂)과 막내 서유비(徐有棐)가 있다. 이 편지는 《풍석전집(楓石全集) 금화지비집(金華知非集)》 권2 〈여붕래서(與朋來書)〉이다.

부처처럼 죽은 자도 있다. 비록 그 설이 매우 기이하고 비정상적이긴 하지만 또한 그런 이치가 없다고 할 수 없다. 이 때문으로 내가 일찍이 '안자(顔子, 안회(顔回))가 단표누항(簞瓢陋巷)의 검소한 생활을 안 했다면 분명 서른 살도 살지 못했을 테고,[114] 하증(何曾)이 한 번에 만전(萬錢)을 들여가며 먹지 않았다면[115] 이소군(李少君)[116]과 장적교여(長狄僑如)[117]의 장수는 족히 말할 수가 없다.'라고 생각하였다."

뒤에 《작비암일찬(昨非庵日纂)》[118]을 보니, 다음과 같은 내용이 있었다.

"인생의 의복과 음식, 재물과 녹봉은 다 운수이다. 만약 검소하여 욕심을 내지 않으면 수명을 연장할 수 있고, 사치가 지나쳐 다 받기를 구하면 죽는다. 비유하자면, 사람이 천 문(文)의 돈이 있는데, 날마다 백 문을 쓰면 10일을 쓸 수 있고, 날마다 오십 문을 쓰면 20일을 쓸 수 있으나, 방종(放縱)하며 탐욕스럽고 사치하여 곧장 다 없어지게 된다면 천 푼을 하루에 다 쓴 격이다."[119]

또 다음과 같이 말하였다.

---

114 안자(顔子)가……테고 : 안회가 누추한 골목에서 한 대그릇의 밥과 한 표주박의 물로 지내면서도 도를 즐기는 마음을 고치지 않으며 살다가, 32세의 나이에 요절하였다.

115 하증(何曾)이……않았다면 : 하증(199~278)의 자는 영고(穎考)이다. 진 무제(晉武帝) 때 사람으로, 벼슬이 태위(太尉)에 이르렀는데, 본디 호사(豪奢)함을 좋아해 궁실, 거마, 의복, 음식 등에 있어 모두 왕자(王者)보다 지나칠 만큼 극도로 사치하였고, 또 날마다 만전(萬錢)을 들여 음식을 차려 먹으면서도 오히려 "젓가락을 내릴 곳이 없다.[無下箸處]"라고 하였다.(《진서(晉書)》 권33 〈하증열전(何曾列傳)〉)

116 이소군(李少君) : 한 무제(漢武帝) 때의 방사(方士)이다. 한 무제에게 조(竈)에 제사지내면 불로장생할 수 있다고 아뢰자, 무제가 친히 조에 제사지냈으며, 또 "단사(丹砂)를 황금으로 변화시킬 수 있고, 황금으로 식기를 만들어 사용하면 장수를 누릴 수 있으며, 장수를 누리면 해중(海中)의 봉래산(蓬萊山)에 사는 신선을 만나 볼 수 있습니다."라고 하면서 미혹시켰다.(《사기(史記)》 권12 〈효무본기(孝武本紀)〉)

117 장적교여(長狄僑如) : 《춘추좌씨전》 문공(文公) 11년 기사에 "적인(狄人)을 함(鹹)에서 패배시키고 장적교여를 생포하였다"라고 하였는데, 두예(杜預)의 주(注)에 "교여는 수만국(鄋瞞國)의 임금으로 신장이 거의 3장이었다."라고 하였다. 여기에서 말한 장적교여가 장수했다는 말은 미상이다.

118 작비암일찬(昨非庵日纂) : 명(明)나라 사람 정선(鄭瑄)이 지은 책으로 역대의 저술과 당대 사람의 글 가운데서 모범이 될 만한 행위와 음미할 만한 말을 모아 20가지로 분류하여 작성한 책이다.

119 인생의……격이다 : 人生衣食財祿, 皆是數. 若儉約不貪, 則可延壽; 奢侈過, 求受盡則終. 譬人有錢千文, 日用百則可旬日, 日用五十可二旬日, 恣縱貪侈, 立見敗亡, 則一千一日用盡矣.(《昨非庵日纂》 卷15)

"어떤 사람이 말하기를 '청렴하고 검소한데도 단명하고 욕심내고 사치하는데도 장수하는 사람이 있는 것은 어째서입니까?'라고 하니, 말하기를 '검소한데도 명이 짧은 것은 받은 삶의 운수가 적은 것이니 만약 다시 욕심내고 사치스럽게 하면 수명이 더욱 짧아질 것이다. 사치스러운데도 장수하는 자는 받은 삶의 운수가 긴 것이니, 만약 다시 청렴하고 검소하게 하면 수명이 더욱 길어질 것이다.'라고 하였다."[120]

그 설이 내 생각과 꼭 들어맞으니, 더욱 분명하고 간절함을 깨닫는다.

눈썹이 다 빠지다

옛날에 "맹호연(孟浩然)[121]의 눈썹이 다 빠진 것은 괴롭게 읊조렸기 때문이다."[122]라고 하였다. 나는 본디 시를 잘 짓지도 못하여 맹호연처럼 퇴고(推敲)의 괴로움이 없는데도, 사십 이후로 눈썹이 점점 빠지더니 지금은 거의 다 빠져 번들거리니, 어째서인가?

기밀蠐蜜

소동파의 〈안주 노인이 꿀을 먹는 노래[安州老人食蜜歌]〉[123]에서 안주 노

---

120 어떤……하였다 : 或謂: "人有廉儉而促, 貪侈而長者, 何也?" 曰: "儉而命促者, 當生之數少也, 若更貪侈, 則愈促矣; 侈而壽者, 當生之數多也. 若更廉儉, 則愈長矣."(《昨非庵日纂》 卷15)

121 맹호연(孟浩然) : 689~740. 중국 당(唐)나라의 시인이다. 고독한 전원생활을 즐기고, 자연의 한적한 정취를 사랑한 작품을 많이 남겼다. 저서로는 《맹호연집(孟浩然集)》이 전한다.

122 맹호연(孟浩然)의…… 때문이다 : 풍지(馮贄)의 《운선잡기(雲仙雜記)》 권2 〈고음(苦吟)〉에 "맹호연의 눈썹이 다 떨어지고, 배우(裵祐)가 손을 맞잡음에 옷소매가 뚫어지고, 왕유(王維)는 식초 독에 달려 들어갔으니, 모두 괴롭게 읊조렸기 때문이다 [孟浩然眉毫盡落, 裵祐袖手衣袖至穿, 王維至走入醋甕, 皆苦吟者也.]"라고 하였다.

123 안주……노래 : 安州老人心似鐵, 老人心肝小兒舌. 不食五穀惟食蜜, 笑指蜜蜂作檀越. 蜜中有詩人不知, 千花百草爭含姿. 老人咀嚼時一吐, 還引世間癡小兒. 小兒得詩如得蜜, 蜜中有藥治百疾. 正當狂走捉風時, 一笑看詩百憂失. 東坡先生取人廉, 幾人相歡幾人嫌. 恰似飮茶甘苦雜, 不如食蜜中邊甜. 因君寄與雙龍餠, 鏡空一照雙龍影. 三吳六月水如湯, 老人心似雙龍井.(《東坡全集》 卷18 〈安州老人食蜜歌〉)

인은 아마 승려 중수(仲殊)[124]를 가리키는 듯하다. 육유(陸游)[125]의 《노학암필기(老學庵筆記)》[126]에 이런 내용이 있다.

"그의 족백부(族伯父) 언원(彦遠)[127]이 말하기를, '젊은 시절 몇몇 객과 함께 중수를 방문하니 먹는 것이 모두 꿀이었다. 두부·국수·우유와 같은 것들을 모두 꿀에 적셔 먹으니 객들 대부분이 음식을 먹을 수 없었다. 오직 소동파만이 식성이 꿀을 특별히 좋아하여 그와 함께 배불리 먹을 수 있었다.'라고 하였다."[128]

우리집도 예로부터 음식에 꿀을 즐겨 사용하였다. 생선과 고기, 고깃국, 젓갈, 김치 따위에도 반드시 꿀을 조금 사용하여 그 맛을 도왔다. 나는 꿀을 특별히 좋아했는데 더욱 심해져 선조(先朝, 정조) 때 임금의 귀에까지 들리게 되었다. 정미(丁未, 1787)년에 내가 규장각에서 순창(淳昌)의 군수로 나갈 때에 임금께서 각료(閣僚)들에게 "서유구는 이제 꿀을 실컷 먹을 수 있겠구나."라고 하셨다. 대개 순창은 산골짜기에 있는 고을이기 때문에 임금께서 그곳이 꿀이 나는 지역임을 고려하신 것이다.

---

124 중수(仲殊) : 생몰년은 미상이다. 송나라 안주(安州) 사람으로 승천사(承天寺)의 중이다. 성은 장(張), 이름은 휘(揮), 자는 사리(師利), 호는 중수(仲殊)이다. 소식(蘇軾)과 교유가 있었고 시사(詩詞)에 능하였다. 저서로 《보월집(寶月集)》이 있다. 천성이 꿀을 좋아하여 밀수(蜜殊)라는 별명이 붙었다.

125 육유(陸游) : 1125~1210. 산음(山陰) 사람으로, 자는 무관(務觀)이고, 호는 방옹(放翁)이다. 1만 수(首)에 달하는 시를 남겨 중국 시사상(詩史上) 최다작의 시인으로 꼽히고 있으며, 당시풍(唐詩風)의 강렬한 서정을 부흥시킨 점이 최대의 특색이라 할 수 있다. 저서로 《검남시고(劍南詩稿)》가 있다.

126 노학암필기(老學庵筆記) : 노학암(老學庵)은 육유가 만년에 고향 산음에서 은거할 때 서재의 이름이다. 대부분 직접 경험하고, 직접 보거나 듣고, 혹은 독서를 하고 난 후 깨달은 내용을 쓴 것이 많다. 대략 송 효종(孝宗) 순희(淳熙) 말년에서 송 광종(光宗) 소희(紹熙) 초년에 지어진 것이다.

127 언원(彦遠) : 1079?~1140? 북송 말년의 학자로 동평(東平) 사람이다. 이름은 동유(董逌)고, 자는 언원(彦遠)이다. 저서로 《광천장서지(廣川藏書志)》, 《광천시고(廣川詩故)》, 《광천서발(廣川書跋)》 등이 있다.

128 그의……하였다 : 族伯父彦遠言, 少時識仲殊長老, 東坡爲作安州老人食蜜歌者, 一日與數客過之, 所食皆蜜也. 豆腐、麵觔、牛乳之類, 皆漬蜜食之, 客多不能下箸, 惟東坡性亦酷嗜蜜, 能與之共飽.(《老學庵筆記》 卷7)

음식 재료

송나라 고회수(高晦叟)[129]의 《진석방담(珍席放談)》[130]에 다음과 같은 내용이 있다.

"정위(丁謂)[131]가 주애(朱崖)[132]로 유배를 가서 이인(異人)을 만났는데 '공은 걱정할 것이 없다. 마땅히 다시 북으로 돌아가서 생을 마칠 것이다.'라고 하였다. 공이 그 이유를 묻자, '공은 음식 재료 중 여전히 양 몇 마리가 있는데 아직 다 먹지 못했다.'라고 하였다. 훗날에 과연 정경분사(正卿分司)[133]로 귀환한 후 세상을 떠났다."[134]

이는 이덕유(李德裕)[135]가 만 마리의 양고기를 다 먹고 죽었다는 것[136]과 같은 부류의 이야기이니, 아마도 하나의 일에 근거해서 언자(言者)들이 견강부회한 것이리라.

---

129 고회수(高晦叟) : 생몰년은 고찰할 수 없고, 대략 송 휘종(宋徽宗) 이후의 사람으로 추정된다. 저서로 《진석방담(珍席放談)》이 있다.

130 진석방담(珍席放談) : 91종의 글로, 송나라 태조(太祖)부터 철종(哲宗)까지의 일을 기록하였는데, 조정의 전장(典章), 제도, 연혁 및 사대부들의 언행 가운데 본받을 만한 일을 조목별로 나누어 기록하였다.

131 정위(丁謂) : 966~1037. 중국 송나라 장주(長州) 사람이다. 자는 위지(謂之)였는데, 뒤에 공언(公言)으로 고쳐 불렀다.

132 주애(朱崖) : 중국 남방에 있는 지명으로 가장 험준하고 멀리 떨어져 있기 때문에, 대신이 죄를 지으면 이곳으로 귀양을 보냈다.

133 정경분사(正卿分司) : 당·송(唐宋) 때 중앙의 관원으로서 배도(陪都: 洛陽)의 관직을 맡은 사람이다.

134 정위(丁謂)가……떠났다 : 丁晉公竄朱崖, 到海上遇異人, 頗道平生休咎有驗, 又云: "公但無慮. 非久當復北歸以壽終." 公叩其由, 答曰: "公食料中, 尙有羊數口, 食之未旣爾." 後果來旋以正卿分司, 然後逝.(《珍席放談》 卷下)

135 이덕유(李德裕) : 787~850. 당나라 무종(武宗) 때의 명재상(名宰相)이다. 조군(趙郡) 사람으로 자는 문요(文饒)이다. 저서로 《차류구문(次柳舊聞)》, 《회창일품집(會昌一品集)》이 있다.

136 이덕유(李德裕)가……것 : 이덕유가 한번은 화복(禍福)을 잘 알아맞히는 스님을 불러 자신의 앞날을 물어보자, 스님은 그에게 남쪽으로 멀리 폄적되어 갔다가 머지않아 돌아올 것이라고 하였다. 이덕유의 운명에 양 1만 마리를 먹게 되어 있는데, 아직 500마리가 차지 않았기 때문이라는 것이었다. 10여 일 뒤에 진무절도사(振武節度使)가 쌀과 양 400마리를 보내오자 이덕유는 매우 놀라 돌려주려고 하였으나, 스님은 이미 받은 것이어서 귀양 가면 다시는 돌아오지 못할 것이라고 하였는데, 10일 뒤에 조주(潮州)로 폄적되었다고 한다.(《고금사문유취(古今事文類聚)》 후집(後集) 권39 〈당식만양(當食萬羊)〉)

책을 보며 잠을 쫓다

백거이(白居易)[137]의 시에 "서늘함을 찾아 빙 두른 대나무밭을 거닐고, 잠을 청하느라 누워서 책을 보네[趁凉行繞竹, 引睡臥看書][138]"라고 하고, 소식(蘇軾)의 시에 "글과 책으로 잠을 청하려 손 가는 대로 뒤적거린다[引睡文書信手翻][139]"라고 하였으니, 이는 두 공 모두 책을 보는 것으로 잠드는 방법을 삼은 것이다. 나는 이와 반대이다. 매양 봄날에 한가로이 앉아 문득 졸음이 심하게 몰려올 때 선반 위의 책을 섞어서 뽑아 세 권 정도 펼쳐 읽으면 갑자기 정신이 맑아져 잠이 오지 않았다.

황도黃道

요즘 행행(行幸)할 때 어로(御路)에 황토를 까는데 옛 법과 같다. 육유의 《노학암필기》에 "고종(高宗)이 임안(臨安)에서 머물러 힘들고 곤란한 중에도[140] 행차할 때마다 오히려 임금이 지나는 길에 모래를 깔았으니 '황도'라고 한다."[141]라고 하였다. 이는 몹시 혼란하고 어수선한 중에도 평화로울 때의 예법을 폐하지 않고 계승한 것을 다행으로 여긴 것이다. 단지 《노학암필기》에는 "아병(衙兵)이 그것을 만들었다."라고 하였는데, 우리나라는

---

137 백거이(白居易) : 772~846. 당나라의 시인(詩人)으로, 자는 낙천(樂天), 호는 향산(香山)이다. 원진(元稹)과 함께 원백체(元白體)라 일컬어지는 사회 풍자시를 많이 썼다. 통속적인 언어 구사와 풍자에 뛰어났다. 《백씨장경집(白氏長慶集)》에 시 2천 2백여 수가 수록되어 있다.

138 서늘함을……보네 : 〈만정축량(晩亭逐涼)〉의 일부이다. 시의 전문은 다음과 같다. "送客出門後, 移牀下砌初. 趁涼行繞竹, 引睡卧看書. 老更爲官拙, 慵多向事疏. 松窓倚藤杖, 人道似僧居."(《白氏長慶集》 卷19 〈晩亭逐涼〉)

139 글과……뒤적거린다 : 〈차운답방직자유(次韻答邦直子由)〉 네 수 중 첫 번째 시의 일부이다. 시의 전문은 다음과 같다. "簿書顚倒夢魂間, 知我疏慵肯見原. 閑作閉門僧舍冷, 病聞吹枕海濤喧. 忘懷杯酒逢人共, 引睡文書信手翻. 欲吐狂言喙三尺, 怕君瞋我却須吞."(《東坡全集》 卷8 〈次韻答邦直子由〉)

140 고종(高宗)이……중에도 : 송 고종(宋高宗)은 금(金)이 북송(北宋)의 수도 개봉(開封)을 함락시키자 강남으로 도주하여 임안(臨安)에서 남송을 건국하고 연호를 건염(建炎)으로 하였다.

141 고종(高宗)이……한다 : 高廟駐蹕臨安, 艱難中, 每出猶鋪沙籍路, 謂之黃道.(《老學庵筆記》 卷7)

다만 길가에 사는 백성들이 만들게 했다. 그러므로 한번 교외로 나갔을 때 인가(人家)가 끊어진 곳에서는 곧 황도의 예법을 갖출 수 없었다.

책제策題

육유의 《노학암필기》에 다음과 같은 내용이 있다.

"국초에 과거 응시자들이 대책(對策)을 지을 때 모두 먼저 책제를 베껴 썼는데 책제는 일이십 구절에 불과했다. 그 후에 책제는 점점 많아졌는데 국초 때처럼 책제를 베껴 쓰니, 과거 응시자들이 매우 괴롭게 여겼다. 경력(慶曆, 1041~1048) 초에 가창조(賈昌朝)[142]가 중승(中丞)이 되어 비로소 아뢰어 그만두게 되었다."[143]

당시 과거 응시자들이 시권(試卷)의 첫 번째 줄을 어떤 규례로 지었는지 모르겠으나, 어찌 우리나라 시권에 시관(試官)이 책문을 낸 경우에는 "묻노니 운운[問云云]"하거나 임금이 전시(殿試)에 직접 나오셔서 책문을 낸 경우에 "왕은 묻노니 운운[王若曰云云]"이라고 쓴 것과 같겠는가? 책제가 점점 많아진 경우에 이르러서는 요즘처럼 심한 적이 없다. 중간에 질문의 가짓수가 왕왕 수십 조를 넘기도 하는데, 이렇게 하지 않으면 엉성하고 거칠어서 글이 안 된다고 다투어 비웃으니, 백여 년 전에 비해 증가한 것이 열 배뿐만이 아니다.

신수神樹

《삼국지(三國志)》〈병원전(邴原傳)〉에 "병원(邴原)이 떨어진 돈을 주워서 나

---

142 가창조(賈昌朝) : 998~1065. 하북성(河北省) 개봉(開封) 사람이다. 자는 자명(子明)이고, 시호(謚號)는 문원(文元)이다. 저서로 《군경음변(群經音辨)》, 《춘추요론(春秋要論)》, 《본조시령(本朝時令)》, 《통기(通紀)》 등이 있다.

143 국초에……되었다 : 國初擧人對策, 皆先寫策題, 然策題不過一二十句. 其後, 策題寖多, 而寫題如初, 擧人甚以爲苦. 慶曆初, 賈文元公爲中丞, 始奏罷之.(《老學庵筆記》 卷6)

뭇가지에 걸어놓으니 사람들이 본받아 걸어놓은 자가 많아서 마침내 신수(神樹)라고 불렀다."라고 하였다.[144] 우리나라에도 이러한 풍속이 있다. 큰길이나 산등성이마다 무성한 큰 나무가 있으면 오가는 사람들이 그 그늘 아래에서 쉬다가 마침 헝겊 쪼가리와 종이 오라기를 취해서 나뭇가지 위에 걸어놓았다. 뒤에 오는 자가 차차 본받아서 많은 날이 지난 후에는 붉은색, 흰색으로 울긋불긋했는데 세속에서는 '신왕당(神王堂)'이라고 불렀으니, 대개 또한 병원이 나무에 돈을 걸어놓았던 유속(遺俗)이다.

또한 살펴보니 《오잡조(五雜俎)》[145]에 이런 내용이 있다.

"유창시(劉昌詩)[146]의 《노포필기(蘆浦筆記)》[147]에 〈초혜대왕사(艸鞋大王事)〉[148]가 실려 있는데 매우 웃긴다. 원래 어떤 사람이 나뭇가지에 짚신[艸鞋]을 걸어놓았는데 뒤에 오는 자가 그것을 본받아 겹겹이 수천 수백 개를 쌓아 놓았다. 호사자가 장난삼아 '초혜대왕(艸鞋大王)'이라고 썼는데, 이후에 마침내 사당을 세워서 신령함을 크게 드러내었다."

이는 우리나라의 신왕당과 같은 사당이니 우리나라의 신수에도 짚신이 많이 걸려 있다.

---

144 삼국지(三國志)……하였다 : 이 내용은 《삼국지》 본전에는 보이지 않고, 배송지(裴松之)의 주(注)에 보이니, 그 내용은 다음과 같다. "遺錢拾以繫樹枝, 此錢既不見取, 而繫錢者愈多. 問其故, 答者謂之神樹."(《三國志》 卷11 〈邴原傳〉)

145 오잡조(五雜俎) : 사조제(謝肇淛, 1567~1624)가 책을 보고 기록한 백과사전식 저술로 천부(天部) 2권, 지부(地部) 2권, 인부(人部) 4권, 물부(物部) 4권, 사부(事部) 4권으로 이루어져 있다.

146 유창시(劉昌詩) : 생몰년은 미상이다. 송나라 강서(江西) 청강(淸江) 사람으로 자는 흥백(興伯)이다. 저서로 《노포필기(蘆浦筆記)》, 《육봉지(六峰志)》 등이 있다. 《노포필기》는 10권이고, 선진(先秦)의 전적(典籍)부터 송대(宋代)의 전장제도(典章制度)까지 폭넓은 고증과 비평을 더하였다.

147 노포필기(蘆浦筆記) : 송나라 유창시가 지은 책이다. 선유(先儒)들이 경전을 풀이한 책, 역대의 전례(典例)와 고사(故事), 문자의 오류, 지리(地理)의 변천 따위를 기록하였다. 일례로 오증(吳曾)이 지은 《능개재만록(能改齋漫錄)》의 잘못을 바로잡는 바가 많았다.

148 초혜대왕사(艸鞋大王事) : 紹興癸丑, 予客淮南時, 右司陳子長損之, 蜀人也, 以庾節攝楚州, 往訪之, 從容言及蜀道上, 有百年古木, 枝葉繁茂, 陰可庇一畝, 故東西行者, 多憩其下. 或易屝屨, 則以其舊抛挂於枝上, 以爲戲久, 而積千百緉, 亦有卜心事者, 往往皆應, 人固神之. 忽一士人, 應擧過之, 旁無人焉, 取佩刀削樹皮, 書曰"草鞋大王". 某年月日降, 莫有知者, 洎回途, 則已立四柱小廟堂矣. 士笑而不言.(《蘆浦筆記》 卷4 〈草鞋大王事〉)

지장을 찍은 문서[畵指券]

지금 백성들이 송사문건에는 지촌(指寸)을 그리고, 전택(田宅)을 매매하는 문서에는 왕왕 손바닥 모양을 그리는데 이것은 옛날의 법이다. 《주례(周禮)》 〈소재(小宰)〉에 "물건의 매매에 관한 송사를 다스릴 때는 질제(質劑)[149]로 하는데, 이것이 증빙이 되어 송사(訟事)를 그치게 한다."라고 하였고,[150] 〈질인(質人)〉에 "큰 거래는 질(質)로 하고, 작은 거래는 제(劑)로 한다."라고 하였다. 정현(鄭玄)[151]은 "한 개의 얇은 나무쪽에다 써서 똑같이 나눈 것인데, 긴 것을 '질(質)'이라 하고 짧은 것을 '제(劑)'라고 하니, 지금의 하수서(下手書)와 같다."[152]라고 하였고, 가공언(賈公彦)[153]은 "한나라 때의 하수서는 지금의 화지권(畵指券)과 같다."[154]라고 하였다. 황정견(黃庭堅)[155]은 "화지권은 아마도 가난한 백성들이 아내를 버릴 때 수모(手摹)한 것이 아니겠는가? 아니면 오늘날의 노비문서와 같은 것으로 글씨를 쓸 줄 모르는 자가 손가락 마디를 그린 것인데, 강남(江南)의 농지나 가옥 매매 문서에도 아직 수모를 사용한다."[156]라고 하였다.[157] 이에 근거해보면 그 법이 멀리

---

149 질제(質劑) : 계약문서로, 무역이나 일반 매매 등의 상행위에 사용하던 어음의 일종이다. 대시(大市)에는 질(質)을 사용하고, 소시(小市)에는 제(劑)를 사용하였는데, 대시는 노비나 소와 말 등이고, 소시는 병기(兵器)나 진기한 물건을 말한다.

150 주례(周禮)……하였고 : 두 구절 가운데, '聽賣買以質劑'는 〈소재〉에 보이나, '結信而止訟'은 〈사시(司市)〉에 보인다.

151 정현(鄭玄) : 127~200. 후한(後漢)의 북해(北海) 고밀(高密) 사람으로, 경학(經學)에 조예가 깊었다. 자는 강성(康成)이다. 《주례(周禮)》, 《의례(儀禮)》, 《예기(禮記)》 등 많은 경전에 대한 주석서가 있다.

152 한 개의……같다 : 모두 '질제(質劑)'에 대한 주인데, '質劑, 兩書一札, 同而別之, 長曰質, 短曰劑'는 《주례(周禮)》 〈소재(小宰)〉의 주에 보이고, '若今下手書'는 〈사씨(師氏)〉의 주에 보인다.

153 가공언(賈公彦) : 생몰년은 미상이다. 당나라 하북성 영년(永年) 사람이다. 고종(高宗) 연간에 태학박사와 홍문관학사를 지냈다. 저서로 《예기소(禮記疏)》 80권과 《효경소(孝經疏)》 5권, 《논어소(論語疏)》 15권 등이 있다.

154 한나라……같다 : 漢時下書手, 若今畵指券.(《周禮》 〈師氏 疏〉)

155 황정견(黃庭堅) : 1045~1105. 송나라 분녕(分寧) 사람으로 자는 노직(魯直), 호는 산곡(山谷), 시호는 문절(文節)이다. 시를 잘 지어 강서시파(江西詩派)의 조종이 되고 저서로 《산곡집(山谷集)》이 있다.

156 화지권은……사용한다 : 畵指券, 豈今細民棄妻手摹者乎? 不然則今婢券, 不能書者, 畵指節, 及江南田宅契, 亦用手摹也.(《山谷別集》 卷6 〈雜錄〉)

157 주례(周禮)……하였다 : 여기에서 인용된 문장은 각각 여러 곳에 보이나, 서유구는 양신(楊愼)의

삼대(三代)로부터 당송(唐宋)에 이르기까지 여전히 그러했던 것이다.

방구들의 시초

《여씨춘추(呂氏春秋)》[158]에 다음과 같은 내용이 있다.

"위 영공(衛靈公)[159]이 날씨가 추운데 연못을 파려 하자, 완춘(宛春, 위나라 대부)이 간하길 '날이 추운데 요역(徭役)을 일으키신다면 백성들을 상하게 할까 걱정입니다.'라고 하였다. 영공이 '날이 추우냐?'라고 하니, 완춘이 '공께서는 여우 갖옷을 입고 곰털 자리에 앉아 계시며 구석에는 아궁이를 둔 까닭에 춥지 않으신 것입니다.'라고 하였다."[160]

구석에 아궁이를 두고 불을 쬐어서 따뜻하게 하는 것이 바로 후세의 방구들 제도이다. 당나라 말기부터 시작되었다고 말하는 자도 있는데 조사해보지 않고 한 말이다.

옥당玉堂

심괄(沈括)[161]의 《몽계필담(夢溪筆談)》[162]에 "당나라의 한림원(翰林院)은 금

《단연여록(丹鉛餘錄)》을 보고 기록한 것으로 보인다. 전문은 다음과 같다. "周禮司市云: '以質劑結信而止訟' 鄭康成云: '長曰質, 短曰劑, 若今下手書.' 賈公彦云: '漢時下手書, 若今畫指券.' 黃山谷云: 豈今細民棄妻手摹者乎? 不然, 則今婢券不能書者, 畫指節, 及今江南田宅契, 亦用手摹也."(《丹鉛餘錄》卷3)

158 여씨춘추(呂氏春秋) : 진(秦)나라 때의 재상 여불위(呂不韋, ?~기원전 235)가 식객들을 시켜 짓게 한 책으로, 모두 26권이다. 여람(呂覽)이라고 불린다. 전국시대 말 제자백가의 사상을 8람(覽), 6론(論), 12기(紀)로 분류하여 수록하였다.

159 위 영공(衛靈公) : ?~기원전493. 춘추 시대 위(衛)나라의 군주로 성(姓)은 희(姬)이고, 이름은 원(元)이다. 534~493년에 재위하였다.

160 위 영공(衛靈公)이……하였다 : 衛靈公, 天寒鑿池, 宛春諫曰: "天寒起役, 恐傷民." 公曰: "天寒乎?" 宛春曰: "公衣狐裘, 坐熊席, 陬隅有竈, 是以不寒."(《呂氏春秋》卷25 〈似順論〉)

161 심괄(沈括) : 1031~1095. 중국 송나라의 정치가이자 학자로, 자(字)는 망지(望之), 호는 존중(存中)이다. 만년에 평생의 견문을 정리한 《몽계필담(夢溪筆談)》을 저술하였다.

162 몽계필담(夢溪筆談) : 송나라 심괄(沈括)이 편찬한 것으로, 26권이다. 고사(故事), 변증(辨證), 악률(樂律), 상수(象數), 인사(人事), 관정(官政), 권지(權智), 예문(藝文), 서화(書畫), 기예(技藝), 기용

중(禁中)에 있다. 금중은 임금이 평소 거처하는 곳으로 옥당(玉堂), 승명전(承明殿), 금란전(金鑾殿)이 모두 그 안에 있다."[163]라고 하였으니, 옥당은 바로 궁전의 이름이지 신하의 거소(居所)가 아니다. 그런데 우리나라의 홍문관(弘文館)은 속칭 옥당이라 하여 공사(公私)간에 통칭되어 관직의 이름으로 삼았으니 또한 인습의 과오이다.

내각대교內閣待敎

송나라 관직제도에 용도각 대제(龍圖閣待制)의 등급은 직각(直閣) 위였는데 한 등급 차이뿐만이 아니었다. 육유의 《노학암필기》에 다음과 같은 내용이 있다.

"수찬(修撰) 송휘(宋輝)가 일찍이 말하기를 '예전에 어려운 상황에서 전향사(轉餉使)[164]로 행재소(行在所)에 이르렀다. 당시 바닷가에서 적을 피하고 있던 때였기에, 상이 크게 기뻐하여 대제(待制)에 제수하였다. 재상 여원직(呂元直)이 평소 나를 좋아하지 않아 「송휘는 용도각 직각(龍圖閣直閣)인데, 바로 대제에 제수하는 것은 너무 등급을 뛰어넘는 것입니다. 또한 수찬에 제수하려고 해도 수찬과 대제 또한 한 등급을 다툴 뿐이니, 다시 공로가 있기를 기다려서 대제를 제수해도 늦지 않습니다.」라고 하였다.'라고 하였다."[165]

이에 따르면 송나라 때에 직각이 대제에 비해 본래 두 등급 차이가 난다는 것을 알 수 있다. 우리나라의 관제에 규장각 대교(奎章閣待敎)는 도리

(器用), 신기(神奇), 이사(異事), 유오(謬誤), 기학(譏謔), 잡지(雜志), 약의(藥議) 등 17부문으로 나누어 기술하였다.

163 당나라의……있다 : 唐翰林院, 在禁中, 乃人主燕居之所, 玉堂、承明、金鑾殿, 皆在其間.(《夢溪筆談》 卷1 〈故事一〉)

164 전향사(轉餉使) : 군량을 운송하는 관리이다.

165 수찬(修撰)……하였다 : 宋修撰煇嘗言: "曾於艱難中, 以轉餉, 至行在. 時方避敵海道, 上大喜, 令除待制. 呂相元直, 雅不相樂, 乃曰: '宋煇係直龍圖閣, 便除待制, 太超躐. 欲且與修撰, 修撰與待制, 亦只爭一等, 候更有勞, 除待制不晚.'"(《老學庵筆記》 卷7)

어 직각의 아래에 있어 가장 낮은 벼슬아치이니, 아마도 규장각을 처음 설치할 때 신료들이 상고하지 않은 잘못일 것이다.

검교관檢校官

검교관(檢校官)은 동진(東晉)의 검교어사(檢校御史)로부터 시작되었다. 당(唐)에 이르러 삼공(三公), 삼사(三師), 좌우복야(左右僕射)에서 수부랑(水部郎)에 이르기까지 모두 검교관을 두었다. 송나라도 이를 따랐는데, 원풍(元豊) 연간(1078~1085)에 관제를 개편하면서 수를 줄였다. 남송 때에 이르러 무절도(武節度)가 한 번 옮겨 개부의동삼사(開府儀同三司)[166]에 들어가고 다시 옮겨 소보(少保)[167]가 되었는데, 너무 없어지는 것을 우려하여 점차 검교(檢校), 삼공(三公), 삼소(三少)를 다시 설치하였다. 검교라는 것은 바로 관청의 일을 점검하는 것을 이르는데, 송나라 때의 권발견(權發遣)[168]이나 섭현령(攝縣令)과 비슷하다. 진실로 그 직책에 걸맞으면 혹 바로 정직(正職)을 제수하기도 하였는데, 정직과 비교해보면 관계(官階)가 모두 낮았다. 우리나라의 규장각은 제학(提學) 이하에 모두 검교관을 두었는데 검교관은 모두 일찍이 정직을 거친 사람으로 임명하였다. 품계가 보국(輔國)[169]에 이르면 제학을 겸직할 수 없었는데, 검교관은 구애되지 않았으니 당송의 검교관과는 다르다.

---

166 개부의동삼사(開府儀同三司) : 중국 후한(後漢)과 위진남북조(魏晉南北朝)시대부터 사용된 관직명으로 개부(開府)라는 것은 고급관리가 개설하는 부서이다. 삼사(三司)는 태위(太尉), 사도(司徒), 사공(司空)의 삼공(三公)을 가리킨다. 의동삼사는 의제(儀制)가 삼공과 같다는 의미이다. 당대(唐代)에 있어서는 종1품의 문산관(文散官)이 되었지만 거의 가관(加官)으로 이용되며 실질적인 직무가 있지는 않았다.

167 소보(少保) : 태자소보(太子少保)로, 태자를 보좌하는 관직이다.

168 권발견(權發遣) : 송대에 임시로 파견된 관직이다.

169 보국(輔國) : 보국숭록대부(輔國崇祿大夫)로, 문산계(文散階) 정1품 하(下)의 품계명이다. 고려의 특진삼중대광(特進三重大匡)이 조선 태조 원년(1392) 7월에 관제를 새로 정할 때 보국숭정대부(輔國崇政大夫)로 개칭되었다가 뒤에 보국숭록대부(輔國崇祿大夫)로 개칭되었다.

상 당한 사람을 대신하는 것을 꺼리다

이전에 방백(方伯)이나 수령(守令)이 재임 중에 부모의 상을 당하여 해임되면 부모가 있는 사람은 대임(代任)이 되는 것을 꺼려했다. 혹자는 "일시적인 기피(忌避)에서 나온 것으로 나라의 법에 게시(揭示)된 바가 아니다."라고 하였다. 그러나 당나라의 역사를 살펴보니 다음과 같은 고사가 있다. 두우(杜祐)[170]가 소주 자사(蘇州刺史)가 되었는데 이전 자사가 모친상을 당해서 해임되었었다. 두우가 모친이 살아계셨기 때문에 부임하지 않다가 결국 요주(饒州)로 바뀌었다.[171] 그리고 석예(席豫)[172]가 낙수 영(樂壽令)이 되었는데, 이전 현령이 부모의 상으로 해임되었으므로, 석예는 어머니의 병을 이유로 조정에 소청하여 회주 사창참군(懷州司倉參軍)으로 바뀌었다.[173] 자식이 지극한 정으로 기피하는 것을 국가가 효로써 다스리는 정사에 있어서 억지로 거스르고자 하지 않은 것이다.

월급

당제(唐制)에, 관직에 있는 자에게는 방합(防閤)[174], 장신(仗身)[175], 백직(白

170 두우(杜祐) : 735~812. 자는 군경(君卿), 시호는 안간(安簡)이다. 당나라 경조(京兆) 만년(萬年) 출신이다. 노기(盧杞)의 미움을 받아 외직으로 나가 소주 자사가 되었지만 부임도 하기 전에 요주로 옮겼다. 저서에 상고로부터 현종(玄宗) 때까지 역대의 제도를 아홉 부분으로 분류하여 수록한 역사서인 《통전(通典)》이 있다.

171 두우(杜祐)가……바뀌었다 : 盧杞當國惡之, 出爲蘇州刺史. 前刺史母喪解, 祐母在, 辭不行, 改饒州.(《新唐書》 卷166 〈杜祐列傳〉)

172 석예(席豫) : 680~748. 당나라 양주(襄州) 양양(襄陽) 출신으로, 현량방정(賢良方正)으로 천거를 받아 양구위(陽翟尉)가 되었고 감찰어사, 중서사인(中書舍人) 등을 거쳐 외직으로 정주 자사(鄭州刺史)가 되었다. 청렴하고 정직하며 욕심이 없었다고 한다.

173 석예(席豫)가……바뀌었다 : 開元初, 觀察使薦豫賢, 遷監察御史, 出爲樂壽令. 前令以親喪解, 而豫母病訴諸朝, 改懷州司倉參軍.(《新唐書》 卷128 〈席豫列傳〉)

174 방합(防閤) : 당나라 때 경사(京師)의 오품 이상 문무 관원에게 내려진 호위병이다.

175 장신(仗身) : 당나라 때 요역(徭役)의 하나로, 문무 관원에게 지급되는 개인 마부이다.

直), 친사(親事)[176], 수당(守當) 등의 사람을 주어서 부리도록 했다.[177] 이에 신칙하기를, 이 요역을 담당하게 된 자는 돈을 내어서 역을 대신하되 그 액수는 차이가 있도록 했다.

개원(開元) 24년(736, 당 현종 25)에 백관의 방합, 서복(庶僕)에 대한 봉식(俸食)[178]과 잡용(雜用)을 매달 지급하고 총칭하여 월봉(月俸)이라 하였으니,[179] 비로소 방합, 백직 등의 고전(顧錢, 삯돈)과 정공(正供, 세금)의 수입으로 백관들에게 녹봉을 주었다.

우리나라에서 재상과 백관들의 녹봉을 구채(邱債)[180]라고 하는 것은 또한 당나라 제도를 따른 것이다. 그러나 많아도 수십 민(緡)에 불과하고 적으면 혹 4, 5민에 그치니, 이것으로는 양렴(養廉)[181]하기에 부족하다.

호포제戶布制

호포제(戶布制)[182]에 대한 논의는 숙종(肅宗) 때 시작하였다. 지금 《국조

---

176 친사(親事) : 친사관(親事官)을 말한다. 당대의 관직으로, 관청의 각 부서에서 실질적인 일을 담당하는 관원이다.

177 당제(唐制)에……했다 : 《신당서(新唐書)》 권55 〈식화지(食貨志)〉에 관직이 있는 사람은 각 직급에 따라 이와 같은 사람들을 지급(支給)한 일이 보인다.

178 봉식(俸食) : 봉록(俸祿)과 식료(食料)로 방합과 서복들의 급료조로 국가에서 지급된 돈으로 보인다.

179 개원(開元)……하였으니 : 二十四年, 令百官防閤、庶僕俸食雜用以月給之, 總稱月俸. 一品錢三萬一千, 二品二萬四千, 三品萬七千, 四品萬一千五百六十七, 五品九千二百, 六品五千三百, 七品四千一百, 八品二千四百七十五, 九品千九百一十七. 祿米則歲再給之. 一品七百斛, 從一品六百斛, 二品五百斛, 從二品四百六十斛, 三品四百斛, 從三品三百六十斛, 四品三百斛, 從四品二百五十斛, 五品二百斛, 從五品百六十斛, 六品百斛, 自此十斛爲率, 至從七品七十斛, 八品六十七斛, 自此五斛爲率, 至從九品五十二斛, 外官降一等.(《新唐書》 卷55 〈食貨志〉)

180 구채(邱債) : 구채(丘債) 혹은 구종채(驅從債)라고도 한다. 관인(官人)이 부리는 하인의 급료조로 지급하는 녹봉 이외의 돈이나 물건이다. 관인에게 주어 마음대로 쓰게 하였다.

181 양렴(養廉) : 청렴한 기풍을 양성함을 말한다. 이를 위해서 정봉(正俸) 외에 별도로 정봉에 맞먹는 양렴은(養廉銀)을 준다.

182 호포제(戶布制) : 호(戶)를 단위로 면포(綿布)나 저포(紵布)를 징수하던 세제이다. 고려 충렬왕 때 홍자번(洪子藩)의 주장에 따라 처음으로 실시하였고, 조선 태조 때 요역(徭役) 대신 징수하였는데, 대호(大戶)는 2필, 중호(中戶)는 1필, 소호(小戶)는 반 필을 납부하도록 하였다.

보감(國朝寶鑑)》[183]을 살펴보니 이런 내용이 들어 있다.

"태종(太宗)이 경연(經筵)에 참여한 신하에게 '호포(戶布)를 걷는 것은 무엇 때문인가?'라고 물었더니, 호조판서(戶曹判書) 이응(李膺)[184]이, '군수(軍需)를 마련하기 위해서입니다.'라고 대답하였다. 이에 임금이 '비록 군수를 위해서라 하더라도 까닭 없이 백성에게 취하는 것은 법이 아니다.'라고 하였다."[185]

아마도 국초(國初)에 이미 호포를 걷는 일이 있었는데, 후에 다시 폐지한 듯하다.

선덕宣德 연간에 소를 징수하다

《농정전서(農政全書)》[186]에 다음과 같은 풍응경(馮應京)[187]의 말이 실려 있다.

---

183 국조보감(國朝寶鑑) : 조선시대 역대 국왕의 선정(善政) 내용을 실록(實錄)에서 뽑아 편찬한 편년체의 사서이다. 세종(世宗) 때 처음으로 편찬을 구상하여 세조 4년(1458)에 태조(太祖)·태종(太宗)·세종·문종(文宗) 4조(朝)의 보감을 완성하였다. 숙종 10년(1684)에 《선묘보감(宣廟寶鑑)》을, 영조 때 《숙묘보감(肅廟寶鑑)》을 편찬하였으며, 정조 6년(1782)에 정종(定宗)·단종(端宗)·세조(世祖)·예종(睿宗)·성종(成宗)·중종(中宗)·인종(仁宗)·명종(明宗)·인조(仁祖)·효종(孝宗)·현종(顯宗)·경종(景宗)·영조 등 13조의 보감을 추가로 편찬하였다. 헌종 13년(1847)에는 정조·순조·익종의 보감을 편찬하였고, 순종(純宗) 융희 2년(1908)에 헌종·철종의 보감을 추가하여 《국조보감》 90권을 완성하였다.

184 이응(李膺) : 1365~1414. 고려말 조선초의 문신. 본관은 영천(永川)이다. 1385년(고려 우왕 11) 문과에 급제하였고, 1400년(정종 2) 방간(芳幹)의 난을 평정하는 데 기여한 공으로 익대좌명공신(翊戴佐命功臣) 4등에 책록되고 영양군(永陽君)에 봉작되었다. 그 뒤 좌부대언(左副代言)·참지의정부사를 거쳐 1410년 예조·호조 판서에 이르렀으며, 1412년 지의정부사로 있다가 1414년 병조판서가 되어 마패법(馬牌法)을 제정하였다. 그해 6월 군사훈련에 필요한 취각법(吹角法)을 제정하기도 하였다. 일찍이 태종의 척불정책(斥佛政策)을 크게 도왔으며, 1403년에는 활자 주조에도 공헌하였다. 시호는 정경(貞景)이다.

185 태종(太宗)이……하였다 : 上曰: "戶布之斂, 何歟?" 戶曹判書李膺曰: "備軍需也." 上曰: "雖爲軍需, 無故取民, 非法也. 周禮宅不毛者有里布, 是勸農桑之意也, 若是則取之有道, 民亦不怨."《國朝寶鑑》卷4 〈太宗朝二〉)

186 농정전서(農政全書) : 명(明)나라의 학자이며 정치가인 서광계(徐光啓)가 편찬하였다. 그가 죽은 뒤인 1639년 진자룡(陳子龍)에 의해 소주(蘇州)에서 간행되었다. 한(漢)나라 이후 특히 발달하기 시작한 농학자의 여러 설을 총괄·분류하고 수시로 자기의 설(說)을 첨부하여 집대성한 것인데, 농본(農本)·전제(田制)·농사(農事)·수리(水利)·농기(農器)·수예(樹藝)·잠상(蠶桑) 등 12문(門)으로 되어 있다.

187 풍응경(馮應京) : 1555~1606. 명나라 봉양부(鳳陽府) 우이(盱眙) 사람이다. 자는 가대(可大), 호는

"문황제(文皇帝)[188]가 왕위를 계승하고 보원국(寶源局)[189]에 명하여 농기구를 만들어 산동(山東) 등 전쟁의 피해를 입은 곳에 지급하였으며, 조선(朝鮮)에서 경우(耕牛)를 징수하였는데 보내온 것이 1만 마리에 이르렀다. 1마리 당 비단 1필과 베 4필을 지급하였다."[190]

이는 마땅히 실제 있었던 일을 기록한 것일 텐데 우리나라 역사서에서는 볼 수가 없어서 평소 의심하였다. 근래에 장고(掌故)[191]를 기록한 책을 보았는데 이런 내용이 들어 있었다.

"선덕(宣德) 7년(1432)에 황제가 태감(大監) 창성(昌盛)[192]과 윤봉(尹鳳)[193], 감승(監承) 장정안(張定安)을 보내어 비단을 하사하고, 경우(耕牛) 1만 마리를 뽑아 요동(遼東)으로 보내어 값을 쳐주도록 했다."[194]

이에 풍씨가 기록한 것은 선덕 연간에 있었던 일인데, 문황제 때의 일로 잘못 전해져 온 것임을 알게 되었다.

또 이정형의 《동각잡기(東閣雜記)》를 살펴보면 다음과 같다.

"선종 황제가 칙서를 내려 경우(耕牛) 1만 마리를 요동(遼東)으로 보내되 비단과 베로 값을 치르게 하라고 하였다. 세종(世宗)이 의정부(議政府)와 육

모강(慕岡), 시호는 공절(恭節)이다. 만력(萬曆) 20년(1592)에 진사(進士)가 되어, 호부주사(戶部主事)를 거쳐 호광안찰첨사(湖廣按擦僉事) 등을 지냈다. 《육가시명물소(六家詩名物疏)》, 《월령광의(月令廣義)》, 《경세실용편(經世實用編)》 등의 저술이 있다.

188 문황제(文皇帝) : 명나라 3대 황제 성조(成祖) 영락제(永樂帝)를 가리킨다. 재위 기간은 1403년~1424년.

189 보원국(寶源局) : 명나라와 청나라의 동전 주조소(銅錢鑄造所)이다. 대중통보(大中通寶), 홍무통보(洪武通寶), 영락통보(永樂通寶), 선덕통보(宣德通寶), 홍치통보(弘治通寶) 등을 주조하였다.

190 문황제(文皇帝)가……지급하였다 : 文皇帝入纘大統, 命寶源局, 鑄農器, 給山東等諸被兵處, 徵耕牛於朝鮮, 送至萬頭. 每頭, 酧以絹一疋布四疋.(《農政全書》 卷3 〈農本 國朝重農考〉)

191 장고(掌故) : 국가의 전고(典故)·고사(古事)·관례(慣例), 또는 전장(典章)·제도(制度)를 관장하는 관명 또는 그 일을 말한다.

192 창성(昌盛) : 1381~1438. 명나라 초기 사람이다. 성종(成宗)이 훗날 선종(宣宗)이 되는 황태손(皇太孫)을 보필하게 하였는데, 선종(宣宗)이 즉위한 뒤에 신궁감 대감(神宮監大監) 등을 지냈다. 선덕(宣德) 2년(1427)부터 8년에 이르기까지 수차례 조선에 사신으로 왔다.

193 윤봉(尹鳳) : 조선 태종(太宗) 초에 환관으로 징발되어 명나라로 갔다. 명나라 황제의 신임을 받아 내사(內史), 봉어(奉御), 태감(太監) 등을 지냈다.

194 선덕(宣德)……했다 : 七年, 帝遣昌盛等, 齎勅褒嘉, 因令選耕牛一萬隻, 送遼東和賣.(《歷代要覽》 〈宣德〉)

조(六曹)에 내려 의논하도록 하니, 어떤 사람이 전염병으로 소의 수가 부족하여 만 마리를 감당하기 어렵다고 하자고 했다. 임금이 지신사(知申事) 안숭선(安崇善)[195]에게 '내가 지성으로 중국을 섬겼는데, 이제 거짓으로 꾸며 주청한다면, 이는 이른바 아홉 길의 산을 만들 적에 한 삼태기의 흙이 부족하여 그 공이 무너지는 격이 되니[196] 어찌 옳은 일이겠는가?' 하였다. 숭선이 머리를 조아리며 '임금님의 하교가 참으로 마땅합니다.'라고 하였다."[197]

이는 또한 같은 때의 일인 듯하다.

악성樂成[198]

《주례(周禮)》〈대사악(大司樂)〉[199] 주소(注疏)에 다음과 같은 내용이 있다.

"하늘의 신령에 제사지낼 때 환종궁(圜鍾宮)[200]을 먼저 연주하면서 여섯 번 변하는 음악을 쓰는 것은 환종궁이 묘(卯)에 속하고 묘는 정동(正東)의 상제(上帝)가 나오는 방위로 묘에서 신(申)까지 그 수가 6이기 때문이다. 땅

---

195 안숭선(安崇善) : 1392~1452. 자는 중지(仲止), 호는 옹재(雍齋), 시호는 문숙(文肅)이다. 1420년(세종 2) 식년문과에 급제하였다. 1437년 동부대언(同副代言)으로 세종이 파저강(婆猪江)의 야인(野人)을 정벌할 때 적극 지지하였다. 성절사(聖節使)로 명나라에 다녀왔으며, 《고려사》 수찬(修撰)에 참여하였다.

196 아홉……되니 : 《서경》 여오(旅獒)에 나오는 말로 "자그마한 행동이라도 신중히 하지 않으면 큰 덕에 끝내 누를 끼칠 것이니, 이는 마치 아홉 길 산을 만들 적에 한 삼태기의 흙이 부족하기 때문에 그 공이 허물어지는 것과 같다.[夙夜 罔或不勤 不矜細行 終累大德 爲山九仞 功虧一簣]"고 하였다.

197 선종……하였다 : 宣宗皇帝嘗降勅, 令送耕牛一萬隻于遼東, 以絹布貿易. 英廟命政府、六曹擬議, 或有欲以罹疫缺少, 難堪充數, 爲之辭者. 上語知申事安崇善曰: "是議予不取也. 予至誠事大, 今當此事, 乃以詐言奏請規減, 豈理也哉? 是則爲山九仞功虧一簣也." 崇善對曰: "天下古今之事, 不過邪正二字, 豈可以邪道事上國乎?"(《東閣雜記》 卷上 〈本朝璿源寶錄〉)

198 악성(樂成) : 음악의 악장 또는 한 악장의 연주가 끝나는 것을 말한다.

199 대사악(大司樂) : 중국 주(周)나라의 악관(樂官)의 장이다. 《주례(周禮)》에 따르면 주나라의 통치조직은 육관(六官)으로 이루어졌는데, 그 가운데 춘관(春官)은 그 장관이 대종백(大宗伯)으로 제사와 조빙 및 회합 등의 예의를 관장하였다. 대사악은 이 춘관에 소속되어 있다.

200 환종궁(圜鍾宮) : 십이율(十二律)의 네 번째 소리이며 음려(陰呂)에 속한다. 협종(夾鐘)이라고 한다.

의 신령에 제사지낼 때 함종궁(函鍾宮)[201]을 먼저 연주하면서 여덟 번 변하는 음악을 쓰는 것은 함종궁이 미(未)에 속하고 미는 서남쪽의 만물을 기르는 방위로 미에서 인(寅)까지 그 수가 8이기 때문이다. 사람의 신령에 흠향할 때 황종궁(黃鍾宮)[202]을 먼저 연주하면서 아홉 번 변하는 음악을 쓰는 것은 황종궁이 자(子)에 속하고 정북(正北)의 양(陽)이 생겨나는 방위로 자에서 신까지 그 수가 9이기 때문이다."

우리나라에서 풍운뇌우단(風雲雷雨壇)[203]의 영신악(迎神樂)[204]은 6성(成)[205]을 쓰고 사직악(社稷樂)[206]은 8성을 쓰고 종묘와 문묘는 9성을 쓰는데, 이것은 주관(周官)의 제도에 근거한 것이다.

정조(正祖) 병신년(丙申, 1776)에 경모궁 악성(景慕宮樂成)[207]을 만들면서, 당시 예를 의논하는 신하들이 이를 상고하지 않고 종묘보다 일 등급 낮추는 의미에 의거하여 3성(음악 세 곡을 변경하여 연주함)으로 정하였다.[208] 신해(辛亥, 1791)년에, 선대부(先大夫)[209]께서 장악원 제거(掌樂院提擧)로 있으면서

---

201 함종궁(函鍾宮) : 십이율의 여덟 번째 소리로, 방위로는 미(未)에, 절후로는 음력 6월에 해당한다. 임종(林鐘)이라고 한다.

202 황종궁(黃鍾宮) : 십이율의 첫 번째 소리로 양률(陽律)에 속한다.

203 풍운뇌우단(風雲雷雨壇) : 비, 바람, 구름, 우레를 맡은 신에게 제사지내던 단으로 서울 남쪽 교외에 있었다.

204 영신악(迎神樂) : 제향 순서 중 첫 번째 의식을 영신(迎神)이라 하는데 신을 맞이하는 음악이다. 영신악은 종묘제례악에서 희문이라는 곡을 아홉 번 반복하고, 문묘제례악에서는 황종궁 세 번, 중려궁 두번, 남려궁 두 번, 이칙궁 두 번 등 4곡을 반복하여 아홉 번 연주한다.

205 6성(成) : 음악 여섯 곡(曲)을 연주하는 것을 말한다. 음악 한 곡이 끝나는 것을 일성(一成)이라 한다.

206 사직악(社稷樂): 사직단(社稷壇)에서 제사를 지낼 때에 사용하던 음악이다.

207 경모궁 악성(景慕宮樂成) : 사도세자의 신위를 모신 경모궁에서 쓰인 음악으로 사도세자의 아들인 정조가 제정하였다. 정조는 수은묘(垂恩廟)라 부르던 사도세자의 묘를 경모궁으로 개칭하고 국가적인 의식으로 제사를 올리게 하였는데, 이 제사를 위하여 악기를 새로 만들고, 악장을 찬정하게 하였다. 경모궁 제례악은 속악원보(俗樂源譜) 권3과 권6에 실려 있다.

208 정조(正祖)……정하였다 : 정조 즉위년 5월 1일, 경모궁 영신(迎神)에 3성(成)을 쓰기로 정했는데, 종묘 영신에는 9성을 하는데 경모궁 영신에 3성을 하는 것은 종묘 제향 연습은 3일 전에 하는데 경모궁 제향은 하루 전에 하고, 종묘 제향은 7일을 재계하는데 경모궁 제향은 5일을 재계하는 것처럼 융쇄하는 절차를 삼가기 위한 것이라고 한다.

209 선대부(先大夫) : 서호수(徐浩修, 1736~1799)를 가리킨다. 조선 후기의 천문학자이자 실학자로, 본관은 달성, 호는 학산(鶴山)이다. 서유구의 아버지이며, 서명응의 아들이다. 정조의 신임을 받아 임종할 때까지 왕의 측근으로 활약하였고 규장각의 설립에도 관여하였다.

요당(僚堂)[210]인 이민보(李敏輔)[211]와 함께 차자(箚子)를 올려 경모궁 영신악은 마땅히 종묘에서 연주하는 9변(九變, 9성(九成))의 제도를 따라야 한다고 논하였다. 상이 관각의 여러 신하에게 명하여 의논하게 하였는데 논의한 자들이 모두 선대부의 의견을 따르고 별다른 의견이 없었으나, 상이 신중히 하여 끝내 개정하지 않았다.[212]

지금 이조원(李調元)[213]의 《담묵록(談墨錄)》을 보니, "순치(順治, 청 세조(清世祖)의 연호) 연간에 문연각 태학사(文淵閣大學士) 풍전(馮銓)[214]이 교묘(郊廟)와 사직의 악장(樂章)을 정하자고 상주하며 '교례(郊禮)는 9주[215]로 하고, 종묘(宗廟)는 6주로 하고, 사직(社稷)은 7주로 하소서.'라고 하였다."라고 하였는데, 이는 또한 무엇을 근거로 한 것인지 모르겠다. 《대청회전(大清會典)》[216], 《황조통고(皇朝通考)》[217]에 자세하게 기록되어 있을 터인데 서가에 이 두 책이 없으니 빌려다 고증할 것을 기대해본다.

---

210 요당(僚堂) : 그 관아의 당상관을 말한다.

211 이민보(李敏輔) : 1720~1799. 자는 백눌(伯訥), 호는 상와(常窩), 풍서(豐墅), 시호는 정효(貞孝)이다. 본관은 연안(延安)이다. 진사시에 합격한 뒤 음보(蔭補)로 군수(郡守)가 되고 장악원정(掌樂院正), 동부승지(同副承旨), 호조참판(戶曹參判)을 역임했다. 1791년(정조 15) 공조판서가 되어 장악원 제조(掌樂院提調)를 겸하였다.

212 선대부(先大夫)께서……않았다 : 정조 15년(1791)에 서호수와 이민보 등이 "경모궁 제향은 종묘나 마찬가지로 사람의 신령에게 올리는 제향이니 영신에 9성을 하는 것이 옳다"고 아뢰었다. 또한 예조, 규장각, 예문관의 여러 관원들도 모두 악관(樂官)의 말이 일리가 있다고 하였으나, 결국 당시에는 고쳐지지 않았다가, 정조 23년(1799) 겨울부터 경모궁 영신에 9성을 하였다. 그리고 영신에 9성을 하게 되면, 의식에 비해 음악이 길어져서 너무 촉급해질 우려가 있으므로 악곡을 줄이고, 그에 맞춰 악장을 왕이 친히 고치려 했으나 미처 이루질 못하고 승하하였다. 순조 9년(1809)에 남공철이 정조의 유지(遺旨)에 따라 모든 악장을 4언 4구로 만들었다.

213 이조원(李調元) : 1734~1803. 청나라의 학자로 자는 갱당(羹堂), 찬암(贊庵), 호는 우촌(雨村), 묵장(墨庄)이다. 거인(擧人)의 명단을 기록한《담묵록(淡墨錄)》이 있다.

214 풍전(馮銓) : 1595~1672. 명말 청초의 정치가이자 감상가이다. 자는 백형(伯衡), 호는 녹암(鹿俺), 시호는 문안(文安)이다. 명나라 때 출사하여 호부상서에 이르렀으며, 청나라에 와서는 예부상서, 태보(太保) 겸 태자태사(太子太師)가 되었다. 모은 서화를 판각한《쾌설당법서(快雪堂法書)》가 있다.

215 9주(九奏) : 9성(九成), 9변(九變)과 같은 말이다.

216 대청회전(大清會典) : 중국 청나라의 제도와 전례(典禮)를 모은 책으로, 청나라 성조(聖祖)의 명에 의하여 편찬하였다.

217 황조통고(皇朝通考) : 원명은《황조문헌통고(皇朝文獻通考)》로 300권이다. 중국 명나라 말기에서 청나라 중기까지의 사료를 집대성하였다.

생황笙簧

주밀(周蜜)[218]의 《계신잡지(癸辛雜識)》[219]에 "생황[220]은 반드시 고려(高麗)의 구리로 만든다."라고 하였다.[221] 그러나 우리나라는 본래 구리가 생산되지 않으니, 아마도 우리나라로부터 유입된 왜국(倭國)의 구리를 가리킨 듯하다. 처음에 우리나라 사람들은 생우(笙竽)를 몰랐기 때문에 《악학궤범(樂學軌範)》[222]에는 실려 있지 않다. 영조(英祖) 기축년(1769, 영조 45)에 할아버지 문정공(文靖公)[223]께서 연경(燕京)에 갔을 때 사오셨는데, 지금 우리나라 사람들이 스

생황(서울역사박물관)

---

218 주밀(周蜜) : 1232~1298. 자는 공근(公謹), 호는 초창(草窓)이다. 송 멸망 뒤에는 사수잠부(泗水潛夫)라 했다. 산동성 제남(濟南) 사람으로, 나중에 오흥(吳興)으로 옮겨 살았다. 송이 멸망한 뒤로는 벼슬하지 않고, 주로 항주(杭州)에 살면서 시문을 지었다. 저서로는 《계신잡지(癸辛雜識)》, 《운연과안록(雲煙過眼錄)》 등이 있다.

219 계신잡지(癸辛雜識) : 송말(宋末) 원초(元初)에 주밀(周密)이 찬한 것으로, 전집, 후집 각 1권, 속집, 별집 각 2권이다. 남송 말기에서 원나라 초기의 사회상을 아는 데 많은 참고가 된다.

220 생황(笙簧) : 17개의 가느다란 대나무 관대가 통에 둥글게 박혀 있는 악기로, 국악기 중 유일하게 화음을 낸다. 생황은 여러 개의 가느다란 대나무 관대가 통에 둥글게 박혀 있고, 통 가운데 입김을 불어 놓는 부리 모양의 취구가 달려 있다. 관대 밑에는 쇠붙이로 된 혀(리드)가 붙어 있어 숨을 들이쉬고 내쉴 때마다 이 쇠청이 울린다. 《고려사(高麗史)》에 따르면 고려 예종(睿宗) 9년과 11년에 송(宋)나라로부터 연향에 쓸 생과 제례악에 쓸 소생(巢笙)·화생(和笙)·우생(竽笙)을 들여왔다.

221 주밀(周密)의……하였다 : 이 내용은 《계진잡지》에는 보이지 않고, 주밀의 《제동야어(齊東野語)》 권17 〈생탄(笙炭)〉에 보인다.

222 악학궤범(樂學軌範) : 조선시대의 의궤(儀軌)와 악보를 정리하여 편찬한 악서(樂書)로, 9권 3책이다. 1493년(성종 24)에 예조판서 성현(成俔), 장악원제조 유자광(柳子光), 장악원주부 신말평(申末平), 전악 박곤(朴棍) 등이 왕명을 받아, 당시 장악원에 있던 의궤와 악보가 오래되어 헐었고 요행히 남은 것들도 모두 엉성하고 틀려서, 그것을 수교(讎校)하기 위하여 편찬하였다.

223 문정공(文靖公) : 서명응(徐命膺, 1716~1787)으로, 서유구의 할아버지이다. 본관은 대구(大邱), 자는 군수(君受), 호는 보만재(保晩齋)·담옹(澹翁), 시호는 문정이다. 사헌부 대사헌, 한성부 판윤 등을 지냈다. 역학에 통달했으며 실학 연구에 전력한 북학파의 시조로 일컬어지며 학자로서 명망이 높았다. 영조의 명으로 악보를 수집하여 간행했으며 글씨에도 능했다. 저서로는 《보만재집》 등이 있다.

스로 생(笙)을 만들 수 있는 것은 중국의 제도를 본뜬 것인 듯하다. 무릇 생을 잘 만들고 못 만들고는 오로지 황(簧)에 달려 있으니, 속칭 '금엽(金葉)'이라 한다.

비파의 가죽 현

구양공(歐陽公)[224]이 저주(滁州)에 있을 때 쓴 시에, "두빈(杜彬)의 비파는 가죽으로 현을 만들었다."라고 하였는데, 두빈이 그것을 꺼려 매번 공에게 고쳐줄 것을 청하였다.[225] 단성식(段成式)[226]의 《유양잡조(酉陽雜俎)》[227]에 이런 내용이 있다.

"옛날에는 비파의 현을 곤계(鵾鷄)의 힘줄로 만들었다. 개원(開元) 연간에 단사(段師)가 비파를 잘 연주하였는데, 가죽 현을 사용하였다. 하회지(賀懷智)[228]가 발목(撥木)[229]을 부러뜨려 연주했더니 소리가 나지 않았다."[230]

구양공이 말한 '가죽 현'은 여기에 근거한 듯하다.

---

224 구양공(歐陽公) : 송대의 정치가이자 학자인 구양수(歐陽脩, 1007~1072)로, 자는 영숙(永叔), 호는 취옹(醉翁)·육일거사(六一居士)이다. 저서로는 《구양문충공집(歐陽文忠公集)》 등이 있다.

225 구양공(歐陽公)이……청하였다 : 구양수가 저주 자사(滁州刺史)로 있을 때, 통판(通判) 두빈이 비파를 잘 타자, 술을 마실 때면 두빈에게 타게 하였다. 한번은 술잔이 여러 번 돈 뒤에 시를 지어, "좌중의 취객 중에 누가 가장 어진가? 두빈의 비파는 가죽으로 현을 만들었네."라고 읊었다. 이에 두빈이 꺼리며 이름을 빼주기를 청하였는데, 사람들이 이미 전하여 끝내 감출 수 없었다고 한다.(《能改齋漫錄》 卷5 〈杜彬琵琶皮作絃〉)

226 단성식(段成式) : ?~863. 자는 가고(柯古)이고, 당(唐)나라 제주(齊州) 임치(臨淄) 사람이다. 상서랑(尙書郎), 강주 자사(江州刺史) 등을 역임하였다. 저서로는 《유양잡조(酉陽雜俎)》 등이 있다.

227 유양잡조(酉陽雜俎) : 당대의 소설(小說)로, 단성식이 편찬한 책이다. 신선, 불가, 귀신, 인사(人事)로부터 동식물, 주식(酒食) 등을 분류하여 수록하였다. 이 책은 대부분 이상하고 이치에 맞지 않는 이야기와 황당무계한 물건들에 대해 기록하였지만, 유문(遺文)과 비적(秘籍)도 종종 그 속에 섞여 나왔다. 당나라 이래로 소설 중에서 특출한 책으로 받들어졌기 때문에 어느 누구도 폐기하지 못하였다.

228 하회지(賀懷智) : 생몰년은 미상이다. 당 현종(唐玄宗) 때의 악공으로, 비파를 잘 연주하였다. 돌로 조(槽)를 만들고 곤계(鵾雞)의 힘줄로 현(絃)을 만들어 쇠로 퉁겼다고 한다.

229 발목(撥木) : 비파(琵琶) 등의 현악기를 탈 때 쓰는 납작한 물건이다. 나무, 상아, 물소의 뿔 등으로 만든다.

230 옛날에는……않았다 : 古琵琶用鵾鷄股, 開元中, 段師能彈琵琶, 用皮絃, 賀懷智破撥彈之, 不能成聲.(《酉陽雜俎》 卷6 〈樂〉)

조선시대 도량형(국립민속박물관)

고금의 도량형

서현호(徐玄扈)[231]가 《농정전서(農政全書)》에서 고금의 도량형이 다름을 논하면서, '염파(廉頗)가 5말을 먹는다'[232]라는 말과 '공명(孔明)이 수 되를 먹는다.'[233]라는 말을 인용하여 옛날의 도량형이 지금에 비해 너무 작다고 하였다. 지금 《서경잡기(西京雜記)》[234]에서 광천왕(廣川王)[235]이 진 영공(晉靈

231 서현호(徐玄扈) : 서광계(徐光啓, 1562~1633)로, 자는 자선(子先), 호는 현호이다. 명나라 말기의 과학자로, 상해 사람이다. 농업과 수리에 대한 저술이 매우 뛰어났다. 저서로는 《농정전서(農政全書)》 등이 전한다.

232 염파(廉頗)가 5말을 먹는다 : 염파(廉頗, 생몰년 미상)는 전국시대 조(趙)나라의 명장이다. 《사기》 권81 〈염파인상여열전(廉頗藺相如列傳)〉에는, 조왕이 위(魏)나라로 도망간 염파를 다시 기용하기 위해서 사신을 파견하여 그의 건강 상태를 알아보게 했더니 사신이 돌아와서 "염장군이 비록 늙었지만 여전히 밥을 잘 먹는데, 신과 더불어 앉은 잠깐 동안 세 번 변을 보았습니다."라고 한 고사가 전한다. 그러나 이 책에 보이는 5말이라는 말은 어디에 근거한 건지 모르겠다.

233 공명(孔明)이……먹는다 : 제갈량(諸葛亮)이 사마의(司馬懿)에게 여자의 옷을 보냈을 때, 사마의가 사신에게 제갈량의 신체 상황을 물었는데, "먹는 음식이 수 되에 지나지 않았다."라고 한 고사를 말한다.

234 서경잡기(西京雜記) : 중국 고대의 필기체 소설집이다. 구본(舊本)에 혹 한나라 유흠(劉歆)이 편찬한 것이라 되어 있기도 하고, 진(晉)나라 갈홍(葛洪)이 편찬한 것이라고 되어 있기도 한데, 실은 양(梁)나라 오균(吳均)이 편찬한 것이며, 총 6권이다. 한나라 무제(武帝) 전후 시대의 잡사(雜事)에 대해 기술하였다.

235 광천왕(廣川王) : 유거(劉去, 기원전 115~기원전 71)로, 한나라의 제후이다. 한 경제(漢景帝)의 증손이고, 광천무왕(廣川繆王) 유제(劉齊)의 아들이다. 유제가 병사한 뒤에 봉호가 회수되었는데, 무제(武帝)가 즉위한 되에 다시 광천왕으로 복위되었다.

公)의 무덤을 발굴한 일을 살펴보니, "옥 두꺼비 하나를 얻었는데, 크기가 주먹만 하고 배가 비어 있어 5홉[合]을 담을 만하였다."[236]라고 하였다. 만약 그 되가 지금의 되와 같다면, 크기가 겨우 주먹만 한 물건에 어떻게 5홉의 물을 담을 수 있겠는가. 이것으로도 옛날의 도량형이 매우 작았음을 증명할 수 있다.

서현호가 "옛날과 지금의 말[斗]과 휘[斛]는 매우 다르다."라고 하고, 또 "《주례(周禮)》에 '고기 1두(豆)를 먹고, 술 1두를 마시는 것이 보통사람이 먹는 양이다.'[237]라고 하였는데, 제갈공명(諸葛孔明)이 매번 불과 수 되의 음식을 먹자, 사마중달(司馬仲達)[238]이 먹는 양은 적고 일은 번다하다고 여겼다. 만약 오늘날의 말과 양이 같다면, 보통사람이 어떻게 한 끼에 그것을 다 먹을 수 있겠는가. 【《춘추좌씨전(春秋左氏傳)》에 따르면, 4되가 두(豆)니,[239] 《주례》에서 말한 1두는 곧 4되의 양일 뿐, 1말[斗]을 말한 것이 아니다. 그러나 4되의 고기와 4되의 술은 보통사람이 한 번에 다 먹을 수 있는 음식이 아니다.】 '공명이 수 되를 먹는다'는 것도 이미 적지 않은데, '염파가 5말을 먹는다'는 것은 너무 많지 않겠는가."라고 하였으니,[240] 그의 설이 믿을 만하다.

《농상집요(農桑輯要)》[241]는 원(元)나라 지원(至元) 연간(1335~1341)에 저술

---

236 옥 두꺼비……만하였다 : 晉靈公冢甚瑰壯, 四角皆以石爲玃犬捧燭, 石人男女四十餘, 皆立侍棺器, 無復形兆, 屍猶不壞, 孔竅中, 皆有金玉, 其餘器物, 皆朽爛不可別. 唯玉蟾蜍一枚, 大如拳, 腹空, 容五合. 水光潤如新王. 取以爲書滴.(《西京雜記》 卷6)

237 고기……양이다 : 食一豆肉, 飮一豆酒, 中人之食也.(《周禮》 〈冬官考公記下〉)

238 사마중달(司馬仲達) : 사마의(司馬懿, 179~251)로, 중국 삼국시대 위(魏)나라의 정치가이자 군략가이다. 자는 중달이다. 조조(曹操), 조비(曹丕), 조예(曹叡), 조방(曹芳) 등 4대를 보필하며 공을 세워 무양후(舞陽侯)에 봉해졌다. 손자인 사마염(司馬炎)이 서진(西晉)을 세운 뒤에 선제(宣帝)로 추존(追尊)되었다.

239 4되가 두(豆)니 : 齊舊四量, 豆區釜鍾, 四升爲豆, 各自其四, 以登於釜, 釜十則鍾.(《春秋左氏傳》 昭公 3年)

240 서현호가……하였으니 : 古今斗斛絕異. 《周禮》"食一豆肉, 飮一豆酒, 中人之食也", 孔明每食不過數升, 而仲達以爲食少事煩. 若如今斗, 則中人豈能頓盡? "孔明數升", 已自不少, 而"廉頗五斗", 得無大多?(《農政全書》 卷5 〈田制〉)

241 농상집요(農桑輯要) : 원나라 때 사농사(司農司)에서 《제민요술(齊民要術)》 등 옛날부터 전해 내려오는 농서를 두루 참고하여 정리한 농서이다. 농사의 기원, 농사에 힘쓴 교훈, 농학의 기초적인 내

한 책인데, 《제민요술(齊民要術)》242의 "1묘(畝)에서 10섬[石]을 수확한다[畝收十石]"243라는 문장에 대한 주(註)에, "1섬은 지금의 2말 7되이니, 10섬은 지금의 27말이다."244라고 하였다. 이와 같다면 원나라 때의 도량형 제도는 후위(後魏)에 비해 세 배 남짓이니, 이 또한 옛날과 지금의 도량형이 서로 같지 않음을 증명할 만하다. 그러나 《한서(漢書)》 〈율력지(律歷志)〉에는 "1약(龠)은 기장 1천 2백 톨을 담을 수 있는데, 2약이 홉이 되고, 10홉이 되가 된다."245라고 하였으니, 1되는 실제로 기장 2만 4천 톨을 담을 수 있다.

내가 한번 중간 크기의 찰기장을 지금 사람들이 상용하는 10홉의 되에 채워 세어보았더니, 2만 2천 3백 십 톨이 되었다. 옛날의 되에 비하여 오히려 1천 6백 6십 톨이 부족하였다. 이에 우리나라의 도량형 제도가 오히려 옛날과 가깝고, 중국 후대의 도량형은 크게 잘못되었음을 알았다. 반계(磻溪) 유형원(柳馨遠)246이 "우리나라의 말이 작다고 해서 반드시 잘못된 것이 아니고, 중국의 큰 말이 반드시 옳은 것도 아니다."247라고 하였으니, 아마도 여기에 식견이 있었던 것 같다.

심괄의 《몽계필담》에 다음과 같은 내용이 있다.

"내가 악률(樂律)을 고찰하는데 또 조서를 받고 혼천의(渾天儀)를 다시

용, 농정(農政)의 지침, 작물에 대한 풍토와 파종방법, 뽕나무 기르는 법, 양잠법 등이 다양하게 수록되어 있다.

242 제민요술(齊民要術) : 중국 북위(北魏) 시기의 뛰어난 농업가 가사협(賈思勰)이 저작한 종합적인 농서로서, 세계 농업사상 최초의 전문적 저서이다. 현재 중국에서 가장 완전하게 보존되어 있는 농서이다. 이 저서에는 6세기 이전 황하 중하류 지역의 농업과 목축업의 생산적 경험, 식품의 가공과 보관, 야생 식물의 이용 등이 수록되어 있으며, 중국 고대 농학의 발전에 중대한 역할을 했다.

243 1묘(畝)에서 10섬[石]을 수확한다 : 《제민요술》 권1 〈경전(耕田)〉과 《농상집요》 권1 〈경간(耕墾) 경지(耕地)〉에 보인다.

244 1섬은……27말이다 : 一石, 大約今二斗七升, 十石, 今二石七斗有餘也.(《農桑輯要》 卷1 〈耕墾 耕地〉)

245 1약(龠)은……된다 : 量者, 龠合升斗斛也, 所以量多少也. 本起於黃鐘之龠, 用度數審, 其容以子穀秬黍中者, 千有二百實. 其龠以井水準其槪, 二龠爲合, 十合爲升, 十升爲斗, 十斗爲斛而五量嘉矣.(《漢書》 卷21上 〈律歷志〉)

246 유형원(柳馨遠) : 1622~1673. 본관은 문화(文化), 자는 덕부(德夫), 호는 반계(磻溪)이다. 조선 후기의 실학자이다. 그의 대표적인 저술인 《반계수록(磻溪隧錄)》이 전한다.

247 우리나라의……아니다 : 本國斗小, 未必爲失, 而中國大斗, 亦未必是.(《磻溪隧錄》 續篇上 〈度量衡〉)

주조하게 되었다. 진·한(秦漢) 이후의 도량형을 구하여 계산해보니 6말이 지금의 1말 7되 9홉이고, 달아보니 3근이 지금의 13냥이다."[248]

이에 따르면 송나라 때의 도량형은 옛날의 제도에 비해 세 배 남짓일 뿐이 아니다. 그러나 문정공(文正公) 범중엄(范仲淹)이 고소(姑蘇, 소주(蘇州))의 수리(水利)를 논하면서 말하기를, "풍년이 든 해에는 봄에 만 명의 사람에게 부역을 시킬 때 한 사람이 3되를 먹으니 한 달 만에 일을 마치면 쌀이 9천 섬이 든다. 흉년이 든 해에는 하루에 5되로 백성을 불러 부역을 시키되 진휼하여 구제하니 한 달 만에 일을 마치면 쌀 1만 5천 섬이 든다."[249]라고 하였다. 한 사람이 3되를 먹는 것은 하루 세 끼를 끼니마다 1되를 먹는 것을 말한다. 하루에 5되를 먹는 것은 굶주린 백성을 구휼하기 위하여 그 수를 더욱 넉넉하게 한 것이다. 이것이 '공명이 수 되를 먹는다.'라는 것과 무엇이 다르겠는가. 서현호가 문정공의 이 말에 대해 논하기를, "송나라 때의 도량형이니 많다고 혐의하지 말라."라고 하였으니, 또한 송나라 때의 도량형이 너무 작음을 말한 것이다. 심괄의 설로 증명해보면 매우 큰 차이가 있으니 의심스럽다.

심괄이 또 말하기를, "한(漢)나라의 1휘[斛]는 지금의 2말 7되이다."[250]라고 하였다. 그렇다면 송나라 때의 도량형은 옛날보다 세 배가 되고도 1되가 남는다. 범중엄이 이른바 '하루에 5되를 먹는다'는 것은 옛날의 도량형으로 계산하면 거의 2말이 되니, 이것이 어찌 한 사람이 하루에 먹는 양이겠는가.

심괄이 또 군대의 양식 운송 방법에 대해 논하면서 "쌀 6말은 사람이 하루에 두 되를 먹으니 두 사람이 먹으면 18일 만에 다 먹는다."라고 하였

---

248 내가……13냥이다 : 予考樂律, 及受詔改鑄渾儀, 求秦漢以前度量斗升, 計六斗當今一斗七升九合, 秤三斤當今十三兩.(《夢溪筆談》 卷3 〈辨證一〉)

249 풍년이……든다 : 豐穰之歲, 春役萬人, 人食三升, 一月而罷, 用米九千石耳; 荒歉之歲, 日以五升, 召民爲役, 因而賑濟, 一月而罷, 用米萬五千石耳.(《范文正集》 卷9 〈上呂相公并呈中丞諮目〉)

250 한(漢)나라의……7되이다 : 漢之一斛, 亦是今之二斗七升, 人之腹中, 亦何容置二斗七升水耶?(《夢溪筆談》 卷3 〈辨證一〉)

다.[251] 우리나라의 도량형은 매우 작아 옛날의 도량형에 비해 모자라면 모자랐지 넘지 않는다. 그러나 비록 식성이 좋은 사람도 매 끼니에 1되를 넘지 않는다. 옛날이나 지금이나 먹는 양은 현격하게 다를 리가 없으니, 송나라 때의 도량형도 옛날에 비해 크게 차이 나지는 않았을 듯하다.

심괄이 또 말하기를, "양식을 운송하는 방법에, 사람은 6말을 지고, 낙타는 3섬을 지고, 말과 노새는 1섬 5말을 지고, 나귀는 1섬을 진다."[252]라고 하였다. 싣는 짐의 경중을 말한 것이 우리나라의 도량형과 또한 많은 차이가 없는 듯하다. 만약 송나라의 도량형이 옛날 도량형의 세 배라고 계산한다면, 한 사람이 20말 남짓을 지고, 말과 노새는 50말 남짓을 지며, 나귀는 30말 남짓을 지는 것이다. 어떻게 그 짐을 지고 천 리를 갈 수 있겠는가. 이는 모두 의심할 만한 것이다.

《후한서(後漢書)》에 다음과 같은 내용이 있다.

"영화(永和) 2년(137)에 일남(日南) 상림(象林)[253] 변경 밖의 만이(蠻夷)가 상림을 공격하여 시어사(侍御史) 가창(賈昌)을 포위하자, 조정에서 형주(荊州)·양주(揚州)·연주(兗州)·예주(豫州)의 군대를 일으켜 가게 할 것을 의논하였다. 이고(李固)[254]가 의논하여 말하기를, '군대가 30리를 가는 것이 1정(程)인데, 일남과의 거리는 9천여 리니 3백 일이 걸려서야 도착합니다. 하루에 주는 양을 5되로 계산하면 쌀 20만 휘[斛]가 듭니다.'라고 하였다."[255]

---

251 군대의……하였다 : 《몽계필담》 권11 〈관정1(官政一)〉에 군대의 양식 운송 방법에 대해 말하기를 "凡師行因糧于敵, 最爲急務, 運糧不但多費, 而勢難行遠. 予嘗計之, 負米六斗, 卒自携五日乾糧, 人餉一卒, 一去可十八日."이라고 하였는데, 그의 자주(自註)에 "米六斗, 人食日二升, 二人食之, 十八日盡."이라고 하였다.

252 양식을……진다 : 運糧之法, 人負六斗, 此以總數率之也.……若以畜乘運之, 則駞負三石, 馬騾一石五斗, 驢一石, 比之人運, 雖負多而費寡.(《夢溪筆談》 卷11 〈官政一〉)

253 일남(日南) 상림(象林): 일남군은 오늘날 베트남 중부 지역이다. 한 무제(漢武帝) 원정(元鼎) 6년에 설치되었다. 상림은 일남군의 속현으로, 지금의 베트남 순화(順化) 부근이다.

254 이고(李固) : 94~147. 자는 자견(子堅)으로, 후한(後漢) 사람이다. 곧은 말로 조정을 숙연하게 한 바도 있으나, 환관들의 미움을 사서, 뒤에 무고를 받고 하옥되어 살해되었다.

255 영화(永和)……하였다 : 永和二年, 日南象林, 徼外蠻夷區憐等數千人, 攻象林縣燒城寺, 殺長吏. 交阯刺史樊演, 發交阯九眞二郡兵萬餘人救之, 兵士憚遠役, 遂反攻. 其府二郡雖擊破反者, 而賊勢轉盛. 會侍御史賈昌, 使在日南, 卽與州郡并力討之不利, 遂爲所攻圍歲餘, 而兵穀不繼. 帝以爲憂, 明年

당나라 장회태자(章懷太子)[256]의 주(注)에 "옛날의 되가 작기 때문에 '5되'라고 말하였다."라고 하였다. 이 또한 수·당(隋唐) 이후에 도량형이 변한 하나의 증거이다.

돈은 10냥을 1관(貫)이라고 한다. 《조씨객어(晁氏客語)》[257]에 "사박(師樸)이 절간에 갔다가 돌아왔을 때 위공(魏公)이 산 물건에 대해서 묻자 '천 삼백입니다.'라고 대답하였다. 위공이 꾸짖으며 말하기를 '이는 상스러운 말이지, 윗사람을 대하는 말이 아니다. 어찌 1관 3백이라고 하지 않느냐.'라고 하였다."[258]라고 한 것이 이것이다. 우리나라 사람들이 백 전을 1관이라고 하는 것은 잘못이다.

《의례(儀禮)》의 정현(鄭玄)의 주에 "7자[尺]를 인(仞)이라고 하고, 8자를 심(尋)이라고 한다."라고 하였고,[259] 《상서(尙書)》의 공안국(孔安國)[260]의 전(傳)에 "8자를 인이라고 한다."라고 하였다. 두 가지 설이 서로 다른데 어느 것이 옳은지 분명하지 않다.[261] 주자가 《논어》의 "부자(夫子)의 담은 수인(仞)이다."라는 말을 주석하면서는 포함(包咸)[262]의 주를 따라 "7자를 인

召公卿百官及四府掾屬, 問其方略, 皆議遣大將, 發荊、揚、兗、豫四萬人赴之. 大將軍從事中郎李固駮曰: "若荊、揚無事發之可也.……軍行三十里爲程, 而去日南九千餘里, 三百日乃到, 計人稟五升."(《後漢書》 卷116 〈南蠻列傳〉)

256 장회태자(章懷太子) : 이현(李賢, 654~684)으로, 당(唐)나라 측천무후(則天武后)의 둘째 아들이다. 675년에 황태자가 되었다가 680년에 폐위되었다. 장대안(張大安) 등의 학자들을 소집하여 범엽(范曄)의 《후한서》에 주석을 붙였다.

257 조씨객어(晁氏客語) : 송(宋)나라 조열지(晁說之, 1059~1129)가 지은 책으로, 잡론(雜論) 및 조정에 관한 일과 아울러 자신의 견문을 언급하였다.

258 사박(師樸)이……하였다 : 師樸入寺歸, 魏公問所買之物, 云"千三". 魏公責之曰: "此俚巷之談, 非對尊長辭, 何不云一貫三百?"(《晁氏客語》)

259 《의례(儀禮)》의……하였고 : 《의례》 〈향사례(鄕射禮)〉의 "無物則以白羽與朱羽糅杠, 長三仞, 以鴻脰韜, 上二尋."이라는 말에 대한 정현의 주에 보인다.

260 공안국(孔安國) : 기원전 156~기원전 74. 자는 자국(子國)이며, 노국(魯國) 사람으로, 한나라 때의 관리이자 경학가이다. 공자의 옛집을 헐었을 때 나온 《고문상서(古文尙書)》, 《예기(禮記)》, 《논어》, 《효경(孝經)》을 금문(今文)과 대조하여 고증하고 해독하여 주석을 붙였다. 저서로는 《고문상서전(古文尙書傳)》, 《논어훈해(論語訓解)》, 《고문효경전(古文孝經傳)》 등이 전한다.

261 《상서(尙書)》의……않다 : 《서경》 〈여오(旅獒)〉의 "爲山九仞, 功虧一簣."라는 말에 대한 공안국의 주에 보인다.

262 포함(包咸) : 생몰년은 미상이다. 자는 자량(子良)이며, 회계(會稽) 곡아(曲阿) 사람이다. 후한의 경학가이다.

이라고 한다."라고 하였고, 《맹자》의 "우물을 9인을 팠다."라는 말을 주석할 때에는 조기(趙岐)[263]의 주를 따라 "8자를 인이라고 한다."라고 하였으니, 똑같이 주자로부터 나왔는데, 이처럼 차이가 나는 것은 무엇 때문일까?

한전제限田制[264]

위빙숙(魏冰叔, 위희(魏禧))이 자신이 《변법삼책(變法三策)》을 지었다고 했는데 2의 문집에 〈환관책(宦官策)〉, 〈제과책(制科策)〉 둘만 있을 뿐 〈한전책(限田策)〉은 실려 있지 않았다. 내가 오랫동안 찾았으나 끝내 찾지를 못했다. 이제 그의 《일록잡설(日錄雜說)》을 보니 다음과 같은 내용이 있었다.

"정전제(井田制)는 이미 시행할 수 없고, 균전제(均田制) 역시 시행할 수 없다. 한전제만이 옛사람의 뜻을 잃지 않아 실행할 만하나, 이전 사람들이 모두 법으로 단속하여 또한 인정에 맞지 않았다. 오직 소순(蘇洵)[265]의 토지제도가 한전제에 가까운 듯하나 이 또한 통일된 법이 없다. 내가 5년 동안 심사숙고해서 〈한전〉 세 편을 지었다. 그 법은 한 사람이 백 섬을 생산하면, 10분의 1의 정부(正賦)[266]만 내도록 하고, 백 섬을 넘을 경우에는 위와 같게 하되 그 위에다 여러 가지 부세[雜差]를 더 부가한다. 만약 밭이 많은 사람이 밭이 없는 사람에게 팔거나 또는 자손들에게 나누어 주어 백 석이 넘지 않을 경우 부가한 부세를 그치고 정부만 내게 한다. 이렇게 하면 똑같은 토지이지만 가난한 사람이 얻으면 부세가 가벼워지고

---

263 조기(趙岐) : ?~201. 후한 사람으로, 자는 빈경(邠卿)이다. 경조(京兆) 장릉(長陵) 사람이다. 경학에 조예가 깊었다. 저서로는 《맹자장구(孟子章句)》, 《삼보결록(三輔決錄)》 등이 있다.

264 한전제(限田制) : 개인이 점유할 수 있는 전지의 수량을 국가에서 제한하는 제도이다. 《송사(宋史)》 〈식화지(食貨志)〉에, "공경(公卿)은 30경(頃)을, 장리(將吏)로서 부역하는 자는 15경을 넘지 못하도록 한다." 라고 하였다.

265 소순(蘇洵) : 1009~1066. 송(宋)나라 사람으로, 자는 명윤(明允), 호는 노천(老泉)이다. 6경 백가(百家)의 학설에 능통했다. 그가 지은 《권형론(權衡論)》 등 2편을 구양수(歐陽修)가 임금에게 바쳤다.

266 정부(正賦) : 토지의 면적에 따라 내는 세금이다.

부유한 사람이 얻으면 부세가 가중된다. 때문에 부유한 사람들로 하여금 토지를 싼값으로 팔게 하여 토지를 꼭 균등하게 하려 하지 않아도 균등하게 된다. 내가 삼대 이후에 가장 좋은 법이라고 여겨 여러 군자들에게 생각을 물어보았더니 역시 모두 감탄하였다. 오직 형님만이 안 된다고 하면서 '만일 이 법이 실시되면 천하가 반드시 이로 인해 복잡해질 것이다. 게다가 후세에 천하가 어지러운 것은 다만 관부 벼슬아치들의 탐욕에 있을 뿐이니, 가난한 백성이 편안하게 살지 못하는 것은 잘사는 사람이 밭이 많고 못사는 사람이 밭이 없어서가 아니다. 만일 법과 행정이 잘 다스려져 백성들이 스스로 본업을 즐긴다면 무엇 때문에 분주하게 이것을 할 필요가 있겠는가'라고 하였다. 절강성(浙江省) 수수현(秀水縣)[267]의 조시랑(曹侍郎)[268]【이름은 용(溶)이고, 호(號)는 추악(秋岳)이다.】은 '이 법의 논의가 남방에서는 가능할지 몰라도 북방의 경우, 가난한 사람들이나 소작농들은 모두 소에 의지해 농사를 짓고, 밭이 많은 부호(富戶)들에 의지해서 먹고 입는 문제를 해결한다. 지금 곧바로 사람들마다 백 무(畝)의 땅을 나누어 줄지라도 경작에 필요한 기구가 없으니, 밭은 점차 황폐해지는데 부세는 줄일 수 없어 몇 년 후에는 오로지 도망가는 수밖에 없을 것이다. 그런데 하물며 싼값으로 부호의 땅을 사기를 바랄 수 있겠는가'라고 하였다. 섬서성(陝西省) 경양현(經陽縣)의 양난패(楊蘭佩)【이름은 민방(敏芳)이다.】는 '토지의 부세를 갑자기 가볍게 하거나 무겁게 하여 조정에 완성된 법이 없고 관아에도 확실한 규정이 없으면 아전들이 농간을 부리고 백성들은 많이 고발하게 된다. 세상의 현관(縣官)들이 모두 어질고 능력 있는 것이 아니라면, 세상의 어지러움이 비로소 시작될 것이다.'라고 하였다. 내가 이 세 분의 말을 거듭 생각하면서 며칠 동안 잠을 이루지 못하다가 그 원고를 불

---

267 수수현(秀水縣) : 절강성 가흥(嘉興)을 말한다.

268 조시랑(曹侍郎) : 조용(曹溶, 1613~1685)을 말한다. 수수(秀水) 사람으로 1644년 청나라가 북경에 들어온 후 벼슬에 나아갔다. 벼슬에 관한 제도, 둔전에 관한 제도, 소금에 관한 제도, 화폐에 관한 제도, 과거에 관한 제도 등 나라 정책에 관한 많은 일을 담당한 바 있다.

태워버렸다. 여기에 기록하여 두어 변법이 얼마나 어렵고 독자적인 견해가 얼마나 감당하기 어려운가를 밝힌다. 국사를 담당하는 사람은 함부로 가볍게 생각하고 시도하거나 꾸며 고쳐서는 절대 안 된다."[269]

이 말을 얻고서야 〈한전책〉이 완성되자마자 바로 불에 태워진 것이지 후에 문집에서 빠진 것이 아님을 비로소 알게 되었다. 그 책(策)이 처음에는 반드시 볼만한 것이라고 생각했는데, 지금 《일록잡설》에 기록된 내용을 통해 또한 그 뜻을 살펴볼 수 있다. 이는 후세에 '한전'을 논한 여러 사람들 중 가장 번다하고 요란하니, 임훈(林勳)[270]의 《본정서(本政書)》[271]와 비교해보아도 그 정도가 훨씬 심하다.

장조(張潮)[272]는 이에 대해 이렇게 평하였다.

"부유한 사람의 토지는 그 토지 가격이 어디에서 나온 것인지 모르겠지만 아마 가난한 사람이 부유해지기도 전에 부유한 사람이 먼저 가난해질 것이다. 대개 지금 같은 치세 하에서는 부유한 사람을 보호하는 것이 급선무이다. 보통 부자 한 명이 천백 명의 가난한 사람을 부양할 수 있으니 이것이야말로 지키는 대상은 작고 그 베푸는 것은 매우 넓은 것

---

269 정전제(井田制)는……된다 : 井田旣不可行, 均田亦不可行, 惟限田不失古意而可行. 然前人皆以法繩之, 亦于人情不順. 惟蘊洵田制近之, 又未有畫一之法. 予覃思五年, 作限田三篇. 其法: 一夫百石, 止出十一正賦, 過百石者, 等而上之, 加以雜差. 若田多者, 賣與無田之人, 或分授子孫, 百石不過, 則仍止出正賦. 是同此田也, 貧者得之則賦輕, 富者得之則賦重. 所以驅富民賤賣, 而田不必均而可均矣. 私謂三代以後最爲善法, 質諸君子, 亦皆歎服. 獨家伯子以爲不可, 謂: "苟行此法, 天下必自此多事. 且後世天下之亂, 止在官府縉紳貪, 殘民不聊生, 不系富人田多、貧民無田. 苟刑政得理, 民自樂業, 何必紛紛爲此也." 浙江秀水曹侍郞則謂: "此法議之南方尤可, 若北方貧民傭田者, 皆仰給牛種, 衣食于多田之富戶. 今卽每夫分以百畝, 耕作所須, 色色亡有, 田漸荒而賦不可減, 數年之後, 唯有逃亡, 況望其以賤價買諸富民乎?" 陝西涇陽楊蘭佩則謂: "田賦倏輕倏重, 朝無成法, 官無定規, 吏因作奸, 民多告訐. 非天下縣官人人賢能 則擾亂方始矣." 予以三君言, 反復思索, 凡數夜不寐, 乃焚其稿. 因筆記于此, 以見變法之難爲, 獨見之難任. 人當國事, 切不可輕試紛更也.(《昭代叢書》 卷12 《日錄雜說》)

270 임훈(林勳) : 생몰년은 미상이다. 송(宋)나라 하주(賀州) 사람으로 정화(政和) 5년(1115)에 진사(進士)가 되었고, 건염(建炎) 초에 〈본정서(本政書)〉 13편과 〈비교서(比校書)〉 2편을 올렸다. 농업을 근본으로 삼고 부국강병의 사상을 제창한 바 있다.

271 본정서(本政書) : 임훈의 농업정책에 관한 저서로 13편으로 구성되었다.

272 장조(張潮) : 1659~? 청나라 안휘(安徽) 흡현(歙縣) 사람으로, 자는 산래(山來)이고, 호는 심재(心齋)다. 세공생(歲貢生)으로 뽑혀 한림원(翰林院) 공목(孔目)을 지냈다. 사(詞)에 뛰어났는데 《심재료복집(心齋聊復集)》과 《화영사(花影詞)》 등의 사집이 있다. 청나라 초기 학자들의 저술을 편집한 《소대총서(昭代叢書)》와 《단기총서(檀幾叢書)》 등을 간행했다.

이다."[273]

이 말 또한 하나의 견해로 볼 수 있다.

경작지를 구분하는 방법

《후한서》의 주(注)에 《범승지서(氾勝之書)》[274]를 인용해서 이렇게 서술하였다.

"상농(上農)[275]의 경작지를 구분하는 방법은 매 구(區)마다 사방 각각 6치[寸] 깊이로 7치의 간격을 둔다. 1무(畝)는 3,700개의 구로 나눈다. 성인 남녀는 10무를 경작한다. 가을이 되면 매 구마다 3되의 조를 수확하니, 1무당 100휘[斛]을 수확한다. 중농(中農)의 경작지를 구분하는 방법은 사방 7치, 깊이 6치로 2자[尺]의 간격을 둔다. 1무는 1,207개 구로 나눈다. 성인 남녀는 10무를 경작한다. 가을이 되면 1무당 조 51섬[石]을 수확한다. 하농(下農)의 경작지를 구분하는 방법은 사방 9치, 깊이 6치로 3자의 간격을 둔다. 가을이 되면 1무당 28섬을 수확한다. 가뭄이 들면, 물을 끌어서 밭에 댄다."[276]

이는 《제민요술(齊民要術)》[277]에서 인용한 것과 약간의 차이가 있어서 어

---

273 부유한……것이다 : 富民之田, 不知田價從何出, 恐貧者未必富而富者已先貧矣. 大抵當今治道, 惟宜以保富民爲急務, 蓋一富民能養千百貧民, 則是所守約而所施甚博也.(《昭代叢書》 卷12 《日錄雜說》)

274 범승지서(氾勝之書) : 서한 말기의 중요한 농학 저서로서, 중국에서 가장 오래된 농서이다. 《한서》 〈예문지(藝文志)〉에는 《범승지》 18편이 저록되어 있는데, 후세에 와서는 《범승지서》로 칭해지고 있다. 저자는 범승지이며, 한 무제 때 사람으로, 의랑(議郎) 직을 담당한 적이 있으며, 오늘날의 섬서(陜西) 관중평원(關中平原)에서 농경에 관한 지식을 전수하여 풍작을 이루었다. 이 저서의 주요 내용으로는 경작의 기본 원리, 파종 시기의 선택, 종자(種子)의 처리, 개별 작물(作物)의 재배, 수확, 씨앗의 저장 기술, 농작지의 구분 방법 등이 포함되어 있다.

275 상농(上農) : 상농부라고도 하며, 재배 조건이 비교적 좋고, 수확이 비교적 많은 농민을 일컫는 말이다.

276 상농(上農)의……댄다 : 上農區田法: 區方深各六寸, 間相去七寸, 一畝三千七百區. 丁男女種十畝, 至秋收區三升粟, 畝得百斛; 中農區田法: 方七寸, 深六寸, 間相去二尺, 一畝千二十七區. 丁男女種十畝, 秋收粟, 畝得五十一石; 下農區田法: 方九寸, 深六寸, 間相去三尺. 秋收畝得二十八石. 旱卽以水沃之.(《後漢書》 卷69 〈劉般列傳〉 注)

277 제민요술(齊民要術) : 중국 북위(北魏) 시기의 뛰어난 농업가 가사협(賈思勰)이 저작한 종합적인 농

느 것이 원본인지 모르겠다.[278]

토양에 수분이 많을 때의 경작

속담에 "토양에 수분이 많을 때에는 경작하기에 적합하지 않으므로, 집으로 돌아가 쉬는 것이 낫다."라고 한다.[279] 이는 토양에 수분이 많을 때에는 경작하지 말아야 한다는 것을 의미한다. 한영(韓嬰)[280]의 《한시외전(韓詩外傳)》[281]에 "소홀하게 경작하여 농작물을 손상시키고 거칠게 김매어 한 해의 수확을 줄어들게 한다."[282]라고 했다. 이는 가뭄에는 경작을 하지 말아야 한다는 말이다.[283] 그러므로 훌륭한 농부는 조심하고 주의하여 꼭 알맞게 한다. 농서(農書)에 "건조함과 습윤함이 알맞아야 한다."라고 했으

서로서, 세계 농업사상 최초의 전문적 저서이다. 현재 중국에서 가장 완전하게 보존되어 있는 농서이다. 이 저서에는 6세기 이전의 황하 중하류 지역의 농업과 목축업의 생산적 경험, 식품의 가공과 보관, 야생 식물의 이용 등이 수록되어 있으며, 중국 고대 농학의 발전에 중대한 역할을 했다.

278 제민요술(齊民要術)에서……모르겠다 : 《제민요술》 권1 〈종곡 제3(種穀第三)〉에서 인용한 〈범승지서〉에는, "上農夫區方深各六寸, 間相去九寸, 一畝三千七百區, 一日作千區, 區種粟二十粒, 美糞一升, 合土和之, 畝用種二升, 秋收區別三升粟, 畝收百斛. 丁男長女治十畝, 十畝收千石, 歲食三十六石, 支二十六年; 中農夫區方九寸, 深六寸, 相去二尺, 一畝千二十七區. 用種一升, 收粟五十一石, 一日作三百區; 下農夫區方九寸, 深六寸, 相去二尺, 一畝五百六十七區, 用種六升, 收二十八石, 一日作二百區."라고 하여 《후한서》의 주에서 보이는 것과 수치나 상략(詳略)의 차이가 있다. 또한 '旱即以水沃之'는 《제민요술》에는 보이지 않는다.

279 속담에……한다 : 諺曰: "濕耕澤鋤, 不如歸去."(《齊民要術》 〈耕田第一〉 注)
이는 경작함에 있어서 반드시 토양의 수분 함량의 많고 적음에 근거하여 시기에 맞게 경작해야 함을 강조한 것으로서, 농업 생산에 있어서 경작 방법을 연구해야 함을 강조하였다.

280 한영(韓嬰) : 기원전 200~기원전 130. 서한 연(燕) 사람이다. 한 문제(漢文帝) 때 박사가 되었고, 경제(景帝) 때 상산왕(常山王) 유순(劉舜)의 태부(太傅)가 되었다. 서한의 한시학(韓詩學)의 창시자이다. 시에 관한 저서가 많았는데 대부분 일실되고, 남아있는 대표적인 저서로는 《한시외전(韓詩外傳)》이 있다.

281 한시외전(韓詩外傳) : 360조의 일화, 도덕적 설교, 윤리적 규범 및 실제적인 충고 등 다양한 내용을 아우르고 있다. 일반적으로 조목마다 모두 《시경》에서 알맞은 구절을 인용하여 결론을 맺음으로써, 정사(政事) 혹은 논변(論辯)의 관점을 지지하고 있다. 《시경》에 대한 주석(註釋)과 설명이라고 할 수 있다.

282 소홀하게……한다 : 枯耕傷稼, 枯耘傷歲.(《韓詩外傳》 卷2)

283 이는……말이다 : 인용문에 쓰인 "枯"의 의미는 "거칠고 나쁘다, 조잡하고 열등하다"라는 의미로, '가뭄'의 의미를 나타내고 있는 "旱"의 의미와는 별개의 것으로 서유구가 잘못 이해한 것으로 보인다.

니[284] 바로 이를 말하는 것이다.

신농神農과 허행許行의 책

송나라 한표(韓淲)의 《간천일기(澗泉日記)》에 "신농(神農)[285]과 허행(許行)[286]의 책은 전해지지 않고 있다. 《여씨춘추(呂氏春秋)》의 상농(上農), 임지(任地, 토지를 이용하는 것), 변토(辨土, 토양을 구별하는 것), 심시(審時, 시기를 주도면밀히 잘 아는 것), 이 네 가지 이론은 분명 그 책을 말하는 것이다."[287]라고 하였다. 여씨(呂氏)의 이 네 가지 이론이 바로 농업 이론인 것은 분명하다. 그러나 이것이 반드시 신농과 허행에게서 나왔다고 할 수 있을지는 알 수가 없다. 허행의 저술이 있다는 말을 들은 적이 없는데, 하물며 신농의 시대는 더욱 말할 것이 있겠는가.

소의 사료로 이용된 면병棉餠

이조원(李調元)의 《남월필기(南越筆記)》[288]에 "광주(廣州) 사람들은 목화씨 가루를 소의 사료로 사용해서 소가 살집이 좋고 또한 힘이 세다고 한다. 씨앗에 들어 있는 알맹이는 기름을 짜낸 다음, 그 찌꺼기에 아직 기름기가 남

284 농서(農書)에……했으니 : 여기에서 말한 농서는 구체적으로 어느 것을 가리키는지 알 수 없다. 이 말은 《제민요술》 잡설(雜說) 등에 보인다.

285 신농(神農) : 중국 삼황(三皇)의 하나로 흔히 '염제(炎帝) 신농씨'로 불린다. 황제(黃帝) 헌원씨(軒轅氏) 이전에 한족에게 농사짓는 방법을 알려주었다고 전한다. 한의학의 창시자로 불린다.

286 허행(許行) : 전국시대의 저명한 농학가, 사상가이다. 초(楚)나라 사람으로 대개 맹자와 동시대의 인물로 알려져 있다. 《맹자》 〈등문공 상(騰文公上)〉에 "許行爲神農之言"이라는 기록이 있어, 농가로 분류되었으며, 후세에도 선진시대 농가의 대표적 인물로 보고 있지만, 그의 저작이 전해지지 않고 있어서 그의 상세한 사상적 내용과 기타 사적 등 모두 고증할 수가 없다.

287 신농(神農)과……것이다 : 神農許行之學, 他無所攷, 《呂氏春秋》上農、任地、辨土、審時四論必其書也.(《澗泉日記》 卷中)

288 남월필기(南越筆記) : 전체 16권이다. 청나라 이조원(李調元)이 저작한 것으로, 《월동필기(粵東筆記)》로도 불린다. 이 책에는 광동(廣東) 지역의 천문, 지리, 풍토, 풍속, 물산(物産) 등에 대해 기록되어 있다. 이조원(李調元, 1734~1802)은 호가 우촌(雨村)이다.

아 있기 때문에 소에게 사료로 먹인다."라고 하였다. 목화씨 찌꺼기가 바로 농서에서 말하는 면병(棉餠, 목화씨 깻묵)이다. 우리나라의 농가에서도 간혹 면병을 소에게 사료로 먹이면 그 소는 추위를 잘 견딘다고 여겼다. 만약 콩이 부족할 때면 목화씨를 모아 기름을 짜고 그 찌꺼기를 소에게 먹이거나, 혹은 목화씨를 직접 맷돌에 갈아서 먹이는 일이 응당 많았을 것이다.

온천물은 싹을 빨리 자라게 해 준다

수전(水田, 논)에 관개(灌漑)하는 물이 따뜻하면 싹이 빨리 자라고, 차가우면 농작물에 해가 된다. 《명일통지(明一統志)》[289]에 "응천부(應天府, 지금의 안휘성) 동북부에 반탕호(半湯湖)가 있는데, 같은 골짜기인데도 뜨거운 물과 차가운 물이 반반이다. 뜨거운 물은 닭을 삶을 수 있을 정도인데 사람들이 따뜻한 물을 끌어서 논밭에 물을 주어 일 년에 두 번 수확한다."[290]라고 하였다. 이에 근거하면 우리나라의 온천물이 논에 물을 대어 싹을 키우는 데 가장 적합하다.

금성金城에서의 전투 방략方略

조충국(趙充國)[291]은 금성에서의 전투 방략으로 둔전(屯田) 정책의 장점에

---

289 명일통지(明一統志) : 《대명일통지(大明一統志)》를 말한다. 중국 명나라 때 이현(李賢) 등이 황제의 명을 받들어 1461년에 편찬한 지지(地誌)이다. 《대원일통지(大元一統志)》를 본떠서 명나라의 중국 전역과 조공국(朝貢國)의 지리를 기술하고, 각종 지도를 게재한 다음에 풍속과 산천 등 20항목으로 나누어 설명하였다. 대일통(大一統)의 지리적 이념을 강조하고 있지만, 책에 소개되는 고사가 틀린 곳이 비교적 많은 것이 흠이라고 할 수 있다.

290 응천부(應天府)……수확한다 : 《명일통지》 권6 〈응천부(應天府)〉의 "반탕호(半湯湖)" 주에 보인다. 전문은 다음과 같다. "在府東北四十里, 水同一壑, 而冷熱相半, 熱可瀹鷄, 中皆有魚, 魚交入輒死. 民引熱水漑田, 一歲再熟."

291 조충국(趙充國) : 기원전 137~기원전 52. 전한 농서현(隴西縣) 상규(上邽) 사람으로 나중에 금성(金城) 영거(令居)로 옮겼다. 자는 옹손(翁孫)이고, 말타기와 활쏘기를 잘했으며, 지략을 갖춘 데다 변방의 정세에 대해서도 해박했다. 용맹하고 지모가 뛰어난 군사로서, 당시의 둔전정책(屯田政策)에 대해 탁월한 공헌이 있다.

대하여 극진하게 말하였는데,[292] 후세에 드디어 둔전으로 곡식을 모으는 것을 적을 막는 좋은 방책으로 삼았다. 그러나 《한서(漢書)》의 조충국 본전(本傳)을 살펴보면 "신이 금성에 가서 방략을 그려서 올리겠습니다.[293]"라고 하였고, 이듬해 5월에 승리하여 돌아온 것으로 되어 있다. 5월은 수확의 계절이 아니니, 그의 이른바 둔전이라는 것은 곡식 한 알도 수확한 적이 없는 것이다. 이는 매우 이상하고 의아한 일이다.

지금 조언위(趙彥衛)[294]의 《운록만초(雲麓漫抄)》[295]를 보니, 그는 조충국의 둔전 정책이 자못 옛 명장(名將)의 권술(權術)을 얻었다고 논하였는데, 이제 여기에 그 전문을 기록한다.

"조충국의 둔전 정책은 병가(兵家)의 계책으로 선제(宣帝)와 한(漢)나라 조정의 여러 관리들뿐만이 아니라 선령(先零)[296], 한(罕)[297], 견(幵)[298]족들도 현혹되었으며, 반고(班固)[299] 역시 그 기미를 알지 못하였다. 한나라의 용병

---

292 조충국(趙充國)은……말하였는데 : 조충국이 금성(金城)에 둔전(屯田)을 시행하여 강족(羌族)의 침입을 막을 방책을 올린 고사가 전한다.(《漢書》 卷69 〈趙充國傳〉)

293 신이……올리겠습니다 : 한나라 선제(宣帝) 때에 오랑캐의 침입이 빈번하자, 어사대부(御史大夫) 병길(丙吉)이 침입을 막아 낼 적임자가 누구인지 조충국에게 물었는데, 조충국이 자기만한 사람이 없다고 대답하였다. 이에 선제가 조충국을 불러서 오랑캐들의 정황이 어떠하며 군사가 얼마나 필요한지 묻자, 그가 "백 번 듣는 것이 한 번 보느니만 못합니다. 병사(兵事)는 멀리서 헤아리기 어려우니, 신이 금성에 가서 방략을 그려서 올리겠습니다.[百聞不如一見, 兵難隃度. 臣願馳至金城, 圖上方略.]"라고 하였다.(《漢書》 卷69 〈趙充國傳〉)

294 조언위(趙彥衛) : 생몰년은 미상이다. 중국 송나라 때의 인물로, 자는 경안(景安), 준의(浚儀, 지금의 하남성 개봉시) 사람이다. 위왕(魏王) 조정미(趙廷美)의 7세손이다. 소희(紹熙) 연간(1190~1194)에 오정현(烏程縣)을 잘 다스려 명성이 있었고, 휘주 통판(徽州通判), 신안 군수(新安郡守) 등을 지냈다. 저서에 《운록만초(雲麓漫抄)》 15권이 있다.

295 운록만초(雲麓漫抄) : 조언위가 지은 책으로, 송나라 시기의 잡다한 일들에 대한 기록과 명물(名物)을 고증한 내용이 실려 있다. 그의 〈자서(自序)〉에 따르면 처음에는 《옹로한기(擁鑪閒記)》라고 제목을 달았으며, 10권뿐이었는데, 나중에 신안에서 관직생활을 할 때 뒤의 5권을 아울러 판각하고, 비로소 이 서명으로 고쳤다고 한다.

296 선령(先零) : 소수민족인 서강족(西羌族)의 가장 큰 부락이다.

297 한(罕) : 소수민족인 서강족의 작은 부락이다.

298 견(幵) : 소수민족인 서강족의 작은 부락이다.

299 반고(班固) : 32~92. 중국 후한(後漢) 초의 역사가로, 자는 맹견(孟堅)이다. 아버지 반표(班彪)가 사망한 뒤 고향에 돌아와 아버지의 뜻을 이어받아 전한의 역사서인 《한서(漢書)》를 저술하였다. 화제(和帝) 때 대장군 두헌(竇憲)을 따라 흉노 정벌에 종군했다가 실패하여, 집필을 완성하지 못하고 옥에 갇힌 채 사망하였다. 사부(辭賦)에 매우 능하였다.

은 모두 군국(郡國)에서 징발하는데 천 리 밖으로 군대를 출동시키면 오랑캐를 만날 때마다 번번이 패배하였다. 그러나 한, 견 등 강족(羌族)[300]은 오합지졸이어서, 조충국은 그들이 오래 버틸 수 없다는 것을 알았다. 그러므로 계책을 써서 깨뜨리려고 하면서, 다만 '병사(兵事)는 멀리서 헤아리기 어려우니, 금성에 가서 방략을 그려서 올리겠다.'라고 하였다. 그곳에 도착해서는 머무르면서 둔전 정책을 시행하고자 할 뿐, 한나라 조정과 왕복하여 논의한 것은 식량과 건초의 많고 적음에 불과하였고 기미를 애초에 드러내지 않았다. 강족 사람들은 조충국 군의 설행(設行)이 예상치 못한 데서 나온 것을 보고 실로 오래 버틸 수 없었다. 그래서 의심하지 않고 퇴각하였고, 조충국 군은 승전고를 울리며 돌아왔다. 그러나 변방에 머문 것은 겨울에서 여름에 이르기까지에 불과하였으니 원래 한 알의 곡식도 수확할 수 없었으며, 아마 씨앗을 심지도 않았을 것이다. 그렇지 않다면 5월은 곡식이 익으려고 하는 시기인데, 어찌 강족에게 남겨둘 리가 있겠는가. 논자(論者)는 시기는 고려하지 않고, 항상 둔전이라는 단어에만 연연하여 으뜸으로 칭하니 참으로 가소로운 일이다."[301]

소를 이용한 밭갈이의 시초

《송경문필기(宋景文筆記)》[302]에 "옛날에 소는 수레를 끌기만 했기 때문에, 《주역(周易)》에 '소는 짐을 싣고 말은 탄다'라고 하였으니, 한(漢)나라 조과(趙過)[303]가 처음으로 사람들에게 소를 이용해 밭을 갈게 했다."[304]라고

---

300 강족(羌族) : 중국의 사천성(四川省)에 주로 거주하는 소수민족이다.

301 조충국의……일이다 : 趙充國屯田事, 乃兵家計策, 不惟宣帝與漢庭諸公, 先零、罕、开爲之惑, 班固亦不識其幾. 漢用兵皆調發於郡國, 千里行師, 遇虜輒北. 今罕、开等羌亦烏合, 充國知其不能久, 故欲以計挫之, 但云: "兵難豫度, 願至金城圖上方略." 又曰: "明主可爲忠言, 兵當以全取勝." 及到彼, 但欲爲留屯計, 凡與漢庭往復論難者, 不過糧草多寡耳. 幾初不露也, 羌人見其設施出於所料之外, 實不可久留. 故輸疑而退, 趙亦奏凱而還. 在邊不過自冬徂夏, 元不曾收得一粒穀, 想亦不曾下種. 不然, 五月穀將穗, 那肯留以遺羌耶? 學者不以時月考之, 每語屯田, 必爲稱首, 可笑.(《雲麓漫抄》 卷10)

302 송경문필기(宋景文筆記) : 송(宋)나라 송기(宋祁)가 편찬한 책으로 3권으로 구성되어 있다.

하였다.

소를 이용해 밭을 갈기 시작한 것은 후직(后稷)의 손자 숙균(叔昀) 때부터 시작되었으니, 어찌 조과가 시초라고 말할 수 있겠는가. 《한서》 〈식화지(食貨志)〉에 기록된 조과의 대전법(代田法)에 의하면, "백성들이 더러 소가 없어 택(澤, 수전(水田))을 갈 수 없자 평도 영(平都令) 광(光)이 조과를 시켜 사람이 쟁기를 끌 수 있는 방법을 가르치게 하였다."[305]라고 했을 뿐이지, 소를 이용해 밭을 가는 것이 조과에게서 시작되었다고 말한 적은 없다.

나는 전에 후직의 손자 숙균이 처음으로 쟁기를 사용했다는 설을 인용하여, 《송경문필기》의 잘못을 증명하였다. 지금 송나라 한표(韓淲)의 《간천일기》를 살펴보면, "조자지(晁子止)[306]가 말하기를, '왕필(王弼)[307]이 「혹 소를 매었다[或繫之牛]」라는 말을 풀이하여, 소를 경작하는 데에 썼다고 하였다.[308] 살펴보건대, 옛날에 인간이 쟁기를 끌던 것을 소로 대신한 것이 조과에게서 시작되었으니, 왕필의 설이 잘못되었음이 분명하다.'라고 하였다."[309]고 하였으니, 이것 역시 송경문의 잘못에서 기인한 것이다.

---

303 조과(趙過) : 한 무제(漢武帝, 기원전 140~기원전 87) 때 사람이다. 본적과 생몰년은 명확하지 않다. 농학가이며, 고대 중국의 농업 생산에 있어서 지대한 공헌을 한 인물이다.

304 옛날에……했다 : 古者牛唯服車, 書日"肇牽車牛", 易日"服牛乘馬", 漢趙過始教人用牛耕.(《宋景文筆記》 卷中 〈考古〉)

305 백성들이……하였다 : 民或苦少牛, 亡以趨澤, 故平都令光教過以人輓犂.(《漢書》 卷24上 〈食貨志〉)

306 조자지(晁子止) : 조공무(晁公武, 1105~1180)로, 남송의 저명한 목록학자(目錄學者)이자 장서가이다. 사람들이 소덕선생(昭德先生)이라고 일컬었다. 저서로는 《소덕문집(昭德文集)》, 《석경고이(石經考異)》, 《군재독서지(郡齋讀書志)》 등이 전한다.

307 왕필(王弼) : 226~249. 위(魏)나라의 학자로 하안(何晏)과 함께 위·진(魏晉) 현학(玄學)의 시조로 일컬어진다. 의(義)와 이(理)의 분석적·사변적 학풍을 창설하여 중국 중세의 관념론 체계에 영향을 끼쳤다. 저서인 《노자주(老子註)》, 《주역주(周易註)》는 육조시대(六朝時代)와 수·당에서 성행하였으며, 현존한다.

308 왕필(王弼)이……하였다 : 《주역》 〈무망괘(无妄卦) 육삼(六三)〉에 '혹 소를 매었다'는 말이 있는데, 이에 대한 왕필의 주에 "소는 경작을 하는 데 쓰는 것이다.[牛者, 稼穡之資也.]"라고 풀이하였다.(《周易註》 卷3)

309 조자지(晁子止)가……하였다 : 晁子止日: "王弼解或繫之牛, 以牛爲稼穡之資. 按古以人耕, 以牛代之,

《사고전서(四庫全書)》 총 편찬 담당관 기윤(紀昀)[310] 등의 안설(案說)에 다음과 같이 말하였다.

"조과가 소를 이용해 밭을 간 시초라고 한 것은 《제민요술》에 보이는데,[311] 《송경문필기》에서도 이 설을 인용하여 왕필의 오류를 증명하였다. 그런데 《산해경(山海經)》[312]에 '후직의 손자인 숙균이 처음으로 쟁기를 만들었다.'라고 하였고, 그 주석에 '소를 이용해 농사지었다.'라고 하였다.[313] '리(犁)'는 《설문해자(說文解字)》[314]에 '려(黎)' 자로 되어 있는데, 주석에 '밭을 가는 것이다.'라고 하였고, 또 '비(辈)'는 주석에 '소 두 마리가 밭을 가는 것이다. 일설에 「씨를 뿌리고 갈아서 덮는다」라고도 한다.'라고 하여,[315] 두 글자 모두 '우(牛)' 자를 사용하였으니, 경작에 소를 사용한 것이 숙균에게서 비롯된 것은 그 유래가 이미 오래되었다. 그러므로 공자의 제자 염경(冉耕)이 백우(伯牛)로 자를 삼았으니,[316] 의미가 더욱 명백하여 쉽게 알 수 있다. 최식(崔寔)[317]의 《정론(政論)》[318]에 '한 무제(漢武帝) 시기에 조과를 수속

自趙過始, 弼之誤也昭昭矣."(《澗泉日記》 卷中)

310 기윤(紀昀) : 1724~1805. 중국 청나라의 학자로, 자는 효람(曉嵐)이고, 호는 석운(石雲), 시호는 문달(文達)이다. 1773년에 고종의 칙명으로 《사고전서》 편집사업의 총찬수관으로 10여 년 간 종사하였다. 많은 학자의 협력을 얻어 《사고전서총목제요》 200권을 집필하였다. 학풍은 형이상학적인 송학(宋學)을 배제하고, 실증적인 한학의 입장을 취하였다. 저서에 《기문달공유집(紀文達公遺集)》 16권, 소설 《열미초당필기(閱微草堂筆記)》가 있다.

311 조과가……보이는데 : 趙過始爲牛耕, 實勝耒耜之利; 蔡倫立意造紙, 豈方縑牘之煩?(《齊民要術》 〈自序〉)

312 산해경(山海經) : 기원전 6년경에 만들어진 책으로, 작자와 정확한 연대는 미상이다. 각지의 산악에 사는 인면수신(人面獸身)의 신들과 제사법 및 산물을 기록한 고대의 지리서이다. 현존하는 《산해경》은 산경(山經) 5권, 해경(海經) 13권으로 모두 18권이며, 곽박(郭璞)이 주를 달았다.

313 산해경(山海經)에……하였다 : 《산해경(山海經)》 권18 〈해내경(海內經)〉에 "后稷是播百穀, 稷之孫曰叔均, 是始作牛耕."이라고 하였고, 그 주에 "始用牛犂"라고 하였다.

314 설문해자(說文解字) : 후한(後漢) 때 허신(許愼)이 편찬한 중국 최초의 문자학 서적이다. 고문자에 대한 자료가 많이 보존되어 있어서, 중국 고대서적을 읽거나 특히 갑골문·금석문 등의 고문자를 연구하는 데 참고할 만한 가치가 있다.

315 리(犁)는……하여 : "𤛓"의 주에 "耕也. 從牛."라고 하였고, "犕"의 주에 "兩壁耕也. 從牛. 一曰覆耕種也."라고 하였다.(《說文解字》 卷2上 〈凡牛之屬皆從牛〉)

316 그러므로……삼았으니 : 공자의 제자 염경(冉耕)은 이름이 '경(耕)'이고 자가 '백우(伯牛)'이다. 밭을 갈 때 당연히 소를 써야하므로 '牛'와 '耕'의 관계는 매우 밀접하다는 것을 말한다.

317 최식(崔寔) : 생몰년은 미상이다. 후한(後漢) 때 사람으로 자는 자진(子眞)인데, 벼슬이 의랑(議郞)·오원 태수 등을 거쳐 상서(尙書)에 이르렀다.

도위(搜粟都尉)로 임명하여 사람들에게 경작하는 것을 가르치게 하였는데, 그 방법은 세 대의 쟁기를 소 한 마리에 매고, 한 사람이 이 소고삐를 끌게 하였으니, 씨앗을 뿌리고 쟁기를 끄는 것이 모두 갖추어졌다.'라고 하였다. 그렇다면 조과는 다만 소를 이용해 농사짓는 중에, 옛 법을 변통하여 그 쓰임을 편리하게 한 것이지, 조과가 창시했음을 말한 것이 아니다."[319]

이 설은 나의 주장과 꼭 들어맞는 데다가 더 자세하고 잘 갖추었다. 그러나 '균(畇)' 자를 '균(均)' 자로 썼으니, 마땅히 《산해경》 본문을 다시 살펴보아야 한다.

말은 높고 추운 곳을 좋아한다

이심전(李心傳)[320]의 《조야잡기(朝野雜記)》[321]에 "말은 지세가 높고 추운 곳을 좋아하니, 더운 지방은 좋은 곳이 아니다."[322]라고 하였다. 우리나라에서 감수(監收)하는 시설을 남해도(南海島)에 둔 것은 마땅한 곳이 아니니, 서북의 광활한 지역으로 옮겨 놓아야 한다.

---

318 정론(政論) : 최식이 지은 책으로, 《수서(隋書)》와 《구당서(舊唐書)》에 5권으로 기록되어 있고, 《신당서(新唐書)》에는 6권으로 기록되어 있다. 책마다 《정론(政論)》 혹은 《정론(正論)》, 혹은 《본론(本論)》으로 되어 있기도 한데, 모두 같은 책이다.

319 조과가……아니다 : 趙過始爲牛耕, 見賈勰《齊民要術》, 《宋祁筆記》亦引此說, 以證王弼之誤. 然《山海經》"后稷之孫叔均, 是始作犂", 註"用牛耕也". 犂, 《說文》作 "犁", 注"耕也", 又犨"兩壁耕也, 一曰覆耕種也", 二字皆從牛, 是耕之用牛, 自叔均始, 其來已古. 故冉耕以伯牛爲字, 義更灼然易見. 崔寔《政論》云: "漢武帝時, 趙過爲搜粟都尉, 教民耕植, 其法三犂共一牛, 一人將之, 種挽摟, 皆取備焉." 然則過特于牛耕之中, 又變通古法而利其用, 非謂自過創始.(《澗泉日記》 卷中 注)

320 이심전(李心傳) : 1166~1243. 자는 미지(微之)이고 융주(隆州) 정연(井研 지금의 사천성) 사람이다. 경원(慶元) 원년(1195) 향시(鄉試)에서 낙방한 뒤 과거를 포기하고 저서에 힘썼다. 공부 시랑(工部侍郎) 등을 지냈다. 저서로는 《시문(詩文)》 100권, 《고종격년록(高宗擊年錄)》 200권, 《학역편(學易編)》 5권, 《송시훈(誦詩訓)》 5권, 《춘추고(春秋考)》 13권, 《예변(禮辨)》 23권, 《독사고(讀史考)》 12권, 《구문증오(舊聞證誤)》 15권, 《조야잡기》 40권 등이 있다.

321 조야잡기(朝野雜記) : 《건염이래조야잡기(建炎以來朝野雜記)》 또는 《건염잡기(建炎雜記)》라고도 한다. 이심전이 저술한 책으로, 송대의 저명한 사학 저술이다. 갑집(甲集)과 을집(乙集)으로 나뉘어 있고, 각각 20권이다. 특히 당대의 역사적 사실과 전장제도 등이 자세히 기록되어 있다.

322 말은……아니다 : 馬喜高寒, 非炎方所利.(《建炎雜記》 甲集 卷18 〈廣馬〉)

서한의 성대한 목축

《서경잡기(西京雜記)》에 현도(玄菟)[323] 사람 조원리(曺元理)[324]가 그의 친구 진광한(陳廣漢)의 축산을 계산한 일을 기록하여 말하기를 "천 마리의 소가 2백 마리의 송아지를 낳고, 만 마리의 닭이 5만 마리의 병아리를 낳을 것이다."[325]라고 하였다. 서한의 부잣집에서 가축을 기르는 성대함이 이 정도였다.

323 현도(玄菟) : 본래 옥저(沃沮)의 구지(舊地)로 지금의 함경남도 지역에 있었다. '菟'는 지명에는 '도'로, 토사(菟絲)와 같은 약 이름에는 '토'로 발음한다. 한 소제(漢昭帝) 시원(始元) 5년(기원전 82)에 현도를 북쪽으로 옮기고 그 땅을 낙랑에 속하게 하면서 지명도 바뀌었다. 역사적으로 '현도'라고 하는 지역은 모두 세 곳이 있다. 첫째는 옥저의 옛 땅(지금의 함흥)으로 동현도(東玄菟)이다. 둘째는 고구려의 고현(古縣)으로 북현도(北玄菟)이다. 셋째는 요하(遼河) 동안(東岸)에 있었던 서현도(西玄菟)이다. 한 안제(漢安帝) 이후 사서(史書)에서 말하는 현도는 모두 서현도를 가리키며 진(陳)·수(隋) 교체기에 고구려에 의해 병합되었다.

324 조원리(曺元理) : 생몰년은 미상이다. 한(漢)나라 성제(成帝) 때 사람으로 산술(算術)에 밝았다.

325 천 마리의……것이다 : 千牛産二百犢, 萬鷄將五萬雛.(《西京雜記》 卷4)

만약 폐해를 없앨 방법을 공모하여 재화를
생산하는 방법으로 삼는다면 금, 은, 동, 납은
베풀어 개설하지 않을 이유가 없다. 재정이 텅 비고
고갈되었을 때 마땅히 힘써야 하는 요체로 이보다
더 중대한 것은 없다.

금화경독기 金華耕讀記

권 7

유연묵油煙墨

예로부터 먹을 만들 때는 순전히 소나무를 태운 그을음[松煤]만 썼다. 송·원나라 이후로 간혹 기름을 태운 그을음[油煙]을 쓰기는 했지만 이 역시 매우 드물었다. 송나라 조언위(趙彥衛)[1]의 《운록만초(雲麓漫抄)》[2]에 이런 내용이 있다.

"구양계묵(歐陽季默)[3]이 유연묵 두 개를 소동파에게 보냈는데, 소동파가 시로써 사례하였다. 그 시에,

서창에서 가벼운 그을음을 모으니	書窓拾輕煤
불장(佛帳)에 남은 향기 사라지네.	佛帳掃餘馥
괴롭게 천 날 밤을 밝히더니	辛勤破千夜
이걸 거두어 한 마디 옥 만들었네.	收此一寸玉

---

1 조언위(趙彥衛) : 생몰년은 미상이다. 중국 송나라 때의 인물. 자는 경안(景安), 준의(浚儀, 지금의 하남성 개봉시) 사람이다. 위왕(魏王) 조정미(趙廷美)의 7세손이다. 소희(紹熙) 연간(1190~1194)에 오정현(烏程縣)을 잘 다스려 명성이 있었고, 휘주 통판(徽州通判), 신안 군수(新安郡守) 등을 지냈다. 저서에 《운록만초》 15권이 있다.

2 운록만초(雲麓漫抄) : 송나라 조언위(趙彥衛)가 지었다. 모두 15권이다. 책 내용은 송나라 시기의 잡다한 일들을 기록한 내용이 3분의 1이고, 나머지는 명물(名物)을 고증한 내용이다. 특히 당나라 과거제도의 명목(名目)과 송나라에서 금나라에 사신(使臣)을 보내고 맞을 때 들었던 경비(經費) 등의 내용은 모두 역사서에서는 자세하게 기록되지 않은 것들이다.

3 구양계묵(歐陽季默) : 1049~1102. 중국 송나라 때의 문인 구양수(歐陽脩)의 넷째 아들 구양변(歐陽辯)을 가리킨다. 계묵은 그의 자이다. 관직은 승의랑(承議郞)·보덕소감단주하북주세(寶德所監澶州河北酒稅)에 이르렀다.

라고 하였으니[4], 대개 이것은 등불의 그을음을 쓸어 모아 만든 것이다. 근래에는 묵공(墨工)들이 나무 구유에 물을 채우고 중간에 거친 주발을 놓고서 오동나무 기름을 태우고 위에 다시 주발 하나로 덮어, 전인(專人)이 그을음을 쓸어 모아 우교(牛膠)를 섞어서 주물러 먹을 만든다. 그 방법이 매우 좋으니, 이것을 유연묵(油煙墨)이라고 한다. 간혹 너무 단단하다 싶으면 송연(松煙)을 조금 섞어 조절하고, 간혹 옻기름에서 그을음을 같이 취하면 더욱 좋다."[5]

우리나라에서 먹을 만들 때는 순전히 들기름을 태운 그을음[荏油煙]만 쓴다. 간혹 소나무를 태운 그을음을 쓴 것은 색이 나빠 쓸 수가 없다. 다만 조언위가 말한 너무 단단하다는 문제점은 우리나라 먹이 더욱 심하니, 소나무를 태운 그을음을 조금 넣어주어야 한다.

우리나라의 종이

중국 사람들은 우리나라 종이를 가장 귀하게 여겼다. 주밀(周密)[6]의 〈사릉서화기(思陵書畵記)〉를 본 적이 있는데, 거기에 소흥현(紹興縣) 내부에 소장된 법첩과 명화를 표구(表具)하는 제도에 모두 품등을 두어 상등의 양

---

4 그 시에……하였으니 : 이 시는 《동파전집(東坡全集)》 권19에 〈구양계묵이 길이가 각각 한 마디쯤 되는 유연묵 두 자루를 선물했기에 장난으로 지은 율시[歐陽季默以油煙墨二丸見餉 各長寸許 戲作小詩]〉라는 제목으로 실려 있다. 원문은 다음과 같다. "書窗拾輕煤, 佛帳掃餘馥. 辛勤破千夜, 收此一寸玉. 癡人畏老死, 腐朽同草木. 欲將東山松, 涅盡南山竹. 墨堅人苦脆, 未用歎不足. 且當注蟲魚, 莫草三千牘."

5 구양계묵(歐陽季默)이……좋다 : "歐陽季默以油烟墨二遺坡, 謝以詩有云: '書牕拾輕煤, 佛帳掃餘馥. 辛勤破千夜, 收此一寸玉.' 蓋是埽燈煙爲之. 邇來墨工以水槽盛水, 中列粗碗, 然以桐油, 上複覆以一碗, 專人埽煤, 和以牛膠, 揉成之, 其法甚快便, 謂之油煙. 或訝其太堅, 少以松節或漆油同取煤, 甚佳. (趙彦衛, 《雲麓漫抄》 卷10)

6 주밀(周密) : 1232~1298. 중국 송나라 때의 문신으로, 자는 공근(公瑾), 호는 초창(草窓)이다. 젊어서부터 주도면밀하고, 필력이 있었다. 45세 때 원군(元軍)이 임안(臨安)을 격파하였는데, 마침 절강 의오(義烏) 현령이었다. 그 일로 인해 벼슬을 그만두고 집으로 돌아와 은거하였다. 은거하는 중에 송나라의 문헌자료를 수집하여 사집(詞集) 《절묘호사(絕妙好詞)》를 편집하고, 《제동야어(齊東野語)》·《무림구사(武林舊事)》·《계신잡지(癸辛雜識)》 등을 저술하였다.

한(兩漢)·삼국(三國)·이왕(二王)·육조(六朝)·수(隋)·당(唐) 군신들의 진적(眞跡)과 상·중·하등의 당나라 사람의 진적은 모두 고려지(高麗紙)[7]를 써서 배접(褙接)하고, 차등 이하는 견지(繭紙)[8]를 써서 배접하거나, 해광지(楷光紙)[9]를 써서 배접한다고 하였다.[10] 송나라 사람들이 고려지를 귀중하게 다뤄 천하제일로 여긴 것을 여기에서 알 수 있다. 그러나 우리나라 종이의 품질은 실제로 매우 거칠고 보잘 것 없다. 호남의 전주(全州)와 남원(南原)에서 생산되는 것은 평소에 나라 안에서 제일이라고 하지만 또한 까칠하고 딱딱하며 거친 문제점이 있다. 이 종이로 도서를 찍어내면 책이 너무 무겁고, 이 종이로 서화를 배접하면 뻣뻣하고 억세서 말거나 펴기에 불편하다. 더구나 흡지(歙紙)나 촉견(蜀繭)[11]은 논할 것도 없고, 일본 종이의 품질

7 고려지(高麗紙) : 고려지는 송나라에서 비단 종이[繭紙]라 여겨져 최고의 종이로 평가받았다. 그래서 종이는 고려의 주요 수출품이었고, 《고려사》에는 종이 생산을 위해 인종 23년(1145)에서 명종 16년(1186)에 걸쳐 전국에 닥나무를 재배할 것을 명했다는 기록이 있다. 송나라 진원룡(陳元龍, 1652~1736)은 《격치경원(格致鏡原)》에서 고려지의 우수성에 대해 이렇게 이야기하였다. "고려지는 금견(錦繭)을 가지고 만드는데, 종이의 색깔이 하얗기가 명주[綾]와 같고, 질기기가 비단[帛]과 같아서, 여기에다 글씨를 쓰면 먹이 진하게 배어 아주 좋다. 이것은 중국에는 없는 것으로, 역시 기이한 물품이다.[高麗紙以綿繭造成, 色白如綾, 堅韌如帛, 用以寫字作書發墨可愛. 此中國所無, 亦奇品也.]"(《格致鏡原》 卷37) 비단처럼 얇고 윤기가 나는 데다 먹이 스며드는 정도가 적당하여 글씨는 물론 그림을 그리기에 좋았다는 말이다. 고려지는 내구성도 뛰어나 200년이 채 못 되어도 손으로 만지면 부스러지는 서양의 고서들과 달리 고려지를 이용한 동양의 고서는 1000년이 지나도 유지가 된다. 전문가들에 의하면 1000년 세월을 견디는 종이는 세계에서 고려지뿐이라고 한다.

8 견지(繭紙) : 중국의 온주(溫州)에서 나오는 유명한 종이로, 주로 책의 표지를 만드는 데에 사용되었다. 《지봉유설(芝峯類說)》 권19 〈기용(器用)〉에 "패사에 '온주의 견지는 깨끗하고 희며 질기고 매끄러워서 고려지와 유사하다.'라고 하였다. 또 '고려에서는 해마다 만지(蠻紙)를 바치는데, 책을 만들 때 츤을 만드는 용도로 많이 썼다.'라고 하였다. 대개 츤은 곧 책을 장정하는 것으로서, 그 종이의 품질이 질기고 두껍기 때문이다.[稗史云溫州繭紙, 潔白堅滑, 類高麗紙. 又云高麗歲貢蠻紙, 書卷多用爲襯. 蓋襯乃粧貼, 以其紙品堅厚故也.]"라고 하였다.

9 해광지(楷光紙) : 중국 해광 지역에서 생산되는 종이로 추측이 가능하나 자세하지 않다.

10 사릉서화기(思陵書畵記)……하였다 : 서유구가 《설부(說郛)》 권88의 〈사릉서화기〉에 있는 내용을 읽고 요약한 내용이다. 〈사릉서화기〉의 본문은 모두 10쪽 정도이다.

11 흡지(歙紙)나 촉견(蜀繭) : 흡지(歙紙)는 지금의 안휘성 황산시인 흡주에서 생산되는 종이이다. 촉견(蜀繭)은 잠견지(蠶繭紙)를 말하는 듯한데 자세하지 않다. 잠견지와 관련하여 《성호사설(星湖僿說)》 권4 〈만물문(萬物門)〉에 다음과 같은 내용이 있다. "예전부터 전해 오기를, '왕희지(王羲之)는 잠견지와 서수필(鼠鬚筆)로 난정첩(蘭亭帖) 서문을 썼다.'라고 한다. 송나라 조희곡(趙希鵠)이 지은 《동천청록(洞天淸錄)》에 '고려지(高麗紙)란 것은 면견(綿繭)으로 만들었는데, 빛은 비단처럼 희고 질기기는 명주와 같아서 먹을 잘 받으니 사랑할 만하며, 이는 중국에 없는 것이니 역시 기품(奇品)이다.'라고 하였다. 면견은 즉 잠견(蠶繭)이다. 난정첩을 썼다는 것도 혹 이 고려지를 가리킨 듯하다. [古傳, 王羲之用蠶繭紙鼠鬚筆, 書蘭亭詩序. 余考宋趙希鵠《洞天淸錄》云'高麗紙者, 以綿繭造成, 色

과 비교해도 무부(碔砆)[12]를 좋은 옥과 비교하는 경우와 다를 바 없으니, 어찌 지금의 장인이 만드는 것이 옛날보다 못해서겠는가? 아니면 중국 사람들이 고려지를 귀하게 여긴 것이 단지 외국에서 생산된 것이라서 귀하게 여겼던 것인가?

측리지側理紙

지금 호남의 전주와 남원 등지에서 물이끼[水苔]로 종이를 만들고 '태지(苔紙)'라고 부르는데, 곧 옛날의 측리지[13]이다. 육우인(陸友仁)[14]의 《연북잡지(研北雜志)》[15]에 "진무제가 장화(張華)[16]에게 측리지 만 번(番)[17]을 하사하였으니, 남월(南越)[18]에서 바친 것이다. 남월 사람들이 김[海苔]으로 종이를 만들었는데, 그 무늬가 가로, 세로, 대각선으로 제멋대로 나 있으니, 그로 인해 이런 이름을 지은 것이다."라고 하고, 또 "척리는 곧 물이끼니, 한인(漢人)들이 '척리(陟釐)'를 말하면서 '측리(側理)'와 서로 헷갈린 것이다."[19]라

白如綾, 堅韌如帛, 發墨可愛, 此中國所無, 亦奇品也. 綿繭, 即蠶繭也. 蘭亭帖所書者, 或指此物也.]"

12 무부(碔砆) : 옥과 비슷한 아름다운 돌의 한 가지이다.

13 측리지 : 해태(海苔)와 같은 식물을 섞어 종이를 만들기 때문에 가로무늬가 나 있으므로 측리지(側理紙)라고 불렀다.

14 육우인(陸友仁) : 생몰년은 미상이다. 중국 원나라 때의 사람 육우(陸友)를 가리킨다. 우인은 그의 자이다. 자호(自號)는 연북생(研北生), 오(吳, 지금의 강소성 소주(蘇州)) 사람이다. 박식하며 옛 것을 좋아하였고, 진(晉)·당(唐)의 법첩과 명화에 조예가 깊었다. 글씨를 잘 썼으며, 특히 한나라의 예서에 뛰어났다. 저서로 《연사(研史)》·《묵사(墨史)》·《인사(印史)》·《연북잡지》 등이 있다.

15 연북잡지(研北雜志) : 1334년 육우가 편찬하였다. 수록한 내용은 모두 일문(逸文)과 자잘한 일들이다. 그는 작품을 감별하고 감상하는 것에 꽤 정통하였으며, 전서와 예서도 잘 썼기 때문에 서화(書畫)와 고기(古器)에 관한 것이 많으며, 그중에 역사 고증한 것도 꽤 있다. 총 상, 하 2권이다.

16 장화(張華) : 232~300. 서진(西晉)의 대신으로 자(字)는 무선(茂先)이다. 중서령(中書令)·산기상시(散騎常侍) 등을 지냈고 오를 토벌할 때는 탁지상서(度支尙書)를 맡았다. 어진 선비를 추천하여 선정(善政)으로 명성이 높았다. 후에 조왕(趙王) 사마륜(司馬倫)의 손에 죽었다. 박학다식하였으며 저서로는 《박물지(博物志)》가 있다. (《晉書》 卷36 張華列傳)

17 번(番) : 종이를 세는 단위. 《연북잡지》 권상(上)에 "古人數紙以番"이라는 내용이 보인다.

18 남월(南越) : 진(秦)말에서 한(漢) 초에 걸쳐 광동(廣東)·광서(廣西) 및 베트남 지역에 독립했던 국가이다.

19 진무제가……것이다 : 陟釐乃水苔, 今取以爲紙名苔紙. 晉武帝賜張華側理(古人數紙以番)紙万番, 南越所獻也. 漢人言陟俚與側理相亂. 南人以海苔為紙, 其理縱橫斜側, 因以爲名焉.(陸友仁, 《研北雜

고 하였다. 이것으로 미루어 보면 지금의 태지(苔紙) 또한 척리지(陟釐紙)라고 부를 수 있을 것이다.

안경[靉靆]

안경은 옛날에는 없었다. 명나라 때 서양으로부터 들어와[20] 과도하게 기이한 보물로 여겨져서 가치가 좋은 말 한 필 값이나 되었다. 지금은 거의 천하에 두루 퍼져서 세 가구 사는 작은 마을에 토원책자(兎園册子)[21]를 끼고 있는 사람까지도 안경을 쓰지 않은 이가 없다. 여름철에는 수정으로 만든 것이 쓰기 알맞고, 겨울철에는 유리로 만든 것이 쓰기 알맞다. 수정은 겨울철에는 냉기가 눈에 어려 쓸 수가 없다. 일본에서 만든 것도 종종 좋은 제품이 있다. 우리나라의 경주에서도 오수정(烏水晶)이 나오는데, 안

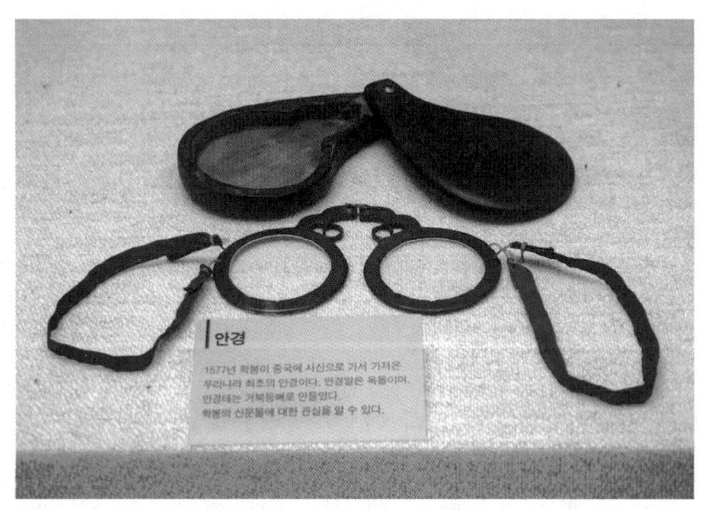

학봉 안경(네이버블로그 이평신님 제공)

志》卷上)

20 명나라……들어와 : 우리나라 최초의 안경은 1577년 학봉(鶴峯) 김성일(金誠一, 1538~1593)이 중국에 사신으로 가서 가져온 것으로 보고 있다. 안경알은 옥돌이며, 안경테는 거북등뼈로 만들었다.

21 토원책자(兎園册子) : 비속한 책, 또는 자신의 저서를 겸손하게 이르는 말이다. 여기에서는 비속한 책의 뜻으로 보는 것이 옳을 듯하다.

경을 만들 만하다. 그러나 연마하고 꾸며서 만드는 기술이 중국과 일본만큼 좋지는 않다.

나판[懶版]

《양계만지(梁谿漫志)》[22]에 소동파의 나판(懶版)[23]이 기록되어 있는데, 다만 가로 세로가 석 자이고 눕히거나 세워서 등을 기대는 것[24]이라고만 하고 그 만드는 방법에 대해 상세히 말하지는 않았다. 요컨대 응당 지금의 와상(臥床) 만드는 방법과 같을 것인데, 짧고 작으며 반듯하고 후면에 기댈 수 있는 등받이를 만들었으니, 등을 조금 기대어 휴식하며 재계할 수 있게 한 것이다. 책 곁에 한 자리를 두어, 매번 책상을 마주하고 글을 지은 나머지 정신이 피곤하면 그때마다 눈을 감고 기대어 정신을 함양할 수 있다.

접첩선摺疊扇

《현혁편(賢奕編)》[25]에 이런 내용이 있다.

"접첩선(摺疊扇, 쥘부채)은 일명 살선(撒扇)이다. 보관할 때는 차곡차곡 접

---

22 양계만지(梁谿漫志) : 전체 10권이다. 송나라 비곤(費袞)이 지었다. 비곤의 자는 보지(補之)이고, 무석(無錫) 사람이다. 《송사(宋史)》에도 그의 전(傳)이 없어 자세한 인적사항은 알 수 없다. 책 제목의 양계(梁谿)는 강소성(江蘇省) 무석현(無錫懸) 서남쪽에 있는 지명(地名)이다. 구성은 1권에서 3권 첫머리까지는 송대 조정 전고(朝廷典故), 3권에서 4권까지는 소식과 관련된 일화, 5권에서 9권까지는 역사고증, 10권은 이상하고 괴이한 것과 관련된 내용이다.

23 나판(懶版) : 《양계만지》에는 난판(孄版)으로 되어 있다.

24 소동파의……것 : 《양계만지》 권4 〈동파 난판(東坡孄版)〉의 원문은 다음과 같다. "東坡北歸至儀眞, 得暑疾, 止於毗陵顧塘橋孫氏之館. 氣寖上逆, 不能臥. 時晉陵邑大佚陸元光獲侍疾臥內, 輟所禦孄版以獻. 縱橫三尺, 偃植以受背. 公殊以為便, 竟據是版而終. 後陸君之子以屬蒼梧胡德輝為之銘曰: 參沒易簀, 由殰結纓, 斃而得正, 匪死實生. 堂堂東坡, 斯文棟樑, 以正就木, 猶不忍僵. 昔我邑長, 君先大佚, 侍聞夢奠, 啓手舉扶. 木君戚施, 匪屛匪幾, 詒萬子孫, 無曰不祥之器."

25 현혁편(賢奕編) : 명대(明代)의 문학가 유원경(劉元卿, 1544~1609)이 총 333개의 역대 단편고사를 〈경유록(警喩錄)〉, 〈응해록(應諧錄)〉, 〈관물록(觀物錄)〉 등 16부류로 나누어 담은 필기고사집이다. 고사는 대부분 고대의 저서에서 소재를 따왔고, 당시에 전하던 이야기나 작자 유원경이 직접 창작한 것들도 있다.

고, 쓸 때는 펼친다. 영락(永樂) 연간(1403~1424)에 사용하기 시작하여 조선에서 공물로 진상되었는데, 상이 접첩선이 접고 펴기에 편리한 것을 기뻐하여 부채 만드는 장인에게 똑같은 형식으로 만들도록 명하였다."[26]

소동파(1037~1101)의 시 중에 〈고려송선(高麗松扇)〉[27]이 있으니, 《현혁편》에서 접첩선의 제도가 영락 연간에 시작되었다고 한 것은 망언이다.

그 제도는 일본에서 시작되었으니, 요컨대 가볍고 작아 소매에 넣고 다니기에 편리한 점을 우수하게 여긴 것이다. 지금 영·호남에서 만든 것은 길고 넓은 것을 힘써 추구한다. 길이가 거의 한 자 하고도 오륙 촌이고, 펼치면 너비가 두 자를 넘는다. 부챗살을 많이 써서 종이처럼 얇게 깎지 않을 수 없으니, 전혀 바람이 일지 않고 또한 오래 버티지도 못한다. 부호나 신분이 높은 사람들은 한 달에 한 번 부채를 바꾸고, 농부와 마의(馬醫) 같이 천한 사람도 반드시 일 년에 한 번은 부채를 바꾸니, 영·호남 영(營)과 읍의 한 해 세비(歲費) 수백만 전을 부채를 깎고 만드는 데 써버렸다. 조정의 고관들은 아름다운 옛 동남죽전(東南竹箭)[28]이 날로 더

종려선(棕櫚扇)

26 접첩선(摺疊扇)은……명하였다 : 摺疊扇. 劉元卿《賢奕編》, 摺疊扇一名撒扇, 蓋收則摺疊, 用則撒開. 或寫作翣者非是翣, 即團扇可以遮面故, 又謂之便面觀, 前人題詠及圖畫中可見矣. 聞撒扇, 始於永樂中, 因朝鮮國進撒扇, 上喜其卷舒之便, 命工如式為之.(《格致鏡原》 卷58)

27 고려송선(高麗松扇) : 원제는 〈화장뢰고려송선(和張耒高麗松扇)〉이다. 《동파집(東坡集)》 권16에 보인다. 전문은 다음과 같다.
"可憐堂堂十八公, 老死不入明光宮, 萬牛不來難自獻, 裁作團團手中扇, 屈身蒙垢君一洗, 挂名君家詩集裏, 猶勝漢宮悲婕妤, 網蟲不見乘鸞子."

28 동남죽전(東南竹箭) : 《이아(爾雅)》 〈석지(釋志)〉 제9의 구부(九府) 조에 "동남쪽의 아름다운 것으로는 회계(會稽)의 죽전이 있다.[東南之美者, 有會稽之竹箭焉]"라고 하였다.

쥘부채(국립민속박물관)

욱 없어지는 것을 알면서도 절제할 줄을 모르니, 진실로 올바른 생각이 아니다. 중앙에서는 모두 중국에서 만든 종려선(棕櫚扇)[29]을 쓰고, 그 외에는 일본에서 만든 이금화(泥金畫) 부채[30]를 쓰는 것이 마땅하다. 중국과 일본의 부채는 비록 짧고 작으나 살이 매우 단단하고 억세며, 또 양면에 종이를 붙여 바람이 아주 잘 일어난다.

단선團扇

전에 어느 중국 역관이 가지고 온 단선(團扇, 둥글부채)을 본 적이 있다. 종려나무 잎으로 부채의 면을 만들고 종려나무 가지로 부채 자루를 만들었는데 제작 방식이 매우 정밀하고 아름다웠으며 시원하게 바람도 잘 일었다. 종려나무 잎으로 부채를 만든 것은 그 유래가 오래되었다. 《진양추(晉陽秋)》[31]

---

29 종려선(棕櫚扇) : 야자나뭇과의 상록 교목인 종려나무의 잎으로 만든 부채이다.

30 이금화(泥金畵) 부채 : 금분을 아교에 섞어 안료로 사용하는 것을 가리켜 이금(泥金)이라고 하는데, 이 이금을 이용해 그림을 그려 넣은 부채를 말한다.

31 진양추(晉陽秋) : 중국 동진(東晉) 때의 관인 유익(庾翼, 305~345)이 편찬한 책으로, 1권 1책이며 사서의 지(志)에는 실려 있지 않다. 서진·동진 때의 역사적 사건들을 수록하였다. 일실된 지 오래이나, 집일본이 《설부(說郛)》, 《황씨일서고(黃氏逸書考)》 등에 전한다.

사태부(謝太傅)[32] 조에 이런 내용이 있다. "고을 사람 중에 중숙현을 떠나려는 자가 사안(謝安)을 찾아왔다. 사안이 돌아갈 노자가 있는지 그에게 묻자 '오직 오만 자루의 포규선(蒲葵扇) 뿐입니다.'라고 대답하였다. 사안이 그 부채 중에 하나를 가져다 들자 부채 값이 여러 배로 뛰었다."[33] 포규(蒲葵)는 곧 종려나무의 또 다른 이름이다.

염정鹽井

우리나라는 삼면이 바다로 둘러싸여 온 나라 사람들이 모두 해염(海鹽)을 먹기 때문에 택염(澤鹽)[34]이나 정염(井鹽)[35]처럼 다른 종류의 소금은 전혀 알지 못하였다. 호남 무장현 서쪽 35리 지역에 있는 검당포가[邊]의 두 마을에 물빛이 희고 짠 우물이 있는데, 지역민들은 썰물이 빠지기를 기다렸다가 다투어 두레박으로 물을 길어다 끓여서 소금을 만든다. 그리하면 햇볕에 쬐는 수고를 들이지 않고도 많은 이익을 거두니 이것을 염정(鹽井)이라고 한다.

석탄

석탄은 육조(六朝)시대 때부터 이미 있었다. 《수경(水經)》[36] 〈위토기(魏土

---

32 사태부(謝太傅) : 중국 동진 때의 정치가인 사안(謝安, 320~385)을 가리킨다. 자는 안석(安石), 호는 동산(東山), 절강성 소흥(紹興) 사람이다. 세간에 사태부, 사안석(謝安石), 사상(謝相) 등으로 불렸다.

33 고을……뛰었다 : 서유구가 인용한 원문은 《진양추》가 일실된 관계로 《진서(晉書)》에서 확인하였다. "鄉人有罷中宿縣者還, 詣安, 安問其歸資, 答曰: 有蒲葵扇五萬. 安乃取其中者捉之, 京師士庶競市, 價增數倍."(《晉書》 卷79 列傳 第49)

34 택염(澤鹽) : 호수에서 생산하는 소금이다.

35 정염(井鹽) : 우물에서 생산하는 소금이다. 우리 조상들은 고조선시대부터 소금을 사용했다. 고조선에는 지금의 랴오허(遼河)강 서쪽 상류에 염수(鹽水)라는 소금강이 있었다. 이곳 소금우물(井鹽)에서 퍼 올린 소금물을 이용해 소금을 생산했다

36 수경(水經) : 중국 하천(河川)의 수로(水路)를 서술한 책이다. 모두 40권으로 저자는 미상이다. 일설에는 한(漢)의 상흠(桑欽)이 지었다고 하고 혹은 진(晉)의 곽박(郭璞)이 지었다고 하는 것을 북위(北魏) 때의 역도원(酈道元)이 주석한 《수경주》가 있어 전해 온다.(《사고제요(四庫提要)》 사부(史部) 지리류(地理類))

記)〉에 "지거(枝渠)의 동남쪽 화산에서 석탄이 나오는데 불의 열기가 초탄(樵炭)과 같다."라고 한 것이 이것이다.[37] 송나라 때에는 하북, 하동, 산동, 섬서, 변경(汴京)에서 석탄이 나왔고, 소식(蘇軾)이 제주(除州)에서 쓴 〈석탄시(石炭詩)〉[38]도 있다. 지금은 연경(燕京)과 소주(蘇州)에서 석탄이 더욱 성행하여 초탄은 거의 사라졌다. 우리나라는 관북, 관서 지역에서 모두 석탄이 나온다. 내가 일찍이 석탄 몇 개를 구했는데, 색이 검고 재질이 무르며, 열기가 불을 붙이면 하루나 이틀 정도 지낼 수 있을 정도이니, 만일 쓰임새를 넓힐 수 있다면 이용후생의 한 가지 방법이 될 것이다.

석회목石灰木

판서 박기수(朴綺壽)[39]가 정유년(1837)에 상개(上价)[40]로 중국에 갔다. 그때 중국 선비 섭동경(葉東卿)[41]이 나무로 만든 화로를 주었는데 석탄을 많이 태워도 타지 않았다. 이것이 바로 옛사람들이 말한 재가 생기지 않는 나무로 그 이름이 무엇인지는 알지 못하였다. 근래에 도종의(陶宗儀)의 《철경

---

37 수경(水經)……이것이다 : 서유구가 인용한 이 글은 《의각료잡기(猗覺寮雜記)》에 그대로 실려 있다. 아마도 이곳에서 인용한 것을 그대로 쓴 듯하다. 원문은 다음과 같다. "水經魏土記, 枝渠東南火山出, 石炭火之熱同樵炭, 則石炭六朝時已有."(朱翌, 《猗覺寮雜記》 卷上)

38 석탄시(石炭詩) : 《동파전집(東坡全集)》 권10에 〈전국박견시석탄시유주검참녕신지구차운답지(田國博見示石炭詩有鑄劍斬佞臣之句次韻答之)〉라는 제목으로 실려 있다. 전문은 다음과 같다. "楚山鐵炭皆奇物, 知君欲斫姦邪窟. 屬鏤無眼不識人, 楚國何曾斬無極. 玉川狂直古遺民, 救月裁詩語最真. 千里妖蟇一寸鐵, 地上空愁蟣蝨臣."

39 박기수(朴綺壽) : 1774~1845. 조선 후기의 문신으로, 본관은 반남(潘南), 자는 미호(眉皓), 호는 이탄재(履坦齋), 시호는 효문(孝文)이다. 1795년(정조 19) 진사가 되고, 1806년(순조 6) 별시문과 을과에 급제한 뒤 여러 청환직(淸宦職)을 지낸 후 대사헌을 거쳐 이조 판서에 올랐다. 1837년(헌종 3) 동지사(冬至使)로 청나라에 다녀왔으며 1841년에 중추부지사(中樞府知事)·의금부판사(義禁府判事), 다음해에 규장각제학(奎章閣提學)·경연지사(經筵知事) 등을 역임하였다.

40 상개(上价) : 사신(使臣)의 정사(正使), 수석(首席). 상사(上使)를 말한다.

41 섭동경(葉東卿) : 1779~1863. 중국 청나라 때의 학자 섭지선(葉志詵)을 가리킨다. 동경은 그의 자이다. 호북성 한양(漢陽) 사람이다. 가경(嘉慶) 9년(1804) 한림원에 들어가 국자감전적이 되었다가 병부무선사낭중(兵部武選司郎中)을 지냈다. 학문이 깊고 넓었으며, 금석문, 서화, 서법(書法) 등에 뛰어났다.

록(輟耕錄)》[42]을 보니, "회흘(回紇)[43]의 야마천(野馬川)에 쇄쇄(鎖鎖)라는 나무가 있는데, 태우면 그 불이 1년이 지나도 꺼지지 않고, 또 재도 생기지 않는다. 그곳의 부녀들이 뿌리를 가져다가 모자를 만드니, 불에 넣어도 타지 않는다."[44]라고 하였다. 아마도 이 화로 역시 쇄쇄목으로 만든 듯하다.

전나무와 회나무

혹자들은 지금 세속에서 말하는 노송이 바로 전나무[樅]라고 하는데, 이는 잘못이다. 《이아(爾雅)》[45]에, "소나무 잎에 측백나무 몸통인 것을 전나무라고 한다."라고 하였다. 지금의 노송은 잎이 측백나무와 비슷하지만 뾰족하고 단단하여 소나무와는 모양이 전혀 비슷하지 않으니, 분명 전나무가 아니다. 《문선(文選)》[46]의 주(註)에, 노련자(魯連子)[47]의 말을 인용하

---

42 철경록(輟耕錄) : 명(明)나라 도종의(陶宗儀, ?~1369)가 1366년에 완성한 책으로 총 30권이다. 내용은 원대(元代)의 법령제도(法令制度) 및 원나라 지정(至正) 말엽에 있었던 병란(兵亂) 사실, 항간에서 일어난 속된 일, 보고 들은 잡설 등을 수록하였다. 서화 문예의 고정(考訂) 따위에서 주목할 만한 것이 많아 원나라의 사회·법제·경제·문학·예술 따위의 연구 사료(史料)로서 가치가 높이 평가된다.

43 회흘(回紇) : 중국 수나라 때 '위구르'를 이르던 이름이다.

44 회흘(回紇)의……않는다 : 回紇野馬川有木, 日鎖鎖, 燒之, 其火經年不滅, 且不作灰. 彼處女取根製帽, 入火不焚, 如火鼠布云.(陶宗儀, 《輟耕錄》 卷23)

45 이아(爾雅) : 한(漢)나라 초에 있었던 자서(字書)이다. 천문·지리·초목에 이르기까지 설명이 되어 있다. 《이아》의 소(疏)에 따르면 이아의 석고(釋詁) 1편을 주공이 저술하고, 이후의 것은 공자·자하·숙손통(叔孫通)·양문(梁文) 등이 첨가한 것이라 하였으나 정확하지는 않고 실제는 한나라 때 저술된 일종의 백과사전이라 할 수 있다. 진나라의 곽박(郭璞)이 주를 저술하고 송나라의 형병(邢昺)이 소를 저술하였는데 이것을 경문과 합하여 보통 13경 중의 하나가 되는 《이아》라 하였다. 《이아》의 이는 가깝다는 뜻이고 아는 바르다는 뜻으로 가까운 곳에서 정확한 의미를 찾는다는 뜻이다.

46 문선(文選) : 중국 양(梁)나라의 소통(蕭統: 昭明太子)이 진(秦)·한(漢)나라 이후 제(齊)·양나라의 대표적인 시문을 모아 엮은 책이다. 편차(編次)는 문체별로 부(賦)·시(詩)·소(騷)·조(詔)·책(策)·표(表)·서(序)·논(論)·제문(祭文) 등 39종으로 나누었다. 시는 443수이고, 부(賦)·소(騷)에서 제문까지의 작품 317편을 수록하였는데, 그중 부가 가장 많다. 이선(李善)이 주(註)한 문선이 가장 유명하다.

47 노련자(魯連子) : 노중련(魯仲連, 305~245)이다. 본관은 강화(江華)이고 전국시대 제(齊)나라의 높은 절의(節義)를 가진 은사(隱士)의 한 사람이다. 그는 무도(無道)한 진(秦)나라가 천하를 차지한다면 "나는 동해로 걸어 들어가 죽겠다[連有踏東海而死耳]."라고 맹세하여 그 절의를 높인 바 있다.

여 "동방에 소나무와 전나무가 있는데 높이가 천 길[丈]이고 가지가 없다." 라고 하였으니, 대개 종(樅)을 전나무라고 하는 것은 성글고 곧게 높이 솟았기 때문이다. 지금의 노송은 대체로 가지가 많고 높이가 세 길이나 다섯 길인 것이 적으니 전나무가 아님이 분명하다. 《한서》〈곽광전(霍光傳)〉에, "전나무로 만든 외장곽(外藏槨) 15개"[48]라는 문구가 있고, 곽박(郭璞)의 《이아》 주(注)에, "지금 태묘의 대들보에 사용하는 재목으로 전나무를 썼다."[49]라고 하였으니, 전나무는 정말 키가 크고 몸통이 굵어서 대들보와 관곽(棺槨)에 사용할 수 있다. 노송은 꼬불꼬불 굽은 것이 많아 재목으로 쓰기에 적합하지 않으니, 전나무가 아님이 분명하다.

공안국(孔安國)이 《우공(禹貢)》[50]편의 〈향나무와 측백나무[栝柏]〉에 주석을 달기를, "측백나무의 잎에 소나무의 몸통"이라고 하였고, 이시진(李時珍)[51]의 《본초강목(本草綱目)》[52]에는 "향나무의 잎은 뾰족하고 단단하다."[53]라고 하였다. 《화한삼재도회(和漢三才圖會)》[54]에는 이렇게 되어 있다.

---

48 전나무로……15개 : "光薨, 上及皇太后親臨光喪.……衣五十篋, 璧珠璣玉衣, 梓宮、便房、黃腸題湊各一具, 樅木外臧槨十五具." (《漢書》 권68 〈霍光 金日磾傳〉)

49 지금……썼다 : 樅, 松叶柏身. 注: 今大庙梁材用此木. 《尸子》所谓"松柏之鼠, 不知堂密之有美樅." ○ 樅, 七容切.(《爾雅注疏》 권9)

50 우공(禹貢) : 은나라 이전의 왕조인 하(夏)를 세운 전설상의 영웅 우(禹)가 홍수를 다스리고, 천하를 통일하는 과정이 일종의 지지적(地誌的) 서술로 되어 있다. 우에 의해서 정해졌다고 하는 기(冀)·연(燕)·청(靑)·서(西)·양(揚)·형(荊)·여(予)·양(梁)·옹(擁)의 9개 주의 구획에 따라서 산천, 토양, 공부(貢賦), 물산(物産) 등을 기록하고 있다. 제1권은 왕성의 식량을 확보하는 지역인 전복(佃服), 제2권은 제후를 배치하는 지역인 후복(候服), 제3권은 문치(文治)·무단(武斷) 정책이 갈리는 지역인 수복(綏服), 제4권은 만이(蠻夷)가 사는 지역인 요복(要服), 제5권은 유형지인 황복(荒服)으로 나누는 5복설이 서술되어 있고, 마지막으로 천하의 사방의 한계를 나타내고 있다.

51 이시진(李時珍) : 1518~1593. 자가 동벽(東璧)이고, 기주(蘄州) 사람으로 초왕부(楚王府) 봉사정(奉祠正)을 역임했다. 《명사(明史)》〈방기전(方技傳)〉에 그의 전기가 실려 있다. 16세기에 활동한 중국 명대(明代)의 학자로 《본초강목》을 저술하였다.

52 본초강목(本草綱目) : 중국 명(明)나라 때의 본초학자(本草學者) 이시진(李時珍)이 엮은 약학서(藥學書)이다. 약물학을 집대성하여 2,000가지가 넘는 약물에 대해 설명하고 8,000가지가 넘는 처방을 제시하고 있다. 이 책에는 142개의 삽화와 식물 1,074종, 동물 443종, 광물 217종에 대한 기술이 포함되어 있다. 증류과정, 수은·에페드린·대풍자유(大風子油)의 사용, 심지어는 천연두 예방접종 등과 같은 현대와 유사한 방법도 설명하고 있다.

53 향나무의……단단하다 : "柏葉松身者檜也. 其葉尖硬, 亦謂之栝, 今人名圓柏, 以別側柏."(《本草綱目》 권34)

54 화한삼재도회(和漢三才圖會) : 1607년 중국에서 간행된 왕기(王圻)의 《삼재도회(三才圖會)》를 참고

향나무, 《화한삼재도회(和漢三才圖會)》

"향나무의 높이는 두 길 남짓이고 나무의 껍질은 삼나무, 회나무와 유사하며 재목으로는 사용할 수 없다. 잎은 측백나무와 비슷하지만 뾰족하고 단단해서 조금 형태가 닮았으나 매우 무성하다. 가지의 끝은 가려져서 잎과 몸통이 모두 굽은 것을 볼 수 없다. 속세에서는 측백나무와 삼나무로 부르고 또 일종의 밑뿌리[跋]라고도 부른다. 측백나무와 삼나무의 잎은 오동나무와 비슷하고 밑뿌리는 옆으로 수 길까지 뻗어서, 뜰의 섬돌에 심으면 밑뿌리가 섬돌을 둘러서 용과 범의 무늬가 있는 배와 수레의 형상이 된다."

이 몇 가지 설을 합하여 보면, 우리나라 사람이 말하는 노송은 바로 중국 사람이 말하는 오동나무이며 일본 사람이 말하는 측백나무와 삼나무이다.

우리나라 사람이 말하는 회나무[檜]는 곧 중국에서의 전나무[樅]이다. 회(會)란 글자는 굽었다는 뜻인데 회나무는 많이 굽었으므로 나무[木]의 뜻을 따르고 굽었다는 회(會)의 뜻을 따른다. 육유(陸游)[55]의 《노학암필기(老學菴筆記)》에, "해회(海檜)는 꿈틀꿈틀 단단하고 앙상하며, 토회(土檜)는 깎고 새긴 듯이 구불구불 구부러져 이루어진다."[56]라고 하였고, 《화한삼

하여 일본인 의사 데라시마 료안[寺島良安]이 1712년에 보완·수정하여 편찬한 백과사전이다. 모두 105권 81책인데 중국의 《삼재도회(三才圖會)》를 본받아 천지인(天地人)으로 분류하였고, 각 항목마다 일본과 중국의 사상을 비교하여 배열하며 고증하였고, 여기에 삽화를 더하였다. 본문은 모두 한문으로 해설하고 있는데, 당시 선교사들이 들여온 서양의 과학지식도 일부 소개하고 있다. 이 책은 통신사를 통해 조선에 유입되어 실학자는 물론 당대에 여러 학자들이 읽을 정도로 새로운 지식의 창구 역할을 하였다.

55 육유(陸游) : 1125~1209. 중국 남송(南宋)의 시인으로 자는 무관(務觀), 호는 방옹(放翁)이다. 나라의 상황을 개탄한 시나 전원의 한적한 생활을 주제로 한 시가 많다. 글씨도 뛰어났다. 시집 《검남시고(劍南詩稿)》와 기행문 〈입촉기(入蜀記)〉, 사서(史書) 《남당서(南唐書)》 등이 있다.

56 해회(海檜)는……이루어진다 : 海檜, 夭矯堅瘦, 土檜, 刻削盤屈而成, 皆天成又有刻削蟠屈而成者,

재도회》에, "측백나무는 가지가 곧고, 회나무는 가지가 굽었으며, 회나무의 열매는 서로 잇닿아 있어서 삼나무의 열매와 유사하지만 가시가 없다."라고 하였다. 지금 우리나라 사람이 말하는 회나무는 모두 높고 곧게 솟아 곧으며, 큰 것은 수십 길이 되어 중국에서 말하는 회나무와는 전혀 같지 않다. 《화한삼재도회》에, "전나무의 껍질에는 가로 무늬가 있어 측백나무, 회나무와는 같지 않다. 잎은 비자나무와 유사하고 열매는 소나무, 상수리나무와 비슷하지만 가늘고 길며, 속의 씨는 소나무 씨와 비슷하다. 재목은 바구니와 상자를 만드는 데 쓰이며 나무의 성질이 습기를 견디지 못하므로 기둥에는 적합하지 않다."라고 하였으니, 전나무[樅]가 우리나라 사람들이 말하는 회나무[檜]인 것은 의심할 것이 없지만 중국에서 말하는 회나무는 우리나라에서 어느 나무에 해당하는지 모르겠다.

섭소온(葉少蘊)[57]의 《피서화록(避暑話錄)》[58]에, "소나무는 우뚝하고 앙상하여 공북해(孔北海)[59]와 비슷하고, 회나무는 빽빽하고 구불구불 서려 있어 관유안(管幼安)[60]과 비슷하고, 삼나무는 풍성하고 수려하여 사안석(謝安石, 사안)과 비슷하고, 측백나무는 기이하고 단단하여 이원례(李元禮)[61]와 비

名土檜.(陸游, 《老學菴筆記》 卷1)

57 섭소온(葉少蘊) : 1077~1148. 중국 송나라 때의 문신 섭몽득(葉夢得)을 가리킨다. 소온(少蘊)은 그의 자이다. 지복주 겸 복건안무사(知福州兼福建安撫使) 등을 역임하고, 평생 학문을 연구하였으며, 특히 사(詞)에 뛰어나 여러 저술을 남겼다.

58 《피서화록(避暑話錄)》 : 섭몽득(葉夢得, 1077~1148)의 저술로 총 20권이다. 송대의 각종 고사와 작가에 대한 평론 및 명물(名物)에 대해 해설한 내용이 풍부하게 담겨 있다.

59 공북해(孔北海) : 153~208. 중국 후한(後漢) 말기의 학자 공융(孔融)을 가리킨다. 자는 문거(文擧)이다. 건안칠자의 한 사람으로, 북해(北海)의 재상이 되어 학교를 세웠고, 조조를 비판·조소하다가 일족과 함께 처형되었다. 저서에 《공북해집(孔北海集)》이 있다.

60 관유안(管幼安) : 중국 삼국시대 위(魏)나라 사람인 관녕(管寧, 158~241)을 가리킨다. 유안(幼安)은 그의 자이다. 화흠(華歆), 병원(邴原)과 가깝게 지냈다. 일찍이 화흠과 공부를 하고 있었는데 고관대작의 수레가 지나가자 화흠이 책을 덮고 바라보는 것을 보고 세상의 부귀영화에 뜻을 주었다고 하여 같이 쓰던 방석을 갈라 절교했다는 할석(管寧割席)이란 고사가 유명하다. 후한 말 전란을 피해 요동(遼東) 땅에 가서 30여 년을 살았다. 30여 년간 평상에 꿇어앉아 글을 읽었는데, 무릎이 닿은 자리에 구멍이 뚫렸다고 한다. 저서에 《씨성론(氏姓論》이 있으나 전하지 않는다.

61 이원례(李元禮) : 후한의 대신 이응(李膺, 110~169)을 말한다. 원례(元禮)는 그의 자(字)이다. 이응은 관리로 있을 때 환관의 전횡을 반대하고 아첨하는 소인들을 탄핵하여 당시 사람들이 '천하의 모

슷하다."[62]라고 하였다. 우리나라에서 말하는 회나무는 회(檜)라는 이름을 써서는 안 된다.

섭소온의 《피서록화》에, "백낙천(白樂天)[63]이 소주(蘇州)의 집에 손수 회나무를 심었는데, 후에 정화(政和)[64] 초 때까지 사람들이 보지 못한 시간이 사백 년인데 높이가 두 길이 채 되지 못하였다."라고 하였다. 또 "장흥 대웅사 진패선(陳覇先)[65]의 집 뜰에 큰 회나무가 있는데 허공에서 네 개의 가지로 갈라져서 그늘이 뜰을 반쯤 가리니 재질이 금석과 같다."라고 하였다. 이 몇 가지 설을 상세히 보면 어찌 우리나라 사람이 말하는 회나무와 비슷할 수 있겠는가.

내가 일찍이 섭소온의 《피서록화》와 육유의 《노학암필기》에 의거하여 우리나라에서 말하는 회나무가 중국에서 말하는 회나무가 아님을 증명하였다. 최근 송나라 사람 한졸(韓拙)[66]의 《산수순전집(山水純全集)》을 보니

범 이원례[天下楷模李元禮]'라고 불렀다고 한다. (《後漢書》 卷97 〈黨錮列傳〉)

62 소나무는……비슷하다 : 松磊落昂藏, 似孔北海. 檜深密紆盤, 似管幼安. 杉豐腴秀澤, 似謝安石. 柏奇峻堅瘦, 似李元禮. 吾閒居从, 賓客益少, 何幸日得與四君子游耶!(《避暑錄話》 卷下)

63 백낙천(白樂天) : 당나라의 시인(詩人) 백거이(白居易, 772~846)를 가리킨다. 낙천(樂天)은 그의 자이며, 호는 향산(香山)이다. 45세 때 지은 비파행(琵琶行)으로 유명해졌고, 원진(元稹)과 함께 원백체(元白體)라 일컬어지는 사회 풍자시를 많이 썼다. 통속적인 언어 구사와 풍자에 뛰어났다. 〈백씨장경집(白氏長慶集)〉에 시 2천 2백여 수가 정리되어 있다.

64 정화(政和) : 송나라 휘종(徽宗) 때의 연호로, 고려 예종 5년(1111)~12년(1117)에 해당된다.

65 진패선(陳覇先) : 503~559. 중국 남조 진(陳)나라의 개국 황제로, 자는 흥국(興國) 또는 법생(法生)이며, 오흥(吳興 지금의 절강성 장흥(長興)) 사람이다. 한미한 출신으로 남조 양(梁)나라 종실인 소영(蕭暎)의 눈에 들어 광주부중직병참군(廣州府中直兵參軍)을 지내다 서강독호(西江督護)·고요 태수(高要太守)로 나갔다. 후경(侯景)의 난 평정 후 양나라의 정권을 잡아 태평 2년(556)에 양 경제(梁敬帝)를 폐위하고 진(陳)을 건국하여, 연호를 영정(永定)으로 개원하였다. 재위 3년에 사망하였다. 시호는 무황제(武皇帝), 묘호는 고조(高祖)로 만안릉(萬安陵)에 매장되었다.

66 한졸(韓拙) : ?~? 송나라 남양 사람이다. 자는 순전(純全), 호는 금당이다. 산수나 과석(窠石 구멍 난 돌) 등을 잘 그렸다. 한졸에 대한 자세한 기록은 없다. 다만 《산수순전집》 끝 부분에 실린 선화(宣和) 신축년(1121) 장회(張懷)가 쓴 〈후서〉를 통해 다음과 같은 사실을 알 수 있다. 소성(紹聖) 연간(1094~1098)에 수도인 개봉 지역으로 가서 예술계에 입문했으며, 왕진경(王晉卿)의 마음에 들어 금성(今聖)의 번왕에게 (작품이) 추천되었다. 한림서예국지후(翰林書藝局祗候)를 제수받았고 승진하여 진장(眞長)·비서(秘書)·대조(待詔)로 관직을 옮겼으며 충훈랑(忠訓郎)을 제수받았다. 그는 아

회나무 그리는 방법에 대해 이렇게 논하였다. "회나무는 소나무의 몸통에 측백나무의 껍질이라 소나무와 측백나무를 합친 듯하기 때문에 회(檜)라 이름 지었다. 가지는 옆으로 뻗으며 굽었고, 잎은 흩어져서 고르지 않다."[67] 이것으로 앞의 설을 증명할 수 있다.

마린馬藺

마린(馬藺, 꽃창포, 붓꽃)[68]은 《도경본초(圖經本草)》[69]에, "잎은 염교[70]와 비슷하지만 길고 두껍다. 삼월에 자청색(紫靑色) 꽃이 피며 오월에 열매를 맺는데, 뿔 모양의 씨는 마(麻)의 크기에 붉은색이다. 모난 뿌리는 가늘고 길며 전체가 황색으로, 사람들이 가져다가 솔[刷]을 만든다."라고 하였다. 이것을 자세히 살펴보면 곧 우리나라 사람이 말하는 자쇄초(紫刷草)이다. 곳곳의 산과 언덕에 있으며 꽃받침이 막 나와서 아직 피지 않았을 때의 형태가 붓끝과 같다. 뿌리는 가늘고 길며 잔뿌리가 무성한데, 빳빳하기가 바늘 같아서 요즘 사람들이 가져다가 말솔을 만든다. 혹 요즘 말하는 필화초(筆花草)를 곧 마린이라고 한다면 잘못이다.[71] 요즘 말하는 필화초는 뿌리가 하나같이 대나무 뿌리와 비슷하여 솔을 만들 수 없다.

마도 휘종 때 화원(畫院)에 속해 있던 사람인 듯하다.

67 회나무는……않다 : 檜者松身柏皮, 會於松柏, 故名曰檜. 其枝横肆而盤屈, 其葉散而不定, 古檜之體也.(韓拙, 《山水純全集》 〈論林木〉)

68 마린(馬藺) : 조선 숙종 때 실학자 홍만선(洪萬選, 1643~1715)이 농업과 일상생활에 관한 광범위한 사항을 기술한 책 《산림경제(山林經濟)》 권4 〈구급(救急)〉 편에 마린을 붓꽃이라고 주석을 붙인 내용이 보인다. "或同馬藺根붓꽃研細, 葱湯洗。後塗之(마린근(馬藺根) 붓꽃과 함께 가늘게 갈아 총탕(葱湯)으로 상처를 씻은 다음 발라 준다.)"

69 도경본초(圖經本草) : 중국 송나라 소송(蘇頌) 등이 편찬하여 1061년에 간행된 의서이다. 전 20권, 목록 1권으로, 중국 각 군현(郡縣)의 약초도를 수집하고, 여러 학자의 학설을 참고하여 정리하였다.

70 염교 : 백합과에 속한 여러해살이풀이다. 원산지는 중국이며 학명은 Allium chinense이다.

71 혹……잘못이다 : 서유구는 마린이 붓꽃이 아니라고 하 있다. 그러나 마린은 붓꽃으로 세계적으로 가장 흔한 꽃 중 하나이며 그 종류가 30여 종이 된다고 한다. 아마도 당시 '필화초'라고 했던 것도 붓꽃 종류 중 하나일 것으로 추측된다.

붓꽃

붓꽃 씨앗

염교

오동나무 기름

중국에서 오동나무 기름은 매우 광범위하게 쓰인다. 우리나라만 유독 기름이 나는 오동나무를 심을 줄 모르기 때문에 오동나무 기름이 무슨 물건인지를 아는 자가 드물다. 마땅히 종자를 사서 번식시켜야 할 것이다. 《화한삼재도회》에, "오동나무 기름은 강주(江州)와 농주(濃州)[72]에서 오동

72 강주(江州)와 농주(濃州) : 강주는 일본 시가현[滋賀縣]으로 혼슈[本州] 중서부에 있는 내륙현이다.

나무를 많이 심어 기름을 짠다."라고 하였으니 이 내용을 통해 일본에도 그 종자가 전파되었음을 알았다. 만일 중국에서 그 종자를 얻을 수 없다면 대마도에서라도 사서 얻을 수 있다.

여정女貞, 광나무

어떤 사람이 우리나라에는 광나무가 없다고 했는데 그렇지 않다.

《본초강목(本草綱目)》[73]에 다음과 같은 내용이 나온다.

"광나무[女貞]와 사철나무[冬青]는 같은 갈래의 두 종류로 모두 씨앗을 통해 자생하여 쉽게 잘 자란다. 잎은 두터우면서도 부드럽고 길다. 광나무는 잎이 긴 것은 네다섯 치이고 씨앗은 검정색인데, 사철나무는 잎이 약간 둥글고 씨앗이 빨간색인 것만 다를 뿐이다. 두 나무는 모두 꽃이 무성하고 열매가 주렁주렁 나무에 가득 달리는데 겨울에 구관조(九官鳥)가 즐겨 먹는다. 지금 사람들은 광나무에 대해 잘 몰라서 그냥 납수(蠟樹)라고 부른다. 입하(立夏) 전후에 백랍벌레의 알을 가져다 싸서 가지 위에 올려놓으면 반 개월 뒤에 애벌레가 부화해 나와서 가지를 타고 올라가 백랍을 만든다."[74]

《화한삼재도회》에는 이런 내용이 있다.

농주는 일본 기후현[(岐阜縣)으로 혼슈 중서부에 있는 현이다.

73 본초강목(本草綱目) : 이시진(李時珍, 1518~1593)이 편찬한 의학 저작이다. 총 52권이다. 신농(神農) 이하 제가(諸家)의 본초(本草)를 취해 중복된 것은 제거하고 빠진 것은 보충하여 모두 16부(部) 62류(類) 1,892종을 실었다. 만력(萬曆, 1573~1620) 연간에 처음 간행되었으며, 왕세정(王世貞, 1526~1590)이 서문을 썼다.

74 광나무[女貞]와……만든다 : 女貞·冬青·枸骨三樹也. 女貞即今俗呼蠟樹者; 冬青即今俗呼凍青樹者; 枸骨即今俗呼貓兒刺者. 東人因女貞茂盛, 亦呼爲冬青, 與冬青同名異物, 蓋一類二種爾. 二種皆因子自生, 最易長. 其葉厚而柔長, 綠色, 面青背淡; 女貞葉長者四·五寸, 子黑色; 凍青葉微圓, 子紅色, 爲異. 其花皆繁, 子並累累滿樹, 冬月鴝鵒喜食之. 木肌皆白膩. 今人不知女貞, 但呼爲蠟樹. 立夏前後取蠟蟲之種子, 裹置枝上. 半月其蟲化出, 延緣枝上, 造成白蠟, 民間大獲其利.(李時珍, 《本草綱目》卷36)

광나무 잎과 열매

“광나무의 잎이 해석류(海石榴)[75]와 비슷하나 잎 주변에 톱니 모양이 없어 희해석류(姬海石榴)라고 부른다. 열매는 타원형으로 처음에는 파랗다가 익으면 새까매져 흡사 쥐똥과 비슷한데 구관조가 즐겨 먹는다. 다만 잎의 길이가 두 치에 불과하고 잎맥의 무늬도 끝을 넘지 않아 다른 잎들과 다르다.”

이시진(李時珍)은 《본초강목》에서 잎의 길이가 네다섯 치라고 했는데 어찌 생장하는 토양이 달라서 그런 것이겠는가. 두 책에서 말한 잎·꽃받침·꽃·열매 등은 모두 지금 세속에서 말하는 쥐똥나무[鼠矢木]니 우리나라에 광나무가 없다고 하는 것은 망언이다. 다만 광나무가 광나무[女貞]인 까닭은 겨울을 나면서 잎이 지지 않기 때문이니, 진(晉)나라 소언(蘇彦)의 〈여정송서(女貞頌序)〉에 “서리를 맞아도 푸르고 가지를 흔드는 바람을 이겨내니 청사는 그의 자질에 탄복하고 정녀는 그의 명성을 흠모한다[負霜蔥翠 振柯

75 해석류(海石榴) : 《화한삼재도회(和漢三才圖會)》에 따르면 산다화(山茶花)의 일종으로, 잎이나 열매가 산다화와 비슷하다고 하였다.

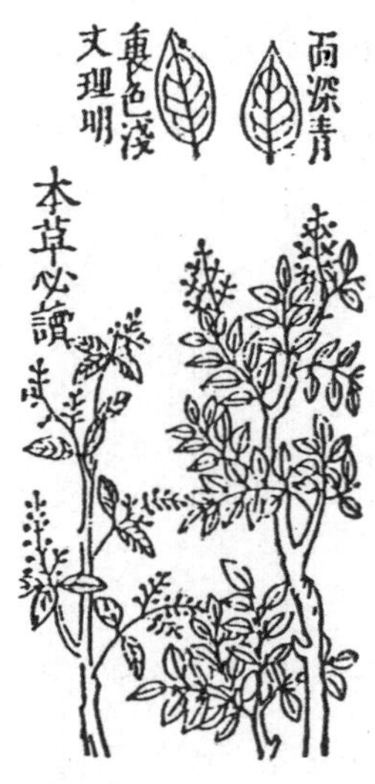

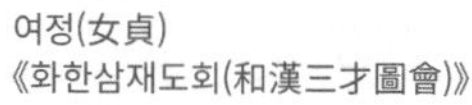
여정(女貞)
《화한삼재도회(和漢三才圖會)》

해석류(海石榴)
《화한삼재도회(和漢三才圖會)》

淩風 淸士欽其質 貞女慕其名]"[76]라고 한 것도 이를 노래한 것이다.

우리집 뜰에 광나무 몇 그루가 있는데 잎이 총생(叢生)하는 것은 석류(石榴) 같고 열매는 쥐똥 같아서 마을 사람들이 보고는 쥐똥나무라고 부른다. 해마다 여름 가을 사이에 백랍벌레가 나무를 타고 올라가 백랍을 토해내는 것으로 보아 광나무가 틀림없다. 다만 겨울에는 매번 보통 나무처럼 잎이 떨어지는데 이유는 알 수 없다. 어찌 풍토가 다르다고 광나무가 광나무가 아니겠는가.

내가 지은 《행포지(杏蒲志)》[77]에 "광나무는 우리나라 세간에서 말하는

---

76 서리를……흠모한다 : 소언(蘇彦)은 동진 사람이며, 〈여정송서(女貞頌序)〉는 《예문유취(藝文類聚)》 권89에 실려 있다. 원문은 다음과 같다. "女貞:山海經曰, 太山多貞木. 鄭氏婚禮謁文贊曰, 女貞之樹, 柯葉冬生, 寒涼守節, 險不能傾. 典術曰, 女貞木者, 少陰之精, 冬葉不落. 晉宮閣名曰, 華林園女貞一株.【頌】晉蘇彦女貞頌曰, 昔東阿王作楊柳頌, 辭義慷慨, 旨在其中. 餘今爲女貞頌, 雖事異於往作, 蓋亦以厲冶容之風也. 女貞之樹, 一名冬生. 負霜蔥翠, 振柯凌風, 故淸士欽其質, 而貞女慕其名. 或樹之於雲堂, 或植之於階庭."(《藝文類聚》 卷89 木部 中)

77 행포지(杏蒲志) : 서유구가 직접 농촌 생활을 하면서 시행하고 경험했던 농법을 바탕으로 하여 1825년에 저술한 농서이다. 서명(書名)은 "살구를 보고서 밭을 갈게 하고, 부들을 보고서 농사일을 권면했다[望杏敦耕, 瞻蒲勸穡]"라는 남조 진(陳)나라 서릉(徐陵)의 말을 취하여 이름 붙인 것이다.

쥐똥나무이다."[78]라고 하였으나 증명할 수는 없었다. 이덕무(李德懋)가 선왕 경술년(1790, 정조 14)에 명을 받아 《무예도보통지(武藝圖譜通志)》[79]를 편찬하였는데, 안설(按說)에 "광나무는 민간에서 쥐똥나무라고 하는데 열매가 익으면 쥐똥과 비슷하기 때문이다."[80]라고 했다. 그 안설이 나와 약속이나 한 듯이 일치하니 사람의 견해가 대체로 같음을 증험할 수 있다.

우芋

우(芋, 토란)는 《사기(史記)》 〈화식열전(貨殖列傳)〉에 준치(蹲鴟)라고 하였는데, 우리나라 사람들은 토란(土卵)이라고 부른다. 진사도(陳師道)[81]의 《후산시화(后山詩話)》에 "두보가 말한 황독(黃獨)[82]은 바로 《당본초(唐本草)》[83]에 실려 있는 자괴(赭魁)[84]이다. 강동에서는 토우(土芋)라고 하고 강서에서는 토란(土卵)이라고 한다. 삶아 먹으며 우괴(芋魁)와 같다."[85]라고 했다. 어찌 속명

---

78 광나무는……쥐똥나무이다 : 女貞即今俗呼鼠矢木者是也.(《杏蒲志》 第3卷 〈種女貞〉)

79 무예도보통지(武藝圖譜通志) : 정조가 직접 편찬의 방향을 잡은 후 규장각 검서관 이덕무(李德懋)·박제가(朴齊家)와 장용영 장교 백동수(白東修) 등에게 명령하여 작업하게 하였으며 1790년(정조 14)에 간행되었다. 1598년(선조 31) 한교(韓嶠)가 편찬한 《무예제보(武藝諸譜)》와 1759년(영조 35) 간행된 《무예신보(武藝新譜)》의 내용을 합하고 새로운 훈련종목을 더한 후 이용에 편리한 체제로 편집하여 간행하였다. 정조대에 조선의 문화가 종합 정리되는 과정에서 《병학통(兵學通)》·《병학지남(兵學指南)》·《군려대성(軍旅大成)》·《삼군총고(三軍摠攷)》 등의 군사서적들과 함께 이루어졌는데, 다른 군사서적들이 전략·전술 등 이론을 위주로 한 것임에 비해 이 책은 전투동작 하나하나를 그림과 글로 해설한 실전 훈련서라는 특징을 지닌다.

80 광나무는……때문이다 : 然則中國以女貞爲蠟樹, 俗所稱鼠矢木, 以其子熟似之也.(《武藝圖譜通志》 第1卷 〈長槍〉)

81 진사도(陳師道) : 1053~1101. 자는 무기(無己) 또는 이상(履常)이고, 호는 후산거사(後山居士)이다. 팽성(彭城, 지금의 강소성) 사람이다. 저서에 《후산선생집(後山先生集)》, 《후산시화(後山詩話)》 등이 있다.

82 두보가 말한 황독(黃獨) : 두보의 〈건원중우거동곡현작가(乾元中寓居同谷縣作歌)〉 시에 "황독은 싹이 없고 산에는 눈이 하얀데, 짧은 옷을 자주 당기니 정강이를 가리지 못하네.[黃獨無苗山雪盛, 短宜數挽不掩脛.]"라는 구절이 있다. 여기서 황독은 토란의 이칭이다.

83 당본초(唐本草) : 당나라 현경(顯慶) 연간(656~661)에 소공(蘇恭)의 주청에 의해서 이세적(李世勣) 등에게 명하여 편찬한 책으로, 《본초(本草)》를 근간으로 하여 이를 증수(增修)한 것인데, 모두 20권으로 이루어져 있다.

84 자괴(赭魁) : 본 명칭은 서량(薯莨)이다. 다년생 초본 식물로 그 뿌리는 약재와 물감의 원료가 된다.

85 두보가……같다 : 老杜云: '長鑱長鑱白木柄, 我生托子以爲命. 黃獨無苗山雪盛, 短衣數挽不掩脛.'

토란

이 우연히도 같은가? 아니면 우리나라 사람들이 말하는 토란은 우괴(芋魁)가 아니라 두보가 말한 황독인가?

족제비[鼠狼]

동월(董越)[86]의 《조선부(朝鮮賦)》[87]에 '낭모필(狼毛筆)'이라는 말이 실려 있는데[88], 어떤 이가 "이리는 깊은 산에 사는 보기 힘든 짐승인데 어떻게 꼬리를 얻어서 붓을 만들 수 있겠는가? 이는 틀림없이 잘못 전해들은 것이

往時儒者不解黃獨義, 改爲黃精, 學者承之. 以余考之, 蓋黃獨是也. 《本草》赭魁注: 黃獨, 肉白皮黃, 巴·漢人蒸食之, 江東謂之土芋. 余求之, 江西謂之土卵, 煮食之, 類芋魁云." 한편 《시화총귀(詩話總龜)》 권29에는 황정견(黃庭堅)의 말로 나온다. "山谷云: 老杜: '長鑱短鑱白木柄, 我生托此以爲命. 黃獨無苗山雪盛, 短衣數挽不掩脛.' 往時儒者不解黃獨義, 改爲黃精, 學者承之. 以余考之, 蓋黃獨是也. 《本草》諸魁注: 黃獨, 肉白黃色, 漢人蒸食之. 江東謂之土芋. 余求之江西, 江西謂之土卵, 蒸煮食之, 類芋魁也.(《後山詩話》, 《詩話總龜》 卷29)

86 동월(董越) : 1430~1502. 자는 상구(尙矩)이다. 1488년(성종 19) 조선에 사신으로 왔다가 본국에 돌아가 《조선부(朝鮮賦)》를 지었다. 저서로는 《정동일록(征東日錄)》, 《조선잡지(朝鮮雜誌)》, 《봉사록(奉使錄)》 등과 시문집으로 《규봉문집》 42권이 있다.

87 조선부(朝鮮賦) : 성종 19년(1488) 사신으로 왔던 명나라 동월(董越)이 우리나라의 풍토(風土)를 부(賦)의 문체로 서술한 책이다. 자주(自註)를 곁들였고 1권으로 되어 있다. 조선에서는 1697년(숙종 23)에 간행되었다. 한치윤의 《해동역사》 제58권 〈예문지〉 17에는 《조선부》가 동월의 자주는 빼고 원문만 수록되어 있다.

88 동월(董越)의……있는데 : 爲志所稱者, 狼尾之筆. 注 : 一統志載有狼尾之筆, 其管小如箭簳, 鬚長寸餘, 鋒穎而圓詢之, 乃黃鼠毫所製, 非狼尾也.(《欽定四庫全書》 史部11 地理類10 〈朝鮮賦〉)

다."라고 했다.

지금 《본초강목(本草綱目)》을 살펴보니, "유(鼬)는 쥐나 짐승을 잘 잡아서 족제비[鼠狼]라고도 부르며, 그 꼬리로 붓을 만들 수 있다."[89]라고 하였다. 이를 보면 동월이 말한 이리[狼]는 바로 족제비임을 알 수 있다. 지금 세간에서 사용하는 황모필은 모두 족제비[鼬鼠]의 꼬리이다. 속칭 광모(獚毛)라고도 부르지만 광(獚)은 본래 짐승 이름이 아니다. 자서(字書)에는 오직 "광(獚)은 개의 이름이다"라고만 하고 모양과 색깔은 설명하지 않았는데,[90] 유(鼬)를 광(獚)이라고 부르게 된 건 어떤 의미인지 잘 모르겠다.

박지원(朴趾源)의 《열하일기(熱河日記)》에는 '예서(禮鼠)[91]'라고 하였는데[92] 이 또한 잘못이다. 예서(禮鼠)는 작은 굴을 뚫고 사는데 사람을 보면 앞발을 모으고 서는 것이 마치 읍하는 모양 같다. 《시경》에 "쥐를 보아도 체면이 있다."[93]라고 한 것과 한유가 "예서는 앞발을 모으고 선다."[94]라고 한 것이 이에 해당한다. 그 꼬리로는 붓을 만들 수가 없다.

---

89 유(鼬)는……있다 : 鼬鼠.(音佑. 《綱目》)【釋名】黃鼠狼 (《綱目》)·鼪鼠(音生去聲)·□鼠(音縠)·地猴. 時珍曰:按《廣雅》, 鼠狼即鼪也. 江東呼爲鼪. 其色黃赤如柚, 故名. 此物健於捕鼠及禽畜, 又能制蛇虺. 《莊子》所謂騏驥捕鼠, 不如狸鼪者, 即此. 【集解】時珍曰:鼬, 處處有之. 狀似鼠而身長尾大, 黃色帶赤, 其氣極臊臭. 許慎所謂似貂而大, 色黃而赤者, 是也. 其毫與尾可作筆, 嚴冬用之不折, 世所謂鼠須·栗尾者, 是也.(《本草綱目》 卷51下 獸之二)

90 자서(字書)에는……않았는데 : 《설문해자(說文解字)》에서는 "獚, 犬獚獚不可附也."라고 하였고, 《광운(廣韻)》에는 "獚, 犬也."로 되어 있다.

91 예서(禮鼠) : 다람쥐의 별칭이다. 사람을 보면 앞발을 모으고 예를 표하는 것처럼 하므로 예서 또는 공서(拱鼠)라고 부른다.

92 박지원(朴趾源)의……하였는데 : 인용한 부분은 《열하일기(熱河日記)》 〈양매시화서(楊梅詩話序)〉에 보인다. 그 내용은 다음과 같다. "중국 사람이 흔히들 우리나라를 백추지(白硾紙)와 낭미필(狼尾筆)로서 시편(詩編)에 나타내었으나, 실제로 우리나라에는 애초에 낭(狼)이 없었으니 어찌 그 꼬리로써 만들 수 있었으리요. 보분(寶汾)이 이른바 '경전(鏡箋)'이란 곧 백추지였으니 종이가 몹시 매끄럽고, 낭의 털이란 곧 우리나라 사람의 이른바 '황모(黃毛)'였으니, '황(黃)'이란 곧 예서(禮鼠)였으나 국산 예서는 쓸 수 없게 되었으므로, 국내에서 쓰는 것이 모두 당황모(唐黃毛)였음에도 불구하고 중국 사람은 이 일을 알지 못하는 것이다."

93 쥐를……있다 : 相鼠有皮, 人而無儀. 人而無儀, 不死何爲? 相鼠有齒, 人而無止 . 人而無止, 不死何俟? 相鼠有體, 人而無禮. 人而無禮 胡不遄死?(《詩經》 〈鄘風·相鼠〉)

94 예서(禮鼠)는……선다 : 牽柔誰繞縈. 禮鼠拱而立.(《韓愈文集》 卷8 〈城南聯句〉)

족제비

장유(張維)가 《계곡집(谿谷集)》 〈필설(筆說)〉에서 "쥣과에 속하는 동물로서 색깔이 노란 것을 세상에서 황광(黃獷)이라고 부른다. 그 꼬리에 좋은 털이 있어 붓을 만들 수 있다."[95]라고 했는데, 이는 족제비를 광(獷)으로 여긴 것이다. 광은 개의 이름인데 장유가 족제비를 광이라고 한 것은 어디에 근거한 것인지 모르겠다.

도룡뇽[鯢魚]

속담에 '메기가 대나무 장대를 타고 올라간다.'라는 말이 있는데 아마 반어(反語)일 것이다. 대나무도 매끄럽고 메기도 미끄러우니 메기가 대나무 장대를 타고 올라갈 수 있을 리가 없다. 그래서 매요신(梅堯臣)[96]이 《당서(唐書)》의 편찬 작업에 참여하여 관직(館職)을 받으려 할 때, 아내 조씨(刁氏)에게 "내가 역사서를 편수하자니, 자유스럽던 원숭이가 자루 속에 들어가

---

95 쥣과에……있다 : 獸有鼠屬而黃者, 俗號爲黃獷, 多產於西北方之山. 尾有秀毛可爲筆. 其美擅天下. 謂之黃毛筆.(《谿谷集》 卷4 〈筆說〉)

96 매요신(梅堯臣) : 1002~1060. 중국 송나라의 시인으로 자는 성유(聖俞)이고 호는 완릉(宛陵)이다. 당시(唐詩)의 섬세하고 교묘한 폐풍을 버리고 송시(宋詩)의 새로운 형식을 개척하여, 두보 이후 최대 시인으로 꼽힌다. 저서에 《완릉집(宛陵集)》 60권이 있다.

구속당하는 것 같구려."라고 하소연하자, 조씨(刁氏)가 "당신이 벼슬살이 하는 것이 메기가 대나무 장대를 타고 올라가는 것과 무엇이 다르겠습니까?"라고 했으니,[97] 역시 앞으로 나아가기 어려움을 말한 것이다.

나원(羅願)[98]의 《이아익(爾雅翼)》[99]에 "메기가 대나무를 잘 올라가는데 입에 잎을 물고 대나무 위로 뛰어 오른다."라고 하고 다시 속담을 인용하여 입증함[100]으로써 이런 일이 확실히 있다고 했지만 일반적으로는 그것이 무엇을 말하는 것인지 이해하지 못했다.

그러다가 우연히 《본초강목》에서 "해아어(孩兒魚)는 모양과 색깔이 모두 메기와 비슷한데, 배 밑에 날개 모양의 지느러미가 있는 것이 마치 발과 같다. 시냇물에 살며 나무를 타고 올라갈 수 있다. 일명 도롱뇽[鯢魚]이다."[101]라는 내용을 보게 되었다. 그제야 비로소 나원의 설명은 도롱뇽을 메기로 잘못 이해한 것임을 알게 되었다.

왜송倭松

왜송(倭松)은 나뭇결이 치밀해서 우리 조선의 소나무와 매우 다르다. 송

---

97 매요신(梅堯臣)이……했으니 : 梅聖俞以詩知名, 三十年終不得一館職. 晚年與修《唐書》, 書成未奏而卒, 士大夫莫不歎惜. 其初受敕修《唐書》, 語其妻刁氏曰: '吾之修書, 可謂猢猻入布袋矣.' 刁氏對曰: '君於仕宦, 亦何異鯰魚上竹竿耶!' 聞者皆以爲善對.(歐陽修, 《歸田錄》 卷2)

98 나원(羅願) : 1136~1184. 자는 단량(端良)이고, 호는 존재(存齋) 또는 여즙자(汝楫子)이다. 송(宋) 건도(乾道) 2년(1166)에 진사(進士)가 되어 파양 지현(鄱陽知縣), 공주 통판(贛州通判), 악주 지사(鄂州知事) 등을 역임하였다. 박물학(博物學)에 정통하고, 고증(考證)을 잘하였다. 저서로 《이아익(爾雅翼)》 20권, 《악주소집(鄂州小集)》 7권 등이 있다.

99 이아익(爾雅翼) : 송나라 나원(羅願)이 지은 훈고서(訓詁書)이다. 《이아(爾雅)》의 초목조수충어(草木鳥獸蟲魚) 등 각종 물명(物名)을 해석하여, 《이아》의 보익(輔翼)으로 여겨, 《이아익(爾雅翼)》이라고 하였다.

100 나원(羅願)의……입증함 : 《이아익》을 보면 나원이 메기에 대한 설명을 하면서, 뒷부분에 서유구가 앞서 말한 속담을 인용하고 있는 것을 말한다. 원문은 다음과 같다. "孟子稱緣木求魚, 不得魚. 今鰟魚善登竹, 以口御葉而躍於竹上. 大抵能登高, 其有水堰處, 輒自下騰上, 愈高遠而未止. 諺曰: 鮎魚上竹, 謂是故也."(《爾雅翼》 卷29)

101 해아어(孩兒魚)는……도롱뇽이다 : 時珍曰: 孩魚有二種. 生江湖中, 腹下翅形似足, 其顋頰軋軋, 音如兒啼. 即鰟魚也. 一種生溪澗中, 形聲皆同, 但能上樹, 乃鯢魚也.(《本草綱目》 卷44))

나라 이심전(李心傳)[102]의 《조야잡기(朝野雜紀)》[103]에 "순희(淳熙) 연간(1174~1189)에 대궐 안에 취한당(翠寒堂)을 지으면서 일본국의 소나무로 만들었는데 단청을 칠하지 않아 상아처럼 하얗다."[104]라고 하였다. 왜송이 천하에 귀하게 여겨진 것은 옛날부터 그러했다.

왜송

자작나무[樺]

곡응태(谷應泰)[105]의 《박물요람(博物要覽)》에 다음과 같은 내용이 있다.

---

102 이심전(李心傳) : 1166~1243. 자는 미지(微之)이고 융주(隆州) 정연(井研, 지금의 사천성) 사람이다. 경원(慶元) 원년(1195) 향시(鄕試)에서 낙방한 뒤 과거를 포기하고 저술에 힘썼다. 만년에 위료옹(魏了翁) 등의 천거로 사관교감(史館校勘)이 되어 《중흥사조제기(中興四朝帝紀)》를 찬수하고 또 《13조회요(十三朝會要)》를 이어 찬수하였다. 단평(端平) 연간에 완성되어 공부시랑(工部侍郎)이 되었다. 저서로는 《시문(詩文)》 100권, 《고종격년록(高宗擊年錄)》 200권, 《학역편(學易編)》 5권, 《송시훈(誦詩訓)》 5권, 《춘추고(春秋考)》 13권, 《예변(禮辨)》 23권, 《독사고(讀史考)》 12권, 《구문증오(舊聞證誤)》 15권, 《조야잡기(朝野雜記)》 40권 등이 있다.

103 조야잡기(朝野雜記) : 본래 서명은 《건염이래조야잡기(建炎以來朝野雜記)》이다. 사학(史學)에 뛰어났던 이시진은 조정과 국가의 전장제도(典章制度)들을 잘 알고 있었다. 이 책은 건염(建炎) 원년인 1127년 이후의 사적들을 취하여 내용별로 분류하고 유형별로 편차하였다. 갑집(甲集)은 20권으로, 상덕(上德)·교묘(郊廟)·전례(典禮)·제작(制作)·조사(朝事)·시사(時事)·고사(故事)·잡사(雜事)·관제(官制)·취사(取士)·재부(財賦)·병마(兵馬)·변방(邊防) 등의 13부문으로 나누어져 있다. 을집(乙集)도 20권으로, 편차는 갑집과 비슷하나 교묘(郊廟) 부문이 빠지는 대신 별도로 변사(邊事)를 마련하여 역시 13부문이다. 각 부문마다는 각기 자목(子目)을 나누었다. 비록 '잡기(雜記)'를 제목으로 하였지만, 그 체례는 실제로 '회요(會要)'와 동일하다. 이 책은 송대 특히 남송을 연구하는 데 없어서는 안 될 참고서이다. 《사고전서(四庫全書)》 에는 《건양잡지》로 실려 있다.(《四庫全書總目提要》 史部13 政書類1)

104 순희(淳熙)……하얗다 : 이 인용문은 《조야잡지》에서는 찾을 수 없었고 《철경록》에 그 내용이 있었다. "蓋以日本國松木爲翠寒堂, 不施丹雘, 白如象齒."(《輟耕錄》 卷18)

105 곡응태(谷應泰) : 1620~1690. 자는 갱우(賡虞)이고, 별호(別號)는 임창(霖蒼)이다. 직예(直隸) 풍윤(豐潤, 지금의 하북성) 사람이다. 저서로 《박물요람(博物要覽)》 16권이 있는데, 고기물(古器物)·자획(字畫)·직수(織繡)·인보(印寶) 등 예술품에 대해 논하였다.

"자작나무[樺木]는 요동(遼東) 및 임조(臨洮)[106], 하주(河州)[107], 서북(西北) 여러 지역에서 생장하고 있다. 나무의 색깔은 노란색이고 붉은색의 작은 반점이 있으며 수지(樹脂)를 채취할 수 있다. 껍질은 두터우면서도 가볍고 유연하여 갖바치들이 가죽신의 안감이나 칼집 따위를 만드는 데 쓰며, 난피(暖皮)라고 한다. 호인(胡人)들이 더욱 중요시한다. 껍질에 백랍을 말아 양초를 만들 수 있다. 또 자흑색 꽃무늬가 펼쳐져 있는 자작나무껍질[樺木皮]은 말안장, 활, 등자를 감쌀 수 있다. 또 화피(樺皮)라고도 한다. 화가들이 껍질을 태운 연기로 종이를 그을려서 옛날 그림과 글씨인 것처럼 위작을 만들기에 화(檴)라고 하는데 일반적으로 획을 생략하여 '화(樺)' 자를 쓴다."[108]

우리나라는 관북 지역에서 이 나무가 나며 백두산 자락에는 넓은 숲을 이루었는데 나무가 모두 한아름씩 한다. 현지 사람들이 껍질을 벗겨

자작나무

106 임조(臨洮) : 현재 중국 감숙성(甘肅省) 중부에 위치한 현으로 정서시(定西市)의 서쪽 난주시(蘭州市)의 남쪽에 있다.

107 하주(河州) : 현재 중국 감숙성 서남부에 위치한 감숙성 임하회족자치주(臨夏回族自治州)로 임조현(臨洮縣) 서쪽에 있다.

108 자작나무[樺木]는……쓴다 : 이 인용문은 곡응태(谷應泰)의 《박물요람(博物要覽)》에서는 찾지 못하였고, 《본초강목(本草綱目)》 권35 하 〈화목(樺木)〉에 보인다. 원문은 다음과 같다. "【釋名】藏器日 : 晉·中書令王《傷寒身驗方》中作字. 時珍日 : 畫工以皮燒煙熏紙, 作古畫字, 故名 . 俗省作樺字也.【集解】藏器日 : 樺木似山桃, 皮堪為燭. 宗奭日 : 皮上有紫黑花勻者, 裹鞍、弓、鐙. 時珍日 : 樺木生遼東及臨洮、河州、西北諸地. 其木色黃, 有小斑點紅色, 能收肥膩. 其皮濃而輕虛軟柔, 皮匠家用襯靴裡, 及為刀靶之類, 謂之暖皮. 胡人尤重之. 以皮卷蠟, 可作燭點."

사방에 파는데, 활등을 감싸기도 하고, 가늘고 짧게 자른 조각에 유황을 묻혀 성냥[引光奴]을 만들기도 한다. 화피는 내수성(耐水性)이 가장 좋아서 심북(深北) 지방(함경도)의 민가에서는 지붕을 덮는 용도로 사용하는데 10년이 지나도록 썩지 않는다. 또 땅에 묻어도 썩지 않으므로 북쪽 사람들이 고장(藁葬)[109]하면서 이 껍질로 시신을 감싸면 천 년 동안 썩지 않는다고 한다.

자작나무 껍질

정공등丁公籐

이조원(李調元)[110]의 《남월필기(南越筆記)》[111]에 다음과 같은 글이 있다.

"정공등(丁公籐)[112]은 덩굴져 자라고 높이는 한 자쯤이다. 잎의 길이는 두 치인데 앞면은 녹색이고 뒷면은 약간 하얗다. 감기에 걸린 자가 잎 한두 개를 술에 끓여 마시면 땀을 비 오듯 흘리고 바로 낫는다."

---

109 고장(藁葬) : 시체를 짚이나 거적에 싸서 장사지내는 것이다.

110 이조원(李調元) : 1734~1803. 자는 갱당(羹堂), 호는 우촌(雨村), 동산준옹(童山蠢翁)이다. 청나라의 4대 희곡이론가이자 시인이다. 관직에서 물러난 뒤 고향인 사천성 나강현(羅江縣)에 만권루(萬卷樓)라는 서고를 지었다. 대표적인 편서로 《함해(函海)》가 있으며, 저서는 《동산전집(童山全集)》, 《동산시집(童山詩集)》 등이 있다.

111 남월필기(南越筆記) : 이조원이 1796년에 완성한 책이다. 전체 16권이다. 1권은 민간 풍속을, 2~3권은 산천, 하수, 지리를 기록하였다. 박물, 공예 비중이 크고 남월의 기이한 짐승과 새, 곤충 등을 경제적 자원의 관점에서 수록하였다. 또 간간이 공산품의 흐름을 덧붙여서 근세 서구의 물질문명이 동쪽으로 유입된 발자취를 반영하기도 했다. 권7에는 소수 민족에 대해 기술하여 민속, 민족, 종교, 사회, 사학 등 여러 학술 분야에 걸쳐 중요한 사료를 제공한다.

112 정공등(丁公藤) : 낙엽 활엽 교목이며 천산화추(天山花楸), 마아목(馬牙木), 마가목(馬價木) 등으로 부른다. 줄기와 껍질 등을 약재로 사용하는데, 풍습(風濕)과 어혈(瘀血)에 효과가 있으며 노쇠한 것을 보하고 다리 힘을 세게 해 준다고 한다. 또한 그것을 다듬어 지팡이로 사용하기도 한다.

우리나라 사람들이 풍담(風痰)[113]을 치료할 때 마가목(馬價木)[114]으로 술을 담그는데 이를 두고 바로 정공등이라고 하는 것은 잘못이다.

대자석代赭石

대자석(代赭石)[115]은 일명 '토주(土朱)'로 지금 세속에서 말하는 '주토(朱土)'이다. 《산해경(山海經)》〈서산경(西山經)〉의 "석위산(石脆山)은 관수(灌水)의 발원지이다. 물속에 붉은 흙이 섞여 흐르는데 이것을 소나 말에게 바르면 병에 걸리지 않는다."라는 내용에 대한 곽박의 주에, "자(赭)는 붉은 흙이다. 지금 사람들이 소뿔에 바르고서 악귀를 물리친다고 한다."[116]라고 하였다. 지금 세속에서 매번 소의 돌림병이 치성할 때마다 붉은 흙을 소의 양 뿔에 바르면 돌림병을 물리칠 수 있다고 하는데 다 옛날부터 쓰던 방법이다.

《동의보감(東醫寶鑑)》〈탕액편(湯液編)〉의 《본초강목》의 적토(赤土) 주석으로 "귀신을 물리친다. 소나 말에게 바르면 돌림병을 물리친다."[117]라고 하면서 더욱이 《본초강목》의 '대자석' 주석을 사용하였으니 이는 적토를 대자석으로 인식한 것이다. 《본초강목》에는 대자석과 적토가 각각 토(土) 부

---

113 풍담(風痰) : 담증의 일종으로, 풍으로 인해 생기는 담을 가리킨다.

114 마가목(馬價木) : 마가목의 새순이 말의 이빨처럼 자란다 하여 '마아목'(馬牙木)이라 하다가 마가목(馬價木)이 되었다고 한다. 겨울에 채취하여 지팡이를 만들면 좋다.

115 대자석(代赭石) : 적철광(赤鐵鑛)의 일종이다. 광택(光澤)이 없고 어두운 붉은빛이며 흙처럼 잘 부스러진다. 중국(中國) 산서성의 대현에서 많이 나서 대자석(代赭石)이라 불리며 석간주(石間硃)와 같이 물감으로나 연마재(研磨材)로 쓰이고, 한방(漢方)에서는 약재(藥材)로 쓴다. 간(肝)을 조화롭게 하고, 간기(肝氣)가 위로 치고 오르는 것을 진정시키며 혈(血)을 차갑게 하고 출혈(出血)에 지혈(止血)하는 효능이 있는 약재이다.

116 석위산(石脆山)은……물리친다고 한다 : 이 부분은 《본초강목》의 "代赭石"에 있는 내용을 그대로 옮긴 것이다. 《산해경》 원문은 다음과 같다. "又西六十里, 曰石脆之山, 其木多椶枏, 其草多條, 其狀如韭, 而白華黑實, 食之已疥. 其陽多【王雩】琈之玉, 其陰多銅. 灌水出焉, 而北流注於禺水. 其中有流赭, 以塗牛馬無病."이고, 郭璞의 주는 "赭, 赤土. 今人亦以朱塗牛角, 云以辟惡. 馬或作角."(《山海經》 廣注 卷2)

117 귀신을……물리친다 : 卽今〈好赤土〉也. 一切失血 殺精物 辟鬼魅 塗牛馬 辟瘟疫.(《東醫寶鑑》 湯液編 '赤土'注)

대자석(김창민, 《2015 한약재감별도감》, 아카데미서적, p.506)

와 적(赤) 부에 보이는데, 대자석의 주에는 "귀신을 물리치고 소뿔에 바르면 악귀를 물리친다."[118]라고 하였고, 적토의 주에는 "화상을 치료한다."[119]라고했을 뿐이다. 이를 보면 《본초강목》에서 말하는 적토는 적식토(赤埴土)지 대자석이 아니라는 것을 알 수 있다. 《동의보감》을 주석한 사람이 곽박의 《산해경》 주석에 지금은 적토라고 한다는 설명을 보고 《본초강목》의 대자석 주석을 가져다 적토 아래에 옮겨 적었다. 그런데 대자석을 주석하면서 또 "정물(精物)을 죽인다. 소나 말에 칠하여 역병을 물리친다."[120]라고 했으니, 두 곳의 해석이 중복되고 적식토의 성질(性質), 맛, 쓰임이 누락된 것을 알지 못한 것이다. 《본초강목》을 잘못 인용한 것이 이런 식이다.

---

118 귀신을……물리친다 : "郭璞注云 : 赭, 赤土也. 今人以塗牛角, 云辟惡."(《本草綱目》 石部 卷10)

119 화상을 치료한다 : 【主治】主湯火傷, 研末塗之.(《本草綱目》 土部 卷7)

120 정물(精物)을……물리친다 : 性寒(一云平). 味苦甘 無毒. 〈一名〉〈血師〉. 出代郡 赤紅色如鷄冠 有澤 染爪甲不渝者 良. 塊上文如浮漚丁者 謂之〈丁頭代赭〉最勝. 塗牛馬 辟疫(本草). : 入手少陰經 足厥陰經 卽今〈好赤土〉也. 火煆醋淬7次 研粉 水飛晒乾用(入門). : 殺精物 惡鬼 女子漏下赤沃 帶下百病止吐 衄血腸風 痔瘻 月經不止 崩中 除血痺 血瘀 止瀉痢尿血 遺尿 起陰痿. 療金瘡 長肉 能墮胎.(《東醫寶鑑》〈湯液編)〉'代赭石'注)

한 치의 오디

진시황이 서복(徐福)[121]을 해외로 보내 금채(金菜), 옥소(玉蔬)[122]와 아울러 한 치의 오디를 구해 오게 하였다. 지금 관동(關東)의 삼척(三陟) 지방에서 생산되는 오디가 매우 크고 길어서 긴 것은 주척(周尺)[123]으로 딱 1치이니, 이것을 '한 치의 오디'라고 할 수 있겠다.

관음죽

요즘 담뱃대로 쓰이는 대나무는 모두 영남과 호남에서 생산되는데, 그 마디가 짧고 결이 단단한 것을 세속에서는 보통 '관음죽(觀音竹)[124]'이라고 부른다. 다른 대나무와 비교해 내구성이 가장 뛰어난데 유독 관음죽이라고 이름 붙인 뜻은 알 수가 없다. 우연히 마환(馬歡)[125]의 《영애승람(瀛涯勝覽)》[126]을 고찰해 보니, "점성국(占城國)[127]에서 생산되는 관음죽은 모양이

---

121 서복(徐福) : ?~?. 서불(徐市) 또는 서불(徐芾)로도 불린다. 진시황의 명을 받고 삼신산(三神山)의 불사약(不死藥)을 구하러 떠난 방사(方士)의 이름인데, 뒤에 일본으로 건너갔다는 설이 있다.

122 금채(金菜), 옥소(玉蔬) : 전설상 이것을 먹으면 장수한다는 신선초이다. 형태나 성질에 대해서는 자세하지 않다.

123 주척(周尺) : 주례(周禮)에 규정된 자로, 한 자가 곱자의 여섯 치 육 푼, 즉 23.1cm이다.

124 관음죽(觀音竹) : 중국 남부가 원산지로서 중국에서는 종죽(棕竹) 또는 근두죽(筋頭竹)이라고 하는데, 이 말은 일본 류큐[琉球]의 관음산에서 자란다는 뜻에서 붙인 이름을 한국어로 발음한 것이다. 높이는 1~2m에 이른다. 처음에는 줄기가 1개이지만 자라면서 땅속줄기에서 싹이 뭉쳐난다.

125 마환(馬歡) : 1416~1451. 자는 종도(宗道)이고 호는 회계산초(會稽山樵)이다. 중국 절강(浙江) 회계(會稽, 지금의 소흥) 출신의 무슬림이다. 15세기 초반 대항해가 정화(鄭和, 1371~1433)의 7차 '하서양(下西洋)' 중 4차(1413~1415)와 7차(1431~1433)의 항해에 참여하였다. 그 두 번의 항해에서 직접 방문하고 견문한 동남아시아와 서남아시아 22개국의 지리·풍속·물산·역사 등을 《영애승람(瀛涯勝覽)》에 생생하게 담았다.

126 영애승람(瀛涯勝覽) : 총 1권이다. 중국 명(明)나라 때 마환(馬歡)이 지은 남해(南海) 기행문집이다. 책의 내용은 대부분 정화(鄭和)가 사신으로 나갔을 때의 일을 기록하고 있다. 이 책에 기록된 해외의 주변국들은 '점성(占城)', '과와(瓜哇)', '구항국(舊港國)', '섬라(暹羅)', '만랄가(滿剌加)', '아로국(啞魯國)', '소문답랄(蘇門答剌)' 등 동남아시아와 서남아시아 22개국이며, 이것을 18편으로 만들었다. 주 내용은 이 나라들의 지리·풍속·산물 등을 기록하고, 또한 그 연혁(沿革)을 간략하게 언급하였다.

관음죽

등나무 같고 다 자라면 길이가 8척 남짓이다. 색깔은 쇠처럼 검고 매 마디가 약 두세 치 정도 된다."[128]라고 하였다. 이로 보면 우리나라의 관음죽 역시 그 마디가 짧아서 얻은 이름임을 알 수 있다.

흡독석吸毒石

박지원의《열하일기(熱河日記)》에 다음과 같은 내용이 있다.

"흡독석(吸毒石)은 크기가 대추만 하고 검푸른 빛깔이다. 소서양(小西洋)[129]에 서식하는 일종의 독사(毒蛇) 머릿속에 생기는 돌이다. 이 돌은 뱀과 전갈, 지네 같은 여러 독 있는 동물들에게 물린 상처를 낫게 하고, 아

127 점성국(占城國) : 지금의 베트남 중남부 지역의 옛 나라 이름이다.

128 점성국(占城國)에서……된다 : 觀音竹如細藤棍樣, 長一丈七八尺, 如鐵之黑, 每一寸有二三節, 他所不出.(《瀛涯勝覽》〈占城國〉)

129 소서양(小西洋) : 인도양으로 인도나 페르시아만 지역의 나라를 칭한다.

울러 옹저(癰疽, 큰 종기)와 일체의 독종(毒瘇) 및 악창(惡瘡)을 고친다. 이 돌을 상처 부위에 놓으면 돌이 저절로 종기 부위에 붙어 떨어지지 않다가 독기를 다 빨아내면 돌이 저절로 떨어지고 환부가 낫는다. 그러나 반드시 사람의 젖[乳] 한 종지를 준비했다가 떨어진 돌을 재빨리 담근 다음 젖빛이 약간 녹색이 되었을 때 즉시 맑은 물에 잘 씻고 닦아 보관해서 다음번에 쓸 수 있도록 해야 한다. 만일 조금이라도 늦게까지 젖에 담가 두면 돌의 독이 너무 빠져나와 한참 뒤에는 영험이 없어진다."[130]

우리집에도 옛날에 이 돌이 있었는데 선대부[131]께서 연경에 가셨을 때 사 오신 것이다. 병인년(1806)에 중부(仲父) 명고공(明皐公, 서형수(徐瀅修)[132])이 호남의 추자도(楸子島)[133]에 귀양을 갔는데 섬에 뱀, 전갈, 지네 등이 많아 백씨(伯氏, 서유본(徐有本))가 이 돌을 보내 주었다. 또 들으니 충헌공(忠憲公)[134]의 옛날 집에도 이 돌이 있었는데 독충과 종기를 치료할 뿐만 아니라 학질을 그치게 할 수도 있다고 한다. 시골 생활에 없어서는 안 될 물건이다.

송이

송이는 산에서 나는 나물 중에 가장 풍미가 넘치는 것이다. 나는 그것

---

130 흡독석(吸毒石)은……없어진다 : 吸毒石, 棗子大, 青黑色, 小西洋一種毒蛇頭裏生石, 能治蛇、蝎、蜈蚣諸蟲咬傷, 并治癰疽、一切毒瘇、惡瘡. 即將石置傷處, 石自緊粘不落, 吸毒盡時, 石自離落, 患可除痊. 須預備人乳一鍾, 急將石浸之, 候至乳色略綠, 即洗清水, 净抹收貯, 以待後用. 若浸乳稍遲, 則石毒過出, 久後無靈.《熱河日記》〈銅蘭涉筆〉

131 선대부 : 서유구의 생부 서호수(徐浩修, 1736~1799)를 말한다.

132 서형수(徐瀅修) : 1749~1824. 본관은 달성(達城)이며, 자는 사의(士毅)이고 호는 직재(直齋)이다. 이재(李縡)와 김원행(金元行)의 문하에서 학문을 수학하였다. 1751년(영조 27) 별시문과에 병과로 급제하였다. 1757년(영조 33) 정언에 임명되었으나, 당론을 일으킨 윤시동(尹蓍東)을 감싸다가 흑산도로 유배되었다. 1767년(영조 43) 죄에서 풀려나고 이듬해 사서(司書)로 서용되었다.

133 추자도(楸子島) : 1271년(고려 원종 13)까지 후풍도(候風島)라고 불렸으며, 그 후 전라도 영암군에 속하면서 추자도로 개칭하고, 1910년 제주에 소속하게 되었다. 한반도 남서부와 제주도의 중간 지점에 위치하며, 상추자도·하추자도·횡간도(横干島)·추포도(秋浦島) 등 4개의 유인도 및 38개의 무인도로 이루어져 있다.

134 충헌공(忠憲公) : 충헌공에 대해서는 자세하지 않다.

송이

을 매우 좋아해서 매양 "송이의 맛은 오로지 녹용 모양으로 새순이 갓 솟아나와 야들야들한 것에 달려 있다. 우산 모양처럼 퍼진 것은 약간 풍미가 떨어지는데, 여리고 보드라울수록 맛이 좋기 때문이다."라고 말해왔다. 우연히 양만리(楊萬里)[135]의 시에 "우산 모양의 버섯은 삿갓 모양을 한 것만 못하고 못 모양의 것이 삿갓 모양의 것보다 낫다[傘不如笠釘勝笠]."[136]라고 한 것을 보았는데, 내가 하고 싶은 말을 먼저 했다고 할 만하다. 중국인들은 송이를 '송활(松滑)'이라 부른다.

마가목 열매

마가목 열매 – 정공등(丁公藤)이 바로 마가목이다. – 와 황백(黃柏)[137]열매,

---

135 양만리(楊萬里) : 1127~1206. 자는 정수(廷秀)이고, 호는 성재(誠齋)이다. 강서(江西) 길주(吉州, 지금의 강서성) 사람이다. 시를 잘 지어 스스로 성재체(誠齋體)를 이루었고, 우무(尤袤), 범성대(范成大), 육유(陸游)와 함께 남송사대가(南宋四大家)로 불린다.

136 우산……낫다 : 空山一雨山溜急, 漂流桂子松花汁. 土膏松暖都滲入, 蒸出蕈花團戢戢. 裁穿落葉忽成立, 撥開落葉百數十. 蠟面黃紫光欲濕, 酥莖嬌脆手輕拾. 傘不如笠釘勝笠, 香留齒牙麝莫及. 菘羔楮雞避席揖, 餐玉茹芝當卻粒.(楊萬里, 《誠齋集》 卷16 〈蕈子〉)

137 황백(黃柏) : 운향과의 낙엽 활엽 교목. 높이는 10~15m이며, 잎은 마주나고 달걀 모양의 긴 타원형이다. 6월에 노란색의 단성화(單性花)가 원추(圓錐) 꽃차례로 피고 열매는 공 모양의 핵과(核果)로 9~10월에 익는다. 나무껍질은 코르크를 만들거나 열매와 함께 약용한다. 깊은 산의 비옥한 땅에서 자라는데 전남을 제외한 한국 각지와 일본, 중국 북부 등지에 분포한다.

마가목 열매

창출(蒼朮)[138], 천남성(天南星)[139], 멥쌀을 같은 분량으로 넣어 술을 빚은 다음 두 번 소주를 내린다. 이것을 체중에 따라 양을 조절해 마시고 땀을 내면 풍담(風痰)과 전신불수(全身不隨) 치료에 매우 효험이 있다.

도꼬마리[140]

《당본초(唐本艸)》[141]에 이런 내용이 있다.

"문둥병, 간질, 두통, 습비(濕痺)의 독이 골수에 들었거나 허리나 무릎의 풍독을 치료하는 데 쓰인다. 여름에 도꼬마리[蒼耳]의 줄기와 잎을 따서 말

---

138 창출(蒼朮) : 국화과의 여러해살이풀. 높이는 30~50cm이며, 잎은 어긋난다. 8월에 붉은색이나 흰색의 두상화(頭狀花)가 핀다. 평남의 산지(山地)에서 자란다. 당삽주의 뿌리를 한방에서 이르는 말이다. 소화 불량, 설사, 수종(水腫) 등에 쓴다.

139 천남성(天南星) : 천남성과의 여러해살이풀. 높이는 30~60cm이며, 잎은 여러 갈래로 갈라지고 새발 모양이다. 5~7월에 녹색 꽃이 피고, 열매는 붉은 장과(漿果)이다. 뿌리는 담(痰)과 해수(咳嗽), 중풍, 전간 등에 약재로 쓴다. 한국, 일본, 중국 등지에 분포한다.

140 도꼬마리 : 국화과(菊花科)의 한해살이풀로 풍사(風邪)를 몰아내고 열을 발산시키며 해독(解毒)하고 기생충을 구제하는 효능을 가진 약재이다.

141 당본초(唐本草) : 당나라 현경(顯慶) 4년(659)에 소공(蘇恭)의 주청에 의해서 이세적(李世勣) 등에게 명하여 편찬한 책으로, 《본초(本草)》를 근간으로 하여 이를 증수(增修)한 것인데, 모두 20권이다.

도꼬마리(국립수목원 국가생물종시식정보시스템)

려서 가루로 만든 다음 물에 타서 한두 술을 복용하고 겨울에는 술에 타서 복용한다. 혹은 환으로 만들어서 한 번에 2, 30개씩 복용하는데 하루에 세 번 복용한다. 100일이 되면 병이 몸 밖으로 나와 옴처럼 즙이 되어 나오거나 얼룩얼룩 피부가 두텁게 각질화되어 껍질이 일어나는데 껍질이 떨어지고 나면 백옥처럼 희고 매끄러운 피부가 된다."[142]

이는 문둥병과 간질병에 도꼬마리를 백일 동안 복용하면 골수 든 풍독이 피부 밖으로 나오는데 그 모습이 마치 옴처럼 즙이 되어 나오거나 얼룩얼룩 피부가 두텁게 각질화되어 병독이 밖으로 다 발산되어 껍질이 떨어지고 나면 백옥처럼 희고 매끄러운 피부가 된다는 뜻이다. 《동의보감(東醫寶鑑)》에 전풍(癲風)[143]과 역양(癧瘍)[144]에 대한 치료법으로 이 처방이 실

---

142 문둥병……된다 : 主治溪毒. 中風傷寒頭痛大風癲癎頭風濕痺, 毒在骨髓, 腰膝風毒. 夏月采曝爲末, 水服一二匕, 冬月酒服. 或爲丸, 每服二三十丸, 日三服. 滿百日, 病出如瘑疥成汁出, 或斑駁駁甲錯皮起, 皮落則飢如凝脂.(《本草綱目》 卷15)

143 전풍(癲風) : 땀이 많은 사람의 몸에 사상균의 기생으로 생기는 피부병이다. 처음에는 원형 또는 타원형의 작은 점으로 시작하여 차차 퍼지면 황갈색이나 검은색으로 변한다. 어루러기라고도 한다.

려 있는데, "자백전풍(紫白癜風)[145]과 옴을 치료하는데, 얼룩덜룩 피부 각질이 생기고 즙이 나온다."라고 하였으니, 이 무슨 잠꼬대란 말인가. 그래도 다행인 것은 도꼬마리가 큰 독이 없고 본래 전풍을 치료했을 뿐이니, 만약 그렇지 않았다면 '《본초(本草)》에 주석을 잘못 달면 사람을 죽인다.'라는 말이 헛소리에 그치지는 않았을 것이다.

목화씨 기름[木綿油]

목화씨로 기름을 짤 수 있는데, 그 기름으로 등을 밝히면 매우 밝고 그을음도 없다. 그 방법은 이렇다. 방아로 목화씨를 갈아 햇볕에 쬐어 건조시킨 다음 맷돌로 대충 갈아 껍질을 부순다. 다시 대나무체로 쳐서 껍질을 벗긴 뒤 피마자(萞麻子) 기름을 짜듯이 □물을[146] 가지고 달여서 기름을 짠다. 나는 고금의 농서에 이 방법이 언급되지 않은 것을 의심스러워하다가 결국 근세에 만들어진 것이라고 생각했다. 그런데 최근 명나라 사람 왕상진(王象晋)[147]이 쓴 《군방보(群芳譜)》[148]에 "보리를 심을 때 목면유를 이용하면 해충의 피해를 입지 않고 가뭄에 잘 견딘다."[149]라고 한 것을 보고는 비로소 그 유래가 오래되었음을 알게 되었다.

---

144 역양(癧瘍) : 목과 겨드랑이에 멍울이 생기는 병증이다.

145 자백전풍(紫白癜風) : 목이나 몸통 등 땀이 많이 나는 부위에 희기도 하고 푸르기도 한 보라꽃 모양의 반점이 생기는 병증이다.

146 □물을 : 저본에는 '水' 자 앞에 글자가 빠져 있어 어떤 물인지 알 수 없어 그대로 번역하였다.

147 왕상진(王象晋) : 1561~1653. 자는 신신(藎臣), 자진(子進), 삼진(三晉), 강후(康候) 등이고, 호는 강우(康宇), 명농거사(名農居士)이다. 명나라의 문인, 관리이자 농학가로 의학에 정통하였다. 왕상진이 편찬한 《군방보(群芳譜)》는 17세기 초 여러 작물의 생산과 그와 관련한 내용을 기술하고 있다.

148 군방보(群芳譜) : 왕상진이 편찬한 책으로, 《이여당군방보(二如堂群芳譜)》라고도 한다. 갖가지 곡물(穀物)·소과(蔬菓)·화훼(花卉) 등의 종류, 재배법, 효능 등을 설명해 놓았다. 모두 30권이다. 청나라 강희(康熙) 연간에 왕호(汪顥) 등이 왕명을 받아 이 책을 증보하여 〈광군방보(廣群芳譜)〉 100권을 편찬하였다.

149 보리를……견딘다 : 이 내용은 왕상진이 《농정전서(農政全書)》의 내용을 인용한 대목이다. 원문은 다음과 같다. "《農政全書》 種麥. 八月白露節後, 逢上戊為上時, 中戊為中時, 下戊為下時. 種須簡成實者, 棉子油拌過則無蟲而耐旱."(《御製佩文齋廣羣芳譜》 卷7)

목화씨

석화

석화石花

이조원(李調元)[150]의 《남월필기(南越筆記)》[151]에, "석화(石花)[152]는 애주(崖州)의 항구에서 나오는데 3월에 채취한다. 시기를 놓치면 돌이 된다."[153]라고 하였는데, 여기서 말하는 석화는 우리나라의 석화와는 다르다.

광어廣魚와 설어舌魚

이조원(李調元)의 《연서지(然犀志)》[154]는 남월 지방[155]의 어류(魚類)에 대해 기록한 책이다. 전적으로 여러 학자들의 《본초》 내용을 답습하기만 하고

150 이조원(李調元) : 1734~1803. 자는 갱당(羹堂), 호는 우촌(雨村), 동산준옹(童山蠢翁)이다. 청나라의 4대 희곡이론가이자 시인이다. 관직에서 물러난 뒤 고향인 사천성 나강현(羅江縣)에 만권루(萬卷樓)라는 서고를 지었다. 대표적인 편서로 《함해(函海)》가 있으며, 저서는 《동산전집(童山全集)》, 《동산시집(童山詩集)》 등이 있다.

151 남월필기(南越筆記) : 전체 16권이다. 1권은 민간 풍속을, 2~3권은 산천, 하수, 지리를 기록하였다. 박물, 공예 비중이 크고 남월의 기이한 짐승과 새, 곤충 등을 경제적 자원의 관점에서 수록하였다. 또 간간이 공산품의 흐름을 덧붙여서 근세 서구의 물질문명이 동쪽으로 유입된 발자취를 반영하기도 했다. 권 7에는 소수 민족에 대해 기술하여 민속, 민족, 종교, 사회, 사학의 여러 학술 분야에 걸쳐 많은 중요한 사료를 제공하였다.

152 석화(石花) : 굴이다.

153 석화(石花)는……된다 : 石花出崖州海港中, 三月採取, 過期則成石矣.(李調元, 《南越筆記》 卷16 〈燕窩〉)

154 연서지(然犀志) : 이조원이 저술한 상하 2권의 광동 연해 해양 생물을 기록한 저술이다. 1779년에 완성되었으며, 모두 93종의 해양 생물이 수록되어 있다.

155 남월 지방 : 지금의 중국 광동성(廣東省)과 광서성(廣西省) 지방에 해당한다.

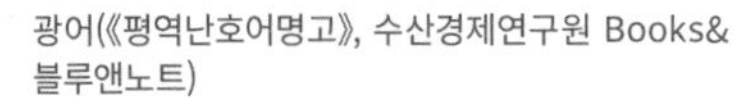

광어(《평역난호어명고》, 수산경제연구원 Books& 블루앤노트)

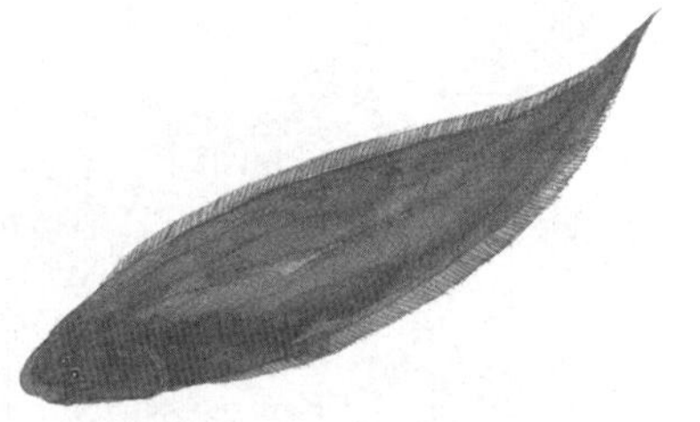

설어(《평역난호어명고》, 수산경제연구원 Books& 블루앤노트)

취사선택한 것은 전혀 없다. 책의 말미에 광어(廣魚)[156], 설어(舌魚)[157], 대구어(大口魚)[158], 송어(松魚)[159], 민어(民魚)[160], 연어(鰱魚)[161], 은구어(銀口魚)[162]에 관한 내용을 부록으로 실어 놓았다. 하지만 전적으로 《동의보감(東醫寶鑑)》을 그대로 인용하고 있다. 다만 민어는 회어(鮰魚)가 아니고 면어(鮸魚)이며, 연어와 서어(鱮魚)는 이름만 같을 뿐 실제로는 다른 어류이며, 은구어는 은조어(銀條魚)[163]가 아니라는 것은 하나도 증명하지 못하였다. 엉성하기가

156 광어(廣魚) : 가자미목 넙칫과의 물고기로 일생을 바다에서 보내다 알을 낳기 위해 강으로 돌아온다. 몸은 길게 옆으로 납작하고 주둥이 앞 끝이 뾰족하며 꼬리는 옆으로 납작하다.

157 설어(舌魚) : 참서대를 말한다. 가자미목 참서댓과의 바닷물고기로 눈은 왼쪽에 치우쳐 있으며 바다 밑바닥에 붙어서 생활한다. 《자산어보(玆山魚譜)》에는 장첩(長鰈)이라 하고, 모양이 가죽신 바닥과 비슷하다 하여 속명을 혜대어라 하였다. 《전어지(佃漁志)》에는 '셔대'라 하고 설어(舌魚)로 기록하고 있다.

158 대구어(大口魚) : 대구목 대구과의 바닷물고기이다. 머리가 크고 입이 커서 대구(大口) 또는 대구어(大口魚)라고 부른다.

159 송어(松魚) : 연어목 연어과의 회귀성 어류이다. 산천어와 같은 종으로 분류되나, 강에서만 생활하는 산천어와 달리 바다에서 살다가 산란기에 다시 강으로 돌아오는 습성이 있다.

160 민어(民魚) : 농어목 민어과의 바닷물고기이다. 예로부터 우리나라에서 인기가 있던 어류 중 하나로 지방에 따라 개우치, 홍치 또는 어스래기 등의 다른 이름으로 불리기도 한다.

161 연어(鰱魚) : 연어목 연어과의 회귀성 어류이다. 산란기가 다가오면 자신이 태어난 강으로 거슬러 올라가는데, 암컷과 수컷 모두 혼인색을 띠며 먹이를 먹지 않는 특징이 있다. 짝짓기를 마친 암컷과 수컷은 곧 죽고 부화한 새끼는 이듬해 바다로 내려가 생활한다.

162 은구어(銀口魚) : 민물고기의 하나로 은어(銀魚)라고도 한다. 《지봉유설》 권20 〈금충부(禽蟲部) 인개(鱗介)〉에는 "은구어는 봄에 바다로부터 거슬러 올라와서, 여름과 가을까지 몸이 커졌다가 늦가을이면 거의 줄어든다. …… 내가 순천에서 보니 깊은 겨울에도 역시 어쩌다가 이것이 있었다. 다만 몸뚱이가 몹시 야위고 맛도 좋지 못했다.[銀口魚, 以春時自海遡流而上, 至夏秋肥大, 秋深則消縮以盡. …… 余於順天, 見深冬亦或有之. 但體瘠, 味甚劣耳.]"라는 내용이 있다.

163 은조어(銀條魚) : 은어의 한 종류로 도루묵이라고도 한다.

이와 같으니 비록 아무리 편폭(篇幅)이 많고 문장이 길다 해도 지식을 넓히는 데 무슨 도움이 되겠는가.

편도 匾桃[164]

이덕무(李德懋)의 《앙엽기(盎葉記)》[165]에 다음과 같은 내용이 있다.

"지금 교서관 직려(直廬)[166]의 동쪽 담장 아래에 복숭아나무 한 그루가 심어져 있다. 둥그스름하면서 납작한 열매가 열리는데 세속에서 말하는 '구수시(窶籔柹)[167]'와 같다. 사람들은 '감[柹]'이라고만 일컬을 뿐 다른 나라의 진귀한 과실인 줄은 알지 못한다. 단성식(段成式)[168]의 《유양잡조(酉陽雜俎)》[169]에 '편도는 파사국(波斯國)[170]에서 나는데 파담수(婆淡樹)라고 한다. 열매는 복숭아와 비슷하지만 모양이 둥그스름하면서 납작하다.'라고 한 것이 바로 이 복숭아다."[171]

내가 《본초강목(本草綱目)》을 살펴보니, "편도는 남번(南番)에서 난다. 모양은 둥그스름하면서 납작하고, 과육은 떫으며 씨 모양은 함(盒) 같다. 그

---

164 편도(匾桃) : 감복숭아라고 한다. 장미과의 낙엽 교목으로, 4~10m 정도 자란다. 잎은 어긋나고 버들잎 모양이다. 이른 봄에 붉은 꽃이 피고 열매는 납작감 비슷한데 익으면 갈라지고 쓴맛이 있어 식용할 수 없다. 씨는 식용을 하거나 기름을 짜서 화장품의 원료나 기침약으로 쓴다. 지중해가 원산지이다.

165 앙엽기(盎葉記) : 이덕무의 시문집인 《청장관전서(靑莊館全書)》 권54~61에 수록된 것으로 역사, 풍속, 서적, 경전 등에 관해 고증한 저술이다.

166 직려(直廬) : 관원이 숙직하는 곳을 말한다.

167 구수시(窶籔柹 : 《청장관전서》 권56 〈앙엽기〉 원문에는 구수시에 대해 "언문으로는 '애감'이다"[如俗所謂窶籔柹－諺訓作애감－]라는 주석이 보충되어 있다.

168 단성식(段成式) : 803~863. 당나라의 학자로 자는 가고(柯古)이다. 박학(博學)이라는 영예를 안으면서 연구에 정진하여, 비각(秘閣)의 책은 모두 읽었다고 한다. 주요 저서로 《유양잡조(酉陽雜俎)》가 있다.

169 유양잡조(酉陽雜俎) : 단성식이 지은 필기소설류 저작으로 모두 30권(원집 20권, 속집 10권)이다. 당시에 일어난 괴이한 사건, 언어, 풍속 따위를 기술하였다.

170 파사국(波斯國) : 페르시아의 한역 이름으로 현재의 이란이다.

171 지금……복숭아다 : 今校書舘直廬, 有桃一株, 植于東墻下. 結匾實, 如俗所謂窶籔柹－諺訓作애감－, 故人稱柹桃, 而不知爲異國珍品也. 《酉陽雜俎》－唐段成式著－曰: '匾桃出波斯國, 呼婆淡樹. 實似桃子而形匾. 西域諸國并珍之.'(李德懋, 《靑莊館全書》 卷56 〈盎葉記、匾桃〉)

편도

인(仁)[172]은 달고 맛있어서 남번 사람들이 진귀하게 여긴다."[173] 라고 하였다. 편도가 진귀한 물건이 된 것은 그 인 때문이지 과육 때문이 아니다. 지금 교서관의 복숭아는 그 인이 뭇 복숭아와 다를 것이 없다. 단지 그 모양이 둥그스름하면서 납작하기 때문에 파담수라고 부른다면 이는 이른바 '수박 겉핥기'라는 것이다.

벽도碧桃[174]

복숭아의 꽃은 그 색깔이 분홍색, 진분홍색, 흰색의 세 가지뿐이다. 요즘 사람들이 백도(白桃)를 벽도(碧桃)라 말하는 것은 잘못이다. 옛날에 홍도(紅桃), 비도(緋桃), 벽도(碧桃), 상도(緗桃)[175]라고 말한 것은 모두 그 열매의 색깔을 가리켜 말한 것일 뿐이다.

---

172 인(仁) : 씨에서 껍질을 벗긴, 배(胚)와 배젖의 총칭으로, 여기서는 호두와 같이 과육을 제거한 단단한 씨의 겉껍질을 벗겨낸 내용물을 말한다.

173 편도는……여긴다 : 匾桃出南番, 形匾肉澀, 核狀如盒, 其仁甘美. 番人珍之, 名波淡樹, 樹甚高碩.《本草綱目(金陵本)》第29〈果部1〉

174 벽도(碧桃) : 복숭아나무의 하나로, 꽃은 희고 꽃잎이 여러 겹으로 되어 있다.

175 상도(緗桃) : 상핵도(緗核桃)라고도 한다. 호두를 말한다.

기장[穄]

정요전(程瑤田)[176]의 《구곡고(九穀攷)》에 "기장은 지금의 수수[蜀黍]이다." 라고 하였는데 그의 설명은 잘못된 것이다. 수수는 파촉(巴蜀) 지방에서 전래되었기에 글자에 '촉(蜀)' 자가 들어 있는 것이니, 삼대 때에는 없었던 것이 확실하다. 모씨(毛氏)의 《시전(詩傳)》[177]에서 "먼저 싸락눈[霰]이 뿌리는구나."[178]라는 구절을 풀이하면서 "산[霰]은 싸락눈[稷雪][179]이다."라고 하였다. 혹은 미설(米雪)이라고도 하는데 그 낱알이 기장쌀과 같기 때문에 그렇게 이름한 것이다. 만약 수수라고 이른다면 눈 한 알갱이가 어찌 이렇게 큰 것이 있겠는가.

《설문해자(說文解字)》에 "서(黍)는 화(禾)에 속한다. 뜻을 나타내는 부분은 화(禾)이고, 음을 나타내는 부분인 '우(雨)' 자가 생략되어[180] 이루어진 형성자이다. 공자는 '기장은 술을 담글 수 있으니, 화(禾) 자에 수(水) 자가 삽입된 것이다.'라고 하였다."[181] 여기서 말하는 화(禾)는 곧 조[粟]를 가리켜 말한 것이다. 《설원(說苑)》[182]에 "전요(田饒)가 종위(宗衛)에게[183] 말하기

---

176 정요전(程瑤田) : 1725~1814. 정징군(程徵君)이라고도 한다. 자는 역주(易疇), 역전(易田)이다. 경학(經學)을 깊이 연구하였다. 저술로는 《종법소기(宗法小記)》 등이 있다.

177 모씨(毛氏)의 시전(詩傳) : 모씨는 모형(毛亨)으로 《모시고훈전(毛詩詁訓傳)》을 저술하였다. 《한서(漢書)》 〈예문지(藝文志)〉에 "《모시고훈전》 30권"으로 서술되어 있으나 현재는 전하지 않고, 다만 《모시정의(毛詩正義)》에 비교적 완전한 형태로 보존되어 있다. 청나라 때 단옥재(段玉裁)가 《모시정의》에서 분리하여 《모시고훈전(毛詩故訓傳)》으로 다시 정리하였다.

178 먼저……뿌리는구나 : 《시경》 〈소아(小雅) · 상호지습(桑扈之什) · 기변(頍弁)〉에 나오는 구절이다.

179 싸락눈[稷雪] : 《모시고훈전》에는 "暴雪"로 되어 있다.

180 생략되어 : 한자(漢字)의 형성자에서 성부(聲符)에 대한 설명으로 성부에 해당하는 한자의 필획 일부를 생략하였다는 의미이다.

181 서(黍)는……하였다 : 《설문해자》 "서(黍)"에 대한 풀이에 나오는 문구이다. 원문은 다음과 같다. "禾屬而黏者也. 以大暑而種, 故謂之黍. 從禾, 雨省聲. 孔子曰:"黍可爲酒, 禾入水也."" (《說文解字》 卷7 〈【黍部】 "黍"〉)

182 설원(說苑) : 한나라의 유향(劉向)이 편찬한 책으로, 모두 20권이다. 어떤 사실에 대해 설명을 달리하는 여러 책의 내용을 발췌해서 정리한 책으로서 시비(是非)를 정하지 않고 양쪽의 설을 모두 수록하였다. 군도(君道) 등 20편으로 구성되어 있다.

기장

를, '선비는 세 되의 기장으로는 부족합니다.'"[184]라고 하였으니, 이것 또한 기장을 조로 여긴 증거이다. 다만 유협(劉勰)[185]은 "새로운 것을 생각하는 자는 아(莪)와 고(蒿)를 구분하지 못하고, 두루 미칠 것을 근심하는 자는 벼와 기장을 분별하지 못하네."라고 하였다.[186] 유협의 설에 근거해 보면 또한 조와 기장을 두 종의 곡식으로 삼았으니, 어찌 유협 또한 소공(蘇恭)[187]의 설과 합치되겠는가.

183 전요(田饒)가 종위(宗衛)에게 : 전요와 종위는 모두 전국시대 제(齊)나라 사람으로, 전요는 제나라의 재상인 종위(宗衛)의 문위(門尉)가 되었다.

184 전요(田饒)가……부족합니다 : 田饒謂宗衛曰: "三升之稷, 不足於士."(《說苑》 卷8 〈尊賢〉)

185 유협(劉勰) : 465~521. 중국 남북조(南北朝)시대 남조 양(梁)나라 사람이다. 저술로 《신론(新論)》이 있다.

186 유협(劉勰)은……하였다 : 청나라 전징지(錢澄之, 1612~1693)의 《전간시학(田間詩學)》 권2와 청나라 요병(姚炳, ?~?)의 《시식명해(詩識名解)》 권9에 보인다. 그런데 본문 첫 구절에 서유구는 '사신자(思新者)'라고 하였는데 두 곳에서는 '사친자(思親者)'로 되어 있다. 원문은 다음과 같다. "劉勰云: 思親者, 莪蒿不分, 閔周者, 黍稷莫辨. 蓋心在于憂與哀, 而視物之似而誤也."

187 소공(蘇恭) : 599~674. 중국 당대의 약학가(藥學家)로, 본명은 소경(蘇敬)인데 송대에 피휘하여 소공(蘇恭) 또는 소감(蘇鑒)으로 고쳤다. 《당본초(唐本草)》를 주편하였다.

《한시외전(漢詩外傳)》에 "진요(陳饒)[188]가 송연(宋燕)[189]에게 말하기를, '서 말의 기장도 선비에게는 부족한데 그대는 집오리를 먹이고도 남을 곡식이 있습니다.'"[190]라고 하였다. 이 또한 진한(秦漢) 이전에는 속과 기장을 서로 섞어 말했다는 증거이다.

오서(吳瑞, 명나라 명의)는 기장을 노채(蘆蔡)로 여겼는데 노채는 수수의 다른 이름이니 또한 고량(高粱, 수수의 일종)이라고도 한다. 이시진(李時珍)의 《본초강목(本草綱目)》〈기장[稷]〉의 정오(正誤)[191]에서 오서의 설이 잘못이라고 하고는[192] 부방(附方)을 지으면서 또 "심기에 통증이 있을 때, 고량 뿌리를 끓여서 복용한다. 태아가 횡생(橫生)[193]하여 난산인 경우, 고량 뿌리를 그슬려 본성을 보존해 두었다가 가루를 내어 복용한다."[194]는 문장을 인용하였다. 이는 또한 기장을 고량으로 여긴 것이다. 한 가지 물건을 두 가지로 해석하니 그 오류가 심하다.

---

188 진요(陳饒) : 앞 주석의 전요(田饒)와 같은 사람이다. 진씨(陳氏)가 제나라에 와서 전씨(田氏)로 바뀌었으므로 진씨와 전씨는 같은 성씨이다.

189 송연(宋燕) : '管燕', '宋衛', '燕相' 등 기록마다 그 이름이 다르다. 제나라의 재상으로 있다가 쫓겨나 집으로 돌아왔다.

190 진요(陳饒)가……있습니다 : 宋燕曰 : 夫失諸已而責諸人者何? 陳饒曰 : 三斗之稷不足於士, 而君鴈鶩有餘粟, 是君之一過也.(《漢詩外傳》〈詩外傳〉 卷7)

191 정오(正誤) : 《본초강목(本草綱目)》의 항목 중 하나이다. 《본초강목》은 약재를 중심으로 석명(釋名), 집해(集解), 정오(正誤), 수치(修治), 기미(氣味), 발명(發明), 부방(附方) 등 8항목으로 나누어 기술했다

192 오서의……하고는 : 《본초강목(本草綱目)》 권23 〈직(稷)〉의 정오(正誤)에 다음과 같은 내용이 있다. "오서가 말하였다. '직(稷)의 싹은 노(蘆)와 같고 낟알도 크다. 남쪽 사람들이 노(蘆)라고 한다. 손염(孫炎)의 《정의(正義)》에 「직(稷)은 속(粟)이다.」라고 하였다.'……그러므로 오씨도 그 오류를 답습한 것이다. 이제 바로잡는다.[吳瑞曰 : "'稷苗似蘆, 粒亦大, 南人呼爲蘆. 孫炎《正義》云 : 稷即粟也.'……亦襲其誤也. 今並正之.]

193 횡생(橫生) : 태아의 머리가 아닌 어깨나 손, 팔 등이 먼저 나오는 이상 분만을 말한다.

194 심기에……복용한다 : 【主治】心氣痛, 產難(時珍)【附方】新二. 心氣疼痛 : 高粱根煎湯溫服, 甚效. 橫生難產 : 重陽日取高粱根(名瓜龍)陰幹, 燒存性, 研末. 酒服二錢, 即下.(《本草綱目》〈谷部 第二十三卷 谷之二 根〉)

수수[蜀黍]

맹자가 "맥(貊) 땅에서는 오곡이 자라지 않고 오직 기장만 자란다."[195]라고 했는데, 기장은 본래 오곡의 하나이거늘 어째서 오곡이 자라지 않는다고 하였는가? 《성호사설(星湖僿說)》에 "여기에서 말하는 기장은 아마도 수수[蜀黍]를 가리켜 말한 것 같다."[196]라고 하였는데 이 말이 타당하다. 지금 요양(遼陽)과 심양(瀋陽) 이북에서는 대부분 수수를 심고 농가에서 먹는 것은 대부분 수수밥이다.

수수

---

195 맥(貊)……자란다 : 《맹자(孟子)》 〈고자 하(告子下)〉 에 나오는 구절이다.

196 여기에서……같다 : 이 말은 《성호사설》에는 보이지 않는다. 《풍석전집(楓石全集)》 《금화지비집(金華知非集)》 제4권 〈정요전구곡고변(程瑤田九穀攷辨)〉에 같은 내용이 있는데 〈정요전구곡고변〉에서는 《성호사설》 대신 "설자(說者)"라고 하였다. 원문은 다음과 같다. "孟子曰貉五穀不生, 惟黍生之. 黍自居五穀之一, 何謂五穀不生也, 說者以爲此所謂黍卽指蜀黍而言, 然則蜀黍之不得居五穀之列, 明矣."

철갑상어[鱣]

철갑상어(《평역난호어명고》, 수산경제연구원 Books&블루앤노트)

《시경》〈위풍(衛風)〉의 "철갑상어와 상어가 팔딱거리며[鱣鮪發發]"[197]에 대해 《시집전(詩集傳)》에는 "철갑상어는 용과 비슷하고, 황색이다."[198]라고 하였다. 하지만 철갑상어는 실제로 회백색이다. 《시집전》의 이 말은 아마도 곽박(郭璞)의 《이아(爾雅)》 주석에 나오는 "강동에서는 황어(黃魚)라고 부른다."[199]라고 한 말에 따른 오류인 듯하다. 황어라는 명칭이 속살이 황색이라서 그런 이름을 얻게 되었음을 알지 못하였던 것이다. 때문에 곽씨는 "속살이 황색이다."라고 하였고, 육전(陸佃)[200]도 "철갑상어는 속살이 황색이다."[201]라고 했지, 몸이 황색이라고 말한 적은 없다.

---

197 철갑상어와 상어가 팔딱거리며 : 《시경》의 내용은 다음과 같다. "하수(河水)가 넘실넘실 흘러 북으로 콸콸 흐르거늘 그물을 치는 소리 활활하게 들리니 철갑상어와 상어가 팔딱거리며 갈대가 길쭉길쭉 하거늘 여러 강씨(姜氏)들은 치장이 거창도 하며 여러 남자들은 건장도 하더니라[河水洋洋 北流活活 施罛濊濊 鱣鮪發發 葭菼揭揭 庶姜孼孼 庶士有朅]"(《詩經》〈國風·衛〉)

198 철갑상어는……황색이다 : 〈鱣鮪發發〉【注】: 鱣魚 似龍 黃色銳頭 口在頷下 背上腹下 皆有甲 大者千餘斤.(《詩集傳》〈國風·衛〉)

199 강동에서는 황어(黃魚)라고 부른다 : 《이아(爾雅)》〈석어(釋魚)·전(鱣)〉에 대한 곽박(郭璞)의 주석에 나오는 내용이다.

200 육전(陸佃) : 1042~1102. 송(宋)나라 사람으로 자는 농사(農師), 호는 도산(陶山)이다. 원래 왕안석(王安石)의 당이었으나 왕안석이 신법(新法)을 들고나올 때 반대 의사를 제시했기 때문에 왕안석의 신임을 받지 못하였다. 시에 능하여 당음(唐音)의 기풍이 있었다고 한다. 저서로 《도산집(陶山集)》, 《이아(埤雅)》 등이 있다.

201 철갑상어는……황색이다 : 《이아》 권1 〈석어(釋魚)〉에 나오는 내용이다.

학鶴

회암(晦庵) 주희(朱熹)의 《시경집전(詩經集傳)》에서 "학의 꼬리가 검다."[202] 라고 한 것은 제대로 살펴보지 못한 실수일 뿐이다. 그런데 모기령(毛奇齡)[203]은 이를 두고 크게 헐뜯고 비웃으며 "그 검은 것이 꼬리겠는가?"라고 하였다. 그리고 또 "이 노인네는 서 있는 학만 보고, 날아가는 학은 보지 못하였나 보다."라고 하였다. 그러나 이런 말은 모기령이 말하기 훨씬 전부터 있었다. 호시(胡侍)[204]는 《진주선(眞珠船)》[205]에서 "주희의 《시경집전》에 '학은 몸이 희고, 목과 꼬리는 검다.'[206]라고 하였으나 꼬리는 실제로 검지 않다. 검은 것은 두 날개의 끝 부분 뿐이다."라고 하였다.

새우가 메뚜기가 되다

서현호(徐玄扈)[207]는 새우가 변해 메뚜기[蝗]가 된다고 하였는데[208] 그의 설은 본초학자(本草學者)들이 미처 밝혀내지 못한 것을 상당히 많이 증명하

---

202 학의 꼬리가 검다 : 《시경》 〈소아(小雅)·동궁지십(彤弓之什)·학명(鶴鳴)〉의 주석에 나오는 내용이다. 원문은 다음과 같다 "鶴鳥名, 長頸, 竦身, 高脚. 頂赤, 身白, 頸尾黑, 其鳴高亮, 聞八九里."

203 모기령(毛奇齡) : 1623~1716. 청나라 학자로, 자는 대가(大可), 호는 서하(西河)이다. 명사(明史)의 편찬에 참여하였다. 양명학의 영향을 받았으나 고증학을 좋아하여, 경학(經學), 역사, 지리 등에 관한 저술을 남겼다. 저서로 주자(朱子)를 비판한 《사서개착(四書改錯)》, 염약거(閻若璩)의 《고문상서소증(古文尙書疏證)》을 반박한 《고문상서원사(古文尙書冤詞)》 등이 있다.

204 호시(胡侍) : 1492~1553. 명나라 사람으로, 자는 봉지(奉之), 승지(承之)이고, 호는 몽계(濛溪)이며 함녕(咸寧) 사람이다. 저서로 《몽계집(濛溪集)》, 《진주선(眞珠船)》 등이 있다.

205 진주선(眞珠船) : 명나라 호시(胡侍)가 편찬하였다. 이 책은 경전과 사서의 고사(故事)와 소설가의 말을 수집한 것이다. 책 이름을 《진주선》 이라 한 것은 육전(陸佃, 1042~1102)의 《시주(詩註)》 에서 인용한 원적(元積)의 말인데, 독서할 때는 매번 하나의 뜻을 얻는데 마치 하나의 진주선을 얻는 것과 같다고 하였다.

206 학은……검다 : 鶴鳥名, 長頸, 竦身, 高脚. 頂赤, 身白, 頸尾黑, 其鳴高亮, 聞八九里. (《詩經》 〈小雅·彤弓之什·鶴鳴〉)

207 서현호(徐玄扈) : 1562~1633. 서광계(徐光啓)로 현호는 그의 호이다. 명나라 말엽의 과학자로, 예부상서와 재상을 역임하였다. 마테오리치로부터 서양의 학문을 배워 《기하원본》 등을 번역하였고, 역법(曆法)에도 정통하였다. 《농정전서(農政全書)》를 편찬하여 중국의 농학을 체계화하였다.

208 새우가……하였는데 : 《농정전서》 권44 〈황정(荒政)〉에 나오는 내용이다.

학

였다. 내가 나원(羅愿)[209]의 《이아익》을 살펴보니 "'갈대 새우[蘆蝦]'는 청색이며 '갈대[蘆葦]'가 변한 것이라고 전해진다."[210]라고 하였다. 메뚜기는 갈대밭에서 많이 생기니 이 말 또한 새우가 변하여 메뚜기가 된다는 한 가지 증거가 된다.[211]

진晉나라 사람의 나무 심고 가꾸기

왕우군(王右軍, 왕희지)의 서첩 중 〈촉군 태수 주에게 보내는 편지[與蜀郡守

---

209 나원(羅愿) : 1136~1184. 자는 단량(端良), 호는 존재(存齋) 또는 여즙자(汝楫子)이다. 박물학(博物學)에 정밀하였으며 고증을 잘하였다. 《신안지(新安志)》 10권을 편찬하였는데 체례를 완비하고 특히 물산에 대하여 자세히 기록하였다. 저서로 《이아익(爾雅翼)》 20권, 《악주소집(鄂州小集)》 7권이 있다.

210 갈대 새우[蘆蝦]는……전해진다 : 今閩中五色蝦, 長尺餘, 具五色. 梅蝦, 梅雨時有之. 蘆蝦, 青色, 相傳蘆葦所變. 白蝦 青蝦, 各以其色. 泥蝦, 相傳稻花變成, 多在田泥中, 一名苗蝦. 又蝦姑, 狀如蜈蚣, 一名管蝦.(《爾雅翼》 卷30 〈蝦〉)

211 메뚜기는……된다 : 서광계(徐光啓)가 《농정전서》에서 새우가 메뚜기가 되는 것에 대해 증명한 네 가지에 한 가지를 더 추가할 수 있다는 논지이다. 서광계가 증명한 네 가지는 다음과 같다. "凶飢之因 有三 日水 日旱 日蝗……凡裸蟲介蟲與羽蟲, 則能相變. 如螟蛉爲果臝, 蛣蜣爲蟬, 水蛆爲蚊是也. 若鱗蟲能變爲異類, 未之聞矣. 此一證也. 《爾雅翼》言, 蝦善遊而好躍, 蝻亦善躍. 此二證也. 物雖相變, 大都蛻殼即成, 故多相肖. 若蝗之形酷類蝦:其首其身其紋脈肉味, 其子之形味, 無非蝦者. 此三證也. 又蠶變爲蛾, 蛾之子複爲蠶. 《太平禦覽》言豐年則蝗變爲蝦, 知蝦之亦變爲蝗也. 此四證也.(徐光啓, 《農政全書》 卷44 〈荒政〉)

朱書]〉[212]에 앵두, 사과, 무궁화[日給][213], 등나무의 씨앗을 구한다는 내용이 있다. 진나라 사람은 욕심이 없고 화통했지만 오히려 나무를 심고 가꾸는 데만은 급급하여 천리를 마다않고 씨앗을 구했으니 그 정황이 이러했다.

사탕수수[蔗]

사탕수수의 쓰임은 다양하다. 달여서 정제하여 햇볕에 쬐어 말리면 돌처럼 단단하게 응고된 것은 석밀(石蜜)이 되고, 서리처럼 가볍고 하얗게 된 것은 당상(糖霜, 백설탕)이 된다. 사람이나 사물의 모양으로 찍어낸 것은 향당(饗糖)이 되고, 여러 색의 열매를 끼워 넣으면 당전(糖纏)[214]이 되며, 우유와 소락(酥酪, 연유)을 섞으면 유당(乳糖)[215]이 된다.

사탕수수

중국의 감미료는 대부분 사탕

---

212 촉군 태수 주에게 보내는 편지[與蜀郡守朱書] : 진(晉)나라의 왕희지(王羲之)가 쓴 465첩(帖) 중의 하나로 4행 20자의 행서 서첩인데, 제일 첫머리에 "청리래금(青李來禽)"이라는 글자가 씌어 있기 때문에 〈래금첩(來禽帖)〉이라고도 불린다. 원문은 다음과 같다. "青李、來禽、櫻桃、日給滕子皆囊盛爲佳, 函封多不生."

213 무궁화[日給] : 무궁화에 관한 명칭은 '無窮花'와 '木槿'이 가장 대표적이지만 문헌상에 나타난 별칭을 모아보면 무궁화(無窮花), 무관화(無官花), 일급(日給), 목화(木樺), 목면(木錦), 옥증(玉蒸), 역생(易生), 사내(似柰), 형조(荊條), 여목(麗木), 추화(秋華), 신수(神樹), 진찬화(進饌花), 어사화(御賜花), 자화(子花), 일일화(一日花), 흡용(洽容), 애로(愛老), 시객(時客), 황한(皇漢), 백근(白槿), 권황화(權黃華) 등과 같이 대단히 많다.

214 당전(糖纏) : 사치마[沙琪瑪]라고 하는 만주족의 전통 과자로, 기름에 튀긴 가늘고 짧은 면발을 물엿으로 굳혀 덩어리로 만든 후 사각형으로 자른 것이다. 강정과 비슷한 과자의 일종이다.

215 유당(乳糖) : 사전적인 뜻은 포유류 안에 존재하는 이당류인 락토오스(lactose)를 가리키지만 여기에서는 우유, 분유, 크림, 버터 등의 유제품을 넣어 풍미를 좋게 만드는 사탕의 일종을 가리키는 것으로 보인다.

수수에서 나온다. 그런데 우리나라에서는 유독 사탕수수를 심을 줄 몰라 항상 멀리 연경에 있는 가게에서 사당[沙糖, 설탕]과 당상을 구입하니 부귀한 이가 아니면 구할 수가 없다. 우리나라 영호남 바닷가 일대의 고을은 기후가 중국의 사탕수수 생산지와 비교해 크게 차이 나지 않는다. 만약 종자를 가져와 재배 방법에 따라 심도록 권장한다면 분명 성공할 것이다. 다만 강성(江城) 문익점(文益漸)[216]처럼 좋은 일을 할 사람이 없다는 게 문제이다.

오구나무[烏桕][217]

문정공(文定公) 서광계(徐光啓)[218]는 《농정전서》에서 오구나무의 이로움을 많이 말했는데 밀랍이 생길 수 있다는 말은 하지 않았다.[219] 지금 육심(陸深)[220]의 《예장만초(豫章漫抄)》를 살펴보니 "요주(饒州)[221]의 오구나무는 초겨울에 잎이 떨어지고 열매가 맺히면서 밀랍이 생긴다. 날알마다 십자 모양

---

216 문익점(文益漸) : 1329~1398. 본관은 남평(南平)으로, 자는 일신(日新), 호는 삼우당(三憂堂), 시호는 충선(忠宣)이다. 초명은 익첨(益瞻)이다. 강성현(江城縣, 경남 산청)에서 출생했다. 1363년 좌정언(左正言)으로 서장관(書狀官)이 되어 계품사(啓稟使) 이공수(李公遂)를 따라 원(元)나라에 갔다가 돌아오면서 붓대[筆管] 속에 목화씨를 감추어 가져왔고, 이를 장인 정천익(鄭天益)과 함께 고향에서 재배하는 데 성공하였다. 조선 태종 때 강성군(江城君)에 추증되었다.

217 오구나무[烏桕] : 중국이 원산지이며 종자에서 밀랍과 기름을 짜기 위하여 남쪽에서 심었으나 지금은 관상용으로 심는다. 열매는 각과(殼果)로 공 모양의 타원형이며 종자가 3개 들어 있다. 종자 겉이 밀랍으로 싸여 있어 이것으로 초를 만들기도 한다.

218 문정공(文定公) 서광계(徐光啓) : 1562~1633. 자는 자선(子先), 호는 현호(玄扈), 시호는 문정(文定)이다. 유럽 과학을 중국에 열심히 소개한 인물로, 이탈리아 예수회 선교사 마테오리치와 함께 《기하원본(幾何原本)》을 번역하였다. 1629년부터 1633년까지는 명나라 말기의 역법 개혁을 주도하면서 유럽의 천문학을 수용하고 아울러 예수회 선교사를 초청하여 참여시켜 《숭정역서(崇禎曆書)》 140여 권을 완성하였다. 이외에 저서로는 《농정전서(農政全書)》·《서씨치언(徐氏卮言)》 등이 있다. (《明史》 卷251 〈徐光啓列傳〉)

219 밀랍이……않았다 : 《농정전서》 권38 〈종식(種植)〉에 오구나무에서 기름을 압착해 내서 초를 만든다고 했는데, 직접 밀랍을 낸다는 말이 없어서 이렇게 표현한 듯하다. 원문 내용은 다음과 같다. "烏臼樹, 收子取油, 甚爲民利……子外白穰壓取白油, 造蠟燭."

220 육심(陸深) : 1477~1544. 명나라 사람으로 자는 자연(子淵), 호는 엄산(儼山), 시호는 문유(文裕)이다. 초명은 영(榮)이다. 저서로 《엄산집(儼山集)》, 《속집(續集)》, 《외집(外集)》 등이 있다.

221 요주(饒州) : 지금의 강서성 파양현(鄱陽縣)이다.

으로 터지며 한 떨기에 여러 낱알이 있다."[222]라고 하였다. 아마 오구나무에도 밀랍이 나오는 종자가 있는데 문정공이 실수로 빠뜨렸을 것이다.

옥미인玉美人[223]

옥미인은 옛날에는 그 종자가 없었는데 20년 전 연경에 간 사람이 그 종자를 가지고 왔다. 잎은 국화잎과 비슷하지만 좀 더 길쭉하고 가늘다. 5월에 꽃이 피는데 분홍색과 진홍색 두 가지가 있다. 분홍색 꽃은 여러 겹으로 되어 있고 진홍색 꽃은 홑겹이다. 아침에 피었다가 저녁에 지는데 계속해서 피고 진다. 2월에 비옥한 땅에 심어야 한다.

추해당秋海棠[224]

추해당 잎은 박 잎과 비슷하나 비스듬히 길쭉하며 앞면은 녹색이고 뒷면은 자주색이고, 가지마디와 잎 무늬에는 모두 붉은 테두리가 있다. 과음했을 때 잎을 따서 씹으면 쉽게 술이 깬다. 6월에 작은 꽃이 피는데 붉은색이다. 뿌리는 토란 같다. 서리 내린 뒤에 캐내어 상자에 보관하되 오랫동안 사람의 온기를 가까이해서 얼지 않게 하여, 2월에 그림이 그려진 도자기 화분에 심으면 완상하기에 상당히 만족스러울 것이다.

---

222 요주(饒州)의……있다 : 饒信間柏樹冬初葉落, 結子放蠟, 每顆作十字裂, 一叢有數顆, 望之若梅花初綻…….(《儼山外集》 卷21 〈豫章漫抄〉 4)

223 옥미인(玉美人) : 목단(牧丹) 종(種) 작약(芍藥) 과(科)의 낙엽 관목이다.

224 추해당(秋海棠) : 베고니아로 불리며 아메리카가 원산이다. 예로부터 관엽식물(觀葉植物)로 애용하였으며 많은 개량 품종이 있다. 줄기는 곧게 자라는 것과 덩굴성이 있고 뿌리줄기 또는 알뿌리가 있다. 잎은 어긋나고 좌우가 같지 않으며 가장자리가 밋밋하나 갈라지고 또 톱니가 있는 것도 있으며 대개 턱잎이 없다. 구근종(球根種), 근경종(根莖種), 섬근종(纖根種)의 3가지로 크게 나뉘는데, 본서에서는 구근종을 가리킨다.

오구나무

옥미인

추해당

해당화海棠花

해당(海棠)은 일명 해홍(海紅)이다. 이백의 시 주석에, "해홍은 꽃이름으로 신라국(新羅國)에서 난다."[225]라고 하였으니, 해당은 본디 우리나라에서 나는 것이다. 그러나 지금 세간에서 해당이라고 말하는 것들은 모두 가지가 떨기져 있으며 가시가 많고, 꽃은 피지만 열매를 맺지 않는다. 해당이란 명칭을 얻은 것은 그 열매가 당두(棠杜)[226]와 비슷하기 때문이다. 만약 열매가 없다면 어찌 '당(棠)'이라는 이름을 붙일 수 있겠는가?

내가 사는 금화산장(金華山莊) 뒤 산기슭에 떨기로 자라는 작은 나무가 있다. 봄에 다섯 장으로 된 붉은 꽃이 피는데 색이 매우 곱고 예쁘다. 그리고 모과[木瓜]와 같으면서도 그보다 작은 열매를 맺는데 마을 사람들이 이를 가리켜 산다화(山茶花)라고 한다.

심립(沈立)[227]의 《해당기(海棠記)》를 살펴보니 잎, 꽃받침, 꽃, 꽃술에 대한 설명이 구구절절 딱 맞아 떨어지니 우리나라에 진짜 해당화가 있는데 사람들이 다만 모르고 있었음을 비로소 알게 되었다. 지금 이른바 해당이라는 것은 모두 붉은 장미[紅薔微] 종류이다.

또한 관동(關東, 강원도)과 해서(海西, 황해도)의 근해 지역에는 금사해당(金沙海棠)이라는 것이 있다. 뿌리와 잎이 없고 바닷가 모래사장에 흩어져 나며 색이 매우 붉어 멀리서 바라보면 마치 꽃이 땅에 점점이 떨어져 있는 것 같으니, 이는 별도로 다른 종류의 식물이다.

내가 전에 심립의 《해당기》를 근거로 우리나라에서 해당이라고 하는

---

225 이백의……난다 : 海棠梨. 時珍日:"按李德裕《草木記》云:'凡花木名海者, 從海外來, 如海棠之類是也.' 又李白詩注云:'海紅乃花名, 出新羅國甚多, 則海棠之自海外有據矣.'(《本草綱目》 권30 〈果部 第3 海紅〉)

226 당두(棠杜) : 해당화 열매를 말한다. 당리(棠梨)라고도 한다.

227 심립(沈立) : 1007~1078. 북송의 수리학자(水利學者)이자 장서가로, 자는 입지(立之)이다. 저서로는 《다법요람(茶法要覽)》 10권, 《만권당(萬卷堂)》 2권, 《촉강지(蜀江志)》 1권, 《해당기(海棠記)》 1권, 《향보(香譜)》, 《금보(錦譜)》 각 1권 등이 있다.

해당화

금사해당(네이버블로그 최상호님 제공)

것은 바로 붉은 장미 종류이고, 지금 세간에서 말하는 산다화가 진짜 해당화라고 했었다. 지금 노가재(老稼齋)[228]의 《연행일기(燕行日記)》를 살펴보

228 노가재(老稼齋) : 김창업(金昌業, 1658~1721)의 호이다. 자는 대유(大有), 호는 가재(稼齋), 노가재 등이다. 17세기 노론의 정치가이며 유학자인 김수항(金壽恒)의 넷째 아들로, 어려서부터 김창협(金昌協)·김창흡(金昌翕) 등 형들과 함께 학문을 익혔으며, 특히 시에 뛰어났다. 그림에도 능하여 조선 후기에 유행한 실경산수화(實景山水畵)에 큰 영향을 미쳤다. 1712년 연행 정사(燕行正使)인 김창집을 따라 북경에 다녀온 일을 기록한 《노가재연행일기(老稼齋燕行日記)》를 지었다.

니, "통관(通官)에게서 화분 두 개를 얻었는데 하나는 매화이고 하나는 해당이었다. 꽃이 이제 막 활짝 피었다. 해당화란 바로 우리나라에서 산다화라고 하는 것이다. 산다화가 해당화인 줄은 알았는데, 이것을 보니 증명되었다."[229]고 하였다. 해당이 본래 산다화라는 것은 나 한 사람만의 의견은 아니다.

밀화密花[230]

지금 조정 권신의 갓끈과 부채 추[扇墜], 부녀자의 가락지와 장신구로 밀화를 가장 귀하게 여기고, 금패(錦貝)[231]와 호박(琥珀)이 그 다음이다. 호박은 《본초강목》에 보이나 밀화와 금패는 중국에서 무엇이라 하는지 모르겠다.

근래에 곡응태(谷應泰)[232]의 《박물요람(博物要覽)》을 살펴보니, "밀박(蜜珀)은 색이 벌꿀과 같아야 하며 맑고 빛나는 것이 가장 품질이 좋다."라고 하였다. 그리고 "밀박에는 또 다른 종류가 있는데 옅은 황색에 황수정과 같이 밝게 빛나는 것을 금박(金珀)이라고 한다."[233]라고 하였다. 아마도 밀박은 밀화의 이름이고, 금박은 금패의 이름인 듯하다.

---

229 통관(通官)에게서……증명되었다 : 《노가재연행일기(老稼齋燕行日記)》 계사년(癸巳 1712) 정월 16일 기사에 나오는 내용이다. 원문은 다음과 같다. "首譯朴東和入海棠、梅花各一盆, 謂得於鄭世泰. 花方盛開. 海棠卽我國所謂山茶也. 曾知山茶爲海棠, 見此益驗其然."

230 밀화(密花) : 밀화(蜜花)라고도 한다. 호박의 일종으로 투명도에 따라 투명한 것은 호박, 반투명한 황색의 것을 밀화(蜜花) 또는 밀랍(密蠟)이라고 한다. 황색 계열의 것을 금박(金珀), 붉은색을 띠는 것은 혈박(血珀)이라고 한다. 명대 사조제(謝肇淛)의 《오잡조(五雜組)·물부사(物部四)》에 "호박은 혈박이 최상이고, 금박이 그 다음이며, 납박이 최하이다.[琥珀, 血珀爲上, 金珀次之, 蠟珀最下.]"라고 평했다.

231 금패(錦貝) : 호박의 일종으로 투명한 적갈색을 띤다. 중국에서 말하는 혈박(血珀)을 가리키는 듯하다.

232 곡응태(谷應泰) : 1620~1690. 자는 갱우(賡虞), 호는 임창(霖蒼)이다. 박람(博覽)을 좋아하고 경사(經史)에 치력하여 서적을 두루 섭렵하였으며 문장에 능했다. 저서로 《축익당집(築益堂集)》, 《박물요람(博物要覽)》, 《명사기사본말(明史紀事本末)》 등이 있다.

233 밀박(蜜珀)은……한다 : 蜜珀要色蜂蜜 明淨光瑩者爲妙 氣魄要大内 無土塊砂脚 及擊損皮糙者 方可作器用什物 蜜珀有紅如琥珀 而晶瑩者 名曰血珀 彼土人充作琥珀 貨之多作素珠酒盃及簪釵手鐲諸物 蜜珀又有一種淡黃而明瑩者 如黃水晶狀 名曰金珀 頗有雅致 可琢圖書 酒盃及書鎭素珠等物.(《博物要覽》 第9卷 〈蜜蠟身分顏色〉)

유리석琉璃石

《박물요람》에 "진짜 유리석은 고려국(高麗國)에서 난다. 칼로 긁어도 꿈쩍도 하지 않으며 색은 흰색으로 두께가 반 치쯤 된다. 불을 밝히면 쇠뿔[牛角]보다 밝다."[234]라고 하였다. 우리나라에 언제 유리가 있었는가? 모르겠지만, 곡응태가 우리나라의 어떤 물건을 보고 유리라고 잘못 판단한 듯하다.[235]

구리[銅]

《신오대사(新五代史)》[236]에 다음과 같은 내용이 있다.

"고려 땅에서는 구리와 은이 난다. 후주(後周) 세종(世宗, 재위 954~959) 때 상서수부원외랑(尙書水部員外郎) 한언경(韓彦卿)에게 비단 수천 필을 가지고 가서 고려에서 구리를 사다가 돈을 주조하게 하였다. 현덕(顯德) 6년(959)에 고려왕 소(昭)[237]가 사신을 보내서 황동(黃銅) 5만 근을 바쳤다."[238]

우리나라에서 구리가 나지 않는 것은 아니지만 구리를 제련하는 방법을 알지 못하였으므로 그때까지는 광산을 개발해서 구리를 캐낸 사람이 없었다.

---

234 진짜……밝다 : 琉璃石質眞者, 出高麗國. 刀刮不動, 色白, 厚半寸許, 點燈明于牛角.(《博物要覽》 第9卷 〈琉璃出産地〉)

235 여기에서 말하는 유리석(琉璃石)은 석영을 녹여서 만든 유리[석영유리]를 가리키는 듯하다. 석영은 반투명 혹은 투명한 결정체로 일반적으로 유백색(乳白色)을 띠며 매우 견고하고 단단하다. 모스 경도계 7에 해당되므로 칼로는 쉽게 자르거나 가공할 수 없다. 투명한 것은 수정이라 하며 기타 여러 색을 띠기도 하는데 자수정·황수정·연수정·장미석영 등 보석광물들도 이 변종에 해당된다. 우리나라에 자수정광산이 있는데 아마 이를 보고 《박물요람》에서 표현한 것을 서유구는 달리 판단한 듯하다.

236 신오대사(新五代史) : 저본에는 《오대사(五代史)》로 되어 있으나 《신오대사(新五代史)》를 가리킨다. 《신오대사》는 중국의 구양수가 저술한 사서(史書)로 모두 74권이다. 정사(正史)로서 오대왕조(五代王朝)의 사적(事蹟)을 기전체(紀傳體)로 서술하였다.

237 고려왕 소(昭) : 고려 4대왕 광종(光宗, 925~978)을 말한다. 노비안검법을 제정하였으며, 후주에서 귀화한 쌍기의 건의로 과거제를 실시하였다.

238 고려……바쳤다 : 其地産銅、銀, 周世宗時, 遣尙書水部員外郎韓彦卿, 以帛數千匹, 市銅於高麗以鑄錢. 六年, 昭遣使者, 黃銅五萬斤.(《新五代史》 卷74 〈四夷附錄〉 第3)

적동(赤銅)은 일본에서 가져왔고, 황동은 노감석(盧甘石)[239]을 거란에서 사와 제련해서 만들었으니, 실제로 우리나라에서 사용된 황동과 적동은 모두 우리나라산이 아니다. 당시에 중국은 일본과 왕래하지 않았으므로 일본의 구리를 분명 우리나라에서 먼저 들여오고 이것을 중국에 다시 팔았을 것이다. 그래서 중국 사람들이 우리나라산이라고 말하게 된 것이다.

영남(嶺南)의 영해(寧海) 땅에서 구리가 난다고 전한다. 하지만 제련하는 방법을 알지 못하여 수천 년 동안 아직까지 광산을 개발하지 못하고 있으니, 있기는 하지만 없는 것과 같다. 《영해읍지(寧海邑志)》에 "구리는 옛날에 대소산(大所山)[240]에서 났는데 지금은 없다."라고 하였다. 이는 매우 우스운 일이다. 이 산이 있은 뒤로 원래 한 번도 구리를 주조한 적이 없는데, 옛날에 있었던 구리를 귀신이 옮겨 버렸단 말인가.

성호(星湖) 이익(李瀷)이 "우리나라에 구리가 있는 산이 바둑판처럼 여기저기 나타난다."[241]라고 하였다. 또 반계(磻溪) 유형원(柳馨遠)의 《동국여지지(東國輿地志)》[242]에 의하면 "경기의 영평(永平), 호서(湖西)의 공주(公州)·진잠(鎭岑), 호남(湖南)의 순창(淳昌)·창평(昌平)·흥양(興陽)·진산(珍山)·영광(靈光)·강진(康津)·해남(海南), 영남의 영해·거제(巨濟), 관동의 평창(平昌)·금성(金城), 해서의 수안(遂安)·장연(長淵), 관서(關西)의 구성(龜城)·삼등(三登)에서 모두 구리가 난다."라고 하였다.

지금까지 광산을 개발해서 구리를 캐내지 않았기 때문에 해마다 비싼 값을 주고 멀리 일본에서 사오니, 이것은 그야말로 자기 집 곳간은 봉해두

---

239 노감석(盧甘石) : 황화아연광(黃化亞鉛鑛)과 동맥광(銅脈鑛)에서 나는 철·칼슘·마그네슘 및 적은 분량의 카드뮴이 섞여 있다. 원래 흰빛의 장방형 또는 육면형을 이룬다.

240 대소산(大所山) : 경상북도 영덕군 축산면 도곡리에 있는 산으로, 영덕군 축산면과 영해면을 잇는 해안에 형성된 산괴(山塊) 중 가장 높은 산이다. 산에 봉수대가 있어 봉화산이라고도 불린다. 높이는 282m이다.

241 우리나라에……나타난다 : 銅亦國産, 往往山出基布, 無冶鑄之術, 必仰資異域.(《星湖僿說》 卷8 〈人事門〉)

242 동국여지지(東國輿地志) : 유형원이 1656년에 편찬한 전국 지리지로, 1530년 《신증동국여지승람》 이후 《여지도서》가 편찬(1759)되기까지 약 230년의 공백을 메워주는 지리지 자료다. 총 9권 10책이다.

고서 이웃에게 쌀을 빌리는 격이다. 성호가 또 "마치 솜을 빠는 사람에게서 약 만드는 법을 사듯이[243] 만약 천금을 가지고 구리를 제련하는 방법을 구한다면 얻지 못할 이유가 있겠는가?"[244]라고 했는데, 이 또한 잘못된 논설이다. 지금 《천공개물(天工開物)》[245]을 살펴보니 구리를 제조하는 데는 다른 특별한 방법이 없고 오늘날의 은을 제조하는 방법과 같았다.[246] 다만 이용후생(利用厚生)의 방법에 관심을 갖는 사람이 없는 것이 걱정일 뿐이다.

주밀(周密)[247]의 《계신잡지(癸辛雜識)》에 "무릇 생황(笙簧)에는 반드시 고려의 구리를 쓴다."[248]라고 하였는데 이 또한 일본산 구리를 우리나라산으로 안 것이다.

---

243 마치……사듯이 : 《장자(莊子)》 〈내편(內篇)·소요유(逍遙遊)〉에 보인다. 송나라 사람 중에 손이 트지 않는 약을 잘 만드는 사람이 있어서 대대로 솜을 물에 빠는 일을 가업으로 삼고 있었다. 어느날 이 이야기를 듣고 그 비법을 백금을 주고 사겠다는 나그네가 나타난다. 서유구는 여기서 손 안 트는 약을 제조하는 방법을 많은 돈을 들여서 구하듯이 구리 제련법을 구한다면 못 구할 리 없다는 뜻으로 원용하였다.

244 마치……있겠는가 : 若以千金, 求之如洴澼絖, 寧有不得之理.(《星湖僿說》 卷8 〈人事門〉)

245 천공개물(天工開物) : 명나라 말기의 학자 송응성(宋應星, 1587~1648?)이 지은 경험론적 산업기술서이다. 상권은 천산(天產), 중권은 인공으로 행하는 제조, 하권은 물품의 공용(功用)에 관하여 서술하고 있다. 방적(紡績)·제지(製紙)·조선(造船) 등 여러 가지 제조기술을 그림을 곁들여 해설하고 있다. 1637년에 처음 간행되었고, 조선과 일본에도 큰 영향을 끼친 대표적인 기술서적이다.

246 구리를……같았다 : 광석을 녹여 은을 납과 융합시킨 뒤 질량이 무거운 납을 가라앉히고 은을 꺼낸다. 이러한 방법으로 구리도 제조한다고 하였다.
은을 제조하는 법과 구리를 제조하는 법에 대한 설명 원문은 각각 다음과 같다. "火熱功到, 鉛沉下爲底子.(其底已成陀僧樣, 別入爐煉, 又成扁擔鉛.) 頻以柳枝從門隙入內燃照, 鉛氣淨盡, 則世寶凝然成象矣.此初出銀, 亦名生銀."
凡銅質有數種. 有全體皆銅, 不夾鉛、銀者, 洪爐單煉而成. 有與鉛同體者, 其煎煉爐法, 傍通高低二孔, 鉛質先化從上孔流出, 銅質後化從下孔流出. (《天工開物》 〈下篇 五金〉)

247 주밀(周密) : 1232~1298. 자는 공근(公謹), 호는 초창(草窓)·변양노인(弁陽老人)·사수잠부(泗水潛夫) 등이다. 조맹부(趙孟頫)·고극공(高克恭) 등 당시 문인과의 교제도 넓었고 명화·법서의 수장가로 알려졌으며, 그림은 매죽난석을 잘했다. 저서로 《운연과안록(雲煙過眼錄)》 등이 있다. 《계신잡지(癸辛雜識)》는 주밀이 계신가(癸辛街)에 우거(寓居)하고 있을 때 지은 필기류 저작으로, 송원시대의 쇄사잡언(瑣事雜言)을 기록한 것이다.

248 무릇……쓴다 : 이 내용은 《계신잡지》에는 보이지 않고 청(清) 반영인(潘永因, ?~?)의 《송패류초(宋稗類鈔)》 권7에 있다. 원문은 다음과 같다. "蓋笙簧必用高麗銅為之."

황동[249]의 값이 비싸니 비록 고려시대 구리가 한창 많았을 때 나라 안에 비축된 것을 전부 모아도 5만 근을 마련하기는 어려웠을 듯하다. 이는 분명 지금 세속에서 말하는 유동(鍮銅)으로, 가칭이 황동이다. 《본초강목》에 이르기를 "적동에 노감석을 섞어서 제련하면 황동이 되고, 황석(黃錫)을 섞어서 제련하면 향동(響銅)이 된다."[250]라고 하였으니, 우리나라에서 말하는 놋쇠[鍮]는 바로 《본초강목》에서 말하는 향동이다. 주석과 놋쇠, 납을 섞어서 적동을 제련하면 황색에 광택이 나서 황동과 거의 비슷하고 방언으로 '놋'이라 부른다. 적동에 흑연을 섞어서 제련하면 황색에 광택은 나지만 놋쇠보다 못하며 방언으로 '퉁'이라 부른다. 서울 밖 여염에서 날마다 사용하는 그릇은 대개 모두 이 두 가지 구리로 만든 것이니, 갑자기 5만 근을 모을 수 있는 것은 단지 이 구리뿐이다.

금

《상서(尙書)》에 "형주(荊州)와 양주(揚州)에서 세 가지 금속을 공물로 바쳤다."[251]라고 하였고, 《시경(詩經)》에 "남쪽 지역의 금을 크게 바치도다."[252]라는 구절이 있으니, 금은 대개 남쪽지방에서 난다. 그런데 우리나라는 이와 달리 관서·관북·관동·해서 곳곳에서 금이 생산되며 근년에는 삼남(三南, 충청·전라·경상) 지방에서도 종종 금이 나온다.

무릇 산수가 아름답고 자갈이 밝게 빛나는 곳에서 종종 모래를 일어 금을 얻는데, 오이씨만큼 큰 것은 과자금(瓜子金)이라고 하고, 밀기울[麥麩]만큼 작은 것은 부금(麩金)이라고 한다.

---

249 황동 : 구리와 아연의 합금이다. 황동은 노감석이나 아연을 구리에 넣어 녹여 만든다. (이규경 저, 최주 역주, 《오주서종박물고변(五洲書種博物考辨)》, 학연문화사, 2008.)

250 적동에……된다 : 以爐甘石, 鍊為黃銅, 其色如金, 砒石鍊為白銅, 雜錫鍊為響銅.(《本草綱目》 卷8〈金石之一 金類二〉)

251 형주(荊州)와……바쳤다 : 荊揚二州, 厥貢惟金三品.(《尙書》〈禹貢〉) 삼품(三品)은 금, 은, 동을 말한다.

252 남쪽……바치도다 : 憬彼淮夷, 來獻其琛, 元龜象齒, 大賂南金.(《詩》〈魯頌 駉之什〉)

금을 캐는 일은 광산을 개발해서 채굴해야 하는 은이나 구리처럼 힘이 드는 것도 아니다. 다만 작은 끌 하나와 나무바가지, 포대를 사용하여 끌로 땅을 파서 포대에 담고 표주박으로 물을 일면 남녀 아이들도 누구나 금을 얻을 수 있다. 얻은 금은 아무리 적어도 3~5푼 정도의 부금인데 수백 문(文)[253]의 돈을 얻게 되고, 운이 좋은 사람은 그 배의 돈을 얻는다. 백성들이 이익이 후한 곳으로 다투어 달려가서 농민들은 밭을 떠나고 공인(工人)들은 가게를 버린다. 사방을 다니며 놀고먹는 무리가 모여들어 도시를 만들어, 온갖 재화의 값이 뛰어오르고 간악한 무리들이 숨어드니, 조정에서 법을 만들어 금지시켜도 많은 이익 때문에 중지되지 않았다.

내가 탁지(度支)[254]에 있었을 때 산원(筭員) 중에 서관(西關, 황해도와 평안도)에서 온 자가 "농사에 방해되지 않고 백성을 해치지 않으면서 법령을 만들면 나라가 부유해지고 백성이 넉넉해지는 방법이 있다."며 규정을 만들어서 바쳤다. 나 역시 "지금 재화가 고갈되고 백성이 곤궁하니, 만일 조금이라도 가난을 벗어나 힘을 펼 수 있는 계책이 있다면 어찌 시험해보지 않고 내버려둘 수 있겠는가?"라고 말하였다. 그래서 연석에서 아뢰어 시행하고자 하였으나 결국 체임(遞任)되어 시행하지 못하였다. 지금 다음에 그 방책을 기록하니 후인(後人)이 채택해서 시행해주기를 바란다.

우리나라는 원래부터 금이 많이 생산되는 곳으로 팔도에 금이 나지 않는 곳이 없다. 만약 금을 채취하는 데 법도가 있다면 공사(公私)간에 모두 이익을 얻을 수 있고 나라의 쓰임에도 여유가 있을 것이다. 그런데 이전부터 법을 만들어 금지시켰던 것은 두 가지 큰 폐단이 있었기 때문이다. 채금하는 방법은 반드시 물가에서 금을 골라내는데 겨울에는 할 수 있는 일이 아니기 때문에 늘 농사철과 맞물리게 된다. 그래서 어리석은 무리들은 공공연히 이익을 추구하여 쉽게 농사를 그만두니 이것이 한 가지

253 문(文) : 조선시대에 상평통보를 세던 단위로 1문은 1푼에 해당하였다.

254 탁지(度支) : 호조를 말한다. 서유구는 순조 32년(1832) 9월에 호조판서에 임명되었다.

큰 폐해이다. 채금을 허락하는 법령이 생기자 개미떼처럼 어수선하게 모인 자들은 모두 무뢰배들로 난잡하여 통솔할 수 없어 걱정꺼리가 그치지 않으니, 그 폐해가 단지 농사를 해치는 데서 끝나지 않을 것이다. 이 또한 한 가지 큰 폐해이다.

국가에서 법을 만들어 금지시켰던 것은 아마도 어쩔 수 없어서 그랬을 것이다. 그러나 간악한 백성들이 몰래 제멋대로 채금하는 것은 또한 결국 금지시키지 못했으니, 그렇다면 다만 채금을 금지하는 법만 있을 뿐 채금을 금지하는 효과는 실제로 없는 것이다. 지금 만일 채금에 법도가 있다면 두 가지 폐단의 근원을 영원히 막아서 국가와 개인간의 재용을 보태는 데 크게 도움이 될 것이니 그렇다면 무엇을 꺼려서 하지 않겠는가. 지금 폐해가 없는 영원히 따를 만한 법령을 조목별로 상세하게 연구하였으니 다음과 같다.

一. 본조(本曹)가 의정부와 의논하고 연구해서 연석에서 아뢰어 정식으로 삼는다. 후에 도감(都監)을 따로 만들어 근면한 사람 여덟 명을 뽑아서 채금을 감독하는 직책을 맡긴다. 각 도(道)의 금이 나는 곳에 매년 채금하는 것을 허락하되 한 도에 한 곳을 초과해서는 안 된다.

채금하는 법에 의하면 시월 초하루에 일을 시작해서 이듬해 정월 마지막 날에 마치는데 그 기한이 지나면 채금을 못하게 한다. 채금을 시작하기 전에 본조에서 관문(關文)[255]을 발급하고 감채인(監採人)을 내려 보내 해당 고을을 맡게 한다. 장교(將校)[256]를 정해서 함께 채금을 감독하고 흙을 파는 사람 백 명, 흙을 지는 사람 오십 명을 뽑아서 정하며, 사람들마다 본조의 화인목패(火印木牌)[257] 하나씩을 주어 매일 고용비가 얼마인가 정한다. 십오 명마다 감독 한 명, 사환(使喚) 한 명을 정하고 또한 그들의 고용

---

255 관문(關文) : 상급관청에서 하급관청에 발급하는 공문이다.

256 장교(將校) : 군영이나 지방 관아의 하급무관이다.

257 화인목패(火印木牌) : 관부(官府)에서 쇠로 주조한 도장을 불에 달구어 낙인을 찍어서 나누어 주는 나무패이다.

비가 얼마인지를 정한다. 그리고 보수하는 사람 몇 명을 뽑아서 정하여 또한 각각 고용비를 준다. 인원수가 결정된 뒤에는 정원 이외에 다른 사람이 끼어드는 것을 엄격하게 금지해야 하니 이렇게 하면 풍문만 듣고 모여드는 폐해가 분명 없을 것이다. 만일 이 법도가 시행된다면 난잡해지는 폐해를 영원히 없앨 수 있고 저절로 예전처럼 농업에 해가 되는 지경에 이르지 않을 것이다.

一. 인부 백 명에게는 땅을 파게 하고 오십 명에게는 흙을 지게 하되, 먼저 채취하던 근처에 한편으로는 구덩이를 만들고 한편으로는 구들장[通堗]을 만들게 한다. 그런 다음 이미 채취한 흙을 우선 구덩이로 옮기게 한다. 채금을 감독한 사람은 매일같이 수차례 한 바구니 정도의 흙을 체질하여 금이 있는지 없는지 많은지 적은지를 살피고, 절대로 군인들에게는 사적으로 다시 체질하지 못하도록 한다. 구덩이의 흙이 이미 가득차게 되면 점차 구들장으로 옮겨 놓고 불을 지펴 흙을 건조시켜 습기를 완전히 제거한다. 그런 후에 우선 건조된 흙을 맷돌로 잘게 간 다음 듬성한 체와 촘촘한 체로 걸러서, 약간 큰 것을 먼저 채취한다. 다음에는 거지법(車芝法)[258]을 써서 체 밑에 있는 흙을 버리고, 또 사제법(篩蹄法)을 써서 약간 작은 것을 채취하고, 마지막으로는 목조법(木槽法)을 써서 부서진 가루를 취한다면, 건조된 흙 속에 있는 금을 한 알갱이도 빠짐없이 채취할 수 있다. 또한 등에 지고 며칠씩 나르던 흙을 많은 시간을 들이지 않아도 끝낼 수가 있다. 군인들은 단지 땅을 파게만 하고 처음부터 금을 씻는 일을 하지 않게 한다면 또한 약간의 금도 유실될 우려가 없을 것이다.

대체로 모래를 씻어내서 금을 얻는 방식은 예로부터 세상에서 통용되던 방식이다. 그런데 금을 씻을 때는 꼭 물을 사용해야 했기 때문에 따뜻

258 거지법(車芝法) : 어떤 방법인지 자세하지 않다. 다만 정약용은 《목민심서》에서 "거지법(車芝法)이란 무엇인지 알 수 없다. 사제법(篩蹄法)은 쳇바퀴로 뭉개는 방법이 아닌가 생각된다[車芝未詳, 篩蹄之法, 疑以篩框轢之.]"라고 추측하였다. (《牧民心書》 〈工典 第1條 山林〉)

한 날씨가 아니면 긴 강가에서 흙을 씻어낼 수가 없다. 게다가 진흙은 한 번 뭉치면 쉽게 풀리지 않아서, 비록 사토(沙土)라 하더라도 반드시 많은 시간과 인력이 소모되고 나서야 비로소 먼지처럼 작은 금을 얻을 수 있었다. 지금 이러한 방법을 쓴다면 물 대신에 불을 사용할 수 있고 겨울을 여름으로 바꿀 수가 있다. 이미 농업에 큰 폐해가 없으니 또한 적은 노력으로 큰 성과를 냈다고 할 수 있을 것이다.

一. 금이 나는 곳은 대개 계곡 주변의 빈 땅들이다. 그러나 간혹 전답의 경계를 침범하게 되면 그땐 전답의 값을 계산해 주고, 금 캐는 일이 모두 끝난 후에는 다시 주인에게 돌려주어 농사를 지어 먹게 한다. 대체로 시월에서 정월까지 이 4개월 동안은 농사짓는 시기가 아니니 주인은 별문제 없이 잠시 동안 전답을 빌려줄 것이다. 또한 전답을 파서 한 차례 불사르고 나면 전답에 거름을 뿌린 효과가 있어 척박한 토질이 기름진 토질로 바뀌니 그 값도 겸하여 받을 수 있다. 이로움이 있는 곳에는 의당 원통함을 호소하는 실마리가 없게 해야 하고, 한 차례 채금을 하고 난 후로는 다시 범하는 폐해가 영원히 없게 해야 할 것이다. 큰 마을이나 묘지가 가까운 곳은 절대로 금 캐는 일을 승낙해 주어서는 안 된다.

一. 백 명이 하루에 캐내는 금은 아직 그 양이 얼마나 되는지 예상할 수 없지만, 이미 시험해 본 것으로 말하자면, 금의 생산량이 많은 곳은 아마 5~6량을 밑돌지 않을 것이다. 지금 흙을 이용하여 불사르는 방식을 쓰면 일이 더욱 쉬워질 테니 당연히 땅에서 캐거나 물로 씻어낼 때보다 더 나을 것이다. 또한 금액을 정하여 고용인에게 지급하는 방식을 쓰면 유실되는 금이 없을 것이니, 이는 이름에 따라 세금을 징수하는 이익과는 비교가 되지 않는다. 각 도에서 세납할 순금을 이백 냥으로 본조에서 규정한다면, 팔도의 금은 모두 일천육백 냥이 된다. 이는 이렇게 하면 어느 도는 적다느니 어느 도는 많다느니 하는 말이 없을 것이니 각 도에

맡겨 갖추어 내게 한다면, 세납금이 모자라거나 축소될 우려가 결코 없을 것이다. 또한 남은 이익의 파급력 또한 고용인의 품삯이나 기타 잡다한 경비를 충당하고도 남을 것이고, 감독자들 스스로도 많은 혜택을 받게 될 것이다.

一. 금이 나는 유명한 곳이 한두 읍이 아니다. 금년에 채금을 하는 곳은 하고, 안 하는 곳은 안 하며 그 다음 해에도 이와 똑같이 하면 된다. 그리고 숨겨져 미처 발견되지 못한 여타의 곳에 대해서는 여기저기서 서로 알려주는 사람들이 필시 있을 것이니, 마땅히 광부들이 몰래 캐낼지도 모른다는 우려는 사라질 것이다. 그리고 해마다 일천육백 냥의 금이 팔도에서 제대로 세납만 된다면 국가 재정에 보태어 쓸 수 있는 이로움이 적지 않다고 할 수 있다. 시월 이후 4개월 동안은 밭에서 생산될 것이 아무것도 없고 농부는 일이 없을 때이니, 본조에선 단지 정해진 세납만 걷고 곤궁한 백성은 두루 품삯을 낭비하지 않게 된다. 경비가 고갈되는 이런 때 공적으로나 사적으로나 모두에게 이롭게 되는 것이 이보다 더 큰 것이 없다.

一. 일을 시작하는 날을 시월 초하루로 정하면, 매해 가을에 예정된 기한보다 앞서 각 도의 해당 채읍지(採邑地)를 정하여 관문이나 목패(木牌)를 내어 본조에서 각 도로 나누어 보낸다. 기계나 잡비에 대해서는 일에 앞서 미리 예상할 수 없으니 채금을 관리하는 자는 기한보다 20일 먼저 가도록 허락한다. 정월 그믐이 되어서는 채굴은 끝내더라도, 체로 걸러 금을 취하는 일은 당일에 끝낼 수 없으니 이럴 때는 열흘 동안 머물게 하여 완수하지 못하는 폐해가 없도록 한다. 세금을 수납할 때 목패 또한 일일이 그 수를 살펴 본조에 봉납(封納)시킨다.

一. 이전부터 금광의 개설을 허락하면 몇 개월 되지 않아 반드시 혼란스런 문제들이 초래되었다. 아마 이름을 따라 세금을 걷다 보니 인원이 많아질수록 걷는 세금도 많아지기 때문일 것이다. 그래서 먼지처럼 몰려와도 싫어하지 않고 혼란만 계속되니 이는 반드시 그럴 수밖에 없는 형세이다. 게다가 혼란이 끝나기도 전에 오히려 채금 작업이 끝나게 되면, 채금을 관리한 사람은 금 캐는 일을 끝내기 전에 조그마한 이익을 바랄 것이다. 그래서 많은 오합지졸들이 산과 들로 뿔뿔이 흩어져 채금하는 것을 허락할 것이고, 그곳 사정을 고려하지 않은 채로 구습을 따라 미루고 즉시 금지하지 않을 것이다. 갖가지 폐해가 한꺼번에 일어나는 것도 오로지 이 때문이니 이 또한 반드시 그렇게 될 수밖에 없는 이치이자 형세이다. 지금 만약 이런 방법을 창안하여 사용한다면, 광부의 인원은 이미 정해져 있어 종전의 혼란스런 폐해가 자연히 사라질 것이다. 채금을 관리한 사람들이 일생 동안 의지할 일로 삼는다면 그들은 정중히 받들어 수행할 것이고, 관의 칙령 따위를 기다릴 필요 없이 의당 스스로 백배로 조심할 것이다. 인정과 사리로 헤아려 보아도 훗날 발생할 폐해 따위는 전혀 근심할 것이 없다.

一. 돌아보면 금을 몰래 캐는 폐해는 어느 곳이든, 어느 때든 있었다. 폐해를 일일이 막을 수가 없어서 결국 시끄러워진 것이다. 그렇다면 차라리 이 방법을 써서 편법적이고 난잡한 무리들을 막지 않아도 저절로 막게 되는 효과를 보는 편이 낫다. 그렇다면 오늘날 채금에 대한 승인이 곧, 채금을 금하는 좋은 법이 되는 셈이다. 나라에서 전에 없던 정세(定稅)를 얻을 수 있다면, 어찌 큰 행운이 아니겠는가.

一. 금, 은, 동, 납은 이용후생의 도구가 아닌 것이 없다. 그러나 동광(銅廣)이나 연광(鉛鑛)은 애초 이익(理益)[259]의 효과가 없었고 금광이나 은광

---

259 이익(理益) : '이익(利益)'과 뜻이 같은데 '이익(理益)'이라고 쓰는 데는 이념을 실현해 얻은 수익만이 진짜 수익이라는 발상에서 나왔다.

은 난잡한 폐해만을 초래하였다. 이 때문에 채굴을 금지하는 명령이 있었던 것이다. 그러나 지금 만약 폐해를 없앨 방법을 공모하여 재화를 생산하는 방법으로 삼는다면 금, 은, 동, 납의 채굴을 베풀어 개설하지 않을 이유가 없다. 그러니 지금처럼 재정이 텅 비고 고갈되었을 때 마땅히 힘써야 하는 요체로 이보다 더 중대한 것은 없다.

도인법導引法[260]으로 병을 치료한다

현가(玄家)에서는 도인(導引)은 귀하게 여기나 약석(藥石, 약과 침) 분야는 좌시하고, 세속의 사람들은 약석은 친근하게 여기고 도인 분야에는 어둡다. 유독 숲이 우거지고 물이 흐르는 먼 산간벽지의 외진 곳에는 본디 이렇다 할 의술을 전공할 방법이 없고 또 침과 뜸 놓는 도구가 없으니 어느 날 아침 병에 걸리게 되면 어떻게 조치해야 할지를 몰라 끝내 요절하는 자가 얼마나 많을지 나는 걱정하였다. 그래서 지금 수양가(修養家)들이 말하는 도인으로 병을 치료할 수 있다는 방법을 가져와 복잡한 내용은 삭제하고 핵심만을 뽑아내어 분류별로 문목을 나누고 편집했으니, 노편(盧扁)[261]의 처방을 찾을 필요 없이 내 몸에 돌이켜서 본다면, 고황(膏肓)[262]과 같은 불치병[廢疾]을 드러내고 이겨낼 수 있을 것이다. 장차 농부들이나 촌사람들과 함께 이것을 공유한다면 자연히 《성혜방(聖惠方)》[263] 같은 책이 될 것이다.

---

260 도인법(導引法) : 도가(道家)에서 신선이 되기 위해 행하는 양생법(養生法)의 하나로 정좌, 마찰, 호흡 등의 방법이 있다.

261 노편(盧扁) : 전국시대의 명의 편작(扁鵲)을 말한다. 발해군(渤海郡) 막인(鄚人) 사람인데 일설에 노(盧)나라에 살았으므로 노의(盧醫) 혹은 노편(盧扁)이라고 한다. 장상군(長桑君)에게 의학을 배워 의술의 여러 분야에 능하였으며 정해진 방법이 아닌 상황에 맞는 의술을 썼다고 한다.

262 고황(膏肓) : 고황의 고(膏)는 심장의 아랫부분을 말하며 황(肓)은 심장의 윗부분을 말한다. 침과 약으로 고치기 어려운 병을 '고황지병'이라고 말한다.

263 성혜방(聖惠方) : 정식이름은 《태평성혜방(太平聖惠方)》으로 송나라의 대표적인 의서이다. 왕회은(王懷隱) 등이 민간 처방과 옛 방러를 토대로 100권으로 편찬하여 992년에 간행되었다. 우리나라에서는 《향약집성방》 편찬 시기에 《태평성혜방》을 비중 있게 참고하였다.

풍비風痺[264]를 치료하는 방법[265]

一. 똑바로 벽에 기댄 상태에서 숨을 멈추고 행기(行氣)[266]하는데 머리로부터 족지(足止)[267]에 이르게 한다. 이렇게 하면 종기[疽][268]·산증(疝症)[269]·문둥병[大風][270]·반신불수[偏枯][271] 같은 여러 풍비가 낫는다.

一. 양발가락을 위로 당기면서 다섯 차례 호흡[五息][272]을 하고 멈춘 다음 기운을 등허리로 이끈다. 이렇게 하면 허리와 등의 마비 증세와 반신불수[偏枯]가 낫고, 귀가 들리게 된다. 평소에 이것을 하면 눈과 귀의 여러 근간이 막힘이 없게 된다.

一. 벽에 등을 똑바로 기대고 양발과 발가락을 편 다음, 마음을 가라앉히고 머리 꼭대기에서 기운을 끌어내 열 개의 발가락과 발바닥에 이르는 것을 생각한다. 이와 같이 21차례 하여 발바닥이 기운을 받은 것 같으면 그친다. 위로 이환(泥丸)[273]까지 끌어올리고, 아래로 용천(涌泉)[274]까지 도

264 풍비(風痺) : 찬바람이나 습기가 몸에 침투하여 생기는 병으로 통증이나 마비상태의 증상이 있다. 한의학에서는 풍병(風病)과 비병(痺病)을 합하여 풍비라 하는데, 풍병은 병의 원인이 양맥(陽脈)에 있는 것이고, 비병은 병의 원인이 음맥(陰脈)에 있는 것으로서 양맥과 음맥 모두에 병기가 있는 것을 풍비라고 한다.

265 이하는 명나라 호문환(胡文煥)의 《양생도인법(養生導引法)》의 〈중풍문(中風門)〉과 〈풍비문(風痺門)〉을 그대로 인용한 것이다.

266 행기(行氣) : 청기(淸氣)를 마시고 탁기(濁氣)를 뱉어 진기(眞氣)가 온몸에 잘 운행하게 하는 것이다.

267 족지(足止) : 발바닥의 중심 부위로 중심점은 용천혈(涌泉穴)의 부위이다.

268 종기[疽] : 종양(腫瘍)이 편평하고 색불변(色不變), 불열불통(不熱不痛)한 것으로 옹(癰)에 비하여 음(陰), 허(虛)한 경우이다.

269 산증(疝症) : 고환부터 아랫배까지 당기고 아픈 증상으로 대소변이 막히기도 한다.

270 문둥병[大風] : 마풍(痲瘋), 여풍(癘風)이라고도 한다. 나병균에 의해 발생하는 만성 전염병이다. 《소문(素問)》 〈장자절론(長刺節論)〉에 "골절(骨節)이 무겁고 수염과 눈썹이 빠지는 것을 대풍(大風)이라 한다[骨節重, 鬚眉墮, 名曰大風.]"라고 하였다.

271 반신불수[偏枯] : 한쪽 팔다리를 쓰지 못하는 병증으로 편풍(偏風)이라고도 한다.

272 다섯 차례 호흡[五息] : 몸을 편히 한 상태로 의념(意念)을 오로지 하여 편히 숨 쉬다가 숨을 계속 들이쉬어 가득차면 아주 조금씩 내쉬면 '일식(一息)'이 된다. 이를 다섯 번 행하는 것이다.

273 이환(泥丸) : 이환궁(泥丸宮)으로 기공(氣功)에서 의념(意念)을 집중하는 부위의 명칭이다. 양미간

달시킨다는 것은 이것을 뜻한다.

一. 똑바로 벽에 기대어 숨을 멈추고 행기한다. 입으로부터 기운이 머리까지 올라가도록 한 다음 그친다. 이렇게 하면 종기, 마비 증세, 나병, 반신불수를 치료할 수 있다.

一. 한쪽 발은 땅에 딛고 움직이지 않고, 다른 한쪽 발은 옆으로 돌려서 정(丁) 자 모양[275]을 만든다. 그런 다음 몸을 옆으로 돌리면서 손도 같이 빠르게 돌린다. 좌우로 번갈아 돌리기를 14번 한다. 이렇게 하면 바람으로 인해 등이 냉한 증세[脊風冷]와 반신불수로 기혈이 통하지 않았던 증상을 제거할 수 있다.

一. 손을 앞뒤로 번갈아가며 손바닥으로 물건을 받치는 자세로 힘써 행하기를 21차례 한다. 그런 후 손바닥을 아래로 향하고 머리는 숙여서 가슴으로 향하게 하면 기가 아래로 향하여 용천과 창문(倉門)[276]에 이르게 된다. 잠시 노력하여 흩어진 기운을 모으면서 몸을 느슨하게 하면 기운이 화평해진다. 머리를 어깨의 전후좌우로 움직이는데 부드럽게 돌리기를 14차례 행한다. 이렇게 하면 견정(肩井)[277]부위의 냉혈이 제거되고 근급(筋急)[278] 증세가 점차 사라진다.

(兩眉間)을 가리킨다.

274 용천(湧泉) : 족소음신경(足少陰腎經)의 경혈로 정목혈(井木穴)에 해당한다. 발바닥에서 2, 3번째 발허리뼈의 사이로 십자무늬 중앙 오목한 곳에 위치한다.

275 정(丁) 자 모양 : 저본에는 "相"으로 되어 있는데, 《제병원후론(諸病源候論)》 풍냉후(風冷侯)에 "如丁字樣"으로 되어 있는 것을 참고하여 번역하였다.

276 창문(倉門) : 《영추(靈樞)》 〈구궁팔풍편(九宮八風篇)〉에 '倉門, 爲震宮'이라 했다. 왼쪽 옆구리에 위치한다.

277 견정(肩井) : 저본의 박정(髆井)은 견정을 말한다. 팔을 펴면 오목해지는 어깨 위 가장 높은 곳이다.

278 근급(筋急) : 근육이 당겨 굽혔다 폈다 하기 힘든 증상을 말한다.

一. 양손으로 왼쪽 무릎을 감싸고 허리를 편다. 코로 기를 들이쉬며 조식(調息)을 7차례 행하고 오른쪽 다리를 편다. 이렇게 하면 몸을 구부리고 펴는 것, 절하고 일어날 때의 어려움과 경골(脛骨)[279]이 아프고 저리는 증상을 제거할 수 있다.

一. 양손으로 오른쪽 무릎을 감싸 가슴에 붙인다. 이렇게 하면 하지(下肢)가 무겁고 구부리고 펴기 힘든 증상을 제거할 수 있다.

一. 웅크리고 앉아[280] 오른쪽 다리를 펴고, 양손으로 왼쪽 무릎을 감싸고 허리를 편다. 코로 숨을 가득 들이쉬며 조식하기를 7차례 행하고 왼쪽 발을 바깥쪽으로 편다. 이렇게 하면 몸을 구부리고 펴는 것, 절하고 일어날 때의 어려움과 경골이 아프고 저리는 것을 제거할 수 있다.

一. 일어서서 상, 하체를 곧게 한다. 한 손은 위로 향하여 손바닥 위에 물건을 떠받치는 듯이 하고, 다른 한 손은 아래로 향하여 물건을 누르는 듯이 하는데 힘껏 행한다. 위, 아래로 향하는 왼쪽과 오른쪽의 자세를 바꾸어 가며 28차례 행한다. 이렇게 하면 어깨의 풍증과 양쪽 견정의 냉혈, 양 겨드랑이 부위의 근맥연급(筋脈攣急)[281]을 제거할 수 있다.

一. 웅크리고 앉아 왼쪽 다리를 펴고 양손으로 오른쪽 무릎을 감싼다. 허리는 편다. 코로 숨을 가득 들이쉬며 조식하기를 7차례 행하고 왼쪽 발을 바깥쪽으로 편다. 이렇게 하면 몸을 구부리고 펴는 것, 절하고 일어날

279 경골(脛骨) : 정강이뼈 혹은 정강뼈라고 한다. 종아리 안쪽에 있는 뼈로 종아리뼈, 종지뼈와 함께 하퇴골을 이룬다.

280 웅크리고 앉아 : '준좌(蹲坐)'라 하기도 한다. 앉을 때 양 발바닥과 엉덩이를 땅에 닿게 하여 양 무릎이 위로 솟아있는 모양이다.

281 근맥연급(筋脈攣急) : 근맥(筋脈)이 늘어지고 당기는 병증을 말한다.

때의 어려움과 경골이 아픈 것을 제거할 수 있다.

一. 위를 보고 누워서 양 무릎을 붙이고 양발을 바깥으로 편다. 허리를 펴고 입으로 숨을 들이마셔 배에 가득차게 하는 조식을 7차례 행한다. 이렇게 하면 '열이 나면서 아픈 증세[壯熱疼痛]'와, '양쪽 정강이가 움직이지 않는 증세[兩脛不遂]'를 제거할 수 있다.

一. 팔다리가 아프고 제대로 움직이지 못하며, 배속에 쌓인 기를 치료하려면 반드시 평평한 자리에 몸을 바로 눕히고 허리띠를 풀고 베개 높이는 3촌 정도로 한다. 두 손 모두 네 손가락으로 엄지손가락을 감싸쥐는 자세로 주먹을 쥐고, 몸에서 5촌 정도 떨어지도록 팔을 편다. 두 다리는 발가락을 세워 5촌 정도 떨어지게 한다. 마음을 편히 하고 숨을 고르게 하며 잡생각을 하지 말고 의념을 오로지 하여 천천히 수례천(漱醴泉)을 한다. 수례천이라는 것은 (양치질하듯이) 혀로 잇몸과 치아를 핥아서 생긴 침[예천(醴泉)]을 삼키는 것이다.[282] 천천히 입으로 숨을 내뱉고 코로 숨을 들이마셔 목구멍으로 들여보내되 반드시 조금씩 천천히 해야지 급하고 억지로 해서는 안 된다. 숨이 편안해지기를 기다렸다가 인기(引氣)[283]를 조화롭게 하는데, 숨을 들이쉬고 내쉬는 소리가 귀에 들리게 해서는 안 된다. 매번 인기를 할 적에는 마음으로 기를 전하여 발가락 끝으로 기를 내보낸다고 생각한다. 이렇게 인기를 대여섯 차례 행하는데 한 번 기를 내보내는 것을 '일식(一息)'이라 한다. 인기를 10번에 이르게 하고 점점 늘려 '백

282 수례천이라는……것이다 : 가볍게 윗니와 아랫니를 36번 부딪치고, 손바닥으로 귀를 막고 둘째와 셋째 손가락으로 뒷골을 24번 퉁긴다. 입안에 고이게 한 침을 가볍게 양치질하듯이 부걱부걱하기를 36번 하면 이를 수진(漱津)이라 하여 맑은 물이 되는데, 이것을 3번에 나누어 꾸르륵 소리를 내며 삼켜서 단전(丹田)에 이르게 하는 것이다. 퇴계(退溪) 선생의 유묵(遺墨)으로 전하는 명(明)나라 현주도인(玄洲道人) 함허자(涵虛子)의 《활인심방(活人心方)》에 자세하다. 박지원의 〈양반전〉에도 이와 관련한 내용이 다음과 같이 보인다. "이빨을 마주치고 머리 뒤를 손가락으로 퉁기며 침을 입안에 머금고 가볍게 양치질하듯 한 뒤 삼킨다[叩齒彈腦, 細嗽嚥津]" (《燕巖集》 第8卷 別集 〈放璚閣外傳 兩班傳〉)

283 인기(引氣) : 양생술의 하나로 마음으로 기를 움직여 온몸의 혈맥을 통하게 하는 것을 말한다.

번[百息]', '이백 번[二百息]'에 이르면 병이 낫는다. 그러나 이 인기를 행할 때에는 생채와 생선, 고기를 먹지 말아야 한다. 많이 먹은 뒤나 정서가 안정되지 못할 때에는 바로 행기를 해서는 안 된다. 가장 좋은 시간은 새벽녘에 기운이 맑은 때로 이때 행기하면 아주 좋고 많은 질병을 치료할 수 있다.

一. 양다리를 펴고 위로 들어올린다. 그러면 마비 증세와 경한(脛寒)[284]의 병을 제거할 수 있다.

一. 오른쪽 발꿈치로 왼쪽 엄지발가락을 누르면 풍비를 제거할 수 있다. 왼쪽 발꿈치로 오른쪽 엄지발가락을 누르면 궐비(厥痺)[285]를 제거할 수 있다. 양손을 번갈아가며 반대쪽 발을 잡아당겨 무릎 위에 두면 체비(體痺)를 제거할 수 있다.

一. 누워서 양 무릎을 붙이고 양발을 바깥으로 뒤집는다. 허리를 곧게 펴고 앉아 입으로 숨을 들이마셔 배에 가득차게 하기를 7차례 행한다. 그러면 비증(痺症)으로 인한 통증, 열로 인한 통증, '두 정강이가 제대로 움직이지 않는[兩脛不隨]' 증세를 제거할 수 있다.

一. 웅크리고 앉은 자세에서 허리를 곧게 펴고 두 손으로 양쪽 발뒤꿈치를 잡아당긴 후 코로 숨을 가득 들이쉬며 조식하기를 7차례 행한다. 양손을 양 무릎 위에 올려둔다. 그러면 비증(痺症)과 구토(嘔吐)을 제거한다.

一. 똑바로 누워 두 손과 두 발을 편안히 뻗은 상태에서 코로 숨을 가득 들이쉬며 조식하기를 7차례 행하고, 발을 30차례 정도 흔든 다음 멈

---

284 경한(脛寒) : 혈맥이 응체된 것으로 비증(痹症)과 전증(顫症) 범주에 속한다.

285 궐비(厥痺) : 찬 기운이 하지(下肢)에서 위로 배에까지 이르는 증상을 말한다.

춘다. '가슴과 발이 차가운 증세[胸足寒]', '온몸이 마비되는 증세[周身痺]', '팔다리가 싸늘해지며 정신을 잃는 증세[궐역(厥逆)[286]]'를 제거할 수 있다.

一. 똑바로 벽에 기댄 상태에서 숨을 멈추고 행기(行氣)하는데 머리로부터 발끝에 이르게 한다. 이렇게 하면 문둥병[大風], 반신불수[偏枯] 같은 여러 풍비 증세가 낫는다.

一. 좌, 우측 손으로 땅을 짚은 상태에서 머리를 들고 허리를 펴서 5차례 조식(調息)을 하고 멈춘다. 그러면 사지의 운동기능 '마비 증세[痿痺]'가 제거되고, 구규(九竅)[287]가 원활하게 된다.

一. 두 손을 들어올려 가슴 앞에 모은 자세로 숨을 멈추기를 9차례 행한다. 그러면 팔과 다리의 통증, 피곤증, '풍비로 인해 몸이 제대로 움직이지 않는[風痺不隨]' 증세를 치료할 수 있다.

一. 사람들이 등이 뻣뻣하여 제대로 굽혀지지 않는 것을 근심하는데, 얼굴을 하늘로 향하고 두 어깨를 힘껏 위로 올린 상태에서 머리를 좌우 양쪽으로 향하게 한 채로 눌러주기를 각각 21번 행한다. 한 차례를 하고 잠시 멈춘 상태로 기혈이 통하여 안정되기를 기다렸다가 다시 행한다. 처음에는 천천히 하다가 나중에 빠르게 해야지 처음에 빠르게 하다가 나중에 천천히 해서는 안 된다. 아프지 않은 사람의 경우에는 일출, 정오, 일몰 세 번의 시간을 이용해 시간마다 각각 14번씩 행하면 된다. 그러면 한열병(寒熱病), 등, 허리, 목, 뒷목의 통증, 풍비증, 두 무릎과 정강이의 통증

---

286 궐역(厥逆) : 가슴과 배가 아프면서 팔, 다리가 싸늘해지고 가슴이 답답하며 음식을 먹지 못하는 병증을 말한다.

287 구규(九竅) : 인체에 있는 아홉 개의 구멍으로 눈, 코, 입, 귀의 일곱 개와 요도, 항문을 가리킨다. 배꼽 위에 있는 것은 양규(陽竅), 아래에 있는 것은 음규(陰竅)라고 한다.

을 제거할 수 있다. 코로 숨을 들이마셔 천천히 내쉬기를 힘껏 7차례 한다. 그러면 '허리와 등이 땅기면서 아픈 증세[腰痺背痛]'나 구내염, '치아가 시린 증상[牙齒風]', 현기증 등을 모두 제거할 수 있다.

一. 두 손으로 무릎을 누르고 왼쪽으로 뒷목과 등을 비틀며 운기(運氣)를 12번 한다. 오른쪽도 그렇게 한다. 두통, 여러 풍증과 혈맥이 통하지 않는 것을 치료할 수 있다.[288]

一. 똑바로 서서 손으로 왼쪽을 가리키고 오른쪽을 바라보며 운기(運氣)를 24번 한다. 손으로 오른쪽을 가리키고 왼쪽을 바라보며 운기(運氣)를 24번 한다. '선인지로(仙人指路)'라고 한다. 좌탄(左癱)과 우탄(右瘓)[289]을 치료할 수 있다.

《수진비요(修眞秘要)》〈선인지로(仙人指路)〉

288 두 손으로……있다 : 이 항목은 《수진비요(修眞秘要)》의 〈요천주(搖天柱)〉에 나오는 내용이다. 이하 두 항목은 서유구가 《수진비요》에서 혈맥을 통하게 하거나 몸이 마비되는 증상에 대한 항목을 뽑아 추가한 것으로 보인다. 아래의 "가슴과 배의 통증을 치료하는 방법[治心腹痛方]"에서도 역시 9개의 항목을 뽑아 추가하였다.

289 좌탄(左癱)과 우탄(右瘓) : 중풍(中風) 증상의 하나로 몸 한쪽을 쓰지 못하는 증상이다. 왼쪽이 마비되는 증상을 탄(癱)이라고 하고 오른쪽이 마비되는 증상을 탄(瘓)이라고 한다.

一. 높은 곳에 앉아 왼쪽 다리는 말아 접고 오른쪽 다리는 비스듬히 편 채로 두 손을 왼쪽으로 들고 오른쪽을 바라본다. 이 상태로 운기(運氣)를 24번 한다. 오른쪽도 똑같이 한다. 좌탄(左癱)과 우탄(右瘓)을 치료할 수 있다.

가슴과 배의 통증을 치료하는 방법

一. 똑바로 누워 두 다리와 두 팔을 펴고 발가락은 위로 가게 한 다음 코로 숨을 들이쉬며 조식하기를 7차례 행한다. 배가 당기면서 끊어질 듯한 통증을 제거할 수 있다.

一. 누운 자세에서 입으로 천천히 기를 들이쉬고 코로 천천히 내쉰다. 그러면 이급(裏急)[290]을 제거할 수 있다. 그런 후 충분히 기를 들이쉬기를 10차례 하면 따뜻한 기운으로 차가운 기운을 막아 마른 구토와 복통을 제거할 수 있다. 입으로 70차례 숨을 들이쉬면 기운이 배에 가득 차게 되는데 그런 뒤에 10차례 숨을 들이쉬고 양 손바닥을 비벼서 열이 나면 손으로 배를 문질러 기운을 가라앉힌다.

一. 똑바로 누워 두 발과 두 손을 들어올리고 코로 숨을 들이쉬고 천천히 내쉬는 것을 7차례 한다. 그러면 배가 당기면서 끊어질 듯한 통증을 제거할 수 있다.

一. 단정히 앉아 두 손으로 배꼽 아래를 감싸고 행공(行功)하여 운기(運氣)를 49차례 한다. '교단전(絞丹田)'이라고 한다. 복부의 통증[肚腹疼痛]을 치료하고 정기(精氣)도 기를 수 있다.

---

290 이급(裏急) : 이질 증상처럼 배가 아프고 급하여 배변을 참기 어려우며 배변을 하더라도 시원하게 되지 않고 뒤가 묵직한 느낌이 있는 것으로, 대변을 보고 싶을 정도로 아랫배가 끌어당기는 것 같은 증상을 말한다.

一. 두 손으로 어깨를 감싸고 눈은 왼쪽을 바라보며 운기를 12차례 한다. '선인존기개관(仙人存氣開關)'이라고 한다. 복부의 헛배가 부른 증상을 치료한다.

《수진비요(修眞秘要)》〈선인존기개관(仙人存氣開關)〉

一. 단정히 앉아 두 손으로 무릎을 당겨 가슴까지 말아 올린다. 좌우로 끌어당기기를 9차례 한다. 운기를 24차례 한다. '구구등천(九九登天)'이

《수진비요》〈구구등천(九九登天)〉

라고 한다. 교복사통(絞腹沙痛)[291]으로 견딜 수 없는 통증을 치료한다.

一. 앉아서 두 무릎을 누르고 생각을 마음에 둔다. 왼쪽을 보고 오른쪽으로 끌며 운기를 12번 하고, 오른쪽을 보고 왼쪽으로 끌며 또한 운기를 12번 한다. 후심(後心, 등)의 허통(虛痛)[292]을 치료한다.

一. 단정히 앉아 왼손으로 무릎을 누르면서 오른손을 들고 운기를 12번 한다. 오른손도 또한 그렇게 한다. '패왕거정(霸王擧鼎)'이라고 한다. 배 속의 모든 잡병을 치료한다.

《수진비요》〈패왕거정(霸王擧鼎)〉

一. 단정히 앉아 두 손으로 하늘을 받치고 운기를 위로 9번, 아래로 9번 한다. '탁천탑(托天搭)'이라고 한다. 복부의 허종(虛腫)[293]을 치료한다.

---

291 교복사통(絞腹沙痛) : 교장사(絞腸沙)라고도 한다. 건곽란(乾霍亂)으로 명치 아래가 뒤틀리는 것처럼 아프고 식은땀이 나면서 가슴이 답답하여 죽을 것 같이 되는 증세이다.

292 허통(虛痛) : 기혈이 부족하거나 장부가 손상되어 몸의 기능이 약해진 상태에서 나타나는 통증이다.

293 허종(虛腫) : 사람 몸의 수분이 조화를 잃어 생긴 피부의 부종을 말한다.

《수진비요》〈탁천탑(托天搭)〉

一. 발을 정(丁)자 걸음 모양으로 서서 오른손은 들고 몸을 비틀어 왼쪽을 보면서 왼손을 뒤로 돌리고 운기를 9차례 한다. 몸과 손을 바꾸어 앞과 같이 한다. '선인발검(仙人拔劍)'이라고 한다. 모든 심통(心痛)을 치료한다.

《수진비요》〈선인발검(仙人拔劍)〉

一. 똑바로 서서 두 손으로 하늘을 밀고, 다리는 땅에 붙인 채 항문[谷

道]을 힘주어 죄고 운기를 9번 한다. '금강도애(金剛擣碓)'라고 한다. 복부의 팽창증과 온몸의 통증을 치료한다.

《수진비요》〈금강도애(金剛擣碓)〉

一. 복부를 땅에 붙인 채로 두 손을 뒤로 향하여 위로 들고 두 다리도 위로 들어 운기를 10차례 한다. '아호박식(餓虎撲食)'이라고 한다. 교장사(絞腸沙)[294]를 치료한다.

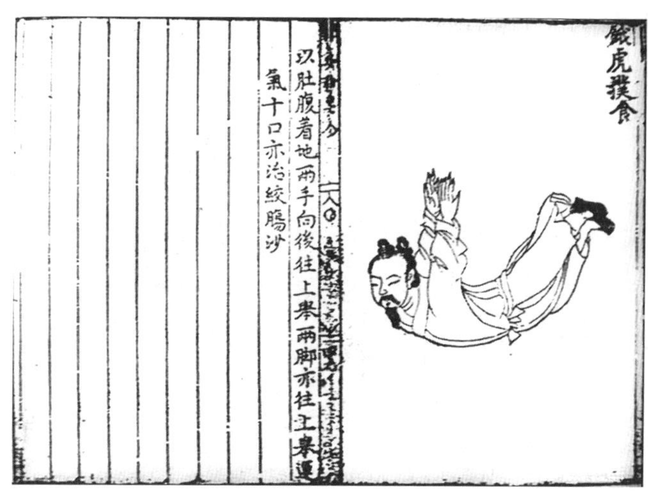

《수진비요》〈아호박식(餓虎撲食)〉

곽란霍亂을 치료하는 방법

一. 쥐가 나서[轉筋] 그치지 않으면, 남자는 손으로 음낭(陰囊)을 당기고, 여자는 손으로 유방을 끌어당겨서 양쪽 끝으로 근접시킨다.

一. 똑바로 누워 두 다리와 두 손을 펴고 발꿈치가 바깥으로 향하게 하고 발끝이 서로 마주보게 한다. 또한 코로 숨을 들이쉬며 조식하기를 7차례 행한다. 양 무릎의 시림과 경골통(脛骨痛), 다리에 쥐가 나는 증상이 없어진다.

一. 엎드린 자세에서 측면을 보고 양 발뒤꿈치를 세운다. 허리를 펴고 코로 숨을 들이쉰다. 그러면 다리에 쥐가 나는 증상이 없어진다.

구토嘔吐를 치료하는 방법

一. 정좌하고 두 손을 뒤로 하여 한쪽 손으로 다른 손의 팔목을 잡고 손바닥으로 힘껏 바닥을 밀며 배를 활처럼 내밀었다가 돌아오게 하면서 긴장되게 하기를 7차례 한다. 양손을 바꾸어서 또한 그렇게 한다. 그러면 복부의 차가운 기를 제거하여, 숙기(宿氣)[295]가 위에 쌓여 위와 입이 차가워지고 음식을 소화할 때 구토증이 일어나는 것이 제거된다.

一. 똑바로 누워 양다리와 양손을 편다. 좌우 양 발뒤꿈치를 들어올리고 코로 숨을 가득 들이쉬며 조식하기를 7차례 행한다. 그러면 허리에 병이 있어 구토가 나는 것이 제거된다.

---

294 교장사(絞腸沙) : 교복사통(絞腹沙痛)이라고도 한다. 건곽란(乾霍亂)으로 명치 아래가 뒤틀리는 것처럼 아프고 식은땀이 나면서 가슴이 답답하여 죽을 것 같이 되는 증세이다.

295 숙기(宿氣) : 하루가 지나도 소화되지 않고 위에 쌓인 음식물로, 숙식(宿食)이라고도 한다.

一. 앉은 자세에서 양다리를 곧게 펴고 양손으로 양발을 잡고 힘껏 잡아당기기를 12차례 한다. 그러면 위장에서 음식을 받아들이지 못하여 구토하는 것이 낫는다. 양손을 깍지 껴서 양 발바닥을 잡는데 두 발이 아프면 풀고, 머리를 무릎 위에 붙인 다음 힘껏 잡아당기기를 12차례 한다. 그러면 위장에서 음식을 받아들이지 못하여 구토하는 것이 낫는다.

기병氣病을 치료하는 방법

一. 양손을 뒤로 향하고 두 손을 모아 허리를 누르면서 한껏 위로 향하게 한 뒤 팔꿈치를 흔들며 왔다 갔다 7차례 한다. 손을 옮기지 않고 그대로 허리에 놓은 채 마찰하여 똑바로 올렸다 내렸다 힘껏 14차례 한다. 척추와 심장과 폐의 기가 막힌 것을 제거한다.

一. 양발과 양손을 서로 맞대고 5차례 숨을 쉬고 그친다. 심장과 폐의 기를 끌어내어 그 궐역(厥逆)[296]과 상기(上氣)[297]를 없앤다. 힘을 최대한 써서 양발이 서로 맞닿게 하고 생각을 멈춘 뒤 폐 속의 기를 끌어낸다. 병든 사람이 폐 안팎으로 자유로이 기를 돌게 하면 곧 아무런 막힘이 없을 것이다.

一. 단정하게 앉아 먼저 양손으로 눈을 비비고, 다시 양손으로 양 겨드랑이를 떠받쳐 잡아 그 기가 올라가면 운기(運氣)를 12차례 한다. '주천화후(周天火候)'라고 하며, 쇠약해진 기혈을 치료한다.

296 궐역(厥逆) : 가슴과 배가 아프면서 팔, 다리가 싸늘해지고 가슴이 답답하며 음식을 먹지 못하는 병증이다.

297 상기(上氣) : 피가 머리로 몰리면서 홍조(紅潮)·두통·이명(耳鳴) 등을 일으키는 증세이다.

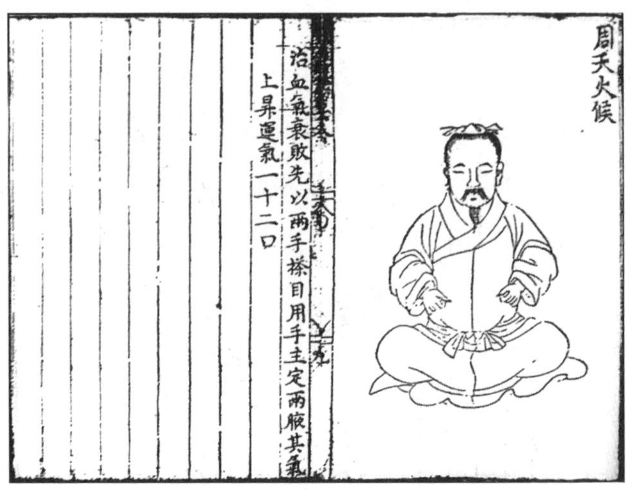

《수진비요》〈주천화후(周天火候)〉

一. 바르게 서서 손을 들고 물건을 가리키는 자세를 한다. 만약 왼쪽의 기맥이 통하지 않으면, 왼손으로 행공(行功)하되, 뜻을 왼쪽에 두고 왼손을 들어 운기한다. 오른쪽도 이와 같이 한다. '여조구질법(呂祖梂疾法)'이라고 하며, 전적으로 기맥이 통하지 않는 것을 치료한다.

《수진비요》〈여조구질법(呂祖梂疾法)〉

담음痰飮[298]을 치료하는 방법

一. 왼쪽이나 오른쪽으로 누워 숨을 멈추고 12차례 운기한다. 담음이 사라지지 않는 것을 치료한다. 오른쪽에 병이 있으면 오른쪽으로 눕고, 왼쪽에 병이 있으면 왼쪽으로 눕는다. 또 사라지지 않은 기가 있어 없애려 한다면 좌우로 각각 12회 호흡하여, 담음을 치료한다.

폐결핵을 치료하는 방법

一. 양손을 머리 위에서 교차시키고 길게 숨을 들이쉬다가 바로 뱉어낸다. 바닥에 앉아 양다리를 편안히 펴고 양손으로 밖에서 무릎 가운데를 감싸고 빠르게 머리를 내려 양 무릎의 사이에 넣는다. 양손을 머리 위에서 교차시키고 13차례 기운을 통한다. 삼시(三尸)[299]를 낫게 한다.

一. 14번 이를 두드리고 그때마다 14번 기운을 삼키되, 300번 기운을 통하고 나서 마친다. 20일 동안 계속하면 사기(邪氣)가 모두 없어지고, 60일 동안 계속하면 작은 병이 나으며, 100일 동안 계속하면 큰 병이 나으니, 삼충(三蟲)과 복시(伏尸)[300]가 모두 제거되어 얼굴과 몸에 빛이 나고 윤택해질 것이다.

---

298 담음(痰飮) : 체내로 흡수된 수습(水濕)의 액체가 진액(津液)으로 만들어졌다가 제대로 운화되지 못하고 엉겨서 만들어진 것을 일컬어 담음(痰飮)이라 하는데, 좀 더 걸쭉한 상태를 담(痰)이라 하고, 담(痰)보다 좀 더 묽은 상태를 음(飮)이라 한다.(《의림촬요(醫林撮要) 담음문(痰飮門)》)

299 삼시(三尸) : 삼시충(三尸蟲)이라고도 한다. 도가(道家)에서 말하는 인체 내에 있으면서 사람의 수명, 질병, 욕망 등을 좌우하는 세 가지 벌레를 말한다.

300 복시(伏尸) : 시병(尸病)의 하나로, 사람의 오장 속에 숨어 있고, 여러 해가 지나도 없어지지 않는다.

허리와 옆구리의 통증을 치료하는 방법

一. 갑자기 왼쪽 옆구리가 아프면, "간은 청룡(青龍)이니, 왼쪽 눈 안의 혼신(魂神)께서는 오영(五營)의 군대를 거느리고 천 대의 수레와 만 명의 기병으로 갑인 직부리(甲寅直符吏)[301]를 따라 왼쪽 옆구리에 들어와 병을 가져가소서."라고 암송한다.

一. 오른쪽 옆구리가 아프면 "폐는 백제(白帝)이니, 오른쪽 눈 안의 혼신께서는 오영의 군대를 거느리고 천 대의 수레와 만 명의 기병으로 갑신 직부리(甲申直符吏)[302]를 따라 오른쪽 옆구리에 들어와 병을 가져가소서."라고 암송한다. 한쪽 옆으로 누워 팔을 펴고 다리를 곧게 편 뒤, 코로 숨을 들이쉬고 입으로 내쉰다. 옆구리의 피부 통증을 없앨 수 있다. 7차례 호흡하고 그친다.

一. 단정히 앉아 허리를 세우고 오른쪽으로 달을 보며 입으로 숨을 들이쉬어 삼킨다. 30차례를 행하면 왼쪽 옆구리의 통증이 없어진다. 눈을 뜨고 한다.

一. 양손을 목덜미에서 교차하여 최대한 서로 맞잡는다. 옆구리의 통증을 치료한다. 바닥에 앉아 양손을 교차하여 꽉 잡지 않은 채 목은 버티고 손을 잡아당긴다. 오랫동안 이렇게 하면 몸이 금강(金剛)과 같고 호흡도 고르고 길어 바람과 구름 같기도 하고 우레 같기도 하게 된다.

一. 한쪽 손을 한껏 위로 올리고 손바닥을 네 방향으로 돌린다. 한

301 갑인 직부리(甲寅直符吏) : 무엇을 뜻하는지 미상이다.
302 갑신 직부리(甲申直符吏) : 무엇을 뜻하는지 미상이다.

쪽 손은 힘껏 아래로 누른다. 양 손바닥을 머리 위에서 합하여 손가락으로 힘껏 서로 민다. 그렇게 한 뒤에 몸을 옆으로 기울이고 몸을 돌려 위로 향한 양손을 보는 듯이 하고 심기(心氣)는 아래로 분산시켜, 기가 내려갔다가 다시 위로 올라오는 것을 느낀다면 비로소 극도에 도달한 것이다. 좌우상하도 또한 이와 같이 28차례 한다면 어깨와 아울러 허리와 척추의 통증을 없앨 수 있다.

一. 바닥에 무릎을 꿇고 양손을 앞으로 쭉 펴서 바닥을 누른 뒤, 허리와 등에 기가 잘 돌게 하여 온몸의 관절이 풀어지고 기가 흩어지기를 기다려 최대한 허리를 쭉 늘인 뒤에 비로소 무릎을 꿇은 자세로 돌아온다. 곧 등 안의 냉기가 나가듯이 하고 팔과 어깨를 아프게 하여 매우 아픈 정도에 이른 뒤에 도로 일어나 앉는다. 왕복 14차례 한다. 오장의 불편함과 등의 통증을 제거할 수 있다.

一. 앉아서 양 다리를 뻗고 양손은 앞으로 향하여 발과 나란하게 한다. 왕복해서 행공(行功)하고 운기한다. '오룡탐조(烏龍探爪)'라고 하며, 허리와 허벅지의 통증을 치료한다.

《수진비요》〈오룡탐조(烏龍探爪)〉

一. 똑바로 서서 허리를 굽혀 머리를 숙이고 손과 발끝을 가지런히 한 상태에서 24차례 운기한다. '입참활인심(立站活人心)'이라고 하며, '오룡파미(烏龍擺尾)'라고도 한다. 허리의 통증을 치료한다.

《수진비요》〈입참활인심(立站活人心)〉

一. 똑바로 서서 손으로 지팡이를 잡고 목과 허리를 좌우로 돌려 18차례 운기한다. 한 기운에 3차례 운기하며, 무릎으로 바닥을 닦듯이 흔든

《수진비요》〈신선고괘(神仙靠拐)〉

다. '신선고괘(神仙靠枴)'라고 하며, 허리와 등의 통증을 치료한다.

一. 똑바로 서서 오른손으로 벽을 잡고 왼손은 아래로 늘어뜨린 채 오른다리를 들어올려서 펴고 18차례 운기한다. 좌우로 똑같이 한다. '선인탈화(仙人脫靴)'라고 하며, 허리의 통증을 치료한다.

《수진비요》〈선인탈화(仙人脫靴)〉

一. 똑바로 서서 양손을 주먹 쥐고 절하듯 허리를 굽혀 바닥에 닿으면 천천히 몸을 일으키고 두 손을 들어올려 정수리를 지나간다. 입을 다물고 코로 숨을 들이마신 뒤 조금씩 서너 번 내쉰다. 허리와 다리의 통증을 치료한다.

一. 단정히 앉아 양손을 비벼서 따뜻하게 하여 등 뒤의 콩팥 부위를 문지르며, 24차례 운기한다. 허리와 허벅지의 통증을 치료한다.

각기脚氣를 치료하는 방법

一. 앉아서 두 다리를 쭉 뻗고, 몸을 편안히 한 채 숨을 들이쉬어 아래로 내려보내 심장 안에 온화한 기운이 적절히 퍼지게 한다. 그러한 뒤에 한쪽 다리를 굽혀 무릎 아래에 편안히 놓고 다른 한쪽 다리는 쭉 펴서 발가락이 위로 향하게 한다. 얼굴이 위로 향하도록 빨리 눕되 머리가 바닥에 닿지 않게 하고, 양손을 빠르게 앞으로 향하고 머리가 위로 향하도록 힘껏 당긴다. 동시에 각각 자세를 취하며 반복해서 14차례를 한다. 다리를 바꿔 또 이와 같이 한다. 다리의 통증과 허리와 어깨의 냉증(冷症), 혈냉(血冷)과 풍비(風痹)로 인해 점점 약해지는 병을 없애준다.

一. 엎드려 누워 옆을 보고 양 발꿈치를 세운다. 허리를 펴고 코로 숨을 한껏 들이쉬며 7차례 운기한다. 다리의 현통(弦痛)과 전근(轉筋)[303], 다리가 시큰거리고 저리는 것을 제거한다.

一. 두 다리를 펴고 앉아 기를 용천혈(湧泉穴)[304]로 나누어 보내 3차례 통기한다. 기가 완전히 용천혈에 도착하면 비로소 오른다리를 굽혀 양손으로 용천혈을 빠르게 잡아당긴다. 발은 밟고 손은 당기는 자세를 동시에 취한다. 손과 발에 모두 힘을 주어 기를 최대한 내려보내기를 21차례 하되, 기를 놓치지 않는다. 자주 이렇게 하면 신장 안의 냉기와 무릎 시림과 다리 통증을 없앨 수 있다.

一. 한 발을 굽혀 발가락이 최대한 위로 향하게 하고, 다른 한 발은 굽혀 편안히 무릎 위에 둔다. 마음을 편안히 하고 양 발꿈치에서 기를 내어 아래로 보낸다. 한 손은 무릎을 바닥으로 빠르게 누르고, 한 손은 뒤쪽 바닥을 누르며 동시에 힘을 쓴다. 좌우로 또한 14차례를 한다. 무릎이 저린 통증을 제거한다.

---

303 전근(轉筋) : 장딴지의 근육이 뒤틀려 별안간 경련(痙攣)을 일으키는 현상을 말한다.
304 용천혈(湧泉穴) : 발바닥 한가운데의 오목한 곳에 있는 경혈(經穴)이다.

一. 한 발은 땅을 밟고 한 발은 뒤로 향하여 발꿈치 위에 해계혈(解谿穴)[305]이 오게 한다. 양손을 한쪽으로 한껏 향하여 몸을 옆으로 최대한 비틀기를 14차례 한다. 좌우로 또한 그렇게 한다. 발의 통증과 저림, 허리의 통증을 제거한다.

적취積聚[306]를 치료하는 방법

一. 왼발로 오른발의 발등을 밟는다. 심장 하부의 적취를 제거한다.

一. 단정히 앉아 허리를 펴고 해를 향하여 머리를 올린다. 천천히 입으로 기를 들이마시고 삼킨다. 30차례를 하고 그친 뒤 눈을 뜬다. 심장 하부의 적취를 제거한다.

一. 왼쪽으로 누워 팔과 다리를 쭉 편 상태에서 입으로 숨을 들이쉬고 코로 내쉰다. 한 번 돌면 다시 시작한다. 적취와 심장 하부의 불편함을 제거한다.

一. 왼손으로 오른쪽 옆구리를 누르고 오른손을 힘껏 든다. 적취와 묵은 피를 제거한다.

一. 입을 다물어 약하게 호흡하고, 동쪽을 향해 앉는다. 코로 숨을 들이마시고 배꼽 아래로 내려보낸다. 입을 작게 오므려 조금씩 내쉬며 12차례 통기한다. 적취를 제거한다. 머리를 숙인 채 숨을 참고 12차례 통기한

---

305 해계혈(解谿穴) : 움푹 들어간 곳이 계(谿)이며, 해(解)는 벗어난다[解脫]는 뜻이 있다. 족관절 앞쪽 정중앙, 경골(脛骨)과 거골(距骨)이 서로 만나는 부위의 움푹 파인 틈새에 위치한다.

306 적취(積聚) : 음기(陰氣)가 쌓인 적병(積病)과 양기가 모인 취병(聚病)의 합칭으로 오장육부가 막혀 통증을 일으키는 병이다.

다. 음식이 소화되어 몸이 가볍고 건강하게 한다. 겨울에 이렇게 하면 추위를 타지 않는다.

一. 단정히 앉아 허리를 펴고 양팔을 위로 쭉 뻗어 양 손바닥이 위로 향하게 한다. 코로 숨을 들이쉬고 최대한 참았다가 내쉬기를 7차례 한다. '촉왕교(蜀王喬)'[307]라고 하며, 옆구리 아래의 적취를 제거한다.

一. 새벽녘에 베개를 빼고 반듯이 누워 팔과 다리를 쭉 편 상태에서 눈을 감고 입을 다물어 호흡하지 않는다. 기가 배와 양발에 한껏 퍼지면 다시 숨을 쉰다. 잠깐 배로 호흡하고 양발을 위로 올려 더욱 힘을 준다. 조금 숨이 안정되고 나서 다시 한다. 봄에 3번, 여름에 5번, 가을에 7번, 겨울에 9번 하여 오장을 씻어내고 육부를 윤택하게 하면, 병든 곳이 모두 낫는다. 다시 적취병에 걸린 경우 배로 호흡하고 열이 나면 그친다. 이렇게 하면 적취가 없어져 곧 병이 나을 것이다.

비위脾胃가 편치 않음을 치료하는 방법

一. 비위가 편치 않아 음식을 먹지 못한다면, 몸을 기대고 양손을 한쪽으로 기울였다가 빠르게 몸을 세우고 머리를 편하게 해준다. 양손을 서로 잡고 동시에 서서히 힘껏 잡아당기는데, 기와 힘을 모두 편안하게 한다. 좌우로 또한 이와 같이 하여 각각 21차례 한다. 목 앞뒤로 천천히 손을 펴서 밖으로 끌어내듯이 하여 몸과 마음을 편안하게 하고 21차례 흔들고, 번갈아가며 또한 이와 같이 한다. 편치 않은 위와 부실한 팔과 허리를 치료한다.

---

307 촉왕교(蜀王喬) : '왕자교팔신도인법(王子喬八神導引法)' 혹은 '왕자교도인법(王子喬導引法)'이라고도 하는데, 왕자교가 편집 연습하게 한 폐기법(閉氣法)이 주가 되는 도인법이다.

소갈消渴[308]을 치료하는 방법

一. 옷을 풀고 편안히 누워 허리를 펴고 배를 부풀렸다가 작게 한다. 5차례 한 다음 신장의 기운을 끌어온다. 소갈병을 제거할 수 있고 음양을 조화롭게 한다. 옷을 푸는 것은 걸리고 막히지 않게 하기 위해서이다. 편안히 눕는 것은 다른 생각을 하지 않고 편하게 운기하기 위해서이다. 허리를 펴는 것은 신장이 압박을 받지 않게 하기 위해서이다. 배를 부풀리는 것은 한껏 기를 가득차게 하는 것이다. 배를 작게 하는 것은 곧장 배를 수축하고 기를 한데 모으는 것이다. 5차례 호흡한 뒤에 곧바로 신장에서 기를 끌어오는 것은 신장의 물기를 목구멍으로 끌어와 상부를 촉촉하게 해서 소갈증과 고고병(枯槁病)[309]을 제거하는 것이다. 음양을 조화롭게 한다는 것은 기력이 넉넉한 것이다.

도인하는 중에 자주 허약해지면 때에 따라 피해야 한다. 막 음식을 먹은 뒤나 지나치게 굶었을 때에는 도인해서는 안 되니, 사람을 해하기 때문에 또한 피한다. 나쁜 날이나 시절이 좋지 않을 때도 피해야 한다. 도인이 끝나면 우선 120보(步)를, 많게는 천 보를 걸은 뒤에 식사하는데, 너무 뜨겁거나 너무 차가워서는 안 되고, 다섯 가지 맛이 잘 조합되어야 한다. 부패했거나 묵은 음식과 벌레가 먹고 남은 음식은 먹으면 안 된다. 먹을 때에는 조금씩 입안에 넣어 여러 번 씹어서 조금씩 넘겨야 한다. 식사가 끝난 후 바로 자면 안 된다. 이것을 '곡약(穀藥)'이라고 하니, 아울러 기와 함께 조화를 이룬다면 바로 참으로 좋은 약이다.

---

308 소갈(消渴) : 물을 많이 마시고 음식을 많이 먹지만, 몸은 여위고 소변양이 많아지는 병증이다. 현대 의학의 당뇨병에 해당한다.

309 고고병(枯槁病) : 고고(枯槁)는 마르거나 건조해지는 것을 뜻한다. 몸이 말라 골격이 드러나거나 피부, 모발이 바싹 건조해지는 증상의 병이다.

배가 더부룩한 것을 치료하는 방법

一. 쪼그리고 앉아 마음을 가라앉히고, 양손을 굽혀 심장에서부터 아래로 내린 뒤, 좌우로 양팔을 흔들고 번갈아가며 몸을 기울인다. 어깨에 한껏 힘을 주고 머리를 숙여 배로 향하고, 양손은 충맥(衝脈)[310]을 따라 배꼽 아래까지 쓸어내린다. 왔다 갔다 21차례 한다. 배가 더부룩하고 소화가 안 되는 것을 점차적으로 없앨 수 있다.

一. 배 속이 더부룩하여 막힌 것이 있으면 입으로 기를 불어 보내기를 30차례 한다.

一. 배 속이 더부룩하고 식사 후 배가 너무 불러 괴로우면, 단정히 앉아 허리를 펴고 입으로 숨을 수십 번 들이쉬고 가득차면 내쉰다. 편해지려고 하는 것이니 편치 않으면 다시 한다. 기가 막혀서 배 속이 편치 않으면 또한 이렇게 한다.

一. 단정하게 앉아 허리를 펴고 입으로 숨을 수십 번 들이쉰다. 배 속이 더부룩하여 식사 후 지나치게 배부르거나, 한기가 있고 열이 나서 배 속이 아픈 증상을 제거한다.

一. 양손을 몸의 한쪽으로 향하여 한껏 돌리고, 정수리부터 발까지 기를 발산시켜 내린다. 물건이 문드러지듯 풀어버리고자 한다면 손바닥과 손가락을 쭉 펴고 좌우를 모두 똑같이 21차례 반복한다. 그러고서야 몸

---

310 충맥(衝脈) : 정경(正經)인 12경맥(經脈)에 대비되는 8가지의 경맥(經脈)인 기경팔맥(奇經八脈)의 하나이다. 자궁에서 시작하여 척추를 따라 올라간다. 체표면을 지나가는 가지는 자궁에서부터 아랫배로 나와 족소음신경(足少陰腎經)과 함께 배꼽 옆을 지나 올라가 가슴에 가서 흩어진 다음 다시 올라가 목구멍을 지나 입술에 퍼진다. 충맥은 오장육부의 해(海)이며 온몸의 기혈을 조절한다.

을 바로 세우고 앞뒤로 어깨와 허리를 7차례 움직인다. 배가 더부룩하고 방광과 허리 및 팔뚝의 시림과 혈맥이 빨리 뛰는 것을 제거한다.

一. 만약 배 속이 그득해서 밥을 먹고 배가 쉽게 부르면, 단정히 앉아 허리를 펴고 입으로 숨을 10차례 들이쉰다. 편해지기 위해서이니, 불편하면 다시 한다.

一. 단정히 앉아 왼손을 왼쪽으로 향하고 오른손도 왼쪽으로 따라가며 머리는 오른쪽으로 돌린다. 오른손을 오른쪽으로 향하고 왼손도 오른쪽으로 따라가며 머리는 왼쪽으로 돌린다. 왼쪽으로 9차례, 오른쪽으로 9차례 운기한다. 가슴이 답답한 것을 치료한다.

눈과 귀가 밝아지게 하는 방법

一. 웅크리고 앉아 오른쪽 다리를 펴고 양손으로 왼쪽 무릎을 감싸 쥔 뒤 허리를 편다. 코로 최대한 숨을 들이쉬었다가 내뱉기를 7차례 한다. 풍으로 눈이 어두워지고 귀가 먹은 것을 제거한다.

一. 웅크리고 앉아 왼쪽 다리를 펴고 양손으로 오른쪽 무릎을 감싸 쥔 뒤 허리를 편다. 코로 최대한 숨을 들이쉬었다가 내뱉기를 7차례 한다. 왼쪽 발은 펴서 바깥으로 붙인다. 풍으로 눈이 어두워지고 귀가 먹은 것을 제거한다.

一. 코로 숨을 들이쉬고, 왼손으로 코를 잡는다. 눈이 어둡고 눈물이 나는 것을 제거한다.

一. 단정히 앉아 허리를 편 채 천천히 코로 숨을 들이쉬고 오른손으로 코를 잡는다. 눈이 어두운 것을 제거한다. 눈물이 나온다면 눈을 감고 숨을 내쉰다.

一. 웅크리고 앉아 양손을 새끼발가락에 댄다. 숨을 한껏 들이쉬었다가 내쉬면 오장의 기가 순환하여 머리에 이른다. 귀가 들리지 않고 눈이 밝지 않은 것을 주로 치료한다. 오랫동안 하면 흰머리가 다시 검어진다.

一. 양 발가락을 위로 향하게 한 뒤 5차례 호흡하고 그친다. 귀가 밝아지게 한다. 오랫동안 하면 눈과 귀 등의 뿌리가 모두 막힘이 없어진다.

一. 왼쪽 정강이를 펴고 오른쪽 무릎을 굽혀 누른 채 호흡을 5차례 한 뒤 폐 속의 기운을 끌어온다. 풍허병(風虛病)[311]을 제거한다. 사람의 눈을 밝아지게 하여 밤중에도 낮과 다름없이 볼 수 있게 한다.

一. 닭이 울면 일어나서 두 손을 비벼 열이 나게 한 뒤 눈을 덮어 따뜻하게 하기를 3차례 한다. 손가락으로 눈을 누르면 좌우에 신광(神光)이 생겨 눈이 밝아지고 병이 없어진다.

一. 동쪽을 향해 앉아 숨을 쉬지 않고 2차례 통기하고, 양손의 중지에 침을 14차례 뱉어 비빈 후 눈을 닦는다. 사람의 눈을 밝게 한다. 입안을 양치한 침으로 눈을 닦아 그 때를 벗기면 눈이 맑고 밝아진다.

一. 누워서 기를 3차례 끌어들이고, 손톱으로 목 주변의 맥을 5차례 문지른다. 눈을 밝게 한다. 바르게 누워서 머리를 들어올리고 3차례 기를 끌어들여 통하게 하고 양 손가락으로 목 주변의 큰 맥을 문지른다. 눈이

311 풍허병(風虛病) : 몸이 허약한 상태에서 풍사(風邪)가 침입하여 나타나는 병이다.

어두운 증상을 없앤다. 오랫동안 하면 밤에도 색을 볼 수 있게 되고, 오랫동안 그치지 않고 하면 시방(十方)[312]을 한없이 다 볼 수 있게 된다.

一. 닭이 울어 일어나려고 할 때 먼저 왼손을 굽혀 소금을 집어 입에 넣고 씹어서 침과 섞고, 손가락을 서로 비비며 주문을 외어 말하기를 "서왕모의 딸은 이름이 익유(益愈)로다. 나의 눈을 줄 테니 입으로 받아라."라고 하고, 곧바로 정갈하게 문지른다. 항상 닭이 울면 14차례 소금을 입에 넣고 침과 섞어 두 눈을 문지른다. 눈이 어두운 증상을 없앤다. 그 정한 빛이 만 리를 통하고 사방을 두루 볼 수 있게 한다. 14차례 침을 삼키고 그 침을 발라 손가락을 뜨겁게 하여 14차례 눈을 문지른다. 사람의 눈을 어둡지 않게 한다.

一. 몸을 단정하게 하고 앉아 먼저 손으로 발바닥 중심을 뜨겁게 문지르고, 손으로 양 무릎을 안마한다. 단정하게 앉아 입을 벌려 9차례 숨

周天火候

治血氣衰敗先以兩手搽目用手主定兩腋其氣

上昇運氣一十二口

《수진비요(修眞秘要)》〈추첨화후(抽添火候)〉

312 시방(十方) : 동방·동남방·남방·서남방·서방·서북방·북방·동북방과 위쪽으로 상방, 아래쪽으로 하방을 통틀어 이르는 말. 곧 사방(四方)과 사우(四隅)와 상하(上下)를 통틀어 일컫는다.

을 내쉰다. '추첨화후(抽添火侯)'라고 하며, 혈맥을 다스림을 말한다. 삼초(三焦)[313]가 불편하거나 눈이 침침한 것을 치료한다.

一. 바닥에 앉아 두 다리를 교차시키고, 양손은 곡각(曲脚)[314]을 따라 가운데로 들어왔다가 머리를 낮추어 목덜미에서 교차시킨다. 오랫동안 막혀서 스스로 따뜻하게 하지 못하거나 귀에 소리가 들리지 않는 것을 치료한다.

一. 다리를 목덜미에서 교차시키고 숨을 멈춘 채 12차례 통기한다. 심한 추위로 따뜻함을 느끼지 못하거나 오래 묵은 냉환, 귀가 먹고 눈이 어지러운 것을 낫게 한다. 오랫동안 하면 곧 법이 되니, 이 법으로 매번 30차례 하며 방법을 바꿔서는 안 된다.

목구멍과 혀의 병을 치료하는 방법

一. 한 손은 쭉 펴서 손바닥을 위로 향해 올리고, 다른 한 손으로 턱을 잡고 바깥쪽으로 당기기를 동시에 최대한으로 하여 14차례 한다. 좌우로 똑같이 한다. 그런 뒤에 손은 움직이지 않고 좌우 양쪽으로 최대한 움직여서 급하게 당기기를 14차례 한다. 목뼈가 뻣뻣한 것과 두풍(頭風)[315]·뇌선(腦旋)[316]·후비(喉痺)[317]와 어깻죽지의 냉기로 인한 편풍(偏風)을 제거한다.

313 삼초(三焦) : 다른 오장 육부와는 달리 일정한 부위를 차지하는 형태가 없어서 한의학에서도 삼초의 정체에 대하여 학설이 분분하기도 하지만 대략 2가지로 나누어 설명할 수 있다. 첫째는 부위 개념인데, 여기서의 삼초는 상초·중초·하초를 통칭한다. 상초는 흉곽을, 중초는 상복부와 제복부(臍腹部, 배꼽부위)를, 하초는 하복부를 지칭하며 기능은 그 속에 들어 있는 기관인 심폐·소화기·비뇨생식기·대장의 기능을 통괄한다. 둘째는 수분의 고른 산포와 원활한 배설을 맡는 수도기관(水道器官)으로서, 방광이 소변을 잘 걸러낼 수 있도록 화기(火氣)를 제동하는 기화(氣化)의 근원으로서의 개념이다.

314 곡각(曲脚) : 각만(脚彎)과 같은 말로, 발등과 종아리 사이의 관절을 가리킨다.

315 두풍(頭風) : 머리 아픈 것이 오랫동안 치유되지 않고 수시로 발작하거나 멎는 증상이다.

316 뇌선(腦旋) : 머리가 빙빙 돌아가는 것처럼 어지러운 증상이다.

317 후비(喉痺) : 목구멍 속에 종기가 나거나, 목 안이 벌겋게 붓고 아프며 막힌 감이 있는 병이다.

一. 양손으로 양쪽 뺨을 밀어 올리고 손은 움직이지 않은 채 배와 팔꿈치를 빠르게 밀착시킨다. 허리에서도 똑같이 손은 움직이지 않는다. 그 자세로 있다가 양쪽 팔꿈치 끝을 바깥으로 벌려 팔꿈치와 어깻죽지와 허리의 기가 흩어지게 한다. 최대한 흩어지게 하고 매우 불편한 느낌이 생기기 시작하면 반복해서 일곱 차례 한다. 후비를 제거한다.

이를 단단하게 하는 방법

一. 항상 본명일(本命日)[318]이 되면 처음 머리를 빗을 때 윗니와 아랫니를 9차례 서로 부딪치고 "대제산령(大帝散靈), 오로반진(五老反眞); 니환현화(泥丸玄華), 보정장존(保精長存); 좌회구월(左廻拘月), 우인일근(右引日根); 육합청련(六合清練), 백병유인(百病愈因)[319]"이라고 주문을 외고, 침을 3차례 삼킨다. 평소에 자주 이런 식으로 행하면 이가 아프지 않게 되고 모발이 튼튼해지고 백발이 되지 않으며 머리가 아프지 않게 된다.

一. 동쪽을 향해 앉아서 숨을 쉬지 않고 4번 통기한다. 윗니와 아랫니를 36차례 부딪친다. 치통을 치료할 수 있다.

비염을 치료하는 방법

一. 동쪽을 향해 앉아 숨을 쉬지 않고 3차례 통기하고 손으로 양쪽 콧구멍을 잡는다. 콧속의 질병을 치료할 수 있다. 다리를 교차하고 무릎을 꿇고 앉는다. 콧속의 질병을 치료할 수 있고, 눈물과 콧물을 제거하여 콧

318 본명일(本命日) : 태어난 해의 간지(干支)와 같은 날. 즉 갑자생(甲子生)일 경우 갑자일(甲子日)을 말한다.

319 대제산령(大帝散靈)……백병유인(百病愈因) : 양생법을 행하면서 외우는 주문인데 그 의미는 미상이다.

속이 뻥 뚫려 냄새를 맡을 수 있게 한다. 그만두지 않고 오래하면 주변의 모든 향기와 냄새를 맡을 수 있다.

一. 웅크리고 앉아 양쪽 무릎은 붙이고 양쪽 발을 벌린다. 숨을 쉬지 않고 5차례 통기한다. 콧속의 부스럼을 치료한다.

一. 단정하게 앉아 허리를 펴고 천천히 코로 숨을 들이쉰다. 오른손으로 코를 잡는다. 천천히 눈을 감고 숨을 내쉬되 땀이 날 정도로 한다. 콧속에 군살이 생긴 것을 제거한다.

一. 동쪽을 향해 앉아 숨을 쉬지 않고 3차례 통기하고, 손으로 양 콧구멍을 잡는다. 콧속에 군살이 생긴 것을 치료할 수 있다.

정액이나 소변이 새는 것을 치료하는 방법

一. 유정(遺精)[320]과 백탁(白濁)[321]을 치료하고 모든 냉기가 생기지 않게 한다. 술시(戌時, 저녁 7시~9시)에서 해시(亥時, 저녁 9시~11시)쯤 음기가 왕성하고 양기가 수그러질 때에 한 손으로 음낭을 감싸 쥐고 다른 한 손으로 배꼽 아래 단전을 81차례 문지른 뒤에 손을 바꾼다. 손마다 각각 9차례씩 한다. 감싸 쥐고 문지르는 것을 9일 동안 하면 효험을 볼 것이고, 81일이면 효과를 이룰 것이다.

一. 유정을 치료한다. 짧고 좁게 만든 평상에 활처럼 구부리고 누워 두 무릎을 배꼽에 밀착시키고 좌측이나 우측으로 눕는다. 한 손으로 음낭을

320 유정(遺精): 정액이 저절로 나오는 병증이다. 몸속의 기혈이 허하거나 신장(腎臟) 기능이 떨어졌을 때, 하초(下焦)에 습열사(濕熱邪) 등이 몰려서 생긴다. 유설(遺泄)이라고도 한다.

321 백탁(白濁) : 오줌의 빛이 뿌옇고 걸쭉한 병(病)이다.

감싸 쥐고 다른 한 손으로 단전을 문지른다. 반드시 마음을 편하게 먹고 정갈하게 누워 방안에서 사욕(思慾)이 생기는 것을 경계하고 제거해야 한다. 만약 단단해지고 새지 않으면 몸을 편안하게 보존할 수 있다.

一. 앉아서 두 다리를 펴고 양손으로 발바닥 중간을 잡아당긴다. 행공하고 운기하기를 9차례 한다. '여조산운식기(呂祖散運息氣)'라 하며, 몽정을 그치게 하는 것을 위주로 한다.

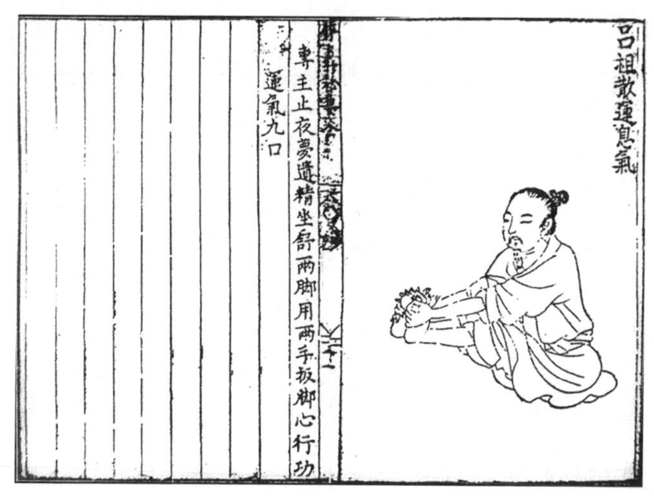
呂祖散運息氣
專主止夜夢遺精坐舒兩脚用兩手扳脚心行功
運氣九口

《수진비요》〈여조산운식기(呂祖散運息氣)〉

一. 정기를 거두는 법. 정욕이 왕성한 때에 왼손으로 오른쪽 콧구멍을 잡고 오른손은 미여혈(尾閭血)에서 정욕의 길을 막는다. 운기를 여섯 차례 하면 정욕이 스스로 사라진다. '항우착월(降牛捉月)'이라고 한다.

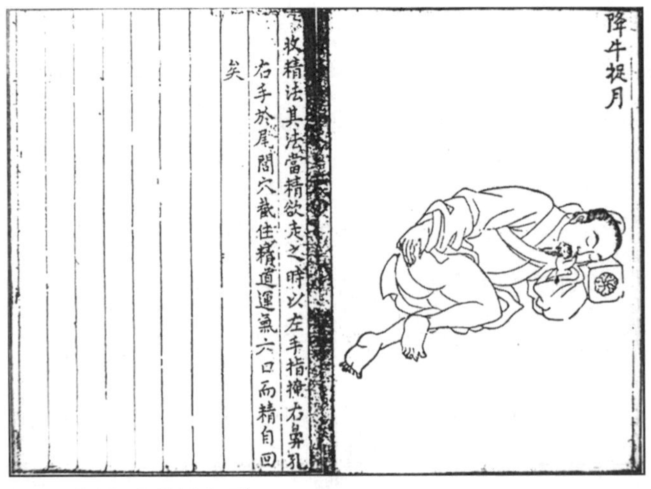

《수진비요》〈항우착월(降牛捉月)〉

一. 여조양정법(呂祖養精法).[322] 단정하게 앉아 손으로 왼발의 중심을 문지른다. 운기를 24차례 한다. 오른발도 이와 같이 한다.

《수진비요》〈여조양정법(呂祖養精法)〉

一. 몽정을 치료하는 법. 위를 보고 누워 오른손은 베갯머리에 두고 왼손으로 용공한다. 왼쪽 정강이는 곧게 펴고 오른쪽 정강이는 구부려서 붙인다. 운기를 24차례 한다. '진박수공(陳博睡功)'이라고 한다.

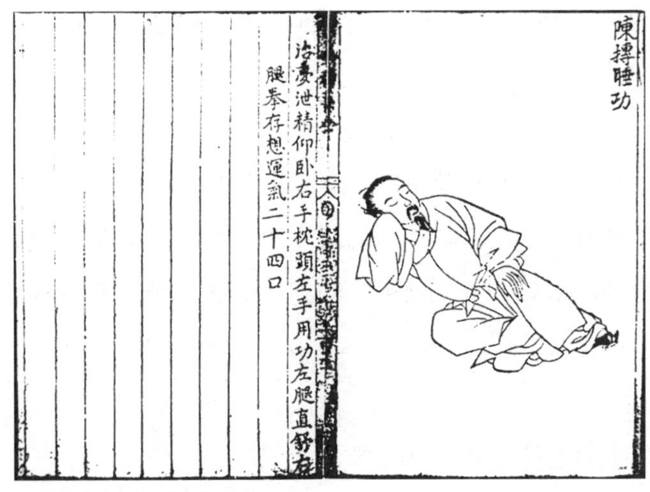
陳摶睡功

治夢泄精仰卧右手枕頭左手用功左腿直舒右

腿拳存想運氣二十四口

《수진비요》〈진박수공(陳博睡攻)〉

임질을 치료하는 방법

一. 위를 보고 누워서 대퇴부를 구부려 양손으로 무릎 위를 감싸고, 발꿈치를 기울여 둔부 끝에 댄다. 입으로 숨을 들이쉬어 배를 부풀리고 코로 내쉰다. 임질과 잦은 소변을 치료할 수 있다.

一. 웅크리고 앉아 엉덩이를 한 자쯤 들고, 두 손을 바깥쪽으로 굽힌 무릎 안쪽으로부터 발등으로 옮겨간다. 손으로 빠르게 새끼발가락을 잡아 힘껏 한차례 안쪽으로 굽혀 허리뼈를 편하게 한다. 임질을 치료할 수 있다.

一. 위를 보고 누워서 대퇴부를 구부려 양손으로 무릎 위를 감싸고, 발꿈치를 기울여 둔부 끝에 댄다. 입으로 숨을 들이쉬어 배를 부풀리고

322 여조양정법(呂祖養精法): 여조(呂祖)는 여동빈(呂洞賓, 798년~미상)을 이른다. 동빈은 여조의 자이며, 당나라 하중(河中) 사람 혹은 경조(京兆) 사람이라고도 한다. 이름은 암(嵒 또는 岩), 호는 순양자(純陽子)이고, 회도인(回道人)이라 자칭했다. 종남산(終南山)에서 수도한 팔선(八仙)의 한 사람으로 전해지며, 종남산에서 수도하면서 도교 전진북오조(全眞北五祖)의 한 사람이 되었다고 한다. 양정법(養精法)은 양기법(養氣法), 양신법(養神法)과 함께 양생법의 하나로 여조가 선도(仙道)를 수련하기 위하여 단전호흡으로 "정(精)"을 충만(充滿)시킨 수련법을 말한다.

코로 내쉰다. 석림(石淋)[323]과 경중통(莖中痛)[324]을 치료할 수 있다.

一. 위를 보고 누워서 대퇴부를 구부려 양손으로 무릎 위를 감싸고, 발뒤꿈치를 꼬리뼈 아래에 대고, 입으로 숨을 들이쉬어 배를 최대한 부풀리고 코로 내쉬기를 일곱 번 한다. 기융(氣癃)과 잦은 소변과 경중통과 회음부 아래가 습한 것과 아랫배의 통증과 무릎을 움직이지 못하는 증상을 치료할 수 있다.

대소변이 원활치 않음을 치료하는 방법

一. 바르게 앉아서 양손을 등 뒤에서 교차시킨다. 대변(帶便)이라고 한다. 대변을 보지 못하는 것을 낫게 하여 배 속을 편하게 하고, 허약하고 수척해지는 것을 낫게 한다. 교차했던 두 손을 도로 풀어서 등 위에 올려놓은 뒤 심장쯤까지 밀어 올린다. 책상다리를 하고 앉아 9차례 반복한다. 대소변을 보지 못하는 것을 낫게 하여 배 속을 편하게 하고 허약하고 수척해지는 것을 낫게 한다.

一. 귀행기법(龜行氣法)[325]. 입고 있는 옷 속으로 머리를 숙여 입과 코와 얼굴을 덮는다. 바르게 누워 숨을 쉬지 않고 9차례 통기하고 천천히 코로 숨을 내쉰다. 대변이 막혀서 통하지 않는 것을 치료할 수 있다.

一. 위를 보고 누워 양손을 곧게 펴서 양쪽 겨드랑이를 비빈다. 대변을 보기 어렵고 배가 아프고 배 속이 찬 것을 치료할 수 있다. 입으로 숨을 들

323 석림(石淋): 소변이 방울방울 떨어지면서 돌이 나오는 것이다.

324 경중통(莖中痛) : 음경(陰莖)의 통증을 말한다.

325 귀행기법(龜行氣法) : 거북은 장수하는 동물로 옛사람들은 흔히 '학수구령(鶴壽龜齡)'으로 장수를 축복했다. 행기(行氣)는 기를 잘 돌게 하는 것으로 기가 정체된 것을 풀어서 순행시키는 것을 말한다. 행기 가운데 호흡의 조정과 단련에 있어서 거북이의 호흡법을 적용하여 코로 숨을 내쉬고 들이쉬는 수행을 하게 되었는데 이것을 말한다.

이쉬고 코로 내뿜는다. 따뜻한 기운을 수십 차례 들이쉬면 병이 낫는다.

산증疝症[326]을 치료하는 방법

一. 손으로 양쪽 발가락을 잡아당기고 5차례 행기한 후 그치고, 배 속의 기운을 끌어다가 몸에 운행시킨다. 산하증(疝瘕症)[327]을 치료하고 대소변을 편하게 볼 수 있게 한다.

一. 앉아서 양다리를 펴고 양손으로 엄지발가락을 잡은 후 발끝이 머리끝에 닿도록 최대한 끌어당긴다. 5차례 행기한 후 그치고, 배 속의 기운을 끌어다가 몸에 골고루 행기한다. 산하병을 치료하고 대소변을 편하게 볼 수 있게 한다. 이와 같은 방식으로 반복해서 행하여 오래되면 정신이 상쾌해지고 총명함이 좋아진다.

치질을 치료하는 방법

一. 베개를 높이 베고 위를 보고 누워 마음을 편안하게 먹고 기운을 안정시키면 종기를 가라앉힐 수 있다.

一. 한쪽 다리는 땅을 밟고 다른 한쪽 다리는 무릎을 구부린다. 두 손으로 독비혈(犢鼻穴)[328] 아래를 감싸서 최대한 급하게 몸쪽으로 잡아당긴다. 좌우를 바꿔서 28차례 한다. 치질과 오로증(五勞症)[329]과 족삼리(足三

326 산증(疝症) : 생식기와 고환이 붓고 아픈 병증이다. 아랫배가 땅기며 통증이 있고 소변과 대변이 막히기도 한다.

327 산하증(疝瘕症) : 산증의 하나로 아랫배가 화끈거리면서 아프고 요도(尿道)로 흰 점액(粘液)이 나온다.

328 독비혈(犢鼻穴) : 무릎 아래와 정강이뼈의 위쪽, 뼛조각과 큰 힘줄 사이에 있는 혈의 자리다.

329 오로증(五勞症) : 오장(五臟) 즉 심장·간장·비장·폐·신장 등이 허약하여 나타나는 각종 증세를

里)[330]의 기운이 내려가지 않는 증상을 치료할 수 있다.

一. 웅크리고 앉아 양 무릎을 붙이고 양 다리는 편다. 숨을 쉬지 않고 두 번 통기한다. 오치(五痔)[331]를 치료할 수 있다.

一. 양손으로 발을 감싸 쥐고 머리는 움직이지 않는다. 발을 입 쪽으로 향하여 기운을 받아들이고 각 골절에 이르러 기운을 흩트린다. 모두 21차례 한다. 좌우측 몸을 잡으려고 한다면 각각 급하게 잡아당기되 허리는 움직이지 않는다. 사지와 허리 위아래와 골수 안의 냉기와 피의 냉기와 근육이 땅기는 것과 치질에 대한 걱정을 제거할 수 있다.

一. 양 발바닥을 마주 대고 음단(陰端)쪽으로 바짝 붙인다. 양손으로 양쪽 무릎 위를 들어올리되 좌우 양쪽으로 모두 최대한 힘껏 들어올리기를 14차례 하고 마친다. 몸을 양옆으로 14번 최대한 흔들고, 앞뒤로 7번 움직인다. 심로(心勞)[332]와 치질을 제거한다.

황종黃腫을 치료하는 방법

一. 양손으로 무릎을 누르며 행공하고 정신을 통일한다. 숨을 참은 채 두루 유행시키고 49차례 운기(運氣)한다. '선인무금(仙人撫琴)'이라고 하며, 오래 묵은 황종을 치료한다.

말한다.

330 족삼리(足三里) : 무릎에서 아래로 3치 내려가 정강이뼈 바깥쪽 큰 힘줄 안쪽 우묵한 곳에 있는 혈의 자리다.

331 오치(五痔) : 모치(牡痔), 빈치(牝痔), 맥치(脈痔), 장치(腸痔), 기치(氣痔)의 다섯 가지 치질을 말한다. 기치 대신 혈치(血痔)가 포함되기도 한다.

332 심로(心勞) : 심장이 피로하여 나타나는 증세로 갑자기 기뻐하고 성내며 대변 보기 힘들고 입안이 헐기도 한다.

仙人撫琴

治久病黄腫以兩手按膝施功存想閉息周流運氣四十九口如此則氣通血融而病自除矣

《수진비요》〈선인무금(仙人撫琴)〉

어지럼증을 치료하는 방법

一. 양손으로 머리를 감싸고 단정하게 앉아 행공하며 17차례 운기한다.

一. 숨을 참은 채 양손으로 귀 뒤쪽을 누른다. 천고(天鼓)[333]를 36번 두드리고, 이[齒]를 36번 부딪친다. 두훈(頭暈)[334]과 이를 가는 교아(咬牙)를 치료한다.

부스럼을 치료하는 방법

一. 단정하게 앉아 양손으로 양 겨드랑이와 아픈 곳을 문지른다. 행공하고 32차례 운기한다. 전적으로 오래된 부스럼을 치료한다.

---

333 천고(天鼓) : 양 손바닥으로 귀를 누르고 손가락은 머리 뒤쪽을 꼭 감싼 뒤 둘째 손가락과 셋째 손가락으로 뒤통수 가운데 부분을 두드린다. 귀에서 북소리가 나게 되어 '천고(天鼓)'라는 명칭이 붙었다. 서유구는 '탄천고(彈天鼓)'라고 표현하였는데, 양생술에서는 보통 '명천고(鳴天鼓)라 표현한다.

334 두훈(頭暈) : 정신이 아찔아찔하여 어지러운 증상이다.

一. 단정하게 앉아 왼쪽 주먹은 왼쪽 겨드랑이에 두고 오른손은 오른쪽 무릎을 누른다. 마음을 전일하게 하고 정신을 통일하여 병이 있는 곳에 운기한다. 왼쪽으로 6번, 오른쪽으로 6번 한다. '여조파기법(呂祖破氣法)'이라고 하며, 전적으로 묵은 절(癤, 부스럼)을 치료한다.

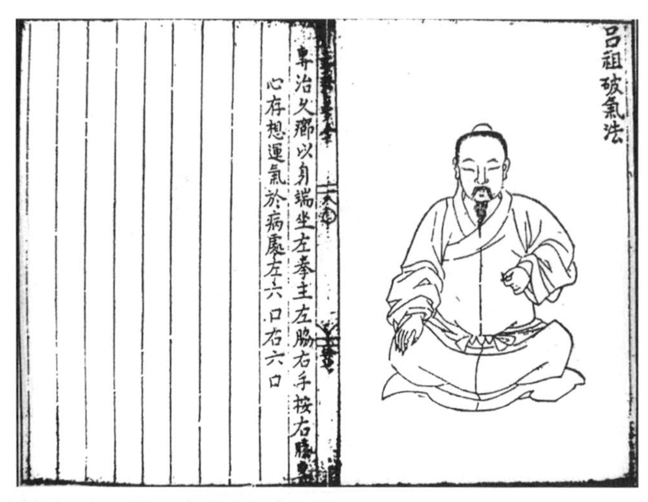
呂祖破氣法

專治久癤以身端坐左拳主左脇右手按右膝

心存想運氣於病處左六口右六口

《수진비요》〈여조파기법(呂祖破氣法)〉

온몸이 욱신거리는 고통을 치료하는 방법

一. 앉아서 몸을 곧게 한 후 양다리를 펴고 양손은 주먹을 쥔다. 몸을 앞쪽으로 움직이고 12차례 운기한다. '용판조(龍板爪)'라고 한다.

一. 서서 왼다리를 앞으로 향하고 양손은 주먹을 쥔 채 12차례 운기한다. 오른다리도 그렇게 한다. '패왕산법(覇王散法)'이라고 하며, 온몸에 든 동통(疼痛)[335]과 시기상한(時氣傷寒)[336]을 치료한다.

335 동통(疼痛) : 신경에 가해지는 어떤 자극으로 인해 몸이 쑤시고 아픈 것이다.

336 시기상한(時氣傷寒) : 때에 따라 유행하는 상한병(傷寒病) 즉 유행성 감기를 말한다.

《수진비요》〈패왕산법(霸王散法)〉

一. 높이 앉았다가 다리를 펴고 서서 활을 매는 자세를 행하면서 12차례 운기한다. '백기충정(百氣冲頂)'이라고 하며, 온몸의 동통을 치료한다.

《수진비요》〈백기충정(百氣冲頂)〉

설사를 치료하는 방법

一. 서서 양손과 팔을 벌리고 밀어서 펼치는 자세로 행공한다. 왼쪽으로 9차례 운기한다. '호시위(虎施威)'라고 하며, 붉은 설사와 흰 설사를 치료한다.

등과 팔뚝의 통증을 치료하는 방법

一. 높게 앉아서 왼다리는 굽히고 오른다리는 편 후 왼손은 주먹을 쥐고 오른손은 배를 문지른다. 행공하고 12차례 운기한다. '선인교록로(仙人攪轆轤)'라고 하며, 등과 팔뚝의 동통을 치료한다.

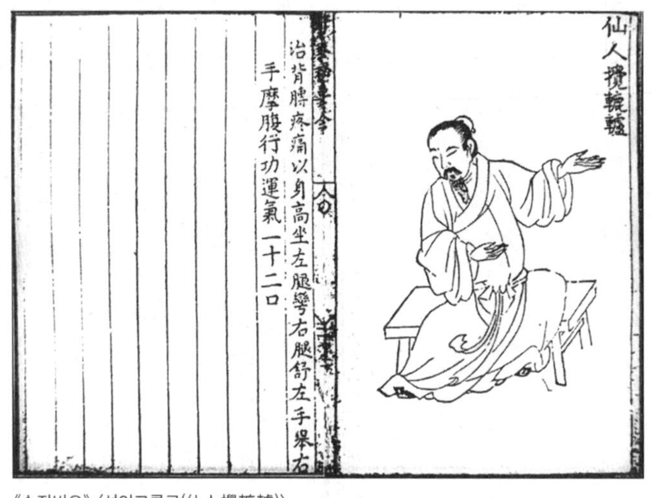

《수진비요》〈선인교록로(仙人攪轆轤)〉

一. 서서 왼손은 펴고 오른손은 팔꿈치를 잡는다. 22차례 운기한다. 오른손도 그렇게 한다. '여조행기결(呂祖行氣訣)'이라고 하며, 등과 팔뚝의 동통을 치료한다.

《수진비요》〈여조행기결(呂祖行氣訣)〉

색로色勞를 치료하는 방법

一. 옆으로 누워 머리는 오른손을 베고 왼 주먹은 배에 두고 위아래로 문지른다. 오른다리는 아래에 두고 조금 구부리고 왼다리는 아래에 둔 오른다리를 누른다. 정신을 통일하고 숨을 고른다. 자는 것처럼 하며 32번

《수진비요》〈진박수공(陳搏睡功)〉

숨을 들이쉬고 거두어 배에 둔다. 이와 같이 12차례 운기한다. 오래 행하면 색로(色勞)를 치료할 수 있다. '진박수공(陳搏睡功)'이라고 한다.

피곤증을 치료하는 방법

一. 양 주먹을 양쪽 겨드랑이에 두되 심장 높이와 나란하게 한다. 힘을 주고 정신을 통일하여 행공하고 왼쪽으로 24차례 운기한다. 오른쪽도 이와 같이 한다. '여조파기법(呂祖破氣法)'이라고 한다.

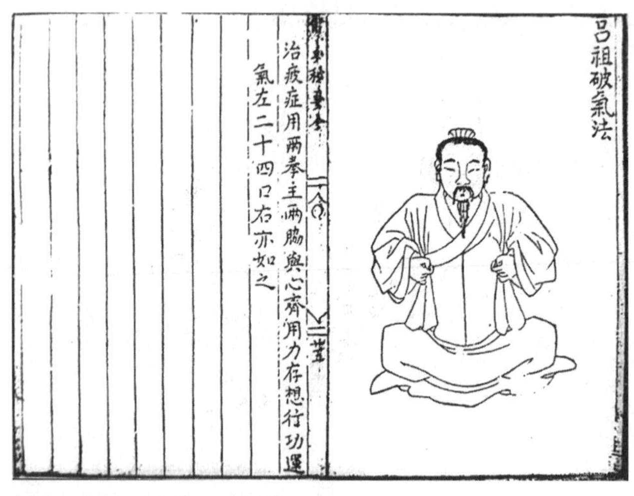

《수진비요》〈여조파기법(呂祖破氣法)〉

상한傷寒을 치료하는 방법

一. 옆으로 누워 무릎을 구부린다. 양손을 비벼 열을 내고 음경과 음낭을 감싸 쥔 후 24차례 운기한다. '진박수공'이라고 하며, 사시상한(四時傷寒)337을 치료한다.

《수진비요》〈진박수공〉

식체食滯를 치료하는 방법

一. 위를 보고 똑바로 누워 양손을 가슴에 두었다가 배 위에 둔다. 강

《수진비요》〈진박수공〉

337 사시상한(四時傷寒) : 감기를 말한다. 동양에서는 감기를 예로부터 고뿔·감모(感冒)·외감(外感)·풍한감모(風寒感冒)·사시상한·감숭(感崇)·감한(感寒)·풍사(風邪) 등으로 표현하였다.

물과 바다를 휘젓듯 손을 왕래하며 행공하고 여섯 번 운기한다. '진박수공'이라고 하며, 먹은 오곡(五穀)이 소화되지 않는 것을 치료한다.

임맥任脈[338]을 치료하는 방법

一. 단정하게 앉아 양손으로 가슴 옆의 두 혈을 잡는다. 이와 같은 방식으로 9번 하고 9번 운기한다. 이것은 혈맥을 통하게 하여 온갖 질병이 사라지게 한다.

모든 잡병을 치료하는 방법

一. 단정하게 앉아 양손으로 무릎을 누르고 좌우로 몸을 흔들며 14차례 운기한다. 일체의 잡병을 치료한다.

이[齒]를 단단하게 하는 방법

붉은 팥가루가 가장 이를 단단하게 할 수 있다. 어떤 한 노인이 일흔이 넘은 나이에 고기나 생선의 뼈를 씹어 먹을 수 있었다. 어떻게 이렇게 할 수 있는지 물었더니 그 노인은 이렇게 말할 뿐이었다.

"다른 방법은 없고 붉은팥으로 가루를 내어 이를 닦고 물로 양치하는 것이니, 이렇게 십여 년을 했더니 평생 이가 아픈 데가 없었소. 예전에 지나가던 걸승에게서 알게 되었소."라고.

338 임맥(任脈) : 회음(會陰)에서 시작하여 몸 앞쪽의 중심선을 따라 아랫입술 밑의 혈(穴)인 승장(承漿)에 이르는 경락(經絡)이다.

검은깨

검은깨는 가래를 치료하고, 신장과 비장을 좋게 하는 효과가 있으니, 참으로 좋은 약이다. 그러나 볶아서 익히면 그 성분이 없어지고 그냥 삼키면 또 효과가 더딜까 염려되니, 오직 그냥 씹어서 먹는 것이 좋다. 간수에 담가서 아주 짜게 만든 뒤 햇볕에 말려 깨끗하게 거두어 두었다가 생각날 때마다 씹어서 먹되 위아래 입술을 꼭 다물어 바깥의 기운이 들어가지 않게 한다. 그렇게 하면 자신도 모르게 낫게 될 것이다.

장생주長生酒

주밀(周密)의 《계신잡지(癸辛雜識)》[339]에 다음과 같은 내용이 있다.

"영목릉(永穆陵)[340]이 만년에 다리가 약해져서 힘들어하며 가사헌(賈師憲)[341]에게 말하기를 '내가 듣자니, 경에게 매우 좋은 장생주가 있다고 하던데 짐이 마셔볼 수 있겠는가?'하니, 가사헌이 물러나서 그것을 올리고 아울러 그것을 만드는 방법도 올렸는데, 천오(川烏)[342]와 우슬(牛膝) 등 몇 가지 재료를 쓴 것에 불과하였다."[343]

---

339 계신잡지(癸辛雜識) : 송말(宋末) 원초(元初)에 주밀(周密, 1232~1308)이 찬한 것으로, 전집·후집 각 1권, 속집·별집 각 2권이다. 사대부의 일화와 국가의 제도, 역사적 사건을 비롯해 당대의 문예와 풍속을 기록하여 남송 말기에서 원나라 초기의 사회상을 아는 데 많은 참고가 된다.

340 영목릉(永穆陵) : 남송 이종(南宋理宗)은 남송의 제5대 황제로, 휘는 윤(昀)이며, 영목릉은 그의 능묘(陵墓)이다.

341 가사헌(賈師憲) : 가사도(賈似道, 1213~1275)이다. 사헌(師憲)은 그의 자이며, 호는 열생(悅生)이다. 남송(南宋) 말의 권신[權相]이다. 절강성 천태(天台)현 둔교(屯橋) 송계(松溪) 사람이다.

342 천오(川烏) : 미나리아재빗과에 속하는 바꽃을 처음 심었을 때 난 원뿌리를 말린 것이다. 성질은 부자(附子)와 비슷하나 조금 약하며, 습기로 인해 뼈마디가 쑤시는 증세나 심한 열 따위를 다스리는 데 쓴다. 처음 싹이 지면에 나올 때 까마귀의 머리 모양을 닮아 오두(烏頭)라는 이름을 얻었다. 천오두(川烏頭)라고도 한다.

343 영목릉(永穆陵)이……불과하였다 : 이 내용은 《계신잡지》에서는 보이지 않고 주밀(周密)의 다른 저작인 《제동야어(齊東野語)》 권18 〈장생주(長生酒)〉 항목에 보인다. 원문은 다음과 같다. "穆陵晩年苦足弱. 一日經筵宣, 諭賈師憲曰: '聞卿有長生酒甚好, 朕可飮否?' 賈退遂修制具方併進亦不過用川烏、牛膝等數味耳."

지금 《거가필용(居家必用)》[344]에서 장생주 만드는 것을 살펴보니, 만드는 방법도 기재되어 있는데 모두 32종의 재료를 쓴다. 그런데 유독 천오와 우슬은 없으니, 아마도 전해 들은 것이 각각 다르거나 아니면 《거가필용》에 기재된 것이 후세 사람이 덧붙여놓고 가사헌을 빙자한 것 같다.

344 거가필용(居家必用) : 《거가필용사류전집(居家必用事類全集)》의 줄인 이름이다. 작자는 미상이다. 원대(元代) 편찬된 역대 명현(名賢)의 격언 및 가정요리 백서로서 갑집(甲集)에서 계집(癸集)까지 10책으로 구성되어 있다. 명대 이후 동아시아 각국에서 널리 읽혔다.

참고문헌 서목

원전류

《尙書》

《詩經》

《周禮》

《禮記》

《儀禮》

《春秋左氏傳》

《論語》

《孟子》

《中庸》

《爾雅》

《爾雅翼》

《小學》

《史記》

《史記索隱》

《史記志疑》

《戰國策》

《戰國策校注》

《漢書》

《後漢書》

《南史》

《宋史》

《晉書》

《舊唐書》

《新唐書》

《新五代史》

《舊五代史》

《呂氏春秋》

《資治通鑑》

《續資治通鑑長編》

《高麗史》

《英祖實錄》

《正祖實錄》

《會稽志》

《明一統志》

《衛輝府志》

《梁谿漫志》

《莊子》

《列子》

《管子》

《嘉佑集》

《澗泉日記》

《弇州四部稿》

《建炎雜記》

《格致鏡原》

《谿谷集》
《癸辛雜識》
《癸辛雜識續集》
《攷古質疑》
《古今事文類聚》
《國朝寶鑑》
《群芳譜》
《歸田錄》
《金石文字記》
《南部新書》
《農桑輯要》
《農政全書》
《能改齋漫錄》
《丹鉛餘錄》
《澹生堂藏書約》
《大事記》
《東閣雜記》
《東國文獻備考》
《東醫寶鑑》
《東坡全集》
《杜詩詳注》
《蘭亭考》
《嬾眞子》
《冷齋夜話》
《歷代要覽》
《禮書》
《老稼齋燕行日記》
《蘆浦筆記》
《老學庵筆記》
《律呂新書》
《萬柳溪邊舊話》
《望溪集》
《明皐全集》
《明文海》
《夢溪筆談》
《武藝圖譜通志》
《墨客揮犀》
《墨池瑣錄》
《文忠集》
《文獻通考》
《澠水燕談錄》
《博聞錄》
《博物要覽》
《博物志》
《頖宮禮樂全書》
《白氏長慶集》
《范文正集》
《本草綱目》
《四庫全書總目》
《事實類苑》
《山谷別集》
《山海經》
《三國志》
《常談》

《西京雜記》
《說文解字》
《說郛》
《性理大全書》
《性理精義》
《誠齋集》
《星湖僿說》
《昭代叢書》
《宋景文筆記》
《隋唐嘉話》
《乘槎錄》
《野客叢書》
《儼山外集》
《熱河日記》
《瀛涯勝覽》
《禮記集說》
《藝文類聚》
《五禮通考》
《玉壺淸話》
《王司馬集》
《雲麓漫抄》
《韻石齋筆談》
《雲仙雜記》
《元氏長慶集》
《月沙先生集》
《渭南文集》
《酉陽雜俎》
《猗覺寮雜記》
《林下筆記》
《昨非庵日纂》
《潛邱劄記》
《桯史》
《齊東野語》
《齊民要術》
《朝鮮賦》
《晁氏客語》
《周易傳義大全》
《遵生八牋》
《芝峯類說》
《知言》
《珍席放談》
《眞珠船》
《天工開物》
《天祿識餘》
《輟耕錄》
《鐵圍山叢談》
《靑門集》
《靑莊館全書》
《春秋左傳》
《曝書亭集》
《楓石鼓篋集》
《楓石全集》
《鶴林玉露》
《漢書補註》

《韓詩外傳》

《漢魏六朝百三家集》

《韓愈文集》

《荊溪林下偶談》

《荊川稗編》

《浩然齋雅談》

《弘齋全書》

《荒政叢書》

《晦庵集》

《後山詩話》

《欽定南巡盛典》

저서류

김익현 譯, 《(국역) 증보문헌비고 (악고01)》, 세종대왕기념사업회, 1994.

김윤조·진재교 옮김, 《19세기 견문지식의 축적과 지식의 탄생 지수염필(상)》, 소명출판, 2013.

박찬수·성백효·임정기 譯, 《국역오주연문장전산고》 민족문화추진회, 1980.

사마천 지음, 정범진 외 옮김, 《사기(史記)》, 까치, 2007.

신호열 등 譯, 《국역청장관전서》, 민족문화추진회, 1980.

안대회 譯, 《산수간에 집을 짓고》, 돌베개, 2005.

이종묵, 《조선의 문화공간4》, 휴머니스트, 2006.

임동석, 《역주 전국책》, 전통문화연구회, 2002.

정민, 《18세기 한중 지식인의 문예 공화국》, 문학동네, 2014.

정민 외 옮김, 《19세기 조선 지식인의 생각 창고》, 돌배게, 2006.

진재교·김문경 외 옮김, 《18세기 일본 지식인, 조선을 엿보다-평우록》, 성균관대학교 출판부, 2013.

채원정 지음, 이후영 譯註, 《(국역) 율려신서》, 문진, 2011.

溫洪隆 注譯, 陳滿銘 校閱,《新譯戰國策》, 臺北三民書局, 2007.

傅璇琮·許逸民 외,《中國詩學大辭典》, 浙江教育出版社, 1999.

王守謙、喻芳葵 外 譯注,《戰國策全譯》, 貴州人民出版社, 1996.

논문 및 해제류

김미영·이성현·이재명, 〈고려대장경 판각추정지 정밀지표조사 유적 유물분석〉, 경남연구 제10집, 2014.

박혜민,《이덕무의 일본에 관한 지식의 형성과정》, 연세대학교 대학원 국어국문학과 석사학위논문, 2012.

오용섭, 〈팔만대장경(八萬大藏經)의 조성(造成)과 강화(江華)〉, 인천학연구1, 2002. 12.

이강범, 〈정현 모시정전 석례와 시경학상의 공헌〉,《시경연구》창간호, 1999. 12.

이남종·장녕(張寧)《봉사록(奉使錄)》시문연구, 한국중국학회, 2015.

이연승,《난진자(嬾眞子)》해제, 규장각한국학연구원

장세경,《이두자료읽기사전》, 한양대학교 출판부, 2001.

滕吉慶,〈魯連子輯釋與研究〉, 東北師範大學碩士學位論文, 2009.

吳鷗, 〈尤袤小考〉,《北京大學百年國學文粹, 語言文獻卷》, 北京: 北京大學出版社, 1998.

색인

인명

ㅊ

지명

ㄱ

ㄴ

서명 및 편명

ㅌ

ㅍ

ㅎ

개념어

번호

ㄱ

ㄴ

ㅅ

역자소개

진재교

성균관대 한문교육과를 졸업하고 동 대학원 한문학과에서 박사학위를 취득했다. 한국고전번역원에서 한학을 연구했으며, 전근대 동아시아학과 조선 후기 한문학 관련 논저 100여 편이 있다. 조선 후기 전(傳)과 기사(記事)를 가려 뽑은《알아주지 않는 삶: 모음집》과 야담의 서사에서 가려 뽑은《사랑이야기》,《재물이야기》 등을 편역하였고,《정조어찰첩》,《18세기 견문지식의 축적과 지식의 탄생-지수염필》,《18세기 일본 지식인 조선을 엿보다-평우록》,《북학 또 하나의 보고서, 설수외사》 등을 공역하였다. 경북대 한문학과 교수를 거쳐 성균관대학교 한문교육과 교수로 근무하며, 성균관대학교 사범대학장과 동아시아학술원 원장을 역임하였다. 현재 한국고전번역학회와 한국한문학회 회장으로 있다.

노경희

성균관대학교 한문교육과를 졸업하고, 동 대학원에서 한문고전번역학을 전공하였다. 현재 조선대학교에서 강의하고 있다. 주요 논문으로「沈大允의『論語』해석의 일 단면-利와 忠恕를 중심으로-」(한문고전연구 제29집, 2014),「沈大允의『論語注說』譯註」(박사학위논문, 2014)가 있고, 주요 번역서로『주석학개론』(공역, 2014),『유교의 이단자들』(공역, 2015)『사고전서 이해의 첫걸음:사고제요서강소(四庫提要敍講疏)』(공역, 2016),『국역 교궁집록기Ⅱ』(공역, 2018) 등이 있다.

박재영

서울대학교 인류학과를 졸업하고, 민족문화추진회(현 한국고전번역원) 부설 국역연수원 상임연구원 과정과 성균관대 대학원 한문고전번역협동과정을 수료하였다. 현재 한국고전번역원 책임연구원으로 재직 중이다. 주요 논문으로「고전적 정리의 측면에서 본『한국문집총간』편찬의 의의와 향후 과제」(민족문화 제42집, 2013)가 있고, 번역서로『청성잡기』(공역, 2006),『설수외사』(공역, 2011),『교감학개론』(공역, 2013),『사고전서 이해의 첫걸음:사고제요서강소(四庫提要敍講疏)』(공역, 2016) 등이 있다.

김준섭

국민대학교 국어국문과를 졸업하고, 성균관대학교 대학원 한문고전번역협동과정을 수료하였다. 현재 한국고전번역원에 재직 중이다.

박지은

성균관대학교 한문교육과를 졸업하고, 동 대학원에서 한문고전번역협동과정을 수료하였다. 현재 한국고전번역원에 재직 중이다. 번역서로 『교점역해 정원고사』(공역, 2017)가 있다.

이정욱

성균관대학교 한문교육과를 졸업하고, 동 대학원 한문고전번역협동과정을 수료하였으며, 민족문화추진회(현 한국고전번역원) 부설 국역연수원 연수부와 일반연구부를 졸업하였다. 현재 한국고전번역원에 재직 중이다. 번역서로 『교감학개론』(공역, 2013), 『주석학개론』(공역, 2014), 『사고전서 이해의 첫걸음:사고제요서강소(四庫提要敍講疏)』(공역, 2016), 『북여요선』(2018) 등이 있다.

전형윤

충남대학교 한문학과를 졸업하고, 성균관대학교 대학원 한문고전번역협동과정을 수료하였다. 현재 전주대학교 고전학연구소에서 한문번역 연구원으로 재직 중이다. 주요 번역서로는 『국역 병산집』, 『국역 한포재집』, 『국역 서하집』, 『국역 성재유고』 등이 있다.

지금완

성균관대학교 한문교육과를 졸업하고, 동 대학원에서 한문고전번역학을 전공해 박사학위를 취득하였다. 민족문화추진회(현 한국고전번역원) 부설 국역연수원 연수부와 일반연구부 및 국사편찬위원회 초서고급과정을 수료하였다. 한국고전번역원 연구원으로 재직하였으며 서일대 등에서 강의 하였다. 주요 논문으로 「久菴 韓百謙의 方領深衣說 硏究」(한문고전연구 제29집, 2014), 「한백겸의 『구암유고』譯註」(박사학위논문, 2015)가 있고, 주요 번역서로 『서화잡지』(공역, 2016) 『국역 구암유고』(2016)등이 있다.

풍석문화재단은

풍석 서유구 선생의 뜻을 기리기 위해 설립된 공익재단이다.
현재 문화체육관광부의 "풍석학술진흥연구사업"을 통해
《임원경제지》 및 기타 풍석저술과 《임원경제지》 전통음식복원 및
현대화사업의 결과물들을 출판하고 있다.